S 숨마쿰라우데
[수능 국어 문제집]

긴지문
고난도
35회

신경향
비문학
워크북

이룸이앤비
Education & Books

●●●●● **이 책을 집필한 선생님들**

김철주 | 우성고
김효진 | 세교고
유은지 | 미림여고
안희진 | 서울사대부고

1판 2쇄 발행 2018년 3월 10일

펴낸이 이동준, 정재현
기획 및 편집 김기진, 김은수, 박영미
디자인 굿윌디자인

펴낸곳 (주)이룸이앤비
출판신고번호 제2009-000168호
주 소 서울시 강남구 논현로 16길 4-3 이룸빌딩 (우 06312)
대표전화 02-424-2410
팩 스 02-424-5006
홈페이지 www.erumenb.com

ISBN 978-89-5990-415-0

이 책을 펴내면서

"내 말은 스스로 새로운 문화를 만들어 내라는 뜻이야.
물론 사회의 규칙을 모두 무시하라는 뜻은 아니야.
예를 들면 나는 벌거벗은 채 돌아다니지도 않고,
신호등이 빨간불일 때는 반드시 멈춘다네.
작은 것들은 순종할 수 있지.
하지만 어떻게 생각할지, 어떤 가치를 중요하게 여길지 등
줄기가 큰 것들은 스스로 결정을 내려야 하네.
다른 사람이 — 혹은 사회가 — 우리 대신 그런 사항을 결정하게 내버려둘 순 없지."

– Mitch Albom의 「모리와 함께한 화요일」中

어른이 된다는 것, 한 사람이 온전한 인간이 된다는 것은
자신의 일에 스스로 결정을 내리고, 그 결정에 책임을 진다는 것입니다.
자신이 한 결정에 훗날 만족한 웃음을 지을 수 있도록
지금을 의미 있게 보내지 않으면 안 됩니다.

지혜롭고 용기 있는 젊음이 되십시오.

– 지은이들

최신 비문학(독서) 영역의 출제 경향

달라진 경향 1 – 2017학년도 수학능력시험

전체적으로 출제되는
지문의 수는 줄었지만
길어진 지문의 길이

많아진 문제 수

달라진 경향 2 – 2017년 3월 교육청 전국연합학력평가

과학+예술 '융합 지문'

많아진 문제의 수

풀이 시간이 길어지면서 체감 난이도 상승

본문 최신 경향을 반영한 긴지문 구성

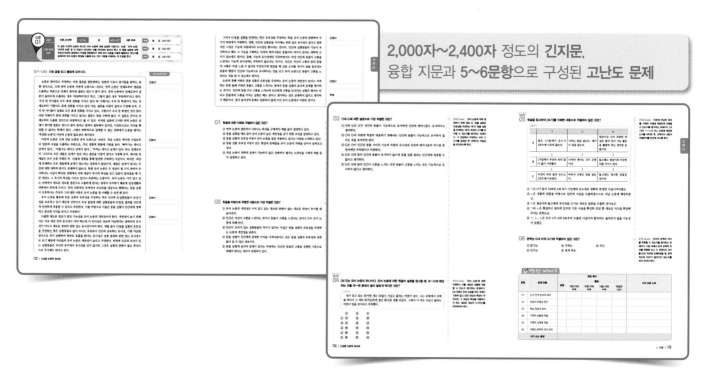

2,000자~2,400자 정도의 긴지문,
융합 지문과 5~6문항으로 구성된 고난도 문제

최신 출제 경향과 이 책의 구성과 특징

지문 〔해설〕 지문 분석만으로도 자기주도학습이 가능한 상세한 풀이

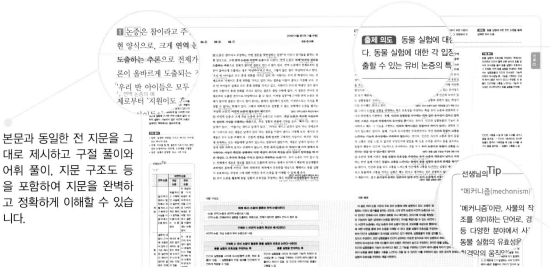

본문과 동일한 전 지문을 그대로 제시하고 구절 풀이와 어휘 풀이, 지문 구조도 등을 포함하여 지문을 완벽하고 정확하게 이해할 수 있습니다.

출제 의도를 통해 어떤 내용을 평가하기 위한 지문인지, 어떤 문제가 출제되었는지를 확인할 수 있습니다.

지문과 관련된 선생님의 Tip을 통해 지문을 이해하는 데 도움이 되는 배경지식을 제공하였습니다.

문제 〔해설〕 친절한 문제 해설과 선생님의 꿀 정보

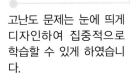

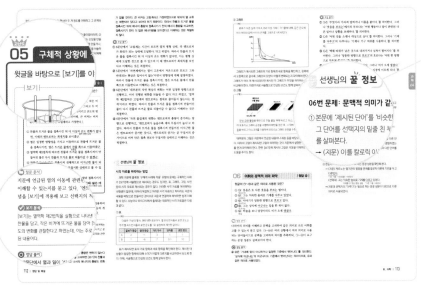

고난도 문제는 눈에 띄게 디자인하여 집중적으로 학습할 수 있게 하였습니다.

정답 풀이와 오답 풀이뿐만 아니라, 발문과 [보기]도 분석하여 문제를 깊이 있게 이해할 수 있습니다.

선생님의 꿀 정보를 통해 문제 풀이 방법이나 지문 독해 기술을 배울 수 있습니다.

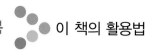

STEP 1 제한 시간 내에 문제를 푸는 연습을 하자.

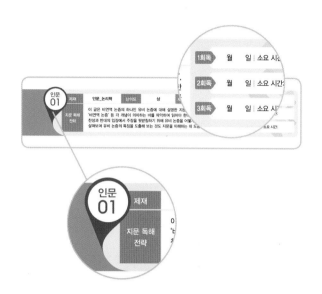

이 책에 실린 각 지문의 상단에는 왼쪽과 같은 표가 제시되어 있습니다. 이 표는 학생들에게 공부 지침을 제시하기 위한 것으로, 해당 지문이 어디에 속하는 **제재**인지, **난이도**는 어떠한지 등을 한눈에 확인할 수 있게 하였습니다.

제한 시간을 제시하여 정해진 시간 내에 문제를 풀어 내는 연습을 할 수 있게 하였습니다. 문제를 풀고, 복습하고, 복습 이후 다시 풀어 볼 때 활용할 수 있는 **3회독 표**에 회독별로 소요 시간을 기록함으로써 문제를 시간 내에 푸는 연습을 할 수 있습니다.

또, **지문 독해 전략**을 통해 지문을 독해하는 방법을 미리 확인함으로써 지문을 읽을 때 어떤 점에 중점을 두어야 하는지를 알 수 있게 하였습니다.

여기서 잠깐! 왜 3회독을 해야 할까요?
❶ 문제를 보는 눈이 생기기 때문입니다.
❷ 낯선 지문을 읽을 때 자신감이 생기기 때문입니다.
❸ 제재별·유형별로 자신만의 지문 독해 요령을 터득할 수 있기 때문입니다.

STEP 2 스스로 지문을 분석해 보자.

문단 요지와 주제 등을 스스로 찾아 써 봄으로써 지문을 분석하는 연습을 할 수 있습니다. 이는 모의고사나 수능을 볼 때 어려운 지문이 출제되더라도 당황하지 않고 지문을 독해할 수 있게 해 줍니다. 지문을 읽을 때에는 내용과 구조를 파악하여야 합니다. 즉, 각 문단·글 전체의 중심 화제와 중심 요지를 파악하며 읽고, 궁극적으로는 글의 주제를 파악해야 합니다.

접속어와 핵심 어휘, 중요 개념에는 자신이 알아볼 수 있는 기호와 밑줄을 활용함으로써 독해를 효율적으로 할 수 있습니다. 기호와 밑줄로 표시해 두면 문제를 풀 때에도 한눈에 지문을 파악할 수 있습니다.

여기서 잠깐! 어떻게 표시하면 효과적일까요?
❶ 밑줄: 중요한 내용이나 개념을 설명하는 부분에는 밑줄을 그어 둡니다. 문제 속 선택지의 근거를 찾을 때 도움이 됩니다.
❷ □, ○: 핵심 개념이나 중심 화제에 □나 ○ 등을 활용하여 표시해 둡니다. 선택지의 핵심어를 지문에서 빠르게 찾을 수 있습니다.
❸ △: 접속어(그러나, 그리고, 한편, 반면, 따라서 등)에 △를 표시해 둡니다. 문장이나 문단의 구조뿐 아니라, 대상을 비교하거나 대조할 때에도 유용합니다.
※ 위에서 언급한 기호는 예시이므로, 자신에게 익숙한 기호를 활용하여 표시를 해 둡니다.

이 책의 활용법

문제를 푼 후에는 맞았는지 여부만 확인할 것이 아니라, **약점 찾는 체크리스트**를 통해 문제의 유형을 파악하고, **정답 체크**에서 맞은 문제는 왜 맞았고 틀린 문제는 왜 틀렸는지를 반드시 확인하고 넘어가는 습관을 길러야 합니다.

맞은 문제의 경우, 그 문제의 정답을 어떻게 도출했는지를 다시 살펴야 합니다. 정답의 근거를 지문의 어느 부분에서 찾을 수 있는지를 확인해야 합니다. 만약 찍어서 맞은 경우라면 문제 우측의 문제 가이드를 참고하여 다시 문제를 풀어보는 연습을 해야 합니다. 정답의 근거를 스스로 찾았다면 '정답과 해설'을 참고하여 자신이 분석한 것이 맞는지 다시 살펴보고, 부족한 점이 있으면 다시 점검해야 합니다. 이렇게 하면 그 문제를 완전히 자신의 것으로 소화할 수 있습니다.

틀린 문제의 경우, 왜 틀렸는지를 먼저 분석해 보아야 합니다. 헷갈려서, 혹은 문제가 무엇을 묻는지를 파악하지 못해서 등 다양한 이유 때문에 문제를 틀리게 됩니다. 내가 틀린 이유를 명확히 분석한 후, **나의 오답 노트**에 간략하게 표시해 두고 문제를 다시 풀어 보아야 합니다. 이를 통해 오답의 근거는 적절한지 등을 점검한 후 '정답과 해설'을 참고하여 틀린 문제를 다시 명확히 파악하는 연습을 해야 합니다. 이렇게 틀린 문제를 분석하다 보면 점점 실수는 줄고, 실력은 쌓이며, 실제 시험에서 고득점을 얻을 수 있습니다.

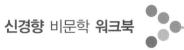

차례

[책 속의 책] 秘 서브노트 SUB NOTE

학습 계획표

첫 번째 방법 – '차례대로' 하루 2지문 18일 완성

학습 날짜			학습 내용	틀린 유형
01 Day	월	일	인문 01 ∣ 02	
02 Day	월	일	인문 03 ∣ 04	
03 Day	월	일	인문 05 ∣ 06	
04 Day	월	일	인문 07 ∣ 사회 01	
05 Day	월	일	사회 02 ∣ 03	
06 Day	월	일	사회 04 ∣ 05	
07 Day	월	일	사회 06 ∣ 07	
08 Day	월	일	과학 01 ∣ 02	
09 Day	월	일	과학 03 ∣ 04	
10 Day	월	일	과학 05 ∣ 06	
11 Day	월	일	과학 07 ∣ 기술 01	
12 Day	월	일	기술 02 ∣ 03	
13 Day	월	일	기술 04 ∣ 05	
14 Day	월	일	기술 06 ∣ 07	
15 Day	월	일	예술 01 ∣ 02	
16 Day	월	일	예술 03 ∣ 04	
17 Day	월	일	예술 05 ∣ 06	
18 Day	월	일	예술 07	

두 번째 방법 – '제재별로 섞어서' 하루 2지문 18일 완성

학습 날짜			학습 내용	틀린 유형
01 Day	월	일	인문 01 ∣ 사회 01	
02 Day	월	일	과학 01 ∣ 기술 01	
03 Day	월	일	예술 01 ∣ 인문 02	
04 Day	월	일	사회 02 ∣ 과학 02	
05 Day	월	일	기술 02 ∣ 예술 02	
06 Day	월	일	인문 03 ∣ 사회 03	
07 Day	월	일	과학 03 ∣ 기술 03	
08 Day	월	일	예술 03 ∣ 인문 04	
09 Day	월	일	사회 04 ∣ 과학 04	
10 Day	월	일	기술 04 ∣ 예술 04	
11 Day	월	일	인문 05 ∣ 사회 05	
12 Day	월	일	과학 05 ∣ 기술 05	
13 Day	월	일	예술 05 ∣ 인문 06	
14 Day	월	일	사회 06 ∣ 과학 06	
15 Day	월	일	기술 06 ∣ 예술 06	
16 Day	월	일	인문 07 ∣ 사회 07	
17 Day	월	일	과학 07 ∣ 기술 07	
18 Day	월	일	예술 07	

신경향 비문학 **워크북**

인문 분야의 지문은 인간의 다양한 사유, 경험, 사건 등을 대상으로 그 정신적 가치나 의미를
다루고 있다. 동서양의 고전부터 현대에 이르기까지 광범위한 범위의 역사, 사상, 철학, 윤리,
논리학, 심리학 등 다양한 분야가 포함된다.

I
인문

인문
01
제재 　인문_논리학　 난이도 　상　 제한 시간 　8분 30초　

1회독 ▶ 월 　일 | 소요 시간:
2회독 ▶ 월 　일 | 소요 시간:
3회독 ▶ 월 　일 | 소요 시간:

지문 독해
전략
이 글은 비연역 논증의 하나인 유비 논증에 대해 설명한 지문이다. '논증', '연역 논증', '비연역 논증' 등 각 개념이 의미하는 바를 파악하며 읽어야 한다. 또 동물 실험에 대한 찬성과 반대의 입장에서 주장을 뒷받침하기 위해 유비 논증을 어떻게 활용하고 있는지를 살펴보며 유비 논증의 특징을 도출해 보는 것도 지문을 이해하는 데 도움을 준다.

[01~06] 다음 글을 읽고 물음에 답하시오.

지문 분석 Note

　논증은 참이라고 주장하는 어떤 결론을 뒷받침하는 일련의 이유나 증거들을 밝히는 표현 양식으로, 크게 연역 논증과 비연역 논증으로 나뉜다. 연역 논증은 전제로부터 결론을 도출하는 추론으로 전제가 참이면 결론도 반드시 참이 된다. 연역 논증에서 전제로부터 결론이 올바르게 도출되는 경우 '타당하다'라고 하고, 그렇지 않은 경우 '부당하다'라고 한다. '우리 반 아이들은 모두 휴대 전화를 가지고 있다.'와 '지원이는 우리 반 학생이다.'라는 전제로부터 '지원이도 휴대 전화를 가지고 있다.'라는 결론을 이끌어 냈다고 가정해 보자. 우리 반 아이들이 실제로 모두 휴대 전화를 가지고 있고, 지원이가 우리 반 학생인 것이 참이라면 지원이가 휴대 전화를 가지고 있다는 결론도 참일 수밖에 없다. 이 결론은 주어진 전제로부터 도출된 것이므로 타당하다고 볼 수 있다. 이처럼 실증에 근거한 연역 논증은 전제가 참이면 결론도 반드시 참이 된다는 점에서 설득력이 있지만, 이것만으로는 지식을 확장할 수 없다는 한계가 있다. 그래서 과학적으로 설명할 수 없는 상태에서 논증을 펼치는 '부당한 논증'인 비연역 논증의 필요성이 제기된다.

　비연역 논증은 크게 귀납 논증과 유비 논증으로 나뉜다. 귀납 논증은 특수한 사실로부터 일반적 사실을 도출하는 추론으로, 주로 경험적 관찰에 기반을 둔다. '뻐꾸기는 새이고 날개가 있다.', '비둘기는 새이고 날개가 있다.', '까치는 새이고 날개가 있다.'라는 전제로부터 '그러므로 모든 새들은 날개가 있다.'라는 결론을 이끌어 냈다고 가정해 보자. 제시된 전제들은 모두 논증 주체의 직·간접적 경험을 통해 발견한 구체적인 사실이다. 하지만 세상에 존재하는 모든 새들에게 날개가 있는지는 검증되지 않았으며, 새들은 날개가 있다는 주장에 대한 과학적 증거도 존재하지 않는다. 한편 유비 논증은 두 대상이 몇 가지 점에서 유사하다는 사실이 확인된 상태에서 어떤 대상이 추가적 특성을 갖고 있음이 알려졌을 때 다른 대상도 그 추가적 특성을 가지고 있다고 추론하는 논증이다. 유비 논증은 이미 알고 있는 전제에서 새로운 정보를 결론으로 도출하게 된다는 점에서 유익하기 때문에 일상생활과 과학에서 흔하게 쓰인다. 특히 의학적인 목적에서 포유류를 대상으로 행해지는 동물 실험이 유효하다는 주장과 그에 대한 비판은 유비 논증을 잘 이해할 수 있게 해 준다.

　유비 논증을 활용해 동물 실험의 유효성을 주장하는 쪽은 인간과 ⓐ실험동물이 ⓑ유사성을 보유하고 있기 때문에 신약이나 독성 물질에 대한 실험동물의 ⓒ반응 결과를 인간에게 안전하게 적용할 수 있다고 추론한다. 이를 바탕으로 이들은 동물 실험이 인간에게 명백하고 중요한 이익을 준다고 주장한다.

　도출한 새로운 정보가 참일 가능성을 유비 논증의 개연성이라 한다. 개연성이 높기 위해서는 비교 대상 간의 유사성이 커야 하는데 이 유사성은 단순히 비슷하다는 점에서의 유사성이 아니고 새로운 정보와 관련 있는 유사성이어야 한다. 예를 들어 ㉠동물 실험의 유효성을 주장하는 쪽은 실험동물로 많이 쓰이는 포유류가 인간과 공유하는 유사성, 가령 비슷한 방식으로 피가 순환하며 허파로 호흡을 한다는 유사성은 실험 결과와 관련 있는 유사성으로 보기 때문에 자신들의 유비 논증은 개연성이 높다고 주장한다. 반면에 인간과 꼬리가 있는 실험동물은 꼬리의 유무에서 유사성을 갖지 않지만 그것은 실험과 관련이 없는 특성이므로 무시해도 된다고 본다.

1 문단:

2 문단:

3 문단:

4 문단:

그러나 ⓒ동물 실험을 반대하는 쪽은 유효성을 주장하는 쪽을 유비 논증과 관련하여 두 가지 측면에서 비판한다. 첫째, 인간과 실험동물 사이에는 위와 같은 유사성이 있다고 말하지만 그것은 기능적 차원에서의 유사성일 뿐이라는 것이다. 인간과 실험동물의 기능이 유사하다고 해도 그 기능을 구현하는 인과적 메커니즘은 동물마다 차이가 있다는 과학적 근거가 있는데도 말이다. 둘째, 기능적 유사성에만 주목하면서도 막상 인간과 동물이 고통을 느낀다는 기능적 유사성에는 주목하지 않는다는 것이다. 인간은 자신의 고통과 달리 동물의 고통은 직접 느낄 수 없지만 무엇인가에 맞았을 때 신음 소리를 내거나 몸을 움츠리는 동물의 행동이 인간과 기능적으로 유사하다는 것을 보고 유비 논증으로 동물이 고통을 느낀다는 것을 알 수 있는데도 말이다.

요컨대 첫째 비판은 동물 실험의 유효성을 주장하는 유비 논증의 개연성이 낮다고 지적하는 반면 둘째 비판은 동물도 고통을 느낀다는 점에서 동물 실험의 윤리적 문제를 제기하는 것이다. 인간과 동물 모두 고통을 느끼는데 인간에게 고통을 ⓒ끼치는 실험은 해서는 안 되고 동물에게 고통을 끼치는 실험은 해도 된다고 생각하는 것은 공평하지 않다고 생각하기 때문이다. 결국 윤리성의 문제도 일관되지 않게 쓰인 유비 논증에서 비롯된 것이다.

5 문단:

6 문단:

주제:

정답 및 해설 ○ 2쪽

01 윗글에 대한 이해로 적절하지 않은 것은?

① 연역 논증의 결론에서 나타나는 특성을 구체적인 예를 들어 설명하고 있다.
② 동물 실험을 예로 들어 유비 논증이 높은 개연성을 갖기 위한 조건을 설명하고 있다.
③ 동물 실험의 유효성 주장이 유비 논증을 잘못 적용하고 있다는 비판을 소개하고 있다.
④ 동물 실험 유효성 주장이 갖는 현실적 문제들을 유비 논증의 차원을 넘어서 살펴보고 있다.
⑤ 귀납 논증이 과학적 설명이 가능하지 않은 상태에서 펼치는 논증임을 구체적 예를 들어 설명하고 있다.

문제 Guide 글의 내용을 이해하고 논지 전개 방식을 파악할 수 있는지를 평가하는 문제이다. '논증', '동물 실험의 유효성 주장' 등의 핵심어나 핵심 어구를 설명하고 있는 문단을 찾은 후, 선택지의 내용이 적절한지 살펴보도록 한다.

02 윗글을 바탕으로 추론한 내용으로 가장 적절한 것은?

① 유비 논증의 개연성은 이미 알고 있는 정보와 관련이 없는 새로운 대상이 추가될 때 높아진다.
② 인간은 자신이 고통을 느낀다는 것이나 동물이 고통을 느낀다는 것이나 모두 유비 논증에 의해 안다.
③ 인간이 꼬리가 있는 실험동물과 차이가 있다는 사실은 동물 실험의 유효성을 주장하는 논증의 개연성을 낮춘다.
④ 동물 실험이 인간에게 중대한 이익을 가져다준다는 것은 동물 실험의 유효성과 상관없이 알 수 있는 정보이다.
⑤ 동물 실험에 윤리적 문제가 있다는 주장에는 인간과 동물의 고통을 공평한 기준으로 대해야 한다는 생각이 전제되어 있다.

문제 Guide 지문에서 언급된 개념을 파악한 후 확장된 개념을 적절히 추론할 수 있는지 평가하는 문제이다. '유비 논증의 개연성', '동물 실험에 윤리적 문제가 있다는 주장' 등의 핵심 내용이 지문의 어느 부분에 제시되어 있는지 살펴본 후, 선택지에 논리적인 비약은 없는지를 반드시 따져보아야 한다.

03 ㉠과 ㉡에 대한 설명으로 가장 적절한 것은?

① ㉠과 ㉡은 모두 인간과 동물이 기능적으로 유사하면 인과적 메커니즘도 유사하다고 생각한다.

② ㉠이 ㉡의 비판에 적절히 대응하기 위해서는 인간과 동물이 기능적으로 유사하지 않다는 것을 보여주면 된다.

③ ㉡은 ㉠이 인간과 동물 사이의 기능적 차원의 유사성과 인과적 메커니즘의 차이점 중 전자에만 주목한다고 비판한다.

④ ㉡은 ㉠과 달리 인간과 동물이 유사하지 않으면 동물 실험 결과는 인간에게 적용할 수 없다고 생각한다.

⑤ ㉡은 ㉠과 달리 인간이 고통을 느끼는 것과 동물이 고통을 느끼는 것은 기능적으로 유사하지 않다고 생각한다.

문제 Guide 유비 논증에 대해 설명하기 위해 예로 든 '동물 실험의 유효성을 주장하는 쪽'과 '동물 실험을 반대하는 쪽'의 주장과 근거를 파악할 수 있는지를 평가하는 문제이다. 각 입장에서 주장하는 바와 그 근거를 살펴본 후 선택지의 적절성을 판단하도록 한다.

04 [보기]는 유비 논증의 하나이다. 유비 논증에 대한 윗글의 설명을 참고할 때, ⓐ~ⓒ에 해당하는 것을 ㉮~㉣ 중에서 골라 알맞게 짝지은 것은?

┌─ 보기 ─────────────────────────────
내가 알고 있는 ㉮어떤 개는 ㉯몹시 사납고 물려는 버릇이 있다. 나는 공원에서 산책을 하다가 그 개와 ㉰비슷하게 생긴 ㉱다른 개를 만났다. 그래서 이 개도 사납고 물려는 버릇이 있을 것이라고 추측했다.
└────────────────────────────────────

	ⓐ	ⓑ	ⓒ
①	㉮	㉯	㉱
②	㉮	㉰	㉯
③	㉱	㉮	㉰
④	㉱	㉯	㉰
⑤	㉱	㉰	㉯

문제 Guide '유비 논증'에 대해 이해하고 이를 새로운 상황에 적용할 수 있는지 평가하는 문제이다. [보기]에서 유비 논증을 하는 주체가 기존에 알고 있던 대상과 특징이 무엇이며, 그 대상의 특징을 적용하고자 하는 새로운 대상이 누구인지를 파악하여야 한다.

05 윗글을 참고하여 [보기]를 이해한 내용으로 적절하지 <u>않은</u> 것은?

| 보기 |

	ㄱ	ㄴ	ㄷ
A	물은 1기압에서 온도가 100℃에 이르면 끓는다.	나비는 알을 낳는다. 매미도 알을 낳는다.	원숭이는 뇌가 복잡한 피질로 덮여 있어 지능 활동을 활발히 하는 영리한 동물이다.
	↓	↓	↓
B	1기압에서 주전자 속의 물이 끓기 시작했다.	나비와 매미는 모두 곤충이다.	돌고래도 원숭이와 비슷한 뇌를 가지고 있다.
	↓	↓	↓
C	주전자 속의 물의 온도는 100℃에 이르렀다.	따라서 곤충은 알을 낳는다.	돌고래도 영리한 동물일 것이다.

① ㄱ은 C가 참이 되려면 A와 B가 기압계와 온도계로 정확히 측정한 사실이어야겠군.
② ㄴ은 경험적 관찰을 바탕으로 일반적 사실을 도출하였으므로 귀납 논증에 해당하겠군.
③ ㄷ은 원숭이와 돌고래의 유사성을 근거로 새로운 결론을 도출한 것이로군.
④ ㄱ과 ㄴ은 확실하고 설득력 있지만 기존 사실을 확인한 것일 뿐 새로운 지식을 확장해 주지는 못하는군.
⑤ ㄱ, ㄴ, ㄷ은 모두 C가 A와 B로부터 도출된 사실이라 할지라도 올바르지 않을 가능성이 있겠군.

06 문맥상 ⓔ과 바꿔 쓰기에 적절하지 <u>않은</u> 것은?

① 맡기는　　② 가하는　　③ 주는
④ 안기는　　⑤ 겪게 하는

(우측 여백)

인문 01

문제 Guide　지문에 언급된 정보를 구체적 사례에 적용하여 이해할 수 있는지를 평가하는 문제이다. [보기]의 ㄱ~ㄷ이 어느 논증에 해당하는지를 파악한 후, 선택지의 내용이 적절한지를 판단해 보도록 한다.

문제 Guide　단어의 문맥적 의미를 추론할 수 있는지를 평가하는 문제이다. 지문 속에서 ⓔ의 문맥적 의미를 추측해 보고 각 선택지의 단어를 ⓔ의 자리에 교체하였을 때, 문맥적으로 의미가 달라지지 않는지를 따져 보아야 한다.

✔️ **약점 찾는 체크리스트**

문항	문제 유형	정답 체크					나의 오답 노트
		맞음	틀림				
			개념 이해 부족	유형 이해 부족	내용 이해 부족	헷갈림 /실수	
01	논지 전개 방식의 파악						
02	추론의 적절성 판단						
03	핵심 정보의 파악						
04	구체적 상황에 적용						
05	구체적 사례에 적용						
06	어휘의 문맥적 의미 파악						
	내가 쓰는 총평						

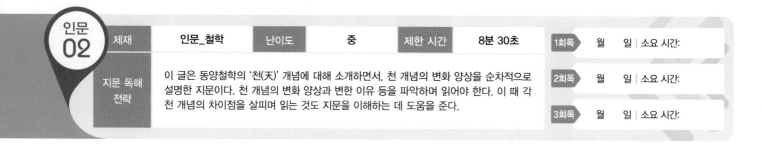

인문
02

| 제재 | 인문_철학 | 난이도 | 중 | 제한 시간 | 8분 30초 |

1회독	월	일	소요 시간:
2회독	월	일	소요 시간:
3회독	월	일	소요 시간:

지문 독해 전략

이 글은 동양철학의 '천(天)' 개념에 대해 소개하면서, 천 개념의 변화 양상을 순차적으로 설명한 지문이다. 천 개념의 변화 양상과 변한 이유 등을 파악하며 읽어야 한다. 이 때 각 천 개념의 차이점을 살피며 읽는 것도 지문을 이해하는 데 도움을 준다.

[01~06] 다음 글을 읽고 물음에 답하시오.

지문 분석 Note

동양에서 '천(天)'은 그 함의가 넓다. 모든 존재의 근거가 그것으로부터 말미암지 않는 것이 없다는 면에서 하나의 표본이었고, 모든 존재들이 자신의 생존을 영위하고 그 존재 가치와 의의를 실현하는 데도 그것의 이치와 범주를 벗어날 수 없다는 면에서 하나의 기준이었다. 이처럼 천은 인간 존재의 근본이며 인간이 존재하는 필연적인 세계였다. 그래서 현실 세계 안에서 인간의 삶을 모색하는 데 관심을 두었던 동양에서는 인간이 천을 어떻게 이해하느냐에 따라 삶의 길이 달리 설정되었을 만큼 천에 대한 이해가 다양하였다.

천은 자연현상 가운데 인간에게 가장 크게 영향을 미치는 것이자 가장 크고 뚜렷하게 파악되는 현상으로 여겨졌다. 농경을 주로 하는 문화적 특성상 자연현상과 기후의 변화를 파악하는 것이 중시된 만큼 천의 표면적인 모습 외에 작용 면에서 천을 파악하려는 경향이 ⓐ짙었다. 그래서 천은 자연적 현상과 작용 등을 포괄하는 '자연천(自然天)' 개념으로 자리를 잡았다. 자연천 개념 하에서는 번개가 치고 천둥이 치는 것도 기후 작용의 하나로서, 그 광경과 소리가 웅장하여 인간에게 두려움을 줄 수는 있으나 그것이 괴이하다거나 인간에게 내려지는 경고라는 의미는 주지 않았다. 그저 자연현상 중 하나로 생각되었다.

이러한 천 개념하에서 인간은 도덕적 자각이 없었을 뿐만 아니라 자연 변화의 원인과 의지도 알 수 없었다. 그러므로 인간의 힘으로는 어찌할 수 없는 하늘을 우러러보며 숭배하는 배천사상(拜天思想)이 예로부터 싹트게 되었다. 이처럼 천은 신성한 대상으로 간주되었고, 여러 자연신 가운데 하나로 생각되었다. 특히 상제(上帝)와 결부됨으로써 모든 것을 주재하는 절대적인 권능을 가진 '상제천(上帝天)' 개념이 자리 잡았다. 길흉화복을 주재하고 생사여탈권까지 관장하는 종교적인 의미로 그 성격이 변화한 것이다. 이러한 천관(天觀)은 하늘에 인격을 부여하는 것으로서, 하늘이 인간사의 모든 것을 주재한다는 의미로 '주재천(主宰天)'이라고도 한다. 자연천 개념에서는 가치중립적이었던 천이 의지를 가진 절대적 권능의 존재로 수용되면서 정치적인 개념으로 '천명(天命)'이 등장하였다. 그리고 통치자들은 천의 명령을 통해 통치권을 부여받았고, 천의 의지인 천명은 제사 등을 통해 통치자만 알 수 있는 것으로 규정되었다. 그리하여 천명은 통치자가 권력을 행사하고, 정권의 정통성을 보장하는 근거가 되었다.

그러나 독점적이고 배타적인 천명에 근거한 권력 행사는 부작용을 가져왔다. 도덕적 경계심이 결여된 통치자의 권력 행사는 백성에 대한 억압의 계기로 작용하였다. 어떤 통치자들은 권력이 천의 명령이라는 부정할 수 없는 근거를 무기로 통치권을 횡포를 저지르는 수단으로 사용하였으며, 이러한 상황에도 천의 명령을 받았기에 통치자는 교체될 수 없었다. 그러나 통치의 부작용이 심화됨에 따라 천에 대한 반성이 제기되었고, 도덕적 반성을 통해 천명 의식은 수정되었다. 그리고 '천은 명을 주었다가도 통치자가 정치를 잘못하면 언제나 그 명을 박탈해 간다.', '천은 백성들이 원하는 것을 들어준다.'는 생각이 현실화되었다. 천명은 계속 수용되었지만, 그것의 불변성, 독점성, 편파성 등은 수정되었고, 그 기저에는 도덕적 의미로서 '의리천(義理天)' 개념이 자리하였다.

상제로서의 천 개념이 개방되면서 주재적 측면이 도덕적 측면으로 수용되었고, '의리천' 개념은 더욱 심화되어 천은 인간의 도덕성과 규범의 근거로 받아들여졌다. 천을 인간 내면

1문단:

2문단:

3문단:

4문단:

5문단:

으로 끌어들여 인간 본성을 자연한 것이자 도덕적인 것으로 간주하였다. 천이 도덕 및 인간 본성과 결부됨에 따라 인간 내면에 있는 천으로서의 본성을 잘 발휘하면 도덕을 실현함은 물론, 천의 경지에 도달할 수 있다고 여겨졌다. 내면화된 천은 비도덕적 행위에 대한 제어 장치 역할을 하는 양심의 근거로도 수용되어 천의 도덕적 의미는 더욱 강조되었다. 천명 의식의 변화와 확장된 천 개념의 결합에 따라 천은 초월성과 내재성을 가진 존재로서 받아들여졌고, ㉠인간 행위의 자율성과 타율성을 이끌어 내는 기반이 되어 인간 삶의 중요한 근거로서 그 위상이 강화되었다.

천명 의식의 변화와 맞물려 천 개념은 동양철학자들에게 다양하게 받아들여졌다. 공자는 인(仁)을 논하면서 인격 도야를 통해 인간에게 내재된 본성이 천에 다가갈 수 있다고 하였다. 그러면서도 주재적인 천을 그대로 믿고, 하늘을 외경하는 태도를 견지하며 제자의 죽음 앞에서 운명적인 천명을 탄식하기도 하였다. 맹자 또한 성선설(性善說)을 강조하고 수양을 통한 천인합일을 강조하였지만, 천이 절대적인 권력을 가지고 인간의 대소사를 관장한다고 생각하며 경천(敬天)*하였고 제왕은 하늘의 명을 받은 사람이라는 정치적 천명사상을 논하였다. 반면 노자와 장자는 천의 도덕적 의의와 종교적 의의 대신 자연적 의의를 중시하여 천을 아무런 목적의식 없이 항상성을 가지고 움직이는 영구불변의 자연으로 파악하였다. 이처럼 천은 시대와 상황에 따라 그 개념이 변화해 왔고, 천 개념은 동양철학자들에게 다양하게 수용되면서 동양철학을 발전시키는 데 영향을 끼쳤다.

* 경천: 하늘을 우러르며 숭배함.

6문단:

주제:

정답 및 해설 ◎ 8쪽

01 윗글의 내용과 일치하지 <u>않는</u> 것은?

① 자연으로서의 천 개념에서는 천의 작용에 관심을 가졌다.
② 상제로서의 천 개념이 심화되면서 천은 인간 양심의 근거가 되었다.
③ 천은 인간에게 자연현상이자 도덕적 가치의 근원으로 받아들여졌다.
④ 동양에서는 천을 벗어난 인간의 존재 실현은 불가능하다고 생각하였다.
⑤ 천명 의식은 천이 절대적인 권능을 가지고 있다는 인식에서 비롯되었다.

> **문제 Guide** 지문의 내용을 이해하고 선택지의 내용과 비교하는 문제이다. 2~5문단에 제시된 '자연천', '상제천', '의리천' 등의 개념이 섞여서 제시되고 있으므로, 천 개념의 의미가 잘못 연결되어 있는 선택지를 찾아야 한다.

02 [보기]의 ㉮~㉺ 중, 윗글에서 중점적으로 다루고 있는 것은?

┤보기├

특정한 사상의 개념을 이해하기 위해서는 그 ㉮개념의 어원에서 출발하여 ㉯개념의 의미 변천, ㉰개념의 장단점과 ㉱현대적 적용 양상을 폭넓게 다룰 필요가 있다. 특히 개념에 대해 더욱 풍부하게 이해하기 위해서는 ㉲사상사 속에서 드러나는 주요한 쟁점이 표출하는 다양한 의식의 층위도 고찰해야 한다.

① ㉮   ② ㉯   ③ ㉰
④ ㉱   ⑤ ㉲

> **문제 Guide** 지문에서 중심 화제의 어떤 부분을 중점적으로 다루고 있는지 파악하는 문제이다. 지문의 전체 내용이 ㉮~㉺ 중 어디에 중점을 두고 있는지 생각해 보아야 한다.

03 ⊙에 대한 설명으로 적절하지 <u>않은</u> 것은?

① '자연천'에서는 인간 행위의 자율성이 부각된다.
② '상제천'에서 인간 행위의 타율성이 나타나기 시작한다.
③ '의리천'에서 인간 행위의 자율성이 잘 발휘되면 천의 경지에 도달할 수 있다.
④ 천 개념의 개방에 따라 인간 행위의 자율성이 인정되는 방향으로 나갔다.
⑤ 천명 의식이 달라짐에 따라 인간 행위의 자율성과 타율성의 양상이 변화하였다.

문제 Guide ⊙'인간 행위의 자율성과 타율성'이라는 특정한 기준에 비추어 각 천의 개념을 이해할 수 있는지 묻는 문제이다. 선택지에서 천 개념이 직접적으로 드러나지 않은 것은 어떤 천 개념을 말하는 것인지를 써 두고, 지문과 비교하면 문제를 푸는 시간을 줄이는 데 도움이 된다.

04 윗글의 천 개념에 해당하는 예를 [보기]에서 골라 바르게 묶은 것은?

┤보기├

ㄱ. 천은 크기로 보면 바깥이 없고, 운행이 초래하는 변화는 다함이 없다.
ㄴ. 만물의 생성과 변화를 살피면 그와 같이 되도록 주재하고 운용하는 존재가 있는 것으로 생각된다.
ㄷ. 인심이 돌아가는 곳은 곧 천명이 있는 곳이다. 그러므로 사람을 거스르고 천을 따르는 자는 없고, 사람을 따르고 천을 거스르는 자도 없다.
ㄹ. 이 세상 사물 가운데 털끝만큼 작은 것들까지 천이 내지 않은 것이 없다고들 한다. 대체 하늘이 어떻게 하나하나 명을 낸단 말인가? 천은 텅 비고 아득하여 아무런 조짐도 없으면서 저절로 되어 가도록 맡겨 둔다.

	자연천	상제천	의리천
①	ㄱ	ㄴ, ㄹ	ㄷ
②	ㄴ	ㄱ	ㄷ, ㄹ
③	ㄹ	ㄴ	ㄱ, ㄷ
④	ㄱ, ㄹ	ㄴ	ㄷ
⑤	ㄱ, ㄹ	ㄷ	ㄴ

문제 Guide 핵심 제재를 이해하고 사례를 적절히 분류할 수 있는지 평가하는 문제이다. [보기]에 제시된 예가 무엇을 의미하는지 파악한 후 각 천 개념에 연결시켜 보도록 한다.

05 [보기]는 천 개념에 대한 순자의 견해이다. 윗글과 [보기]를 고려하여 순자의 견해를 이해한 것으로 적절하지 <u>않은</u> 것은?

┤보기├

◇ 다스려지고 어지러워지는 것은 하늘에 달린 것인가? 해와 달과 별들의 상서로운 질서는 우임금 때나 걸왕 때나 똑같은데, 우임금 때에는 다스려지고 걸왕 때에는 어지러워졌으니, 다스려지고 어지러워지는 것은 하늘에 달린 것이 아니다.
◇ 하늘을 따라 칭송하는 것과 하늘의 움직임을 파악하여 이용하는 것과는 어느 것이 더 나은가? 때가 오기를 우러러보고 기다리는 것과 때를 잘 응용하여 그것을 잃지 않는 것과는 어느 것이 더 나은가?…… 그러므로 사람의 일을 놓아두고 하늘을 사모하면 만물의 실정을 잃게 되는 것이다.

① 공자, 맹자와 달리 천의 주재성에 반대한다.
② 노자, 장자와 마찬가지로 자연에는 질서와 법칙이 있음을 인정하고 있다.
③ 공자, 맹자와 마찬가지로 도덕성을 통해 천명을 알 수 있다고 생각하고 있다.
④ 노자, 장자와 달리 천의 이용에 대한 인간의 적극적인 노력과 실천을 요구한다.
⑤ 공자, 맹자와 달리 천과 인간을 합일하는 존재가 아니라 분리된 존재로 인식한다.

문제 Guide 지문에 언급된 사상가들의 견해와 [보기]에 나타난 순자의 견해를 비교하는 문제이다. [보기] 속 순자의 견해의 핵심을 파악하여 6문단에 나타난 다른 동양철학자들의 견해와 비교해 보아야 한다.

06 ⓐ와 가장 가까운 뜻으로 쓰인 것은?

① 폭우가 내릴 가능성이 짙어 건물 외벽을 점검했다.
② 짙게 탄 커피를 마시면 잠이 잘 안 온다.
③ 철수는 짙은 안개 속에서 길을 잃었다.
④ 정원에서 꽃향기가 짙게 풍겨 온다.
⑤ 해가 지고 어둠이 짙게 깔렸다.

○ 문제 Guide 다의어의 용례 중 같은 의미로 쓰인 경우를 찾는 문제이다. ⓐ의 문맥상 의미를 파악하고, 같은 의미로 활용한 선택지를 찾아야 한다.

인
문
02

✔ **약점 찾는 체크리스트**

문항	문제 유형	정답 체크					나의 오답 노트
		맞음	틀림				
			개념 이해 부족	유형 이해 부족	내용 이해 부족	헷갈림 /실수	
01	세부 정보의 이해						
02	중심 화제의 파악						
03	특정 기준에 따른 개념 이해						
04	구체적 사례에 적용						
05	다른 견해와의 비교						
06	다의어의 의미 파악						
	내가 쓰는 총평						

인문
03

| 제재 | 인문_역사 | 난이도 | 중상 | 제한 시간 | 8분 |

| 지문 독해 전략 | 이 글은 역사가 신채호의 사상을 '아'와 '자성', '연대'의 개념을 바탕으로 설명한 지문이다. 신채호의 사상을 이루는 요소인 소아와 대아, 아와 비아 등의 관계를 정확히 파악하면서 읽어야 한다. 또 그가 당시의 식민 지배를 어떻게 바라보았는지에 초점을 두어 읽는 것도 지문을 이해하는 데 도움을 준다. |

1회독	월	일	소요 시간:
2회독	월	일	소요 시간:
3회독	월	일	소요 시간:

[01~06] 다음 글을 읽고 물음에 답하시오.

지문 분석 Note

역사가 신채호는 역사를 아(我)와 비아(非我)의 투쟁 과정이라고 정의한 바 있다. 그가 무장 투쟁의 필요성을 역설한 독립 운동가이기도 했다는 사실 때문에, 그의 이러한 생각은 그를 투쟁만을 강조한 강경론자처럼 비춰지게 하곤 한다. 하지만 그는 식민지 민중과 제국주의 국가에서 제국주의를 반대하는 민중 간의 연대를 지향하기도 하였다. 그의 사상에서 투쟁과 연대는 모순되지 않는 요소였던 것이다. 이를 바르게 이해하기 위해서는 그의 사상의 핵심 개념인 '아'를 정확하게 이해할 필요가 있다.

1문단:

신채호의 사상에서 아란 자기 ㉠본위에서 자신을 ㉡자각하는 주체인 동시에 항상 나와 상대하고 있는 존재인 비아와 마주 선 주체를 의미한다. 자신을 자각하는 누구나 아가 될 수 있다는 상대성을 지니면서 또한 비아와의 관계 속에서 비로소 아가 생성된다는 상대성도 지닌다. 신채호는 조선 민족의 생존과 발전의 길을 모색하기 위해 『조선 상고사』를 저술하여 아의 이러한 특성을 규정하였다. 그는 아의 **자성(自性)**, 곧 '나의 나됨'은 스스로의 고유성을 유지하려는 항성(恒性)과 환경의 변화에 대응하여 적응하려는 변성(變性)이라는 두 요소로 이루어져 있다고 하였다. 아는 항성을 통해 아 자신에 대해 자각하며, 변성을 통해 비아와의 관계 속에서 자기의식을 갖게 되는 것으로 ㉢설정하였다. 그리고 자성이 시대와 환경에 따라 변화한다고 하였다.

2문단:

신채호는 아를 ⓐ소아와 ⓑ대아로 구별하였다. 그에 따르면, 소아는 개별화된 개인적 아이며, 대아는 국가와 사회 차원의 아이다. 소아는 자성은 갖지만 상속성(相續性)과 보편성(普遍性)을 갖지 못하는 반면, 대아는 자성을 갖고 상속성과 보편성을 가질 수 있다. 여기서 상속성이란 시간적 차원에서 아의 생명력이 지속되는 것을 뜻하며, 보편성이란 공간적 차원에서 아의 영향력이 ㉣파급되는 것을 뜻한다. 상속성과 보편성은 긴밀한 관계를 가지는데, 보편성의 확보를 통해 상속성이 실현되며 상속성의 유지를 통해 보편성이 실현된다. 대아가 자성을 자각한 이후, 항성과 변성의 조화를 통해 상속성과 보편성을 실현할 수 있다. 만약 대아의 항성이 크고 변성이 작으면 환경에 순응하지 못하여 멸절(滅絶)할 것이며, 항성이 작고 변성이 크면 환경에 주체적으로 대응하지 못하여 우월한 비아에게 정복당한다고 하였다.

3문단:

신채호는 개별 주체인 소아는 대아로 거듭나야 한다고 하였다. 이는 조선 민족이 사욕을 극복하고 민족적인 생존을 위해 일본의 제국주의 침략에 저항할 수 있는 실천적 주체가 되어야 한다는 것을 의미한다. 그는 소아 상태를 극복한 대아가 많아지면 일본 제국주의자를 비롯한 친일 세력 등 반민족 세력을 파괴할 수 있는 동력이 확장된다고 보았다. 그러나 신채호가 되어야 한다고 주장한 대아가 개별 주체의 존엄성이 소멸된 전체주의적 주체를 의미하는 것은 아니다. 그가 의미하는 대아란 소아의 상태를 극복하고 양심의 본연을 회복한 상태를 말하는 것이지, 개인의 존엄성을 도외시하거나 집단적 획일주의를 지향한 것은 아니기 때문이다. 따라서 신채호가 되어야 한다고 주장하는 대아는 옳고 그름을 올바르게 판단하고 그것을 실천하는 주체를 의미하는 것이라고 볼 수 있다.

4문단:

이러한 아의 개념을 통해 우리는 투쟁과 연대에 관한 신채호의 인식을 정확히 이해할 수 있다. 일본의 제국주의 침략에 ㉤직면하여 그는 신국민이라는 새로운 개념을 제시하고 조

5문단:

선 민족이 신국민이 될 때 민족 생존이 가능하다고 보았다. 신국민은 상속성과 보편성을 지닌 대아로서 역사적 주체 의식이라는 항성과 제국주의 국가에 대응하여 생긴 국가 정신이라는 변성을 갖춘 조선 민족의 근대적 대아에 해당한다. 또한 그는 일본을 중심으로 서구 열강에 대항하자는 동양주의에 반대하였다. 동양주의는 비아인 일본이 아가 되어 동양을 통합하는 길이기에, 조선 민족인 아의 생존이 위협받는다고 보았기 때문이다.

식민 지배가 심화될수록 일본에 동화되는 세력이 증가하면서 신채호는 아 개념을 더욱 명료화할 필요가 있었다. 이에 그는 조선 민중을 아의 중심에 놓으면서, 아에도 일본에 동화된 '아 속의 비아'가 있고, 일본이라는 비아에도 아와 연대할 수 있는 '비아 속의 아'가 있음을 밝혔다. 민중은 비아에 동화된 자들을 제외한 조선 민족을 의미한 것이었다. 그는 조선 민중을, 민족적인 생존과 자유 등 전체적인 삶을 선택하는 주체라는 점에서 대아와 동일시하였다. 즉, 신채호는 조선 민중을 대아가 가진 민족적인 의식을 지니고 있어 제국주의 국가의 이념에 매몰되지 않고, 자각된 주체성과 도덕성을 지니고 있어 민족 내부의 압제와 위선을 제거하고 참된 민족 생존과 번영을 달성할 수 있는 주체로 인식하였다. 그리고 제국주의 국가에서 제국주의를 반대하는 민중과의 연대를 통하여 부당한 폭력과 억압을 강제하는 제국주의에 함께 저항할 수 있는 주체로 보았다. 신채호가 인식한 민중은 민족 내부의 연대는 물론 세계적 차원의 민중 연대를 자각하고 실천할 수 있다는 점에서 국가적인 경계를 넘어설 수 있는 주체라고 볼 수 있다. 그는 이러한 민중 연대를 통해 '인류로서 인류를 억압하지 않는' 자유를 지향하였다.

6문단:

주제:

정답 및 해설 ◐ 14쪽

01 윗글에서 다룬 내용으로 적절하지 <u>않은</u> 것은?

① 신채호 사상의 핵심 개념에 대한 이해의 필요성
② 신채호 사상에서의 자성의 의미
③ 신채호가 밝힌 대아와 소아의 차이
④ 신채호 사상에서의 대아의 역사적 기원
⑤ 신채호가 지향한 민중 연대의 의의

문제 Guide 지문에 제시된 정보를 개괄적으로 파악할 수 있는지 평가하는 문제이다. 각 문단의 중심 내용이 일반화된 형태로 선택지에 제시되어 있으므로, 먼저 각 문단의 핵심 내용을 파악한 후 선택지의 적절성을 따져 보아야 한다.

02 윗글의 자성(自性) 에 관한 이해로 가장 적절한 것은?

① 자성을 갖춘 모든 아는 상속성과 보편성을 갖는다.
② 소아의 항성과 변성이 조화를 이루면, 상속성과 보편성이 모두 실현된다.
③ 대아의 항성이 작고 변성이 크면, 상속성은 실현되어도 보편성은 실현되지 않는다.
④ 항성과 변성이 조화를 이루지 못하면, 대아의 상속성과 보편성은 실현되지 않는다.
⑤ 소아의 항성이 크고 변성이 작으면, 상속성은 실현되어도 보편성은 실현되지 않는다.

문제 Guide 핵심 개념인 '자성'에 대해 이해하고 그 특성을 파악할 수 있는지를 평가하는 문제이다. 자성의 구성 요소와 요소들 간의 관계에 초점을 맞추어 선택지의 적절성을 판단해야 한다.

03 ⓐ와 ⓑ에 대한 설명으로 가장 적절한 것은?

① ⓐ는 시비 판단이 가능하고 그 판단을 실천으로 옮길 수 있는 존재이다.
② ⓑ는 비아에 동화된 자들과의 연대를 통해 제국주의에 저항하는 존재이다.
③ ⓐ는 ⓑ가 지닌 항성과 변성이 결여된 존재이므로 신국민에 포함될 수 없다.
④ ⓑ는 ⓐ가 지닌 존엄성을 도외시하고 전체주의를 지향하는 존재이다.
⑤ ⓐ가 ⓑ로 변화하는 것은 민족적인 생존을 위한 실천적 주체가 되는 것이다.

문제 Guide 핵심 개념인 '대아'와 '소아'의 특성을 정확하게 이해했는지를 확인하는 문제이다. ⓐ와 ⓑ가 가리키는 바가 무엇인지를 살펴보되, 선택지 중 ③~⑤가 ⓐ와 ⓑ의 특징을 연관 지어 서술하고 있으므로, ⓐ와 ⓑ의 관계를 파악하는데에 초점을 두어야 한다.

04 윗글에 대한 이해로 적절하지 않은 것은?

① 신채호가 『조선 상고사』를 쓴 것은, 대아인 조선 민족의 자성을 역사적으로 어떻게 유지·계승할 수 있는지 모색하기 위한 것이겠군.
② 신채호가 동양주의를 비판한 것은, 동양주의로 인해 아의 항성이 작아짐으로써 아의 자성을 유지하기 어렵게 될 것으로 보았기 때문이겠군.
③ 신채호가 신국민이라는 개념을 설정한 것은, 대아인 조선 민족이 시대적 환경에 대응하여 비아와의 연대를 통해 아의 생존을 꾀할 수 있다고 보았기 때문이겠군.
④ 신채호가 독립 투쟁을 한 것은, 비아인 일본 제국주의의 침략이 아의 상속성과 보편성 유지를 불가능하게 하기에 일본 제국주의와 투쟁해야 한다고 생각했기 때문이겠군.
⑤ 신채호가 제국주의 국가에서 제국주의를 반대하는 민중과 식민지 민중의 연대를 지향한 것은, 아가 비아 속의 아와 연대하여 억압을 이겨 내고 자유를 얻을 수 있다고 생각했기 때문이겠군.

문제 Guide 글을 읽고 신채호의 역사관을 이해할 수 있는지를 평가하는 문제이다. 선택지에 언급된 신채호의 역사관에서 중시되는 핵심 개념을 확인한 후 지문에서 해당 부분을 찾아 핵심 개념과 개념 간의 관계를 파악해야 한다.

05 윗글과 [보기]를 읽고 추론한 내용으로 적절하지 않은 것은?

┤보기├

이광수와 최남선은 서구적 근대성을 재생산한 일본의 문명화론을 보편이념으로 수용하여 타자의 관점을 스스로 내재화하였으며, 그 시선으로 주체를 단정하였다. 이광수는 민중은 지식인과 자본가들의 지도로 개조되어야 하는 우매한 존재이기 때문에 역사를 이끌어갈 근대적 민족 주체가 아니라고 보았다. 최남선은 주체의 정체성을 확립함으로써 타자에 맞서기 위해 소년과 청년을 설정하였으나, 이 역시 일본이라는 타자의 수용을 전제로 한 것이었다.

① 최남선이 설정한 소년과 청년은 타자에 맞서기 위한 존재라는 점에서 신채호 사상의 핵심인 '아'와 유사하다고 할 수 있다.
② 이광수는 민중을 민족의 생존과 번영을 달성할 수 있는 주체로 인식한 신채호의 관점을 수용하지 않을 것이다.
③ 신채호가 국가적인 경계를 넘어서는 민중 연대를 지향한 것은 최남선처럼 타자로서의 일본을 수용하고자 한 것이다.
④ 신채호는 민중이 민족 생존과 번영을 달성할 수 있다고 보았으므로 이광수처럼 민중을 개조의 대상으로 인식하지는 않았다.
⑤ 신채호는 최남선과 이광수가 타자의 관점을 내재화한 것은 환경에 주체적으로 대응하지 못했기 때문이라고 볼 것이다.

문제 Guide 다른 인물들의 역사 의식을 파악하고, 이를 신채호의 역사관과 관련지어 적절히 추론할 수 있는지를 평가하는 문제이다. 지문과 [보기]에 제시된 역사의식을 비교할 때에는 동일한 대상에 대한 각 사상가들의 관점의 차이에 주목하여야 한다.

06 ㉠~㉤의 사전적 의미로 적절하지 <u>않은</u> 것은?

① ㉠: 판단이나 행동에서 중심이 되는 기준.

② ㉡: 자기의 처지나 능력 따위를 스스로 깨달음.

③ ㉢: 여럿 가운데서 어떤 것을 뽑아 정함.

④ ㉣: 어떤 일의 여파나 영향이 다른 데로 미침.

⑤ ㉤: 어떠한 일이나 사물을 직접 당하거나 접함.

문제 Guide 어휘의 사전적 의미를 정확히 파악할 수 있는지 평가하는 문제이다. 어휘만 보고서는 의미를 파악하기 어렵다면 지문 속에서 어휘의 의미를 추측해 보도록 한다.

인문 03

✔ 약점 찾는 체크리스트

문항	문제 유형	정답 체크					나의 오답 노트
		맞음	틀림				
			개념 이해 부족	유형 이해 부족	내용 이해 부족	헷갈림 /실수	
01	개괄적 정보의 파악						
02	핵심 정보의 이해						
03	핵심 정보의 비교						
04	세부 정보의 이해와 추론						
05	추론의 적절성 판단						
06	어휘의 사전적 의미 파악						
	내가 쓰는 총평						

인문
04
제재 　인문_논리학　 난이도 　상　 제한 시간 　7분 40초　

1회독　월　일 | 소요 시간:
2회독　월　일 | 소요 시간:
3회독　월　일 | 소요 시간:

지문 독해
전략

이 글은 논리실증주의자와 포퍼의 지식에 대한 주장과 이를 반박한 콰인의 총체주의를 설명한 지문이다. 지식에 대한 각 학자들의 관점을 파악하고, 공통점이나 차이점을 도출할 수 있는지를 살피며 읽어야 한다. 또 콰인이 논리실증주의자와 포퍼의 주장을 어떻게 반박했는지를 정리하며 읽는 것도 지문을 이해하는 데 도움을 준다.

[01~05] 다음 글을 읽고 물음에 답하시오.

지문 분석 Note

　㉠논리실증주의자와 포퍼는 지식을 수학적 지식이나 논리학 지식처럼 경험과 무관한 것과 과학적 지식처럼 경험에 의존하는 것으로 구분한다. 그중 과학적 지식은 과학적 방법에 의해 누적된다고 주장한다. 가설은 과학적 지식의 후보가 되는 것인데, 그들은 가설로부터 논리적으로 도출된 예측을 관찰이나 실험 등의 경험을 통해 맞는지 틀리는지 판단함으로써 그 가설을 시험하는 과학적 방법을 제시한다. 논리실증주의자는 예측이 맞을 경우에, 포퍼는 예측이 틀리지 않는 한, 그 예측을 도출한 가설이 하나씩 새로운 지식으로 추가된다고 주장한다.

　하지만 ㉡콰인은 가설만 가지고서 예측을 논리적으로 도출할 수 없다고 본다. 예를 들어 ⓐ새로 발견된 금속 M은 열을 받으면 팽창한다는 가설만 가지고는 ⓑ열을 받은 M이 팽창할 것이라는 예측을 이끌어낼 수 없다. 먼저 지금까지 관찰한 모든 금속은 열을 받으면 팽창한다는 기존의 지식과 M에 열을 가했다는 조건 등이 필요하다. 이렇게 예측은 가설, 기존의 지식들, 여러 조건 등을 모두 합쳐야만 논리적으로 도출된다는 것이다. 그러므로 예측이 거짓으로 밝혀지면 정확히 무엇 때문에 예측에 실패한 것인지 알 수 없다는 것이다. 이로부터 콰인은 개별적인 가설뿐만 아니라 ⓒ기존의 지식들과 여러 조건 등을 모두 포함하는 전체 지식이 경험을 통한 시험의 대상이 된다는 총체주의를 제안한다.

　논리실증주의자와 포퍼는 수학적 지식이나 논리학 지식처럼 경험과 무관하게 참으로 판별되는 분석 명제와, 과학적 지식처럼 경험을 통해 참으로 판별되는 종합 명제를 서로 다른 종류라고 구분한다. 그러나 콰인은 총체주의를 정당화하기 위해 이 구분을 부정하는 논증을 다음과 같이 제시한다. 논리실증주의자와 포퍼의 구분에 따르면 "총각은 총각이다."와 같은 동어 반복 명제와, "총각은 미혼의 성인 남성이다."처럼 동어 반복 명제로 환원할 수 있는 것은 모두 분석 명제이다. 그런데 후자가 분석 명제인 까닭은 전자로 환원할 수 있기 때문이다. 이러한 환원이 가능한 것은 '총각'과 '미혼의 성인 남성'이 동의적 표현이기 때문인데 그게 왜 동의적 표현인지 물어보면, 이 둘을 서로 대체하더라도 명제의 참 또는 거짓이 바뀌지 않기 때문이라고 할 것이다. 하지만 이것만으로는 두 표현의 의미가 같다는 것을 보장하지 못해서, 동의적 표현은 언제나 반드시 대체 가능해야 한다는 필연성 개념에 다시 의존하게 된다. 이렇게 되면 동의적 표현이 동어 반복 명제로 환원 가능하게 하는 것이 되어, 필연성 개념은 다시 분석 명제 개념에 의존하게 되는 순환론에 빠진다. 따라서 콰인은 종합 명제와 구분되는 분석 명제가 존재한다는 주장은 근거가 없다는 결론에 ㉢도달한다.

　콰인은 분석 명제와 종합 명제로 지식을 엄격히 구분하는 대신, 경험과 직접 충돌하지 않는 중심부 지식과, 경험과 직접 충돌할 수 있는 주변부 지식을 상정한다. 경험과 직접 충돌하여 참과 거짓이 쉽게 바뀌는 주변부 지식과 달리 주변부 지식의 토대가 되는 중심부 지식은 상대적으로 견고하다. 그러나 이 둘의 경계를 명확히 나눌 수 없기 때문에, 콰인은 중심부 지식과 주변부 지식을 다른 종류라고 하지 않는다. 수학적 지식이나 논리학 지식은 중심부 지식의 한가운데에 있어 경험에서 가장 멀리 떨어져 있지만 그렇다고 경험과 무관한 것은 아니라는 것이다. 그런데 주변부 지식이 경험과 충돌하여 거짓으로 밝혀지면 전체 지식의 어느 부분을 수정해야 할지 고민하게 된다. 주변부 지식을 수정하면 전체 지식의 변화

가 크지 않지만 중심부 지식을 수정하면 관련된 다른 지식이 많기 때문에 전체 지식도 크게 변화하게 된다. 그래서 대부분의 경우에는 주변부 지식을 수정하는 쪽을 선택하겠지만 실용적 필요 때문에 중심부 지식을 수정하는 경우도 있다. 그리하여 콰인은 중심부 지식과 주변부 지식이 원칙적으로 모두 수정의 대상이 될 수 있고, 지식의 변화도 더 이상 개별적 지식이 단순히 누적되는 과정이 아니라고 주장한다.

총체주의는 특정 가설에 대해 제기되는 반박이 결정적인 것처럼 보이더라도 그 가설이 실용적으로 필요하다고 인정되면 언제든 그와 같은 반박을 피하는 방법을 강구하여 그 가설을 받아들일 수 있다. 그러나 총체주의는 "A이면서 동시에 A가 아닐 수는 없다."와 같은 논리학의 법칙처럼 아무도 의심하지 않는 지식은 분석 명제로 분류해야 하는 것이 아니냐는 비판에 답해야 하는 어려움이 있다.

5문단:

_____

주제:

_____

정답 및 해설 ○ 20쪽

01 윗글을 바탕으로 할 때, ㉠과 ㉡이 모두 '아니요'라고 답변할 질문은?

① 과학적 지식은 개별적으로 누적되는가?
② 경험을 통하지 않고 가설을 시험할 수 있는가?
③ 경험과 무관하게 참이 되는 지식이 존재하는가?
④ 예측은 가설로부터 논리적으로 도출될 수 있는가?
⑤ 수학적 지식과 과학적 지식은 종류가 다른 것인가?

문제 Guide 지문에 언급된 학자들의 입장을 파악하고 공통점을 도출할 수 있는지 평가하는 문제이다. 먼저 지식에 대해 학자들이 주장하고 있는 바가 무엇인지 파악한 후, 이를 바탕으로 각각의 입장에서 어떻게 답변할 수 있을지를 추론하여야 한다.

02 윗글에 대해 이해한 내용으로 가장 적절한 것은?

① 포퍼가 제시한 과학적 방법에 따르면, 예측이 틀리지 않았을 경우보다는 맞을 경우에 그 예측을 도출한 가설이 지식으로 인정된다.
② 논리실증주의자에 따르면, "총각은 미혼의 성인 남성이다."가 분석 명제인 것은 총각을 한 명 한 명 조사해 보니 모두 미혼의 성인 남성으로 밝혀졌기 때문이다.
③ 콰인은 관찰과 실험에 의존하는 지식이 관찰과 실험에 의존하지 않는 지식과 근본적으로 다르다고 한다.
④ 콰인은 분석 명제가 무엇인지는 동의적 표현이란 무엇인지에 의존하고, 다시 이는 필연성 개념에, 필연성 개념은 다시 분석 명제 개념에 의존한다고 본다.
⑤ 콰인은 어떤 명제에, 의미가 다를 뿐만 아니라 서로 대체할 경우 그 명제의 참 또는 거짓이 바뀌는 표현을 사용할 수 있으면, 그 명제는 동어 반복 명제라고 본다.

문제 Guide 전체적인 맥락에서 학자들 각각의 견해를 이해할 수 있는지를 평가하는 문제이다. 선택지에 언급된 학자와 그 학자에 대한 진술 내용이 적절히 연결되었는지를 따져 보아야 한다.

03 윗글을 바탕으로 총체주의의 입장에서 ⓐ~ⓒ에 대해 평가한 것으로 적절하지 <u>않은</u> 것은?

① ⓑ가 거짓으로 밝혀지더라도 그것이 ⓐ 때문이라고 단정하지 못하겠군.

② ⓑ가 거짓으로 밝혀지면 ⓒ의 어느 부분을 수정하느냐는 실용적 필요에 따라 달라지 겠군.

③ ⓑ는 ⓐ와 ⓒ로부터 논리적으로 도출된다고 하겠군.

④ ⓑ가 거짓으로 밝혀지면 ⓑ는 ⓒ의 주변부에서 경험과 직접 충돌한 것이라고 하겠군.

⑤ ⓑ가 거짓으로 밝혀지면 ⓒ를 수정하는 방법으로는 ⓐ를 받아들일 수 없다고 하겠군.

문제 Guide 핵심 개념을 이해하고 적절히 반응할 수 있는지를 평가하는 문제이다. 먼저 지문에 언급된 '총체주의'의 기본 입장을 이해하고, ⓐ~ⓒ 간의 관계를 파악해야 한다. 4개의 선택지가 'ⓑ가 거짓으로 밝혀지'는 것을 가정하고 있으므로, 이와 관련된 내용에 주목하여 선택지의 진술이 적절한지 판별해야 한다.

04 윗글의 총체주의에 대한 비판으로 가장 적절한 것은?

① 가설로부터 논리적으로 도출된 예측이 경험과 충돌하더라도 그 충돌 때문에 가설이 틀렸다고 할 수 없다.

② 논리학 지식이나 수학적 지식이 중심부 지식의 한가운데에 위치한다고 해서 경험과 무관한 것은 아니다.

③ 전체 지식은 어떤 결정적인 반박일지라도 피할 수 있기 때문에 수정 대상을 주변부 지식으로 한정하는 것은 잘못이다.

④ 중심부 지식을 수정하면 주변부 지식도 수정해야 하겠지만, 주변부 지식을 수정한다고 해서 중심부 지식을 수정해야 하는 것은 아니다.

⑤ 중심부 지식과 주변부 지식 간의 경계가 불분명하다 해도 중심부 지식 중에는 주변부 지식들과 종류가 다른 지식이 존재한다.

문제 Guide 총체주의에 대해 이해하고 적절히 비판할 수 있는지를 평가하는 문제이다. 지문에서 언급한 '총체주의'에 대해 살펴본 후 선택지의 적절성을 판단하되, 지문에 언급되지 않은 내용을 근거로 비판하지는 않았는지를 고려해야 한다.

05 문맥상 ⓒ과 바꿔 쓰기에 가장 적절한 것은?

① 잇따른다   ② 다다른다   ③ 봉착한다

④ 회귀한다   ⑤ 기인한다

○ 문제 Guide   단어의 문맥적 의미를 파악할 수 있는지를 평가하는 문제이다. 지문 속에서 ⓒ의 문맥적 의미를 추리한 후, 각 선택지의 단어를 ⓒ의 자리에 교체하였을 때, 그 의미가 달라지지 않는지 살펴보아야 한다.

✔ 약점 찾는 체크리스트

문항	문제 유형	정답 체크					나의 오답 노트
		맞음	틀림				
			개념 이해 부족	유형 이해 부족	내용 이해 부족	헷갈림 /실수	
01	세부 내용의 이해와 비교						
02	세부 내용의 파악						
03	반응의 적절성 판단						
04	비판적 이해의 적절성 판단						
05	어휘의 문맥적 의미 파악						
	내가 쓰는 총평						

인문
05

제재 　 인문_철학 　 난이도 　 중 　 제한 시간 　 8분

1회독 　 월 　 일 | 소요 시간:
2회독 　 월 　 일 | 소요 시간:
3회독 　 월 　 일 | 소요 시간:

지문 독해 전략 　 이 글은 혼란스러운 사회를 해결하기 위해 공자가 주장한 사상을 설명한 지문이다. 공자의 사상에서 핵심이 되는 개념인 '예', '정명', '소인', '군자' 등을 중심으로 글을 전개하고 있으므로, 각 문단의 핵심 개념을 파악하며 읽어야 한다. 또 각 개념들의 관계를 파악하며 읽는 것도 지문을 이해하는 데 도움을 준다.

[01~06] 다음 글을 읽고 물음에 답하시오.

지문 분석 Note

공자가 살았던 춘추 시대는 주나라 봉건제가 무너지고 제후국들이 주도권을 놓고 치열하게 전쟁을 일삼던 시기였다. 이러한 사회적 혼란을 극복하기 위한 방법으로 공자는 예(禮)를 제안하였다. 예란 인간의 도덕적 본성을 그 사회에 맞게 규범화한 것으로 단순히 신분적 차이를 드러내거나 행동을 타율적으로 규제하는 억압 장치는 아니었다. 예는 개인의 윤리 규범이면서 사회와 국가의 질서를 바로잡는 제도였으며, 인간관계를 올바르게 형성하는 사회적 장치였다.

공자는 예에 기반을 둔 정치는 정명(正名)에서 시작한다고 하며, 정명을 실현할 주체로서 군자를 제시하였다. 정명이란 '이름을 바로잡는다'라는 뜻으로, 다양한 사회적 관계 속에서 자신이 마땅히 해야 할 도리를 행하는 것을 의미한다. 군주는 군주다운 덕성을 갖추고 그에 ⓐ맞는 예를 실천해야 하며, 군주뿐만 아니라 신하, 부모 자식도 그러해야 한다. 만일 군주가 예에 의하지 아니하고 법과 형벌에 ⓑ기대어 정치를 한다면, 백성들은 형벌을 면하기 위해 법을 지킬 뿐, 무엇이 옳고 그른지 스스로 판단하려 하지 않는 문제가 생길 것이라고 공자는 보았다.

공자가 제시한 군자는 도덕적 인격을 완성하기 위해 애쓰는 사람이기도 하면서 자신의 도덕적 수양을 통해 예를 실현하는 사람이다. 원래 군자는 정치적 지배 계층을 ⓒ가리키는 말로 일반 서민을 가리키는 소인과 대비되는 개념이었다. 공자는 이러한 개념을 확장하여 군자와 소인을 도덕적으로도 구별하였다. 사리사욕에 ⓓ사로잡혀 자신의 이익과 욕심을 채우는 데만 몰두하는 소인과 도덕적 수양을 최우선으로 삼는 군자를 도덕적으로 차별화한 것이다. 군자는 이익을 따지기보다는 무엇이 옳고 그른지를 먼저 판단해야 한다고 하였다. 그리고 군자는 남들과 잘 어울리되 같아지지는 않는다고 하여 소인과 군자를 구분하였다. 소인은 남들과 같아지기는 잘하지만 남들과 어울리지는 못한다고 하였으며, 남과 같다면 자신의 존재 의미는 없게 된다. 자신이 참다운 가치가 있다면, 자신의 역할을 누구도 대신할 수 없어야 하는데, 군자는 그 역할을 충실히 하는 사람이다. 반대로 소인은 누구라도 그 사람을 대신할 수 있다고 하였다. 즉 남들과 참답게 어울린다는 것은 그 사람이 주체가 될 때만 가능한 것이다.

공자는 군주는 군자다운 성품을 지녀야 한다고 함으로써 정치적 지도자가 가져야 할 덕목으로 도덕적 수양과 실천을 강조하였다. 이는 공자가 당시 지배 계층에게 도덕적 본성을 요구했다는 점에서 큰 의미가 있다. 인간의 도덕적 본성에 근거한 정치를 시행해야 한다는 유학적 정치 이념을 제시한 것이기 때문이다. 또한 공자는 소인도 군자가 될 수 있다고 강조하여 사회 전반에 걸쳐 정명을 통한 예의 실천을 구현하고자 하였다.

공자는 군자가 되기 위해서는 항상 마음이 참되고 미더운 상태가 되도록 자신의 내면을 잘 ⓔ살피라고 하였다. 이렇게 도덕적 수양을 할 뿐만 아니라 옛 성현의 책을 읽고 육예(六藝)를 고루 익혀 다양한 학문적 소양을 갖춰야 한다고 하였다. 육예(六藝)는 공자가 제자들을 가르쳤던 예의범절·음악·활쏘기·말타기 또는 마차몰기·붓글씨·수학으로, 일종의 커리큘럼 같은 것이다. 즉, 공자는 몇 가지만을 잘 한다고 해서 훌륭한 인격과 능력을 갖춘 것이 아니라, 다양한 학문적 소양을 함께 갖추어야만 진정한 군자가 될 수 있다고 보

1문단:

2문단:

3문단:

4문단:

5문단:

앗다. 이를 통해 어느 한 가지 특정 분야에서 뛰어나기보다는 어떤 상황에서든 그에 맞는 제 역할을 다하는 사람이 되라고 독려하였다.

유학에서 말하는 이상적인 인간은 성인(聖人)이다. 공자도 자신을 성인이라고 자처하지 않았다. 성인은 도덕적 수양이 더 이상 필요 없는, '인간의 도덕적 본성'을 완성한 인격자를 가리키는데 언제 어디서건 인간의 도리를 벗어나는 일을 하지 않는 완전한 존재로 보았다. 따라서 군자는 일상생활에서의 도덕적 수양을 통해 성인의 경지에 도달할 것을 목표로 삼아야 한다고 하였다. 공자는 정치적 지도자뿐만 아니라 일반 서민의 지속적인 도덕적 수양을 통해 혼란스러운 당시의 세상을 이상적인 사회로 이끌고자 하였다.

주제:

정답 및 해설 ● 26쪽

01 윗글의 내용 전개 방식에 대한 설명으로 가장 적절한 것은?

① 특정 개념의 역사적 변천 과정을 소개하고 있다.
② 특정 현상을 바라보는 상반된 관점을 절충하고 있다.
③ 기존의 사상으로부터 새로운 사상을 이끌어 내고 있다.
④ 특정 사상에 대해 핵심 개념을 중심으로 설명하고 있다.
⑤ 현실에 대한 진단을 바탕으로 미래 상황을 예견하고 있다.

> 문제 Guide 글의 내용을 이해하고 전개 방식을 파악하는 문제이다. 부분이 아니라 전체적인 전개 방식을 살펴보아야 한다.

02 윗글의 내용과 일치하지 <u>않는</u> 것은?

① 공자가 살았던 시기는 제후국의 패권 경쟁이 심하던 시대였다.
② 공자는 군자의 개념을 확장하고 유학적 정치 이념을 제시하였다.
③ 공자는 예에 기반을 둔 정치를 실현할 주체로 군자를 제시하였다.
④ 공자는 다양한 학문적 소양을 군자가 갖추어야 할 요소로 보았다.
⑤ 공자는 도덕적 판단의 기준으로 법과 형벌의 중요성을 강조하였다.

> 문제 Guide 지문에 언급된 내용과 선택지의 내용이 일치하는지 확인하는 문제이다. 선택지의 핵심어를 표시한 뒤, 지문에서 언급되었던 부분을 찾아 그 내용과 일치하는지 판단해야 한다.

03 윗글에 나타난 '예(禮)'에 대한 설명으로 적절하지 <u>않은</u> 것은?

① 인간관계를 올바르게 형성하는 사회적 장치이다.
② 당시 사회의 혼란을 극복할 방법으로 제안되었다.
③ 인간의 도덕적 본성을 사회적으로 규범화한 것이다.
④ 사회 구성원의 신분적 평등 관계를 추구하는 규범이다.
⑤ 모든 계층에게 도덕성을 요구하는 규범으로 강조되었다.

○ **문제 Guide** 지문에서 언급된 '예'의 개념을 올바르게 이해하고 있는지 평가하는 문제이다. 지문에서 '예'를 다루고 있는 부분을 찾고, 그 부분을 중심으로 선택지의 적절성을 판단해야 한다.

04 윗글의 내용에 부합하는 것을 [보기]에서 고른 것은?

┌─보기├
ㄱ. 소인이 군자가 되면 인간의 도리를 벗어나는 법이 없다.
ㄴ. 군자는 완전한 인격체로서 유학에서 목표로 삼는 대상이다.
ㄷ. 소인도 도덕적 수양을 하고 학문적 소양을 갖추면 군자가 될 수 있다.
ㄹ. 군자는 어느 하나만 잘하기 보다는 다양한 상황에서 현명하게 대처할 수 있는 사람
    이다.
└──────

① ㄱ, ㄴ   ② ㄱ, ㄷ   ③ ㄴ, ㄷ
④ ㄴ, ㄹ   ⑤ ㄷ, ㄹ

○ **문제 Guide** '소인'과 '군자'에 대해 파악할 수 있는지 평가하는 문제이다. 3~6문단에 나타난 정보를 통해 선택지의 적절성을 판단해야 한다.

05 윗글의 내용을 [보기]와 관련지어 이해한 것으로 적절하지 <u>않은</u> 것은?

┌─보기├
　　유학자들이 인간을 보는 입장은 다음과 같다. 그들은 인간을 다양한 사회 관계 속에서 존재하는 '사회적 관계체'로 보았고, 이는 인간 개개인을 자신에게 주어진 역할과 의무를 다하며, 주변을 배려하는 '역할·의무·배려의 복합체'로 보는 입장으로 이어졌다. 이들은 인간이 자신이 속한 집단 속에서 타인과 원만한 관계를 맺고 유지하는 것에 최종적인 목표를 두는 존재라고 여겼다. 또한 인간을 이기적인 욕구와 감정을 덕에 맞추어 통제할 수 있으며 모든 책임을 자신에게 찾을 수 있는 '능동적 주체자'로 파악하였다. 그리고 유학자들은 인간을 누구나 가르침과 배움을 통해 덕을 이룰 수 있는 '무한한 가능체'로 간주하였다. 이와 관련하여 개체로서의 인간을 자신의 단점을 인정하고 배움을 통해 개선함으로써 자기 향상을 이룰 수 있는 '과정적이고 가변적인 존재'로 보았다.
└──────

① 공자가 말하는 '군자'는 주어진 역할과 의무를 충실히 수행한다는 점에서 '역할·의무·배려의 복합체'라고 할 수 있겠군.
② 공자가 말하는 '성인'은 스스로 이기적인 욕구와 감정을 통제하려고 노력한다는 점에서 '능동적 주체자'로 볼 수 있겠군.
③ 공자가 '소인'이 남들과 어울리지는 못한다는 점을 비판한 것은 '사회적 관계체'로서의 역할을 제대로 하지 못했기 때문이라고 할 수 있겠군.
④ 공자가 '소인'도 '군자'가 될 수 있다고 본 것은 인간을 가르침과 배움을 통해 덕을 이룰 수 있는 '무한한 가능체'로 보았기 때문이라고 할 수 있겠군.
⑤ 공자가 '군자'에게 '도덕적 수양'을 강조한 것은 인간을 자신의 단점을 인정하고 이를 개선할 수 있는 '과정적이고 가변적인 존재'로 보았기 때문이라 할 수 있겠군.

○ **문제 Guide** 지문의 핵심 개념인 '소인'과 '군자', '성인'의 특징을 이해하고, 그것이 [보기]의 유학자들이 가진 '인간'에 대한 견해와 어떠한 관련이 있는지 파악하는 문제이다. 지문의 소인과 군자, 성인의 특성을 파악한 후, [보기]의 인간과 연결지어 생각해야 한다.

06 ⓐ~ⓔ를 한자어로 바꾼 것으로 적절하지 <u>않은</u> 것은?

① ⓐ: 합당(合當)한

② ⓑ: 의거(依據)하여

③ ⓒ: 지칭(指稱)하는

④ ⓓ: 매수(買收)되어

⑤ ⓔ: 성찰(省察)하라고

문제 Guide　고유어와 한자어의 의미를 파악할 수 있는지 평가하는 문제이다. 지문에 표시된 ⓐ~ⓔ에 선택지를 넣어 보고 자연스러운지를 판단해야 한다.

인
문
05

☑ 약점 찾는 체크리스트

문항	문제 유형	정답 체크					나의 오답 노트
		맞음	틀림				
			개념 이해 부족	유형 이해 부족	내용 이해 부족	헷갈림 /실수	
01	내용 전개 방식의 파악						
02	세부 내용의 이해						
03	핵심 정보의 이해						
04	핵심 정보의 비교						
05	자료 해석의 적절성 판단						
06	한자어의 의미 파악						
	내가 쓰는 총평						

[01~06] 다음 글을 읽고 물음에 답하시오.

지문 분석 Note

불안은 어떤 위협을 받거나 위험에 처했을 때 누구나 경험하는 정서 상태이다. 불안해지면 교감신경계의 활동 증가로 혈압이 상승하고 땀이 나며 호흡과 심장박동이 빨라지는 등 신체 생리적 증상이 나타나고, 걱정이나 두려움 등의 감정이 @수반된다. 이러한 불안은 불쾌한 심리이지만, 위협이나 위험에서 자신을 보호하기 위해 경계 태세를 취하게 하는 적응적인 반응이다. 따라서 현실적인 위협이나 위험의 상황에서 느끼는 불안은 자연스러운 심리적 반응이며, 정상적인 불안이라고 할 수 있다. 그러나 불안할 이유가 없는데도 불안해지거나 그 정도가 심하여 일상생활에 문제가 된다면 병적인 불안, 즉 불안 장애라고 할 수 있다. 대표적인 불안 장애에는 공황 장애와 강박 장애가 있다.

㉮공황 장애는 갑작스럽게 강한 공포감 혹은 불안에 휩싸여 금방 죽을 것 같은 위급함을 경험하는 공황 발작이 주요 증상으로 나타나는 불안 장애이다. 공황 발작이 일어나면 자율신경계가 극도로 항진되어 호흡이 곤란하고, 가슴이 심하게 뛰며, 현기증이 나고, 죽거나 자제력을 완전히 잃을 것 같은 극심한 공포감을 느끼게 되는데, 보통 몇 분간 지속된다. 공황 장애는 예기치 못한 공황 발작이 반복되는 것인데, 발작이 없을 때에도 재발 및 공황 발작의 결과에 대한 걱정을 계속하게 되고 부적응적인 행동 변화를 보이게 된다.

공황 장애는 ㉠광장공포증이 있는 공황 장애와 광장공포증이 없는 공황 장애로 구분된다. 광장공포증은 사람이 많은 장소나 상황에 대한 공포를 보이는 것으로, 사람이 많은 장소에서 예기치 않은 공황 발작을 경험한 사람이 이로 인해 창피를 당할 수 있는 장소나 상황을 ⓑ회피하게 되는 것이 광장공포증이 있는 공황 장애이다. 반면에 광장공포증이 없는 공황 장애는 발작을 두려워하면서도 그저 참고 지내면서, 광장공포증이 아닌 다른 회피 증상을 보이는 것이다. 즉 발작이 시작될 때와 비슷한 생리적 각성을 불러일으키는 상황, 예를 들면 운동, 사우나, 공포 영화 관람, 격렬한 토론 등을 피하는 것이다.

공황 장애의 치료에는 약물 치료와 심리 치료가 있다. 약물 치료는 삼환계 항우울제, 벤조다이아제핀 등을 복용하는 것으로, 삼환계 항우울제 중 하나인 이미프라민은 현기증, 구강 건조 등의 강한 부작용이 있지만 이것을 견디는 사람에게는 공황 장애와 불안을 감소시키는 데 효과적이다. 또 벤조다이아제핀 중 하나인 알프라졸람은 효과가 빠르고 복용하기 쉬우나, 다량을 복용해야 하고 의존성과 중독성이 강하다. 그런데 약물 치료는 약물을 ⓒ복용하는 것을 중단하면 재발률이 높아진다는 단점이 있다. 공황 장애의 심리 치료에는 노출 기법, 불안 대처 기법, 공황 통제 치료 등이 있다. 노출 기법은 환자를 가장 공포를 적게 느끼는 상황에서부터 가장 극심한 공포를 느끼는 상황에까지 단계적으로 직면 또는 접근하도록 반복해 실제 공포 상황과 점차 가까워지도록 하는 것이다. 또한 불안 대처 기법은 복식 호흡 훈련이나 근육이나 정신을 편안하게 만드는 긴장 이완 훈련을 통해 불안에 대처하도록 하는 것이다. 그리고 공황 통제 치료는 공황 발작을 특정 신체감각에 학습된 경계 반응으로 보고, 이 특정 신체감각과 경계 반응 간의 연결을 끊고자 하는 것이다.

㉯강박 장애는 원하지 않는 생각이나 행동을 반복하게 되는 불안 장애로, 강박관념과 강박 행동 두 양상으로 나타난다. 강박관념은 개인이 저항하고 싶지만 계속적으로 침범해 들어오는 불합리한 사고를 말하며, 고통스러운 생각이나 충동 등이 반복되는 것이다. 그리

고 강박 행동은 불안을 감소시키기 위해 반복적으로 나타내는 행동으로, 강박관념을 억압하거나 강박관념과 관련된 위험한 사태를 ⓓ예방하기 위해 고안된 행동들이다. 강박 행동을 하면 일시적으로 불안을 감소시키나, 하지 않으면 불안이 증가되는 경향이 있다.

강박 장애는 세 가지 유형으로 구분되는데, 첫째는 순수 강박관념형이다. 이는 내면적인 강박관념만 지니고 강박 행동은 하지 않는 경우로, 도덕관념과 ⓔ배치되는 비윤리적인 상상 등 불편한 생각이 자꾸 떠올라 무기력하게 괴로워하거나 마치 내면적 논쟁을 하듯이 대응하는 경우이다. 둘째는 내현적 강박 행동형으로, 강박관념과 더불어 마음속으로 숫자를 세거나 기도를 하거나 어떤 단어를 반복적으로 외우는 등 겉으로 관찰되지 않는 내면적 강박 행동만을 지니는 경우이다. 셋째는 외현적 강박 행동형으로, 강박관념과 더불어 겉으로 드러나는 강박 행동, 즉 문을 잠갔는지 반복적으로 확인하거나 손에 병균이 묻은 것 같아 하루에 수십 번씩 손을 씻는 경우이다.

강박 장애를 약물로 치료할 때에는 세로토닌 재흡수 억제제가 주로 사용되는데, 그 중 플루오세틴은 강박 장애 환자의 증상 완화에 도움이 되지만, 약물 복용을 중단할 경우 증상이 재발된다. 강박 장애에 가장 효과적인 심리 치료 방법은 노출 및 반응 저지법으로, 환자를 그들이 두려워하는 자극이나 사고에 노출시키되 강박 행동을 하지 못하게 막는 것이다. 이를 통해 두려워하는 자극과 사고를 강박 행동 없이 견디는 둔감화 효과가 나타나고, 강박 행동을 하지 않아도 두려워하는 결과가 나타나지 않는다는 것을 학습하게 된다.

현대인은 급격한 변화와 치열한 경쟁 속에서 살아가기 때문에 누구나 불안 장애를 겪을 위험에 노출되어 있다고 해도 과언이 아니다. 따라서 행복하고 건강한 삶을 위해서는 불안 장애에 대해 이해하고 이를 예방하고 치료하고자 적극적으로 노력해야 한다.

6문단:

7문단:

8문단:

주제:

정답 및 해설 ● 32쪽

인문
06

01 윗글에 대한 설명으로 가장 적절한 것은?

① 대상이 일어나는 원인을 밝히고 미래 상황을 예측하고 있다.
② 대상이 변화하는 과정을 설명하고 그 이유를 분석하고 있다.
③ 대상의 개념을 설명하고 그 종류와 해결 방안을 제시하고 있다.
④ 대상에 대한 다양한 견해를 소개하고 그 견해들을 비교하고 있다.
⑤ 대상을 바라보는 상반된 의견을 제시하고 대상의 의의를 설명하고 있다.

문제 Guide 지문을 이해하고 내용 전개 방식을 파악할 수 있는지 평가하는 문제이다. 두 개의 중심 화제를 병렬적으로 제시하고 있으므로, 각 화제를 전개하고 있는 공통적인 방식을 찾아야 한다.

02 윗글에서 알 수 있는 내용으로 적절하지 않은 것은?

① 불안 장애는 현대인이라면 누구나 겪을 가능성이 있다.
② 불안할 때 나타나는 신체 생리적 증상은 교감신경계와 관련이 있다.
③ 일상생활에 문제가 될 정도로 과도한 불안은 불안 장애라고 할 수 있다.
④ 극심한 공포감을 주는 공황 발작은 대부분 장시간 지속되는 경향이 있다.
⑤ 불안은 자신을 위험으로부터 안전하게 보전하도록 돕는 순기능을 갖고 있다.

문제 Guide 지문의 세부 정보를 파악할 수 있는지 평가하는 문제이다. 선택지의 핵심어를 찾고, 이를 다루고 있는 문단으로 찾아가서 선택지와 지문이 일치하는지를 확인해야 한다.

03 ㉮와 ㉯의 치료에 대한 설명으로 가장 적절한 것은?

① ㉮와 달리 ㉯는 불안을 느끼는 상황에 노출시키는 치료법을 사용한다.
② ㉮와 달리 ㉯는 약물 치료를 중단하면 그 증상이 재발되는 현상이 나타난다.
③ ㉮와 달리 ㉯는 신체감각과 반응 간의 학습된 연결을 끊는 치료법을 사용한다.
④ ㉯와 달리 ㉮는 효과가 빠르고 복용하기 쉬운 알프라졸람을 약물 치료에 사용한다.
⑤ ㉯와 달리 ㉮는 세로토닌 재흡수 억제제 중 플루오세틴을 약물 치료에 사용하면 증상이 완화된다.

문제 Guide 핵심 정보를 정확히 이해했는지를 평가하는 문제이다. '공황 장애'와 '강박 장애'의 치료법에 대해 설명하고 있는 4문단과 7문단을 중심으로 선택지가 적절한지 살펴보아야 한다.

04 윗글의 ㉠과 [보기]의 ㉡에 대한 이해로 가장 적절한 것은?

| 보기 |

특정 공포증은 명확히 구분할 수 있는 대상이나 상황에 대한 현저하고 지속적인 공포를 말한다. 그 중 ㉡상황형 공포증은 공포가 대중교통, 터널, 교각, 엘리베이터, 비행기, 폐쇄된 공간 등의 특수한 상황에 의해 유발되는 공포증이다. 이는 예기치 못한 발작이 선행되지 않아도 나타나며, 비슷한 상황보다는 특정한 상황에서만 공포를 느낀다는 특징이 있다. 예를 들어 엘리베이터에 공포를 느끼는 사람은 엘리베이터 안에 갇히거나, 그곳에서 숨을 못 쉬게 될 것을 두려워하여 고층에 있는 직장을 걸어서 다니든지 아예 직장을 엘리베이터가 없는 곳으로 옮기는 등의 회피 양상을 보이는데, 다른 밀폐된 공간에서는 이러한 증상을 보이지 않는다.

① ㉠과 달리 ㉡은 사람이 많은 곳에서 증상이 나타나는 질병이다.
② ㉠과 달리 ㉡은 장소나 상황에 대한 회피 증상을 보이는 질병이다.
③ ㉠과 달리 ㉡은 공포를 유발하는 유사한 환경에서도 증상이 일어나는 질병이다.
④ ㉡과 달리 ㉠은 예기치 못한 발작을 경험한 후 발병하는 질병이다.
⑤ ㉡과 달리 ㉠은 예상되는 불안이나 두려움 때문에 고통 받는 질병이다.

문제 Guide 지문과 [보기]에 제시된 핵심 정보를 비교하여 이해할 수 있는지를 평가하는 문제이다. '광장공포증이 있는 공황 장애'와 '상황형 공포증'의 특징을 파악한 후 차이점을 중심으로 비교해 보도록 한다.

05 윗글을 읽고 [보기]에 대해 보인 반응으로 적절하지 않은 것은?

> **보기**
> - A씨는 직장에서 일을 하는 동안 주변 사람들을 공격하고 싶은 생각이 자꾸 든다. 이를 잊기 위해 2의 배수를 1000까지 소리 내지 않고 속으로 세는 것을 반복하느라고 직장 생활에 어려움을 겪고 있다.
> - B씨는 길을 가다가 쓰레기차를 보게 되면 차를 접촉하지 않고 본 것만으로도 세균이 묻은 것 같은 찜찜한 생각이 든다. 그래서 집에 돌아와서 손을 500번 이상 씻고 입었던 옷을 모두 벗어 10여 차례씩 세탁한다.

① A씨가 2의 배수를 세는 행동을 하지 않으면 불안이 증가하겠군.
② A씨는 내면적인 강박관념만을 지닌 순수 강박관념형이라고 할 수 있군.
③ A씨가 플루오세틴을 복용하면 강박 장애의 증상이 완화되는 효과를 거두겠군.
④ B씨는 겉으로 드러나는 강박 행동을 하는 외현적 강박 행동형이라고 할 수 있군.
⑤ B씨에게는 쓰레기차를 본 후 손을 씻지 못하게 막는 방법이 효과적인 치료법이겠군.

문제 Guide 지문에서 설명한 내용을 구체적인 상황에 적용해 보는 문제이다. 지문을 바탕으로 [보기]의 'A씨'와 'B씨'가 어떤 종류의 불안 장애 증상을 보이고 있는지 파악한 후 각 장애의 특징과 종류, 치료법 등을 확인해 선택지와 비교해야 한다.

인문 06

06 ⓐ~ⓔ를 사용하여 만든 문장으로 적절하지 않은 것은?

① ⓐ: 무분별한 산업 개발은 환경 파괴가 수반된다.
② ⓑ: 일반적으로 채무자는 채권자를 회피하는 경향이 있다.
③ ⓒ: 샘물을 끓이지 않고 복용하여 배탈이 났다.
④ ⓓ: 사용하지 않는 콘센트는 안전 커버를 씌워 두면 감전 사고를 예방할 수 있다.
⑤ ⓔ: 그의 주장은 헌법에 정면으로 배치되는 의견이었다.

문제 Guide 어휘의 쓰임을 이해하고 적절성을 파악할 수 있는지 평가하는 문제이다. 어휘의 의미와 해당 어휘가 어떤 상황에서 사용할 수 있는지를 파악해야 한다.

✔ 약점 찾는 체크리스트

문항	문제 유형	정답 체크					나의 오답 노트
		맞음	틀림				
			개념 이해 부족	유형 이해 부족	내용 이해 부족	헷갈림 /실수	
01	내용 전개 방식의 파악						
02	세부 정보의 이해						
03	핵심 정보의 파악						
04	핵심 정보의 비교						
05	구체적 상황에 적용						
06	어휘 활용의 적절성 판단						
	내가 쓰는 총평						

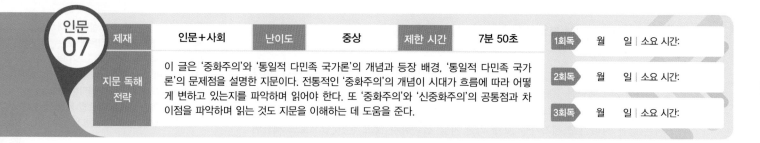

인문 07

제재 | 인문+사회 | 난이도 | 중상 | 제한 시간 | 7분 50초

지문 독해 전략 | 이 글은 '중화주의'와 '통일적 다민족 국가론'의 개념과 등장 배경, '통일적 다민족 국가론'의 문제점을 설명한 지문이다. 전통적인 '중화주의'의 개념이 시대가 흐름에 따라 어떻게 변하고 있는지를 파악하며 읽어야 한다. 또 '중화주의'와 '신중화주의'의 공통점과 차이점을 파악하며 읽는 것도 지문을 이해하는 데 도움을 준다.

1회독 | 월 일 | 소요 시간:
2회독 | 월 일 | 소요 시간:
3회독 | 월 일 | 소요 시간:

[01~05] 다음 글을 읽고 물음에 답하시오.

지문 분석 Note

1문단:

2문단:

3문단:

4문단:

5문단:

6문단:

　오늘날 중국은 대외적으로는 주변 국가와의 역사·영토의 귀속권을 둘러싼 분쟁에서 우위를 차지하고, 내부적으로는 하나의 중국을 만드는 사회적 흐름을 ⓐ조성하기 위한 전략으로 중국 내 역사학계를 통해 '통일적 다민족 국가론'이라는 이론적 틀을 제시하였다. 이는 '신중화주의'라는 말로 잘 알려져 있는데, 과거 중국의 내외를 통치하는 이념으로 ⓑ통용된 '중화주의'와는 다른 의미를 가진다.

　'중화주의'는 '중화' 이외에는 '이적'이라며 천시하고 배척하는 관념으로 '화이사상' 또는 '화이론'이라고도 한다. '중'은 '중앙'이라는 뜻이며, '화'는 '문화'라는 뜻으로, '중화'는 자신들이 온 천하의 중심이면서 가장 발달한 문화를 가지고 있다는 의식을 나타낸다. 이는 전국 시대부터 진·한 시대 이전에 정치적 통일 과정과 유교적 덕치주의 이론의 정비 과정이 서로 맞물리면서 형성되었고, 주변국에 대한 책봉·조공 체제의 논리, 그리고 중국 왕조의 정치적·경제적·군사적인 우월감 등이 모두 포함되었다. 이때까지 '화'와 '이'를 나누는 기준은 민족적 혈연보다는 중원에서의 주도권과 중원 문화를 지녔느냐의 여부였다.

　그러던 것이 진·한 시대에는 우열 관계에 입각한 민족적, 문화적 구별이 점차 분명해져 '화'와 '이'는 각각 중국 문명이 발달한 민족과 발달하지 못한 민족이라는 의식이 자리 잡게 되었다. 이후에는 한족이 통치권을 잡게 되면서 중국은 한족 왕조가 통치하는 모든 영토를 지칭하게 되었고 발달한 문화를 가지고 있느냐가 '화'와 '이'를 구별하는 관념이 되었다.

　그러나 송·요·금 시대에 이르러 한족이 아니라 비(非)한족이 세운 국가들이 자신을 정통이라고 주장하면서 '화'와 '이'의 구분이 모호해지기 시작했다. 원 시대에는 원을 비롯하여 송·요·금·서하 모두가 '중화'로 ⓒ간주되었고, 이후 청 시대에는 청이 자신들을 중화의 정통 계승자로 자임하고 몽골·대만까지 중국으로 포함하였다. 특히 한족 지식인조차 청을 중국의 합법적인 정부로 승인하여 중화의 정통으로 여기게 되었다. 이 시기에 화이론이 붕괴되지 않고 명맥을 유지할 수 있었던 것은 청이 강력한 경제·군사력을 바탕으로 변방의 소수 민족이나 국가에 대한 책봉·조공 체제를 강제할 수 있었기 때문이었다.

　그러나 명맥을 유지하던 화이관은 아편 전쟁 이후, 청 정부가 서양 오랑캐로 간주하던 '양이(洋夷)'에게 수차례 패전하고 책봉·조공 체제의 일원이었던 조공국들이 그 체제에서 떨어져 나가면서 급격하게 무너지기 시작하였다. 그리고 자신들이 천하의 중심이면서 가장 발달한 문화를 가지고 있다는 의식은 점차 설 자리를 잃게 되었고, 중국의 중화주의는 한동안 '과거'의 의식으로만 자리 잡고 있었다.

　하지만 1990년대 이후 중국의 역사학계는 '통일적 다민족 국가론'이라는 중국의 '신중화주의'를 내세우기 시작하였다. 이는 '화'와 '이'의 통일성과 일체성을 강조한 개념으로, 한때 중국이 한족과 다수의 비한족으로 나뉘어 서로 경쟁하면서 ⓓ분열되기도 했지만 기본적으로는 대일통(大一統)의 오랜 전통에 의해 여러 민족이 단결·융합하면서 통일적인 다민족 국가를 형성해 왔으므로 중화 민족은 긴 역사 속에서 한족과 이민족이 상호 작용하면서 ⓔ융합된 '복합 민족' 혹은 '역사 융합의 산물'이라는 것이다. 또한 현재 중국의 영토는 물론, 1840년 아편 전쟁 이전 청나라의 최대 영토 속에 존재했거나 존재하는 모든 민족은 '중국'이라는 역사 공동체를 형성하는데 일정한 역할을 해 왔으므로 모두 중국을 구성하는 중화 민족이라는 것이다. 따라서 그들의 역사적인 활동이나 그들이 세운 왕조 모두 중국의 왕조이며, 각각의 왕조들이 관할하던 지역도 역시 중국의 영토에 해당한다고 주장한다.

그러나 과거의 최대 영토에 속했던 모든 민족이 중화 민족이고 그들의 역사가 모두 중국의 역사라는 주장은 억지스러운 면이 있다. 그것은 '통일적 다민족 국가론'이 역사적 흐름에서 자연스럽게 등장한 것이 아니라 현 시대의 정치적 논리가 개입되어 나타났기 때문이다. 개혁·개방 정책 이후 중국 사회는 대내적으로는 빈부 격차로 인한 불만, 소수 민족의 소외감 표출과 분리 독립 요구 등과 같은 문제에 대외적으로는 주변국들과 역사·영토를 둘러싼 분쟁 등의 외교 문제와 직면하였다. 이에 따라 중국 정부는 '대일통'을 강조하면서 빈부 격차로 분리된 민족을 통합하고, 소수 민족의 소외감과 분리 의도를 잠식시켜 민족을 단결시킬 필요가 있다. 또한 이는 역사·영토 분쟁이 있는 주변국의 역사까지 자국의 역사로 끌어들여 국제 분쟁에서도 우위를 선점하려는 의도도 포함되어 있다. 그 단적인 예가 고구려와 발해의 역사를 왜곡하여 자국의 역사라고 주장하는 동북공정이다. 이는 '중국 영토 내에서 각 민족이 이루어낸 역사적 활동은 모두 중국사'라는 현재적 편의의 역사관과 '현재의 중국 영토 내에서 활동했던 모든 민족은 중국인이고 중국 민족'이라는 민족관, '근대 이후 형성된 영토 개념을 전 근대 시기까지 소급하여 과거 자신들의 영토'라고 주장하는 자의적 영토관에 의한 해석이라는 점에서 모두 타당성을 얻기 힘들다.

7문단:

주제:

정답 및 해설 ● 38쪽

01 윗글에 대한 설명으로 적절한 것은?

① 중화주의와 통일적 다민족 국가론을 비교하며 절충안을 마련하고 있다.

② 중화주의와 통일적 다민족 국가론의 변천 과정을 고찰하고 더 진보한 이론을 제안하고 있다.

③ 중화주의와 통일적 다민족 국가론의 문제점을 분석하고 바람직한 해결 방안을 제시하고 있다.

④ 중화주의의와 통일적 다민족 국가론에 대해 설명하고, 통일적 다민족 국가론의 문제점을 지적하고 있다.

⑤ 중화주의와 통일적 다민족 국가론에 대해 설명하고 이에 대한 다양한 학자의 비판적 견해를 소개하고 있다.

> 문제 Guide 지문의 내용을 이해하고 전개 방식을 파악할 수 있는지 평가하는 문제이다. 지문의 전체적인 내용과 흐름을 파악해야 한다.

02 '화'에 대한 이해로 적절하지 않은 것은?

① 진·한 시대 이전까지는 중원의 주인이 곧 '화'라고 인식되었다.

② 진·한 시대에는 중국 문명이 발달한 민족이 곧 '화'라고 인식되었다.

③ 송·요·금 시대부터 원 시대까지 '화'는 곧 한족이라고 인식되었다.

④ 청 시대에는 상대국에게 조공을 받아낼 수 있는 힘이 있는 나라가 곧 '화'라고 인식되었다.

⑤ 아편 전쟁 이후 서양의 공격과 조공국들의 일탈로 '화'의 개념은 무너지기 시작하였다.

> 문제 Guide '중화주의'의 핵심인 '화' 개념이 시대에 따라 어떻게 변화했는지를 파악하는 문제이다. 선택지에 언급된 시기별로 지문의 내용을 파악하고, 선택지와 일치하는지를 확인해야 한다.

03 윗글을 읽은 학생이 [보기]와 같이 반응했다고 할 때, ㉠과 ㉡에 들어갈 말이 적절하게 짝지어진 것은?

┤보기├

　이 글을 읽어 보니 '중화주의'는 '화'와 '이'를 분리하여 민족의 (　㉠　)을 드러내고자 하였지만, '통일적 다민족 국가론'은 '화'와 '이'를 하나로 모아 민족의 (　㉡　)을 강조하고자 하였군.

	㉠	㉡		㉠	㉡
①	차별성	평등성	②	우월성	일체성
③	통합성	정체성	④	다양성	단결성
⑤	단일성	복합성			

문제 Guide　'중화주의'와 '통일적 다민족 국가론'에서 강조하는 바를 파악할 수 있는지 평가하는 문제이다. '중화주의'에서는 '화'와 '이'를 분리하였는데, '통일적 다민족 국가론'에서는 '화'와 '이'를 통합한 이유가 무엇인지에 초점을 두어야 한다.

04 [보기]의 역사가가 동북공정에 드러난 중국 역사학자들의 연구를 비판한다면 그 내용으로 적절한 것은?

┤보기├

• ㉮크로체는 모든 역사는 '현대사'라고 선언하였다. 그것은 역사란 본질적으로 현재의 눈을 통해서 그리고 현재의 문제를 비추어 과거를 바라보는 것이며, 역사가의 중요한 임무는 기록하는 것이 아니라 평가하는 것임을 의미한다.

• ㉯카는 역사가란 사실과 해석의 양자 사이에서 균형을 잡고 있는 사람들이다. 그는 이 양자를 분리할 수 없다. 역사는 본질상 변화요, 운동이요, 진보이다.

① ㉮는 역사는 과거의 사실을 현재의 관점으로 해석하는 것이 적절하지만, 중국의 역사학자들은 객관적 사실만을 지나치게 강조하고 있다며 비판할 것이다.

② ㉮는 역사는 큰 흐름 속에서 그 의미가 평가되어야 하는데, 중국의 역사학자들은 사건 당시의 상황만을 고려해 역사를 서술하고 있다며 비판할 것이다.

③ ㉯는 역사는 발생·성장·해체의 과정을 되풀이 하는 것인데, 중국의 역사학자들은 역사의 변화와 진보를 인정하고 있지 않다며 비판할 것이다.

④ ㉯는 과거의 사실과 역사가의 해석이 균형을 이루어야 하는데, 중국의 역사학자들은 과거 사실보다 현재 자신들의 관점을 지나치게 강조하고 있다며 비판할 것이다.

⑤ ㉮와 ㉯는 역사는 사료를 근거로 기술되는 것이 옳으나, 중국의 역사학자들은 사료의 검증을 소홀히 하고 있다며 비판할 것이다.

문제 Guide　특정 관점에서 대상을 파악할 수 있는지 평가하는 문제이다. [보기]에 드러난 역사가들의 견해를 파악한 후, '동북공정'에 나타난 중국 역사학자들의 문제점을 비판해야 한다.

05 ⓐ~ⓔ를 사용하여 만든 문장으로 적절하지 않은 것은?

① ⓐ: 우리 선생님은 우리반에 면학 풍토를 조성하였다.

② ⓑ: 일부 청소년들은 '모범생'이란 말을 융통성 없고 답답한 아이를 뜻하는 말로 통용하고 있다.

③ ⓒ: 그 기사는 일부 소수의 의견을 대다수의 의견인 것처럼 간주하고 있다.

④ ⓓ: 지금 전국이 황폐되어 모든 힘이 완전히 분열되어 있다.

⑤ ⓔ: 한국의 경우 의상미와 육체미가 서로 융합되어 하나의 미를 꾸민다.

○ 문제 Guide   어휘의 의미를 파악하고 그 쓰임을 파악할 수 있는지 평가하는 문제이다. 지문에서 사용된 어휘의 의미와 선택지에서 활용된 의미가 일치하는지를 꼼꼼히 따져야 한다.

인문 07

✔ 약점 찾는 체크리스트

문항	문제 유형	정답 체크					나의 오답 노트
		맞음	틀림				
			개념 이해 부족	유형 이해 부족	내용 이해 부족	헷갈림 /실수	
01	내용 전개 방식의 파악						
02	세부 정보의 이해						
03	핵심 정보의 파악						
04	외적 준거와의 비교						
05	어휘 활용의 적절성 판단						
	내가 쓰는 총평						

신경향 비문학 **워크북** 사회 분야의 지문은 사회 문제, 정치, 경제, 사회 제도, 법률, 언론, 문화 등 우리 사회와 밀접한 분야를 다루고 있다. 또 우리 사회에서 쟁점이 되고 있는 시사성이 강한 제재나 화제성이 있는 제재, 사회 관련 교과에 수록된 내용도 사회 분야의 범주에 포함된다.

II

사회

사회
01
| 제재 | 사회_광고 | 난이도 | 중 | 제한 시간 | 8분 30초
| 지문 독해 전략 | 이 글은 상업 광고의 규제 원칙과 규제 종류 등을 설명한 지문이다. 상업 광고를 규제하게 된 배경과 규제 원칙, 규제 주체 등을 확인하고 차이점을 파악하며 읽어야 한다. 이때 각 개념들을 정리한 후 대조하면서 읽으면 지문을 이해하는 데 도움이 된다.

1회독 | 월   일 | 소요 시간:
2회독 | 월   일 | 소요 시간:
3회독 | 월   일 | 소요 시간:

[01~06] 다음 글을 읽고 물음에 답하시오.

지문 분석 Note

상업 광고는 기업은 물론이고 소비자에게도 ⓐ요긴하다. 기업은 마케팅 활동의 주요한 수단으로 광고를 적극적으로 이용하여 기업과 상품의 인지도를 높이려 한다. 소비자는 소비 생활에 필요한 상품의 성능, 가격, 판매 조건 등의 정보를 광고에서 얻으려 한다. 광고를 통해 기업과 소비자가 모두 이익을 얻는다면 이를 규제할 필요는 없을 것이다. 그러나 광고에서 기업과 소비자의 이익이 ⓑ상충되는 경우가 발생할 수 있고, 어떤 광고는 잘못된 내용과 방식으로 인해 사회 전체에 폐해를 낳기도 한다. 따라서 이러한 광고의 폐해를 예방하고 광고로 인해 피해를 받는 경우가 생기지 않도록 다양한 규제 방식이 모색되었다.

이때 문제가 된 것은 과연 광고로 인한 피해를 책임질 당사자로서 누구를 ⓒ상정할 것인가하는 것이었다. 초기에는 ㉠'소비자 책임 부담 원칙'에 따라 광고 정보를 활용한 소비자의 구매 행위에 대해 소비자가 책임을 져야 한다고 보았다. 여기에는 광고 정보가 정직한 것인지와는 상관없이 소비자는 이성적으로 이를 판단하여 구매할 수 있어야 한다는 전제가 있었다. 만약 광고에 과장이나 허위적인 사실이 있다고 하더라도 소비자는 그것을 그대로 받아들여서는 안 되며, 구매를 할 때에는 본인의 이성적 판단을 거쳐 책임감 있게 구매해야 한다고 생각한 것이다. 그래서 기업은 광고에 의존하여 물건을 구매한 소비자가 입은 피해에 대하여 책임을 지지 않았고, 광고의 기만성에 대한 입증 책임도 광고의 내용을 최종적으로 판단하고 구매를 결정한 소비자에게 있었다.

책임 주체로 기업을 상정하여 ㉡'기업 책임 부담 원칙'이 ⓓ부상하게 된 배경은 복합적이다. 시장의 독과점 상황이 광범위해지면서 소비자의 자유로운 선택이 어려워졌고, 상품에 응용된 과학 기술이 복잡해지고 첨단화되면서 상품 정보에 대한 소비자의 정확한 이해도 기대하기 어려워졌다. 또한 다른 상품 광고와의 차별화를 위해 광고를 하는 기업이 사회적인 통념에 어긋나는 표현이나 장면을 자주 활용하는 경우가 생기게 되었다. 이러한 상황은 경제적, 사회·문화적 측면에서 광고로부터 소비자를 보호해야 한다는 당위를 바탕으로 기업이 광고에 대해 책임을 져야 한다는 생각을 불러 일으켰다. 그리하여 광고를 보고 구매 행위를 한 소비자보다 소비자가 이성적인 판단을 하기 어렵도록 광고를 제작한 기업에 책임을 물어야 한다는 공감대가 확산된 것이다.

오늘날 행해지고 있는 여러 광고 규제는 이런 공감대 속에서 나온 것인데 크게 보아 법적 규제와 자율 규제로 나눌 수 있고, 그 외에 주목할 만한 규제로 소비자 규제를 들 수 있다. 구체적인 법 조항을 통해 광고를 규제하는 법적 규제는 광고 또한 사회적 활동의 일환이라는 점을 바탕으로 하고 있다. 특히 자본주의 사회에서는 기업이 시장 점유율을 높여 다른 기업과의 경쟁에서 승리하는 것을 목적으로 사실에 반하는 광고나 소비자를 현혹하는 광고를 할 가능성이 높다. 법적 규제는 허위 광고나 기만 광고 등을 불공정 경쟁의 수단으로 ⓔ간주하여 정부 기관이 규제를 가하는 것이다. 법적 규제는 강제적인 성격을 가지고 있으며, 규제를 위반하는 광고를 제작하고 배포할 경우에는 그에 상응하는 수준으로 경고, 벌금, 판매 금지 등의 조치를 받게 된다.

자율 규제는 법적 규제에 대한 기업의 대응책으로 등장하였다. 법적 규제가 광고의 역기능에 따른 피해를 막기 위한 강제적 조치라면, 자율 규제는 광고의 순기능을 극대화하기 위

1문단:

2문단:

3문단:

4문단:

5문단:

한 자율적 조치이다. 다양하고 참신한 광고를 가능하게 하면서도, 사회·문화적 측면에서 소비자를 보호할 수 있는 광고를 제작하도록 노력하겠다는 기업의 약속인 것이다. 여기서 광고는 기업의 마케팅 활동으로 한정되지 않고 사회의 가치와 문화에 영향을 끼치는 활동으로 간주된다. 그래서 광고주, 광고업계, 광고 매체사 등이 광고 집행 기준이나 윤리 강령 등을 정하고 이를 준수하고자 한다. 광고에 대한 기업의 책임감에서 비롯된 자율 규제는 법적 규제를 보완하는 효과가 있다.

소비자 규제는 소비자가 광고의 폐해에 직접 대응하는 것이다. 이는 소비자야말로 불공정하거나 불건전한 광고의 직접적인 피해자라는 점에 근거한다. 이러한 광고들은 사회 전체에도 피해를 끼치기 때문에, 소비자 규제는 발생한 피해에 대응하는 것뿐만 아니라 피해가 예상되는 그릇된 정보의 유통과 광고의 방법 자체를 문제 삼기도 한다. 이때 규제의 주체로서 집단적 성격을 지니는 소비자는 법적 규제를 입안하거나 실행하는 주체는 아니다. 그래서 소비자 규제는 법적 규제와 자율 규제를 강화하도록 압박하는 방식을 취하며, 광고 규제의 효과 면에서는 법적 규제와 자율 규제를 보완한다는 의미를 가지고 있다. 소비자 규제는 광고 주체들의 이기적인 행태를 견제하는 기능이 있다는 점에서 법적 규제와 공통점이 있으며, 소비자 규제의 주체는 광고의 폐해에 직접 대응하기 때문에 자율 규제의 주체와 긴장하는 관계에 놓여 있다. 소비자의 권리 행사는 소비자 보호 운동의 형태로 나타나며, 경제적 측면만이 아니라 사회·문화적 측면에서도 소비자의 피해를 줄이는 효과를 가지고 있다.

6문단:

주제:

정답 및 해설 ◉ 46쪽

01 윗글의 표제와 부제로 가장 적절한 것은?

① 광고 규제의 배경과 유형
  – 피해 책임의 주체와 규제의 주체를 중심으로
② 광고 규제의 필요성과 의의
  – 시대에 따른 소비자의 역할을 중심으로
③ 광고 규제의 순기능과 역기능
  – 문제점의 진단과 개선 방안을 중심으로
④ 광고 규제에 대한 대립적 시각
  – 기업과 소비자의 이익 극대화 방안을 중심으로
⑤ 광고 규제를 둘러싼 사회적 갈등
  – 규제의 도입 배경과 원인을 중심으로

문제 Guide 지문의 내용을 이해하고 표제와 부제를 찾는 문제이다. 전체 내용을 모두 포괄할 수 있는 표제와, 표제를 보완하고 있는 부제를 선택해야 한다.

02 윗글을 통해 알 수 있는 내용으로 가장 적절한 것은?

① 광고 주체의 자율 규제가 잘 작동될수록 광고에 대한 법적 규제의 역할도 커진다.
② 기업의 이익과 소비자의 이익이 상충되는 정도가 클수록 법적 규제와 자율 규제의 필요성이 약화된다.
③ 시장 독과점 상황이 심각해지면서 기업 책임 부담 원칙이 약화되고 소비자 책임 부담 원칙이 부각되었다.
④ 첨단 기술을 강조한 상품의 광고일수록 소비자가 광고 내용을 정확히 이해하지 못한 채 상품을 구매할 가능성이 커진다.
⑤ 광고의 기만성을 입증할 책임을 소비자에게 돌리는 경우, 그 이유는 소비자에게 이성적 판단 능력이 있다는 전제를 받아들이지 않기 때문이다.

문제 Guide 세부 내용을 제대로 파악하고 있는지 묻는 문제이다. 사실적 내용뿐만 아니라, 사실적 내용을 바탕으로 합리적으로 추론할 수 있는 것을 정답으로 골라야 한다.

03 ⊙과 ⓒ에 대한 설명으로 적절하지 <u>않은</u> 것은?

① ⊙보다 ⓒ이 소비자에게 더 유리하다.
② ⓒ보다 ⊙이 광고의 사회적 책임을 더 중시한다.
③ ⊙과 ⓒ은 모두 광고의 폐해를 전제로 적용되는 것이다.
④ ⓒ보다 ⊙을 따를 때 광고 표현에 대한 기업의 자율성이 확대된다.
⑤ ⊙보다 ⓒ을 따를 때 정부가 법정에서 피해를 입증해야 할 책임이 커질 수 있다.

문제 Guide 핵심 정보의 내용을 제대로 파악하고 있는지 묻는 문제이다. 선택지의 내용이 ⊙과 ⓒ 중 어떤 것에 해당하는 설명인지를 정확히 파악해야 한다.

04 윗글을 바탕으로 [보기]를 이해한 내용으로 적절하지 <u>않은</u> 것은?

┤보기├

　화학 성분을 사용하지 않았을 것이라는 생각에 비싼 가격을 지불하고 '천연 화장품'을 구매하는 소비자가 늘고 있다. 그러나 '천연 화장품'의 광고에 대한 규제가 없어 소비자들이 제품에 대한 정확한 정보 없이 화장품을 구매하고 있다. 현행 화장품 표시 및 광고와 관련된 법률에는 '천연' 표시에 대한 규정이 없어 조금이라도 천연 성분이 들어가면 '천연 화장품'이라는 명칭을 붙일 수 있고, '천연 화장품'이라고 광고할 수 있다. 즉, 기능성을 입증할 수 없는데도 기능이 있는 것처럼 허위 광고를 하거나 화장품인데도 의약품과 같은 효과가 있을 것처럼 과장 광고하는 것은 법률에 의해 금지되어 있지만, '천연'에 대한 규제는 명시되어 있지 않기 때문에 천연 성분이 조금이라도 포함되었다면 '천연 화장품'이라고 광고할 수 있는 것이다. 이로 인해 천연 성분이 채 1%도 들어가지 않았는데도 '천연 화장품'이라고 믿고 구매하는 피해 사례가 늘고 있다. 피해 소비자들은 '천연' 성분이 극소량 포함된 '천연 화장품'의 불매 운동을 벌였으며, 식품의약품안전처에서는 관련 규제를 마련하여 부적절한 제품이 '천연 화장품'으로 광고되는 것을 막겠다고 나섰다.

① 식품의약품안전처에서는 법적 규제를 만들 계획을 가지고 있군.
② 법적 규제를 통해 과장 광고나 허위 광고의 역기능을 막을 수 있겠군.
③ 화장품에 대한 과장 광고는 특정 조항에 의해 강제적인 성격의 규제를 받고 있군.
④ 소비자 규제의 주체는 소비자 보호 운동을 통하여 천연 화장품 광고로 인한 피해를 막으려고 하는군.
⑤ 1% 미만의 천연 성분을 포함한 화장품을 천연 화장품으로 광고하는 것은 자율 규제의 결과로 볼 수 있겠군.

문제 Guide 지문을 이해하고 지문의 내용을 구체적 상황에 적용할 수 있는지 묻는 문제이다. [보기]에 언급된 천연 화장품과 관련된 구체적 상황에 법적 규제, 자율 규제, 소비자 규제가 어떻게 적용될 수 있는지 살펴보아야 한다.

05 윗글의 소비자 규제에 해당하는 사례가 아닌 것은?

① 부작용이 없다고 광고하는 병원에서 시술을 받고 피부색이 변한 환자들이 해당 병원을 공정거래위원회에 고발하였다.

② ○○초등학교 학부모들은 학교 앞 슈퍼에서 유기농 식품이라고 광고하지만 검증되지 않은 불량 식품을 판매하는 것을 보고 공동으로 슈퍼 주인에게 항의하였다.

③ ○○ 소비자 보호 단체는 실제로 옷을 구매하지 않은 사람이 옷을 구매한 것처럼 쓴 상품평을 광고에 사용한 인터넷 쇼핑몰에 경고 조치를 하였다.

④ 늘 신선한 재료만 사용한다고 광고하는 커피 전문점의 조리대에 유통 기한이 지난 우유팩이 여러 개 놓여 있는 것을 보고 ○○구청 직원들은 구청 민원 창구에 해당 사실을 접수하였다.

⑤ 홈쇼핑에서 광고하는 것을 보고 ○○여행사를 통해 패키지 여행을 예약한 고객들은 선택 관광이 추가로 요금을 내야 한다는 것을 고지하지 않고 일정에 포함한 여행사의 행위를 방송국에 제보하였다.

○ 문제 Guide 특정 개념을 이해하고 구체적 사례에 적용할 수 있는지를 평가하는 문제이다. 소비자 규제에서 소비자가 법안을 입안하거나 실행하는 주체는 아니라는 점을 염두에 두어야 한다.

06 ⓐ~ⓔ를 활용한 문장으로 적절하지 않은 것은?

① ⓐ: 예전에 선물받은 담요는 지금도 요긴하게 잘 쓰고 있다.

② ⓑ: 이해관계의 상충으로 인해 회담은 더 이상 진행되지 못했다.

③ ⓒ: 교육부는 선행 학습 금지와 관련된 의제를 본회의에 상정했다.

④ ⓓ: 그 후보는 이번 시장 선거의 새로운 인물로 부상하고 있다.

⑤ ⓔ: 일부의 의견을 모두의 의견인 것으로 간주하면 안 된다.

○ 문제 Guide 어휘의 의미를 파악하여 활용할 수 있는지를 평가하는 문제이다. 맥락을 고려하여 선택지의 단어가 쓰인 맥락과 일치하는지 비교해 보아야 한다.

✔ 약점 찾는 체크리스트

문항	문제 유형	정답 체크					나의 오답 노트
		맞음	틀림				
			개념 이해 부족	유형 이해 부족	내용 이해 부족	헷갈림 /실수	
01	개괄적 정보의 파악						
02	세부 정보의 추론						
03	핵심 정보의 파악						
04	구체적 상황에 적용						
05	구체적 사례에 적용						
06	어휘 활용의 적절성 판단						
	내가 쓰는 총평						

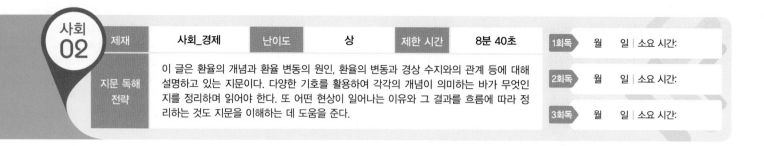

사회 02

제재 | 사회_경제   난이도 | 상   제한 시간 | 8분 40초

1회독 | 월 일 | 소요 시간:
2회독 | 월 일 | 소요 시간:
3회독 | 월 일 | 소요 시간:

지문 독해 전략

이 글은 환율의 개념과 환율 변동의 원인, 환율의 변동과 경상 수지와의 관계 등에 대해 설명하고 있는 지문이다. 다양한 기호를 활용하여 각각의 개념이 의미하는 바가 무엇인지를 정리하며 읽어야 한다. 또 어떤 현상이 일어나는 이유와 그 결과를 흐름에 따라 정리하는 것도 지문을 이해하는 데 도움을 준다.

[01~06] 다음 글을 읽고 물음에 답하시오.

환율은 다른 나라 화폐인 외화 1단위를 구입할 때 지급하는 자국 화폐의 수량, 즉 외화와 자국 화폐의 교환 비율을 의미한다. 예를 들어 미국 돈 1달러를 구입하기 위해 우리나라 돈 1,000원을 지급해야 한다면, 1,000원이 원화의 미국 달러화에 대한 환율이 된다. 환율을 표시하는 방법에는 두 가지가 있다. 첫 번째는 '1,000원/달러'라고 표시하는 것처럼 외국 통화 1단위와 교환할 수 있는 자국 통화의 단위수를 가리키는 환율 표시법으로, 자국통화표시법이라고 하며 세계의 많은 나라에서 사용하고 있다. 두 번째는 '0.001달러/원'처럼 자국 통화를 1로 하고 이를 외국 통화로 나타내는 방식으로, 외국통화표시법이라고 한다.

외화의 가격인 환율은 다른 재화와 마찬가지로 외환 시장에서의 수요와 공급에 의해 결정된다. 자본의 이동에 따르는 외화의 수급을 제외하면 재화와 서비스의 수입과 수출이 외화의 수요와 공급에 영향을 미치는 가장 중요한 요인이 된다. 일반적으로 환율이 상승하면 외화의 수요(D)가 감소하고, 외화의 공급(S)이 증가하므로 외화의 수요 곡선은 우하향하고, 외화의 공급 곡선은 우상향한다. 이러한 외화의 수요 곡선과 공급 곡선이 만나는 점에서 균형 환율이 결정된다. 〈그림〉에서 미국 달러에 대한 원화의 균형 환율은 '1,000원/달러'로, 외화의 수요와 공급이 일치하고 환율이 균형을 이룬 상태로 볼 수 있다. 만약 이 상태에서 환율이 '1,200원/달러'가 되면, 외화의 초과 공급이 발생하고 환율은 다시 하락할 것이고 환율이 '800원/달러'가 되면, 외화의 초과 수요가 발생하여 환율은 다시 상승할 것이다.

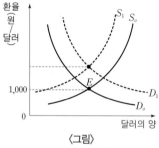

〈그림〉

환율 이외의 요인이 변하면 외화의 수요 곡선과 외화의 공급 곡선도 변동하게 된다. 가장 대표적인 것으로 국민 소득이 변하는 경우와 물가가 변하는 경우를 들 수 있다. 먼저 국민 소득이 변하는 예로 국민 경제가 성장하여 국민 소득이 증가하면 사람들의 소비 지출이 증가하고 외국 상품을 더 많이 수입하게 되는 경우를 들 수 있다. 이렇게 되면 외화에 대한 수요가 증가하고, 이에 따라 외화에 대한 수요 곡선이 우상향으로 이동하며 환율은 상승하게 된다.

물가가 변하는 예로는 우리나라의 물가가 상승하여 수출품 가격도 상승하게 되고 외국 시장에서 우리나라 상품에 대한 수요가 감소하고 이에 따라 수출이 줄어들게 되는 경우를 들 수 있다. 수출이 줄어들면 외화의 공급량도 감소하게 되기 때문에 우리나라의 물가가 상승하면 외화의 공급 곡선은 좌상향으로 이동한다. 한편 우리나라의 물가가 상승하면 수입품 가격이 상대적으로 싸진다. 따라서 수입품에 대한 수요가 늘어나고 이에 따라 외화에 대한 수요도 증가한다. 즉 외화 수요 곡선이 우상향으로 이동하게 된다. 이처럼 공급 곡선과 수요 곡선이 이동하게 됨에 따라 환율은 더욱 상승하게 된다.

일반적으로 환율의 상승은 경상 수지*를 개선하는 것으로 알려져 있다. 이를테면 국내 기업은 수출에서 벌어들인 외화를 국내로 들여와 원화로 바꾸기 때문에, 환율이 상승한 경우에는 외국에서 우리 상품의 외화 표시 가격을 다소 낮추어도 수출량이 늘어나면 수출액이 증가한다. 동시에 수입 상품의 원화 표시 가격은 상승하여 수입품을 덜 소비하므로 수입액은 감소한다. 그런데 이와 같이 환율 상승이 항상 경상 수지를 개선할 것 같지만 반드시

지문 분석 Note

1 문단:

2 문단:

3 문단:

4 문단:

5 문단:

그런 것은 아니다.

환율이 올라도 단기적으로는 경상 수지가 오히려 악화되었다가 점차 개선되는 현상이 있는데, 이를 그래프로 표현하면 J자 형태가 되므로 'J커브 현상'이라 한다. J커브 현상에서 경상 수지가 악화되는 원인 중 하나로, 환율이 오른 비율만큼 수입 상품의 가격이 오르지 않는 것을 꼽을 수 있다. 이는 환율 상승 후 상당 기간 동안 외국 기업이 매출 감소를 우려해 상품의 원화 표시 가격을 바로 올리지 않기 때문이다. 또한 소비자들의 수입 상품 소비가 가격 변화에 따라 줄어들기까지는 상당 기간이 소요된다. 그뿐만 아니라 국내 기업이 수출 상품의 외화 표시 가격을 낮추더라도 외국 소비자가 이를 인식하고 소비를 늘리기까지는 다소 시간이 걸린다. 그러나 J커브의 형태가 보여 주듯이, 당초에 올랐던 환율이 지속되는 상황에서 어느 정도 시간이 지나 상품의 가격 및 물량의 조정이 제대로 이루어진다면 경상 수지가 개선된다.

한편, J커브 현상과는 별도로 환율 상승 후에 얼마의 기간이 지나더라도 경상 수지의 개선을 이루지 못하는 경우도 있다. 첫째, 상품의 가격 조정이 일어나도 국내외의 상품 수요가 가격에 어떻게 반응하는가 하는 수요 구조에 따라 경상 수지는 개선되지 못하기도 한다. 수출량이 증가하고 수입량이 감소하더라도, ㉠경상 수지가 그다지 개선되지 않거나 오히려 악화될 수도 있다는 것이다. 둘째, 장기적인 차원에서 ㉡수출 기업이 환율 상승에만 의존하여 품질 개선이나 원가 절감 등의 노력을 계속하지 않는다면 경쟁력을 잃어 경상 수지를 악화시킬 수도 있다.

우리나라의 경우 환율은 외환 시장에서 결정되나, 정책 당국이 필요에 따라 간접적으로 외환 시장에 개입하는 환율 정책을 구사한다. 경상 수지가 적자 상태라면 일반적으로 고환율 정책이 선호된다. 그러나 이상에서 언급한 환율과 경상 수지 간의 복잡한 관계 때문에 환율 정책은 신중하게 검토되어야 한다.

※ 경상 수지: 상품(재화와 서비스 포함)의 수출액에서 수입액을 뺀 결과. 수출액이 수입액보다 클 때는 흑자, 작을 때는 적자로 구분함.

6문단:

7문단:

8문단:

주제:

정답 및 해설 ● 52쪽

---

01 윗글에서 다루지 않은 내용은?

① 환율 상승에 따르는 수입 상품의 가격 변화
② 경상 수지 개선을 위한 고환율 정책의 필연성
③ 가격 변화에 대한 외국 소비자의 지체된 반응
④ 국내외 수요 구조가 경상 수지에 미치는 영향
⑤ 환율 상승이 경상 수지에 미치는 영향에 대한 일반적인 기대

문제 Guide 지문에 제시된 개괄적인 정보를 파악할 수 있는지 평가하는 문제이다. 여러 가지 개념이 제시되어 있으므로 선택지에 제시된 화제가 지문에서 언급되었는지를 살펴보고 각 문단의 핵심 내용을 파악해야 한다.

02 윗글의 내용과 일치하지 않는 것은?

① 균형 환율에서 환율이 상승하면 외화의 초과 공급이 발생할 수 있다.
② 우리나라의 물가가 상승하면 외국 수입품에 대한 수요량이 줄어든다.
③ 균형 환율은 외화의 수요 곡선과 공급 곡선이 만나는 점에서 정해진다.
④ 세계 다수의 국가에서 자국통화표시법을 사용하여 환율을 표기하고 있다.
⑤ 외국통화표시법은 자국 통화를 1로 하여 외국 통화를 나타내는 방식이다.

문제 Guide 지문의 세부 내용을 제대로 파악할 수 있는지 평가하는 문제이다. 선택지의 내용이 지문의 어느 부분에서 언급한 내용인지 확인한 후, 수정된 부분은 없는지 살펴보아야 한다.

03 윗글의 〈그림〉을 보고 학생들이 보였을 반응으로 가장 적절한 것은?

① S_0이 S_1로 이동하였다면, 국내 물가가 하락한 것을 원인으로 추측할 수 있겠군.
② S_1이 S_0으로 이동하였다면, 국민 소득이 감소한 것을 원인으로 추측할 수 있겠군.
③ S_1이 S_0으로 이동하였다면, 국내 물가가 상승한 것을 원인으로 추측할 수 있겠군.
④ D_0이 D_1로 이동하였다면, 국민 소득이 증가한 것을 원인으로 추측할 수 있겠군.
⑤ D_1이 D_0으로 이동하였다면, 국내 물가가 상승한 것을 원인으로 추측할 수 있겠군.

문제 Guide 지문의 내용을 이해하고 자료를 해석할 수 있는지를 평가하는 문제이다. 〈그림〉에 표시된 S_0, S_1, D_0, D_1의 의미를 정확히 이해한 후 S_0과 S_1, D_0과 D_1의 이동이 '국민 소득', '물가'의 변화와 어떤 상관관계가 있는지를 살펴보아야 한다.

04 ㉠의 이유로 가장 적절한 것은?

① 환율이 상승하면 국내외 상품의 수요 구조에 따라 수출 상품의 가격 조정이 선행될 수 있다.
② 환율이 상승하더라도 국내외 기업은 환율이 얼마나 안정적인지 관찰한 후 가격을 조정한다.
③ 환율이 상승하더라도 경우에 따라서는 국내외 상품 수요가 가격에 민감하지 않을 수 있다.
④ 가격의 조정이 신속하게 이루어질수록 국내외 상품 수요는 가격에 민감하게 반응한다.
⑤ 국내외 상품 수요가 가격에 얼마나 민감한지는 경상 수지의 개선 여부와는 무관하다.

문제 Guide 환율과 환율의 상승에 대해 이해하고 '환율이 상승하더라도 경상 수지가 그다지 개선되지 않거나 오히려 악화될 수도 있는' 이유를 추론할 수 있는지 평가하는 문제이다. 7문단에서 환율 상승 후에 얼마의 기간이 지나더라도 경상 수지의 개선을 이루지 못하는 경우에 대해 설명하고 있으므로, 이를 고려하여 ㉠의 이유를 도출해야 한다.

05 윗글을 바탕으로 [보기]의 J커브 그래프를 해석한 내용으로 옳은 것만을 있는 대로 고른 것은?

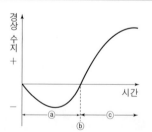

ㄱ. 수입 상품 가격의 상승 비율이 환율 상승 비율에 가까울수록 ⓐ의 골이 얕아진다.
ㄴ. 수출 기업의 품질 및 원가 경쟁력이 강화될수록 ⓐ 구간이 넓어진다.
ㄷ. ⓑ를 기점으로 하여 환율이 상승하게 된다.
ㄹ. ⓒ는 환율 상승을 통해 경상 수지 개선 효과가 나타나는 구간이다.

① ㄱ, ㄷ   ② ㄱ, ㄹ   ③ ㄴ, ㄷ
④ ㄱ, ㄴ, ㄹ   ⑤ ㄴ, ㄷ, ㄹ

문제 Guide 지문에서 설명하고 있는 개념인 'J커브 현상'에 대해 이해하고 이를 그래프에 적용하여 해석할 수 있는지를 평가하는 문제이다. 6~7문단에서 언급하고 있는 'J커브 현상'의 개념과 원인을 파악한 후 그래프 속 ⓐ~ⓒ가 무엇을 의미하는지를 파악해야 한다. 그 후 ㄱ~ㄹ 중 옳은 것을 바르게 묶은 선택지를 찾아야 한다.

06 ⓒ에 대해 [보기]처럼 이해한다고 할 때, 밑줄 친 곳에 들어갈 말로 가장 적절한 것은?

┌─ 보기 ───
│   더니, 수출 기업이 환율 상승만 믿고 경쟁력을 제고하기 위한
│ 방책을 강구하지 않는다는 말이군.
└──

① 감나무 밑에 누워 홍시 떨어지기를 바란다
② 소도 비빌 언덕이 있어야 비빈다
③ 가난 구제는 나라님도 어렵다
④ 원숭이도 나무에서 떨어진다
⑤ 말 타면 경마 잡히고 싶다

문제 Guide 문맥을 통해 주어진 상황을 파악하고, 그 상황에 맞는 관용 표현을 찾을 수 있는지 평가하는 문제이다. 선택지에 제시된 속담이 '환율 상승에만 의존하여 품질 개선이나 원가 절감 등의 노력을 하지 않는 수출 기업'을 비판할 수 있는지를 판단해 보아야 한다.

✔ 약점 찾는 체크리스트

문항	문제 유형	정답 체크					나의 오답 노트
		맞음	틀림				
			개념 이해 부족	유형 이해 부족	내용 이해 부족	헷갈림/실수	
01	개괄적 정보의 확인						
02	세부 정보의 이해						
03	반응의 적절성 판단						
04	이유 추론의 적절성 판단						
05	자료 해석의 적절성 판단						
06	관용어구의 이해 및 적용						
	내가 쓰는 총평						

사회
03
제재 　사회_법률 　난이도 　상 　제한 시간 　8분 30초

1회독 　월 　일 | 소요 시간:
2회독 　월 　일 | 소요 시간:
3회독 　월 　일 | 소요 시간:

지문 독해
전략

이 글은 '사단성', '법인격' 등의 법률 개념들을 바탕으로 일인 주식회사가 갖는 문제점과
해결 방안 등을 설명한 지문이다. '법인격 부인론'과 같은 법 이론이 등장하게 된 배경과
도입 취지를 파악하며 읽어야 한다. 법 이론의 적용 조건과 의의를 파악하며 읽는 것도
지문을 이해하는 데 도움을 준다.

[01~06] 다음 글을 읽고 물음에 답하시오.

지문 분석 Note

　　권리와 의무의 주체가 될 수 있는 자격을 권리 능력이라 한다. 사람은 태어나면서 저절로 권리 능력을 갖게 되고 생존하는 내내 보유한다. 그리하여 사람은 재산에 대한 소유권의 주체가 되며, 다른 사람에 대하여 채권을 누리기도 하고 채무를 지기도 한다. 사람들의 결합체인 단체도 일정한 요건을 ㉠갖추면 법으로써 부여되는 권리 능력인 법인격을 취할 수 있다. 단체 중에는 사람들이 일정한 목적을 갖고 결합한 조직체로서 구성원과 구별되어 독자적인 실체로서 존재하며, 운영 기구를 두어, 구성원의 가입과 탈퇴에 관계없이 존속하는 단체가 있다. 이를 사단(社團)이라 하며, 사단이 갖춘 이러한 성질을 사단성이라 한다. 사단의 구성원은 사원이라 한다. 사단은 법인(法人)으로 등기되어야 법인격이 생기는데, 법인격을 가진 사단을 사단 법인이라 부른다. 법인이란 단체의 법률관계를 간명하게 처리하기 위한 것으로, 권리의무의 주체가 될 수 있는 지위 또는 자격이다. 사단성이 단체의 내부관계에서 구성원의 결합관계를 의미하는 것이라면, 법인격은 단체의 외부관계에서 인격자로 나타나는 문제라 할 수 있다. 반면에 사단성을 갖추고도 법인으로 등기하지 않은 사단은 '법인이 아닌 사단'이라 한다. 사람과 법인만이 권리 능력을 가지며, 사람의 권리 능력과 법인격은 엄격히 구별된다. 그리하여 사단 법인이 자기 이름으로 진 빚은 사단이 가진 재산으로 갚아야 하는 것이지 ⓐ사원 개인에게까지 ⓑ책임이 미치지 않는다.

　　회사도 사단의 성격을 갖는 법인이다. 회사의 대표적인 유형이라 할 수 있는 주식회사는 주주들로 구성되며 주주들은 보유한 주식의 비율만큼 회사에 대한 지분을 갖는다. 주식회사의 사단으로서의 첫 번째 특징은 '사람'의 결합이 아니라 '자본'의 결합이라는 점이다. 이러한 자본은 주식으로 균일하게 분할되어 있으므로, 사원의 개념은 주식의 개념으로 대체된다. 따라서 주식회사에서는 복수의 사원이 아니라 복수의 주식이 요구된다고 볼 수 있다. 두 번째 특징은 사원의 지위의 이전이 증권화된 주권(株券)*에 의하여 유통되고 있는 점이다. 이 때문에 주식 전부가 1인의 소유가 될 수도 있다. 2001년에 개정된 상법은 한 사람이 전액을 출자하여 일인 주주로 회사를 설립할 수 있도록 하였다. ⓒ사단성을 갖추지 못했다고 할 만한 형태의 법인을 인정한 것이다. 또 여러 주주가 있던 회사가 주식의 상속, 매매, 양도 등으로 말미암아 모든 주식이 한 사람의 소유로 되는 경우가 있다. 이런 '일인 주식회사'에서는 일인 주주가 회사의 대표 이사가 되는 사례가 많다. 이처럼 일인 주주가 회사를 대표하는 기관이 되면 경영의 주체가 개인인지 회사인지 모호해진다. 법인인 회사의 운영이 독립된 주체로서의 경영이 아니라 마치 ⓓ개인 사업자의 영업처럼 보이는 것이다.

　　구성원인 사람의 인격과 법인으로서의 법인격이 잘 분간되지 않는 듯이 보이는 경우에는 간혹 문제가 일어난다. 상법상 회사는 이사들로 이루어진 이사회만을 업무 집행의 의결 기관으로 둔다. 또한 대표 이사는 이사 중 한 명으로, 이사회에서 선출되는 기관이다. 그리고 이사의 선임과 이사의 보수는 주주 총회에서 결정하도록 되어 있다. 그런데 일인 주식회사는 주주가 1인이므로 복수의 주주를 전제로 하여 주주의 이익을 보호하기 위한 상법상의 규정은 완화하여 적용된다. 즉 주주 총회의 소집절차나 의결방법이 상법의 규정에 위배된다고 하여도, 그것이 1인 주주의 의사에 합치하는 한 유효하다고 보는 것이다. 따라서 주주가 한 사람뿐이면 사실상 그의 뜻대로 될 뿐, 이사회나 주주 총회의 기능은 퇴색하기 쉽다.

심한 경우에는 회사에서 발생한 이익이 대표 이사인 주주에게 귀속되고 회사 자체는 ⓔ허울만 남는 일도 일어난다. 이처럼 회사의 운영이 주주 한 사람의 개인 사업과 다름없이 이루어지고, 회사라는 이름과 형식은 장식에 지나지 않는 경우에는, 회사와 거래 관계에 있는 사람들이 재산상 피해를 입는 문제가 발생하기도 한다. 이때 그 특정한 거래 관계에 관해서만 예외적으로 회사의 법인격을 일시적으로 부인하고 회사와 주주를 동일시해야 한다는 ⓒ'법인격 부인론'이 제기된다.

법인격 부인론은 법인격이 남용된 특정한 경우에 그 회사의 독립적인 법인격을 제한함으로써 회사 형태의 남용에서 생기는 폐단을 바로잡고자 하는 이론이다. 이는 특정한 경우에 회사와 사원 간의 분리 원칙의 적용을 배제함으로써 회사와 사원을 동일시하여 구체적으로 타당한 해결을 이끌어내려는 이론인 것이다. 법률은 이에 대하여 명시적으로 규정하고 있지 않지만, 법원은 권리 남용의 조항을 끌어들여 이를 받아들인다. 회사가 일인 주주에게 완전히 지배되어 회사의 회계, 주주 총회나 이사회 운영이 적법하게 작동하지 못하는데도 회사에만 책임을 묻는 것은 법인 제도가 남용되는 사례라고 보는 것이다. 법인격 부인론이 적용되어 회사의 법인격이 부인되면 그 회사의 독립된 존재가 부인되고, 회사와 사원은 동일한 실체로 취급된다. 따라서 회사의 행위로 인한 책임은 사원에게 귀속되는 것이다.

* **주권**: 주주의 출자에 대하여 교부하는 유가 증권.

4문단:

주제:

정답 및 해설 ○ 58쪽

01 윗글을 통해 알 수 있는 내용으로 적절하지 <u>않은</u> 것은?

① 사단성을 갖춘 단체는 그 단체를 운영하기 위한 기구를 둔다.
② 주주가 여러 명인 주식회사의 주주는 사단의 사원에 해당한다.
③ 법인격을 얻은 사단은 재산에 대한 소유권의 주체가 될 수 있다.
④ 사단 법인의 법인격은 구성원의 가입과 탈퇴에 관계없이 존속한다.
⑤ 사람들이 결합한 단체에 권리와 의무를 누릴 수 있는 자격을 주는 제도가 사단이다.

문제 Guide 지문을 이해하고 세부 내용을 추론할 수 있는지 묻는 문제이다. 선택지에서 언급하는 정보를 언급한 문단의 세부 내용을 점검하며 선택지의 적절성을 판단해야 한다.

02 윗글에서 설명한 주식회사에 대한 이해로 가장 적절한 것은?

① 대표 이사는 주식회사를 대표하는 기관이다.
② 일인 주식회사는 대표 이사가 법인격을 갖는다.
③ 주식회사의 이사회에서 이사의 보수를 결정한다.
④ 주식회사에서는 주주 총회가 업무 집행의 의결 기관이다.
⑤ 여러 주주들이 모여 설립된 주식회사가 일인 주식회사로 바뀔 수 없다.

문제 Guide 중심 제재와 관련된 정보를 이해했는지 묻는 문제이다. '주식회사'에 관한 정보가 지문 여러 곳에 분산되어 있으므로, 선택지의 내용과 관련이 있는 부분을 중심으로 살펴보아야 한다.

03 ⓐ~ⓔ의 문맥상 의미에 대한 이해로 적절하지 <u>않은</u> 것은?

① ⓐ: 법인에 속해 있지만 법인격과는 구별되는 존재
② ⓑ: 사단이 진 빚을 갚아야 할 의무
③ ⓒ: 여러 사람이 결합한 조직체로서의 성격
④ ⓓ: 회사라는 법인격을 가진 독자적인 실체로서 운영되지 않는 경영
⑤ ⓔ: 회사의 자산이 감소하여 권리 능력을 누릴 수 없게 된 상태

문제 Guide 지문을 이해하고 구절이나 어휘의 의미를 파악하는 문제이다. 지문을 읽으면서 앞뒤 문장을 고려하여 핵심 구절이나 어휘의 의미를 추론할 수 있어야 한다. 이때에는 문장 간의 인과 관계나 생소한 법률 용어, 지시어의 관계 등에 유의하여야 한다.

04 윗글을 바탕으로 [보기]의 상황을 이해한 내용으로 적절하지 <u>않은</u> 것은?

—|보기|—

　　모 회사는 주식회사 A에 아파트 건축 공사를 의뢰하였고, 주식회사 A는 다시 을의 회사에 이 공사를 의뢰하였다. 주식회사 A의 주식은 모두 갑이 소유하고 있으며, 갑이 대표 이사로서 회사를 실질적으로 운영하고 있다. 을은 주식회사 A로부터 하청 받은 공사를 완료하였으나, 공사 대금을 받지 못했고, 주식회사 A와 갑은 5월 1일까지 밀린 대금을 지급하기로 하였다. 이에 앞서 모 회사는 아파트 두 채를 갑의 명의로 이전해 주는 것으로 주식회사 A에게 공사 대금을 지불하였다. 을은 공사 대금 지급이 지연되자 갑과 주식회사 A를 상대로 소송을 제기하였고, 법원은 갑에게 공사 대금을 지급할 것을 명령하였다. 이에 갑은 이의 신청을 하였다.

① 주식회사 A는 갑이 주식의 전부를 소유하고 있으므로 일인 주식회사라고 할 수 있다.
② 법원이 갑에게 공사 대금을 지급하라고 명령한 것은 회사의 독립된 존재를 부인하고 회사와 주주를 동일시한 것이라고 할 수 있다.
③ 공사 대금으로 받은 아파트가 갑의 명의로 된 것은 회사에서 발생한 이익이 대표 이사인 주주에게 귀속된 것이라고 할 수 있다.
④ 을이 갑과 주식회사 A를 상대로 소송을 제기한 것은 갑과 법인격이 분리된 경영으로 피해를 입었다고 생각했기 때문이라고 할 수 있다.
⑤ 갑이 법원의 명령에 이의를 신청한 것은 회사가 진 빚은 사원 개인에게까지 책임이 미치지 않는다는 원칙에 근거한 것이라고 할 수 있다.

문제 Guide '법인격', '일인 주식회사', '법인격 부인론' 등의 개념과 특성을 이해한 후, 이를 구체적 사례에 적용하여 해석할 수 있는지를 평가하는 문제이다. [보기]의 주식회사 A가 어떤 특징을 갖는지 파악한 후 그로 인해 발생하는 문제 상황을 정리해 보도록 한다. 지문의 내용과 이 사례가 어떻게 관련되는지를 논리적으로 이끌어낼 수 있어야 한다.

05 ㉡에 관한 설명으로 가장 적절한 것은?

① 회사의 경영이 이사회에 장악되어 있는 경우에만 예외적으로 법인격 부인론을 적용할 수 있다.
② 법인격 부인론은 주식회사 제도의 허점을 악용하지 못하도록 법률의 개정을 통해 도입된 제도이다.
③ 회사가 채권자에게 손해를 입혔다는 것이 확정되면 법원은 법인격 부인론을 받아들여 그 회사의 법인격을 영구히 박탈한다.
④ 법원이 대표 이사 개인의 권리 능력을 부인함으로써 대표 이사가 회사에 대한 책임을 면하지 못하도록 하는 것이 법인격 부인론의 의의이다.
⑤ 특정한 거래 관계에 법인격 부인론을 적용하여 회사의 법인격을 부인하려는 목적은 그 거래와 관련하여 회사가 진 책임을 주주에게 부담시키기 위함이다.

문제 Guide '법인격 부인론'이라는 법률 이론의 개념과 특성을 정확히 이해했는지를 묻는 문제이다. ㉡에 대한 설명이 담긴 문단을 주의 깊게 읽되, 해당 이론이 도입된 배경과 그 취지, 구체적인 개념, 해당 이론의 효과 및 의의 등을 파악하여야 한다.

06 문맥상 ㉠과 바꿔 쓰기에 가장 적절한 것은?

① 겸비(兼備)하면
② 구비(具備)하면
③ 대비(對備)하면
④ 예비(預備)하면
⑤ 정비(整備)하면

문제 Guide 고유어의 의미를 이해하고 문맥적 의미가 가장 유사한 한자어를 찾는 문제이다. 먼저 ㉠의 문맥적 의미를 추리한 후, 각 선택지의 단어를 ㉠의 자리에 교체해 보며 의미의 변화가 없는지를 살펴보아야 한다.

✔ 약점 찾는 체크리스트

문항	문제 유형	정답 체크					나의 오답 노트
		맞음	틀림				
			개념 이해 부족	유형 이해 부족	내용 이해 부족	헷갈림 /실수	
01	세부 정보의 추론						
02	세부 정보의 파악						
03	문맥상 의미의 이해						
04	구체적 사례에 적용						
05	세부 정보의 이해						
06	어휘의 적절성 판단						
	내가 쓰는 총평						

사회 04 | 제재 **사회_경제** | 난이도 **상** | 제한 시간 **8분 40초** | 1회독 ▶ 월 일 | 소요 시간:

지문 독해 전략 | 이 글은 GDP에 대해 설명하고 경제 변동을 촉발하는 주원인에 대한 여러 견해를 통시적 흐름에 따라 소개한 지문이다. 따라서 각 견해의 핵심 주장을 파악하며 읽어야 한다. 또 루카스의 '화폐적 경기 변동 이론'은 사례를 들어 설명하고 있으므로 사례와 이론을 연관 지어 읽는 것도 지문을 이해하는데 도움을 준다. | 2회독 ▶ 월 일 | 소요 시간:

3회독 ▶ 월 일 | 소요 시간:

[01~06] 다음 글을 읽고 물음에 답하시오.

지문 분석 Note

[A] 국내 총생산(GDP)이란 '일정 기간 국내에서 생산된 모든 최종생산물의 시장가치의 합계'를 말한다. '일정 기간'이란 통상 1년으로, 공산품 등을 생산할 때에는 연초에 당해 연도의 생산 계획을 세우고 1년 동안 생산 활동을 하며 1년이 지난 뒤에 그 수익을 투자자들에게 배당하는 것처럼 대체로 모든 경제가 1년을 기본 주기로 삼기 때문이다. '국내에서 생산된' 상품이라는 것은 지리적인 제한을 의미하는데 한국인 노동자가 이라크 건설 현장에서 번 소득은 제외하지만 외국인이 국내에 투자하여 TV를 생산한 것은 GDP에 포함한다. '시장가치의 합계'는 1년 동안 생산한 재화와 서비스를 합계하는 방식이 각 상품들의 시장 가격으로 한다는 의미이다. 예컨대 어느 나라에서 쌀이 20섬, 구두가 150켤레, 그리고 의료 서비스 60회가 시장에서 거래되었고 그 가격은 각각 4만원, 5천원, 3천원이었다면 쌀, 구두, 의료 서비스로 구성된 이 나라의 GDP는 (4만원×20섬)+(0.5만원×150켤레)+(0.3만원×60회)로 총 173만원이 된다.

1문단:

경제 성장은 장기적인 관점에서 국내 총생산(GDP)이 지속적으로 증가하는 것이다. 그러나 경제가 꾸준히 성장하는 국가라 하더라도, 경기는 좋을 때도 있고 나쁠 때도 있다. 경기 변동은 실질 GDP*의 추세를 장기적으로 보여주는 선에서 단기적으로 그 선을 이탈하여 상승과 하락을 보여주는 현상을 말한다. 일정한 주기를 두고 발생하는 경기 변동은 일반적으로 네 가지 국면으로 나뉜다. 첫 번째 국면은 투자나 생산 활동이 침체되고, 실업의 증대, 물가의 하락, 금리의 저하, 주가의 폭락 등이 나타나는 불황기 또는 침체기이다. 두 번째 국면은 생산의 축소·조정 과정을 거친 다음, 경제가 전환점을 넘어서 상향하는 회복기이다. 이 국면에서 거래는 회복되고 투자나 생산은 상승 기미를 보이며, 실업은 감소하기 시작한다. 세 번째 국면은 투자가 활발해지고, 생산재나 소비재의 생산이 증가하며, 고용이 증가하고 임금도 상승하는 호황기 또는 번영기이다. 네 번째 국면은 생산의 상승이 정점에 달하여 과잉 생산이 일어나고, 자본 설비도 과잉 상태가 되어 투자가 급격히 감소하는 후퇴기 또는 공황이다. 이 국면에서는 재고가 늘어나고 기업의 자금 조달이 어려워지며 은행은 전망에 대한 불안에서 대부금의 회수를 서두른다. 이러한 상태가 극에 달하면 기업은 도산하고 실업자는 대량으로 발생하며 물가나 주가가 떨어진다. 이러한 경기 변동을 촉발하는 주원인을 바라보는 시각에는 여러 견해가 있다.

2문단:

1970년대까지는 경기 변동이 ⓐ일어나는 주원인이 ㉠민간 기업의 투자 지출 변화에 의한 총수요* 측면의 충격에 있다는 견해가 우세하였다. 민간 기업이 미래에 대해 갖는 기대에 따라 투자 지출이 변함으로써 경기 변동이 촉발된다는 것이다. 따라서 정부가 총수요 충격에 대응하여 적절한 총수요 관리 정책을 실시하면 경기 변동을 억제할 수 있다고 보았다. 그러나 1970년대 이후 총수요가 변해도 총생산은 변하지 않을 수 있다는 비판이 제기되자, 이에 따라 ㉡금융 당국의 자의적인 통화량 조절이 경기 변동의 원인으로 작용한다는 주장이 제기되었다.

3문단:

이후 루카스는 경제 주체들이 항상 '합리적 기대'를 한다고 보고, 이들이 불완전한 정보로 인해 잘못된 판단을 하여 경기 변동이 발생한다는 ㉢'화폐적 경기 변동 이론'을 주장하였다. 합리적 기대란 어떤 정보가 새로 들어왔을 때 경제 주체들이 이를 적절히 이용하여 미

4문단:

래에 대한 기대를 형성한다는 것이다. 그러나 경제 주체들에게 주어지는 정보가 불완전하기 때문에 그들은 잘못 판단할 수 있으며, 이로 인해 경기 변동이 발생하게 된다. 루카스는 ⓐ가상의 사례를 들어 이를 설명하고 있다.

일정 기간 오직 자신의 상품 가격만을 아는 한 기업이 있다고 하자. 이 기업의 상품 가격이 상승했다면, 그것은 통화량의 증가로 전반적인 물가 수준이 상승한 결과일 수도 있고, 이 상품에 대한 소비자들의 선호도 변화 때문일 수도 있다. 전반적인 물가 상승에 의한 것이라면 기업은 생산량을 늘릴 이유가 없다. 하지만 일정 기간 자신의 상품 가격만을 아는 기업에서는 아무리 합리적 기대를 한다 해도 가격 상승의 원인을 정확히 판단할 수 없다. 따라서 전반적인 물가 수준이 상승한 경우에도 그것이 선호도 변화에서 온 것으로 판단하여 상품 생산량을 늘릴 수 있다. 이렇게 되면 근로자의 임금은 상승하고 경기 역시 상승하게 된다. 그러나 일정 시간이 지나 가격 상승이 전반적인 물가 수준의 상승에 의한 것임을 알게 되면, 기업은 자신이 잘못 판단했음을 깨닫고 생산량을 줄이게 된다.

그러나 이러한 루카스의 견해로는 대규모의 경기 변동을 모두 설명하기 어렵다는 비판이 제기되었다. 이에 따라 일부 학자들은 경기 변동의 주원인을 기술 혁신, 유가 상승과 같은 실물적 요인에서 찾게 되었는데, 이를 ⓑ'실물적 경기 변동 이론'이라고 한다. 이들에 의하면 기업에서 생산성을 향상시킬 수 있는 기술 혁신이 발생하면 기업들은 더 많은 근로자를 고용하려 할 것이다. 그 결과 고용량과 생산량이 증가하여 경기가 상승하게 된다. 반면 유가가 상승하면 기업은 생산 과정에서 에너지를 덜 쓰게 되므로 고용량과 생산량은 줄어들게 된다.

최근 일부 학자들은 한 나라의 경기 변동을 설명하는 중요한 요소로 해외 부문을 거론하고 있다. 이들은 세계 각국의 경제적 협력이 밀접해지면서 각국의 경기 변동이 서로 높은 상관관계를 가진다고 보고, 그에 따라 ⓒ경기 변동이 국제적으로 전파될 수 있다고 생각한다.

※ 실질 GDP: 물가 변동에 의한 생산액의 증감분을 제거한 GDP.
※ 총수요: 국민 경제의 모든 경제 주체들이 소비, 투자 등의 목적으로 사려고 하는 재화와 용역의 합.

정답 및 해설 ◐ 64쪽

01 **윗글에 대한 설명으로 가장 적절한 것은?**

① 경기 변동의 주원인에 대한 여러 견해를 순차적으로 소개하고 있다.
② 경기 변동의 과정에서 경제 주체들이 대응하는 방식을 대조하고 있다.
③ 경기 변동의 불황기와 후퇴기의 발생을 억제할 수 있는 방안을 모색하고 있다.
④ 경기 변동으로 인한 생산량의 변화가 초래할 수 있는 상황에 대해 예측하고 있다.
⑤ 경기 변동에 대한 이해를 돕기 위해 국내 총생산의 변화를 통시적으로 설명하고 있다.

5문단:

6문단:

7문단:

주제:

문제 Guide 글의 내용을 이해하고 논지 전개 방식을 파악할 수 있는지 평가하는 문제이다. 모든 선택지가 글의 중심 화제인 '경기 변동'이라는 용어로 시작하고 있으므로 지문에서 경기 변동의 어떠한 측면에 초점을 맞춰 설명하고 있는지를 살펴보아야 한다.

02 윗글의 내용과 일치하지 않는 것은?

① 경제가 장기적으로 성장하는 국가에서도 실질 GDP가 단기적으로 하락하는 기간이 있을 수 있다.

② 경제 주체들이 소비나 투자 목적으로 사려고 하는 재화와 용역의 합이 변해도 총생산은 변하지 않을 수 있다.

③ 생산과 자본 설비의 과잉 상태로 인한 재고의 증가는 기업의 자금 조달을 어렵게 만들어 기업을 도산에 이르게 할 수도 있다.

④ 실물적 경기 변동 이론에서는 대규모로 일어나는 경기 변동을 설명하기 어렵다는 점을 들어 화폐적 경기 변동 이론을 비판한다.

⑤ 실물적 경기 변동 이론에서는 유가 상승이 생산 과정에서 쓰이는 에너지를 감소시켜서 생산량을 늘리는 실물적 요인으로 작용한다고 본다.

문제 Guide 지문의 내용을 파악하여 이해하고 있는지를 평가하는 문제이다. 선택지의 내용이 지문의 어느 부분에서 언급한 내용인지 확인한 후, 달라진 부분은 없는지 살펴보아야 한다. 만약 달라진 부분이 있다면 그 부분이 어떻게 바뀌었는지를 파악하여 적절성을 판단해야 한다.

03 [A]를 참고할 때, [보기]에서 올해의 GDP에 포함되는 것을 모두 고른 것은?

┤보기├

ㄱ. 충남에 사는 농민 유 씨는 올 한 해 농사를 지어 총 3천만 원어치의 쌀을 도매상에게 판매하였다.

ㄴ. 외국계 보험 회사의 한국 지점에서 근무하는 회사원 최 씨는 올해 총 8천만 원의 연봉을 받았다.

ㄷ. 외국인 강사 루시는 이번 달에 인천의 한 영어 학원에서 강의를 하여 월급 300만 원을 받았다.

ㄹ. 서울에 사는 회사원 김 씨는 오늘 자신이 소유하고 있던 △△ 전자 주식의 명의를 타인에게 이전해 주고 500만 원을 받았다.

ㅁ. 경기도에 사는 서 씨는 올해 초에 생산된 중고차를 800만 원에 구입하였다.

① ㄱ, ㄴ   ② ㄷ, ㄹ   ③ ㄹ, ㅁ
④ ㄱ, ㄴ, ㄷ   ⑤ ㄷ, ㄹ, ㅁ

문제 Guide 중심 화제의 개념을 이해하고 구체적 사례에 적용할 수 있는지를 평가하는 문제이다. [A]에서는 GDP의 정의를 바탕으로 '1년 동안', '국내에서 생산된', '시장가치의 합계'라는 GDP의 세 가지 조건을 제시하고 있다. 이 세 가지 조건을 모두 충족한 예가 무엇인지를 파악해야 한다.

04 ㉠을 참고할 때, [B]에 들어갈 내용으로 가장 적절한 것은?

┤보기├

선생님: 루카스가 경기 변동 과정을 설명하기 위해 사용했던 가상의 사례는 금융 당국의 정책을 그다지 신뢰하지 않았던 그의 생각을 이해하는 데 중요한 전제가 됩니다. 경기 상승을 위해 통화량 증가 정책을 반복적으로 시행한다면, 기업들은 자기 상품의 가격이 상승할 때 ____[B]____ 할 것입니다. 합리적 기대를 하는 경제 주체들은 새로운 정보를 받아들여 자신의 잘못된 판단을 줄여 나가기 때문입니다.

① 자신들의 합리적 기대와는 무관하게 생산량을 늘리려

② 통화량이 계속 증가할 것이라고 보고 생산량을 늘리려

③ 근로자의 임금이 변화되는 것을 고려하여 생산량을 늘리려

④ 소비자들의 선호가 수시로 바뀔 수 있다고 보고 생산량을 늘리지 않으려

⑤ 전반적인 물가 수준이 상승한 것이라고 판단하여 생산량을 늘리지 않으려

문제 Guide 글에서 설명하고 있는 견해와 사례를 이해하고 이를 다른 상황에 적용할 수 있는지를 평가하는 문제이다. 5~6문단을 통해 ㉠의 핵심은 기업은 가격 상승의 원인을 정확히 파악할 수 없어 잘못된 선택을 하게 된다는 것임을 알 수 있다. [B]에 제시된 상황이 ㉠과 같은 점은 무엇이고 다른 점은 무엇인지를 살핀 후, 선택지의 내용 중 들어가기에 적절한 것이 무엇인지 찾아야 한다.

05 윗글의 ㉮~㉺와 [보기]를 관련지어 이해한 것으로 적절하지 <u>않은</u> 것은?

문제 Guide 지문에 제시된 경기 변동이 일어나는 주원인에 대한 각 견해를 이해하고, 그래프가 의미하는 바를 정확히 해석할 수 있는지 평가하는 문제이다. [보기]는 경기 변동의 과정을 도식화한 그래프이므로 ㉮~㉺의 입장에서 경기 변동 과정을 어떻게 이해하였을지 추론해야 한다.

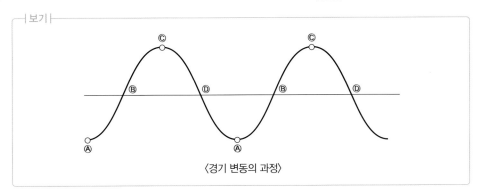

〈경기 변동의 과정〉

① ㉮는 ⓒ에서 ⓓ로의 변화가 일어난 것은 민간 기업이 투자 지출을 줄였기 때문이라고 생각했겠군.

② ㉯는 금융 당국이 나라 안에서 유통되고 있는 화폐의 양을 임의적으로 조절하면 ⓐ~ⓓ와 같은 변화가 일어날 수 있다고 보았겠군.

③ ㉰는 기업의 생산량이 증가하고 근로자의 임금이 상승하면 ⓐ에서 ⓒ로의 변화가 발생한다고 보았겠군.

④ ㉮와 ㉱는 ⓐ~ⓓ와 같은 변화가 기업이라는 경제 주체의 행위에 영향을 받은 것이라고 보았겠군.

⑤ ㉲는 지리적으로 인접한 두 국가에서 비슷한 시기에 ⓒ에서 ⓓ를 거쳐 ⓐ로의 변화가 일어났다면 한 국가가 다른 국가에 영향을 미쳤다고 보았겠군.

06 ⓐ와 문맥적 의미가 가장 유사한 것은?

문제 Guide 문맥적 의미가 가장 유사한 단어를 찾아야 해결할 수 있는 문제이다. 지문 속에서 ⓐ의 문맥적 의미를 추리한 후, 각 선택지의 밑줄 친 부분에 그 의미를 대입해 보고 ⓐ의 자리에 교체하였을 때, 문맥적으로 의미가 달라지지 않는지 살펴보아야 한다.

① 얼마 후에 꺼져 가던 불꽃이 다시 <u>일어났다</u>.

② 그녀는 싸움이 <u>일어난</u> 틈을 타서 그 자리를 떠났다.

③ 그는 친구의 말에 화가 <u>일어났지만</u> 곧 마음을 가라앉혔다.

④ 구성원들이 적극적으로 <u>일어나</u> 동아리의 위기를 해결하였다.

⑤ 체육 대회가 가까워질수록 승리에 대한 열기가 다시 <u>일어났다</u>.

✔ 약점 찾는 체크리스트

문항	문제 유형	정답 체크					나의 오답 노트
		맞음	틀림				
			개념 이해 부족	유형 이해 부족	내용 이해 부족	헷갈림 /실수	
01	글의 전개 방식 파악						
02	세부 내용의 이해						
03	구체적 사례에 적용						
04	구체적 상황의 추론						
05	자료 해석의 적절성 판단						
06	어휘의 문맥적 의미 파악						
	내가 쓰는 총평						

지문 독해 전략

이 글은 보험과 관련된 개념들을 소개하고 보험의 목적 달성을 위해 필요한 고지 의무 제도에 대해 설명한 지문이다. 보험과 관련된 다양한 개념들이 무엇인지 확실히 구별하며 읽어야 한다. 이때 다른 사례에 적용할 수 있는 개념이 있다면 구체적으로 어떻게 적용할 수 있는지 생각하며 읽는 것도 지문을 이해하는 데 도움이 된다.

[01~06] 다음 글을 읽고 물음에 답하시오.

지문 분석 Note

보험은 같은 위험을 보유한 다수인이 위험 공동체를 형성하여 보험료를 납부하고 보험 사고가 발생하면 보험금을 지급받는 제도이다. 보험 상품을 구입한 사람은 장래의 우연한 사고로 인한 경제적 손실에 ⓐ대비할 수 있다. 보험금 지급은 사고 발생이라는 우연적 조건에 따라 결정되는데, 이처럼 보험은 조건의 실현 여부에 따라 받을 수 있는 재화나 서비스가 달라지는 조건부 상품이다.

[가]
위험 공동체의 구성원이 납부하는 보험료와 지급받는 보험금은 그 위험 공동체의 사고 발생 확률을 근거로 산정된다. 특정 사고가 발생할 확률은 정확히 알 수 없지만 그동안 발생된 사고를 바탕으로 그 확률을 예측한다면 관찰 대상이 많아짐에 따라 실제 사고 발생 확률에 근접하게 된다. 본래 보험 가입의 목적은 금전적 이득을 취하는 데 있는 것이 아니라 장래의 경제적 손실을 보상받는 데 있으므로 위험 공동체의 구성원은 자신이 속한 위험 공동체의 위험에 상응하는 보험료를 납부하는 것이 공정할 것이다. 따라서 공정한 보험에서는 구성원 각자가 납부하는 보험료와 그가 지급받을 보험금에 대한 기댓값이 일치해야 하며 구성원 전체의 보험료 총액과 보험금 총액이 일치해야 한다. 이때 보험금에 대한 기댓값은 사고가 발생할 확률에 사고 발생 시 수령할 보험금을 곱한 값이다. 보험금에 대한 보험료의 비율(보험료/보험금)을 보험료율이라 하는데, 보험료율이 사고 발생 확률보다 높으면 구성원 전체의 보험료 총액이 보험금 총액보다 더 많고, 그 반대의 경우에는 구성원 전체의 보험료 총액이 보험금 총액보다 더 적게 된다. 따라서 공정한 보험에서는 보험료율과 사고 발생 확률이 같아야 한다.

물론 현실에서 보험사는 영업 활동에 소요되는 비용 등을 보험료에 반영하기 때문에 공정한 보험이 적용되기 어렵지만 기본적으로 위와 같은 원리를 바탕으로 보험료와 보험금을 산정한다. 그런데 보험 가입자들이 자신이 가진 위험의 정도에 대해 진실한 정보를 알려 주지 않는 한, 보험사는 보험 가입자 개개인이 가진 위험의 정도를 정확히 ⓑ파악하여 거기에 상응하는 보험료를 책정하기 어렵다. 이러한 이유로 사고 발생 확률이 비슷하다고 예상되는 사람들로 구성된 어떤 위험 공동체에 사고 발생 확률이 더 높은 사람들이 동일한 보험료를 납부하고 진입하게 되면, 그 위험 공동체의 사고 발생 빈도가 높아져 보험사가 지급하는 보험금의 총액이 증가한다. 보험사는 이를 보전하기 위해 구성원이 납부해야 할 보험료를 ⓒ인상할 수밖에 없다. 결국 자신의 위험 정도에 상응하는 보험료보다 더 높은 보험료를 납부하는 사람이 생기게 되는 것이다. 이러한 문제는 정보의 비대칭성에서 비롯되는데 보험 가입자의 위험 정도에 대한 정보는 보험 가입자가 보험사보다 더 많이 갖고 있기 때문이다. 이를 해결하기 위해 보험사는 보험 가입자의 감춰진 특성을 파악할 수 있는 수단이 필요하다.

우리 상법에 규정되어 있는 고지 의무는 이러한 수단이 법적으로 구현된 제도이다. 보험 계약은 보험 가입자의 청약과 보험사의 승낙으로 성립된다. 보험 가입자는 반드시 계약을 체결하기 전에 '중요한 사항'을 알려야 하고, 이를 사실과 다르게 진술해서는 안 된다. 여기서 '중요한 사항'은 보험사가 보험 가입자의 청약에 대한 승낙을 결정하거나 차등적인

1문단:

2문단:

3문단:

4문단:

보험료를 책정하는 근거가 된다. 따라서 고지 의무는 결과적으로 다수의 사람들이 자신의 위험 정도에 상응하는 보험료보다 더 높은 보험료를 납부해야 하거나, 이를 이유로 아예 보험에 가입할 동기를 상실하게 되는 것을 방지한다.

보험 계약 체결 전 보험 가입자가 고의나 중대한 과실로 '중요한 사항'을 보험사에 알리지 않거나 사실과 다르게 알리면 고지 의무를 위반하게 된다. 이러한 경우에 우리 상법은 보험사에 계약 해지권을 부여한다. 보험사는 보험 사고가 발생하기 이전이나 이후에 상관없이 고지 의무 위반을 이유로 계약을 해지할 수 있고, 해지권 행사는 보험사의 일방적인 의사 표시로 가능하다. 해지를 하면 보험사는 보험금을 지급할 책임이 없게 되며, 이미 보험금을 지급했다면 그에 대한 반환을 청구할 수 있다. 일반적으로 법에서 의무를 위반하게 되면 위반한 자에게 그 의무를 이행하도록 강제하거나 손해 배상을 청구할 수 있는 것과 달리, 보험 가입자가 고지 의무를 위반했을 때에는 보험사가 해지권만 행사할 수 있다. 그런데 보험사의 계약 해지권이 제한되는 경우도 있다. 계약 당시에 보험사가 고지 의무 위반에 대한 사실을 알았거나 중대한 과실로 인해 알지 못한 경우에는 보험 가입자가 고지 의무를 위반했어도 보험사의 해지권은 ⓓ배제된다. 이는 보험 가입자의 잘못보다 보험사의 잘못에 더 책임을 둔 것이라 할 수 있다. 또 보험사가 해지권을 행사할 수 있는 기간에도 일정한 제한을 두고 있는데, 이는 양자의 법률관계를 신속히 확정함으로써 보험 가입자가 불안정한 법적 상태에 장기간 놓여 있는 것을 방지하려는 것이다. 그러나 고지해야 할 '중요한 사항' 중 고지 의무 위반에 해당되는 사항이 보험 사고와 인과 관계가 없을 때에는 보험사는 보험금을 지급할 책임이 있다. 그렇지만 이때에도 해지권은 행사할 수 있다.

보험에서 고지 의무는 보험에 가입하려는 사람의 특성을 검증함으로써 다른 가입자에게 보험료가 부당하게 ⓔ전가되는 것을 막는 기능을 한다. 이로써 사고의 위험에 따른 경제적 손실에 대비하고자 하는 보험 본연의 목적이 달성될 수 있다.

정답 및 해설 ◑ 70쪽

5문단:

6문단:

주제:

01 윗글에 대한 설명으로 가장 적절한 것은?

① 보험 계약에서 보험사가 준수해야 할 법률 규정의 실효성을 검토하고 있다.
② 보험사의 보험 상품 판매 전략에 내재된 경제학적 원리와 법적 규제의 필요성을 강조하고 있다.
③ 공정한 보험의 경제학적 원리와 보험의 목적을 실현하는 데 기여하는 법적 의무를 살피고 있다.
④ 보험금 지급을 두고 벌어지는 분쟁의 원인을 나열한 후 경제적 해결책과 법적 해결책을 모색하고 있다.
⑤ 보험 상품의 거래에 부정적으로 작용하는 법률 조항의 문제점을 경제학적인 시각에서 분석하고 있다.

문제 Guide 글의 전반적인 내용을 파악하는 문제이다. 선택지의 세세한 정보를 확인하기보다는 지문에서 어떤 내용이 언급되었는지를 생각해 보아야 한다.

사회 05

02 윗글을 이해한 내용으로 가장 적절한 것은?

① 보험사가 청약을 하고 보험 가입자가 승낙해야 보험 계약이 해지된다.

② 구성원 전체의 보험료 총액보다 보험금 총액이 더 많아야 공정한 보험이 된다.

③ 보험 사고 발생 여부와 관계없이 같은 보험료를 납부한 사람들은 동일한 보험금을 지급받는다.

④ 보험에 가입하고자 하는 사람이 알린 중요한 사항을 근거로 보험사는 보험 가입을 거절할 수 있다.

⑤ 우리 상법은 보험 가입자보다 보험사의 잘못을 더 중시하기 때문에 보험사에 계약 해지권을 부여하고 있다.

문제 Guide 세부적인 정보를 제대로 파악했는지 묻는 문제이다. 지문의 내용과 선택지 진술을 꼼꼼히 비교해 가며 적절성을 판단해야 한다.

03 [가]를 바탕으로 [보기]의 상황을 이해한 내용으로 적절한 것은?

> ┤보기├
>
> 사고 발생 확률이 각각 0.1과 0.2로 고정되어 있는 위험 공동체 A와 B가 있다고 가정한다. A와 B에 모두 공정한 보험이 항상 적용된다고 할 때, 각 구성원이 납부할 보험료와 사고 발생 시 지급받을 보험금을 산정하려고 한다.
> 단, 동일한 위험 공동체의 구성원끼리는 납부하는 보험료가 같고, 지급받는 보험금이 같다. 보험료는 한꺼번에 모두 납부한다.

① A에서 보험료를 두 배로 높이면 보험금은 두 배가 되지만 보험금에 대한 기댓값은 변하지 않는다.

② B에서 보험금을 두 배로 높이면 보험료는 변하지 않지만 보험금에 대한 기댓값은 두 배가 된다.

③ A에 적용되는 보험료율과 B에 적용되는 보험료율은 서로 같다.

④ A와 B에서의 보험금이 서로 같다면 A에서의 보험료는 B에서의 보험료의 두 배이다.

⑤ A와 B에서의 보험료가 서로 같다면 A와 B에서의 보험금에 대한 기댓값은 서로 같다.

문제 Guide [가]의 핵심 내용을 파악하고 그것을 구체적인 상황에 적용하는 문제이다. 먼저 [가]의 핵심 내용인 '공정한 보험'의 특징과 '보험금에 대한 기댓값'과 '보험료율'의 개념을 정확히 확인해야 한다. 그 후 [보기]에 제시된 조건인 '공정한 보험이 항상 적용된다'와 'A와 B의 사고 발생 확률' 등을 고려하여 선택지의 적절성을 판단해야 한다.

04 윗글의 고지 의무 에 대한 설명으로 적절하지 않은 것은?

① 고지 의무를 위반한 보험 가입자가 보험사에 손해 배상을 해야 하는 근거가 된다.

② 보험사가 보험 가입자의 위험 정도에 따라 차등적인 보험료를 책정하는 데 도움이 된다.

③ 보험 계약 과정에서 보험사가 가입자들의 특성을 파악하는 데 드는 어려움을 줄여 준다.

④ 보험사와 보험 가입자 간의 정보 비대칭성에서 기인하는 문제를 줄일 수 있는 법적 장치이다.

⑤ 자신의 위험 정도에 상응하는 보험료보다 높은 보험료를 내야 한다는 이유로 보험 가입을 포기하는 사람들이 생기는 것을 방지하는 효과가 있다.

문제 Guide 지문의 핵심 개념인 '고지 의무'에 대해 파악하는 문제이다. '고지 의무'와 관련된 3~5 문단을 중심으로 살펴보도록 한다.

05 윗글을 바탕으로 [보기]의 사례를 검토한 내용으로 가장 적절한 것은?

┤보기├
　보험사 A는 보험 가입자 B에게 보험 사고로 인한 보험금을 지급한 후, B가 중요한 사항을 고지하지 않았다는 사실을 뒤늦게 알고 해지권을 행사할 수 있는 기간 내에 보험금 반환을 청구했다.

① 계약 체결 당시 A에게 중대한 과실이 있었다면 A는 계약을 해지할 수 없으나 보험금은 돌려받을 수 있다.
② 계약 체결 당시 A에게 중대한 과실이 없다 하더라도 A는 보험금을 이미 지급했으므로 계약을 해지할 수 없다.
③ 계약 체결 당시 A에게 중대한 과실이 있고 B 또한 중대한 과실로 고지 의무를 위반했다면 A는 보험금을 돌려받을 수 있다.
④ B가 고지하지 않은 중요한 사항이 보험 사고와 인과 관계가 없다면 A는 보험금을 돌려받을 수 없다.
⑤ B가 자신의 고지 의무 위반 사실을 보험 사고가 발생한 후 A에게 즉시 알렸다면 고지 의무를 위반한 것이 아니다.

문제 Guide '고지 의무'에 대해 이해하고 이를 [보기]의 사례에 적용하는 문제이다. [보기]에 제시된 사례의 핵심이 무엇인지를 찾고, 그에 관련된 지문의 내용을 떠올리며 해결해야 한다.

06 ⓐ~ⓔ를 사용하여 만든 문장으로 적절하지 <u>않은</u> 것은?

① ⓐ: 지난해의 이익과 손실을 대비해 올해 예산을 세웠다.
② ⓑ: 일을 시작하기 전에 상황을 파악하는 것이 중요하다.
③ ⓒ: 임금이 인상되었다는 소식에 많은 사람들이 기뻐했다.
④ ⓓ: 이번 실험이 실패할 가능성을 전혀 배제할 수는 없다.
⑤ ⓔ: 그는 자신의 실수에 대한 책임을 동료에게 전가했다.

문제 Guide 한자어의 의미를 파악하고 적절히 활용할 수 있는지 묻는 문제이다. 같은 음을 가진 한자어이지만 뜻이 달라 쓰임이 다른 경우가 있으므로, 문맥을 고려하여 한자어의 의미를 파악해야 한다.

✔ 약점 찾는 체크리스트

문항	문제 유형	정답 체크					나의 오답 노트
		맞음	틀림				
			개념 이해 부족	유형 이해 부족	내용 이해 부족	헷갈림/실수	
01	중심 화제의 파악						
02	세부 정보의 이해						
03	구체적 사례에 적용						
04	핵심 정보의 파악						
05	구체적 상황에 적용						
06	어휘 활용의 적절성 판단						
	내가 쓰는 총평						

사회
06

제재　　　사회+기술　　　난이도　　　상　　　제한 시간　　　8분 40초

1회독　　월　　일 | 소요 시간:

2회독　　월　　일 | 소요 시간:

3회독　　월　　일 | 소요 시간:

지문 독해 전략

이 글은 선거구 획정이 가진 기술적 · 정치적 특성과 선거구 획정 과정에서의 쟁점을 설명한 지문이다. 선거구 획정의 개념과 선거구를 획정할 때 어떤 기술이 활용되는지를 파악하며 읽어야 한다. 선거구가 획정될 때 쟁점이 되는 사안이 왜 쟁점이 되는지를 파악하며 읽는 것도 지문을 이해하는 데 도움이 된다.

[01~05] 다음 글을 읽고 물음에 답하시오.

지문 분석 Note

지난 2014년 10월, 헌법재판소는 국회의원 선거구별 인구 편차를 3:1까지 허용하는 현행 공직선거법에 대하여 헌법불일치 결정을 내리고, 선거구 간 인구 편차를 2:1 이하로 획정하도록 명령하였다. 인구 편차 3:1의 기준을 적용하게 되면 1인의 투표 가치가 다른 1인의 투표 가치에 비하여 세 배의 가치를 가지는 경우도 발생하는데, 이는 지나친 투표 가치의 불평등이라는 것이다. 즉 인구가 적은 지역구에서 당선된 국회의원이 획득한 투표수보다 인구가 많은 지역구에서 낙선된 후보자가 획득한 투표수가 많은 경우가 발생할 가능성도 있는 바, ㉠대의 민주주의의 관점에서도 결코 바람직하지 아니하다는 것이다. 또한 국회를 구성함에 있어 국회의원의 지역 대표성이 고려되어야 한다고 할지라도 이것이 국민주권주의의 출발점인 투표 가치의 평등보다 우선시 될 수는 없다며 그 이유를 밝혔다. 헌법재판소의 이와 같은 결정이 지닌 의미를 이해하기 위해서는 선거구에 관한 개념과 선거구 획정에 대한 이해가 선행되어야 한다.

선거구는 선출직 공직자를 선출하기 위해 선거가 실시되는 독립된 단위 지역을 말하고, 선거구를 기준으로 대표자를 선출하는 제도를 선거구제라고 한다. 우리나라는 지역구 국회의원 선거와 지역구 시 · 도의회의원 선거에서는 소선거구제를 채택하고 있고, 지역구 자치구 · 시 · 군의회의원 선거에서는 중선거구제를 채택하고 있다. 선거구 획정은 2단계로 구성되는데, 1단계는 전국적 인구 조사 후 정치적 단위 지역 인구수에 비례하여 의회의 지역구 의석수를 재분배한다. 그리고 2단계는 각 단위 지역에 재분배된 의석수에 따라 그 지역 내 선거구의 경계선을 재획정한다. 이 과정에서 선거구 획정은 정치적 특성뿐 아니라 복잡한 기술적 문제도 포함한다.

선거구 획정의 기준을 논의하기 전에 선거구의 인구수 및 지리적 여건에 대한 정확한 데이터가 관리할 수 있는 형태로 정리되어 있어야 한다. 오늘날의 선거구 획정은 지리 정보 체계, 즉 GIS(Geographic Information System)를 이용하기 때문에 여러 가지 결과를 예측하고 다양한 선거구 획정안 지도를 작성할 수 있다. 그래서 시군구의 세부 도로, 읍면동 단위까지 지역 특성을 보여주는 획정안을 작성할 수 있다.

GIS란 지역에서 수집한 각종 지리 정보를 수치화하여 컴퓨터에 입력 · 처리하고, 이를 사용자의 요구에 따라 다양한 방법으로 분석 · 종합하여 제공하는 종합정보관리시스템을 말한다. 종이에 인쇄된 지도는 수시로 변하는 내용들을 수록하지 못하기 때문에 이용에 한계가 있었다. 이에 컴퓨터를 이용하여 자료를 수집 · 처리 · 분석하는 효과적인 이용방안을 제시하게 되었고, 방대하고 다양한 자료를 효율적으로 처리할 수 있는 종합적 공간 처리 기술인 GIS가 발달하기에 이르렀다. GIS가 갖추어지면 다양한 공간 분석이 가능해지고, 그래픽 정보나 관련 데이터베이스 등을 활용하여 각종 지형 정보를 상세히 알 수 있을 뿐 아니라, 처리 도구와 조작 도구를 이용해 방대한 공간 자료를 효율적으로 관리할 수 있다. 컴퓨터 관련 기술과 과학 기술의 발달은 인공위성을 활용한 원격 탐사를 통해 효율적으로 지리 자료를 수집하게 하여 GIS의 발달에 기여하였다.

이러한 GIS를 통해 작성된 획정안은 경계선의 연속성과 선거구 형상의 조밀성 같은 기준을 평가하는 것을 훨씬 용이하게 한다. 이는 게리맨더링*의 문제와 밀접히 연계되어 있

1문단:

2문단:

3문단:

4문단:

5문단:

는 것으로, 우선 선거구 형태의 연결성 문제는 선거구 전체가 하나의 모양으로 연속되어 있어야 한다는 것이다. ⓐ만약 단절된 2개 이상의 구역이 하나의 선거구로 인정되게 된다면 유권자의 대표성 실현이 무시된 채 현직자나 당파적 이해관계에 따른 선거구 획정이 더욱 용이하게 될 것이기 때문이다. 선거구 형상의 조밀성 문제는 선거구 형태가 연결성을 가진다 해도 도마뱀 꼬리처럼 길게 지역을 구획하게 된다는 것이다. 결과적으로 양 극단에 속한 유권자들은 서로 다른 문화적, 행정적 공동체의 구성원이 될 가능성이 높아지게 되므로 이를 방지해야 한다.

선거구를 획정하는 과정에서 가장 큰 문제가 되는 것은 헌법재판소의 판결 내용에서도 알 수 있듯이 평등 선거의 원칙과 관련한 인구 비례성의 문제와, 각 지역의 특수성을 반영하는 지역 대표성의 문제이다. 인구 비례성의 문제는 평등 선거의 원칙을 기본으로 하는 '투표 가치 등가성의 원칙'을 지키기 위한 것이다. 투표 가치 등가성의 원칙은 모든 선거인의 1인 1표를 인정하는 것 뿐만 아니라, 1표의 가치가 대표자 선정이라는 선거의 결과에 기여한 정도에서도 평등해야 함을 의미한다. 하지만 헌법재판소가 강조한 인구 비례성을 강화할 경우 지역 대표성이 약화된다. 특히 우리나라의 경우 도시와 농촌 간의 인구 격차가 심화되고 있는 상황이라, ⓛ인구 편차 기준을 절대적으로 반영하면 농어촌 지역의 선거구 축소가 불가피하고, 농어촌 선거권자들의 지역 대표성이 침해될 수 있다. 선거구 획정은 선거의 결과에 직접적으로 영향을 미치며, 투표에 참여하는 선거인들에게 평등하고 공정한 선거권을 보장해야 한다는 점에서 중요하다. 선거구를 획정할 때 공정성을 확보하는 방법 중의 하나는 선거구 획정 과정에서 가능한 정치적인 특성들을 배제하고, 중립적인 기관에 의해 획정 절차를 거쳐 투표의 등가성을 높이는 것이다.

* 게리맨더링: 1812년 미국 매사추세츠주 주지사 E.게리가 상원선거법 개정법의 강행을 위하여 자기당인 공화당에 유리하도록 선거구를 분할하였는데, 그 모양이 샐러맨더(salamander:도롱뇽)와 같다고 하여 반대당에서 샐러 대신에 게리의 이름을 붙여 게리맨더라고 비난한 데서 유래한 말.

6문단:

주제:

정답 및 해설 **○ 76쪽**

01 윗글의 내용에 대한 이해로 적절하지 않은 것은?

① 한 선거구 내의 유권자들은 같은 문화적 · 행정적 공동체의 구성원이어야 한다.

② 우리나라는 선거구의 크기에 따라 소선거구제와 중선거구제를 달리 채택하고 있다.

③ 서로 떨어져 있는 구역이 하나의 선거구로 인정될 경우 정치적으로 악용될 수 있다.

④ 헌법재판소는 선거구를 정할 때 지역 대표성보다 인구 비례성의 문제가 우선시되어야 한다고 보았다.

⑤ 선거구 획정 시 인구 편차 기준의 절대적 반영은 농어촌 선거권자들의 지역 대표성을 침해할 가능성이 있다.

○ **문제 Guide** 지문의 내용을 정확히 이해하였는지 확인하는 문제이다. 각 문단의 중심 내용 등을 고려하여 선택지의 적절성을 판단해야 한다.

02 [보기]를 참고할 때, ㉠의 전제를 추론한 것으로 가장 적절한 것은?

─┤보기├─

　국민 자치의 원리를 근간으로 하는 민주 정치의 본래 취지를 따르면, 국민이 직접 정책을 결정하는 직접 민주제가 바람직하다. 그러나 인구가 많아지고 결정해야 할 정책 사안이 많아지면서 직접 민주제를 적용하는 데 많은 시간과 비용이 필요하다는 문제에 부딪힌다. 또한 국민 대다수가 자신의 직업과 생활에 전념해야 하는 현실적인 문제로 인해 직접 민주제를 시행하는 데에는 어려움이 뒤따른다. 이 때문에 주권자인 국민이 직접 선출한 대표가 의회에 모여 의사 결정을 하고 이에 따르는 형태가 오늘날 보편적으로 시행되고 있는데, 이를 간접 민주제 또는 대의 민주제라고 한다. 대의 민주제는 다수결의 원칙 아래 국민들이 자신의 대표를 스스로 선택할 권리를 가지며, 그 대표가 사회의 공익을 추구하고 국가의 발전을 도모한다는 것이 기본 원칙이 된다.

① 대의 민주제에서 국민들은 선출된 대표들의 의사 결정에 따라야 한다.
② 대의 민주제에서는 선거를 통해 선출된 자만이 국민의 대표가 될 수 있다.
③ 대의 민주제에서는 선거에서 다수의 국민이 선택한 사람이 국민의 대표가 된다.
④ 대의 민주제의 한계를 극복하기 위해서는 국민이 자주적으로 대표를 선출해야 한다.
⑤ 대의 민주제에서 선출된 대표는 사회의 공익을 추구하고 국가의 발전을 도모해야 한다.

문제 Guide　[보기]의 내용을 바탕으로 ㉠의 전제를 추론하는 문제이다. 문맥을 고려하여 어떠한 상황이 ㉠에서 언급한 대의 민주주의의 관점에서 바람직하지 않은 것인지를 도출해야 한다. 또 [보기]를 바탕으로 그러한 판단의 전제가 무엇인지를 추론해야 한다.

03 윗글과 [보기]를 바탕으로 추론한 내용으로 적절하지 않은 것은?

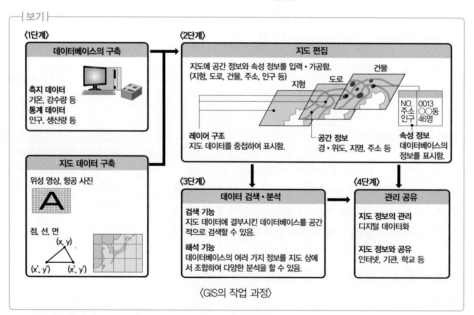

① 선거구 획정에 GIS를 이용하기 위해서는 우선 전국적 인구수에 대한 데이터베이스를 구축해야겠군.
② 선거구의 인구수 및 지리적 여건을 지도에 입력하는 작업은 데이터 검색·분석 단계에서 이루어지겠군.
③ 인공위성과 같은 과학 기술의 발달은 위성 영상과 같은 효율적인 지도 데이터 수집을 가능하게 하였군.
④ GIS의 데이터 해석 기능은 특정 결과를 얻을 수 있는 선거구 획정안을 작성하는 데 도움을 줄 수 있겠군.
⑤ 한 선거구의 인원수가 이전 선거 때와 달라졌다면 인쇄된 지도와 달리 GIS는 이를 반영한 지도 정보를 제공할 수 있겠군.

문제 Guide　지문과 [보기]의 내용을 연관 지어 이해할 수 있는지 확인하는 문제이다. [보기]는 각 단계에 따라 GIS가 어떤 작업을 수행하는지를 보여주고 있다. 따라서 지문에 언급된 GIS와 관련된 내용을 [보기]에 적용하여 이해하고, 선택지의 적절성을 판단해야 한다.

04 윗글을 바탕으로 ⓛ이 발생하는 이유를 진술한다고 할 때, [보기]의 ㉮, ㉯에 들어갈 말로 가장 적절한 것은?

문제 Guide 지문의 내용을 바탕으로 특정 사건이 발생하는 이유를 추론하는 문제이다. ⓛ의 앞뒤 문맥을 살펴보고, 선거구에 관한 내용이 있는 문단을 자세히 살펴본 후 ⓛ의 원인을 추론해야 한다.

┤보기├

우리나라는 도시에 비해 농어촌의 인구수가 (㉮)서 인구 편차 기준을 절대적으로 반영하면 농어촌 지역의 선거구의 개수가 축소되어 선출 의원 수가 (㉯) 때문이다.

	㉮	㉯		㉮	㉯
①	적어	줄어들기	②	적어	늘어나기
③	적어	변함없기	④	많아	줄어들기
⑤	많아	늘어나기			

05 [보기]를 참고할 때, ⓐ와 그 쓰임이 유사하지 <u>않은</u> 것은?

문제 Guide '만약'의 쓰임을 이해하고, 이와 그 쓰임이 다른 부사어를 찾는 문제이다. [보기]에서 문장 부사어의 특징을 도출한 후 선택지의 부사어의 특징과 비교해 보아야 한다.

┤보기├

'부사어'는 주로 용언을 수식하지만 관형어나 다른 부사어를 수식하기도 하고 문장이나 단어를 이어주기도 한다. 이때 용언이나 관형어, 다른 부사어와 같이 특정 성분을 수식하는 '성분 부사어'와 달리 윗글의 ⓐ와 같이 문장 전체와 관련을 맺는 부사어가 있는데, 이를 '문장 부사어'라 한다. 문장 부사어는 화자의 심리적 태도를 나타내는 양태 부사들이 주류를 이루고 있으며, 성분 부사어에 비해 문장에서 놓이는 위치가 비교적 자유롭다는 특징이 있다.

① 설마 그가 거짓말을 할 줄은 몰랐다.
② 두 팀의 실력은 확실히 차이가 난다.
③ 몸은 비록 늙었을지라도 마음은 늘 젊은이 못지 않다.
④ 금년 추석 연휴의 귀경길은 의외로 교통 소통이 원활했다.
⑤ 열 시간 동안 낚시를 했는데 겨우 다섯 마리밖에 잡지 못했다.

✔ 약점 찾는 체크리스트

문항	문제 유형	정답 체크					나의 오답 노트
		맞음	틀림				
			개념 이해 부족	유형 이해 부족	내용 이해 부족	헷갈림 /실수	
01	세부 내용의 이해						
02	전제의 추론						
03	자료를 활용한 내용 추론						
04	세부 정보의 이해						
05	부사어의 쓰임 이해						
	내가 쓰는 총평						

| 지문 독해 전략 | 이 글은 법률 영역과 과학 영역의 상호 작용에 대해 설명한 지문이다. 법률과 과학의 영향 관계가 '법률→과학'인지, '과학→법률'인지 그 방향성을 이해하며 읽어야 한다. 각 영역의 어떠한 요소가 다른 영역에 어떻게 영향을 주었는지에 초점을 두어 읽는 것도 지문을 이해하는 데 도움이 된다. |

[01~05] 다음 글을 읽고 물음에 답하시오.

지문 분석 Note

과학과 법 사이의 상호 작용은 16~17세기 유럽의 과학 혁명 시기부터 시작되었다. 과학 혁명은 철학과 신학을 위해 봉사하던 과학이 세상에 대한 확실한 지식으로 인정받으면서 그 지위가 상승하여 다른 지식의 모델이 된 과정으로 해석할 수 있다. 과학 혁명기 동안의 과학과 법률의 관계는 자연철학, 즉 과학이 법률에서 여러 가지 개념을 가져오는 식으로 시작되었으나, 과학적 지식의 확실성이 확립되면서 ㉠그 관계가 역전되는 형태로 바뀌었다.

과학혁명기 동안 과학과 법의 상호 작용은 세 가지 측면에서 살펴볼 수 있다. 첫 번째는 자연과학에서 사용하는 '자연의 법칙'이란 표현이 법률 영역에서 유래되었다는 것이다. 자연의 법칙은 자연의 사물과 현상 사이의 객관적이고 필연적인 관계를 가리킨다. 과학사회학자 에드가 질셀은 ㉡'입법자로서의 신'이라는 개념과 군주제의 법 개념이 만나 과학에서 자연의 법칙이라는 표현이 나타났다고 보았다. 그리고 질셀은 ㉢절대왕정이 일찍 발달한 프랑스에서 자연 법칙이라는 개념이 처음으로 등장했다는 것에서 그 증거를 찾았다. 기독교가 지배적이었던 중세에는 신이 자연에 법칙을 부여한다는 입법자로서의 신이라는 개념이 퍼져 있어 단일한 법률로 백성을 다스리는 군주제가 발달하지 않았다. 질셀은 16세기에서 17세기를 거치면서 왕이 법률을 사용해 국가를 다스린다는 생각이 유럽에 널리 퍼졌고, 이런 변화가 입법자로서의 신이라는 개념과 결합해 비로소 자연의 법칙이라는 개념이 등장하였다고 보았다. 즉 과학에서의 자연의 법칙은 종교 영역의 '입법자로서의 신'과 법률 영역의 '법' 개념이 결합하면서, 신이 자연에도 법을 부여하였으므로 자연의 사물도 이 법을 지켜야 한다는 생각이 받아들여진 결과라는 것이다.

두번째로 과학과 법의 상호 작용은 법률이 자연과학에 영향을 미친 '사실'이라는 개념에서 찾을 수 있다. 12세기 후기부터 유럽 여러 나라의 법정은 합리적인 판결의 토대를 마련하려고 했으며, 이 과정에서 사실이란 개념이 중요하게 부상하였다. 그 당시 법정에서 사용되던 '사실'은 '과거에 일어났던 인간의 사건 또는 행위'를 의미하였다. 이후 15~16세기에 이르러 법정의 배심원들은 사실의 문제를 가리는 사람으로, 판사와 같은 법관은 법률의 문제를 판단하는 사람으로 그 역할이 구분되었다. 배심원들은 증인의 증언을 들으면서 무엇이 사실인지를 스스로 판단해야 했는데, 이 과정에서 증인의 증언이나 목격자 진술의 신뢰성을 판단하기 위해 증인이나 목격자의 사회적 지위, 나이, 명성, 성실성 등을 고려하기 시작하였다. 그리하여 증인에 대한 신뢰는 증거에 대한 신뢰와 뗄 수 없는 관계를 맺게 되었다.

법정에서 ㉣증인이 한 증언의 신뢰성을 판단하는 데 사용되던 여러 가지 기준은 자연철학, 즉 과학에도 영향을 주었다. 17세기의 자연철학자들은 자연에 대한 사실은 실험실에서의 실험을 통해 만들어진다고 확신하였다. 따라서 실험실에서 만들어진 사실의 신뢰성을 확립하기 위해서 자연철학자들은 법정과 비슷하게 자신의 실험을 목격한 증인을 내세웠으며, 특히 증인의 높은 사회적 지위와 이로부터 추론되는 증언의 신뢰성을 강조하였다. 또 실험의 과정을 상세히 기록한 보고서를 썼는데, 이 보고서의 목적은 독자가 실험을 머릿속에서 떠올려 가상적으로 목격하게 함으로써 실험 결과를 사실로 받아들이게 하는 데 있었다.

사실이나 증거와 같은 개념이 법률 영역에서 과학 영역으로 건너온 데에는 자연철학자 프랜시스 베이컨의 역할이 결정적이었다. 그는 사변적인 아리스토텔레스의 스콜라 철학을 비판하면서 새로운 자연철학의 방법론으로 사실의 기록을 강조하였다. 이러한 사실들은 사변이 아니라 협동적인 관찰과 실험을 통해서만 얻어지는 것이었고, 이렇게 얻어진 사실들은 남아 있을 수 있는 오류를 제거하기 위해 과학자 공동체에 의한 검증 작업을 거쳐야 했다. 베이컨의 이러한 사상을 이어 받아 17세기 중·후반에 활동한 자연철학자들은 자신들의 작업이 실험적 사실에 기초해야 한다고 강조하였다. 이렇게 해서 자연의 법칙과 사실이라는 개념이 법률 영역에서 과학 영역으로 넘어왔고 과학의 핵심 개념으로 자리 잡았다.

과학 혁명기의 법과 과학 사이의 세 번째 상호 작용은 과학이 법에 미친 영향에서 찾을 수 있다. 뉴턴에 의해 17세기 과학 혁명이 완성되면서 과학은 개연성을 추구하는 학문이 아니라 확실성을 보장하는 지적인 활동으로 인식되기 시작하였다. 또 과학은 현미경이나 망원경처럼 인간의 감각을 보완하고 극복하는 기구를 사용했는데, 이는 과학이 확실한 지식이라는 인식을 강화하였다. 경험주의 철학자 로크는 확실한 지식이 관찰의 확실성, 경험 혹은 실험의 빈도와 일관성, 그리고 증인의 수와 신뢰성에 기반을 둔다고 하면서 법정에서의 증언이 사실이라는 점을 확인하기 위해서는 증인의 수, 성실성, 숙련도, 각 부분의 일관성과 연관 관계 등을 고려해야 한다고 강조하였다. 이는 ⓜ과학에서 사실을 증명하는 방법이 법정에서 증언의 신뢰성을 검증하는 기준으로 적용된 것이라 할 수 있다.

뉴턴 이후 사람들은 자연과학에 수학적 확실성과 물리적 확실성이라는 두 가지 형태가 존재한다고 생각했는데, 17세기 후반에 법철학자들과 법률가들은 이러한 확실성 개념에 근거해서 '도덕적 확실성'이라는 개념을 제창하였다. 도덕적 확실성은 의심 없는 진리, 즉 편견이 없는 사람이라면 누구나 동의할 수 있는 확실성을 의미하였다. 18세기에 이르러 도덕적 확실성은 한 점의 의심도 없는 믿음이라는 법률적인 개념으로 정식화되었다. 이는 법률 영역에서 확실성에 근거해 증거를 평가하고자 하는 기준이 자연과학에서의 확실성과 같은 법학 외부 영역에 영향을 받았음을 보여주는 것이다.

정답 및 해설 ○ 82쪽

01 윗글에 대한 설명으로 가장 적절한 것은?

① 과학과 법률의 상호 작용을 학자들의 사상이나 관점을 근거로 살펴보고 있다.
② 법학 외부의 영역에 자극을 받아 이루어진 재판의 형식과 판결 방식들을 설명하고 있다.
③ 법률의 인식론적 지위가 상승된 원인을 과학과의 영향 관계를 바탕으로 검토하고 있다.
④ 도덕적 확실성이 제창된 시대적 배경을 중심으로 법률과 과학의 관계를 분석하고 있다.
⑤ 과학이 확실한 지식으로 자리 잡게 된 과정을 역사적 사건과 연관 지어 제시하고 있다.

6문단:

7문단:

주제:

문제 Guide 지문의 전체적인 흐름을 이해하고 중심 화제를 어떻게 전개하고 있는지 파악해 보는 문제이다. 첫 문단에서 말하고자 하는 바를 먼저 파악한 후 각 문단의 핵심 내용을 파악해 보아야 한다.

사회 07

02 윗글을 이해한 내용으로 가장 적절한 것은?

① 중세에는 입법자로서의 신의 개념과 군주제의 강력한 법 개념이 보편적으로 퍼져 있었다.

② 15~16세기에는 법관들이 사실의 문제를 가리는 동시에 법률의 문제를 판단하는 역할을 하였다.

③ 과학 혁명 초기의 과학과 법률의 관계는 과학의 여러 가지 개념이 법률에 영향을 주는 형태였다.

④ 과학 혁명의 완성으로 과학은 개연성 추구가 아니라 확실성을 보장하는 지적 활동으로 인식되었다.

⑤ 17세기의 자연철학자들은 자연에 대한 사실은 경험이 아닌 순수한 이성에 의해 만들어진다고 보았다.

○ **문제 Guide** 지문의 세부 내용을 확인하는 문제이다. 선택지의 내용이 글 전체에 걸쳐 있으면서 지문의 내용을 그대로 옮기지는 않았음을 염두에 두어야 한다.

03 윗글의 과학과 법의 상호 작용에 대한 설명으로 적절하지 않은 것은?

① 자연철학자들이 실험적 사실에 기초한 작업을 강조한 것은 법률 영역에서 사실을 중시하는 데 영향을 주었다.

② 프랑스에서 자연 법칙이라는 개념이 처음 등장했다는 것은 과학이 법률 영역의 영향을 받았다는 증거가 된다.

③ 자연 과학에서의 확실성 개념은 한 점의 의심도 없는 믿음이라는 법률적인 개념을 정식화하는 데 영향을 주었다.

④ 실험을 목격한 증인의 사회적 지위를 강조한 것은 법정에서 증인이 한 증언의 신뢰성을 판단하는 기준이 영향을 준 것이다.

⑤ 자연철학자들이 자신들의 작업이 실험적 사실에 기초해야 한다고 강조한 것은 사실과 증거를 강조하는 법률의 영향을 받은 것이다.

○ **문제 Guide** 지문의 핵심 정보를 정확히 이해했는지를 묻는 문제이다. '과학과 법의 상호 작용'에 대한 내용은 지문의 전 부분에 걸쳐 세 가지 측면으로 언급되고 있다. 따라서 각 측면의 내용을 선택지와 비교하여 적절성을 확인해야 한다.

04 윗글을 바탕으로 [보기]를 이해한 내용으로 적절한 것은?

| 보기 |

　과학과 법률에서 사실을 밝히는 과정은 다소 차이가 있다. 먼저 과학자들은 실험과 관찰을 통해 자연을 탐구하되 그 과정을 상세히 기록하고, 탐구의 결과를 과학자 공동체에서 발표하였다. 그리고 그 탐구 결과는 동료 과학자들에 의해 논의와 검토를 거치게 되었다. 반면 법정에서는 사실을 밝히기 위해 대심제를 발전시켰다. 변호사와 검사는 상대편 증인의 신뢰성을 검증할 수 있는 질문을 던져 증인이 진실을 이야기하게 하였고 증언의 진실성을 판단할 수 있는 객관적인 증거를 찾았다. 그리고 판사는 이들의 증언을 종합해서 누가 진실을 말하는가를 판단했는데 이 때에는 복수의 판사 제도나 배심원 제도가 도입되기도 하였다.

○ **문제 Guide** 지문에서 언급된 법률과 과학의 특징을 이해하고 구체적인 상황에 적용하는 문제이다. [보기]의 상황을 분석하되, 과학과 법률의 상호 작용이 오늘날의 과학적 실험과 법정에서의 제도 등에 어떤 식으로 구현되어 나타나는지에 초점을 맞추어야 한다.

① 진실 여부를 판단할 수 있게 하는 증거는 편견이 없는 사람이라면 누구나 동의할 수 있는 확실성을 의미한다.

② 과학자가 실험의 과정을 상세히 기록하는 것은 실험 과정에서 발생할 수 있는 오류를 제거하기 위해서이다.

③ 동료 과학자들이 탐구 결과를 검토하는 것은 협동적인 실험을 통해 과학적 사실이 획득될 수 있기 때문이다.

④ 재판 과정에서 배심원 제도를 도입하는 것은 증인의 사회적 지위, 나이, 명성, 성실성 등을 고려하기 위해서이다.

⑤ 재판 과정에서 변호사와 검사가 증언의 신뢰성을 검증하는 것은 증인에 대한 신뢰가 증거에 대한 신뢰와 밀접하기 때문이다.

05 ㉠~㉤의 문맥상 의미에 대한 이해로 적절하지 <u>않은</u> 것은?

① ㉠: 법률이 과학에서 영향을 받는 형태
② ㉡: 자연의 사물도 신이 부여한 법을 지켜야 한다
③ ㉢: 왕이 법률을 사용해 국가를 다스린다는 생각이 발달한 프랑스
④ ㉣: 증인의 사회적 지위나 나이, 명성, 성실성 등
⑤ ㉤: 관찰의 확실성, 경험 혹은 실험의 빈도와 일관성 등을 고려하는 것

○ **문제 Guide** 해당 구절의 문맥상 의미를 묻는 문제이다. 글을 읽어나가면서 앞뒤 문맥을 고려하여 해당 구절의 의미를 파악해야 한다.

✔ 약점 찾는 체크리스트

문항	문제 유형	정답 체크					나의 오답 노트
		맞음	틀림				
			개념 이해 부족	유형 이해 부족	내용 이해 부족	헷갈림/실수	
01	중심 화제의 파악						
02	세부 정보의 이해						
03	핵심 정보의 이해						
04	구체적 사례에 적용						
05	구절의 문맥상 의미 파악						
	내가 쓰는 총평						

신경향 비문학 **워크북**

과학 분야의 지문은 일반적인 과학 이론이나 원리, 과학사, 일상생활 속에서 찾아볼 수 있는 과학적인 원리 등 순수 과학과 응용 과학의 다양한 분야를 다루고 있다. 화학, 생명과학, 물리학, 지구과학 등 고등학교 교과 과정에 해당하는 각 분야가 포함된다.

III

과학

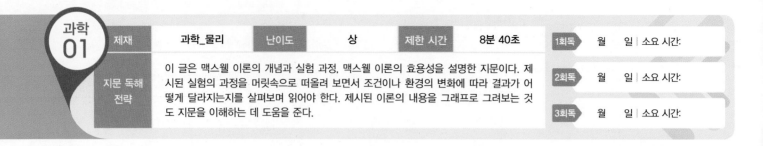

과학 01

| 제재 | 과학_물리 | 난이도 | 상 | 제한 시간 | 8분 40초 |

1회독 월 일 | 소요 시간:
2회독 월 일 | 소요 시간:
3회독 월 일 | 소요 시간:

지문 독해 전략

이 글은 맥스웰 이론의 개념과 실험 과정, 맥스웰 이론의 효용성을 설명한 지문이다. 제시된 실험의 과정을 머릿속으로 떠올려 보면서 조건이나 환경의 변화에 따라 결과가 어떻게 달라지는지를 살펴보며 읽어야 한다. 제시된 이론의 내용을 그래프로 그려보는 것도 지문을 이해하는 데 도움을 준다.

[01~06] 다음 글을 읽고 물음에 답하시오.

지문 분석 Note

1️⃣문단:

상온에서 대기압 상태에 있는 1리터의 공기 안에는 수없이 많은 질소, 산소 분자들을 비롯하여 다양한 기체 분자들이 있다. 이들 중 어떤 산소 분자 하나는 짧은 시간에도 다른 분자들과 많은 충돌을 하며, 충돌을 할 때마다 분자의 운동 방향과 속력이 변할 수 있기 때문에, 어떤 분자 하나의 정확한 운동 궤적을 아는 것은 불가능하다. 다만 어떤 구간의 속력을 가진 분자 수 비율이 얼마나 되는지를 의미하는 분자들의 속력 분포를 알 수 있을 뿐이다.

2️⃣문단:

위에서 언급한 상태에 있는 산소처럼 분자들 사이의 평균 거리가 충분히 먼 경우에, 우리는 분자들 사이의 인력을 무시할 수 있고 분자의 운동 에너지만 고려하면 된다. 이 경우에 분자들이 충돌을 하게 되면 각 분자의 운동 에너지는 변할 수 있지만, 분자들이 에너지를 서로 주고받기 때문에 기체 전체의 운동 에너지는 변하지 않게 된다.

3️⃣문단:

기체 분자들의 속력 분포는 맥스웰의 이론으로 계산할 수 있는데, 가로축을 속력, 세로축을 분자 수 비율로 할 때 종(鐘)모양의 그래프로 그려진다. 이 속력 분포가 의미하는 것은 기체 분자들이 0에서 무한대까지 모든 속력을 가질 수 있지만 꼭짓점 부근에 해당하는 속력을 가진 분자들의 수가 가장 많다는 것이다. 기체 분자들의 속력은 온도와 기체 분자의 질량에 의해서 결정된다. 다른 조건은 그대로 두고 온도만 올리면 기체의 평균 운동 에너지가 증가하므로, 그래프의 꼭짓점이 속력이 빠른 쪽으로 이동한다. 이와 동시에 그래프의 모양이 납작해지고 넓어지는데, 이는 전체 분자 수가 변하지 않았으므로 그래프 아래의 면적이 같아야만 하기 때문이다. 전체 분자 수와 온도는 같은데 분자의 질량이 큰 경우에는, 평균 속력이 느려져서 분포 그래프의 꼭짓점이 속력이 느린 쪽으로 이동하며, 분자 수는 같기 때문에 그래프의 모양이 뾰족해지고 좁아진다.

4️⃣문단:

〈그림〉은 맥스웰 속력 분포를 알아보기 위해서 ㉠밀러와 쿠슈가 사용했던 실험 장치를 나타낸 것이다. 가열기와 검출기 사이에 두 개의 회전 원판이 놓여 있다. 각각의 원판에는 가는 틈이 있고 두 원판은 서로 연결되어 있다. 두

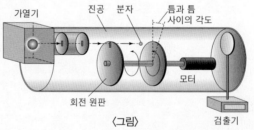

〈그림〉

원판은 일정한 속력으로 회전하면서 특정한 속력 구간을 가진 분자들을 선택적으로 통과시킬 수 있다.

5️⃣문단:

가열기에서 나와 첫 번째 회전 원판의 가는 틈으로 입사한 기체 분자들 중 조건을 만족하는 분자들만 두 번째 회전 원판의 가는 틈을 지나 검출기에 도달할 수 있다. 첫 번째 원판의 틈을 통과하는 분자들의 속력은 다양하지만, 회전 원판의 회전 속력에 의해 결정되는 특정한 속력 구간을 가진 분자들만 두 번째 원판의 틈을 통과한다. 특정한 속력 구간보다 더 빠른 분자들은 두 번째 틈이 꼭대기에 오기 전에 원판과 부딪치며, 느린 분자들은 지나간 후에 부딪친다. 만일 첫 번째와 두 번째 틈 사이의 각도를 더 크게 만들면, 같은 회전 속력에서도 더 속력이 느린 분자들이 검출될 것이다. 이 각도를 고정하고 회전 원판의 회전 속력을 ⓐ바꾸면, 새로운 조건에 대응되는 다른 속력을 가진 분자들을 검출할 수 있다. 이 실험 장치를 이용하여 어떤 온도에서 특정한 기체의 속력 분포를 알아보았더니, 그 결과는 맥

스웰의 이론에 부합하였다.

　한편 맥스웰의 이론은 행성에 따라 대기의 상태가 다른 것을 이해하는 데에도 도움을 준다. 행성의 대기를 이루는 기체는 자유롭게 움직이며 공간을 채우는 것처럼 보이지만 각 행성의 중력으로부터 영향을 받는다. 바다도 중력의 영향을 받지만 액체는 거의 압축이 일어나지 않아 깊이에 따른 밀도 변화가 크지 않지만, 기체는 높이에 따른 밀도 변화가 매우 크다. 이 때문에 바다는 해수면이라는 뚜렷한 경계를 갖지만, 대기는 경계가 분명하지 않고 상층으로 갈수록 희박해지면서 행성 간 공간으로 이어진다. 행성의 표면에서 멀어질수록 중력의 크기가 감소하여 대기 상층부의 기체가 행성 간 공간으로 빠져나가기 쉽게 되는 것이다.

　그렇다면 행성의 대기를 이루는 기체가 행성 간 공간으로 빠져나가는 것을 결정하는 것은 무엇일까? 이것은 대기를 이루는 기체의 평균 속력과 행성의 탈출 속력과의 차이에 의해서 결정된다. 여기에서 행성의 탈출 속력이란 어떤 물체가 행성의 중력을 이기고, 그 행성을 벗어나기 위해 필요한 최소한의 초기 속력을 의미한다. 행성의 질량이 클수록, 반지름이 작을수록 탈출 속력이 빠른데, 행성의 탈출 속력이 빠르다는 것은 그 물체가 행성을 탈출하기가 어렵다는 것이다. 만약 기체의 평균 속력이 행성의 탈출 속력보다 아주 느리다면 대기 중의 기체가 모두 빠져나가는 데에는 아주 오랜 시간이 걸릴 것이다. 이 경우 대기는 거의 그대로 유지된다고 볼 수 있다.

　행성의 대기가 빠져나가는 것을 결정짓는 또 다른 중요한 변수는 행성의 표면 온도이다. 행성의 표면 온도는 대체로 태양과의 거리가 가까울수록, 행성의 단면적이 클수록 높다. 행성의 표면 온도가 높다는 것은 대기를 이루는 기체 분자의 평균 속력이 빨라진다는 것을 의미한다. 따라서 행성의 표면 온도가 높아져서 대기를 이루는 기체 분자의 평균 속력이 행성의 탈출 속력보다 빨라지게 되면 행성의 대기를 이루는 기체는 행성 간 공간으로 유출되어 사라져 버리게 된다. 이때 행성마다 표면 온도와 질량이 다르기 때문에 대기의 상태가 제각각이 되는 것이다. 이처럼 맥스웰의 이론은 행성의 표면 온도 때문에 행성마다 대기의 상태가 다르게 된다는 사실을 이해하는데 기여한다.

6문단:

7문단:

8문단:

주제:

정답 및 해설 **◐ 90쪽**

01　윗글에 대한 설명으로 적절하지 <u>않은</u> 것은?

① 상황을 가정하여 실험 결과를 예측하고 있다.
② 비교와 대조를 통해 바다와 대기의 특징을 부각하고 있다.
③ 정의의 방식으로 행성의 탈출 속력의 개념을 제시하고 있다.
④ 구분과 분류의 방식으로 대기압 상태에 있는 기체의 종류를 언급하고 있다.
⑤ 자문자답을 통해 기체가 행성 간 공간으로 빠져나가는 원인을 설명하고 있다.

문제 Guide　글의 서술 방식과 제시된 정보를 정확하게 파악할 수 있는지를 평가하는 문제이다. 선택지에 언급된 내용이 지문의 어느 부분에 드러나 있는지를 찾은 후, 서술 방식을 살펴보아야 한다.

02 윗글의 내용과 일치하지 않는 것은?

① 분자들의 충돌은 개별 분자의 속력을 변화시킬 수 있다.
② 대기 중 산소 분자 하나의 운동 궤적을 정확히 구할 수 없다.
③ 분자들 사이의 평균 거리가 충분히 멀다면 인력을 무시할 수 있다.
④ 분자의 충돌에 의해 기체 전체의 운동 에너지가 증가한다.
⑤ 대기 중에서 개별 기체 분자의 속력은 다양한 값을 가진다.

문제 Guide 지문에 언급된 세부 정보를 제대로 파악할 수 있는지 평가하는 문제이다. 선택지의 내용이 지문의 어느 부분에서 언급한 내용인지 확인한 후, 수정된 부분은 없는지 비교해 보아야 한다.

고난도
03 [보기]의 A, B, C는 맥스웰 속력 분포를 나타내는 그래프이다. 윗글에 비추어 볼 때, 기체와 그래프를 바르게 연결한 것은?

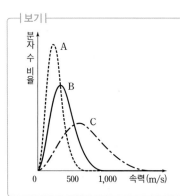

┤보기├

- 아르곤 분자는 크립톤 분자보다 가볍다.
- 아르곤의 온도는 각각 25℃, 727℃, 크립톤의 온도는 25℃이다.
- 각 기체의 분자 수는 모두 같다.

	아르곤(25℃)	아르곤(727℃)	크립톤(25℃)
①	A	B	C
②	A	C	B
③	B	C	A
④	B	A	C
⑤	C	B	A

문제 Guide 지문의 내용을 이해하고 자료를 해석할 수 있는지를 평가하는 문제이다. 3문단에 기체 분자들의 속력 분포 그래프에 대한 내용이 언급되어 있으므로, 이를 바탕으로 [보기]의 내용을 적절히 해석해야 한다. 기체 분자들의 속력이 온도 및 질량과 어떤 관계가 있는지에 초점을 맞추도록 한다.

04 ㉠과 연관된 설명으로 적절하지 않은 것은?

① 맥스웰 속력 분포 이론을 실험으로 증명하기 위해 고안되었다.
② 첫 번째 회전 원판에 입사된 기체 분자들 중 일부가 검출기에 도달한다.
③ 첫 번째 회전 원판의 틈을 통과하는 분자들은 다양한 값의 속력을 가진다.
④ 원판의 회전 속력은 같고 틈과 틈 사이의 각도가 커지면 더 빠른 분자들이 검출된다.
⑤ 틈과 틈 사이의 각도를 고정하고 원판의 회전 속력을 느리게 하면 더 느린 분자들이 두 번째 회전 원판의 틈을 통과한다.

문제 Guide 지문에서 설명하고 있는 '밀러와 쿠슈의 실험 장치'에 대해 파악하고 있는지를 평가하는 문제이다. '밀러와 쿠슈의 실험 장치'에 대해 언급하고 있는 4, 5문단을 중심으로 실험 장치가 어떤 목적으로 만들어졌고, 어떤 구조와 원리를 가지고 작동하는지, 어떻게 특정 속력의 분자를 검출할 수 있는지 등을 살펴보아야 한다.

05 윗글을 읽은 학생이 [보기]를 읽고 보인 반응으로 적절하지 <u>않은</u> 것은?

> **보기**
>
> 태양의 주위를 도는 행성 ㉮, ㉯, ㉰, ㉱가 있을 때, 태양과 가까운 순서는 ㉮, ㉯, ㉰, ㉱순이고, 각 행성의 질량과 반지름이 다음과 같다고 가정하자. 단, 질량과 반지름의 크기는 지구를 1로 했을 때의 비율로 표시한다. 또한 이외에 각 행성의 대기를 이루는 기체의 종류, 분포 등 다른 요인은 동일하고, 반지름이 같은 행성은 단면적도 같다고 가정한다.
>
> | 행성 | 질량(지구=1) | 반지름(지구=1) |
> |---|---|---|
> | ㉮ | 0.7 | 1.2 |
> | ㉯ | 0.7 | 0.9 |
> | ㉰ | 1.4 | 0.9 |
> | ㉱ | 1.4 | 1.2 |

① 행성 ㉮보다 행성 ㉯가 행성의 탈출 속력이 빠르겠군.
② 행성 ㉯보다 행성 ㉰가 행성의 탈출 속력이 느리겠군.
③ 행성 ㉰보다 행성 ㉱가 행성의 탈출 속력이 느리겠군.
④ 행성 ㉮보다 행성 ㉱가 기체 분자의 평균 속력이 느리겠군.
⑤ 행성 ㉰보다 행성 ㉯가 기체 분자의 평균 속력이 빠르겠군.

문제 Guide 지문의 내용을 이해하고 다른 자료에 응용하여 해석할 수 있는지를 평가하는 문제이다. 7~8문단에 언급된 '행성의 질량 및 반지름과 행성의 탈출 속력', '행성의 표면 온도와 기체 분자의 평균 속력'의 관계에 초점을 맞추어 [보기]를 해석해야 한다.

06 밑줄 친 부분이 ⓐ와 가장 가까운 뜻으로 쓰인 것은?

① 통역관이 우리의 말을 중국어로 바꾸어 주었다.
② 지금 달러를 원화로 바꾸면 손해를 볼 수 있다.
③ 건전지를 새것으로 바꾸면 시계가 다시 움직인다.
④ 장례식장에서 다른 사람과 신발을 바꾸어 신고 왔다.
⑤ 머리 모양을 바꾸면 사람이 풍기는 인상이 달라진다.

문제 Guide 어휘의 문맥적 의미가 가장 유사한 문장을 찾는 문제이다. 먼저 문맥을 고려하여 ⓐ의 의미를 추측해 보고, 다른 말로 바꾸어 쓸 수 있는지 생각해 본다. 다른 말로 바꾸어 쓸 수 있다면 그 어휘를 선택지에 대입해 보고 어색하지 않은지 살펴보아야 한다.

✔ 약점 찾는 체크리스트

문항	문제 유형	정답 체크					나의 오답 노트
		맞음	틀림				
			개념 이해 부족	유형 이해 부족	내용 이해 부족	헷갈림/실수	
01	내용 전개 방식의 파악						
02	세부 정보의 이해						
03	구체적 사례에 적용						
04	핵심 정보의 이해						
05	반응의 적절성 판단						
06	어휘의 문맥적 의미 파악						
	내가 쓰는 총평						

과학 02 | 제재 | 과학_생물 | 난이도 | 중상 | 제한 시간 | 7분 40초

1회독 | 월 일 | 소요 시간:
2회독 | 월 일 | 소요 시간:
3회독 | 월 일 | 소요 시간:

지문 독해 전략

이 글은 반추 동물의 위 속 미생물의 기능과 대사 과정에 대해 설명한 지문이다. 섬유소를 분해하는 '피브로박터 숙시노젠(F)'과 비섬유소를 분해하는 '스트렙토코쿠스 보비스(S)' 등의 미생물의 기능과 특성을 정리하며 읽어야 한다. 각 문단에서 언급하고 있는 중심 소재와 그 특징, 대사 과정 등을 정리해 가며 읽는 것도 지문을 이해하는데 도움을 준다.

[01~05] 다음 글을 읽고 물음에 답하시오.

지문 분석 Note

1문단:

2문단:

3문단:

4문단:

사람이 생명 활동을 유지하기 위해서는 탄수화물, 단백질, 지방, 비타민, 무기 염류 등의 영양소가 필요하다. 이 중 탄수화물은 사람을 비롯한 동물이 생존하는 데 필수적인 에너지원이다. 탄수화물은 섬유소와 Ⓐ비섬유소로 구분된다. 사람은 체내에서 합성한 효소를 이용하여 곡류의 녹말과 같은 비섬유소를 포도당으로 분해하고 이를 소장에서 흡수하여 에너지원으로 이용한다. 반면, 사람은 풀이나 채소의 주성분인 셀룰로스와 같은 섬유소를 포도당으로 분해하는 효소를 합성하지 못하므로, 섬유소를 소장에서 이용하지 못한다. ㉠소, 양, 사슴과 같은 반추 동물도 섬유소를 분해하는 효소를 합성하지 못하는 것은 마찬가지이지만, 비섬유소와 섬유소를 모두 에너지원으로 이용하며 살아간다.

반추 동물이란 소화 형태상 반추하는 특성을 가진 동물로, 여기에서 반추(反芻)란 한번 삼킨 음식을 위(胃) 속에 저장하였다가 토해 낸 뒤 다시 씹는 것을 뜻한다. 위가 넷으로 나누어진 반추 동물의 첫째 위인 반추위에는 여러 종류의 미생물이 서식하고 있다. 반추 동물의 반추위에는 산소가 없는데, 이 환경에서 왕성하게 생장하는 반추위 미생물들은 다양한 생리적 특성을 가지고 있다. 그중 ⓐ피브로박터 숙시노젠(F)은 섬유소를 분해하는 대표적인 미생물이다. 식물체에서 셀룰로스는 그것을 둘러싼 다른 물질과 복잡하게 얽혀 있는데, F가 가진 효소 복합체는 이 구조를 끊어 셀룰로스를 노출시킨 후 이를 포도당으로 분해한다. F는 이 포도당을 자신의 세포 내에서 대사 과정을 거쳐 에너지원으로 이용하여 생존을 유지하고 개체 수를 늘림으로써 생장한다. 이런 대사 과정에서 아세트산, 숙신산 등이 대사산물로 발생하고 이를 자신의 세포 외부로 배출한다. 반추위에서 미생물들이 생성한 아세트산은 반추 동물의 세포로 직접 흡수되어 생존에 필요한 에너지를 생성하는 데 주로 이용되고 체지방을 합성하는 데에도 쓰인다. 한편 반추위에서 숙신산은 프로피온산을 대사산물로 생성하는 다른 미생물의 에너지원으로 빠르게 소진된다. 이 과정에서 생성된 프로피온산은 반추 동물이 간(肝)에서 포도당을 합성하는 대사 과정에서 주요 재료로 이용된다.

반추위에는 비섬유소인 녹말을 분해하는 ⓑ스트렙토코쿠스 보비스(S)도 서식한다. 이 미생물은 반추 동물이 섭취한 녹말을 포도당으로 분해하고, 이 포도당을 자신의 세포 내에서 대사 과정을 통해 자신에게 필요한 에너지원으로 이용한다. 이때 S는 자신의 세포 내의 산성도에 따라 세포 외부로 배출하는 대사산물이 달라진다. 산성도를 알려 주는 수소 이온 농도 지수(pH)가 7.0 정도로 중성이고 생장 속도가 느린 경우에는 아세트산, 에탄올 등이 대사산물로 배출된다. 반면 산성도가 높아져 pH가 6.0 이하로 떨어지거나 녹말의 양이 충분하여 생장 속도가 빠를 때는 젖산이 대사산물로 배출된다. 반추위에서 젖산은 반추 동물의 세포로 직접 흡수되어 반추 동물에게 필요한 에너지를 생성하는 데 이용되거나 아세트산 또는 프로피온산을 대사산물로 배출하는 다른 미생물의 에너지원으로 이용된다.

그런데 S의 과도한 생장이 반추 동물에게 악영향을 끼치는 경우가 있다. 반추 동물이 짧은 시간에 과도한 양의 비섬유소를 섭취하면 S의 개체 수가 급격히 늘고 과도한 양의 젖산이 배출되어 반추위의 산성도가 높아진다. 이에 따라 산성의 환경에서 왕성히 생장하며 항상 젖산을 대사산물로 배출하는 ⓒ락토바실러스 루미니스(L)와 같은 젖산 생성 미생물들의 생장이 증가하며 다량의 젖산을 배출하기 시작한다. F를 비롯한 섬유소 분해 미생물들은

자신의 세포 내부의 pH를 중성으로 일정하게 유지하려는 특성이 있는데, 젖산 농도의 증가로 자신의 세포 외부의 pH가 낮아지면 자신의 세포 내의 항상성을 유지하기 위해 에너지를 사용하므로 생장이 감소한다. 만일 자신의 세포 외부의 pH가 5.8 이하로 떨어지면 에너지가 소진되어 생장을 멈추고 사멸하는 단계로 접어든다. 이와 달리 S와 L은 상대적으로 산성에 견디는 정도가 강해 자신의 세포 외부의 pH가 5.5 정도까지 떨어지더라도 이에 맞춰 자신의 세포 내부의 pH를 낮출 수 있어 자신의 에너지를 세포 내부의 pH를 유지하는 데 거의 사용하지 않고 생장을 지속하는 데 사용한다.

그러나 S도 자신의 세포 외부의 pH가 5.5 이하로 떨어지면 생장을 멈추고 사멸하는 단계로 접어들고, 산성에 더 강한 L을 비롯한 젖산 생성 미생물들이 반추위 미생물의 많은 부분을 차지하게 된다. 그렇게 되면 반추위의 pH가 5.0 이하가 되는 급성 반추위 산성증이 발병한다. 급성 반추위 산성증은 대개 비섬유소를 과잉 섭취한 후 12~24시간 이내에 뚜렷한 증상이 나타난다. 일반적으로 관찰되는 증상은 식욕이 저하되거나 중단되며, 제1위 수축 운동이 감소되고 회색의 묽은 변을 배설하며 탈수증상이 나타난다. 그리고 일반적으로 맥박수가 증가하고 체온이 저하되며 동작이 둔화된다. 병이 좀 더 진행되면 비틀거리며, 일어서지 못하고, 누워서 혼수상태에 이른다.

5문단:

_____

_____

주제:

_____

_____

정답 및 해설 ◐ 96쪽

01 윗글을 읽고 알 수 있는 내용으로 가장 적절한 것은?

① 섬유소는 사람의 소장에서 포도당의 공급원으로 사용된다.
② 반추 동물의 세포에서 합성한 효소는 셀룰로스를 분해한다.
③ 반추위 미생물은 산소가 없는 환경에서 생장을 멈추고 사멸한다.
④ 반추 동물의 과도한 섬유소 섭취는 급성 반추위 산성증을 유발한다.
⑤ 피브로박터 숙시노젠(F)은 자신의 세포 내에서 포도당을 에너지원으로 이용하여 생장한다.

문제 Guide 지문에 언급된 세부 내용을 제대로 파악할 수 있는지 평가하는 문제이다. '섬유소', '피브로박터 숙시노젠' 등의 세부 정보가 지문의 어느 부분에서 언급되었는지 확인한 후, 수정된 부분은 없는지 살펴보아야 한다.

02 윗글로 볼 때, ⓐ~ⓒ에 대한 이해로 적절하지 않은 것은?

① ⓐ와 ⓑ는 모두 급성 반추위 산성증에 걸린 반추 동물의 반추위에서는 생장하지 못하겠군.
② ⓐ와 ⓑ는 모두 반추위에서 반추 동물의 체지방을 합성하는 물질을 생성할 수 있겠군.
③ 반추위의 pH가 6.0일 때, ⓐ는 ⓒ보다 자신의 세포 내의 산성도를 유지하는 데 더 많은 에너지를 쓰겠군.
④ ⓑ와 ⓒ는 모두 반추위의 산성도에 따라 다양한 종류의 대사산물을 배출하겠군.
⑤ 반추위에서 녹말의 양과 ⓑ의 생장이 증가할수록, ⓐ의 생장은 감소하고 ⓒ의 생장은 증가하겠군.

문제 Guide 글의 핵심 소재인 반추위에 서식하는 미생물들의 특징을 파악하고 있는지 확인하는 문제이다. 지문에서 ⓐ에 대해 언급한 부분을 찾은 후 이에 해당하는 선택지의 내용을 확인하고, 그 다음 ⓑ와 ⓒ에 해당하는 내용을 파악하면 시간을 단축할 수 있다.

03 윗글을 바탕으로 ㉠이 가능한 이유를 진술한다고 할 때, [보기]의 ㉮, ㉯에 들어갈 말로 가장 적절한 것은?

┤보기├

반추 동물이 섭취한 섬유소와 비섬유소는 반추위에서 (㉮), 이를 이용하여 생장하는 (㉯)은 반추 동물의 에너지원으로 이용되기 때문이다.

① ┌ ㉮: 반추위 미생물의 에너지원이 되고
  └ ㉯: 반추위 미생물이 대사 과정을 통해 생성한 대사산물
② ┌ ㉮: 반추위 미생물의 에너지원이 되고
  └ ㉯: 반추위 미생물이 대사 과정을 통해 생성한 포도당
③ ┌ ㉮: 반추위 미생물에 의해 합성된 포도당이 되고
  └ ㉯: 반추 동물이 대사 과정을 통해 생성한 포도당
④ ┌ ㉮: 반추위 미생물에 의해 합성된 포도당이 되고
  └ ㉯: 반추위 미생물이 대사 과정을 통해 생성한 대사산물
⑤ ┌ ㉮: 반추위 미생물에 의해 합성된 포도당이 되고
  └ ㉯: 반추위 미생물이 대사 과정을 통해 생성한 포도당

문제 Guide 지문에서 설명하고 있는 반추 동물의 에너지원에 대해 파악하고 있는지를 평가하는 문제이다. 반추 동물의 에너지원에 대해 설명하고 있는 2, 3문단의 내용을 중심으로, 섬유소와 비섬유소가 반추위 내에서 미생물들에 의해 어떠한 대사 과정을 거치게 되는지, 이를 이용하여 생장하는 대상이 누구이며 무엇이 반추 동물의 에너지원으로 이용되는지 등을 살펴보도록 한다.

04 윗글로 볼 때, 반추위 미생물에서 배출되는 숙신산과 젖산에 대한 설명으로 적절하지 않은 것은?

① 숙신산이 많이 배출될수록 반추 동물의 간에서 합성되는 포도당의 양도 늘어난다.
② 젖산은 반추 동물의 세포로 직접 흡수되어 반추 동물의 에너지원으로 이용될 수 있다.
③ 숙신산과 젖산은 반추위가 산성일 때보다 중성일 때 더 많이 배출된다.
④ 숙신산과 젖산은 반추위 미생물의 세포 내에서 대사 과정을 거쳐 생성된다.
⑤ 숙신산과 젖산은 프로피온산을 대사산물로 배출하는 다른 미생물의 에너지원으로 이용되기도 한다.

문제 Guide 글의 세부 정보를 적절히 파악하고 있는지를 평가하는 문제이다. 숙신산에 대한 정보는 2문단에, 젖산에 대한 내용은 3문단에 주로 언급되어 있으므로 선택지의 내용과 지문의 내용을 1:1로 비교해 보며 적절성을 판단하도록 한다.

05 [보기]를 참고할 때, 다음 중 Ⓐ와 같은 형태로 쓰일 수 있는 것은?

> ┤보기├
>
> 한자어 접두사 '비(非)-'와 '불(不)-'은 모두 일부 한자어 명사 앞에 붙어 부정의 의미를 더한다. 『표준국어대사전』에서는 '비(非)-'를 '(일부 명사 앞에 붙어) '아님'의 뜻을 더하는 접두사'로, '불-(不)'은 '(일부 명사 앞에 붙어) '아님, 아니함, 어긋남'의 뜻을 더하는 접두사'로 비슷하게 뜻풀이를 하고 있는데, 사전적 의미만으로는 그 차이를 구분하기 쉽지 않다. 대체적으로 '불-'에 의해 만들어진 말은 '하다'와 결합하여 쓰일 수 있지만, '비-'에 의해 만들어진 말은 '하다'와 결합하지 못하고 주로 '-(적)이다'의 형태로 쓰이며 문장에서 서술어의 역할을 한다.

① 가능　　　　② 생산　　　　③ 공정
④ 규칙　　　　⑤ 완전

○ 문제 Guide　[보기]의 설명을 바탕으로 Ⓐ에 사용된 접두사의 특성을 이해하고, 이와 같은 형태로 쓰일 수 있는 어휘를 찾을 수 있는지를 평가하는 문제이다. 접두사 '비-'와 '불-'의 차이를 파악한 후, Ⓐ와 유사한 형태로 쓰일 수 있는 어휘가 무엇인지 살펴보아야 한다.

과학 02

✔ 약점 찾는 체크리스트

문항	문제 유형	정답 체크					나의 오답 노트
		맞음	틀림				
			개념 이해 부족	유형 이해 부족	내용 이해 부족	헷갈림 /실수	
01	세부 내용의 파악						
02	핵심 소재의 이해						
03	핵심 정보의 이해						
04	세부 정보의 이해						
05	접두사의 활용 이해						
	내가 쓰는 총평						

과학 03

| 제재 | 과학_물리 | 난이도 | 상 | 제한 시간 | 8분 30초 |

지문 독해 전략

이 글은 파동과 관련된 여러 개념을 예를 들어 설명한 지문이다. 파동과 관련된 다양한 개념들의 의미를 파악하고 각 개념을 구분하면서 읽어야 한다. 또 제시된 개념에 해당하는 사례를 살펴보면서 그 사례가 의미하는 바를 파악하며 읽는 것도 지문을 이해하는 데 도움을 준다.

1회독	월	일	소요 시간:
2회독	월	일	소요 시간:
3회독	월	일	소요 시간:

[01~06] 다음 글을 읽고 물음에 답하시오.

파동은 공간이나 물질의 한 부분에서 생긴 ⓐ주기적 진동이 시간의 흐름에 따라 주위로 멀리 퍼져 나가는 현상을 의미한다. 호수에 돌을 던졌을 때 사방으로 퍼져 나가는 수면파, 공기 등을 통해 전달되는 음파 등은 매질을 통하여 진동이 전달되는 역학적 파동의 대표적인 예이다. 이러한 역학적 파동의 에너지는 진동하는 매질의 ⓑ입자가 옆의 입자를 진동시키는 방법으로 매질을 따라 전달되는데, 이때 움직이는 것은 파동이지 매질이 아니다.

파동은 〈그림 1〉과 같은 사인 함수의 모양으로 나타낼 수 있는데, 평형점 0을 기준으로 가장 높은 지점을 마루, 가장 낮은 지점을 골이라고 한다. 그리고 평형점 0에서 마루나 골까지의 높이 즉 진동하는 입자가 평형점에서 최대로 벗어난 거리를 진폭, 마루와 마루 또는 골에서 골까지 거리를 파장이라고 하며, 파동이 1

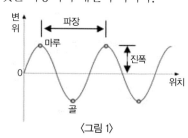
〈그림 1〉

초 동안 진동한 횟수를 주파수라고 한다. 파동의 진행 속도는 파장과 주파수의 곱으로 나타내며, 파동의 ⓒ속도가 일정할 경우 주파수가 높을수록 파장이 짧다는 특성이 있다.

파동은 진동이 일어나는 방향과 파가 나아가는 방향이 수직인지 수평인지에 따라 횡파와 종파로 구분할 수 있다. 용수철을 따라 진행하는 파동이 있다고 상상해 보자. 용수철의 오른쪽 끝을 고정하고 왼쪽 끝에서 계속 위아래로 흔들어주면 연속적 파동이 용수철을 따라 진행한다. 이때 매질의 모습은 〈그림 1〉과 같은 파동의 모습을 보인다. 용수철은 위아래로 위치가 바뀌게 되므로 세로로 진동하게 되는데 파동은 왼쪽에서 오른쪽으로 가로로 일어난다. 즉, 용수철의 진동 방향은 파동이 움직이는 방향에 수직이라는 것을 알 수 있다. 이런 운동을 가로운동이라고 말하고 이런 파동을 횡파라고 부른다. 고체와 달리 액체나 기체에서는 매질을 위아래로 흔드는 힘이 분산되기 때문에 횡파는 고체에서만 통과된다.

반면 용수철을 앞뒤로 흔들었다 놓으면 〈그림 2〉와 같이 용수철의 촘촘한 상태와

〈그림 2〉

성긴 상태가 용수철의 길이 방향을 따라서 생성되며 전달되어 나가는 것을 볼 수 있다. 즉, 용수철은 가로로 진동하는데 파동 또한 용수철의 길이 방향으로 일어난다. 이처럼 진동이 일어나는 방향과 파가 나아가는 방향이 나란할 때 이런 파동을 종파라고 부른다. 종파도 〈그림 1〉과 같이 표현할 수 있는데, 〈그림 2〉의 촘촘한 부분이 마루가 되고 성긴 부분이 골이 된다. 횡파와 달리 종파는 힘이 앞뒤로 전달되므로 모든 매질에서 전달 가능하다.

역학적 파동이 진행하면서 매질에 흡수되어 에너지를 잃는 경우도 있다. 음파의 경우 주파수가 높을수록 매질에 더 잘 흡수되는 성질이 있기 때문에 음파는 발생하더라도 멀리 진행하지 못한다. 우리가 크게 노래를 부르더라도 어느 정도의 거리보다 먼 거리에서는 그 노래를 들을 수 없는데, 이것은 노래가 음파이므로 멀리 진행할 수 없다는 특성을 가지고 있기 때문이다. 높은 음의 목소리가 공기 중에서 낮은 음의 목소리보다 잘 들리지 않는 것 또한 이러한 특성으로 인한 것이다. 그리고 매질을 따라 진행하는 역학적 파동이 어느 지점에서 다른 매질을 만나게 될 경우 진행하던 파동의 일부는 반사되어 돌아오고, 일부는 다른 매질로 투과하는 현상을 보인다. 그리하여 수면 위에서 말을 할 경우, 수면 위에서도 소리

를 들을 수 있지만 물 속에서도 수면 위의 말소리를 들을 수 있게 된다.

반사와 투과를 줄을 따라 파동이 전달되는 상황을 통해 함께 알아 보자. 먼저, ㉠한 끝이 벽에 고정된 줄을 위아래로 흔들어 진동을 일으켜 파동을 전달시켜 본다. 이 파동이 매질인 줄을 따라 진행하다가 벽에 ⓓ도달하면 진행해 온 반대 방향으로 줄을 따라 다시 돌아와 줄을 쥔 손에 파동이 전달된다. 이처럼 매질이 급격하게 변하는 경계에서 파동이 반대 방향으로 되돌려지는 것을 반사라고 한다. 밀도가 작은 매질에서 큰 매질로 파동이 이동할 때 일어나며 위상이 180˚ 변하는 반사를 고정단 반사라고 하고, 밀도가 큰 매질에서 작은 매질로 파동이 이동할 때 일어나며 위상이 변하지 않는 반사를 자유단 반사라고 한다.

다음으로 ㉡다른 조건은 모두 같을 때, 밀도가 낮은 줄이 밀도가 높은 줄에 연결되어 있고, 이 줄을 따라 파동이 진행하는 상황을 통해 투과를 설명할 수 있다. 이 경우 파동이 밀도가 낮은 줄을 지나 밀도가 높은 줄과 연결된 경계에 도달하면 파동의 일부가 반사된다. 하지만 일부는 밀도가 높은 줄로 계속 진행하는데, 이를 투과라고 한다. 경계 면에서 기존의 파동이 투과되는 정도를 투과 계수라고 하는데, 투과 계수는 매질들의 물리적 특성 차이에 의해 달라질 수 있다. 가령 밀도 차이가 있는 연결된 두 줄에서 진행하는 파동의 경우 두 줄 간의 밀도 차가 클수록 투과보다는 반사되는 에너지가 더 많아 투과 계수가 작아진다. 음파의 경우에는 매질의 밀도와 음속을 곱한 값인 음파 저항이 클수록 반사 정도가 큰 경계를 형성하게 되어 투과 계수는 작아지게 된다.

한편, 입사한 하나의 파동이 매질의 물리적 저항이 다른 경계에서 반사파와 투과파로 나누어질 때, 별도의 에너지 ⓔ손실이 없다고 가정하면, 에너지 보존 법칙에 따라 두 파동이 갖는 에너지의 합은 원래 입사한 파동의 에너지와 같게 된다. 다만 파동의 에너지는 진폭의 제곱에 비례하기 때문에, 입사한 파동의 에너지 중에서 일부분만 포함하는 반사파의 진폭은 줄어들게 된다.

정답 및 해설 ◐ 102쪽

6문단:

7문단:

8문단:

주제:

---

01 윗글의 내용과 일치하지 <u>않는</u> 것은?

① 파동의 에너지는 진폭의 제곱에 비례한다.
② 역학적 파동의 에너지는 매질을 통하여 전달된다.
③ 파동은 진동이 주위로 퍼져 나가는 현상을 의미한다.
④ 파동의 진폭은 진동하는 입자가 평형점에서 최대로 벗어난 거리이다.
⑤ 파동의 진행 속도가 동일하다면 낮은 주파수의 파동일수록 파장이 짧다.

문제 Guide 지문에 언급된 개념들을 이해했는지 평가하는 문제이다. 선택지와 지문을 비교하여 각 개념과 선택지의 설명이 적절히 연결되었는지 살펴보아야 한다.

02 윗글의 내용을 통해 [보기]를 이해한 것으로 가장 적절한 것은?

┤보기├

지진이 일어날 때 발생하는 지진파 중에는 P파와 S파가 있다. P파는 종파이고, S파는 횡파이다. 지각 내부는 고체로 된 부분과 액체로 된 부분이 나누어져 있어, 지진파는 성질에 따라 지각 내부의 일부만 통과할 수도 있다.

① S파가 발생하면 지각 내부의 모든 부분에서 탐지될 수 있겠군.
② S파가 발생하면 지각 내부가 위아래 방향으로 흔들리게 되겠군.
③ 지진이 일어나면 지각 내부에서 P파보다 S파가 더 빨리 전달되겠군.
④ P파는 지각 내부에서 파가 나아가는 방향이 진동의 방향과 직각이겠군.
⑤ S파가 발생하면 지각 내부의 입자 간 간격이 가까워졌다 멀어졌다를 반복하겠군.

문제 Guide 지문에서 언급한 종파와 횡파에 대해 이해하고 [보기]에 언급된 지진파의 P파와 S파에 적용해 보는 문제이다. 지문을 통해 알 수 없는 정보는 잘못 이해한 정보라는 점을 기억해야 한다.

03 윗글을 참고하여 [보기]의 [A]에 들어갈 그림으로 가장 적절한 것은?

┤보기├

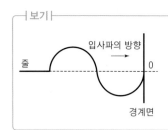

그림과 같이 줄을 통해 전해지는 입사파의 위상이 마루에서 골이었다가 평형점 0이 되어 경계면에 다다랐을 때, 줄의 밀도가 경계면의 밀도보다 작을 경우의 반사파 모양은 [A]와 같게 된다.

[A]

① ② ③

④ ⑤

문제 Guide 지문의 내용을 바탕으로 [보기]에 들어갈 그림을 추론할 수 있는지 평가하는 문제이다. 고정단 반사와 자유단 반사에 대해 이해하고 [보기]의 설명을 바탕으로 입사파의 위상이 어떻게 변화하는지 추론해야 한다.

04 ㉠과 ㉡에 대해 이해한 내용으로 가장 적절한 것은?

① ㉠과 ㉡은 모두 역학적 파동으로 인한 매질의 특성 변화를 보여 준다.
② ㉠과 ㉡은 모두 역학적 파동의 진행에 따른 에너지의 증가를 보여 준다.
③ ㉠과 ㉡은 모두 매질의 경계에서 생겨나는 역학적 파동의 변화를 보여 준다.
④ ㉠은 파동의 진폭이 커지는 요인을, ㉡은 파동의 진폭이 작아지는 요인을 보여 준다.
⑤ ㉠은 파동이 매질에 입사되는 양상을, ㉡은 파동이 매질에서 흡수되는 양상을 보여 준다.

문제 Guide 세부 내용을 이해하고 있는지 평가하는 문제이다. ㉠과 ㉡ 모두 매질이 변하는 경계에서 발생하는 상황이라는 점을 고려하여 매질에 따른 파동의 변화와 에너지의 관계를 생각해 보아야 한다.

05 윗글을 바탕으로 [보기]를 이해한 내용으로 적절하지 않은 것은?

┤보기├

초음파를 이용한 비파괴 검사는 음파 중에서 주파수가 20,000Hz 이상인 초음파를 시험체에 입사한 후 반사파를 감지하여, 시험체 내부의 결함 유무 등을 확인하는 방법이다. (가)는 이러한 검사 방법을 도식화한 것이다. (나)는 검사 결과를 보여 주는 화면으로, 세로축은 입사파의 세기를 기준으로 한 반사파의 상대적인 세기를 비율로 보여 주고, 가로축은 반사파가 감지된 시간을 거리로 환산하여 보여 준다. Ⓐ는 결함 부위에서의 반사, Ⓑ는 바닥에서의 반사를 나타낸 것이다.

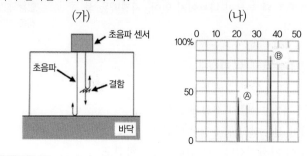

(가) (나)

문제 Guide 지문의 내용을 구체적인 상황에 적용하여 이해할 수 있는지를 평가하는 문제이다. [보기]의 (가)와 (나)는 바닥에 올려 둔 시험체에 초음파를 입사하여 결함 부분과 결함이 없는 부분을 비교한 것이다. (가)와 (나)의 각 반사파의 진폭의 세기, 음파 저항의 차이, 투과의 정도 등을 파악해야 한다.

① (가)에서 결함 부위에서 반사된 초음파는 입사파보다 진폭이 작겠군.

② (가)에서 시험체의 두께가 두꺼울수록 높은 주파수의 초음파를 이용해야겠군.

③ (나)에서 Ⓐ와 Ⓑ를 비교하면, 결함 부위의 음파 저항과 그 주변의 음파 저항의 차이보다 시험체의 음파 저항과 바닥의 음파 저항의 차이가 크다고 볼 수 있겠군.

④ (나)에서 결함 부위가 초음파 센서와 더 가까웠다면, Ⓐ는 현재보다 왼쪽에 나타났겠군.

⑤ (나)에서 Ⓑ가 100%가 되지 않은 것은, 초음파의 에너지 일부가 시험체에 흡수된 것이 원인이라고 할 수 있겠군.

06 ⓐ~ⓔ의 사전적 의미로 적절하지 않은 것은?

① ⓐ: 일정한 간격을 두고 되풀이하여 진행하거나 나타나는.

② ⓑ: 물질을 구성하는 미세한 크기의 물체.

③ ⓒ: 물체가 나아가거나 일이 진행되는 빠르기.

④ ⓓ: 목적한 곳이나 수준에 다다름.

⑤ ⓔ: 일을 잘못하여 뜻한 대로 되지 아니하거나 그르침.

문제 Guide 어휘의 사전적 의미를 파악할 수 있는지 평가하는 문제이다. 문맥을 고려하여 어휘의 의미를 추론해야 한다.

✔ 약점 찾는 체크리스트

문항	문제 유형	정답 체크					나의 오답 노트
		맞음	틀림				
			개념 이해 부족	유형 이해 부족	내용 이해 부족	헷갈림 /실수	
01	세부 정보의 파악						
02	다른 상황에 적용						
03	추론의 적절성 판단						
04	세부 정보의 이해						
05	구체적 사례에 적용						
06	어휘의 사전적 의미 파악						
	내가 쓰는 총평						

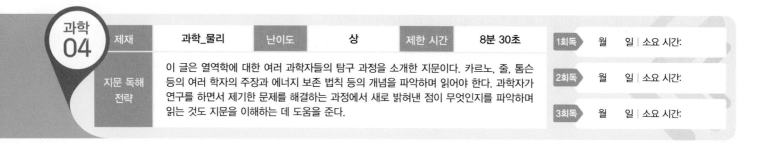

과학 04 | 제재 | 과학_물리 | 난이도 | 상 | 제한 시간 | 8분 30초 | 1회독 | 월 일 | 소요 시간:

지문 독해 전략

이 글은 열역학에 대한 여러 과학자들의 탐구 과정을 소개한 지문이다. 카르노, 줄, 톰슨 등의 여러 학자의 주장과 에너지 보존 법칙 등의 개념을 파악하며 읽어야 한다. 과학자가 연구를 하면서 제기한 문제를 해결하는 과정에서 새로 밝혀낸 점이 무엇인지를 파악하며 읽는 것도 지문을 이해하는 데 도움을 준다. | 2회독 | 월 일 | 소요 시간:

3회독 | 월 일 | 소요 시간:

[01~06] 다음 글을 읽고 물음에 답하시오.

18세기에는 열의 실체가 칼로릭(caloric)이며 칼로릭은 온도가 높은 쪽에서 낮은 쪽으로 흐르는 성질을 갖고 있는, 질량이 없는 입자들의 모임이라는 생각이 받아들여지고 있었다. 이를 칼로릭 이론이라 ㉠부르는데, 이에 따르면 찬 물체와 뜨거운 물체를 접촉시켜 놓았을 때 두 물체의 온도가 같아지는 것은 칼로릭이 뜨거운 물체에서 차가운 물체로 이동하기 때문이라는 것이다. 이러한 상황에서 과학자들의 큰 관심사 중의 하나는 증기 기관과 같은 열기관의 열효율 문제였다.

열기관은 높은 온도의 열원에서 열을 흡수하고 낮은 온도의 대기와 같은 열기관 외부에 열을 방출하며 일을 하는 기관을 말하는데, 열효율은 열기관이 흡수한 열의 양 대비 한 일의 양으로 정의된다. 19세기 초에 카르노는 열기관의 열효율 문제를 칼로릭 이론에 기반을 두고 ㉡다루었다. 카르노는 물레방아와 같은 수력 기관에서 물이 높은 곳에서 낮은 곳으로 ㉢흐르면서 일을 할 때 물의 양과 한 일의 양의 비가 높이 차이에만 좌우되는 것에 주목하였다. 물이 높이 차에 의해 이동하는 것과 흡사하게 칼로릭도 고온에서 저온으로 이동하면서 일을 하게 되는데, 열기관의 열효율 역시 이러한 두 온도에만 의존한다는 것이었다.

한편 1840년대에 줄(Joule)은 일정량의 열을 얻기 위해 필요한 각종 에너지의 양을 측정하는 실험을 행하였다. 대표적인 것이 열의 일당량 실험이었다. 이 실험은 열기관을 대상으로 한 것이 아니라, 추를 낙하시켜 물속의 날개바퀴를 회전시키는 실험이었다. 열의 양은 칼로리로 표시되는데, 그는 역학적 에너지인 일이 열로 바뀌는 과정의 정밀한 실험을 통해 1kcal의 열을 얻기 위해서 필요한 일의 양인 열의 일당량을 측정하였다. 줄은 이렇게 일과 열은 형태만 다를 뿐 서로 전환이 가능한 물리량이므로 등가성을 갖는다는 것을 입증하였으며, 열과 일이 상호 전환될 때 열과 일의 에너지를 합한 양은 일정하게 보존된다는 사실을 알아내었다. 이후 열과 일뿐만 아니라 화학 에너지, 전기 에너지 등이 등가성을 가지며 상호 전환될 때에 에너지의 총량은 변하지 않는다는 에너지 보존 법칙이 입증되었다.

열과 일에 대한 이러한 이해는 카르노의 이론에 대한 과학자들의 재검토로 이어졌다. 특히 톰슨은 ⓐ칼로릭 이론에 입각한 카르노의 열기관에 대한 설명이 줄의 에너지 보존 법칙에 위배된다고 지적하였다. 카르노의 이론에 의하면, 열기관은 높은 온도에서 흡수한 열 전부를 낮은 온도로 방출하면서 일을 한다. 이것은 줄이 입증한 열과 일의 등가성과 에너지 보존 법칙에 ㉣어긋나는 것이어서 열의 실체가 칼로릭이라는 생각은 더 이상 유지될 수 없게 되었다. 하지만 열효율에 관한 카르노의 이론은 클라우지우스의 증명으로 유지될 수 있었다. 그는 카르노의 이론이 유지되지 않는다면 열은 저온에서 고온으로 흐르는 현상이 ㉤생길 수도 있을 것이라는 가정에서 출발하여, 열기관의 열효율은 열기관이 고온에서 열을 흡수하고 저온에 방출할 때의 두 작동 온도에만 관계된다는 카르노의 이론을 증명하였다.

클라우지우스는 자연계에서는 열이 고온에서 저온으로만 흐르고 그와 반대되는 현상은 일어나지 않는 것과 같이 경험적으로 알 수 있는 방향성이 있다는 점에 주목하였다. 또한 일이 열로 전환될 때와는 달리, 열기관에서 열 전부를 일로 전환할 수 없다는, 즉 열효율이 100%가 될 수 없다는 상호 전환 방향에 관한 비대칭성이 있다는 사실에 주목하였다. 많은 과학자들이 이러한 방향성과 비대칭성에 대해 설명할 수 있는 이론을 정립하려 애썼지만

지문 분석 Note

1문단:

2문단:

3문단:

4문단:

5문단:

한동안 성공하지 못하였다.

　하지만 클라우지우스는 이러한 현상을 에너지 보존 법칙, 즉 열역학 제1법칙 안에서만 이해하려 할 것이 아니라 열은 스스로 차가운 물체에서 뜨거운 물체로 옮겨갈 수 없다는 것 자체를 새로운 법칙으로 정하자며 과학계에 ㉮새로운 창을 내놓았다. 그는 가용할 수 있는 에너지는 일정한데 자연의 물질은 일정한 방향으로만 움직이기 때문에 무용한 상태로 변화한 자연현상이나 물질의 변화는 다시 되돌릴 수 없다는 것에 착안하여 다시 가용할 수 있는 상태로 환원시킬 수 없는, 무용의 상태로 전환된 질량(에너지)의 총량을 엔트로피(entropy)라고 하고, 이를 통해 열역학의 방향성과 비대칭성을 설명하였다. 대부분의 자연현상의 변화는 어떤 일정한 방향으로만 진행하고, 이미 진행된 변화를 되돌릴 수 없다. 따라서 자연 물질계의 변화는 엔트로피의 총량이 증가하는 방향으로 진행하며 이것을 엔트로피 증가의 법칙이라고 하며, 열역학 제2법칙으로 부르게 되었다. 다시 말해 열역학 제2법칙은 고립계의 엔트로피는 절대로 줄어들지 않는다는 법칙이며 고립계는 시간이 흐르면 열적 평형 상태, 즉 엔트로피가 최대가 되는 상태에 도달한다. 이때 엔트로피는 어떤 계의 무질서 정도를 나타내는 척도이며, 엔트로피가 높을수록 계의 무질서도가 높다고 할 수 있다.

정답 및 해설 ○ 108쪽

01 윗글에서 알 수 있는 내용으로 가장 적절한 것은?

① 열기관은 외부로부터 받은 일을 열로 변환하는 기관이다.
② 수력 기관에서 물의 양과 한 일의 양의 비는 물의 온도 차이에 비례한다.
③ 칼로릭 이론에 의하면 차가운 쇠구슬이 뜨거워지면 쇠구슬의 질량은 증가하게 된다.
④ 칼로릭 이론에서는 칼로릭을 온도가 낮은 곳에서 높은 곳으로 흐르는 입자라고 본다.
⑤ 열기관의 열효율은 두 작동 온도에만 관계된다는 이론은 칼로릭 이론의 오류가 밝혀졌음에도 유지되었다.

문제 Guide　지문에 제시된 정보를 바탕으로 내용을 파악하는 문제이다. 선택지의 핵심어인 '열기관', '칼로릭 이론' 등과 관련된 지문의 내용을 파악한 뒤 선택지의 내용과 꼼꼼히 비교해야 한다.

02 윗글로 볼 때 ⓐ의 내용으로 가장 적절한 것은?

① 화학 에너지와 전기 에너지는 서로 전환될 수 없는 에너지라는 점
② 열의 실체가 칼로릭이라면 열기관이 한 일을 설명할 수 없다는 점
③ 자연계에서는 열이 고온에서 저온으로만 흐르는 것과 같은 방향성이 있는 현상이 존재한다는 점
④ 열효율에 관한 카르노의 이론이 맞지 않는다면 열은 저온에서 고온으로 흐르는 현상이 생길 수 있다는 점
⑤ 열기관의 열효율은 열기관이 고온에서 열을 흡수하고 저온에 방출할 때의 두 작동 온도에만 관계된다는 점

문제 Guide　문맥을 고려하여 특정 구절의 의미를 논리적으로 파악하는 문제이다. 2문단의 카르노의 이론과 3문단의 줄의 에너지 보존 법칙을 종합하여 ⓐ가 의미하는 바를 파악해야 한다.

6문단:

주제:

과학
04

03 윗글을 바탕으로 할 때, [보기]의 [가]에 들어갈 말로 가장 적절한 것은?

문제 Guide 지문의 핵심 내용인 '줄의 실험'에 대해 이해하고 있는지를 평가하는 문제이다. 3문단에 제시된 줄의 실험을 파악하고 선택지의 진술이 적절한지 판단해야 한다.

┤보기├

줄의 실험과 달리, 열기관이 흡수한 열의 양(A)과 열기관으로부터 얻어진 일의 양(B)을 측정하여 $\frac{B}{A}$로 열의 일당량을 구하면, 그 값은 ([가])는 결과가 나올 것이다.

① 열기관의 두 작동 온도의 차이가 일정하다면 줄이 구한 열의 일당량과 같다.
② 열기관이 열을 흡수할 때의 온도와 상관없이 줄이 구한 열의 일당량과 같다.
③ 열기관이 흡수한 열의 양이 많을수록 줄이 구한 열의 일당량보다 더 커진다.
④ 열기관의 두 작동 온도의 차이가 커질수록 줄이 구한 열의 일당량보다 더 커진다.
⑤ 열기관이 흡수한 열의 양과 두 작동 온도에 상관없이 줄이 구한 열의 일당량보다 작다.

04 ㉮가 의미하는 바로 가장 적절한 것은?

문제 Guide 지문의 내용을 고려하여 해당 부분의 의미를 파악할 수 있는지 평가하는 문제이다. ㉮의 전후 문장 내용을 살펴보고 그와 관련된 내용이 서술된 선택지를 찾아보도록 한다.

① 기존의 이론이 가지고 있던 원리와 대립되는 전혀 다른 이론
② 세계는 고정된 것이 아니고 끊임없이 변화한다는 새로운 가설
③ 기존의 연구들이 열의 이동을 제대로 설명하지 못했다는 것에 대한 반성
④ 기존의 과학자들이 설명하지 못했던 열의 방향성, 비대칭성을 설명할 수 있는 개념
⑤ 온도가 다른 두 물체를 접촉시켰을 때 열이 이동하는 모습을 볼 수 있는 새로운 기구

05 윗글을 바탕으로 [보기]를 이해한 것으로 적절하지 <u>않은</u> 것은?

문제 Guide 지문에서 설명하고 있는 열의 이동에 대한 정보를 바탕으로 '엔트로피' 개념을 이해할 수 있는지 있는지를 평가하는 문제이다. [보기]가 어떤 상황을 표현한 것인지 파악한 후 선택지의 적절성을 판단해야 한다.

┤보기├

커다란 비커에 찬물을 담고, 작은 비커에 뜨거운 물을 담았다. 그리고 두 비커를 그림과 같이 접촉시키고 온도의 변화를 관찰하였다 (이때, 비커 속은 열의 출입이 차단된 고립계라고 가정한다.).

① 찬물과 뜨거운 물을 접촉시킨 뒤 더 이상의 온도 변화가 없다면, 이때의 엔트로피는 최대치를 보이겠군.
② 열은 일정한 방향성을 가지고 이동하므로 찬물에 뜨거운 물을 접촉시키면, 열은 뜨거운 물에서 찬물 쪽으로 이동하겠군.
③ 열역학 제2법칙에 따르면 찬물과 뜨거운 물을 접촉시켜서 만들어진 물은 다시 찬물과 뜨거운 물로 되돌아갈 수 없겠군.
④ 찬물에 뜨거운 물을 접촉시켜 전체적으로 미지근한 물이 되었다면, 비커 안은 접촉 전보다 무질서한 상태라고 볼 수 있겠군.
⑤ 찬물과 뜨거운 물을 접촉시킨 후의 에너지 총량과 접촉시키기 전의 에너지 총량을 비교하면, 접촉시키기 전이 더 많은 에너지량을 보이겠군.

06 윗글의 ㉠~㉤과 같은 의미로 사용된 것은?

① ㉠: 웃음은 또 다른 웃음을 <u>부르는</u> 법이다.

② ㉡: 그는 익숙한 솜씨로 기계를 <u>다루고</u> 있었다.

③ ㉢: 이야기가 엉뚱한 방향으로 <u>흐르고</u> 있다.

④ ㉣: 그는 상식에 <u>어긋나는</u> 일을 한 적이 없다.

⑤ ㉤: 하늘을 보니 당장이라도 비가 오게 <u>생겼다</u>.

문제 Guide 문맥적 의미가 같은 어휘를 고르는 문제이다. ㉠~㉤은 다의어이므로 지문 속에서 ㉠~㉤의 의미를 먼저 이해한 후, 선택지에서 같은 의미로 사용되었는지를 살펴보아야 한다.

✔ 약점 찾는 체크리스트

문항	문제 유형	정답 체크					나의 오답 노트
		맞음	틀림				
			개념 이해 부족	유형 이해 부족	내용 이해 부족	헷갈림 /실수	
01	추론의 적절성 판단						
02	세부 정보의 파악						
03	내용의 비판적 이해						
04	구절의 의미 추론						
05	구체적 상황에 적용						
06	어휘의 문맥적 의미 파악						
	내가 쓰는 총평						

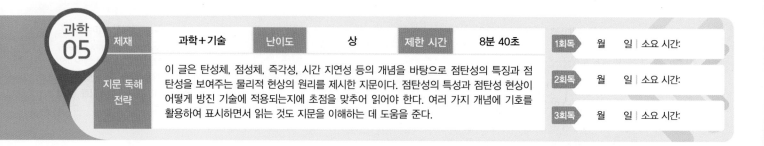

과학
05

제재 　과학+기술　 난이도 　상　 제한 시간 　8분 40초　

1회독 　월 　일 | 소요 시간:

2회독 　월 　일 | 소요 시간:

3회독 　월 　일 | 소요 시간:

지문 독해 전략 　이 글은 탄성체, 점성체, 즉각성, 시간 지연성 등의 개념을 바탕으로 점탄성의 특징과 점 탄성을 보여주는 물리적 현상의 원리를 제시한 지문이다. 점탄성의 특성과 점탄성 현상이 어떻게 방진 기술에 적용되는지에 초점을 맞추어 읽어야 한다. 여러 가지 개념에 기호를 활용하여 표시하면서 읽는 것도 지문을 이해하는 데 도움을 준다.

[01~06] 다음 글을 읽고 물음에 답하시오.

지문 분석 Note

어떤 물체가 점탄성이라는 성질을 가지고 있다고 했을 때, 점탄성이란 무엇일까? 점탄성을 이해하기 위해 점성을 가진 물체와 탄성을 가진 물체의 특징을 알아보자. 용수철에 힘을 가하여 잡아당기면 용수철은 즉각적으로 늘어나며 용수철에 가한 힘을 ㉠없애면 바로 원래의 형태로 되돌아가는데, 이는 용수철이 탄성을 가지고 있기 때문이다. 이와 같이 용수철은 힘과 변형의 관계가 즉각적으로 ㉡이루어지는 '즉각성'을 가지고 있다. 반면 꿀을 평평한 판 위에 올려놓으면 꿀은 중력에 의해 서서히 흐르는 변형을 하게 되는데, 이는 꿀이 흐름에 저항하는 성질인 점성을 가지고 있기 때문이다. 즉 꿀은 힘과 변형의 관계가 시간에 따라 변하는 '시간 지연성'을 가지고 있다.

어떤 물체가 힘과 변형의 관계에서 탄성체가 가지고 있는 '즉각성'과 점성체가 가지고 있는 '시간 지연성'을 모두 가지고 있을 때 점탄성을 가지고 있다고 하고, 그 물체를 점탄성체라 한다. 이러한 점탄성을 잘 보여 주는 물리적 현상으로 응력 완화와 크리프를 들 수 있다. 응력 완화는 변형된 상태가 고정되어 있을 때, 물체가 받는 힘인 응력이 시간에 따라 감소하는 현상이다. 그리고 크리프는 응력이 고정되어 있을 때 변형이 서서히 증가하는 현상이다.

응력 완화를 이해하기 위해 고무줄에 힘을 ㉢주어 특정 길이만큼 당긴 후 이 길이를 유지하는 경우를 생각해 보자. 외부에서 힘을 주면 고무줄은 즉각적으로 늘어나게 된다. 힘과 변형의 관계가 탄성의 특성인 '즉각성'을 보여 주는 것이다. 그런데 이때 늘어난 고무줄의 길이를 그대로 고정해 놓으면, 시간이 지남에 따라 겉보기에는 아무 변화가 없지만 고무줄의 분자들의 배열 구조가 점차 변하며 응력이 서서히 감소하게 된다. 이는 점성의 특성인 '시간 지연성'을 보여 주는 것이다. 이처럼 점탄성체의 변형이 그대로 유지될 때, 응력이 시간에 따라 서서히 감소하는 현상이 응력 완화이다. 한편 점성이 없고 탄성만 있는 물체의 경우, 변형을 준 후 그 변형을 유지하면 그 물체는 일정한 응력을 계속 나타내게 된다.

이제는 고무줄에 추를 매달아 고무줄이 일정한 응력을 받도록 하는 경우를 살펴보자. 고무줄은 순간적으로 일정 길이만큼 늘어난다. 이는 탄성체가 가지고 있는 특성을 보여 준다. 그러나 이후에는 시간이 지남에 따라 점성체와 같이 분자들의 위치가 점차 ㉣변하며 고무줄이 서서히 늘어나게 되는데, 이러한 현상이 크리프이다. 오랜 세월이 지나면 유리창 유리의 아랫부분이 두꺼워지는 것도 이와 같은 현상이다.

점탄성체의 변형에 걸리는 시간이 물질마다 다른 것은 분자나 원자 간의 결합 및 배열된 구조가 서로 다르기 때문이다. 나일론과 같은 물질의 응력 완화와 크리프는 상온(常溫)에서도 인지할 수 있지만, 금속의 경우 너무 느리게 일어나므로 상온에서는 관찰이 어렵다. 온도를 높이면 물질의 유동성이 증가하기 때문에, 나일론의 경우 온도를 높임에 따라 응력 완화와 크리프가 가속화되며, 금속도 고온에서는 응력 완화와 크리프를 인지할 수 있다. 모든 물체는 본질적으로는 점탄성체이며 물체의 점탄성 현상이 우리가 인지할 정도로 빠르게 일어나는가 아닌가의 차이가 있을 뿐이다.

점탄성체는 지진이나 건물이 바람에 부딪힐 때 발생하는 건물의 진동을 낮추기 위해 설치하는 댐퍼에도 사용된다. 점탄성 댐퍼는 건물의 진동 형태에 따라 건물에 힘을 보낼 수 있는 구조로 점탄성 물체를 설치함으로써 건물의 감쇠* 능력을 향상시켜 진동을 줄이는 방

1문단:

2문단:

3문단:

4문단:

5문단:

6문단:

법이 활용된 것이다. 즉 점탄성 물체를 활용하여 건물이 받는 힘인 응력은 서서히 감소하게 하고, 건물의 진동으로 인한 변형은 서서히 이루어지게 하는 것이다. 바람에 부딪히면서 발생하는 미진동이나 지진이 발생했을 때 발생하는 건물의 진동을 흡수하기 위해 사용되는 점탄성 댐퍼는 물체 내부 양쪽에 크기가 같고 방향이 반대인 두 힘이 가해져 물체 내부에서 어긋남이 생기는 변형이 발생할 때 그것을 소산되게 하는 매커니즘을 갖고 있다. 일반적으로 점탄성 댐퍼는 버팀대인 스틸판과 점탄성 소재를 층층이 쌓은 형태로 구성되며, 구조물에 적용할 때에는 〈그림〉처럼 건물에 힘을 ⓔ보태는 형태로 설치된다. 구조물의 진동 때문에 점탄성 댐퍼의 중앙판과 접속 부분 사이에 변형이 발생하면 물체 내부에서 어긋남이 생기고 에너지를 소산하게 된다.

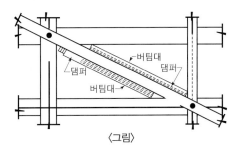

〈그림〉

점탄성 댐퍼에 사용되는 재료로는 에너지 소산 능력이 있는 실리콘 합성 재료 또는 천연 및 합성고무가 널리 이용되고 있다. 그러나 기존의 방진고무로 사용되는 천연고무 및 합성고무 등은 산업기계의 방진이나 흡진 효과를 위해 많이 쓰이지만 에너지 소산 능력에 한계가 있어 고층 건물의 진동 응답을 줄이기 위해서 에너지 소산 능력이 뛰어난 재료의 개발 필요성이 대두되었다. 해외에서는 진동에 대한 감쇠 효과가 탁월하고 장시간의 진동뿐만 아니라 순간적인 큰 변형에도 에너지 흡수 능력이 뛰어난 물질이 개발되었으며, 고층 건물의 진동을 줄이기 위하여 건물마다 1만 개 이상의 점탄성 댐퍼를 사용하기도 한다.

＊ 감쇠: 파동이나 입자가 물질을 통과할 때 일부가 흡수되거나 산란되면서 에너지 또는 입자의 수가 감소하는 현상.

정답 및 해설 ● 114쪽

01 윗글에 대한 설명으로 가장 적절한 것은?

① 점탄성체의 물리적 특성에 기초하여 이를 활용한 기술의 원리 및 특징을 제시하고 있다.

② 점탄성체의 물리적 특성을 설명하면서 이를 활용한 기술의 원리와 전망을 탐색하고 있다.

③ 점탄성체의 변형 시간의 차이를 검토하여 다양한 건축물에서 활용할 수 있는 기술적 방안을 제시하고 있다.

④ 점탄성체와 관련된 물리적 특성을 제시하고 에너지 소산 능력이 탁월한 점탄성체의 개발 과정을 소개하고 있다.

⑤ 점탄성체가 보여 주는 물리적 현상을 설명하고 이를 기술적으로 활용할 수 있는 다양한 방안을 제시하고 있다.

문제 Guide 글의 내용 전개 방식과 제시된 정보를 정확하게 파악할 수 있는지를 평가하는 문제이다. 선택지에 언급된 점탄성체와 관련된 내용이 지문의 어느 부분에 드러나 있는지를 찾은 후, 어떤 방식으로 서술하고 있는지에 주목하여 선택지의 적절성을 판별해야 한다.

7 문단:

주제:

과학 05

02 윗글을 이해한 내용으로 가장 적절한 것은?

① 용수철의 힘과 변형의 관계가 '즉각성'을 갖는 것은 점성 때문이다.
② 같은 온도에서는 물질의 종류와 무관하게 물질의 유동성 정도는 같다.
③ 물체가 서서히 변형될 때에는 물체를 이루는 분자의 위치에 변화가 없다.
④ 유리창에 유리 아랫부분이 두꺼워지는 것은 '시간 지연성'과 관련이 있다.
⑤ 판 위의 꿀이 흐르는 동안 중력에 대응하여 꿀의 응력은 서서히 증가한다.

문제 Guide 지문에 언급된 세부 정보를 제대로 파악할 수 있는지 평가하는 문제이다. 점탄성을 보여 주는 물리적 현상인 응력 완화, 크리프와 관련된 선택지의 내용이 지문의 어느 부분에서 언급한 내용인지 확인한 후, 수정된 부분은 없는지 파악해야 한다.

고난도
03 윗글을 바탕으로 [보기]의 [A]와 [B]를 이해한 내용으로 적절하지 <u>않은</u> 것은?

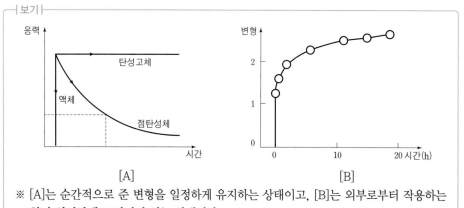

─┤ 보기 ├─

※ [A]는 순간적으로 준 변형을 일정하게 유지하는 상태이고, [B]는 외부로부터 작용하는 힘이 일정하게 고정되어 있는 상태이다.

① [A]는 시간이 변함에 따라 물체의 분자들의 배열 구조가 변화하여 나타나는 현상이다.
② [A]는 가해진 힘에 대해 물체의 변형이 즉각적으로 이루어지는 성질로 인해 일어난다.
③ [B]는 콘크리트 벽에 생긴 균열이 시간의 경과에 따라 커지게 되는 이유를 설명해준다.
④ [B]는 외부 힘을 가하였을 때 그 응답이 순간적으로 완료되지 않고 시간이 걸림을 보여 준다.
⑤ [A]와 [B]는 분자나 원자 간의 결합 및 배열 구조, 온도에 따라 그 변형 속도가 달라진다.

문제 Guide 지문의 내용을 이해하고 자료를 적절히 해석할 수 있는지를 평가하는 문제이다. 지문에는 탄성과 즉각성, 점성과 시간 지연성 등의 개념이 소개되어 있으므로, 이를 바탕으로 [보기]의 그래프가 무엇을 의미하는지 파악하도록 한다. 이때 x축과 y축이 무엇을 가리키는지를 확인해야 한다.

04 점탄성 댐퍼에 대한 설명으로 적절하지 <u>않은</u> 것은?

① 건물의 감쇠 능력을 향상시켜 건물의 진동을 줄이기 위한 장치이다.
② 물체 내부에서 어긋남이 생기는 변형이 발생할 때 에너지를 소산되게 한다.
③ 고층 건물의 진동 응답을 줄이기 위해서 천연고무 및 합성고무만 사용된다.
④ 순간적인 큰 변형에도 에너지 흡수 능력이 뛰어난 물질이 댐퍼의 재료로 적합하다.
⑤ 건물의 진동 형태에 따라 건물에 힘을 보탤 수 있는 구조로 점탄성 물체를 설치한다.

문제 Guide 글의 핵심 정보의 개념을 이해하고 그 특성을 파악할 수 있는지를 평가하는 문제이다. '점탄성 댐퍼'에 대한 설명은 6, 7문단에 주로 제시되어 있으므로, 선택지의 내용을 해당 문단에서 확인하여 선택지의 적절성을 판단해야 한다.

05 윗글을 바탕으로 [보기]의 (가), (나)에 대해 탐구한 내용으로 적절하지 <u>않은</u> 것은?

┤보기├

(가) 나일론 재질의 기타 줄을 길이가 늘어나게 당긴 후 고정하여 음을 맞추고 바로 풀어 보니 원래의 길이로 돌아갔다. 이번에는 기타 줄을 길이가 늘어나게 당긴 후 고정하여 음을 맞추고 오랫동안 방치해 놓으니, 매여 있는 기타 줄의 길이는 그대로였지만 팽팽한 정도가 감소하여 음이 맞지 않았다.

(나) 무거운 책을 선반에 올려놓으니 선반이 즉각적으로 아래로 휘어졌다. 이 상태에서 선반이 서서히 휘어져 몇 달이 지난 후 살펴보니 선반의 휘어짐 정도가 처음보다 더 심해져 있었다. 다른 조건이 모두 같을 때 선반이 서서히 휘는 속력은 따뜻한 여름과 추운 겨울에 따라 차이가 있었다.

① (가)에서 기타 줄이 원래의 길이로 돌아간 것은 기타 줄이 탄성을 가지고 있기 때문이군.

② (가)에서 기타 줄의 팽팽한 정도가 달라진 것은 기타 줄에 응력 완화가 일어났기 때문이군.

③ (가)에서 나일론 재질 대신 금속 재질의 기타 줄을 사용한다면 기타 줄의 팽팽한 정도가 더 빨리 감소하겠군.

④ (나)에서 선반이 책 무게 때문에 서서히 변형된 것은 선반이 크리프 현상을 보였기 때문이겠군.

⑤ (나)에서 여름과 겨울에 선반이 휘어지는 속력이 차이가 나는 것은 선반이 겨울보다 여름에 휘어지는 속력이 더 크기 때문이군.

문제 Guide 지문의 내용을 이해하고 다른 자료에 응용하여 해석할 수 있는지를 평가하는 문제이다. 점성, 탄성, 점탄성, 크리프, 시간 지연성 등의 개념을 정확히 구분하고 이를 [보기]의 설명에 적용해야 한다. 이때 점탄성을 잘 보여 주는 현상 중 크리프와 응력 완화의 개념을 이해하고 점탄성은 '시간 지연성'을 가지고 있다는 점에서 각 개념들이 어떻게 연관되어 있는지를 파악해야 한다.

06 문맥상 ㉠~㉤을 바꿔 쓰기에 가장 적절한 것은?

① ㉠: 상쇄(相殺)하면

② ㉡: 결성(結成)되는

③ ㉢: 투여(投與)하여

④ ㉣: 변모(變貌)하며

⑤ ㉤: 보충(補充)하는

문제 Guide 문맥적 의미가 유사한 단어를 찾을 수 있는지 평가하는 문제이다. ㉠~㉤의 문맥적 의미를 각각 추리한 후, 각 선택지의 단어를 ㉠~㉤과 바꾸어 보고, 의미가 달라지지 않는지 살펴보아야 한다.

✔ 약점 찾는 체크리스트

문항	문제 유형	정답 체크					나의 오답 노트
		맞음	틀림				
			개념 이해 부족	유형 이해 부족	내용 이해 부족	헷갈림/실수	
01	내용 전개 방식의 파악						
02	세부 정보의 이해						
03	자료 해석의 적절성 판단						
04	핵심 정보의 이해						
05	구체적 상황에 적용						
06	어휘의 문맥적 의미 파악						
	내가 쓰는 총평						

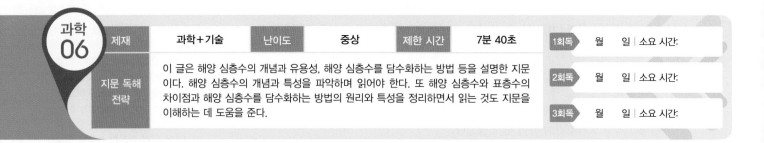

과학 06

제재 　과학+기술　 난이도 　중상　 제한 시간 　7분 40초

지문 독해 전략
이 글은 해양 심층수의 개념과 유용성, 해양 심층수를 담수화하는 방법 등을 설명한 지문이다. 해양 심층수의 개념과 특성을 파악하며 읽어야 한다. 또 해양 심층수와 표층수의 차이점과 해양 심층수를 담수화하는 방법의 원리와 특성을 정리하면서 읽는 것도 지문을 이해하는 데 도움을 준다.

1회독 　월 　일 | 소요 시간:
2회독 　월 　일 | 소요 시간:
3회독 　월 　일 | 소요 시간:

[01~05] 다음 글을 읽고 물음에 답하시오.

지문 분석 Note

(가) 산업 혁명 이후 과학과 기술이 크게 발달하면서 인류는 물질적인 풍요는 ㉠구축(構築)하였지만, 식수, 식량, 에너지 자원의 심각한 부족과 환경오염 문제에 직면하게 되었다. 이 때문에 환경친화적이고 고갈되지 않은 대체 자원에 대한 관심이 높아졌는데, 이중 가장 주목받고 있는 것이 바닷물, 즉 해수이다. 해수는 지구 표면의 70%를 차지하고 있으며, 해수의 93%는 해양 심층수가 차지하고 있다. 해양 심층수는 태양광이 ㉡도달(到達)하지 않는 대략 수심 200m 이상의 깊은 곳에 존재하며 연중 안정된 저온을 유지하고, 인류에게 유용한 염양 염류나 미네랄 등의 무기물을 풍부하게 함유한 해수 자원이다.

(나) 해수는 대략 수심 200m를 기준으로 그 위는 표층수, 그 아래는 해양 심층수로 구분할 수 있다. 해양 심층수는 북극과 남극의 빙하가 녹아 표층수와 혼합된 뒤, 높은 밀도 때문에 가라앉으면서 생성된 것으로, 표층수보다 온도가 10~20℃ 낮고, 높은 염분 농도 때문에 밀도가 높아 표층수와는 물과 기름처럼 잘 섞이지 않는다. 해양 심층수는 일정한 수심에서 침강층을 구성하고, 해수가 가라앉으면서 생겨난 에너지를 원동력으로 삼아 오랜 시간에 걸쳐 지구를 순환한다. 또 해양 심층수는 20~40기압 이하의 수압에서 수 백 년에서 수 천 년동안 형성되었기 때문에 물분자가 작으며, 성질이 안정되었다. 게다가 심해층에서 흐르기 때문에 공기와 접촉이 없어 산화되지 않았고, 빛이 닿지 않아 광합성도 하지 않았기 때문에 본래 가지고 있던 영양염의 소모도 없었다. 그래서 표층수보다 몇 배에서 많게는 몇 백배 풍부한 질산염, 인산염, 규산염 등의 영양염과, 미네랄을 ㉢함유(含有)하고 있다. 이러한 해양 심층수의 특성 때문에 해양 심층수가 어느 지역에서 용승*하게 되면 그 지역의 어장은 매우 풍부해지게 된다.

(다) 일반적으로 수심 150~200m 이하로 내려가면 도달하는 태양광량이 수면에서보다 1% 이하로 줄어든다. 이렇게 빛이 도달하지 않는 바다 속 층을 '무광층'이라 하며, 전체 태양광 중 최소 1% 이상이 도달하는 바다 속 층을 유광층이라 한다. 유광층은 광합성을 하는 식물 플랑크톤이 살 수 있는 경계층이다. 식물 플랑크톤이 없으면 이를 먹고 사는 미생물도 살 수 없어 먹이 사슬이 형성되지 않는다. 따라서 유광층은 유기물의 생산이 분해보다 많이 일어나기 때문에 '생산층'이라 할 수 있고, 무광층은 유기물의 생산은 적고 유기물의 분해가 많이 일어나기 때문에 '분해층'이라 할 수 있다. 유광층 아래, 즉 무광층에는 유광층에서 미처 분해되지 않고 가라앉은 유기물을 먹고 사는 적은 수의 미생물만 존재하게 된다. 그런데 이마저도 수심이 깊어질수록 유기물의 양이 줄어들게 되고, 이로 인해 세균 같은 미생물들은 점차 감소하게 되며, 외부에서 오염 물질이 ㉣유입(流入)되지도 않기 때문에 해양 심층수는 자연히 청정한 상태가 된다.

(라) 해양 심층수는 자연의 물질 순환계에 따라 생성·순환되는 청정한 자원이며, 인류가 필요로 하는 물적·에너지를 가진 자원으로 무한한 잠재력을 내포하고 있다. 이러한 점 때문에 해양 심층수를 여러 가지 산업에 활용할 수 있는 방안이 ㉤모색(摸索)되었다. 해양 심층수 그 자체를 수산, 에너지, 농업, 의료·미용 분야에 이용하는 방법, 해양 심층수를 농축하여 발효 식품이나 미용·건강 분야의 재료로 활용하는 방법, 또 염분을 제거하여 신개념의 생수, 식품의 원료, 피부병 치료약의 원료 등으로 사용하는 방법 등이 개발된 것이다.

최근에는 세계 각국의 수자원 상황이 급속하게 악화되면서 깨끗한 물, 건강에 좋은 물, 맛있는 물에 대한 관심과 중요성이 높아졌고, 생수 및 청량 음료수의 장기적·안정적 수원으로 해양 심층수를 이용하고자 하는 기대가 높아졌다. 이에 일본, 미국 등 선진국에서는 해양 심층수를 담수로 만드는 비교적 간단한 제조 기술을 개발하는 등 해양 심층수를 활용하고자 하는 연구가 활발히 진행되고 있다.

(마) 해양 심층수는 염도가 매우 높아 인간이 그냥 먹을 수는 없고 염도를 낮추는 과정인 탈염과정을 거쳐야 한다. 이 과정에서 역삼투법이 사용된다. 큰 통에 물은 통과시키지만 물에 용해되어 있는 이온이나 분자는 투과시키지 않는 반투막을 사이에 두고 양쪽에 담수와 해양 심층수를 각각 넣으면, 담수의 물 분자가 농도가 높은 해양 심층수 쪽으로 이동하는 삼투 작용이 일어난다. 이때 삼투압보다 10~30배 높은 압력을 삼투압의 반대 방향에 가하면 해양 심층수의 물 분자가 담수 쪽으로 이동해 물 속에 녹아 있는 각종 무기염류를 분리할 수 있다. 이렇게 추출한 무기염류는 물맛과 영양 염류를 더하기 위해 선택적으로 다시 첨가되고, 무기염류가 첨가된 물을 자외선 살균하면 우리가 마실 수 있는 물이 된다.

(바) 우리가 물을 마실 때, 그 물맛을 결정하는 것이 바로 경도이다. 경도란 물속에 포함된 칼슘염과 마그네슘염의 양을 표준물질의 중량으로 환산해서 표시한 것인데 우리나라에서는 보통 경도가 20도 이상일 경우에는 '센물', 10도 이하면 '단물'이라고 부른다. 일반적으로 물의 경도가 높으면 쌉쌀하거나 텁텁한 맛이 나고 경도가 낮으면 담백한 맛이 나며, 칼슘보다 마그네슘이 많으면 쓴맛이 조금 더 강해진다. 사람들이 먹었을 때 맛있다고 느끼는 경도 범위는 10~100도 정도이다. 일반적으로 해양 심층수는 경도가 높은데, 경도가 높은 물이 고혈압을 예방하고 항알레르기 작용 등을 한다는 연구 결과 때문에 경도가 높은 물을 식수로 사용하기도 한다. 이상에서 살펴본 것처럼 해양 심층수는 깨끗할 뿐만 아니라, 생명체의 신진대사에 중요한 무기염류를 다량으로 함유하고 있어 차세대 식수원으로 주목 받고 있다.

* 용승: 해양에서 비교적 찬 해수가 아래에서 위로 표층 해수를 제치고 올라오는 현상.

(마):

(바):

주제:

정답 및 해설 ◐ 120쪽

01 윗글을 보고 답을 찾을 수 있는 질문이 <u>아닌</u> 것은?

① 해양 심층수는 무엇인가?

② 해양 심층수는 어떻게 생성되는가?

③ 해양 심층수의 수요는 어느 정도인가?

④ 해양 심층수가 주목 받는 이유는 무엇인가?

⑤ 해양 심층수는 주로 어떤 분야에서 활용되는가?

문제 Guide 지문에 언급된 개괄적 정보를 제대로 파악할 수 있는지 평가하는 문제이다. 해양 심층수와 관련된 정보 중 지문에 언급되어 있는 것과 언급되어 있지 않은 것이 무엇인지를 따져 보아야 한다.

02 윗글을 바탕으로 [보기]의 ㉠, ㉡을 이해한 것으로 가장 적절한 것은?

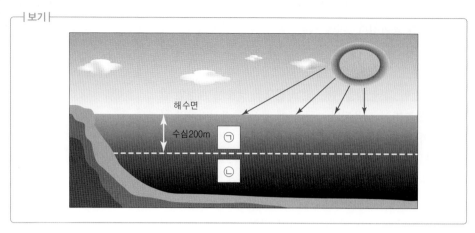

① ㉠에는 ㉡보다 영양염은 많고 미생물은 적다.
② ㉠에서 생산된 유기물이 가라앉아 ㉡에는 깊이가 깊어질수록 유기물의 양이 증가한다.
③ ㉡에서 ㉠으로 해류가 이동하는 경우는 존재하지 않는다.
④ ㉡에서는 ㉠에서와 달리 먹이 사슬이 형성되지 않는다.
⑤ ㉡에서는 ㉠에서보다 태양광이 많이 도달하여 광합성이 일어난다.

문제 Guide 지문의 핵심 개념을 파악할 수 있는지를 평가하는 문제이다. '해양 심층수'와 '표층수'의 개념과 특징을 파악한 후, 두 대상의 공통점과 차이점을 비교해 보도록 한다.

03 (마)를 참고하여 [보기]를 이해한 것으로 적절하지 않은 것은?

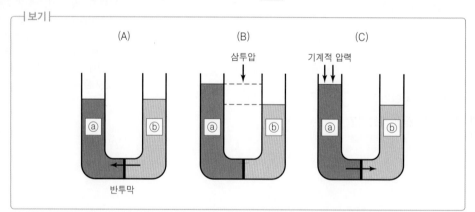

① (A)를 가만히 두었을 때 (B)처럼 수면의 높이가 변하였다면, 이것은 두 용액의 농도차 때문이겠군.
② (B)에서 ⓐ의 수면이 올라간 것을 보니 ⓐ는 해양 심층수이군.
③ (C)에서 역삼투압 작용이 일어나게 하면 ⓐ의 수면은 낮아지고 ⓑ의 수면은 높아지겠군.
④ (C)에서 ⓐ에 삼투압의 20배의 압력을 가하면 ⓐ에 있는 각종 무기염류가 ⓑ로 이동하겠군.
⑤ (A)~(C)를 거치고 난 뒤에 ⓑ를 식수로 사용하려면 다른 처리 과정이 필요하겠군.

문제 Guide 지문의 내용을 이해하고 자료를 적절히 해석할 수 있는지를 평가하는 문제이다. (마)에서는 해양 심층수의 탈염 과정을 설명하고 있다. 이를 고려하여 [보기]의 (A), (B), (C)가 탈염 과정 중 어떤 과정에 해당하는지를 파악하도록 한다.

04 윗글과 [보기]를 보고 보였을 반응으로 적절하지 **않은** 것은?

문제 Guide 지문에 제시된 정보를 파악하고 [보기]에 제시된 사례를 적절히 평가할 수 있는지를 확인하는 문제이다. 6문단에 언급된 물의 경도의 개념과 물의 경도와 물맛의 상관 관계 등을 살펴본 후, 선택지의 내용이 적절한지를 따져보도록 한다.

┌─ 보기 ─

〈국내 · 외에서 판매 중인 생수 성분 비교〉

	경도	칼슘(Ca)	마그네슘(Mg)	칼륨(K)	나트륨(Na)
A	37	15.5	1.5	0.9	5.4
B	250	8.8	25.2	0.6	9.0
C	1000	71	200	69	74

① A, B, C 모두 센물에 속하겠군.

② A에 칼슘을 더 첨가하면 물의 경도가 더 높아지겠군.

③ B에 마그네슘을 좀 더 첨가한다면, 물의 쓴 맛을 조금 줄일 수 있겠군.

④ C는 건강 기능 향상에 도움을 주는 기능성 식품으로도 활용할 수 있겠군.

⑤ 사람들은 A를 마셨을 때는 맛이 좋다고 느끼지만 C를 마셨을 때는 맛이 없다고 느낄 가능성이 크겠군.

05 ㉠~㉤의 사전적 의미로 적절하지 **않은** 것은?

문제 Guide 어휘의 의미를 파악할 수 있는지 평가하는 문제이다. 각 단어의 사전적 의미를 명확히 알지 못한다면 지문 속에서 ㉠~㉤의 문맥적 의미를 각각 추리한 후, 선택지의 의미와 비교해 보도록 한다.

① ㉠ : 더 높은 단계로 발전함.

② ㉡ : 목적한 곳이나 수준에 다다름.

③ ㉢ : 물질이 어떤 성분을 포함하고 있음.

④ ㉣: 액체나 기체, 열 따위가 어떤 곳으로 흘러듦.

⑤ ㉤: 일이나 사건 따위를 해결할 수 있는 방법이나 실마리를 더듬어 찾음.

✔ **약점 찾는 체크리스트**

문항	문제 유형	정답 체크					나의 오답 노트
		맞음	틀림				
			개념 이해 부족	유형 이해 부족	내용 이해 부족	헷갈림 /실수	
01	개괄적 정보의 파악						
02	핵심 정보의 파악						
03	구체적 사례에 적용						
04	구체적 상황에 적용						
05	어휘의 사전적 의미 파악						
	내가 쓰는 총평						

과학 07 | 제재 | 과학+예술 | 난이도 | 상 | 제한 시간 | 7분 50초

1회독 ▶ 월 일 | 소요 시간:
2회독 ▶ 월 일 | 소요 시간:
3회독 ▶ 월 일 | 소요 시간:

지문 독해 전략 | 이 글은 소리의 물리적 특성이 소리 공간의 위치 지각에 미치는 영향을 설명한 지문이다. 소리의 물리적 특성의 종류와 개념, 소리를 조정할 때 시공간적인 특성이 어떻게 달라지는지에 주목하여 읽어야 한다. 또 소리의 물리적 특성이 시공간성 해석에 어떤 영향을 주는지를 정리해가며 읽는 것도 지문을 이해하는 데 도움을 준다.

[01~05] 다음 글을 읽고 물음에 답하시오.

지문 분석 Note

소리란 음향학적으로 공기의 진동이 공간에 일정한 시간 동안 전파되어 발생하는 것이다. 음악과 같은 소리 예술은 소리 자체의 시각적 형태를 식별하기 어렵기 때문에 공간 예술로 인식하기 어렵다. 그러나 소리 그 자체가 가진 물리적 특성은 영화 등의 화면 이미지의 시공간적 특징을 소리로 표현하는 데에 반영된다. 소리의 공간은 인간의 머리 앞, 뒤, 좌, 우 등 360도에 위치하여 확인할 수 있으므로 기본적으로 열린 공간이다. 그러나 음원의 발생 지점과 피음원, 즉 청자의 위치가 조금이라도 바뀌면 소리의 공간 위치에 대한 지각은 유동적으로 변한다.

소리는 기본적으로 음고, 음량, 음가, 음색이라는 네 가지 특성을 가지며 이들은 소리의 시공간적 지각에 변수로 작용한다. 우선 음원의 발생 지점과 피음원의 거리에 따라서 음고와 음량이 다르게 인지된다. 음고는 음의 높이로, 진동수의 차이에서 기인한다. 소리를 내는 물체가 1초 동안 진동하는 횟수를 '진동수'라고 하며, 헤르츠(Hz)라는 단위로 표시한다. 진동수가 많은 음은 높게 느끼게 되고 진동수가 적은 음은 낮게 느끼게 된다. 즉 소리의 높이는 진동수에 비례한다. 이러한 소리의 높이, 즉 음고와 관련이 있는 것은 도플러 효과이다. 파동을 발생시키는 파원과 그 파동을 관측하는 관측자 중 하나 이상이 운동하고 있을 때 발생하는 이 효과는 파원과 관측자 사이, 즉 음원의 발생 지점과 피음원 사이의 거리가 좁아질 때에는 파동의 주파수가 더 높게 관측되고, 거리가 멀어질 때에는 파동의 주파수가 더 낮게 관측되는 현상이다. 도플러 효과는 매질에 대하여 파원이 운동하는 경우와 관측자가 운동하는 경우에 따라 발생하는 방식이 다르다. 매질에 대하여 정지하고 있는 관측자에게 파원이 가까워지는 경우에는 파동이 진행 방향으로 압축되고, 멀어지는 경우에는 파동이 진행 방향으로 확대되기 때문에 이 효과가 발생하며, 파원은 정지하고 있으나 관측자가 운동하는 경우에는 단위 시간 내에 관측자가 받는 파동수가 변하기 때문에 이 효과가 발생한다.

음의 크기를 의미하는 음량도 음원의 발생 지점과 피음원 사이의 거리가 가까울수록 크게 들리고 멀어질수록 작게 들린다. 이러한 원리는 영화에 적용할 수 있다. 어떤 화면에 한 인물이 멀리서부터 걸어오기 시작하여 인물의 얼굴이 화면에 가득 찰 정도까지 다가올 때 그 인물의 발걸음 소리는 작은 소리로부터 점차적으로 음량은 증가하게, 음고는 고음이 강해지게 고안된다. 이것은 소리의 물리적 공간성을 영화의 화면 속 인물의 이동에 따른 공간 깊이에 적용한 것이다. 이처럼 어떠한 소리의 특정 주파수 대역의 음량을 조절하면 화면의 공간 깊이를 조정할 수 있다. 이러한 조절을 가능하게 하는 것은 음향 제작 소프트웨어인 이퀄라이저(equalizer, EQ)이다. EQ를 활용하여 어떤 소리의 주파수 대역 중 3000~4000 Hz 대역 부분의 음량을 증가시키면 소리는 가깝게 들리는 것처럼 느껴지고 음량을 감소시키면 소리가 멀리 들리는 것으로 느껴진다.

음표나 쉼표가 나타내는 음의 길이인 음가 또한 소리의 공간 위치 지각에 영향을 준다. 소리가 누군가에게 전달될 때 그 소리는 음원으로부터 직접 전달되는 직접음과 소리가 벽, 바닥, 천정 등으로부터 반사되어 전달되는 간접음, 즉 잔향음의 합으로 구성된다. 직접음이 없어진 순간부터 잔향음의 에너지가 106(-60dB)으로 감쇠할 때까지 걸리는 시간을 잔향

지문 분석 Note
■ 1문단:
■ 2문단:
■ 3문단:
■ 4문단:

시간이라 하는데, 잔향 시간은 실내의 크기, 형상 및 벽체나 천장의 재질의 흡음률에 따라 달라진다. 이러한 잔향 시간이 소리의 길이를 결정하며, 기본적으로 잔향 시간이 짧을수록 열린 공간을 의미하고 길수록 닫힌 공간을 의미한다. 여기서 열린 공간이란 소리의 주변에 벽과 같은 방해물이 거의 없는 공간을 말하고 닫힌 공간이란 방해물에 의해 밀폐된 공간을 말한다. 그러나 공간 주변을 둘러싸고 있는 방해물의 성질에 따라 닫힌 공간에서도 잔향 시간이 짧아질 수 있다. 즉, 방해물이 소리를 잘 흡수하는 성질로 되어 있을 때는 반사가 줄어들어 잔향 시간이 짧아지지만 반대로 거울과 같이 소리를 잘 반사하는 성질로 되어 있을 때는 반사가 증가하여 소리의 잔향 시간이 길어진다. 또한 같은 닫힌 공간이라 하더라도 공간의 크기에 따라서 잔향 시간이 달라질 수 있으며, 일반적으로 닫힌 공간의 넓이가 넓어질수록 잔향 시간이 길어지고 좁아질수록 짧아진다.

소리의 특성 중 음이 갖는 특색인 음색은 화면의 서로 다른 등장인물, 사물, 배경 이미지 등을 구별하기 쉽게 한다. 인간은 다른 음색을 가진 것을 서로 다른 소리로 인식한다. 예를 들어 바이올린과 피아노로 음고, 음량, 음가가 동일한 멜로디를 동시에 연주하더라도 인간은 두 악기의 음색이 다르기 때문에 이 연주를 두 악기의 앙상블이라고 인식하게 된다. 음색은 특정한 소리의 배음*의 구조에 따라 결정되며, 영화의 한 화면에 여러 이미지들이 있을 때 각각의 이미지를 구별하게 하려면 각 이미지마다 서로 다른 음색의 소리를 부여하면 된다.

이러한 소리의 물리적 특성은 영화의 시공간을 디자인하는 데 많은 영향을 준다. 그러나 소리의 물리적 특성에 의한 화면의 시공간 구별이 관객에 완벽하게 전달되기 어려울 때도 있다. 영화를 제작할 때 만들어진 소리의 공간 외에 영화관 자체에서 반사음이 발생하거나, 관객의 좌석 위치에 따라 소리의 상대적 공간성이 달라질 수 있기 때문이다.

* 배음: 진동체가 내는 여러 가지 소리 가운데, 원래 소리보다 큰 진동수를 가진 소리. 보통 원래 소리의 정수배(整數倍)가 되는 소리를 이른다.

5문단:

6문단:

주제:

정답 및 해설 ⊙ 126쪽

01 윗글에 대한 설명으로 가장 적절한 것은?

① 음색이 특정한 소리의 배음의 구조에 의해 결정되는 이유를 제시하고 있다.
② 소리의 물리적 특성이 공간의 위치 지각에 영향을 주는 양상을 설명하고 있다.
③ 청자의 위치에 따라 유동적으로 변화하는 소리의 공간적 특성을 설명하고 있다.
④ 소리의 시각적 형태를 식별하여 영화의 시공간을 디자인하는 방법을 제시하고 있다.
⑤ 소리의 특징에 의한 화면의 시공간 인식이 관객에게 전달되는 과정을 설명하고 있다.

문제 Guide 글의 중심 내용을 파악할 수 있는지 평가하는 문제이다. 선택지에 언급된 내용이 지문의 어느 부분에 드러나 있는지를 찾은 후, 선택지의 내용이 적절한지를 따져보아야 한다.

02 윗글을 이해한 것으로 가장 적절한 것은?

① 소리를 전달할 때 그 주변에 방해물이 있느냐 없느냐에 따라 음량이 결정된다.
② 사람은 음표나 쉼표가 나타내는 음의 길이가 다르면 각기 다른 소리로 인식한다.
③ 소리가 전달되는 공간의 반사음 발생 유무는 소리의 공간성에 영향을 미치지 않는다.
④ 음량의 물리적 조정은 화면 이미지의 공간 깊이를 표현하는 데 영향을 미친다.
⑤ 화면 속에서 걷는 사람의 발걸음 소리의 음량을 증가시키고 음고를 높이면 인물이 화면에서 멀어지는 느낌이 든다.

문제 Guide 지문에 언급된 세부 정보를 제대로 파악할 수 있는지 평가하는 문제이다. 지문에서 소리의 물리적 특성을 네 가지로 나누어 제시하고 있으므로, 각 특성에 따라 표현되는 소리가 어떻게 달라지고 이것이 공간적 특성에 따라 어떤 방식으로 구현되는지에 초점을 맞추어야 한다.

03 윗글을 읽고 [보기]를 이해한 것으로 가장 적절한 것은?

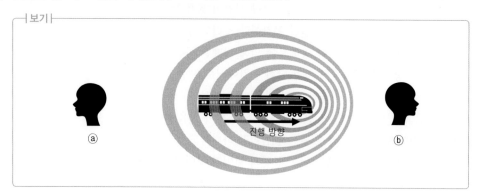

─┤보기├─

진행 방향

ⓐ   ⓑ

① ⓐ에서는 파원은 정지해 있고 관측자가 운동하고 있기 때문에 도플러 효과가 발생한다.

② ⓐ에서는 음원의 발생 지점과 피음원 사이의 거리가 좁아지므로 주파수가 더 높게 관측된다.

③ ⓑ에서는 단위 시간 내에 관측자가 받는 파동수가 변하기 때문에 도플러 효과가 나타난다.

④ ⓑ에서는 정지하고 있는 관측자에게 파원이 가까워지고 있으므로 파동이 진행 방향으로 압축된다.

⑤ ⓐ에서는 진동수가 많으므로 높은 소리가, ⓑ에서는 진동수가 적으므로 낮은 소리가 느껴진다.

○ 문제 Guide 지문에서 언급된 개념을 구체적인 상황에 적용할 수 있는지를 평가하는 문제이다. '도플러 효과'의 개념과 특성을 정확히 이해하고, 음원의 발생 지점과 피음원 사이의 거리, 파동의 진행 방향의 특성 등을 [보기]의 상황에 적용해 보아야 한다. 이 때 음원인 기차가 ⓑ의 방향으로 이동하고 있으며, ⓐ와 ⓑ는 피음원임을 염두에 두도록 한다.

04 소리의 특성과 그 소리가 표현하는 공간적 특성을 연결한 것으로 적절하지 <u>않은</u> 것은?

	소리의 특성	공간적 특성
①	잔향음이 오래 지속됨.	벽으로 둘러싸인 공간임.
②	잔향음이 오래 지속됨.	협곡처럼 좌우가 막힌 공간임.
③	잔향음이 빨리 없어짐.	방해물이 없는 공간임.
④	잔향음이 빨리 없어짐.	사방이 거울로 된 넓은 공간임.
⑤	잔향음이 빨리 없어짐.	소리를 잘 흡수하는 물질로 둘러싸인 공간임.

○ 문제 Guide 소리의 물리적 특성인 '잔향'과 '잔향 시간'의 개념을 정확히 이해하고, 이를 활용하여 소리 공간의 특성을 파악할 수 있는지를 평가하는 문제이다. 주로 4문단에 이와 관련된 내용이 제시되어 있으므로, 4문단의 내용과 선택지의 내용을 비교해 보도록 한다.

05 윗글을 고려했을 때, [보기]의 ㉠에 들어갈 내용으로 가장 적절한 것은?

┤보기├
　영화에 포함된 여러 소리들 가운데 상대적으로 특정 음원이 관객에게 가깝게 들려야 하거나 또는 멀게끔 들려야 할 때 　　　　　　㉠　　　　　　 화면에서의 공간 깊이를 표현할 수 있다.

① 소리가 지닌 음의 길이를 조정하여
② 음고, 음량, 음가만 동일하게 조정하여
③ 잔향음의 에너지를 소진하도록 조정하여
④ 서로 다른 음색의 소리가 나도록 조정하여
⑤ 그 소리의 3000~4000㎐ 대역의 음량을 조정하여

문제 Guide　소리가 지닌 물리적 특성을 이해하고, 이 효과를 적절히 응용할 수 있는지를 평가하는 문제이다. [보기]에서 언급하고 있는 소리 공간의 특성을 파악한 후 소리의 어떤 물리적 특성을 조정했을 때 이런 효과를 낼 수 있는지를 생각해 보아야 한다.

과학 07

✔ 약점 찾는 체크리스트

문항	문제 유형	정답 체크					나의 오답 노트
		맞음	틀림				
			개념 이해 부족	유형 이해 부족	내용 이해 부족	헷갈림 /실수	
01	중심 화제의 파악						
02	세부 정보의 이해						
03	구체적 사례에 적용						
04	핵심 정보의 이해						
05	구체적 상황에 적용						
	내가 쓰는 총평						

신경향 비문학 **워크북**

기술 분야의 지문은 기술 일반, 산업 기술, 영상, CD, 이어폰, 컴퓨터 등을 다루고 있다. 일상 생활에서 접하는 여러 대상과 관련된 기술과 앞으로 주목할 만한 신기술 등 다양한 분야가 포함된다.

IV

기술

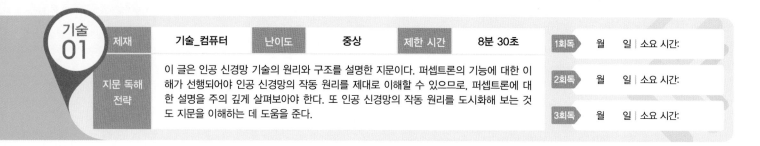

[01~06] 다음 글을 읽고 물음에 답하시오.

지문 분석 Note

인간의 신경 조직을 수학적으로 모델링하여 컴퓨터가 인간처럼 기억·학습·판단할 수 있도록 구현한 것이 인공 신경망 기술이다. 신경 조직의 기본 단위는 뉴런인데, ⓐ인공 신경망에서는 뉴런의 기능을 수학적으로 모델링한 퍼셉트론을 기본 단위로 사용한다.

ⓑ퍼셉트론은 입력값들을 받아들이는 여러 개의 ⓒ입력 단자와 이 값을 처리하는 부분, 처리된 값을 내보내는 한 개의 출력 단자로 구성되어 있다. 퍼셉트론은 각각의 입력 단자에 할당된 ⓓ가중치를 입력값에 곱한 값들을 모두 합하여 가중합을 구한 후, 고정된 ⓔ임계치보다 가중합이 작으면 0, 그렇지 않으면 1과 같은 방식으로 ⓕ출력값을 내보낸다.

이러한 퍼셉트론은 출력값에 따라 두 가지로만 구분하여 입력값들을 판정할 수 있을 뿐이다. 이에 비해 복잡한 판정을 할 수 있는 인공 신경망은 다수의 퍼셉트론을 여러 계층으로 배열하여 한 계층에서 출력된 신호가 다음 계층에 있는 모든 퍼셉트론의 입력 단자에 입력값으로 입력되는 구조로 이루어진다. 이러한 인공 신경망에서 가장 처음에 입력값을 받아들이는 퍼셉트론들을 입력층, 가장 마지막에 있는 퍼셉트론들을 출력층이라고 한다.

㉠어떤 사진 속 물체의 색깔과 형태로부터 그 물체가 사과인지 아닌지를 구별할 수 있도록 인공 신경망을 학습시키는 경우를 생각해 보자. 먼저 학습을 위한 입력값들, 즉 학습 데이터를 만들어야 한다. 학습 데이터를 만들기 위해서는 사과 사진을 준비하고 사진에 나타난 특징을 수치화해야 한다. 특징이란 어떤 객체가 가지고 있는 객체 고유의 분별 가능한 측면으로, 양 혹은 특성이라고 정의될 수 있다. 특징은 색깔과 같은 상징 기호가 될 수도 있고, 높이, 넓이, 무게와 같은 수치적인 값이 될 수도 있다. 이 경우 색깔과 형태라는 두 ㉮범주를 수치화하여 하나의 학습 데이터로 묶은 다음, '정답'에 해당하는 값과 함께 학습 데이터를 인공 신경망에 제공한다. 이때 같은 범주에 속하는 입력값은 동일한 입력 단자를 통해 들어가도록 해야 한다. 그리고 사과 사진에 대한 학습 데이터를 만들 때에 정답인 '사과이다'에 해당하는 값을 '1'로 설정하였다면 출력값 '0'은 '사과가 아니다'를 의미하게 된다.

인공 신경망의 작동은 크게 학습 단계와 판정 단계로 나뉜다. 학습 단계는 학습 데이터를 입력층의 입력 단자에 넣어 주고 출력층의 출력값을 구한 후, 이 출력값과 정답에 해당하는 값의 차이가 줄어들도록 가중치를 ㉯갱신하는 과정이다. 어떤 학습 데이터가 주어지면 이때의 출력값을 구하고 학습 데이터와 함께 제공된 정답에 해당하는 값에서 출력값을 뺀 값 즉 오차 값을 구한다. 이 오차 값의 일부가 출력층의 출력 단자에서 입력층의 입력 단자 방향으로 되돌아가면서 각 계층의 퍼셉트론별로 출력 신호를 만드는 데 ㉰관여한 모든 가중치들에 더해지는 방식으로 가중치들이 갱신된다. 이러한 과정을 다양한 학습 데이터에 대하여 반복하면 출력값들이 각각의 정답 값에 수렴하게 되고 판정 성능이 좋아진다. 오차 값이 0에 근접하게 되거나 가중치의 갱신이 더 이상 이루어지지 않게 되면 학습 단계를 마치고 판정 단계로 ㉱전환한다. 이때 판정의 오류를 줄이기 위해서는 학습 단계에서 대상들의 ㉲변별적 특징이 잘 반영되어 있는 서로 다른 학습 데이터를 사용하는 것이 좋다. 이렇게 임의의 값에서 출발하여 시행착오를 거듭하는 학습 과정 때문에 인공 신경망은 지나치게 단순한 방법이라는 비판을 받기도 한다. 학습한 모델의 결과가 좋더라도 그 과정이 너무 비효율적이라는 것이다. 그러나 가중치를 갱신해 나가는 과정에서 존재하는 모든 경우의

1문단:

2문단:

3문단:

4문단:

5문단:

수를 다 따지는 것이 아니라 계속해서 가능한 경우의 수를 줄여나가며 최적의 답을 찾는 과정이기 때문에 사실은 굉장히 효율적인 방법이다.

인공 신경망 이론은 1940년에 제안되기는 했지만 실제로 널리 퍼진 것은 2000년대 이후였다. 많은 수의 뉴런을 학습시키고 복잡한 신경망을 구축하기에는 컴퓨터의 성능이 턱없이 부족하였고, 데이터를 구하는 일도 만만치 않았기 때문이다. 하지만 컴퓨터의 성능이 좋아지고 데이터의 홍수 속에서 살게 되면서 다시 주목을 받기 시작하였고, 발전에 발전을 거듭해서 현재 인간이 특징을 지정해 주지 않고 데이터 안에서 특징을 알아서 찾는 버전까지 개발되었다.

6문단:

주제:

정답 및 해설 ● 134쪽

01 윗글에 따를 때, ⓐ~ⓕ에 대한 설명으로 적절하지 <u>않은</u> 것은?

① ⓑ는 ⓐ의 기본 단위이다.
② ⓒ는 ⓑ를 구성하는 요소 중 하나이다.
③ ⓓ가 변하면 ⓔ도 따라서 변한다.
④ ⓔ는 ⓕ를 결정하는 기준이 된다.
⑤ ⓐ가 학습하는 과정에서 ⓕ는 ⓓ의 변화에 영향을 미친다.

문제 Guide   지문에 제시된 정보들 간의 관계를 이해하는 문제이다. ⓐ~ⓔ가 무엇인지 확인하고 서로의 관계를 파악하여 선택지의 적절성을 판단해야 한다.

02 윗글에 대한 이해로 적절하지 <u>않은</u> 것은?

① 퍼셉트론의 출력 단자는 하나이다.
② 출력층의 출력값이 정답에 해당하는 값과 같으면 오차 값은 0이다.
③ 입력층 퍼셉트론에서 출력된 신호는 다음 계층 퍼셉트론의 입력값이 된다.
④ 퍼셉트론은 인간의 신경 조직의 기본 단위의 기능을 수학적으로 모델링한 것이다.
⑤ 가중치의 갱신은 입력층의 입력 단자에서 출력층의 출력 단자 방향으로 진행된다.

문제 Guide   지문의 내용을 이해하였는지 확인하는 문제이다. '퍼셉트론', '출력층', '입력층' 등의 개념을 확인한 후 선택지의 내용이 적절한지 판단해야 한다.

03 윗글을 바탕으로 ㉠에 대해 추론한 것으로 적절하지 **않은** 것은?

① 학습 데이터를 만들 때는 색깔이나 형태가 다른 사과의 사진을 선택하는 것이 좋겠군.

② 학습 데이터에 두 가지 범주가 제시되었으므로 입력층의 퍼셉트론은 두 개의 입력 단자를 사용하겠군.

③ 색깔에 해당하는 범주와 형태에 해당하는 범주를 분리하여 각각 서로 다른 학습 데이터로 만들어야 하겠군.

④ 가중치가 더 이상 변하지 않는 단계에 이르면 '사과'인지 아닌지를 구별하는 학습 단계가 끝났다고 볼 수 있겠군.

⑤ 학습 데이터를 만들 때 사과 사진의 정답에 해당하는 값을 0으로 설정하였다면, 출력층의 출력 단자에서 0 신호가 출력되면 '사과이다'로, 1 신호가 출력되면 '사과가 아니다'로 해석해야 되겠군.

문제 Guide 지문의 내용을 바탕으로 ㉠에 대해 추론한 내용의 적절성 여부를 판단하는 문제이다. ㉠은 인공 신경망을 학습시키는 경우를 가리키므로 4~5문단을 바탕으로 추론의 적절성 여부를 판단해야 한다.

04 윗글의 ⟨입력값⟩에 대한 이해로 적절하지 **않은** 것은?

① 주어진 자료의 색깔이나 형태와 같은 특징을 수치화한 값이다.

② 인공 신경망에서 출력값에 따라 두 가지로만 구분하여 판정된다.

③ 인공 신경망 학습의 시작 단계에서 정답에 해당하는 값과 함께 제공된다.

④ 퍼셉트론의 입력 단자에 입력하면 할당된 가중치와 곱해지는 처리 과정을 겪는다.

⑤ 인공 신경망 학습의 판정 오류를 줄이려면 대상들의 변별적 특징이 잘 반영되어 있어야 한다.

문제 Guide 지문의 세부 정보를 이해하였는지 확인하는 문제이다. '입력값'에 대한 내용은 지문 곳곳에 산재해 있으므로 입력값과 관련된 모든 내용을 고려하여 선택지의 적절성을 판단해야 한다.

05 윗글을 바탕으로 [보기]를 이해한 내용으로 가장 적절한 것은?

┤보기├

아래의 [A]와 같은 하나의 퍼셉트론을 [B]를 이용해 학습시키고자 한다.

[A]
• 입력 단자는 세 개(a, b, c)
• a, b, c의 현재의 가중치는 각각 $W_a=0.5$, $W_b=0.5$, $W_c=0.1$
• 가중합이 임계치 1보다 작으면 0을, 그렇지 않으면 1을 출력

[B]
• a, b, c로 입력되는 학습 데이터는 각각 $I_a=1$, $I_b=0$, $I_c=1$
• 학습 데이터와 함께 제공되는 정답=1

① [B]로 학습시키기 위해서는 판정 단계를 먼저 거쳐야 하겠군.

② 이 퍼셉트론이 1을 출력한다면, 가중합이 1보다 작았기 때문이겠군.

③ [B]로 한 번 학습시키고 나면 가중치 W_a, W_b, W_c가 모두 늘어나 있겠군.

④ [B]로 여러 차례 반복해서 학습시키면 퍼셉트론의 출력값은 0에 수렴하겠군.

⑤ [B]의 학습 데이터를 한 번 입력했을 때 그에 대한 퍼셉트론의 출력값은 1이겠군.

문제 Guide 인공 신경망의 학습 과정을 이해하고 구체적인 사례에 적용하는 문제이다. [보기]는 인공 신경망을 학습시키는 사례이므로, 지문의 4~5문단의 내용을 참고하여 선택지의 적절성을 판단해야 한다.

06 ㉮~㉺의 사전적 의미로 적절하지 <u>않은</u> 것은?

① ㉮: 동일한 성질을 가진 부류나 범위.

② ㉯: 기존의 내용을 변동된 사실에 따라 변경 · 추가 · 삭제하는 일.

③ ㉰: 어떤 일에 관계하여 참여함.

④ ㉱: 다른 방향이나 상태로 바뀌거나 바꿈.

⑤ ㉲: 복잡한 현상을 다양한 각도로 풀어서 논리적으로 해명함.

○ 문제 Guide 어휘의 사전적 의미를 올바르게 알고 있는지 확인하는 문제이다. ㉮~㉺의 사전적 의미를 정확히 알고 있지 못한다면 문맥을 통해 어휘의 의미를 짐작하여 선택지의 설명과 의미가 비슷한지를 확인해야 한다.

기
술
01

✔ 약점 찾는 체크리스트

문항	문제 유형	정답 체크					나의 오답 노트
		맞음	틀림				
			개념 이해 부족	유형 이해 부족	내용 이해 부족	헷갈림 /실수	
01	정보들 간의 관계 파악						
02	세부 정보의 파악						
03	추론의 적절성 판단						
04	세부 정보의 이해						
05	구체적 사례에 적용						
06	어휘의 사전적 의미 파악						
	내가 쓰는 총평						

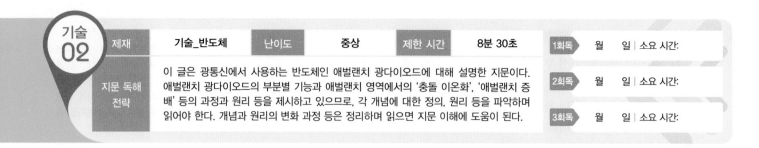

기술 02 | 제재 | 기술_반도체 | 난이도 | 중상 | 제한 시간 | 8분 30초

1회독 월 일 | 소요 시간:
2회독 월 일 | 소요 시간:
3회독 월 일 | 소요 시간:

지문 독해 전략

이 글은 광통신에서 사용하는 반도체인 애벌랜치 광다이오드에 대해 설명한 지문이다. 애벌랜치 광다이오드의 부분별 기능과 애벌랜치 영역에서의 '충돌 이온화', '애벌랜치 증배' 등의 과정과 원리 등을 제시하고 있으므로, 각 개념에 대한 정의, 원리 등을 파악하며 읽어야 한다. 개념과 원리의 변화 과정 등은 정리하며 읽으면 지문 이해에 도움이 된다.

[01~05] 다음 글을 읽고 물음에 답하시오.

광통신은 빛을 이용하기 때문에 정보의 전달은 매우 빠를 수 있지만, 광통신 케이블의 길이가 증가함에 따라 빛의 세기가 감소하기 때문에 원거리 통신의 경우 수신되는 광신호는 매우 약해질 수 있다. 빛은 광자의 흐름이므로 빛의 세기가 약하다는 것은 단위 시간당 수신기에 도달하는 광자의 수가 적다는 뜻이다. 따라서 광통신에서는 적어진 수의 광자를 검출하는 장치가 필수적이며, 약한 광신호를 측정이 가능한 크기의 전기 신호로 변환해 주는 반도체 소자로서 애벌랜치 광다이오드가 널리 사용되고 있다.

애벌랜치 광다이오드는 크게 흡수층, ㉠애벌랜치 영역, 전극으로 구성되어 있다. 흡수층에 충분한 에너지를 가진 광자가 입사되면 전자(−)와 양공(+)쌍이 생성될 수 있다. 이때 입사되는 광자수 대비 생성되는 전자−양공 쌍의 개수를 양자 효율이라 부른다. 소자의 특성과 입사광의 파장에 따라 결정되는 양자 효율은 애벌랜치 광다이오드의 성능에 영향을 미치는 중요한 요소 중 하나이다.

흡수층에서 생성된 전자와 양공은 각각 양의 전극과 음의 전극으로 이동하며, 이 과정에서 전자는 애벌랜치 영역을 지나게 된다. 이곳에는 소자의 전극에 걸린 역방향 전압으로 인해 강한 전기장이 존재하는데, 이 전기장은 역방향 전압이 클수록 커진다. 이 영역에서 전자는 강한 전기장 때문에 급격히 가속되어 큰 속도를 갖게 된다. 이후 충분한 속도를 얻게 된 전자는 애벌랜치 영역의 반도체 물질을 구성하는 원자들과 충돌하여 속도가 줄어들며 새로운 전자−양공 쌍을 만드는데, 이 현상을 충돌 이온화라 부른다. 새롭게 생성된 전자와 기존의 전자가 같은 원리로 전극에 도달할 때까지 애벌랜치 영역에서 다시 가속되어 충돌 이온화를 반복적으로 일으킨다. 그 결과 전자의 수가 크게 늘어나는 것을 '애벌랜치 증배'라고 부르며 전자의 수가 늘어나는 정도, 즉 애벌랜치 영역으로 유입된 전자당 전극으로 방출되는 전자의 수를 증배 계수라고 한다. 증배 계수는 애벌랜치 영역의 전기장의 크기가 클수록, 작동 온도가 낮을수록 커진다. 전류의 크기는 단위 시간당 흐르는 전자의 수에 비례한다. 이러한 일련의 과정을 거쳐 광신호의 세기는 전류의 크기로 변환된다. 그런데 이때 전류의 크기를 제한하지 않으면, 전류가 기하급수적으로 증가하게 되고, 이에 따라 급격한 열이 발생하여 애벌랜치 광다이오드에 문제가 ⓐ생기기도 한다. 그래서 이를 방지하고자 애벌랜치 광다이오드에 일정한 수준 이상의 전류가 흐르지 않도록 제한하는 '보호 링'을 설치한다.

대표적인 광다이오드 중 하나인 PIN 포토다이오드는 내부에 증배 기구를 갖고 있지 않지만 애벌랜치 광다이오드는 내부에 증배 기구를 갖고 있다. 또 애벌랜치 광다이오드는 PIN 포토다이오드에 비해 가격이 비싸긴 하지만 증배 덕분에 민감한 반응 감도를 가지게 되어 장거리 통신에도 유리하고, 약한 광신호도 검출할 수 있다. 따라서 애벌랜치 광다이오드를 사용하면 아주 약한 광신호라도 검출이 가능한 파장 대역의 빛을 검출할 수 있는데, 반도체 물질에 따라 빛의 파장 대역이 다르다. 예를 들어 애벌랜치 광다이오드의 흡수층과 애벌랜치 영역을 구성하는 반도체 물질이 실리콘(Si)인 경우, 300~1,100㎚* 파장 대역의 빛을 검출할 수 있으며, 저마늄(Ge)인 경우, 800~1,600㎚ 파장 대역의 빛을 검출할 수 있다. 한편 애벌랜치 광다이오드는 증배 과정에서 다소 시간이 걸리기 때문에 PIN 포토다이오드에

지문 분석 Note

1문단:

2문단:

3문단:

4문단:

비해 '고속 응답성' 부분에서는 기능이 떨어진다. 또 애벌랜치 광다이오드는 온도 의존성이 크고 충돌 이온화 과정에서 추가적인 잡음이 생긴다는 단점이 있다. 하지만 아주 작은 빛으로도 충분한 전기 신호를 얻어낼 수 있다는 장점 때문에 많이 사용되며 이와 같은 단점을 개선하고자 연구가 진행되고 있다. 근래에는 실리콘(Si)이나 저마늄(Ge) 같은 단체(單體) 반도체를 대신하여 갈륨-비소-인듐(InGaAs) 화합물 등을 사용함으로써 양자 효율 및 고속 응답성을 개선한 애벌랜치 광다이오드가 광범위하게 사용되고 있다.

* nm: 나노미터 10억 분의 1미터.

주제:

정답 및 해설 ◐ 140쪽

01 윗글의 내용과 일치하는 것은?

① 애벌랜치 광다이오드는 아주 약한 빛을 검출해 내는데 사용된다.
② 애벌랜치 광다이오드는 온도 의존성이 큰 PIN 포토다이오드의 단점을 개선하였다.
③ 애벌랜치 광다이오드의 충돌 이온화 과정에서 생기는 잡음은 흡수층에서 제어된다.
④ 저마늄을 사용하여 만든 애벌랜치 광다이오드는 100㎚ 파장 대역의 빛을 검출할 때 사용 가능하다.
⑤ 애벌랜치 광다이오드의 흡수층에서 전자-양공 쌍이 발생하려면, 충분한 양의 전자가 입사되어야 한다.

문제 Guide 지문에 언급된 '애벌랜치 광다이오드'와 관련된 정보를 파악할 수 있는지 평가하는 문제이다. 선택지의 내용이 지문의 어느 부분에서 언급한 내용인지 확인한 후, 수정된 부분은 없는지 살펴보아야 한다.

기술 02

02 ㉠에 대한 이해로 적절하지 않은 것은?

① ㉠에서 전자는 역방향 전압의 작용으로 속도가 증가한다.
② ㉠에서 형성된 강한 전기장은 충돌 이온화가 일어나는 데 필수적이다.
③ ㉠에 유입된 전자가 생성하는 전자-양공 쌍의 수는 양자 효율을 결정한다.
④ ㉠에서 충돌 이온화가 많이 일어날수록 전극에서 측정되는 전류가 증가한다.
⑤ 흡수층에서 ㉠으로 들어오는 전자의 수가 늘어나면 충돌 이온화의 발생 횟수가 증가한다.

문제 Guide 지문에서 설명하고 있는 '애벌랜치 영역'에 대해 파악하고 있는지를 평가하는 문제이다. '애벌랜치 영역'에 대해 언급하고 있는 2문단과 3문단을 중심으로 애벌랜치 영역이 무엇인지, 그 곳에서 어떤 일이 일어나는지 등을 살펴보도록 한다.

03 윗글을 바탕으로 [보기]의 '본 실험' 결과를 예측한 것으로 적절하지 <u>않은</u> 것은?

문제 Guide 지문의 내용을 이해하고 실험 결과를 예측할 수 있는지 평가하는 문제이다. 지문에 주어진 정보인 전압의 크기와 전기장의 관계, 온도와 증배 계수의 관계, 광통신 케이블의 길이와 광신호의 관계 등을 토대로 [보기]의 '예비 실험'과 '본 실험'의 조건 변화에 따른 결과 변화를 예측해 보고, 선택지의 적절성을 판단해야 한다.

┤보기├

- **예비 실험**: 일정한 세기를 가지는 800㎚ 파장의 빛을 길이가 1m인 광통신 케이블의 한 쪽 끝에 입사시키고, 다른 쪽 끝에 실리콘으로 만든 애벌랜치 광다이오드를 설치하여 전류를 측정하였다. 이때 100nA의 전류가 측정되었고 증배 계수는 40이었다. 작동 온도는 0℃, 역방향 전압은 110V였다. 제품 설명서에 따르면 750~1,000㎚ 파장 대역에서는 파장이 커짐에 따라 양자 효율이 작아진다.

- **본 실험**: 동일한 애벌랜치 광다이오드를 가지고 작동 조건을 하나씩 달리하며 성능을 시험한다. 이때 나머지 작동 조건은 예비 실험과 동일하게 유지한다.

① 역방향 전압을 100V로 바꾼다면 증배 계수는 40보다 작아지겠군.

② 역방향 전압을 120V로 바꾼다면 더 약한 빛을 검출하는 데 유리하겠군.

③ 작동 온도를 20℃로 바꾼다면 단위 시간당 전극으로 방출되는 전자의 수가 늘어나겠군.

④ 광통신 케이블의 길이를 100m로 바꾼다면, 측정되는 전류는 100nA보다 작아지겠군.

⑤ 동일한 세기를 가지는 900㎚ 파장의 빛이 입사된다면 측정되는 전류는 100nA보다 작아지겠군.

04 윗글을 바탕으로 [보기]를 이해한 것으로 적절하지 <u>않은</u> 것은?

문제 Guide 지문의 내용을 이해하고 자료를 해석할 수 있는지를 평가하는 문제이다. [보기]는 애벌랜치 광다이오드의 구조를 나타내고 있는데, 이에 대한 정보는 2~3문단에 제시되어 있다. 따라서 지문에서 애벌랜치 광다이오드의 구성 요소가 각각 어떤 역할을 하는지 확인한 후, 선택지의 설명과 비교해 보도록 한다.

┤보기├

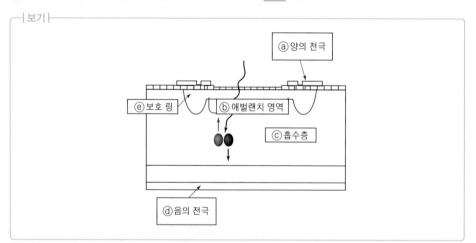

① ⓒ에서 생성된 전자(−)와 양공(+)은 각각 ⓐ와 ⓓ로 이동하겠군.

② ⓒ에 광자가 입사하면 애벌랜치 광다이오드에서 전기 신호가 생성될 수 있겠군.

③ ⓒ의 전자가 ⓑ로 이동하면 전자의 수가 급격하게 늘어나는 현상이 발생할 수 있겠군.

④ ⓑ와 ⓒ에 실리콘(Si)이나 저마늄(Ge) 대신 갈륨−비소−인듐(InGaAs) 화합물을 사용하면 애벌랜치 광다이오드의 일부 성능을 개선할 수 있겠군.

⑤ ⓔ는 애벌랜치 증배가 더 원활히 이루어질 수 있도록 에너지를 가하는 역할을 한다고 할 수 있겠군.

05 ⓐ의 문맥적 의미와 가장 가까운 것은?

① 내 집이 <u>생길</u> 수도 있겠다.
② 얼굴에 흉터가 <u>생길</u> 수 있겠다.
③ 그의 계획에 지장이 <u>생길</u> 수 있겠다.
④ 누나에게 아기가 <u>생길</u> 것 같다고 했다.
⑤ 우리 동네에 새로운 상가가 <u>생길</u> 예정이라고 한다.

문제 Guide　단어의 문맥적 의미를 파악하고 같은 의미가 활용된 문장을 고를 수 있는지 평가하는 문제이다. 먼저 지문 속에서 ⓐ의 문맥적 의미를 찾아보고, 다른 말로 바꾸어 쓸 수 있는지 생각해 본다. 바꾸어 쓸 수 있는 어휘가 있다면 각 선택지의 밑줄 친 부분에 바꾸어 써 보고 문맥적으로 의미가 달라지지 않는지 살펴보아야 한다.

기
술
02

✔ 약점 찾는 체크리스트

문항	문제 유형	정답 체크					나의 오답 노트
		맞음	틀림				
			개념 이해 부족	유형 이해 부족	내용 이해 부족	헷갈림 /실수	
01	세부 정보의 파악						
02	핵심 정보의 파악						
03	구체적 사례에 적용						
04	구체적 상황에 적용						
05	어휘의 문맥적 의미 판단						
	내가 쓰는 총평						

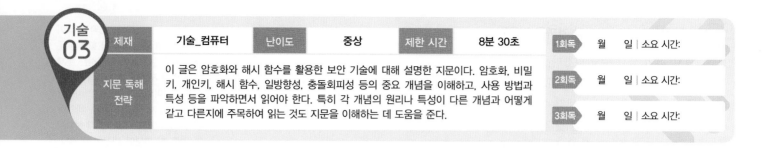

기술 03 | 제재 기술_컴퓨터 | 난이도 중상 | 제한 시간 8분 30초 | 1회독 월 일 | 소요 시간: | 2회독 월 일 | 소요 시간: | 3회독 월 일 | 소요 시간:

지문 독해 전략
이 글은 암호화와 해시 함수를 활용한 보안 기술에 대해 설명한 지문이다. 암호화, 비밀키, 개인키, 해시 함수, 일방향성, 충돌회피성 등의 중요 개념을 이해하고, 사용 방법과 특성 등을 파악하면서 읽어야 한다. 특히 각 개념의 원리나 특성이 다른 개념과 어떻게 같고 다른지에 주목하여 읽는 것도 지문을 이해하는 데 도움을 준다.

[01~06] 다음 글을 읽고 물음에 답하시오.

지문 분석 Note

(가) 온라인을 통한 통신, 금융, 상거래 등은 우리에게 편리함을 주지만 보안상의 문제도 안고 있는데, 이런 문제를 해결하기 위하여 암호 기술이 동원된다. 정보가 다른 사람에게 ⓐ노출되는 것을 막기 위한 도구로 암호를 사용하는 것이다. 암호화란 누구나 이해할 수 있는 내용인 평문을 해독 불가능한 상태로 ⓑ변형한 암호문으로 바꾸는 것을 의미한다. 암호문을 다시 평문으로 바꾸는 것을 복호화라고 한다. 암호화와 복호화의 과정에서 키(key)가 중요한 역할을 한다. 평문에 암호화 키를 적용하여 암호문을 만들고, 암호문에 복호화 키를 적용하여 평문으로 복구하기 때문이다.

(가):

(나) 정보를 암호화하는 방법에는 크게 암호화 비밀키 방식과 공개키 암호화 방식이 있다. ㉮비밀키 암호화 방식은 대칭형 암호화 방식이라고도 하는데, 발신자와 수신자가 동일한 키를 기지고 있어서 발신자가 키를 사용하여 메시지를 암호화하여 전송하면, 수신자는 같은 키를 사용하여 암호문으로 된 메시지를 복호화하여 원래의 메시지를 보게 되는 방식을 말한다. 즉 암호화 키와 복호화 키가 동일하다. 이 방식은 처리 속도가 상당히 빠르고 용량이 작아 경제적이라는 장점이 있으나, 발신자와 수신자 사이에 키 교환이 안전하게 이루어지지 않을 가능성이 있고, 많은 사람이 사용하는 환경에 부적합하다는 단점이 있다.

(나):

(다) ㉯공개키 암호화 방식은 비대칭 암호화 방식이라고도 하는데, 많은 사람이 알 수 있도록 공인 인증 기관 같은 곳에 공개된 공개키와 자신만이 알 수 있도록 개인이 ⓒ보관하는 개인키를 사용하는데, 발신자가 메시지를 수신자의 공개키로 암호화하여 수신자에게 전송하면 수신자는 개인키로 복호화하여 메시지를 확인하는 방식을 말한다. 발신자와 수신자가 서로 다른 키를 가지고 있어 암호화와 복호화의 키가 서로 달라서 비밀키를 전달하지 않아도 되기 때문에 키 교환 문제가 없고 많은 사람이 사용하는 환경에 적합하다는 장점이 있으나, 속도가 느리다는 단점이 있다.

(다):

(라) 요즘에는 전자 화폐의 일종인 비트코인처럼 해시 함수를 이용하여 화폐 거래의 안전성을 유지하는 경우도 있다. 해시 함수란 입력 데이터 x에 대응하는 하나의 결과 값을 일정한 길이의 문자열로 표시하는 수학적 함수이다. 그리고 입력 데이터 x에 대하여 해시 함수 H를 적용한 수식을 $H(x)=k$라 할 때, k를 해시 값이라 한다. 이때 해시 값은 입력 데이터의 내용에 미세한 변화만 있어도 크게 달라진다. 현재 여러 해시 함수가 이용되고 있는데, 해시 값을 표시하는 문자열의 길이는 각 해시 함수마다 다를 수 있지만 특정 해시 함수에서의 그 길이는 고정되어 있다.

(라):

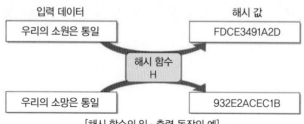

입력 데이터 → 해시 함수 H → 해시 값

우리의 소원은 통일 → FDCE3491A2D

우리의 소망은 통일 → 932E2ACEC1B

[해시 함수의 입·출력 동작의 예]

(마) 이러한 특성을 갖고 있으므로 해시 함수는 데이터의 내용이 변경되었는지 여부를 확인하는 데 이용된다. 가령, 상호 간에 동일한 해시 함수를 사용한다고 할 때, 전자 문서와 그

(마):

문서의 해시 값을 함께 전송하면 상대방은 수신한 전자 문서에 동일한 해시 함수를 적용하여 결과 값을 얻은 뒤 전송받은 해시 값과 비교함으로써 문서가 변경되었는지 확인할 수 있다.

(바) 그런데 해시 함수가 ⊙일방향성과 ⓒ충돌회피성을 만족시키면 암호 기술로도 활용된다. 일방향성이란 주어진 해시 값에 대응하는 입력 데이터의 복원이 불가능하다는 것을 말한다. 특정 해시 값 k가 주어졌을 때 H(x)=k를 만족시키는 x를 계산하는 것이 매우 어렵다는 것이다. 그리고 충돌회피성이란 특정 해시 값을 갖는 서로 다른 데이터를 찾아내는 것이 현실적으로 불가능하다는 것을 의미한다. 서로 다른 데이터 x, y에 대해서 H(x)와 H(y)가 각각 ⓓ도출한 값이 동일하면 이것을 충돌이라 하고, 이때의 x와 y를 충돌쌍이라 한다. 충돌회피성은 이러한 충돌쌍을 찾는 것이 현재 사용할 수 있는 모든 컴퓨터의 계산 능력을 동원하더라도 그것을 완료하기가 사실상 불가능하다는 것이다.

(사) 해시 함수는 온라인 경매에도 이용될 수 있다. 예를 들어 ○○ 온라인 경매 사이트에서 일방향성과 충돌회피성을 만족시키는 해시 함수 G가 모든 경매 참여자와 운영자에게 공개되어 있다고 하자. 이때 각 입찰 참여자는 자신의 입찰가를 감추기 위해 논스*의 해시 값과, 입찰가에 논스를 더한 것의 해시 값을 함께 게시판에 ⓔ게시한다. 해시 값 게시 기한이 지난 후 각 참여자는 본인의 입찰가와 논스를 운영자에게 전송하고 운영자는 최고 입찰가를 제출한 사람을 낙찰자로 선정한다. 이로써 온라인 경매 진행 시 발생할 수 있는 다양한 보안상의 문제를 해결할 수 있다.

* 논스: 입찰가를 추측할 수 없게 하기 위해 입찰가에 더해지는 임의의 숫자.

(바):

(사):

주제:

정답 및 해설 ● 146쪽

01 윗글에서 다룬 내용으로 적절하지 <u>않은</u> 것은?

① 암호화와 복호화의 개념
② 정보를 암호화하는 방식의 종류
③ 해시 함수의 개념과 특성
④ 해시 함수가 활용되는 분야
⑤ 해시 함수의 단점을 보완하는 방법

○ 문제 Guide 지문의 내용을 파악할 수 있는지 묻는 문제이다. 각 문단의 중심 내용을 묻는 것과 같은 맥락이므로, 각 문단의 중심 내용을 파악하고 이를 선택지의 내용과 비교하며 정답을 도출해야 한다.

02 ㉮와 ㉯를 이해한 내용으로 적절하지 <u>않은</u> 것은?

① ㉮는 ㉯와 달리 키 교환의 안전성 문제가 발생할 가능성이 있다.
② ㉯는 ㉮와 달리 암호화와 복호화 과정에서 서로 다른 키를 사용한다.
③ ㉮는 ㉯에 비해 처리 속도가 느리지만 용량이 작아 경제적이다.
④ ㉯는 ㉮에 비해 많은 사람들이 사용하는 환경에 적합한 방식이다.
⑤ ㉮와 ㉯는 모두 타인에게 정보가 노출되는 것을 막기 위한 방법이다.

○ 문제 Guide '비밀키 암호화 방식'과 '공개키 암호화 방식'의 개념과 특징을 제대로 이해했는지를 묻는 문제이다. '~와 달리', '~에 비해' 등 선택지에 제시된 조건을 염두에 두고 두 방식의 차이를 꼼꼼히 확인해야 한다.

03 윗글의 '해시 함수'에 대한 이해로 적절하지 <u>않은</u> 것은?

① 전자 화폐를 사용한 거래의 안전성을 위해 해시 함수가 이용될 수 있다.
② 특정한 해시 함수는 하나의 입력 데이터로부터 두 개의 서로 다른 해시 값을 도출하지 않는다.
③ 입력 데이터 x를 서로 다른 해시 함수 H와 G에 적용한 H(x)와 G(x)가 도출한 해시 값은 언제나 동일하다.
④ 입력 데이터 x, y에 대해 특정한 해시 함수 H를 적용한 H(x)와 H(y)가 도출한 해시 값의 문자열의 길이는 언제나 동일하다.
⑤ 발신자가 자신과 특정 해시 함수를 공유하는 수신자에게 어떤 전자 문서와 그 문서의 해시 값을 전송하면 수신자는 그 문서의 변경 여부를 확인할 수 있다.

문제 Guide 핵심 소재에 대해 정확히 이해하고 있는지를 묻는 문제이다. '해시 함수'에 대한 정보가 지문의 여러 문단에 혼재되어 있으므로, 선택지에 제시된 내용과 관련 있는 부분을 찾아 꼼꼼히 비교하며 정답을 찾아야 한다.

고난도
04 [사]에 따라 [보기]의 사례를 이해한 내용으로 가장 적절한 것은?

┤보기├

온라인 미술품 경매 사이트에 회화 작품 △△이 출품되어 A와 B만이 경매에 참여하였다. A, B의 입찰가와 해시 값은 다음과 같다. 단, 입찰 참여자는 논스를 임의로 선택한다.

입찰 참여자	입찰가	논스의 해시 값	'입찰가+논스'의 해시 값
A	a	r	m
B	b	s	n

① A는 a, r, m 모두를 게시 기한 내에 운영자에게 전송해야 한다.
② 운영자는 해시 값을 게시하는 기한이 마감되기 전에 최고가 입찰자를 알 수 없다.
③ m과 n이 같으면 r과 s가 다르더라도 A와 B의 입찰가가 같다는 것을 의미한다.
④ A와 B 가운데 누가 높은 가격으로 입찰하였는지는 r과 s를 비교하여 정할 수 있다.
⑤ B가 게시판의 m과 r을 통해 A의 입찰가 a를 알아낼 수도 있으므로 게시판은 비공개로 운영되어야 한다.

문제 Guide 지문의 내용을 바탕으로 [보기]의 사례를 분석할 수 있는지를 평가하는 문제이다. [보기]의 알파벳이 (사)에서 언급된 값들을 기호로 표시한 것이라는 점을 기억해야 한다.

05 윗글의 ㉠과 ㉡에 대하여 추론한 내용으로 가장 적절한 것은?

① ㉠을 지닌 특정 해시 함수를 전자 문서 x, y에 각각 적용하여 도출한 해시 값으로부터 x, y를 복원할 수 없다.
② 입력 데이터 x, y에 특정 해시 함수를 적용하여 도출한 문자열의 길이가 같은 것은 해시 함수의 ㉠ 때문이다.
③ ㉡을 지닌 특정 해시 함수를 전자 문서 x, y에 각각 적용하여 도출한 해시 값의 문자열의 길이는 서로 다르다.
④ 입력 데이터 x, y에 특정 해시 함수를 적용하여 도출한 해시 값이 같은 것은 해시 함수의 ㉡ 때문이다.
⑤ 입력 데이터 x, y에 대해 ㉠과 ㉡을 지닌 서로 다른 해시 함수를 적용하였을 때 도출한 결과 값이 같으면 이를 충돌이라고 한다.

문제 Guide 해시 함수가 지닌 '일방향성'과 '충돌회피성'의 개념과 특성을 정확히 파악할 수 있는지를 묻는 문제이다. 두 개념이 설명된(바)를 중심으로 선택지의 적절성을 판단해야 한다.

06 ⓐ~ⓔ의 사전적 의미로 적절하지 <u>않은</u> 것은?

① ⓐ: 겉으로 드러나거나 드러냄.

② ⓑ: 모양이나 형태가 달라지거나 달라지게 함.

③ ⓒ: 위험이나 곤란 따위가 미치지 아니하도록 잘 보살펴 돌봄.

④ ⓓ: 판단이나 결론 따위를 이끌어 냄.

⑤ ⓔ: 여러 사람에게 알리기 위하여 내붙이거나 내걸어 두루 보게 함.

문제 Guide   어휘의 사전적 의미를 정확히 파악하고 있는지를 묻는 문제이다. 앞뒤 문맥을 고려하여 어휘의 사전적 의미를 추측한 후, 선택지의 내용과 비교하여 정답을 찾아보아야 한다.

✔ 약점 찾는 체크리스트

문항	문제 유형	정답 체크					나의 오답 노트
		맞음	틀림				
			개념 이해 부족	유형 이해 부족	내용 이해 부족	헷갈림 /실수	
01	중심 내용의 파악						
02	세부 정보의 이해						
03	핵심 정보의 이해						
04	구체적 상황에 적용						
05	세부 정보의 추론						
06	어휘의 사전적 의미 파악						
	내가 쓰는 총평						

기술
04

제재 | 기술_건축 기술 | 난이도 | 상 | 제한 시간 | 8분 30초

1회독 | 월 일 | 소요 시간:

지문 독해 전략

이 글은 콘크리트의 발전이 건축 미학에 어떻게 영향을 끼쳤는지를 설명한 지문이다. 콘크리트의 발전 과정을 이해하면서 각 인장 강도와 압축 강도의 개념을 중심으로 각 콘크리트의 특성을 파악하면서 읽어야 한다. 건축 재료인 콘크리트의 발전이 건축물의 미적 양식에 어떠한 영향을 주었는지 살피며 읽는 것도 지문을 이해하는 데 도움을 준다.

2회독 | 월 일 | 소요 시간:

3회독 | 월 일 | 소요 시간:

[01~06] 다음 글을 읽고 물음에 답하시오.

지문 분석 Note

'콘크리트'는 건축 재료로 다양하게 사용되고 있다. 일반적으로 콘크리트가 근대 기술의 ⊙산물로 알려져 있지만 콘크리트는 이미 고대 로마 시대에도 사용되었다. 로마 시대의 탁월한 건축미를 보여 주는 판테온은 콘크리트 구조물인데, 반구형의 지붕인 돔은 오직 콘크리트로만 이루어져 있다. 로마인들은 콘크리트의 골재 배합을 달리하면서 돔의 상부로 갈수록 두께를 점점 줄여 지붕을 가볍게 할 수 있었다. 돔 지붕이 지름 45m 남짓의 넓은 원형 내부 공간과 이어지도록 하였고, 지붕의 중앙에는 지름 9m가 넘는 ⓛ원형의 천창을 내어 빛이 내부 공간을 채울 수 있도록 하였다.

콘크리트는 시멘트에 모래와 자갈 등의 골재를 섞어 물로 반죽한 혼합물이다. 콘크리트에서 결합재 역할을 하는 시멘트가 물과 만나면 ⓒ점성을 띠는 상태가 되며, 시간이 지남에 따라 수화 반응이 일어나 골재, 물, 시멘트가 결합하면서 굳어진다. 콘크리트의 수화 반응은 상온에서 일어나기 때문에 작업하기에도 좋다. 반죽 상태의 콘크리트를 거푸집에 부어 경화시키면 다양한 형태와 크기의 구조물을 만들 수 있다. 콘크리트의 골재는 종류에 따라 강도와 밀도가 다양하므로 골재의 종류와 비율을 조절하여 콘크리트의 강도와 밀도를 다양하게 변화시킬 수 있다. 그리고 골재들 간의 접촉을 높여야 강도가 높아지기 때문에, 서로 다른 크기의 골재를 배합하는 것이 효과적이다.

콘크리트가 철근 콘크리트로 발전함에 따라 건축은 구조적으로 더욱 견고해지고, 형태면에서는 더욱 다양하고 자유로운 표현이 가능해졌다. 일반적으로 콘크리트는 누르는 힘인 압축력에는 쉽게 부서지지 않지만 당기는 힘인 인장력에는 쉽게 부서진다. 압축력이나 인장력에 재료가 부서지지 않고 그 힘에 견딜 수 있는, 단위 면적당 최대의 힘을 각각 압축 강도와 인장 강도라 한다. 콘크리트의 압축 강도는 인장 강도보다 10배 이상 높다. 또한 압축력을 가했을 때 최대한 줄어드는 길이는 인장력을 가했을 때 최대한 늘어나는 길이보다 훨씬 길다. 그런데 철근이나 철골과 같은 철재는 인장력과 압축력에 의한 변형 정도가 콘크리트보다 작은 데다가 압축 강도와 인장 강도 모두가 콘크리트보다 높다. 특히 인장 강도는 월등히 더 높다. 따라서 보강재로 철근을 콘크리트에 넣어 대부분의 인장력을 철근이 받도록 하면 인장력에 취약한 콘크리트의 단점이 크게 보완된다. 다만 철근은 무겁고 비싸기 때문에, 대개는 인장력을 많이 받는 부분을 정확히 계산하여 그 지점을 ⓔ위주로 철근을 보강한다. 또한 가해진 힘의 방향에 수직인 방향으로 재료가 변형되는 점도 고려해야 하는데, 이때 필요한 것이 포아송 비이다. 철재는 콘크리트보다 포아송 비가 크며, 대체로 철재의 포아송 비는 0.3, 콘크리트는 0.15 정도이다.

강도가 높고 지지력이 좋아진 철근 콘크리트를 건축 재료로 사용하면서, 대형 공간을 축조하고 기둥의 간격도 넓힐 수 있게 되었다. 20세기에 들어서면서부터 근대 건축에서 철근 콘크리트는 예술적 ⓜ영감을 줄 수 있는 재료로 인식되기 시작하였다. 기술이 예술의 가장 중요한 근원이라는 신념을 가졌던 르 코르뷔지에는 철근 콘크리트 구조의 장점을 사보아 주택에서 완벽히 구현하였다. 사보아 주택은, 벽이 건물의 무게를 지탱하는 구조로 설계된 건축물과는 달리 기둥만으로 건물 본체의 하중을 지탱하도록 설계되어 건물이 공중에 떠 있는 듯한 느낌을 준다. 2층 거실을 둘러싼 벽에는 수평으로 긴 창이 나 있고, 건축가가

1문단:

2문단:

3문단:

4문단:

'건축적 산책로'라고 이름 붙인 경사로는 지상의 출입구에서 2층의 주거 공간으로 이어지다가 다시 테라스로 나와 지붕까지 연결된다. 목욕실 지붕에 설치된 작은 천창을 통해 하늘을 바라보면 이 주택이 자신을 중심으로 펼쳐진 또 다른 소우주임을 느낄 수 있다. 평평하고 넓은 지붕에는 정원이 조성되어, 여기서 산책하다 보면 대지를 바다 삼아 항해하는 기선의 갑판에 서 있는 듯하다.

철근 콘크리트는 근대 이후 가장 중요한 건축 재료로 널리 사용되어 왔지만 철근 콘크리트의 인장 강도를 높이려는 연구가 계속되어 프리스트레스트 콘크리트가 등장하였다. 프리스트레스트 콘크리트는 다음과 같이 제작된다. 먼저, 거푸집에 철근을 넣고 철근을 당긴 상태에서 콘크리트 반죽을 붓는다. 콘크리트가 굳은 뒤에 당기는 힘을 제거하면, 철근이 줄어들면서 콘크리트에 압축력이 작용하여 외부의 인장력에 대한 저항성이 높아진 프리스트레스트 콘크리트가 만들어진다. 킴벨 미술관은 개방감을 주기 위하여 기둥 사이를 30m 이상 벌리고 내부의 전시 공간을 하나의 층으로 만들었다. 이 간격은 프리스트레스트 콘크리트 구조를 활용하였기에 구현할 수 있었고, 일반적인 철근 콘크리트로는 구현하기 어려웠다. 이 구조로 이루어진 긴 지붕의 틈새로 들어오는 빛이 넓은 실내를 환하게 채우며 철근 콘크리트로 이루어진 내부를 대리석처럼 빛나게 한다.

이처럼 건축 재료에 대한 기술적 탐구는 언제나 새로운 건축 미학의 원동력이 되어 왔다. 특히 근대 이후에는 급격한 기술의 발전으로 혁신적인 건축 작품들이 탄생할 수 있었다. 건축 재료와 건축 미학의 유기적인 관계는 앞으로도 지속될 것이다.

정답 및 해설 ◐ 152쪽

5문단:

6문단:

주제:

기술 04

01 윗글에 대한 설명으로 가장 적절한 것은?

① 건축 재료의 특성과 발전을 서술하면서 각 건축물들의 공간적 특징을 설명하고 있다.
② 건축 재료의 특성에 기초하여 건축물들의 특징에 대한 상반된 평가를 제시하고 있다.
③ 건축 재료의 기원을 검토하여 다양한 건축물들의 미학적 특성과 한계를 평가하고 있다.
④ 건축 재료의 시각적 특성을 설명하면서 각 재료와 건축물들의 경제적 가치를 탐색하고 있다.
⑤ 건축물들의 특징에 대한 평가가 시대에 따라 달라진 원인을 제시하고 건축 재료와의 관계를 설명하고 있다.

문제 Guide 글의 내용과 전개 방식을 파악했는지 평가하는 문제이다. 글의 핵심 제재를 파악한 후 글의 흐름을 살펴보아야 한다.

02 윗글의 내용에 대한 이해로 적절하지 않은 것은?

① 판테온의 돔에서 상대적으로 더 얇은 부분은 상부 쪽이다.
② 사보아 주택의 지붕은 여유를 즐길 수 있는 공간으로도 활용되었다.
③ 킴벨 미술관은 철근 콘크리트의 인장 강도를 높이는 방법을 이용하여 넓고 개방된 내부 공간을 확보하였다.
④ 판테온과 사보아 주택은 모두 천창을 두어 빛이 위에서 들어올 수 있도록 하였다.
⑤ 사보아 주택과 킴벨 미술관은 모두 층을 구분하지 않도록 구성하여 개방감을 확보하였다.

문제 Guide 글에 제시된 각 건축물에 대해 정확히 이해했는지를 묻는 문제이다. 지문에서 관련 정보가 제시된 부분을 살펴본 후 선택지의 적절성을 파악해야 한다.

03 윗글을 바탕으로 추론한 내용으로 가장 적절한 것은?

① 당기는 힘에 대한 저항은 철근 콘크리트가 철재보다 크다.

② 일반적으로 철근을 콘크리트에 보강재로 사용할 때는 압축력을 많이 받는 부분에 넣는다.

③ 프리스트레스트 콘크리트에서는 철근의 인장력으로 높은 강도를 얻게 되어 수화 반응이 일어나지 않는다.

④ 프리스트레스트 콘크리트는 철근이 복원되려는 성질을 이용하여 콘크리트에 압축력을 줌으로써 인장 강도를 높인 것이다.

⑤ 콘크리트의 강도를 높이는 데에는 크기가 다양한 자갈을 사용하는 것보다 균일한 크기의 자갈만 사용하는 것이 효과적이다.

문제 Guide 인장력과 압축력에 대해 이해하고 이를 바탕으로 각의 콘크리트의 특성을 추론해 낼 수 있는지를 묻는 문제이다. 인장력과 압축력을 고려하여 각 콘크리트의 특성에 대해 생각해 보아야 한다.

04 윗글을 바탕으로 [보기]에 대해 탐구한 내용으로 적절하지 <u>않은</u> 것은?

| 보기 |

압축 ↓ 인장 ↑

변형 후

철재만으로 제작된 원기둥 A와 콘크리트만으로 제작된 원기둥 B에 힘을 가하며 변형을 관찰하였다. A와 B의 윗면과 아랫면에 수직인 방향으로 압축력을 가했더니 높이가 줄어들면서 지름은 늘어났다. 또, A의 윗면과 아랫면에 수직인 방향으로 인장력을 가했더니 높이가 늘어나면서 지름이 줄어들었다. 이때 지름의 변화량의 절댓값을 높이의 변화량의 절댓값으로 나누어 포아송 비를 구하였더니, 일반적으로 알려진 철재와 콘크리트의 포아송 비와 동일하게 나왔다. 그리고 A와 B의 포아송 비는 변형 정도에 상관없이 그 값이 변하지 않았다(단, 힘을 가하기 전 A의 지름과 높이는 B와 동일하다.).

① 동일한 압축력을 가했다면 B는 A보다 높이가 더 줄어들었을 것이다.

② A에 인장력을 가했다면 높이의 변화량의 절댓값은 지름의 변화량의 절댓값보다 컸을 것이다.

③ B에 압축력을 가했다면 지름의 변화량의 절댓값은 높이의 변화량의 절댓값보다 작았을 것이다.

④ A와 B에 압축력을 가했을 때 줄어든 높이의 변화량이 같았다면 B의 지름이 A의 지름보다 더 늘어났을 것이다.

⑤ A와 B에 압축력을 가했을 때 늘어난 지름의 변화량이 같았다면 A의 높이가 B의 높이보다 덜 줄어들었을 것이다.

문제 Guide 콘크리트와 관련된 개념을 이해하고 구체적인 사례에 적용하는 문제이다. [보기]에 언급된 '포아송 비'의 개념을 이해하고 철재와 콘크리트의 포아송 비의 의미와 건축 재료로서의 특성을 파악해야 한다.

05 윗글과 [보기]를 읽고 추론한 내용으로 적절하지 <u>않은</u> 것은?

| 보기 |

철골은 매우 높은 강도를 지닌 건축 재료로, 규격화된 직선의 형태로 제작된다. 철근 콘크리트 대신 철골을 사용하여 기둥을 만들면 더 가는 기둥으로도 간격을 더욱 벌려 세울 수 있어 훨씬 넓은 공간 구현이 가능하다. 하지만 산화되어 녹이 슨다는 단점이 있어 내식성 페인트를 칠하거나 콘크리트를 덧입히는 등 산화 방지 조치를 하여 사용한다.

베를린 신국립미술관은 철골의 기술적 장점을 미학적으로 승화시킨 건축물이다. 거대한 평면 지붕은 여덟 개의 십자형 철골 기둥만이 떠받치고 있고, 지붕과 지면 사이에는 가벼운 유리벽이 사면을 둘러싸고 있다. 최소한의 설비 외에는 어떠한 것도 천장에 닿아 있지 않고 내부 공간이 텅 비어 있어 지붕은 공중에 떠 있는 느낌을 준다. 미술관 내부에 들어가면 넓은 공간 속에서 개방감을 느끼게 된다.

문제 Guide 지문과 [보기]의 내용을 이해하고 건축물의 특징을 적절히 추론할 수 있는지를 평가하는 문제이다. 선택지에 제시된 정보가 지문과 [보기] 중 어느 곳에서 언급되어 있는지도 살펴보아야 한다.

① 베를린 신국립미술관의 기둥에는 산화 방지 조치가 되어 있겠군.

② 휘어진 곡선 모양의 기둥을 세우려 할 때는 대체로 철골을 재료로 쓰지 않겠군.

③ 베를린 신국립미술관은 철골을, 킴벨 미술관은 프리스트레스트 콘크리트를 활용하여 개방감을 구현하였겠군.

④ 가는 기둥들이 넓은 간격으로 늘어선 건물을 지을 때 기둥의 재료로는 철골보다 철근 콘크리트가 더 적합하겠군.

⑤ 베를린 신국립미술관의 지붕과 사보아 주택의 건물이 공중에 떠 있는 느낌을 주는 것은 벽이 아닌 기둥이 구조적으로 중요한 역할을 하고 있기 때문이겠군.

06 ㉠~㉤을 사용하여 만든 문장으로 적절하지 않은 것은?

① ㉠: 행복은 성실하고 꾸준한 노력의 산물이다.

② ㉡: 이 건축물은 후대 미술관의 원형이 되었다.

③ ㉢: 이 물질은 점성 때문에 끈적끈적한 느낌을 준다.

④ ㉣: 그녀는 채소 위주의 식단을 유지하고 있다.

⑤ ㉤: 그의 발명품은 형의 조언에서 영감을 얻은 것이다.

문제 Guide 어휘의 의미를 파악하여 이를 활용할 수 있는지 묻는 문제이다. 문맥을 고려하여 해당 어휘가 어떤 의미인지를 먼저 파악하고, 선택지의 어휘가 동일한 의미로 사용되었는지를 판단해야 한다.

✔ **약점 찾는 체크리스트**

문항	문제 유형	정답 체크					나의 오답 노트
		맞음	틀림				
			개념 이해 부족	유형 이해 부족	내용 이해 부족	헷갈림 /실수	
01	내용 전개 방식의 파악						
02	세부 정보의 이해						
03	추론의 적절성 판단						
04	구체적 사례에 적용						
05	추론의 적절성 판단						
06	어휘 활용의 적절성 판단						
	내가 쓰는 총평						

| 기술 05 | 제재 | 기술_컴퓨터 | 난이도 | 상 | 제한 시간 | 8분 30초 |

| | 지문 독해 전략 | 이 글은 컴퓨터 운영 체제의 일부인 CPU, 즉 중앙 처리 장치 스케줄링에 의해 컴퓨터를 통해 두 가지 이상의 프로그램이 실행되는 원리와 방법을 설명한 지문이다. CPU, 작업 큐, 대기 시간, 구간 실행, 구간 시간, 교체 시간, 총처리 시간 등의 여러 가지 개념이 소 개되고 있으므로 각 개념이 무엇을 의미하는지를 파악하며 읽어야 한다. |

1회독	월	일	소요 시간:
2회독	월	일	소요 시간:
3회독	월	일	소요 시간:

[01~06] 다음 글을 읽고 물음에 답하시오.

지문 분석 Note

우리는 컴퓨터에서 음악을 들으면서 문서를 작성할 때 두 가지 프로그램이 동시에 실행 되고 있다고 생각한다. 그러나 실제로는 아주 짧은 시간 간격으로 그 프로그램들이 번갈아 실행되고 있다. 이는 컴퓨터 운영 체제의 일부인 CPU(중앙 처리 장치) 스케줄링 때문이다. 어떤 프로그램이 실행될 때 컴퓨터 운영 체제는 실행할 프로그램을 주기억 장치에 저장하 고 실행 대기 프로그램의 목록인 '작업큐'에 등록한다. 운영 체제는 실행할 하나의 프로그램 을 작업큐에서 선택하여 CPU에서 실행하고 실행이 종료되면 작업큐에서 지운다.

한 개의 CPU는 한 번에 하나의 프로그램만을 실행할 수 있다. 그러면 A와 B 두 개의 프 로그램이 동시에 실행되는 것처럼 보이게 하려면 어떻게 해야 할까? 프로그램은 실행을 요 청한 순서대로 작업큐에 등록되고 이 순서에 따라 A와 B는 차례로 실행된다. 이때 A의 실 행 시간이 길어지면 B가 기다려야 하는 '대기 시간'이 길어지므로 동시에 두 프로그램이 실 행되고 있는 것처럼 보이지 않는다. 그러나 A와 B를 일정한 시간 간격을 두고 번갈아 실행 하면 두 프로그램이 동시에 실행되는 것처럼 보인다.

이를 위해서 CPU의 실행 시간을 여러 개의 짧은 구간으로 ⓐ나누어 놓고 각각의 구간 마다 하나의 프로그램이 실행되도록 한다. 여기서 한 구간에서 프로그램이 실행되는 것을 '구간 실행'이라 하며, 각각의 구간에서 프로그램이 실행되는 시간을 '구간 시간'이라고 하는 데 구간 시간의 길이는 일정하게 정한다. A와 B의 구간 실행은 원칙적으로 두 프로그램이 종료될 때까지 번갈아 반복되지만 하나의 프로그램이 먼저 종료되면 나머지 프로그램이 계 속 실행된다.

한편, 어떤 프로그램의 구간 실행이 진행되는 동안, 다른 프로그램은 작업큐에서 대기한 다. A의 구간 실행이 끝나면 A의 실행이 정지되고 다음번 구간 시간 동안 실행할 프로그램 을 선택한다. 이때 A가 정지한 후 B의 실행을 준비하는 데 필요한 시간을 '교체 시간'이라 고 하는데 교체 시간은 구간 시간에 비해 매우 짧다. 교체 시간에는 그때까지 실행된 A의 상태를 저장하고 B를 실행하기 위해 B의 이전 상태를 가져온다. 그뿐만 아니라 같은 프로 그램이 이어서 실행되더라도 운영 체제가 다음에 실행되어야 할 프로그램을 판단해야 하므 로 구간 실행 사이에는 반드시 교체 시간이 필요하다.

하나의 프로그램이 작업큐에 등록될 때부터 종료될 때까지 걸리는 시간을 '총처리 시간' 이라고 하는데, 이 시간은 순수하게 프로그램의 실행에만 소요된 시간인 '총실행 시간'에 '교체 시간'과 작업큐에서 실행을 기다리는 '대기 시간'을 모두 합한 것이다. ㉠총실행 시간 이 구간 시간보다 긴 프로그램이 실행될 때는 구간 실행 횟수가 많아져서 교체 시간의 총합 은 늘어난다. 그러나 총실행 시간이 구간 시간보다 짧거나 같은 프로그램은 한 번의 구간 시간 내에 종료되고 곧바로 다음 프로그램이 실행된다.

이제 프로그램 A, B, C가 실행되는 경우를 생각해 보자. A가 실행되고 있고 B가 작업큐 에서 대기 중인 상태에서 새로운 프로그램 C를 실행할 경우, C는 B 다음에 등록되므로 A 와 B의 구간 실행이 끝난 후 C가 실행된다. A와 B가 종료되지 않아 추가적인 구간 실행이 필요하면 작업큐에서 C의 뒤로 다시 등록되므로 C, A, B의 상태가 되고 결과적으로 세 프 로그램은 등록되는 순서대로 반복해서 실행된다.

1문단:

2문단:

3문단:

4문단:

5문단:

6문단:

이처럼 작업큐에 등록된 프로그램의 수가 많아지면 각 프로그램의 대기 시간은 그에 비례하여 늘어난다. 따라서 작업큐에 등록할 수 있는 프로그램의 수를 제한해 대기 시간이 일정 수준 이상으로 길어지는 것을 막을 필요가 있다.

7문단:

주제:

정답 및 해설 ◐ 158쪽

01 윗글에 대한 설명으로 가장 적절한 것은?

① 대상을 둘러싼 다양한 관점을 제시하고 있다.
② 대상의 장점과 단점을 비교하여 설명하고 있다.
③ 대상이 실행되는 원리와 방법에 대해 소개하고 있다.
④ 대상의 문제점을 분석하여 병렬적으로 나열하고 있다.
⑤ 대상이 시대에 따라 변해 온 과정을 순차적으로 보여주고 있다.

문제 Guide 글의 서술 방식과 제시된 정보를 정확하게 파악할 수 있는지를 평가하는 문제이다. 지문에서 CPU 스케줄링에 대해 어떻게 서술하고 있는지를 살펴보아야 한다.

02 윗글의 내용과 일치하지 않는 것은?

① CPU 스케줄링은 컴퓨터 운영 체제의 일부이다.
② 프로그램 실행이 종료되면 실행 결과는 작업큐에 등록된다.
③ 구간 실행의 교체에 소요되는 시간은 구간 시간보다 짧다.
④ CPU 한 개는 한 번에 하나의 프로그램만 실행이 가능하다.
⑤ 컴퓨터 운영 체제는 실행할 프로그램을 주기억 장치에 저장한다.

문제 Guide 지문에 언급된 세부 정보의 내용을 제대로 파악할 수 있는지 평가하는 문제이다. 선택지의 내용이 지문의 어느 부분에서 언급한 내용인지 확인한 후, 수정된 부분은 없는지 살펴보아야 한다.

03 ㉠의 실행 과정에 대한 이해로 적절하지 않은 것은?

① 교체 시간이 줄어들면 총처리 시간이 줄어든다.
② 대기 시간이 늘어나면 총처리 시간이 늘어난다.
③ 총실행 시간이 줄어들면 총처리 시간이 줄어든다.
④ 구간 시간이 늘어나면 구간 실행 횟수는 늘어난다.
⑤ 작업큐의 프로그램 개수가 늘어나면 총처리 시간은 늘어난다.

문제 Guide 총실행 시간의 성격과 특징을 파악할 수 있는지 평가하는 문제이다. 선택지에 여러 개념이 제시되어 있으므로 지문에서 각각의 개념이 의미하는 바를 정확히 파악한 후 선택지의 설명의 적절성을 판단해야 한다.

04 윗글을 바탕으로 할 때, [보기]의 [가]에 들어갈 내용으로 적절한 것은?

문제 Guide 지문의 내용을 이해하고 다른 자료에 응용하여 해석할 수 있는지를 평가하는 문제이다. 6문단에 언급된 프로그램의 실행 순서에 대해 파악한 후, [보기]에 언급된 '우선순위'라는 상황을 고려해야 한다.

┤보기├

　　운영 체제가 작업큐에 등록된 프로그램에 대해 우선순위를 부여하고 순위가 가장 높은 것을 다음에 실행할 프로그램으로 선택하면 작업큐의 크기를 제한하지 않고도 각 프로그램의 '대기 시간'을 조절할 수 있다.
　　프로그램 P, Q, R이 실행되고 있는 예를 생각해 보자. P가 '구간 실행' 상태이고 Q와 R이 작업큐에 대기 중이며 Q의 순위가 R보다 높다. P가 구간 실행을 마치고 작업큐에 재등록될 때, P의 순위를 Q보다는 낮지만 R보다는 높게 한다. P가 작업큐에 재등록된 후 다시 P가 구간 실행을 하기 직전까지 _____ [가] _____ 을/를 거쳐야 한다.

① P에서 R로의 교체
② Q의 구간 실행
③ Q의 구간 실행과 R의 구간 실행
④ Q의 구간 실행과 Q에서 P로의 교체
⑤ R의 구간 실행과 R에서 P로의 교체

05 윗글을 바탕으로 할 때, [보기]의 [나]에 들어갈 내용으로 적절한 것은?

문제 Guide 지문의 내용을 이해하고 작업 순서를 파악할 수 있는지 평가하는 문제이다. [보기]에 언급된 두 프로그램이 작업큐에 들어온 시간과 총실행 시간을 고려하되, 구간 시간이 4초로 정해졌다는 것을 염두에 두고 선택지의 적절성을 따져보아야 한다.

┤보기├

　　라운드 로빈(RR: Round Robin) 스케줄링은 CPU의 프로그램 처리 방식 가운데 하나로, 작업큐에 등록된 프로그램의 순서대로 구간 실행을 진행하며 구간 시간을 정할 수 있는 방법이다. 만약 구간 시간이 4초라고 하면, 프로그램이 작업큐에 들어온 순서대로 4초씩 할당해 주고, 4초의 시간을 사용한 프로그램은 다시 뒤로 넘기는 형식이다. 예를 들어 구간 시간이 4초인 상황에서 P1이 1시 00초에 작업큐에 들어오고 총실행 시간이 100초이며, P2가 1시 05초에 작업큐에 들어오고 총실행 시간은 19초일 경우, 프로그램의 처리는 _____ [나] _____ 와 같은 구간 교체 과정을 거치게 된다.

① P1 → P1 → P2 → P1
② P1 → P2 → P2 → P1
③ P1 → P2 → P1 → P2
④ P2 → P1 → P2 → P1
⑤ P2 → P1 → P1 → P2

06 문맥상 ⓐ와 바꾸어 쓰기에 가장 적절한 것은?

① 분류(分類)해
② 선별(選別)해
③ 구분(區分)해
④ 분간(分揀)해
⑤ 판별(判別)해

문제 Guide　문맥적 의미가 가장 유사한 단어를 찾을 수 있는지 평가하는 문제이다. 지문 속에서 ⓐ가 의미하는 바를 추측해 본 후, 선택지에 제시된 어휘를 ⓐ에 넣어보고 문맥적으로 의미가 달라지지 않는지 살펴보아야 한다.

☑ **약점 찾는 체크리스트**

문항	문제 유형	정답 체크					나의 오답 노트
		맞음	틀림				
			개념 이해 부족	유형 이해 부족	내용 이해 부족	헷갈림 /실수	
01	내용 전개 방식의 파악						
02	세부 정보의 파악						
03	핵심 정보의 파악						
04	다른 상황에 적용						
05	구체적 사례에 적용						
06	어휘의 문맥적 의미 판단						
	내가 쓰는 총평						

지문 독해
전략

이 글은 전기 자동차의 개념과 역사, 전기 자동차에 사용되는 배터리의 원리 등을 설명하고 있는 지문이다. 전기 자동차가 어떻게 발전해 왔는지 통시적 흐름을 파악하며 읽어야 한다. 또 전기 자동차 배터리의 작동 원리와 전기 자동차의 종류에 따른 기술적 차이 등을 간단히 도식화하거나 도표화하며 읽는 것도 지문을 이해하는 데 도움을 준다.

[01~06] 다음 글을 읽고 물음에 답하시오.

지문 분석 Note

전기 자동차란 석유 연료와 엔진을 사용하는 내연기관 자동차와 달리, 전기 배터리와 전기 모터를 사용하는 자동차를 말한다. 1990년대 이후 화석 연료의 고갈, 환경오염 문제 등이 대두되면서 유해 물질과 이산화탄소를 배출하지 않는 전기 자동차가 미래 자동차로 급부상하였다. 놀라운 점은 전기 자동차의 역사가 내연기관 자동차인 가솔린 자동차보다 더 길다는 것이다.

독일의 니콜라우스 오토가 내연기관을 최초로 발명한 것은 1864년이지만, 그보다 30년 전인 1834년 스코틀랜드의 로버트 앤더슨이 '원유전기마차'를 발명하였다. 이후 1865년 프랑스의 가스통 플란테가 에너지를 저장할 수 있는 축전기를 만들면서 전기 자동차 개발은 급진전하였고, 1880년대에는 전기 자동차가 상용화되기 시작하였다. 1881년 프랑스에서 열린 국제전기박람회에서 당시 내연기관 자동차는 전기로 돌리는 시동 모터가 없어 차 밖에서 크랭크를 돌려 시동을 걸어야 했던 것과는 다르게 구스타프 트루베는 이런 불편함이 없는 삼륜 전기자동차를 운행하여 대중의 주목을 끌었다. 하지만 무거운 배터리 중량, 긴 충전 시간, 일반 자동차의 두 배가 넘는 가격 등이 전기 자동차의 대중화를 어렵게 하였고 1920년대에 미국에서 유전이 개발되면서 ㉠전기 자동차는 내연기관 자동차에 주도권을 빼앗기고 무대 뒤로 밀려났다. 오늘날의 전기 자동차는 새로운 소재의 배터리들을 사용하게 되면서 과거의 문제점이 상당 부분 개선되었고, 세계 전기 자동차 시장은 급격히 성장하고 있다.

전기 자동차의 배터리는 전기화학 반응을 이용하여 화학 에너지와 전기 에너지를 상호 간에 자유롭게 변환시킬 수 있는 장치로, 내연기관 자동차의 연료와 같은 역할을 한다. 요즘에는 보통 리튬 이온 2차 전지가 사용된다. 전지의 (+)극과 (−)극을 도선으로 연결하여 전류가 흐르는 것을 방전, 외부에서 반대 방향의 전류를 흘려 이전과는 반대의 화학 변화가 일어나 다시 원상태로 복구되는 것을 충전이라고 한다. 한번 사용하면 재사용이 불가능한 1차 전지와 달리 2차 전지는 충전을 하여 재사용할 수 있으며, 외부의 전기 에너지를 화학 에너지의 형태로 바꾸어 저장해 두었다가 필요할 때에 다시 전기 에너지를 만들어 낸다.

리튬 이온 2차 전지의 기본 구조는 음극과 양극 2개의 전극 활물질이 분리막에 의해 떨어져 있는 것이다. 두 전극 사이에는 전해질이 채워져 있다. 산화 반응에 따라 전자를 만드는 음극에는 상업적인 면 때문에 흑연이 많이 이용된다. 양극은 외부로 연결된 전선을 통해 음극에서 전자를 받고, 전해질을 통해 이온을 받아 환원 반응을 일으킨다. 양극에는 이온을 받아들일 수 있는 공간이 충분한 산화물, 황화물 등의 세라믹이 주로 사용된다. 양극과 음극이 접촉하면 화학 반응이 일어나 열이 발생하면서 발화될 수 있다. 이 때문에 양극과 음극의 접촉을 막는 분리막이 있다. 방전 과정에서는 리튬 이온이 음극에서 양극으로 이동하고, 충전 과정에서는 리튬 이온이 양극에서 음극으로 다시 이동하여 제자리를 찾게 되는데, 이때 전해질은 리튬 이온이 이동하는 통로 역할을 한다.

리튬 이온 2차 전지는 지금까지 개발된 배터리 중에서 부피, 무게 당 에너지 용량이 가장 크고, 가장 오래 쓸 수 있다. 하지만 전해질에 유기 용매를 사용하기 때문에 발화, 폭발의 위험성이 높다는 단점이 있어 이를 보완하려는 연구가 진행 중이다.

전기 자동차는 자동차를 운행할 때 어떤 에너지원을 이용하는가에 따라 하이브리

1문단:

2문단:

3문단:

4문단:

5문단:

드 전기 자동차(HEV), 플러그인 하이브리드 전기 자동차(PHEV), 순수 전기 자동차 (EV)로 구분할 수 있다. 전기 자동차의 초기 방식에 해당하는 하이브리드 전기 자동차 는 운행할 때 화석 연료와 전기를 같이 사용하는데, 주된 에너지원은 화석 연료이다. 전기는 자동차 시동을 켤 때나 저속 운행을 할 경우에 사용되며, 배터리는 별도로 충 전하지 않아도 주행 중 자체 발전기를 통해 자동으로 충전된다. 플러그인 하이브리드 전기 자동차는 HEV에 비해 전기를 에너지원으로 활용하는 비중이 높다. 보통 단거리 를 운행할 때에 전기만을 에너지원으로 사용하며, 배터리 용량이 일정 수준 이하일 경 우에는 화석 연료도 에너지원으로 사용한다. 이 때문에 HEV보다 대용량 배터리가 탑 재되며, 배터리는 별도로 충전을 해 주어야 한다. 순수 전기 자동차는 '진정한 의미의 전기 자동차'로, 내연기관의 ⓒ꽃인 엔진이 없는 자동차이다. 전기만으로 모터를 작동 시켜 움직이기 때문에, 친환경적이며 소음이 거의 없다는 장점이 있다. 배터리 용량에 따라 주행 거리가 달라지므로 고용량·고효율의 배터리가 필요한데, 현재는 보통 1회 충전 시 약 100~300km의 거리를 운행할 수 있는 배터리가 주로 사용된다. 기술의 발 전에 따라 배터리에 따른 주행 거리가 점차 늘어가고 있는 추세이다.

[A]

전기 자동차는 내연기관 자동차보다 친환경적이라는 평가를 받고 있지만, 이에 대해서 는 논란이 존재한다. 전기 자동차의 배터리를 충전하려면 전기를 사용해야 하는데, 우리나 라의 경우 현재 약 65%의 전기가 화력 발전으로 생산되고 있다. 이 때문에 결국 전기 자동 차도 화석 연료를 사용하는 자동차가 아니냐는 것이다. 또 배터리의 폐기에 따른 환경오염 문제도 언급되었다. 2010년 스위스 연방 재료 연구소에서 리튬 이온 배터리 자체가 환경오 염에 제한적인 영향만 준다고 발표함으로써 폐배터리와 관련된 논란은 사그러 들었다. 장 기적으로 봤을 때 전기 자동차의 친환경 에너지 수급 비율을 높일 수 있다면 전기 자동차는 충분히 내연기관 자동차를 대체할 수 있는 수단이 될 수 있을 것이라고 기대된다.

정답 및 해설 ◐ 164쪽

01 윗글에 대한 설명으로 적절하지 않은 것은?

① 2차 전지의 단점을 1차 전지와 비교하여 설명하고 있다.

② 전기 자동차의 발달 과정을 통시적 관점에서 서술하고 있다.

③ 리튬 이온 2차 전지를 분석하여 구성 요소의 역할을 설명하고 있다.

④ 전기 자동차의 종류를 주 에너지원을 기준으로 분류하여 설명하고 있다.

⑤ 전기 자동차의 친환경성과 관련된 논란과 그 해결 방안을 제시하고 있다.

문제 Guide 글의 내용을 이해하 고 설명 방식을 파악할 수 있는지 평 가하는 문제이다. 지문에서 각각의 화제를 어떤 방식으로 제시하고 있 는지를 살펴보아야 한다.

02 윗글의 내용과 일치하지 <u>않는</u> 것은?

① 전기 자동차는 내연기관 자동차보다 먼저 발명되었다.
② 내연기관 자동차는 주행 시 유해 물질과 이산화탄소를 배출한다.
③ 전기 자동차는 종류에 따라 화석 연료와 전기를 에너지원으로 활용하는 비율이 다르다.
④ 순수 전기 자동차의 1회 충전 시 주행 거리를 늘리기 위해서는 고용량·고효율의 배터리가 필요하다.
⑤ 과거 전기 자동차 발전의 장애 요소였던 가격 문제가 해결되면서 전기 자동차 시장이 성장하고 있다.

문제 Guide 글의 내용을 파악하고 이해하고 있는지를 평가하는 문제이다. 선택지에 언급한 내용이 지문의 어느 부분에 언급되어 있는지 확인한 후, 달라진 부분은 없는지 살펴보고 달라진 부분이 있다면 그 부분이 어떻게 바뀌었는지를 파악해야 한다.

03 [A]를 바탕으로 [보기]를 이해한 것으로 적절하지 <u>않은</u> 것은?

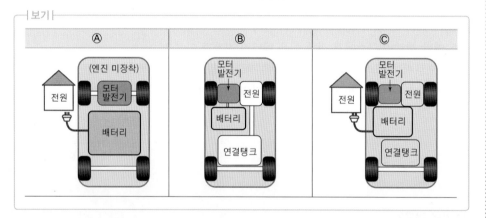

① Ⓐ는 Ⓑ보다 친환경적인 성격을 갖고 있겠군.
② Ⓐ, Ⓑ, Ⓒ 모두 운행 시 전기를 에너지원으로 이용하겠군.
③ Ⓒ는 Ⓑ와 달리 단거리 주행 시 전기만을 에너지원으로 이용하겠군.
④ Ⓒ보다 Ⓐ의 배터리를 크게 그린 것은 Ⓐ의 배터리 용량이 더 큰 것을 표현한 것이겠군.
⑤ Ⓑ와 Ⓒ의 배터리는 주행 중 자체적으로 전기가 충전되므로 별도로 충전하지 않아도 되겠군.

문제 Guide 핵심 정보들의 개념과 특성을 이해하고 비교할 수 있는지를 평가하는 문제이다. [A]의 내용을 참고하여 [보기]의 Ⓐ, Ⓑ, Ⓒ가 전기 자동차의 종류 중 어느 것에 해당하는지를 먼저 파악한 후 선택지에 제시된 Ⓐ~Ⓒ에 대한 설명이 적절한지를 판단해야 한다.

04 윗글을 참고할 때, ㉠의 원인 중 하나로 볼 수 <u>없는</u> 것은?

① 전기 자동차의 배터리 중량이 너무 많이 나갔기 때문에
② 전기 자동차의 가격이 일반 자동차에 비해 너무 비쌌기 때문에
③ 상류층 여성 운전자에게만 전기 자동차를 판매하였기 때문에
④ 대형 유전의 개발 덕분에 내연기관 자동차의 연료 가격이 싸졌기 때문에
⑤ 전기 자동차 배터리의 재충전 시간이 너무 오래 걸리는 불편함이 있었기 때문에

문제 Guide 글에서 설명하고 있는 내용을 이해하고 어떤 사건의 원인을 파악할 수 있는지를 평가하는 문제이다. 전기 자동차의 단점을 바탕으로 전기 자동차가 대중화되지 못하고 내연기관 자동차에 밀려나게 된 이유를 추측해 보도록 한다.

05 윗글을 바탕으로 [보기]에 대해 탐구한 내용으로 적절하지 <u>않은</u> 것은?

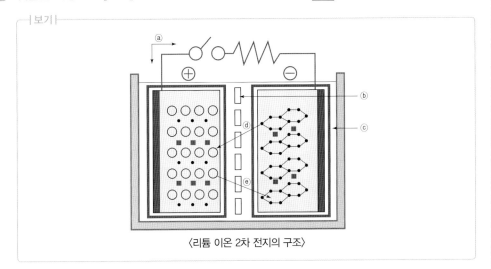

〈리튬 이온 2차 전지의 구조〉

① ⓐ는 전지 내부에서 이동하는 이온과 달리 전지의 외부 전선을 따라 이동하는군.
② ⓑ가 제거되면 화학 반응 때문에 열이 발생하여 전지가 폭발할 수도 있겠군.
③ ⓒ가 없으면 이온이 이동하지 못해서 전지가 제 기능을 할 수 없겠군.
④ ⓓ는 전지가 충전될 때, ⓔ는 방전될 때 일어나는 현상이겠군.
⑤ ⓐ의 이동과 ⓓ가 함께 발생해야 양극이 환원 반응을 일으킬 수 있겠군.

문제 Guide 글의 내용을 바탕으로 [보기]의 자료를 적절히 분석하고 이해할 수 있는지를 평가하는 문제이다. 4문단에서 리튬 이온 2차 전지에 대해 설명하고 있으므로 이를 활용하여 ⓐ~ⓔ가 가리키는 것이 무엇인지 판단한 후, 선택지의 설명이 적절한지 확인하도록 한다.

06 ⓛ의 문맥적 의미와 가장 유사한 것은?

① 봄은 꽃이 만발하는 아름다운 계절이다.
② 사회부는 신문사의 꽃이라고 할 수 있다.
③ 그들은 그의 꽃같이 환히 피어난 얼굴 모습을 바라보았다.
④ 열병에 걸린 아이들은 하나같이 얼굴에 꽃이 돋았다.
⑤ 그 드라마는 꽃 같은 청춘들의 사랑과 열정을 그리고 있다.

문제 Guide 문맥적 의미가 가장 유사한 단어를 찾아야 해결할 수 있는 문제이다. 내연 기관에서 엔진이 가장 핵심이라는 것을 ⓛ으로 표현하였으므로, 이러한 의미를 각 선택지에 대입하여 이와 유사한 의미의 것이 무엇인지를 찾도록 한다.

✔ 약점 찾는 체크리스트

문항	문제 유형	정답 체크					나의 오답 노트
		맞음	틀림				
			개념 이해 부족	유형 이해 부족	내용 이해 부족	헷갈림/실수	
01	내용 전개 방식의 파악						
02	세부 정보의 파악						
03	핵심 정보 간의 비교						
04	핵심 정보의 파악						
05	구체적 상황에 적용						
06	어휘의 문맥적 의미 판단						
	내가 쓰는 총평						

기술 06

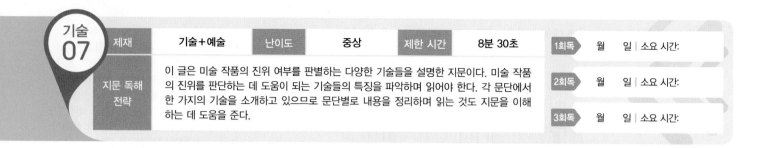

[01~06] 다음 글을 읽고 물음에 답하시오.

지문 분석 Note

유명한 미술 작품은 그것을 ⓐ모방한 위작을 낳는다. 어떤 위작은 감쪽같아서 진품과 쉽게 구별하기 어려울 정도이다. 또 어떤 위작들은 진품을 모방한 것이 아닌 유일한 작품이지만, 유명한 작가의 작품이라고 이름만 도용하기도 한다. 기술이 점점 발달하면서 위작의 수준이 진품과 흡사해지고, 위작의 판별은 점점 어려워지고 있다. 그러나 위작을 판별할 수 있는 기술도 나날이 발전하고 있다. 그렇다면 미술 작품의 진위 여부는 어떻게 가려낼 수 있을까?

1문단:

미술 작품의 진위 여부를 가려내는 방법 중 하나는 작품의 화학적 구성을 조사하는 기술이다. 작품에 사용된 안료의 성분 등을 분석해 어느 시대의 어떤 색의 안료가 사용된 것인지를 밝혀내는 방법이다. 예를 들어 'Virgin with Child'라는 작품은 이 기술을 ⓑ적용해 1920년대에 제작된 위작으로 판명되었다. 화학적 구성 조사 결과 이 작품에는 프러시안 블루(Prussian Blue)라는 안료가 사용되었는데, 이 작품이 진품이라면 이 안료는 사용될 수 없다. 프러시안 블루는 1700년대에 발명된 색이지만 이 작품은 1700년대보다 훨씬 이전에 그려진 작품이기 때문이다. 화학적 구성 조사는 해당 작품을 분자 수준에서 감별하므로 강력한 진품 감별법이지만, 작품에 물리적인 결함이 생긴다는 단점이 있다. 그래서 작품에 흠집을 내지 않으면서도 진품을 감별하는 다른 방법들이 개발되었다. 바로 현미경 조사와 X선을 이용한 형광 분석법, 자외선ㆍ적외선 분광 분석 기법이 그것이다.

2문단:

현미경 조사는 현미경의 배율을 200배 이상 확대하여 작품을 분석하는 것으로, 작품에 결함을 주지 않고도 작품을 분석할 수 있는 가장 기본적이고 간단한 방법이다. 이 방법을 통해 안료의 모양, 캔버스의 재질이나 캔버스의 천에 사용된 실의 색 등을 볼 수 있다. 이 방법은 육안으로 판별이 힘든 작품의 세부를 확대하여 손상된 형태를 정확히 파악하고, 정밀한 판단을 가능하게 한다. 진품과 위작이 다른 물감을 사용했다면, 육안으로 볼 때는 같은 색으로 보이더라도 현미경으로 200배 이상 확대하여 보게 되면 물감의 색과 재질이 전혀 다른 것을 ⓒ포착해 낼 수 있다.

3문단:

X선을 이용한 형광 분석법은 XRF 조사 방법이라고도 하는데, 분석의 대상이 되는 작품에 X선을 투과하여 조사하는 방법이다. 어떤 물질에 X선을 투과하면 그 물질의 성분에 따라 고유한 X선이 방출되는 원리를 이용하여 작품에 X선을 투과하면 특정 원소의 종류와 양을 알 수 있으며, 특히 물감의 성분 중 무기 안료의 성분을 분석할 수 있다. 이 방법을 활용하면 안료의 정확한 성분뿐만 아니라, 오랜 시간에 걸쳐 변색되어 버린 안료의 화학 성분까지 알아내어 본래의 색을 유추해 낼 수도 있다. 이 방법을 통해 진위 여부를 판정한 사례도 있다. 작품에 X선을 투과한 결과 드러난 안료 속 납과 아연의 함량 차이가 그 근거였다. 어느 화백의 진품에 X선을 투과한 결과 안료 속 납과 아연의 함량이 매우 높았다. 그러나 위작 판정을 받은 작품들의 경우에는 납과 아연이 아예 발견되지 않기도 하는 등 원소 구성이 전혀 달랐고 결국 위작으로 판정되었다.

4문단:

㉠자외선 분광 분석 기법과 ㉡적외선 분광 분석 기법은 자외선이나 적외선 등 특정 파장의 빛을 그림에 쏜 후 반사각을 측정해 특정 물질을 알아내는 방법이다. 자외선은 눈에 보이는 가시광선의 짧은 파장보다도 바깥쪽에 나타나는 광선으로, 주로 회화 작품의 표면 상

5문단:

태를 조사하는데 이용된다. 자외선 분광 분석 기법을 활용하면 빛을 쏘았을 때 특정한 색이 다른 색으로 형광을 나타내는 현상을 관찰할 수 있으며 이를 통해 눈으로는 구분이 안 되는 그림 표면의 흔적, 색 맞춤과 덧칠의 흔적, 수리 흔적, 각종 오염물을 관찰할 수 있다. 적외선은 자외선과 반대로 파장이 긴 영역이다. 적외선 분석 기법을 활용하면 빛을 쏘았을 때 연필이나 목탄의 성분에 잘 반응하는 적외선의 특성 때문에 회화의 색면 뒤에 감추어진 스케치나 작업 과정 중에 바뀐 그림의 형태를 관찰할 수 있다. 이러한 분광 분석 기법을 통해 화가 특유의 붓터치를 발견할 수 있고, 진품과 위작의 제작 과정을 비교하여 위작을 감별해 낼 수도 있다.

한편 최근에는 DNA 감식 기술도 위작을 감별하는 데 이용되고 있다. 사람의 세포에는 핵 DNA와 미토콘드리아 DNA가 존재하는데, 작품에 머리카락이나 작은 털 등 DNA를 ⓓ채취할 수 있는 물질이 붙어 있을 경우 이것을 분석하여 DNA와 비교하는 것이다. 핵 DNA의 경우에는 오랜 시간이 지나면서 ⓔ소멸할 수도 있지만, 미토콘드리아 DNA는 핵 DNA에 비해 보전되는 기간이 길어 좀 더 오래 분석할 수 있다. 그러나 이 방법은 작가가 살아 있어 DNA를 채취할 수 있거나, 작가가 죽었을 경우에는 형제 등 가까운 친척이 DNA를 제공해 주어야 한다는 단점이 있다.

화학적 구성 조사 기술부터 DNA 감식 기술에 이르기까지, 요즘에는 여러 과학적 분석 방법을 통해 미술 작품의 진위를 판별하고 있다. 그러나 이 방법을 활용한다고 해도 모든 경우에 위작을 가려낼 수 있다고 할 수는 없다. [A]제작 년도가 오래된 작품은 판별이 어려울 수 있고, 작품에 사용된 안료가 같다는 것이 곧 작가가 같다는 것을 의미하지는 않기 때문에 잘못된 판정을 할 가능성도 여전히 남아 있다. 또한 DNA 감식의 경우 근거 수집과 관련한 한계가 따른다. 그래서 전문가들은 다양한 과학적 지식을 응용하여 더욱 정확하게 위작을 판별해 낼 수 있는 기술을 개발하기 위해 노력하고 있다.

6문단:

7문단:

주제:

정답 및 해설 ○ 170쪽

01 윗글에 대한 설명으로 가장 적절한 것은?

① 통계적 자료를 사용하여 현상의 원인을 분석하였다.
② 대립되는 주장을 비교하며 장단점을 분석하고 있다.
③ 다양한 사례를 제시하여 잘못된 통념을 바로잡고 있다.
④ 전문가의 견해를 인용하여 다양한 가설을 검증하고 있다.
⑤ 문제를 해결할 수 있는 방법을 열거하고 그 원리를 설명하고 있다.

문제 Guide 지문의 전체적인 흐름과 전개 방식을 파악할 수 있는지 평가하는 문제이다. 중심 화제를 파악한 후 지문에서 중심 화제를 어떻게 제시하고 있는지 살펴보아야 한다.

02 윗글을 이해한 것으로 적절하지 않은 것은?

① 위작은 유사한 형태의 진품의 존재를 전제로 한다.
② 작품을 확대해서 보면 물감의 색이 다르게 보일 수 있다.
③ 작가의 생체 정보가 위작을 가려내는 데 도움을 줄 수 있다.
④ 가시광선만으로는 작품의 상태나 형태를 조사하는 데 한계가 있다.
⑤ 캔버스의 재질이나 천이 작품의 진위 여부를 판별하는 근거가 될 수 있다.

문제 Guide 지문의 내용을 이해하고 추론할 수 있는지를 평가하는 문제이다. 선택지의 내용들은 지문에 그대로 나와 있는 내용이 아니며, 지문을 바탕으로 추론하여 제시한 것임을 유의해야 한다.

03 윗글을 바탕으로 [보기]를 이해한 내용으로 적절하지 **않은** 것은?

> ┤보기├
>
> 　16세기 이탈리아 화가인 파르미자노(1503~1540)의 그림 한 점이 전문가 감식에서 위작임이 밝혀졌다. 문제의 그림은 파르미자노의 작품으로 알려진 '세인트 제롬(St. Jerome)'이라는 초상화로, 한 수집가가 약 10억원에 사들인 것이다. 이 그림은 500년이 지난 작품이라고 알려졌고, 색이 변색되어 있어 육안으로는 감식이 쉽지 않았다. 그러나 그림에 X선을 투과시켜 안료의 성분을 분석한 결과 이 그림에 사용된 안료가 20세기에 개발된 '프탈로사이아닌 그린'이라는 안료라는 사실이 밝혀졌고 이 때문에 위작으로 판명되었다.

① 'Virgin with Child'가 위작이 된 것과 같은 논리가 적용되었군.
② 위작을 감별하는 방법이 작가의 생존 여부와는 관계가 없었겠군.
③ 방출된 X선의 종류를 분석하여 안료를 구성하는 원소를 알아내었군.
④ 육안으로 감식이 어려운 작품을 확대하여 안료의 성분을 파악하였군.
⑤ 안료가 변색되었더라도 본래 색을 알아낼 수 있는 방법을 사용하였군.

문제 Guide　지문의 내용을 이해하고 구체적 사례에 적용하여 해석하는 문제이다. [보기]는 X선을 투과하여 작품의 진위 여부를 가려내는 방법을 활용하여 위작임이 밝혀진 사례이다. 이를 고려하여 선택지의 적절성을 판단해야 한다.

04 ㉠과 ㉡에 대해 이해한 내용으로 적절하지 **않은** 것은?

① ㉠과 ㉡은 모두 작품에 물리적인 결함을 남기지 않는다.
② ㉠과 ㉡은 모두 작품의 제작 과정이 어떠하였는지 보여 준다.
③ ㉠과 ㉡은 모두 빛이 그림에 반사되어 나오는 성질을 이용한 것이다.
④ ㉠은 특정 색깔과, ㉡은 특정 성분과 잘 반응하는 특성을 가지고 있다.
⑤ ㉠은 밑그림의 형태를 발견하기에, ㉡은 화가 고유의 덧칠 기법을 파악하기에 적합하다.

문제 Guide　핵심 소재의 개념과 특징을 이해하고 있는지 평가하는 문제이다. ㉠과 ㉡에 대해 주로 5문단에서 설명하고 있지만, 2문단에서도 이들의 특징을 설명한 부분이 있음을 참고해야 한다.

05 윗글의 [A]를 뒷받침하는 사례로 적절하지 **않은** 것은?

① ㄱ 작품은 12세기에 제작되어 작품의 진위 여부를 가려내는 데 어려움을 겪고 있다.
② ㄴ 작가는 다양한 느낌을 표현하기 위하여 작품마다 다른 종류의 안료를 사용하였다.
③ ㄷ 작품의 스케치에는 겉보기 그림에서 생략된 부분이 있는데, 위작의 스케치에는 해당 부분이 없다.
④ ㄹ 위작가는 그림이 감정의 대상이 될 것을 고려하여 진품과 동일한 안료를 사용하여 위작을 그렸다.
⑤ ㅁ 작품에는 작가의 것으로 추정되는 털이 붙어 있지만, DNA를 비교할 수 있는 샘플을 구하지 못했다.

문제 Guide　특정 부분이 의미하는 바를 이해하고 구체적 상황을 도출해 낼 수 있는지 묻고 있다. [A]에서 언급하고 있는 내용이 아닌 것을 찾거나, 작품의 진위 여부를 판단할 수 있는 내용을 찾아야 한다.

06 ⓐ~ⓔ를 우리말로 바꿔 쓴 것으로 적절하지 <u>않은</u> 것은?

① ⓐ: 따라한
② ⓑ: 써서
③ ⓒ: 붙잡을
④ ⓓ: 얻을
⑤ ⓔ: 없어질

○ 문제 Guide 한자어의 의미를 파악할 수 있는지 평가하는 문제이다. 유사한 의미를 가지고 있지만 미묘한 차이를 보이는 단어가 있다면 이를 찾아내야 한다.

기
술
07

✔ 약점 찾는 체크리스트

문항	문제 유형	정답 체크					나의 오답 노트
		맞음	틀림				
			개념 이해 부족	유형 이해 부족	내용 이해 부족	헷갈림 /실수	
01	내용 전개 방식의 파악						
02	추론의 적절성 판단						
03	구체적 사례에 적용						
04	핵심 정보의 이해						
05	세부 정보의 이해와 적용						
06	적절한 어휘의 적용						
	내가 쓰는 총평						

신경향 비문학 **워크북**

예술 분야의 지문은 예술 원론, 순수 예술, 대중 문화, 실용 예술 등 실생활에서 접할 수 있는 문화 현상 및 그와 관련된 분야까지 폭넓게 다루고 있다. 구체적으로 음악, 미술, 건축, 미학, 연극, 사진 등 다양한 예술 장르와 오랜 시간 동안 이어져 온 고전 예술 분야부터 최근의 뮤지컬, 영화, 만화 등에 이르기까지 시대적 제한 없이 다양한 장르가 포함된다.

V

예술

예술 01 | 제재 | 예술_미술 | 난이도 | 중상 | 제한 시간 | 8분 30초

1회독	월 일	소요 시간:
2회독	월 일	소요 시간:
3회독	월 일	소요 시간:

지문 독해 전략: 이 글은 김정희의 작품을 예로 들어 김정희의 예술 세계를 설명한 지문이다. '묵란화'에 대한 김정희의 관점이 작품 속에서 구체적으로 어떻게 구현되어 있는지를 파악하며 읽어야 한다. 또 김정희의 삶과 그의 예술 세계가 어떻게 변화하는지에도 초점을 맞추며 읽으면 지문을 이해하는 데 도움을 준다.

[01~06] 다음 글을 읽고 물음에 답하시오.

지문 분석 Note

일반적으로 우리 전통 회화의 흐름은 두 가지로 나누어진다. 하나는 직업적인 전문 화원들에 의한 그림이고, 다른 하나는 일반사대부를 중심으로 한 사군자화이다. 이 두 회화의 차이점은 직업 화가들이 기교에 치중한 데 비하여 사군자화를 그린 이들은 사물의 묘사보다는 자신의 생각과 감정을 표현하는 데 무게를 두었다는 것이다. 사군자화 중 하나인 묵란화는 난초에 관념을 투영하여 형상화한 그림으로, 여느 사군자화와 마찬가지로 군자가 마땅히 지녀야 할 품성을 담고 있다. 묵란화는 중국 북송 시대에 그려지기 시작하여 우리나라를 포함한 동북아시아 문인들에게 널리 퍼졌는데, 문인들에게 시, 서예, 그림은 나눌 수 없는 하나였다. 이런 인식은 묵란화에도 이어져 난초를 칠 때는 글씨의 획을 그을 때와 같은 붓놀림을 ⓐ구사하였다. 따라서 묵란화는 문인들이 인문적 교양과 감성을 드러내는 수단이 되었다.

■1 문단:

전통적으로 유학자들은 학문 중심의 가치체계를 지니고 있었다. 그들에게 묵란화와 같은 예술은 학문의 보조적 수단으로 인식되어 왔으며 ⓑ지엽적이고 말단에 불과한 것이었다. 그들은 예술이 인간 본연의 성(性)과 정(情)을 조절하고 세상을 윤리적으로 교화하는 데 일정 부분 역할을 할 수 있다는 것은 인정하지만, 예술 자체가 도(道)가 되거나 성현의 학문과 동일한 가치를 지닌다고는 생각하지 않았다. 그래서 예술은 어디까지나 작은 기예(技藝)에 불과하며, 높은 학문을 통하여 인격을 수양하면 저절로 이루어질 수 있다고 보았다.

■2 문단:

추사 김정희는 이러한 전통적인 유학자들의 관념을 반박하였다. 김정희는 예술과 도는 하나로 합일되어 있으며, 예술은 단지 학문의 수단으로서만 일정한 가치를 지니는 것이 아니라 이미 그 자체로 최고의 목적이 될 수 있다고 밝혔다. 그리고 예술이 도가 될 수 있는 것은 그 내용이 도를 담고 있기 때문만이 아니라 작품의 형상화 원리 그 자체도 이미 도이기 때문이라 하였다. 이런 관점에서 김정희는 묵란화를 많이 그렸는데, 묵란화를 그리는 것은 자기 자신에 대한 성찰과 ⓒ외재하는 사물에 대한 올바른 식견을 바탕으로 사물이나 사실의 참된 모습을 표현하는 것이며, 이는 부단한 예술적 수련을 통해서만 가능하다고 생각하였다. 김정희에게 예술적 수련이란 옛것을 모범으로 삼되 옛것의 장점과 그 내면에 담긴 뜻을 안 후에는 그것에 얽매이지 말고 새로운 자신만의 독자적인 세계를 추구하는 것이다. 즉 전통적인 법과 격식을 올바르게 이해하고 부단한 연습과 체험을 통해 깊이 ⓓ체득한 후 이를 기초로 하여 정신성을 담아내는 것이다. 이때의 정신성이란 작가가 지닌 교양과 감성, 품성 등의 정신세계로, 김정희는 예술이 담고 있는 이러한 정신성이 표현보다 앞서야 하고 중요함을 강조하였다.

■3 문단:

김정희가 25세 되던 해에 그린 ㉠〈석란(石蘭)〉은 당시 청나라에서도 유행하던 전형적인 양식을 따른 묵란화이다. 화면에 공간감과 입체감을 부여하는 잎새들은 가지런하면서도 완만한 곡선을 따라 늘어져 있으며, 꽃은 소담하고 정갈하게 피어 있다. 도톰한 잎과 마른 잎, 둔중한 바위와 부드러운 잎의 대비가 돋보인다. 난 잎의 조심스러운 선들에서는 단아한 품격을, 잎들 사이로 핀 꽃에서는 고상한 품위를, 묵직한 바위에서는 돈후한 인품을 느낄 수 있으며 당시 문인들의 공통적 이상이라는 정신성이 드러난다.

■4 문단:

평탄했던 젊은 시절과 달리 김정희의 예술 세계는 49세부터 장기간의 유배 생활을 거치

■5 문단:

면서 큰 변화를 보인다. 글씨는 맑고 단아한 서풍에서 추사체로 알려진 자유분방한 서체로 바뀌었고, 그림도 부드럽고 우아한 화풍에서 쓸쓸하고 처연한 느낌을 주는 화풍으로 바뀌어 갔다.

생을 마감하기 일 년 전인 69세 때 그렸다고 추정되는 ⓒ〈부작란도(不作蘭圖)〉는 이러한 변화를 잘 보여 준다. 담묵의 거친 갈필*로 화면 오른쪽 아래에서 시작된 몇 가닥의 잎은 왼쪽에서 불어오는 바람을 맞아, 오른쪽으로 뒤틀리듯 구부러져 있다. 그중 유독 하나만 위로 솟구쳐 올라 허공을 가르지만, 그 잎 역시 부는 바람에 속절없이 꺾여 있다. 그 잎과 평행한 꽃대 하나, 바람에 맞서며 한 송이 꽃을 피웠다. 바람에 꺾이고, 맞서는 난초 꽃대와 꽃송이에서 세파에 시달려 쓸쓸하고 황량해진 그의 처지와 그것에 맞서는 강한 의지를 느낄 수 있다. 우리는 여기에서 김정희가 자신의 경험에서 느낀 세계와 묵란화의 표현 방법을 일치시켜, 문인 공통의 이상을 정신성으로 표출하는 관습적인 표현을 넘어 자신만의 감정을 충실히 드러낸 세계를 창출했음을 알 수 있다.

묵란화에는 종종 심정을 적어 두기도 하였다. 김정희도 〈부작란도〉에 '우연히 그린 그림에서 참모습을 얻었다'고 적어 두었다. 여기서 우연히 얻은 참모습을 자신이 처한 모습을 적절하게 표현하는 것이라 한다면 이때의 우연이란 ⓔ요행이 아니라 오랜 기간 훈련된 감성이 어느 한 순간의 계기에 의해 표출된 필연적인 우연이라고 해야 할 것이다.

* 갈필: 물기가 거의 없는 붓으로 먹을 조금만 묻혀 거친 느낌을 주게 그리는 필법.

6 문단:

7 문단:

주제:

정답 및 해설 ⊙ 178쪽

01 윗글에 대한 설명으로 가장 적절한 것은?

① 후대 작가의 작품과의 비교를 통해 작품에 대한 이해를 확장하고 있다.
② 다양한 해석을 근거로 들어 작품에 대한 통념적인 이해를 비판하고 있다.
③ 대조적인 성격의 작품을 예로 들어 예술의 대중화 과정을 분석하고 있다.
④ 구체적인 작품을 사례로 제시하며 작가의 삶과 작품 세계를 설명하고 있다.
⑤ 특정한 입장을 바탕으로 작가와 작품에 대한 역사적 논란을 소개하고 있다.

문제 Guide 지문의 전체적인 흐름을 이해하고 내용 전개 방식을 파악하는 문제이다. 먼저 글의 핵심 제재를 파악하고, 이와 관련된 정보들이 어떤 방식으로 구성되어 있는지에 주목하여 선택지의 적절성을 판단해야 한다.

02 윗글의 내용과 일치하지 <u>않는</u> 것은?

① 문인들은 사군자화를 통해 군자의 덕목을 드러내려 했다.

② 묵란화는 그림의 소재에 관념을 투영하여 형상화한 것이다.

③ 유배 생활은 김정희의 서체와 화풍의 변화에 영향을 주었다.

④ 묵란화는 중국에서 기원하여 우리나라에 전래된 그림 양식이다.

⑤ 김정희는 말년에 서예의 필법을 쓰지 않고 그리는 묵란화를 창안하였다.

문제 Guide 지문의 세부 정보를 파악했는지 평가하는 문제이다. 선택지에서 언급된 정보가 있는 문단을 확인하고 선택지와 비교해 보아야 한다.

03 유학자들과 김정희에 대해 설명한 것으로 적절한 것은?

① 유학자들은 예술이 그 자체로서 성현의 학문과 같은 가치를 지닌다고 생각하였다.

② 유학자들은 예술이 인간의 성정(性情)을 어지럽게 하여 세상을 교화하는 데 도움이 되지 않는다고 보았다.

③ 김정희는 성찰과 식견을 바탕으로 사물이나 사실의 참모습을 표현한 것이 묵란화라 생각하였다.

④ 김정희는 묵란화가 학문의 수단으로서는 일정한 가치를 지니지만 그 자체가 도가 될 수는 없다고 보았다.

⑤ 유학자들과 김정희는 예술 작품을 창작하기 위해서는 부단한 수련의 과정이 필요하다고 보았다.

문제 Guide 핵심 제재의 내용을 파악하여 비교할 수 있는지를 평가하는 문제이다. 선택지에서 언급된 내용이 지문의 어느 부분에 언급된 것인지를 파악하고 선택지의 적절성을 판단해야 한다.

04 ㉠, ㉡에 대한 이해로 적절하지 <u>않은</u> 것은?

① ㉠에서 완만하고 가지런한 잎새는 김정희가 삶이 순탄하던 시절에 추구하던 단아한 품격을 표현한 것이다.

② ㉠에서 소담하고 정갈한 꽃을 피워 내는 모습은 고상한 품위를 지키려는 김정희의 이상을 표상한 것이다.

③ ㉡에서 바람을 맞아 뒤틀리듯 구부러진 잎은 세상의 풍파에 시달린 김정희의 처지를 형상화한 것이다.

④ ㉡에서 홀로 위로 솟구쳤다 꺾인 잎은 지식을 추구했던 과거의 삶과 단절하겠다는 김정희 자신의 의지가 표현된 것이다.

⑤ ㉠과 ㉡에 그려진 난초는 김정희가 자신의 인문적 교양과 감성을 표현하기 위해 선택한 소재이다.

문제 Guide 〈석란〉과 〈부작란도〉의 특징을 이해할 수 있는지를 평가하는 문제이다. 지문에서 두 작품에 대한 정보가 '잎', '꽃' 등과 같이 각각의 부분으로 나누어 나열되어 있으므로, 선택지의 내용과 관련 있는 부분을 중점적으로 살펴보아야 한다.

05 [보기]를 바탕으로 할 때, 윗글에 나타난 김정희의 예술 세계에 대해 이해한 내용으로 적절하지 않은 것은?

┤보기├

예술 작품의 내용은 형식에 담긴다. 그러므로 감상자의 입장에서 보면 형식으로써 내용을 알게 된다고 할 수 있고, 내용과 형식이 꼭 맞게 이루어진 예술 작품에서 감동을 받는다. 따라서 형식에 대한 파악은 예술 작품을 이해하는 데 핵심적인 요소가 된다. 예술 작품의 형식은 그것이 속한 문화 속에서 형성되어 온 것이다. 이 형식을 이해하고 능숙하게 익히는 것은 작가에게도 매우 중요한 일이다. 예술 창작이란 아무것도 없는 것에서 어떤 사물을 창조하는 것이 아니라, 문화적 축적 속에서 새롭게 의미를 찾아 형식화하는 것이기 때문이다. 결국 전통의 계승과 혁신의 문제는 예술에서도 오래된 주제이다.

① 전형적인 방식으로 〈석란〉을 그린 것은 당시 문인화의 전통을 수용한 것이겠군.
② 추사체라는 필법을 새롭게 창안했다는 것은 전통의 답습에 머무르지 않았음을 의미하는군.
③ 〈부작란도〉에서 참모습을 얻었다고 한 것은 의미가 그에 걸맞은 형식을 만난 것이라 할 수 있겠군.
④ 시와 서예와 그림 모두에 능숙했다는 것은 여러 가지 표현 양식을 이해하고 익힌 것이라 할 수 있겠군.
⑤ 〈부작란도〉에서 자신만의 감정을 드러내는 세계를 창출했다는 것은 축적된 문화로부터 멀어지려 한 것이라 할 수 있겠군.

문제 Guide 지문과 [보기]의 내용을 참고하여 김정희의 세계관을 파악할 수 있는지 평가하는 문제이다. [보기]에 언급된 예술에 대한 관점을 내용과 형식의 관계, 전통의 계승과 혁신의 관점에서 파악해야 한다.

06 ⓐ~ⓔ의 사전적 의미로 적절하지 않은 것은?

① ⓐ: 일정한 수단이나 방법을 갖춤.
② ⓑ: 본질적이거나 중요하지 아니하고 부차적인. 또는 그런 것.
③ ⓒ: 어떤 사물이나 범위 안에 있지 않고 밖에 있음. 또는 그런 존재.
④ ⓓ: 뜻을 깊이 이해하여 실천으로써 본뜸.
⑤ ⓔ: 뜻밖에 얻는 행운.

문제 Guide 어휘의 사전적 의미를 파악하고 있는지 평가하는 문제이다. 어휘의 사전적 의미를 알지 못한다면 문맥을 고려해 그 의미를 추론해야 한다.

예술
01

✔ 약점 찾는 체크리스트

문항	문제 유형	정답 체크					나의 오답 노트
		맞음	틀림				
			개념 이해 부족	유형 이해 부족	내용 이해 부족	헷갈림/실수	
01	내용 전개 방식의 파악						
02	세부 정보의 이해						
03	핵심 정보 간의 비교						
04	핵심 정보의 파악						
05	자료를 통한 내용 이해						
06	어휘의 사전적 의미 파악						
	내가 쓰는 총평						

예술
02
제재 예술_영화 난이도 중상 제한 시간 8분 30초

1회독 월 일 소요 시간:

2회독 월 일 소요 시간:

3회독 월 일 소요 시간:

지문 독해
전략
이 글은 영화에서 추상적인 의미 표현을 중시한 에이젠슈테인의 이론과 있는 그대로의
현실을 보여 주어야 한다는 앙드레 바쟁의 이론을 소개한 지문이다. 두 이론가들의 견해
를 파악하며 읽어야 한다. 두 이론가들의 견해가 어떻게 다른지에 초점을 맞추어 읽으면
지문을 이해하는 데 도움이 된다.

[01~06] 다음 글을 읽고 물음에 답하시오.

지문 분석 Note

일반적으로 영화는 구체적인 대상을 재현하는 데에는 그 어떤 예술보다 강하지만, 대사
나 자막을 이용하지 않고서는 정신적인 의미를 표현하는 데 약하다. 영화가 시각 예술답게
시각적인 방식으로 추상적인 의미 표현에 이르는 방법을 연구한 사람이 바로 에이젠슈테인
이다. 에이젠슈테인은 한자의 구성 원리에 주목한다. 한자의 육서(六書) 중 그가 주목한 것
은 상형 문자와 회의 문자다. 상형 문자는 사물의 형태를 본뜬 문자다. 그러나 눈으로 볼 수
있는 것은 형태를 본떠서 재현할 수 있지만, 눈으로 볼 수 없는 것은 재현하기 어렵다. 예를
들어 '휴식'과 같이 추상적인 개념은 상형 문자로 표현할 수 없다. 이때 이를 표현할 수 있는
것이 회의 문자다. 회의 문자 '쉴 휴(休)'는 '사람 인(人)'과 '나무 목(木)'이 결합된 문자다.
이 두 문자를 결합하면 '휴식'이라는 추상적 의미가 만들어진다. 하지만 '휴식'이란 말의 의
미는 '人'에도 '木'에도 들어 있지 않다. ⊙두 개의 문자가 결합되면서 두 문자의 단순한 총
합이 아닌 새로운 차원이 열리며, 이를 통해 추상적인 의미를 표현할 수 있다는 것이 바로
에이젠슈테인이 회의 문자에서 주목한 지점이다.

이러한 원리가 영화의 시각적인 의미 표현에 어떻게 적용될 수 있을까? 여기서 중요한
것은 회의 문자를 이루는 요소들이 상형 문자라는 점이다. 묘사적이고 단일하며 가치중립
적인 상형 문자의 특성은 영화의 개별 장면(shot, 숏)들의 특성에 상응한다. 회의 문자를 이
루는 각각의 문자는 따로 떼어 놓고 보면 사물이나 사실에 대응되지만, 그 조합은 개념에
대응된다. 이와 마찬가지로 ⓛ영화의 개별 장면들은 사물이나 사실에 대응되지만, 이들을
특정하게 결합시키면 그 조합은 개념에 대응된다. 따라서 회의 문자의 구성 원리를 이용하
면 눈에 보이지 않는 것, 묘사할 수 없는 것, 추상적인 것을 순수하게 시각적인 방식으로 표
현할 수 있다는 결론이 나온다.

그러나 개별 장면들의 시간적 병치를 통해서 이루어낸 추상적 의미는 영화를 보는 관객의
머릿속에서만 존재한다. 따라서 이런 방식으로 만들어진 영화를 보면서 거기에 담긴 의미
를 구성해 내는 것은 관객의 몫으로 남게 된다.

에이젠슈테인이 추상적 의미를 시각적으로 표현하기 위해 인위적인 방식의 편집을 중시
한 반면, 앙드레 바쟁은 인위적인 개별 장면의 병치는 관객의 몰입을 방해하고, 현실을 그대
로 보여 주지 못한다는 점에서 그의 견해를 반대하였다. 영화는 현실을 있는 그대로 반영하
여야 하며, 영화 제작자는 어떠한 의미를 상징적으로 ⓐ구성(構成)하여 관객에게 전달하는
것이 아니라 현실이 가지고 있는 모호함 그대로를 영화로 보여 주면서 관객에게 그 판단을
맡겨야 한다는 것이다.

앙드레 바쟁은 두 가지 핵심 내용을 주장한다. 첫째, 모든 현실의 사건이 갖는 의미는 선
험적으로 파악될 수 없으므로 현실은 '모호성'을 갖는다는 것이다. 둘째, 영화는 가능한 한
현실의 이러한 특성을 파괴하지 않으면서 현실을 재생산하는 '존재론'적인 의미를 가진다는
것이다. 이는 영화는 모호성을 갖는 현실을 그대로 ⓑ재현(再現)해야 한다는 의미이다. 바
쟁은 이와 같은 현실의 모호성을 포착하려면 영화감독들이 참을성 있는 관찰자가 되어야
한다고 주장하였으며, 인상적이고 극적인 효과를 주기 위해 사용하는 편집 기법인 몽타주*
는 현실을 사실적으로 재현할 때 현실을 훼손할 수 있으므로 매우 한정된 범위에서만 사용

1 문단:

2 문단:

3 문단:

4 문단:

5 문단:

되어야 한다고 하였다.

그는 편집된 영화는 편집자의 의도를 ⓒ반영(反映)한 장면을 보여 줌으로써 관객의 권리를 박탈한다고 보았다. 포수와 호랑이가 대립하고 있는 장면을 예를 들어 보자. 포수가 호랑이를 잡을 수도 있고 못 잡을 수도 있으며, 어떤 경우에는 포수가 호랑이에게 잡아 먹힐 수도 있는 상황이다. 그는 이처럼 한 공간에서 동시에 일어나고 있는 상황을 있는 그대로 한 화면 안에 담아야 한다고 생각했으며, 이것이 진짜 현실이고 이것을 보여 주어야 관객이 상황의 긴박성과 대립성을 제대로 이해할 수 있다고 보았다. 만약 이 상황을 포수의 숏과 호랑이 숏을 교차로 편집하여 제시한다면 바쟁은 이것을 진실이 아닌 편집자의 해석으로 볼 것이다. 이와 같은 사례에서 볼 수 있는 것처럼 바쟁은 몽타주를 현실에 하나의 의미를 강제로 ⓓ부여(附與)하여 영화가 현실의 가능성을 관객에게 제약적으로 전달하는 것이라고 보았다. 따라서 그는 관객에게 현실을 그대로 보여 줄 수 있는 롱숏, 장시간 촬영에 가치를 두었다.

영화에서 몽타주 등의 편집을 통해 시각적 표현을 중시한 에이젠슈테인과 롱숏, 장시간 촬영 등을 통해 있는 그대로의 현실을 보여 주려 노력했던 앙드레 바쟁의 이론은 현대 영화 이론의 두 축을 형성하면서 영화 이론의 발전에 크게 ⓔ기여(寄與)하였다.

* 몽타주: 영화나 사진 편집 구성의 한 방법. 따로따로 촬영한 화면을 적절하게 떼어 붙여서 하나의 긴밀하고도 새로운 장면이나 내용으로 만드는 일. 또는 그렇게 만든 화면.

6문단:

7문단:

주제:

정답 및 해설 ○ 184쪽

예술 02

01 윗글에 대한 설명으로 가장 적절한 것은?

① 영화 이론의 변천 과정을 시대 순으로 나열하고 있다.
② 주류 영화 이론을 소개하고 이에 대해 비판하고 있다.
③ 영화를 설명하는 주요 이론들을 열거하고 이를 통합하고 있다.
④ 영화에 대한 상반된 이론을 제시하고 두 이론의 차이를 언급하고 있다.
⑤ 대표적인 영화 이론을 요약하고 새로운 영화 이론 연구의 방향을 제시하고 있다.

문제 Guide 지문의 서술 방식과 제시된 정보를 정확하게 파악할 수 있는지를 평가하는 문제이다. 선택지에 언급된 내용이 지문의 어느 부분에 드러나 있는지를 찾은 후, 서술 방식을 살펴보아야 한다.

02 다음 중 '에이젠슈테인'의 견해에 대한 설명으로 가장 적절한 것은?

① 에이젠슈테인은 영화의 편집이 관객의 권리를 박탈하는 것일 수 있다고 생각하였다.
② 에이젠슈테인은 영화의 개별 장면과 회의 문자 사이에 구조적 유사성이 있고 보았다.
③ 에이젠슈테인은 영화의 정신적인 의미는 개별 장면들의 특성으로 환원될 수 있다고 보았다.
④ 에이젠슈테인은 영화 외의 영역에서도 추상적 의미를 시각적으로 표현할 수 있는 원리를 끌어낼 수 있다고 보았다.
⑤ 에이젠슈테인은 영화에서 추상적인 의미를 표현하기 위해 가장 중요한 것은 언어적 요소를 이용하는 것이라고 보았다.

문제 Guide 지문의 핵심 내용인 에이젠슈테인의 견해를 파악하고 있는지를 확인하는 문제이다. 에이젠슈테인의 견해가 드러나 있는 1, 2, 3 문단의 내용을 선택지와 1:1로 비교하여 정답을 찾도록 한다.

03 문맥상 ⊙과 같은 방법으로 만들어진 표현이 <u>아닌</u> 것은?

① 선생님은 <u>얼굴을 익히려고</u> 그 학생을 유심히 바라보았다.
② 나불거리는 아이들의 <u>입방아</u> 때문에 정신이 없었다.
③ 네 이야기는 <u>모순</u>이 있어 잘 이해할 수가 없다.
④ 그 이야기를 듣자 모두들 <u>배꼽을 쥐었다</u>.
⑤ 그는 <u>개밥에 도토리</u> 신세가 되었다.

문제 Guide　문맥을 고려하여 구절의 의미를 이해하고 그 특징을 파악할 수 있는지를 평가하는 문제이다. ⊙은 '각각의 의미를 지닌 두 문자'가 '결합'하여 '새로운 의미'를 만들어 냈다는 의미이므로, 선택지 가운데 이러한 의미와 거리가 먼 것이 무엇인지 살펴보도록 한다.

04 [보기 2]는 [보기 1]의 영화를 보고 나눈 대화의 일부이다. ⓛ을 바탕으로 할 때, [보기 2]의 ⓐ에 들어갈 내용으로 가장 적절한 것은?

문제 Guide　지문의 내용을 고려하여 자료를 해석할 수 있는지를 평가하는 문제이다. '개별 장면'과 개별 장면을 '결합시킨 것'이 무엇에 해당하는지를 생각해 보고, [보기 2]의 대화에서 그것들이 각각 어떻게 구현되어 있는지를 살펴보도록 한다.

┌─ 보기 1 ┐

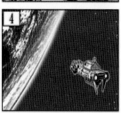

– 스탠리 큐브릭 감독, 「2001, 스페이스 오디세이」에서 –

┌─ 보기 2 ┐

철수: 영화는 좋았는데, 한 대목이 이해가 안 되네. 원시인이 소 정강이뼈를 하늘 높이 던지는 장면 있잖아. 그리고 아무 설명 없이 원시 시대에서 갑자기 우주 시대로 바뀌고 공간도 완전히 바뀌는데, 어떻게 장면을 그런 식으로 연결할 수 있지?
영희: 맞아, 두 장면의 연결이 충격적이지. 근데 그 앞부분 내용은 기억나니?
철수: 응, 한 원시인이 우연히 소 정강이뼈를 만지작거리게 되잖아. 그리고 그 뼈로 자기보다 더 큰 동물을 잡고, 다른 힘센 부족과 싸움도 벌이지. 그 뼈 덕분에 승리를 거두고 나서 그것을 하늘로 던지는 장면이 나오지.
영희: 정확히 기억하네. 여기서 그 뼈와 우주선을 연결시키는 어떤 개념이 없다면 이 연결은 설명이 안 돼. 뼈와 우주선을 연결하면 그 개념이 나오지.
철수: 좀 더 자세히 설명해 줘.
영희: (　　　　　　　　ⓐ　　　　　　　　)

① 원시의 황야와 우주 공간이 이어지니까, 여기서 '거대한 공간과 싸우는 인간'이라는 개념을 만들어 낼 수 있지.
② 인류는 개인의 힘은 약하지만 집단을 이루어 우주를 개척할 수 있었어. 여기서 '인간의 사회성'이라는 개념을 추론할 수 있지.
③ 우주 개척 시대는 뛰어난 지도력과 관계가 깊고 그 덕분에 새로운 시대가 열린 것이니까, 여기서 '정치'라는 개념이 부각되지.
④ 원시인이 기쁨에 차서 뼈를 던지고 이것이 우주선의 경쾌한 운동과 이어지잖아. 여기서 '유희적 인간'이라는 개념을 도출할 수 있지.
⑤ 정교한 우주선도 결국 동물 뼈와 같은 초보적인 도구가 발달하여 만들어진 거잖아. 여기서 '도구의 사용'이라는 개념을 이끌어 낼 수 있지.

05 윗글을 바탕으로 [보기]를 이해한 것으로 적절하지 <u>않은</u> 것은?

┤보기├

　에이젠슈테인의 몽타주 이론은 그의 대표작인 「전함 포템킨」에 잘 반영되어 있다. ⓐ오 뎃사 계단에서의 학살, 수병들의 반란, 포화, 그리고 이러한 것들이 ⓑ엎드렸다가 일어서서 포효하는 모습의 사자 석상의 이미지의 연결과 병치된다. 사실 수병들의 반란과 사자의 석상은 아무런 연관성이 없는 것 같지만, 에이젠슈테인은 이들을 병치시킴으로써 ⓒ잠자고 있던 사자가 '분노'로 인해 깨어 일어난 듯한 의미를 부여한 것이다. 그는 이러한 이미지의 충돌을 통해 문학에서의 상징이 영화에서도 구현될 수 있기를 바랐다.

① ⓐ와 ⓑ를 병치한 장면을 본 관객은 스스로 그 의미를 구성하고 이해한다.

② ⓐ와 ⓑ가 하나의 화면에서 자연스럽게 결합되어야 ⓒ의 의미가 분명하게 드러난다.

③ ⓐ와 ⓑ의 이미지가 결합됨으로써 각각이 가지는 의미를 넘어서는 새로운 의미가 창출된다.

④ ⓑ 대신 일어서 있던 사자가 조용히 엎드리는 모습을 대입하면 ⓒ의 의미와는 완전히 다른 의미가 된다.

⑤ 시각적으로 표현할 수 있는 ⓐ와 ⓑ를 결합하여 시각적으로 표현할 수 없는 상징적인 의미인 ⓒ를 표현한 것이다.

문제 Guide 지문의 내용을 이해하고 다른 자료에 응용하여 해석할 수 있는지를 평가하는 문제이다. 개별 장면들이 시간적 병치를 통해서 추상적 의미를 보여 준다는 것이 [보기]에 언급된 「전함 포템킨」에 어떻게 실현되었는지를 파악해 보도록 한다.

예술 02

06 ⓐ~ⓔ의 사전적 의미로 적절하지 <u>않은</u> 것은?

① ⓐ: 형상화를 위한 여러 요소들을 유기적으로 배열하거나 서술함.

② ⓑ: 한 번 하였던 행위나 일을 다시 되풀이함.

③ ⓒ: 다른 것에 영향을 받아 어떤 현상이 나타남. 또는 어떤 현상을 나타냄.

④ ⓓ: 사물이나 일에 가치·의의 따위를 붙여 줌.

⑤ ⓔ: 도움이 되도록 이바지함.

문제 Guide 어휘의 사전적 의미를 정확히 파악할 수 있는지 평가하는 문제이다. 어휘만 보고 의미를 파악하기 어렵다면 지문 속에서 각 어휘의 문맥적 의미를 추리해 보도록 한다.

✔ 약점 찾는 체크리스트

문항	문제 유형	정답 체크					나의 오답 노트
		맞음	틀림				
			개념 이해 부족	유형 이해 부족	내용 이해 부족	헷갈림 /실수	
01	내용 전개 방식의 파악						
02	핵심 정보의 이해						
03	세부 내용의 이해와 적용						
04	자료 해석의 적절성 판단						
05	구체적 상황에 적용						
06	어휘의 사전적 의미 파악						
	내가 쓰는 총평						

예술
03

| 제재 | 예술_미학 | 난이도 | 상 | 제한 시간 | 8분 40초 |

| 1회독 | 월 일 | 소요 시간: |

지문 독해 전략 | 이 글은 칸트의 취미 판단 이론을 설명한 지문이다. 칸트가 취미 판단 이론을 주장하게 된 원인과 취미 판단 이론의 개념 등을 파악하며 읽어야 한다. 이 때 규정적 판단과 취미 판단의 공통점과 차이점을 정리하며 읽는 것도 지문을 이해하는 데 도움을 준다.

| 2회독 | 월 일 | 소요 시간: |
| 3회독 | 월 일 | 소요 시간: |

[01~06] 다음 글을 읽고 물음에 답하시오.

근대 초기의 합리론은 이성에 의한 확실한 지식만을 중시하여 미적 감수성의 문제를 거의 논외로 하였다. 미적 감수성은 이성과는 달리 어떤 원리도 없는 자의적인 것이어서 '세계의 신비'를 푸는 데 거의 기여하지 못한다고 ㉠여겼기 때문이다. 이러한 근대 초기의 합리론에 맞서 칸트는 미적 감수성을 '미감적 판단력'이라 부르면서, 이 또한 어떤 원리에 의거하며 결코 이성에 못지않은 위상과 가치를 지닌다는 주장을 ㉡펼친다. 이러한 작업에서 핵심 역할을 하는 것이 그의 취미 판단 이론이다.

1문단:

[A]
취미 판단이란, 대상의 미·추를 판정하는, 미감적 판단력의 행위이다. 모든 판단은 'S는 P이다.'라는 명제 형식으로 환원되는데, 그 가운데 이성이 개념을 통해 지식이나 도덕 준칙을 구성하는 '규정적 판단'에서는 술어 P가 보편적 개념에 따라 객관적 성질로서 주어 S에 부여된다. 이와 유사하게 취미 판단에서도 P, 즉 '미' 또는 '추'가 마치 객관적 성질인 것처럼 S에 부여된다. 하지만 실제로 취미 판단에서의 P는 오로지 판단 주체의 쾌 또는 불쾌라는 주관적 감정에 의거한다. 또한 규정적 판단은 명제의 객관적이고 보편적인 타당성을 지향하므로 하나의 개별 대상뿐 아니라 여러 대상이나 모든 대상을 묶은 하나의 단위에 대해서도 이루어진다. 이와 달리, 취미 판단은 오로지 하나의 개별 대상에 대해서만 이루어진다. 즉 복수의 대상을 한 부류로 묶어 말하는 것은 이미 개념적 일반화가 되기 때문에 취미 판단이 될 수 없는 것이다. 한편 취미 판단은 오로지 대상의 형식적 국면을 관조하여 그것이 일으키는 감정에 따라 미·추를 판정하는 것 이외의 어떤 다른 목적도 배제하는 순수한 태도, 즉 미감적 태도를 전제로 한다. 취미 판단에는 대상에 대한 지식뿐 아니라, 실용적 유익성, 교훈적 내용 등 일체의 다른 맥락이 ㉢끼어들지 않아야 하는 것이다.

2문단:

중요한 것은 취미 판단이 기본적으로 공동체적 차원의 것이라는 점이다. 순수한 미감적 태도를 취할 때, 취미 판단의 주체들은 미감적 공동체를 이루고 있다고 할 수 있다. 왜냐하면 그 구성원들 간에는 '공통감'이라 불리는 공통의 미적 감수성이 전제로 작용하고 있기 때문이다. 이때 공통감은 취미 판단의 미적 규범 역할을 한다. 즉 공통감으로 인해 취미 판단은 규정적 판단의 객관적 보편성과 구별되는 '주관적 보편성'을 ㉣지니는 것으로 설명된다. 따라서 어떤 주체가 내리는 취미 판단은 그가 속한 공동체의 공통감을 예시한다.

3문단:

그리고 취미 판단은 비록 개념적 인식을 도출하는 규정적 판단과는 다르지만, 하나의 인식 행위이다. 따라서 미적-감성적인 취미 판단에서도 인식 행위를 담당하는 상상력과 지성이라는 인식 능력들의 역할과 기능은 축소되거나 배제되지 않는다. 그러나 결정적인 것은 두 인식 능력들 간의 관계가 인식 판단 때와는 전혀 다르다는 사실이다. 규정적 판단의 경우 개념 형성에 있어서 지성이 능동적이며 주도적인 역할을, 상상력은 수동적이며 종속적인 역할을 하는 반면에, 취미 판단에서는 이 두 인식 능력들 간의 관계는 대등하고 상호 보완적이며 상호 활성화의 관계로 변환된다. 칸트가 '조화'로 규정한 이러한 새로운 관계는 구체적으로는 이 두 인식 능력 사이의 '자유로운 유희'의 형태로 나타난다.

4문단:

자유로운 유희에서 상상력은 더 이상 지성이 부여하는 규칙, 즉 특정한 동기나 관점에 부합하는 것들만을 선택해야 하는 규칙에 얽매이지 않고 자유롭게 모든 다양한 자료들을

5문단:

임의적으로 다루며 자신의 기능을 수행할 수 있다. 하지만 다양한 요소들을 합성하여 하나의 통일된 전체를 형성하기 위해서는 기준이 될 법칙이 필연적인데, 상상력은 자체적으로 합법칙적이 되지 못하기에 그 기능을 올바르게 수행하기 위해서는 법칙을 통한 지성의 도움을 받아야 한다. 반면 지성은, 규정적 판단 때와는 달리 상상력으로 하여금 하나의 특정한 개념적 관점에서 벗어나 자유롭게, 그러나 일탈에 흐르지 않는 합법칙성의 한계 안에서 다양한 것을 포착하고 선택할 수 있도록 규정해준다. 또한 이렇게 규정된 상상력으로부터 어떠한 확정적인 내용적 연관성도 가지지 않은 무수히 많은 자료들을 넘겨받아 자신의 개념 형성의 능력을 자유롭게 시험해보게 된다. 이처럼 취미 판단 때의 인식 능력들 사이에 이루어지는 자유로운 유희는 자유 안의 상상력과 합법칙성 안의 지성의 합치이고, 서로를 교차적으로 촉진시키는 심성적 능력들의 상태에 대한 주체의 의식이 취미 판단에서의 쾌 · 불쾌의 감정인 것이다. 그리고 이 유쾌한 감정 상태에 대한 표현이 '아름답다'라는 판단이다. 따라서 이 미적 판단은 판단 대상과는 관련되지 않고, 대상을 바라보는 판단 주체와만 관계되는, 즉 철저하게 '주관적' 판단인 것이다.

이러한 분석을 통해 칸트가 궁극적으로 지향한 것은 인간의 총체적인 자기 이해이다. 그에 따르면 '인간은 무엇인가?'라는 물음의 답변을 얻고자 한다면, 이성뿐 아니라 미적 감수성에 대해서도 그 고유한 원리를 설명해야 한다. 게다가 객관적 타당성은 이성의 미덕인 동시에 한계가 되기도 한다. '세계'는 개념으로는 낱낱이 밝힐 수 없는 무한한 것이기 때문이다. 반면 미적 감수성은 대상을 개념적으로 규정할 수는 없지만 역으로 개념으로부터의 자유를 통해 세계라는 무한의 영역에 더 가까이 다가갈 수 있다. 칸트의 이러한 논변을 통해 오늘날에는 미적 감수성을 심오한 지혜의 하나로 보는 견해가 ⓜ퍼져 있다.

6문단:

주제:

정답 및 해설 ◑ 190쪽

01 윗글에 대한 이해로 가장 적절한 것은?

① 칸트는 미감적 판단력과 규정적 판단력이 동일하다고 보았다.
② 칸트는 이성에 의한 지식이 개념의 한계로 인해 객관적 타당성을 결여한다고 보았다.
③ 칸트는 미적 감수성이 비개념적 방식으로 세계에 대한 객관적 지식을 창출한다고 보았다.
④ 칸트는 미감적 판단력을 본격적으로 규명하여 근대 초기의 합리론을 선구적으로 이끌었다.
⑤ 칸트는 미적 감수성의 원리에 대한 설명이 인간의 총체적 자기 이해에 기여한다고 보았다.

문제 Guide 칸트의 주장과 견해를 파악할 수 있는지 평가하는 문제이다. 지문에서 취미 판단과 관련된 칸트의 주장을 정확히 파악해야 한다.

02 [A]에 제시된 '취미 판단'에 대한 이해로 적절하지 않은 것은?

① '이 장미는 아름답다.'는 취미 판단에 해당한다.
② '유용하다'는 취미 판단 명제의 술어가 될 수 없다.
③ '모든 예술'은 취미 판단 명제의 주어가 될 수 없다.
④ '이 영화의 주제는 권선징악이어서 아름답다.'는 취미 판단에 해당한다.
⑤ '이 소설은 액자식 구조로 이루어져 있다.'는 취미 판단에 해당하지 않는다.

문제 Guide 지문의 핵심 정보를 이해하고 있는지 평가하는 문제이다. 취미 판단의 주어와 술어의 특징, 취미 판단의 조건 등을 파악하여 선택지의 명제들이 취미 판단이 될 수 있는지를 판단해야 한다.

03 윗글을 통해 추론한 내용으로 적절하지 <u>않은</u> 것은?

① 개념적 규정은 예술 작품에 대한 취미 판단을 가능하게 한다.
② 공통감은 미감적 공동체에서 예술 작품의 미를 판정할 보편적 규범이 될 수 있다.
③ 특정 예술 작품에 대한 사람들의 취미 판단이 일치하는 것은 우연으로 볼 수 없다.
④ 예술 작품에 대한 나의 취미 판단은 내가 속한 미감적 공동체의 미적 감수성을 보여 준다.
⑤ 예술 작품에 대해 순수한 미감적 태도를 취하지 못하면 그 작품에 대한 취미 판단이 가능하지 않다.

문제 Guide 글에 직접적으로 언급되지 않은 내용을 추론하고 그 적절성을 파악할 수 있는지 평가하는 문제이다. '개념적 규정', '공통감' 등에 대해 설명하고 있는 문단의 내용을 참고해야 한다.

04 윗글의 상상력과 지성에 대한 설명으로 가장 적절한 것은?

① 취미 판단 시 상상력과 지성의 관계는 규정적 판단 시와 유사하다.
② 규정적 판단 시 상상력이 주도적인 역할을, 지성이 종속적인 역할을 한다.
③ 규정적 판단 시 지성은 상상력과 '조화'의 관계를 이루며 개념적 인식을 도출한다.
④ 취미 판단 시 상상력은 특정한 동기나 관점에 부합하는 것들만을 선택하게 된다.
⑤ 취미 판단 시 상상력은 합법칙성의 한계 내에서 자유롭게 자신의 기능을 수행한다.

문제 Guide 지문의 세부 정보에 대해 이해하고 적절히 비교를 할 수 있는지 묻는 문제이다. 4문단과 5문단에서 '상상력'과 '지성'을 어떻게 설명하고 있는지 꼼꼼히 살펴보아야 한다.

05 윗글을 바탕으로 [보기]의 ⓐ~ⓔ를 이해한 것으로 적절한 것은?

⎯ 보기 ⎯

스페인 출신의 화가 피카소는 1907년 그의 초기 걸작 〈아비뇽의 처녀들〉을 발표하였다. 피카소는 대상을 재현하는 전통적 회화의 방법에 불만을 품고 〈아비뇽의 처녀들〉에서 ⓐ전통적인 신체 묘사 기법에서 벗어나 완전히 인간의 신체를 왜곡하고, 얼굴을 아프리카 부족의 가면처럼 묘사하는 매우 혁신적인 화풍을 선보였다. 도발적인 포즈로 감상자를 응시하는 캔버스 속 인물들은 ⓑ전통적인 아름다움이 아닌 ⓒ유쾌하지 않은 불편함을 안겨주었기에 이 작품이 처음 전시되었을 때 ⓓ화가와 평론가들의 혹평이 쏟아졌다. 하지만 피카소의 스튜디오를 찾은 딜러 ⓔ다니엘 칸바일러는 피카소의 예술성에 깊이 매료됐다. 피카소가 "칸바일러가 없었다면 현재의 나도 없었을 것"이라고 말했듯 칸바일러는 피카소가 당대를 풍미할 수 있도록 적극적으로 내조하였다. 이렇게 피카소의 〈아비뇽의 처녀들〉에서 출발하여 발전한 입체파 미술, 큐비즘이라 불리는 이 사조는 당시 파리의 화단에서 냉혹한 비판을 받았으나 점차 긍정적인 평가를 받게 되었으며, 피카소는 현재 20세기 현대 미술의 대표 화가로 손꼽히고 있다.

① 〈아비뇽의 처녀들〉이 ⓐ에서 벗어났다고 판단하기 위해서는 감상자의 지성과 상상력이 대등한 관계로 변환되어야겠군.
② ⓑ의 존재는 취미 판단이 객관적 보편성을 지니고 있음을 보여 주는군.
③ ⓒ는 인식 능력들의 상호 활성화 상태에 대한 주체의 의식에서 비롯된 감정이겠군.
④ ⓓ에서 취미 판단이 주체의 주관적 판단이 아닌 객관적 차원의 판단임을 알 수 있군.
⑤ ⓔ가 〈아비뇽의 처녀들〉에 대해 내린 취미 판단은 그가 속한 공동체의 공통감을 보여 주는 것이겠군.

문제 Guide 취미 판단에 대해 파악하고 이를 구체적 사례에 적용하여 이해할 수 있는지를 평가하는 문제이다. [보기]에 제시된 작품이나 작가의 특징을 이해하는 문제가 아님에 유의해야 한다.

06 문맥상 ⑦~⑩과 바꿔 쓰기에 적절하지 <u>않은</u> 것은?

① ⑦: 간주했기
② ⑥: 피력한다
③ ⑥: 개입하지
④ ⑥: 소지하는
⑤ ⑥: 확산되어

문제 Guide 어휘의 문맥적 의미를 파악할 수 있는지를 확인하는 문제이다. 선택지에 제시된 어휘를 지문의 ⑦~⑩에 넣어보고 문맥이 자연스러운지를 살펴보아야 한다.

예술 03

✔ 약점 찾는 체크리스트

문항	문제 유형	정답 체크					나의 오답 노트
		맞음	틀림				
			개념 이해 부족	유형 이해 부족	내용 이해 부족	헷갈림 /실수	
01	세부 정보의 파악						
02	핵심 정보의 파악						
03	세부 정보의 추론						
04	세부 정보의 비교						
05	구체적 사례에 적용						
06	어휘의 문맥적 의미 판단						
	내가 쓰는 총평						

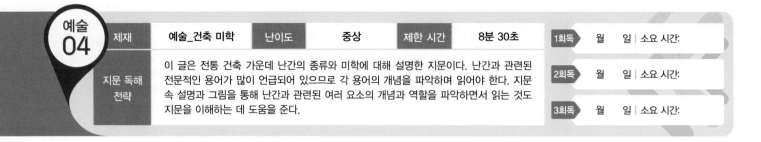

예술 04

제재 | 예술_건축 미학　난이도 | 중상　제한 시간 | 8분 30초

지문 독해 전략 | 이 글은 전통 건축 가운데 난간의 종류와 미학에 대해 설명한 지문이다. 난간과 관련된 전문적인 용어가 많이 언급되어 있으므로 각 용어의 개념을 파악하며 읽어야 한다. 지문 속 설명과 그림을 통해 난간과 관련된 여러 요소의 개념과 역할을 파악하면서 읽는 것도 지문을 이해하는 데 도움을 준다.

1회독 | 월　일 | 소요 시간:
2회독 | 월　일 | 소요 시간:
3회독 | 월　일 | 소요 시간:

[01~06] 다음 글을 읽고 물음에 답하시오.

우리의 전통 가옥이나 누정, 사찰, 궁궐의 건축물 등에서 쉽게 볼 수 있는 것이 난간(欄干)이다. 선인들의 작품에 '난간에 기대어'라는 표현이 심심찮게 나올 정도로 난간에는 우리 조상들의 삶의 숨결과 미의식이 깃들어 있다. ⓐ자칫 소홀하게 여길 수 있는 거주 공간의 끝자락에서도 선인들은 여유와 미감을 찾고자 했던 것이다.

난간의 발생이 언제부터인지 확실하지는 않지만, 고구려의 장군총, 백제의 동탑편, 통일 신라의 안압지 등 삼국 시대 건축물에서 많이 발견된 것으로 보아 삼국 시대 이전으로 추정된다. 난간은 ⓑ원래 사람들의 추락을 막기 위한 목적으로 마루, 계단, 다리 등에 설치되었다. 지면보다 높은 곳에서 사람이 떨어지는 것을 막기 위해 만들어졌기 때문에 난간은 외부에 설치되었고, 건물을 꾸미는 치장재의 역할도 하게 되었다. 또한 난간은 건물의 일부분이면서 내부 거주자를 외부로 이끄는 완충 공간의 역할을 한다.

난간은 재료에 따라 목조 난간과 석조 난간으로 나뉘는데 목조 난간은 누각(樓閣), 정자(亭子), 툇마루 등에 보편적으로 설치되었고, 석조 난간은 궁궐 정전(政殿)의 기단이나 돌다리 등에만 드물게 설치되었다. 우리의 전통 건축물이 대부분 목조 양식이기 때문에 석조 난간보다는 목조 난간이 널리 설치된 것이다. 목조 난간은 크게 계자 난간(鷄子欄干)과 평난간(平欄干)으로 구분된다. 계자 난간은 계자각(鷄子脚)을 동자(童子)로 하여 난간을 지지하도록 만든 난간이다. 여기서 계자각은 두껍고 넓은 평판을 닭의 다리모양처럼 위쪽이 밖으로 삐쳐 나온 형태로 오려내어 만든다. 이는 측면에서 보면 까치발처럼 생겼는데 판재에 덩굴 문양을 조각해 만든다. 계자 난간은 위로 올라갈수록 밖으로 튀어나오도록 만들기 때문에 난간대가 밖으로 튀어나오게 되며, 건물 안쪽에서는 난간대가 손에 스치지 않는 여유가 생긴다. 평난간은 계자각이 없이 바닥과 수직으로 세워진 난간으로, 난간상방 위에 바로 하엽을 올리고 하엽 위에 난간대를 건 형태이다.

목조 난간은 일반 민가에서 쉽게 볼 수 있는 질박하고 수수한 난간에서부터 멋과 미감을 살린 계자 난간으로 발전되어 갔다. 민가에서 주로 보이는 보통의 난간이 특별한 장식 없이 널빤지으로 잇는 소박한 형태였다면, 계자 난간은 궁판(穹板)에 궁창(穹窓)을 만들어 잇기도 하고, 때로는 궁판 대신에 다양한 모양의 살창을 끼워 ⓒ한껏 멋을 살리기도 하였다. 또한 동자를 짜서 마루와 궁판에 끼워 난간을 튼튼하게 만들면서도 장식미를 드러내고 있다. 난간은 오채(五彩)를 뽐내는 단청의 화려함이나 서까래로 잘 짜 맞춘 대들보의 단단함에는 비길 수 없지만, 그 나름대로 질박하면서도 화사한 멋과 야무진 짜임새를 ⓓ고루 갖추고 있다.

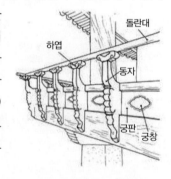

목조가 연출하는 난간의 건축 미학은 자연 친화성에서 나온다. 난간은 특히 독특한 색깔과 무늬로 다른 건축 재료와 조화를 이루는 나무 본래의 특성을 ⓔ잘 살리고 있다. 멀리서 볼 때 주변 환경과 멋들어지게 어울리는 건물의 품새와 잘 짜인 구성미를 살릴 수 있었던 것도 나무로 만든 난간이 바탕이 되었기 때문이다. 난간을 지을 때 하엽(荷葉)과 돌란대를 단단히 고정시키기 위해 박는 국화 모양의 나무못에서도 자연 친화적인 선인들의 미의식을

지문 분석 Note

1문단:

2문단:

3문단:

4문단:

5문단:

확인할 수 있다.

그리고 궁창은 수복강녕(壽福康寧)을 상징하는 거북이나 구름뿐 아니라 연꽃 등 다양한 모양으로 만들어지기도 한다. 여기에는 장식적 목적도 있었지만 답답하게 느껴질 수 있는 건물 내부 공간을 시원스럽게 개방함으로써 자연스레 바깥 세계를 끌어들이기 위한 의도도 들어 있다. 여름날 툇마루나 대청마루의 난간 창살 사이로 살랑살랑 불어오는 시원한 미풍의 감촉도 바로 이러한 ㉠난간의 공간 미학적 특징에서 비롯된다.

[A]
석조 난간은 석재, 주로 화강암이 주재료로 사용되는 난간으로, 위치에 따른 구조적 안전성과 재료의 내구성을 고려하여 건물의 기단 그리고 돌계단, 돌다리 등에 설치되었다. 석조 난간은 지대석을 놓고 일정 간격으로 동자기둥(童子柱石)을 세우며 동자기둥 사이에는 하엽석(荷葉石)을 놓고 이 위에 동자기둥 사이를 건너지르는 난간석을 올린다. 난간석은 대개 팔각으로 만들어지는데 이를 돌란대라고 부른다. 그리고 다리가 시작되는 양쪽에는 동자기둥보다 굵고 높은 기둥석을 세우고 서수상(瑞獸像)을 올리기도 하는데 이를 법수석(法首石)이라고 한다. 동자기둥 위에는 연봉을 조각하는 것이 보통이다.

이처럼 난간은 실용적인 목적을 지닌 건축의 일부분이면서 독특한 미학을 보여주는 공간이라고 볼 수 있다. 또한 선인들의 삶의 지혜와 미의식을 곳곳에서 발견할 수 있는 난간이야말로 우리 건축물의 아름다움을 잘 보여 주는 소중한 문화유산이다.

정답 및 해설 ○ 196쪽

6문단:

7문단:

8문단:

주제:

예술 04

01 윗글에 대한 설명으로 가장 적절한 것은?

① 난간의 발전 과정을 통시적 관점에서 단계적으로 서술하고 있다.
② 난간의 구성 및 제작 과정에 담긴 과학적 원리를 규명하고 있다.
③ 난간의 종류를 분류하고 난간의 건축 미학과 의의를 제시하고 있다.
④ 구체적인 건축물의 난간을 예로 들며 난간의 특징을 설명하고 있다.
⑤ 전통 건축의 난간이 현대 건축의 난간에 끼친 영향을 분석하고 있다.

문제 Guide 글의 내용과 그 전개 방식을 파악할 수 있는지를 평가하는 문제이다. 먼저 중심 화제를 찾고, 어떤 방식으로 이를 풀어나가고 있는지 살펴보아야 한다.

02 윗글의 내용과 일치하지 않는 것은?

① 난간은 사람들의 추락을 막고자 설치된 것이다.
② 난간은 건물을 꾸미는 역할과 완충 공간의 역할을 한다.
③ 난간은 삼국 시대 이후부터 건축물에 설치된 것으로 추정된다.
④ 계자 난간과 평난간을 구분하는 기준은 계자각의 설치 유무이다.
⑤ 전통 건축물에서는 석조 난간보다 목조 난간을 많이 찾아볼 수 있다.

문제 Guide 지문의 내용을 정확하게 이해했는지를 묻는 문제이다. 대부분의 선택지가 지문의 내용을 약간씩 수정한 것이므로, 수정된 부분이 적절한지를 꼼꼼히 확인해야 한다.

03 윗글을 읽고 난 학생들의 반응으로 적절하지 <u>않은</u> 것은?

① 난간의 궁판에 살창을 내는 것은 계자 난간의 공통적 요소였겠군.
② 일반 민가의 난간에서는 궁창의 다양한 모양을 찾기가 어렵겠군.
③ 궁창의 모양에는 미적 목적 외에 장수를 기원하는 목적도 있겠군.
④ 동자는 난간의 실용성과 아름다움을 동시에 고려한 것이군.
⑤ 난간은 작은 부분에서도 자연 친화적인 느낌을 살렸군.

문제 Guide 글의 내용을 숙지하고 적절히 반응할 수 있는지를 평가하는 문제이다. '난간'을 구성하는 '궁판', '궁창', '동자' 등의 개념을 중심으로 지문의 내용을 꼼꼼히 확인해야 한다.

04 ㉠의 내용으로 가장 적절한 것은?

① 난간은 목적에 따라 다양한 모습으로 변형이 가능하다.
② 난간은 삶의 여유와 운치를 드러내는 소중한 문화재이다.
③ 난간은 안과 밖의 경계이면서 동시에 안과 밖의 연계이다.
④ 난간은 외부보다는 내부의 실용성을 드러내는 데 기여한다.
⑤ 난간은 주위 환경의 물리적 변형 없이 자연스럽게 설계된다.

문제 Guide ㉠'난간의 공간 미학적 특징'이 의미하는 바를 파악할 수 있는지 평가하는 문제이다. 앞뒤 문맥과 글의 전체적인 흐름을 고려하여 ㉠의 내용을 파악해야 한다.

05 [A]를 바탕으로 [보기]를 이해한 내용으로 적절하지 <u>않은</u> 것은?

┤보기├

① ㄱ은 동자기둥 사이를 가로지르며 위쪽에 대부분 연봉을 조각하겠군.
② ㄴ은 일정한 간격을 유지하며 세우며 주로 화강암을 사용하겠군.
③ ㄷ은 동자기둥 사이에 놓여서 난간석을 받치겠군.
④ ㄹ은 대개 팔각으로 만들어지며 돌란석이라고 부르겠군.
⑤ ㅁ은 동자기둥보다 굵고 높으며 서수상을 올리겠군.

문제 Guide 석조 난간의 구성을 이해하고 있는지를 평가하는 문제이다. [보기]의 ㄱ~ㅁ이 무엇을 표시한 것인지 파악한 후, 선택지의 적절성을 판단해야 한다.

06 ⓐ~ⓔ를 바꾸어 쓴 말로 적절하지 <u>않은</u> 것은?

① ⓐ: 까딱하면

② ⓑ: 본디

③ ⓒ: 최대한

④ ⓓ: 한결같이

⑤ ⓔ: 제대로

문제 Guide 어휘의 문맥적 의미를 파악할 수 있는지를 평가하는 문제이다. ⓐ~ⓔ의 단어를 선택지에 제시된 단어로 대체할 수 있는지를 파악해야 한다.

예
술
04

✔ 약점 찾는 체크리스트

문항	문제 유형	정답 체크					나의 오답 노트
		맞음	틀림				
			개념 이해 부족	유형 이해 부족	내용 이해 부족	헷갈림 /실수	
01	내용 전개 방식의 파악						
02	세부 정보의 이해						
03	반응의 적절성 판단						
04	핵심 정보의 이해						
05	구체적 상황에 적용						
06	어휘의 문맥적 의미 파악						
	내가 쓰는 총평						

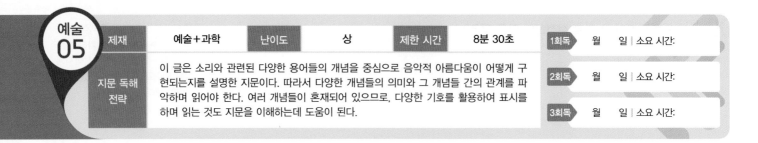

예술 05

| 제재 | 예술+과학 | 난이도 | 상 | 제한 시간 | 8분 30초 |

지문 독해 전략

이 글은 소리와 관련된 다양한 용어들의 개념을 중심으로 음악적 아름다움이 어떻게 구현되는지를 설명한 지문이다. 따라서 다양한 개념들의 의미와 그 개념들 간의 관계를 파악하며 읽어야 한다. 여러 개념들이 혼재되어 있으므로, 다양한 기호를 활용하여 표시를 하며 읽는 것도 지문을 이해하는데 도움이 된다.

1회독 월   일 | 소요 시간:
2회독 월   일 | 소요 시간:
3회독 월   일 | 소요 시간:

[01~06] 다음 글을 읽고 물음에 답하시오.

지문 분석 Note

음악은 소리로 이루어진 예술이다. 예술이 아름다움을 추구한다면 음악 또한 아름다움을 추구해야 할 것이다. 그렇다면 아름다운 음악 작품은 듣기 좋은 소리만으로 만들어질 수 있는 것일까? 음악적 아름다움은 어떻게 구현되는 것일까?

음악에서 사용하는 소리라고 해도 대부분의 사람들은 피아노 소리가 심벌즈 소리보다 듣기 좋다고 생각한다. 이 중 전자를 고른음, 후자를 시끄러운음이라고 한다. 고른음은 주기성을 갖지만 시끄러운음은 주기성을 갖지 못한다. 일반적으로 음악에서 '음'이라고 부르는 것은 고른음을 지칭한다. 고른음은 주기성을 갖기 때문에 동일한 파형이 주기적으로 반복된다. 이때 같은 파형이 1초에 몇 번 반복되는가를 진동수라고 한다. 진동수가 커지면 음 높이 즉, 음고가 높아진다. 고른음 중에서 파형이 사인파인 음파를 단순음이라고 한다. 사인파의 진폭이 커질수록 단순음은 소리의 세기가 커진다. 대부분의 악기에서 나오는 음은 사인파보다 복잡한 파형을 갖는데 이런 파형은 진동수와 진폭이 다른 여러 개의 사인파가 중첩된 것으로 볼 수 있다. 이런 소리를 복합음이라고 하고 복합음을 구성하는 단순음을 부분음이라고 한다. 부분음 중에서 가장 진동수가 작은 것을 기본음이라 하는데 귀는 복합음 속의 부분음들 중에서 기본음의 진동수를 복합음의 진동수로 인식한다.

악기가 ㉠내는 소리의 식별 가능한 독특성인 음색은 부분음들로 구성된 복합음의 구조, 즉 부분음들의 진동수와 상대적 세기에 의해 결정된다. 현악기나 관악기에서 발생하는 고른음은 기본음 진동수의 정수배의 진동수를 갖는 부분음들로 이루어져 있지만, 타악기 소리는 부분음들의 진동수가 기본음 진동수의 정수배를 이루지 않는다. 이러한 소리의 특성을

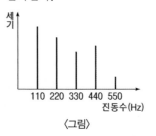

〈그림〉

시각적으로 보여 주는 소리 스펙트럼은 복합음을 구성하는 단순음 성분들의 세기를 진동수에 따라 그래프로 나타낸 것이다. 고른음의 소리 스펙트럼은 〈그림〉처럼 일정한 간격으로 늘어선 세로 막대들로 나타나는 반면에 시끄러운음의 소리 스펙트럼에서는 막대 사이 간격이 일정하지 않다.

[A]

두 음이 동시에 울리거나 연이어 울릴 때, 음의 어울림, 즉 협화도는 음정에 따라 달라진다. 여기에서 음정이란 두 음의 음고 간의 간격을 말하며 높은 음고의 진동수를 낮은 음고의 진동수로 나눈 값으로 표현된다. 가령, '도'와 '미' 사이처럼 장3도 음정은 5/4이고, '도'와 '솔' 사이처럼 완전5도 음정은 3/2이다. 그러므로 장3도는 완전5도보다 좁은 음정이다. 일반적으로 음정을 나타내는 분수를 약분했을 때 분자와 분모에 들어가는 수가 커질수록 협화도는 작아진다고 본다. 가령, 음정이 2/1인 옥타브, 3/2인 완전5도, 5/4인 장3도, 6/5인 단3도의 순서로 협화도가 작아진다. 서로 잘 어울리는 두 음의 음정을 협화 음정이라고 하고 그렇지 않은 음정을 불협화 음정이라고 하는데 16세기의 음악 이론가인 차를리노는 약분된 분수의 분자와 분모가 1, 2, 3, 4, 5, 6으로만 표현되는 음정은 협화 음정, 그 외의 음정은 불협화 음정으로 보았다.

아름다운 음악은 단순히 듣기 좋은 소리를 연이어 배열한다고 해서 만들어지지 않는다. 음악은 다양한 음이 조직적으로 연결되고 구성된 형태로, 음악의 매체인 소리가 시간의 진

행 속에 구체화된 것이라 할 수 있다. 19세기 음악 평론가인 ⓐ한슬리크에 따르면, 음악의 독자적인 아름다움은 음들이 '울리면서 움직이는 형식'에서 비롯되는데, 음악을 구성하는 음악적 재료들이 움직이며 만들어 ⓛ내는 형식 그 자체를 말한다. 따라서 음악의 가치는 음악이 환기하는 기쁨이나 슬픔과 같은 특정한 감정이나 정서에서 찾으려 해서는 안 된다는 것이다.

음악에는 다양한 음악적 요소들이 사용되는데, 여기에는 리듬, 가락, 화성, 셈여림, 음색 등이 있다. 리듬은 음고 없이 소리의 장단이나 강약 등이 반복될 때 나타나는 규칙적인 소리의 흐름이고, 가락은 서로 다른 음의 높낮이가 지속 시간을 가지는 음들의 흐름이다. 화성은 일정한 법칙에 따라 여러 개의 음이 동시에 울려서 생기는 화음과 또 다른 화음이 시간적으로 연결된 흐름이고, 셈여림은 음악에 나타나는 크고 작은 소리의 세기이며, 음색은 바이올린, 플루트 등 선택된 서로 다른 악기가 만들어 내는 식별 가능한 소리의 특색이다.

작곡가는 이러한 음악적 요소들을 활용해서 음악 작품을 만든다. 어떤 음악 작품에서 자주 반복되거나 변형되면서 등장하는 소재인 가락을 그 음악 작품의 주제라고 하는데, 작곡가는 자신의 음악적 아이디어를 주제로 구현하고 다양한 음악적 요소들을 사용해서 음악 작품을 완성한다. 예컨대 조성 음악*에서는 정해진 박자 내에서 질서를 가지고 반복적으로 움직이는 리듬이 음표나 쉼표의 진행으로 나타나고, 어떤 조성의 음계음들을 소재로 한 가락이 나타나고, 주제는 긴장과 이완을 유발하는 다양한 화성 진행을 통해 반복되고 변화한다. 이렇듯 음악은 다양한 특성을 갖는 음들이 유기적으로 결합한 소리의 예술이라고 볼 수 있다.

* 조성 음악: 으뜸음 '도'가 다른 모든 음계 음들을 지배하는 음악으로 17세기 이후 대부분의 서양 음악이 이에 해당한다.

6문단:

7문단:

주제:

정답 및 해설 ○ 202쪽

01 윗글에 대한 설명으로 가장 적절한 것은?

① 소리에 대한 감각이 음악 감상에 미치는 영향을 살피고 있다.
② 미적 본성에 대한 과학적 탐색과 음악적 탐색을 비교하고 있다.
③ 소리를 구분하고 그것을 근거로 하여 음악의 형식을 분류하고 있다.
④ 음악의 아름다움을 소리에 관한 과학적 분석과 관련지어 탐구하고 있다.
⑤ 듣기 좋은 소리와 그렇지 않은 소리가 음악에서 하는 역할을 분석하고 있다.

문제 Guide 글의 서술 방식과 제시된 정보를 정확하게 파악할 수 있는지를 평가하는 문제이다. 선택지에 언급된 내용이 지문의 어느 부분에 드러나 있는지를 찾은 후, 서술 방식이 적절한지를 살펴보아야 한다.

02 음악적 요소에 대한 이해로 적절하지 않은 것은?

① 리듬은 음높이를 가지는 규칙적인 소리의 흐름으로, 음악에서 질서를 가진 음표나 쉼표의 진행에 활용되는 요소이다.

② 가락은 서로 다른 음높이가 지속 시간을 가지는 음들의 흐름으로, 음악에서 자주 반복되거나 변형되면서 등장하는 소재로 활용되는 요소이다.

③ 화성은 화음과 또 다른 화음이 연결된 흐름으로, 음악에서 긴장과 이완을 유발하는 진행에 활용되는 요소이다.

④ 셈여림은 소리의 세기로, 음악에서 크고 작은 소리가 나타나도록 하는 데 활용되는 요소이다.

⑤ 음색은 식별 가능한 소리의 특색으로, 음악에서 바이올린, 플루트 등 서로 다른 종류의 악기를 선택하는 데 활용되는 요소이다.

문제 Guide 지문에 언급된 세부 정보인 '음악적 요소'에 대해 제대로 파악할 수 있는지 평가하는 문제이다. 음악적 요소에 대해서는 주로 6문단에 언급되어 있으므로, 6문단에 언급된 설명과 선택지의 내용을 1:1로 비교해 보도록 한다.

03 음악 작품을 만들기 위한 계획들 중, ⓐ의 입장을 가장 잘 반영한 것은?

① 장3도로 기쁨을, 단3도로 슬픔을 나타내는 정서적인 음악을 만든다.

② 플루트의 청아한 가락으로 상쾌한 아침의 정경을 연상시키는 음악을 만든다.

③ 낮은 음고의 음들을 여러 번 사용하여 내면의 불안감을 조성하는 음악을 만든다.

④ 첫째 음과 둘째 음의 간격이 완전5도가 되는 음들을 조직적으로 연결하여 주제가 명확한 음악을 만든다.

⑤ 오페라의 남자 주인공이 화들짝 놀라는 장면에 들어갈 매우 강한 시끄러운음이 울리는 음악을 만든다.

문제 Guide 지문에 제시된 음악 평론가의 견해를 파악하고 이를 반영한 선택지를 찾을 수 있는지를 평가하는 문제이다. 5문단에 '한슬리크'의 견해가 제시되어 있으므로, 그가 중시하는 것이 무엇인지 따져보도록 한다.

04 윗글의 〈그림〉에 대한 이해로 적절한 것은?

① 〈그림〉은 심벌즈의 소리 스펙트럼이다.

② 〈그림〉에 표현된 복합음의 진동수는 550 Hz로 인식된다.

③ 〈그림〉에 표현된 소리의 부분음 중 기본음의 세기가 가장 크다.

④ 〈그림〉은 시간의 경과에 따른 부분음의 세기의 변화를 나타낸다.

⑤ 〈그림〉에서 220 Hz에 해당하는 막대가 사라져도 음색은 변하지 않는다.

문제 Guide 지문의 내용을 이해하고 자료를 해석할 수 있는지를 평가하는 문제이다. 진동수와 세기의 관계, 진동수의 간격에 따른 음의 변화에 대해 언급되어 있는 3문단을 중심으로 살펴보면서, 〈그림〉에서 진동수가 110, 220, 330과 같이 정수배로 구성되어 있다는 것이 의미하는 바가 무엇인지를 생각해 보도록 한다.

05 [A]를 바탕으로 [보기]에 대해 설명한 것으로 적절하지 <u>않은</u> 것은?

┤보기├─

바이올린을 연주했을 때 발생하는 네 음 P, Q, R, S의 기본음의 진동수를 측정한 결과가 표와 같았다.

음	P	Q	R	S
기본음의 진동수 (Hz)	440	550	660	880

① P와 Q 사이의 음정은 장3도이다.
② P와 Q 사이의 음정은 Q와 R 사이의 음정보다 좁다.
③ P와 R 사이의 음정은 협화 음정이라고 할 수 있다.
④ P와 S의 부분음 중에는 진동수가 서로 같은 것이 있다.
⑤ P와 S 사이의 음정은 Q와 R 사이의 음정보다 협화도가 크다.

문제 Guide　지문의 내용을 이해하고 다른 자료에 응용하여 해석할 수 있는지를 평가하는 문제이다. 2문단에 제시된 '기본음'의 특징과 4문단에 제시된 '음정'의 개념에 초점을 맞추어 [보기]를 해석해야 한다.

06 [보기]를 바탕으로 할 때, ㉠과 쓰임이 유사한 것은?

┤보기├─

윗글의 ㉠은 문장에서 자립적으로 쓰여 서술어 기능을 한다. 그러나 ㉡은 혼자서는 쓰이지 못하고 반드시 다른 용언의 뒤에 붙어서 의미를 더하여 주는 '보조 용언' 기능을 한다.

① 그 일을 다 해 <u>버리니</u> 속이 시원하다.
② 그는 친구들의 고민을 잘 들어 <u>주었다</u>.
③ 내일 경기를 위해 잘 먹고 잘 쉬어 <u>둬라</u>.
④ 그는 내일까지 돈을 구해 <u>오겠다</u>고 큰소리를 쳤다.
⑤ 일을 추진하기 전에 득실을 꼼꼼히 계산해 <u>보고</u> 시작하자.

문제 Guide　본용언과 보조 용언의 기능을 파악하고 용례를 찾아낼 수 있는지 평가하는 문제이다. [보기]에서 언급한 것처럼 본용언과 보조 용언을 나누는 기준이 '자립성'이라는 것에 초점을 맞추어야 한다.

✔ 약점 찾는 체크리스트

문항	문제 유형	정답 체크					나의 오답 노트
		맞음	틀림				
			개념 이해 부족	유형 이해 부족	내용 이해 부족	헷갈림 /실수	
01	내용 전개 방식의 파악						
02	세부 정보의 이해						
03	관점의 적용						
04	세부 정보의 이해						
05	구체적 사례에 적용						
06	어휘의 문맥적 기능 파악						
	내가 쓰는 총평						

| 지문 독해 전략 | 이 글은 사진작가의 감성을 표현할 수 있는 사진 인화 방법인 고무 인화법과 백금 인화법을 소개한 지문이다. 고무 인화법과 백금 인화법의 특성을 파악하며 읽어야 한다. 특히 각 인화법에 따른 인화 과정은 순서대로 따라가며 머릿속으로 그려보는 것이 지문을 이해하는데 도움을 준다. |

[01~06] 다음 글을 읽고 물음에 답하시오.

지문 분석 Note

취미 활동으로 수채화 그리기가 유행하던 시절인 초기 사진 시대에는 사진도 수채화처럼 객관적인 시선으로 대상을 표현해 사실성을 강조하는 것이 유행이었다. 사람들은 점점 사실성을 강조하는 값싼 입체 사진과 명함판 사진이 지나치게 인기를 끄는 현상에 혐오감을 느끼기 시작하였다. 이런 사람들에게 매력적으로 다가간 사진 기술이 바로 사진에 작가의 감성을 표현할 수 있는 ㉠고무 인화법과 ㉡백금 인화법이었다.

고무 인화법은 중크롬산염의 감광성을 이용한 사진 기법을 말한다. 감광성은 화학 물질이 빛이나 방사선 등을 받으면 성질이 변하는 것을 의미하는데, 맥주병이 갈색인 이유는 맥주가 감광성을 가지고 있어 병 속의 맥주가 빛을 받아 성질이 변하는 것을 막기 위해서이다. 감광성이 사진 기술에 응용된 것은 1830년대 후반 중크롬산염이 빛에 반응하는 성질이 있음이 발견된 것을 기점으로 한다. 사람들은 중크롬산염의 감광성을 이용하기 위해 이것을 젤라틴이나 아라비아 고무 등과 혼합하며 용액을 만들었다. 이를 인화지에 발라 말린 뒤 인화지를 음화* 밑에 ⓐ밀착하여 노출시키면 빛을 받은 부분(음화에서 밝은 부분)은 혼합된 고무가 굳고 빛을 받지 않은 부분은 고무가 녹기 쉬운 상태로 남아 사진작가의 의도를 추가적으로 표현할 수 있었다.

사진작가들은 고무 인화법을 활용하여 혼합 용액에 물감을 추가해 사진에 색을 입혔다. 자신의 의도에 따라 사진의 색채를 ⓑ변경함으로써 독특한 분위기를 만들어낸 것이다. 또 젤라틴이나 고무와 같이 굳는 성질이 있는 재료를 사용하기 때문에 마음에 들지 않는 부분은 제거하고 인화지를 다시 노출시켜 재인화하기도 하였다. 그리고 사진작가들은 여러 가지 물감을 사용해 인화 과정을 반복하기도 하였다. 물로 씻어내는 절차를 여러 번 되풀이하면 인화 공정만으로도 부드러운 형태에 여러 가지 색이 섞인, 마치 손으로 작업한 듯한 사진을 얻을 수 있었기 때문이다. 게다가 고무 인화법에서는 감광성을 활용한 다른 인화법과 마찬가지로 본래 사진을 인화할 때 필수적인 암실이 필요하지 않아 빛을 차단하는 것에서 오는 스트레스를 피할 수 있었다.

이러한 고무 인화법은 색다른 즐거움을 사진작가들에게 선사하였기 때문에 시간과 노력이 많이 들더라도 사진작가들은 고무 인화법을 통해 창의력과 자신의 감각을 표현하였다. 이처럼 자동화와는 거리가 먼 고무 인화법은 상업적인 인화 공정과는 차이를 보인다. 고무 인화법을 선호하고 추종하는 사람이 늘어난 19세기에서 20세기로 넘어가던 시기에는 사진에 사진작가의 추가적인 개입과 표현을 지지하며 사진이 회화나 드로잉의 성격을 가져야 한다고 생각한 회화주의 사진 운동 등의 예술 사진 운동도 전개되었다.

같은 시기에 백금 인화법도 큰 인기를 끌었다. 백금 인화법도 고무 인화법처럼 빛에 반응하는 일부 금속의 성질을 이용한 것으로, 끓였을 때에도 유지되는 제2철염의 감광성을 이용한 방법이다. 먼저 제2철염과 다른 성분을 혼합한 용액을 끓여 종이에 바르고 말려 인화지를 만든 다음, 태양광이나 자외선 아래에서 음화를 밀착시켜 인화한다. 그러면 빛을 받은 제2철염이 제1철염으로 변하고, 이것을 수산칼륨 용액으로 현상하면 환원 작용 때문에 백금이 만들어진다. 빛을 받지 않은 부분의 제2철염과 환원되지 않은 백금염을 제거하면 빛을 받고 환원된 백금만 상으로 나타나게 된다. 초기의 백금 인화법은 인화지를 만들기 위해

지문 분석 Note
1문단:

2문단:

3문단:

4문단:

5문단:

혼합된 금속 용액을 끓여 종이를 한 장씩 담가야 했기 때문에 위험했지만, 이후 백금 인화지의 대량 생산이 가능해지면서 백금 인화법을 선호하는 사진작가들이 늘어났다.

백금 인화법의 가장 큰 장점은 색의 톤이 다양하게 표현되어 일반 흑백 사진보다 훨씬 명암을 ⓒ정교하게 나타낼 수 있다는 것이다. 이 공정을 거친 사진 속의 빛은 마치 수증기나 거의 만질 수 있는 물질처럼 보이게 하는 수준으로 표현되기에 이르렀다. 사진작가들은 백금 인화법을 활용하여 단순히 사실을 ⓓ재현하는 사진을 넘어서서 사진에 특별한 분위기를 입히는 방법을 고민하게 되었고, 이것은 사진작가의 독특한 개성과 표현력을 발휘할 수 있는 계기가 되었다. 백금 인화법의 또 다른 장점은 기존의 인화법들과 달리 금속을 소재로 했기 때문에 보존성이 뛰어나고 안정적인 사진을 제작할 수 있다는 것이다. 사진작가들은 백금 인화법을 활용하여 자신의 작품을 물리적으로 오래 보존할 수 있게 되었다.

이같은 백금 인화법은 20세기 초반 회화주의 사진 운동의 중심을 차지하였다. 때때로 사진작가들은 한 사진에 고무 인화법과 백금 인화법을 함께 사용하기도 하였다. 백금 인화법으로 제작한 사진에 고무 인화법을 활용하여 추가로 색을 입힘으로써 독특한 느낌의 사진 위에 수공예품 같은 느낌을 더한 것이다.

사진의 역사가 시작된 이후에 다른 많은 기법이 탄생했지만 고무 인화법과 백금 인화법은 디지털 센서와 같은 현대 사진술의 기본이 되는 요소를 갖추지 않아 대안 공정으로 분류되며, 여전히 현대 사진작가들에게 관심을 받고 있다. 현대 사진작가들은 사진에 스케치와 수채, 판화 같은 몇 가지 다른 매체를 ⓔ조합할 수 있는 표현력이 뛰어난 기법이라는 점 때문에 고무 인화법을 사랑한다. 백금 인화법도 사진에 풍부하게 명암을 표현하여 자신만의 감각을 표현하고 싶어 하는 사진작가의 욕구를 충족시킬 수 있어 많은 사랑을 받고 있다. 사진작가들은 이러한 대안 공정을 활용하며 획일화된 작품을 제작하는 대신, 다양한 방법으로 다양한 감성을 표현하고자 꾸준히 노력하고 있다.

* 음화: 피사체와는 명암 관계가 반대인 사진의 화상 또는 필름.

6문단:

7문단:

8문단:

주제:

01 윗글의 제목과 부제로 가장 적절한 것은?

① 예술 사진 운동의 시작 – 색채에 대한 사진작가들의 관심
② 현대 사진술이 나아가야 할 방향 – 디지털 센서의 응용과 발전
③ 사진의 역사를 찾아서 – 명함판 사진으로 시작된 100년의 기록
④ 감성을 표현할 수 있는 사진의 대안 공정 – 매력적인 인화 기법들
⑤ 감광성을 이용한 인화 방법 – 단순한 작업으로 이루어 내는 뛰어난 작품

문제 Guide 지문의 전체적인 내용을 파악할 수 있는지를 평가하는 문제이다. 글에서 소개하고 있는 인화 기법의 종류와 그 인화 기법들이 등장한 이유, 특징 등을 생각해 보도록 한다.

02 윗글의 내용과 일치하지 않는 것은?

① 초기의 사진은 대상에 대한 객관적인 시선에 중요성을 두었다.
② 아라비아 고무는 빛이나 방사선에 반응해 굳는 성질을 가지고 있다.
③ 고무 인화법이 유행했던 시기에 예술 사진 운동도 전개되었다.
④ 고무 인화법은 자동화 공정보다 사진작가의 많은 시간과 노력을 요구한다.
⑤ 백금 인화법이 처음 등장했을 때에는 인화지를 만드는 데 어려움을 겪었다.

문제 Guide 지문에 언급된 세부 정보를 제대로 파악할 수 있는지 평가하는 문제이다. 선택지의 내용이 지문의 어느 부분에서 언급한 내용인지 확인한 후, 수정된 부분은 없는지 살펴보도록 한다.

03 윗글의 감광성에 대해 추측한 것으로 적절하지 않은 것은?

① 열을 가했을 때에도 유지되는 성질이다.
② 다른 물질과 혼합하면 사라지는 성질이다.
③ 모든 금속 물질이 가지고 있는 성질은 아니다.
④ 인화 방식에 영향을 미쳐 사진 기술에 응용되었다.
⑤ 감광성을 가진 화학 물질이 빛을 쪼이면 다른 화학 물질로 바뀐다.

문제 Guide 지문에서 설명하고 있는 '감광성'에 대해 파악하고 있는지를 평가하는 문제이다. '감광성'에 대한 내용은 지문에 소개된 두 인화 방식 모두에 해당하는 내용이므로 감광성에 대해 직접적으로 설명하고 있는 부분뿐만 아니라, 고무 인화법과 백금 인화법을 설명하고 있는 부분에서도 관련된 정보는 없는지 살펴보도록 한다.

04 윗글의 회화주의 사진 운동에 대해 [보기]의 두 입장이 공통적으로 제기할 수 있는 비판으로 가장 적절한 것은?

┤보기├
입장 1: 사진작가는 사물 표현에 있어 주관적인 시선을 배제해야 하며, 사진의 기계적 기록성이야말로 가장 중요한 사진의 예술적 의미이다.
입장 2: 사진작가의 역할은 자연을 존재하는 그대로 묘사하면서도 예술적 성취를 이루어 내는 데 있다. 현실을 어떻게 보여주느냐보다 어떤 현실을 보여주느냐를 통해 사진의 예술적 의미를 획득할 수 있는 것이다.

① 사진에 대한 사진작가의 개입을 통해 예술적 성취를 이루어낼 수 있다.
② 사진이 자연의 존재를 그대로 묘사한다면 아주 정밀한 풍경화를 그리는 것과 다름이 없다.
③ 자연을 포착한 사진에 인위적인 표현을 더하는 것은 사진의 예술적 의미를 훼손하는 일이다.
④ 어떤 현실을 보여줄 것인지를 결정하는 것은 사진작가의 감성을 표현하는 행위에 선행되어야 한다.
⑤ 기계적 기록성은 사진의 기본적인 특성이며, 이를 뛰어넘어야 예술로서의 사진을 한 단계 더 발전시킬 수 있다.

문제 Guide 지문의 내용을 이해하고, 이에 대한 상반된 주장에서 공통점을 도출할 수 있는지를 평가하는 문제이다. 회화주의 사진 운동은 작가가 사진에 개입함으로써 독특한 감성을 표현하는 것을 지지하는 것이다. [보기]에 언급된 입장 1, 2의 공통점을 찾은 다음, 지문에 언급된 회화주의 사진 운동의 입장과 비교해 보도록 한다.

05 [보기]의 ㉮와 ㉠, ㉡을 비교한 것으로 가장 적절한 것은?

┤보기├
㉮알부민 인화법은 계란 흰자 속 알부민이라는 성분의 특징을 이용한 것이다. 먼저 계란 노른자를 분리한 흰자에 소금을 넣고 거품을 낸 다음 거즈로 걸러낸다. 이후 종이를 흰자로 만든 용액 위에 띄웠다가 말린 뒤 감광액을 발라 인화지를 만든다. 사진작가는 알부민 인화지 위에 음화가 맺힌 유리판을 올리고, 둘을 한꺼번에 빛에 노출시켜 사진을 얻을 수 있다. 알부민 인화지는 보존성이 떨어지지만 제조 방법이 간단하고 암실 없이 대량 생산이 가능하여 사진의 대중화라는 목표를 달성하였고, 사진을 소수 사람들의 취미가 아니라 상업화된 하나의 산업으로 발전시켰다. 또한 기존의 인화지와는 달리 표면에 광택이 돌아, 많은 사랑을 받았다.

① ㉠과 달리 ㉮와 ㉡은 오랜 시간이 지나도 사진을 온전히 보관할 수 있다.
② ㉡과 달리 ㉮와 ㉠은 사진에 다양한 색채를 표현할 수 있다.
③ ㉮와 달리 ㉠과 ㉡은 인화지 표면에 광택을 주어 반들반들한 느낌을 낸다.
④ ㉮와 ㉠, ㉡은 모두 암실 등을 활용해 빛을 차단하지 않아도 된다.
⑤ ㉮와 ㉠, ㉡은 모두 사진의 대중화를 큰 목표로 하고 있다.

문제 Guide 지문의 내용을 이해하고 다른 자료와 비교하여 해석할 수 있는지를 평가하는 문제이다. 고무 인화법과 백금 인화법의 특징을 파악한 후, [보기]의 인화법의 특징을 살펴보아야 한다. 이때 선택지에 언급된 색채 표현이나 보존성, 광택 등과 관련하여 각 인화법의 특징을 살펴보도록 한다.

06 ⓐ~ⓔ를 활용하여 만든 문장으로 적절하지 않은 것은?

① ⓐ: 우리는 서로 밀착하여 체온이 떨어지지 않도록 애썼다.

② ⓑ: 일정이 하루 전에 변경되는 바람에 준비를 제대로 하지 못했다.

③ ⓒ: 그 지폐는 매우 정교하게 위조되어 감별해 내기 어려웠다.

④ ⓓ: 조선시대의 시장을 재현한 전시회가 큰 인기를 끌었다.

⑤ ⓔ: 환경단체들은 서로 조합하여 폐기물을 배출하는 공장에 맞섰다.

문제 Guide 단어의 의미를 정확하게 파악한 후 적절히 활용할 수 있는지를 평가하는 문제이다. 문맥을 고려하여 ⓐ~ⓔ의 의미를 도출해 보고, 그 의미가 선택지의 밑줄 친 부분의 의미와 유사한지 생각해 보도록 한다.

예술 06

✔ 약점 찾는 체크리스트

문항	문제 유형	정답 체크					나의 오답 노트
		맞음	틀림				
			개념 이해 부족	유형 이해 부족	내용 이해 부족	헷갈림/실수	
01	개괄적 정보의 파악						
02	세부 내용의 이해						
03	핵심 정보의 파악						
04	내용의 비판적 이해						
05	유사한 정보와의 비교						
06	어휘 활용의 적절성 판단						
	내가 쓰는 총평						

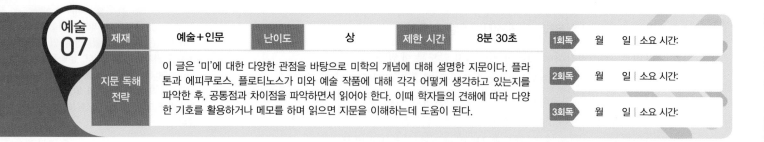

[01~05] 다음 글을 읽고 물음에 답하시오.

지문 분석 Note

(가) 일반적으로 '미(美)'는 감각 기관을 통하여 인간에게 좋은 느낌을 주는 아름다움을 의미한다. 그렇기 때문에 사람들은 '미'를 감각적인 영역에서 다루어지는 개념으로 받아들이기도 한다. 바움가르텐이 정립한 '미학(美學, Aesthetica)'이라는 개념이 '느낌' 혹은 '감각적 지각'을 의미하는 그리스어 'aisthesis'에서 유래한 것을 보면 이 점을 더 분명하게 알 수 있다. 그러나 '미'와 관련된 다양한 담론들 속에서 '미'는 감각적 차원뿐만 아니라, 초감각적 차원과 관련해서 다루어졌다. 플라톤은 '미'를 초감각적인 차원에서, 에피쿠로스는 감각적인 차원에서 다루었고, 이들과 달리 플로티노스는 '미'를 초감각적 세계와 감각적 세계를 매개하는 것으로 규정한 것이 대표적이다.

(가):

(나) 플라톤은 '미'를 초감각적인 차원과 관련지었다. 플라톤은 '미'를 감각 기관에 유쾌하게 느껴지는 어떤 것으로 해석한 소피스트들의 '미' 개념을 반박하고, 소피스트들의 주관적인 '미' 개념 대신에 객관적인 '미' 개념을 지향하였다. 플라톤의 객관적인 '미' 개념은 그의 철학의 기본적인 구도를 통해서 파악할 수 있다. 플라톤에게 있어서 초감각적인 이데아*와 영혼은 감각적인 육체보다 더 완전하고, 이데아와 영혼 중에서도 감각적인 차원과 더 멀리 있는 이데아가 영혼보다 더 완전하다. 플라톤은 ⓐ이런 관점을 바탕으로 '미'를 불완전한 감각적인 차원과 연관시키려 하지 않고, 더 완전한 초감각적인 차원과 연관시키려고 하였다. 즉 '미' 자체를 이데아로 여겼던 것이다. 플라톤에 따르면 육체가 아름다운 것은 이데아로서의 '미'를 모방하기 때문일 뿐, 모방한 것 자체가 이데아로서의 완전한 '미'는 아니다. 그렇기 때문에 플라톤에게 있어 현실 세계에서 드러나는 아름다움은 이데아로서의 '미'보다 당연히 불완전한 것이 될 수밖에 없다. 그래서 플라톤은 소피스트들과 달리 현실 세계에서 아름다움을 표현한 예술 작품들의 가치를 높이 평가하지 않았다.

(나):

(다) 플라톤과 달리 에피쿠로스는 '미'를 철저하게 현실의 감각적인 차원에 국한지었다. 에피쿠로스의 '미' 개념은 그의 철학 세계를 이해함으로써 파악할 수 있다. 에피쿠로스의 철학은 물질로 이루어진 현실 세계를 유일한 실재로 파악하는 유물론이라고 할 수 있다. 그래서 에피쿠로스는 감각적인 물질 세계를 초월한 초감각적인 '미'를 인정하지 않은 대신 '미'를 인간의 감각 기관에 유쾌함을 일으키는 어떤 것으로 파악하였다. 그러면서도 '미'를 표현하는 예술 작품들에 대해서는 비판적인 입장을 취하였다. 왜냐하면 에피쿠로스의 입장에서 보면, 예술은 인간에게 참된 쾌감을 만들어주지 못하기 때문이다.

(다):

(라) 에피쿠로스는 인간이 행하는 모든 것은 어떤 필요성에서 비롯되며 그 필요성은 필연적인 필요성과 필연적이지 않은 필요성으로 나뉘는데, 참된 것은 필연적인 필요성을 지닌 대상이라고 보았다. 또 에피쿠로스는 자연이 필연적인 필요성에 속한다면 '미'는 필연적이지 않은 필요성에 속한다고 보았다. 태초에 인간은 자연 속에서 예술 없이도 살아왔으며 예술은 뒤늦게 발생한 것이므로 예술이 인간에게 주는 감각적 차원의 '미'는 인간의 삶에 반드시 필요한 것이 아니라는 것이다. 자연이 인간에게 주는 쾌감과 비교해 보면 예술 작품이 인간에게 주는 쾌감은 참된 쾌감이 아니라는 것이 에피쿠로스의 주장이다.

[A]

(라):

(마) 플라톤, 에피쿠로스와 달리 플로티노스는 '미'를 초감각적 세계와 감각적 세계를 매개

(마):

하는 것으로 규정하였다. 플로티노스의 '미' 개념은 그의 철학 세계를 이해함으로써 파악할 수 있다. 플로티노스는 세계가 만물의 근원인 완전한 '일자(一者)*'로부터 정신, 영혼, 물체의 세 단계로 유출되었는데 '일자'에서 멀어질수록, 즉 초감각적 세계에서 감각적 세계로 내려갈수록 더 불완전한 존재가 된다고 생각하였다. 하지만 플로티노스는 감각적 세계에서 드러나는 '미'의 가치를 낮게 평가하지 않는다. 왜냐하면 플로티노스는 감각적 세계에서 사물의 '미'를 보는 것은 그것에 존재성을 부여한 초감각적 세계의 원인, 그리고 그 원인과 감각적 세계 사이의 관계를 이해하는 것이라고 보았기 때문이다. 이 때문에 감각적 세계의 '미'는 감각적 세계와 초감각적 세계를 연결하는 매개체가 되는 것이다. 플로티노스는 불완전한 감각적 세계의 물질로부터 초감각적 세계에 있는 만물의 근원인 '일자'로의 상승을 지향하기 때문에 이 상승의 매개체인 감각적 세계의 '미'는 플로티노스에게 매우 가치 있는 존재일 수밖에 없다. 이러한 이유로 ㉠플로티노스는 이런 '미'를 내포한 현실의 예술 작품들의 그 가치를 높게 평가한다.

(바) 앞서 설명한 것처럼 플라톤, 에피쿠로스, 플로티노스가 '미'와 예술에 대해 보여 준 관점의 차이를 비교하면 미학의 영역이 단지 감각적 차원에만 국한되는 것이 아니라 감각적 차원과 초감각적 차원 모두에 걸칠 정도로 광범위하다는 것과 광범위한 영역에서 다양한 가치 판단이 개입된다는 것을 알 수 있다. 그렇기 때문에 '미'를 이해하고 판단하려면 폭넓은 영역에서 다양한 관점을 고려해야 한다.

* 이데아: 감각 세계의 너머에 있는 실재이자 모든 사물의 원형.
* 일자(一者): 모든 존재들의 원천.

(바): _____

_____

주제: _____

정답 및 해설 ○ 214쪽

01 윗글의 내용과 일치하지 **않는** 것은?

① 소피스트들은 '미'를 감각적 차원에서 주관적으로 인식하였다.
② 바움가르텐은 그리스어에서 유래된 미학이라는 개념을 정립하였다.
③ 에피쿠로스는 '미'를 포함한 예술 작품들을 비판적으로 바라보았다.
④ 플로티노스는 감각적 세계에서 드러나는 '미'의 가치를 낮게 평가하였다.
⑤ 플라톤은 육체가 아름다운 이유는 이데아로서의 미를 모방해서 생겨났기 때문이라고 보았다.

문제 Guide 지문에 언급된 세부 정보를 제대로 파악할 수 있는지 평가하는 문제이다. 선택지의 내용이 지문에 제시된 다양한 '미'에 대한 견해 중 어느 부분에 언급된 내용인지 확인한 후, 수정된 부분은 없는지 파악해야 한다.

02 [보기]의 A~E에 대한 설명으로 적절하지 <u>않은</u> 것은?

┤보기├
　어떤 주장이나 견해를 비교·대조할 때는 벤 다이어그램을 이용하는 것이 효과적이다. '미'에 대한 철학자들의 견해도 다음과 같은 벤 다이어그램을 활용하여 정확하게 파악할 수 있다.

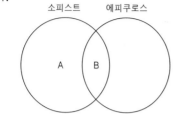
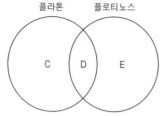

① A: 현실 세계의 예술 작품에 높은 가치를 부여한다.
② B: '미'가 인간에게 감각적 쾌감을 유발한다고 여긴다.
③ C: 불완전한 '미'를 드러낸다는 이유로 예술 작품을 부정적으로 인식한다.
④ D: 초감각적 세계와 감각적 세계 사이의 수직적 위계를 설정한다.
⑤ E: 예술 작품의 '미'는 초감각적 세계의 존재를 은폐한다고 주장한다.

> **문제 Guide** [보기]를 활용하여 각 학자들의 견해를 파악할 수 있는지 평가하는 문제이다. [보기]의 A~E가 의미하는 바가 무엇인지 정확히 파악한 후, 지문을 읽으면서 '미'에 대한 각 철학자들의 공통점과 차이점을 도출해 보도록 한다.

03 ㉠의 근거로 가장 적절한 것은?

① 정신과 영혼은 '일자'보다 더 완전한 존재이다.
② '미'를 통해서 '일자'가 생겨난 원인을 인식할 수 있다.
③ 감각을 통해서 초감각적 세계를 파악하는 것은 불가능하다.
④ 현실의 예술 작품들은 초감각적 세계의 '미'를 그대로 표현한다.
⑤ 현실의 예술 작품들에서 '일자'로 나아가는 단서를 찾을 수 있다.

> **문제 Guide** 지문에서 설명하고 있는 '플로티노스가 예술 작품들을 높이 평가하는 근거'를 추론할 수 있는지 평가하는 문제이다. 플로티노스의 견해는 (마)에 주로 제시되어 있으므로, 해당 부분을 꼼꼼히 살핀 후 선택지의 적절성을 판단해 보도록 한다.

04 윗글을 읽은 학생이 [보기]를 읽고 보인 반응으로 가장 적절한 것은?

┤보기├
　인상주의 미술은 공상적인 표현 기법을 포함한 모든 전통적인 회화 기법을 거부하고 색채·색조·질감 등 현실의 감각적 요소들 자체에서 '미'를 찾는다. 인상주의 화가는 빛과 함께 시시각각으로 움직이는 색채의 변화 속에서 자연을 묘사하고, 색채나 색조의 순간적 효과를 이용하여 눈에 보이는 세계를 정확하고 객관적으로 기록하려 하였다.

① 인상주의 화가와 에피쿠로스 모두 자연이 인간에게 쾌감을 주지 못한다고 보았군.
② 인상주의 화가와 에피쿠로스 모두 '미'를 현실의 감각적인 차원에 해당하는 것으로 여겼군.
③ 인상주의 화가는 에피쿠로스와 달리 유물론을 바탕으로 한 공상적인 표현 방식을 중시하였군.
④ 에피쿠로스는 인상주의 화가와 달리 초월적 세계를 색채나 색조를 통해 드러내고자 하였군.
⑤ 에피쿠로스는 인상주의 화가와 달리 눈에 보이는 물질 세계를 객관적으로 표현하는 것을 지향하였군.

> **문제 Guide** 지문의 내용을 이해하고 다른 견해와 비교할 수 있는지를 평가하는 문제이다. 지문에 언급된 에피쿠로스의 견해와 [보기]에 언급된 인상주의 미술의 견해를 비교해 보도록 한다.

05 [보기]를 참고하여, ⓐ와 쓰임이 가장 이질적인 것은?

> ─┤보기├─
>
> 품사 통용은 한 단어가 둘 이상의 문법적 성질을 가지고 있는 것을 의미한다. 즉 동일한 형태의 단어가 각기 다른 품사로 사용되어 다른 기능을 수행하는 것을 가리킨다. 예를 들면 '나도 참을 <u>만큼</u> 참았다'에서 '만큼'은 명사로, '나도 그 사람<u>만큼</u> 뛸 수 있다'에서 '만큼'은 조사로 쓰인 것이다.

① <u>이런</u> 식으로 하면 됩니까?
② 행복이란 <u>이런</u> 것이라는 느낌이 들었다.
③ 지금 <u>이런</u> 일, 저런 일 따져 볼 상황이 아니다.
④ <u>이런</u>, 내 정신 좀 봐. 방에 불을 켜 놓고 나왔네.
⑤ <u>이런</u> 경우에는 뭐라고 말하는 것이 좋을지 모르겠다.

예술 07

☑ 약점 찾는 체크리스트

문항	문제 유형	정답 체크					나의 오답 노트
		맞음	틀림				
			개념 이해 부족	유형 이해 부족	내용 이해 부족	헷갈림/실수	
01	세부 정보의 파악						
02	세부 정보의 이해						
03	세부 내용의 근거 추론						
04	반응의 적절성 판단						
05	어휘의 품사 파악						
	내가 쓰는 총평						

미래를 생각하는
(주)이룸이앤비

이룸이앤비는 항상 꿈을 갖고 무한한 가능성에 도전하는 수험생 여러분과 함께 할 것을 약속드립니다.
수험생 여러분의 미래를 생각하는 이룸이앤비는 항상 새롭고 특별합니다.

내신·수능 1등급으로 가는 길
이룸이앤비가 함께합니다.

이룸이앤비 🔍

인터넷 서비스

숨마쿰라우데®

이룸이앤비의 모든 교재에 대한 자세한 정보
각 교재에 필요한 듣기 MP3 파일
교재 관련 내용 문의 및 오류에 대한 수정 파일

홈페이지를 방문하시면
온라인으로 편리하게 교재 평가에 참여할 수 있습니다!
(매월 우수 평가자를 선정하여 소정의 교재를 보내드립니다.)

굿비
좋은 시작, 좋은 기초

이룸이앤비 교재는 수험생 여러분의
"부족한 2%"를 채워드립니다.

누구나 자신의 꿈에 대해 깊게 생각하고 그 꿈을 실현하기 위해서는 꾸준한 실천이 필요합니다.
이룸이앤비의 책은 여러분이 꿈을 이루어 나가는 데 힘이 되고자 합니다.

수능 국어 영역 고득점을 위한 국어 교재 시리즈

수능 입문서

굿비 입문 시리즈
한 권으로 수능 기본기를 다지는 개념 기본서
필수 개념과 개념 적용 연습을 통해 수능 국어를 체계적으로 학습한다.
➡ 국어 독서 입문, 국어 문학 입문

내신·수능 기본서

숨마쿰라우데 시리즈
단기간에 약점을 집중 공략하는 국어 고득점 전략서
제재별·영역별·문제 유형별 강화 훈련으로 국어 해결 능력을 기른다.
➡ 고전 시가, 어휘력 강화, 독서 강화[인문·사회], 독서 강화[과학·기술]
  신경향 비문학 워크북

수능 기출문제집

미래로 수능 기출문제집 시리즈
최근 5개년 수능, 평가원, 교육청 시험을 연도별, 시행처별로 구성한 기출문제집
전 지문 완벽 분석 및 모든 선택지 집중 해설로 수능 국어 1등급을 달성한다.
➡ 국어 문법·화법·작문, 국어 독서, 국어 문학

긴지문 고난도

35회

신경향
비문학
워크북

숨마쿰라우데
[수능 국어 문제집]

완전 신판
신경향 수능대비

秘 서브노트 SUB NOTE

구절 풀이

연역 논증은 전제가 결론에 결정적 근거를 제공하지만 비연역 논증은 전제가 결론에 어느 정도 뒷받침만을 제공함.

연역 논증의 결론은 전제의 내용을 다시금 확인하는 것에 불과함. 즉, '지원이가 휴대 전화를 가지고 있다.'라는 결론은 '우리 반 아이들이 모두 휴대 전화를 가지고 있다.'라는 전제에 이미 포함되어 있는 내용이므로, 논증 과정에서 새로운 정보를 얻지 못하기 때문에 지식이 확장되지 않음.
하지만 비연역 논증의 경우 '뻐꾸기나 비둘기 등의 새들은 날개가 있다.'라는 개별적 지식으로부터 '모든 새들은 날개가 있다.'라는 일반적 지식을 획득하게 됨. 이러한 이유 때문에 실증에 근거한 연역 논증과 달리 과학적 설명이 가능하지 않은 비연역 논증도 실재적인 맥락에서는 필요하게 됨.

어휘 풀이

＊일련: 일정한 연관을 가지고 하나로 이어짐. 또는 하나의 연속.
＊전제: 추리를 할 때, 결론의 기초가 되는 판단. 삼단 논법에서는 대전제, 소전제를 구별함.
＊실증: 실제로 증명함. 또는 그런 사실.

선생님의Tip

"논증"

| 연역 논증 | 비연역 논증 | |
	귀납 논증	유비 논증
개념	일반적인 원리나 법칙에서 개별적이고 구체적인 사실을 이끌어내는 논증 방식	개별적이고 구체적인 사실에서 일반적이고 보편적인 원리나 법칙을 이끌어내는 논증 방식	두 대상의 몇 가지 속성이 유사하다는 것을 근거로 나머지 속성도 유사할 것이라고 결론을 이끌어내는 논증 방식
특징	결론의 내용이 근거에 포함되어 있어 근거로 제시된 일반적인 원리가 참이면 결론은 언제나 참임.	하나의 예외만 발견되어도 결론이 부정돼 논리가 무너지게 되는 단점이 있음.	두 대상 간의 유사성이 얼마나 본질적이고 적절한가에 따라 논증의 타당성이 결정됨.

① 논증은 참이라고 주장하는 어떤 결론을 뒷받침하는 일련*의 이유나 증거들을 밝히는 표현 양식으로, 크게 연역 논증과 비연역 논증으로 나뉜다. 연역 논증은 전제*로부터 결론을 도출하는 추론으로 전제가 참이면 결론도 반드시 참이 된다. 연역 논증에서 전제로부터 결론이 올바르게 도출되는 경우 '타당하다'라고 하고, 그렇지 않은 경우 '부당하다'라고 한다. '우리 반 아이들은 모두 휴대 전화를 가지고 있다.'와 '지원이는 우리 반 학생이다.'라는 전제로부터 '지원이도 휴대 전화를 가지고 있다.'라는 결론을 이끌어 냈다고 가정해 보자. 우리 반 아이들이 실제로 모두 휴대 전화를 가지고 있고, 지원이가 우리 반 학생인 것이 참이라면 지원이가 휴대 전화를 가지고 있다는 결론도 참일 수밖에 없다. 이 결론은 주어진 전제로부터 도출된 것이므로 타당하다고 볼 수 있다. 이처럼 실증*에 근거한 연역 논증은 전제가 참이면 결론도 반드시 참이 된다는 점에서 설득력이 있지만, 이것만으로는 지식을 확장할 수 없다는 한계가 있다. 그래서 과학적으로 설명할 수 없는 상태에서 논증을 펼치는 '부당한 논증'인 비연역 논증의 필요성이 제기된다.
1문단: 연역 논증의 특징과 예시

② 비연역 논증은 크게 귀납 논증과 유비 논증으로 나뉜다. 귀납 논증은 특수한 사실로부터 일반적 사실을 도출하는 추론으로, 주로 경험적 관찰에 기반을 둔다. '뻐꾸기는 새이고 날개가 있다.', '비둘기는 새이고 날개가 있다.', '까치는 새이고 날개가 있다.'라는 전제로부터 '그러므로 모든 새들은 날개가 있다.'라는 결론을 이끌어 냈다고 가정해 보자. 제시된 전제들은 모두 논증 주체의 직·간접적 경험을 통해 발견한 구체적인 사실이다. 하지만 세상에 존재하는 모든 새들에게 날개가 있는지는 검증되지 않았으며, 새들은 날개가 있다는 주장에 대한 과학적 증거도 존재하지 않는다. 한편 유비 논증은 두 대상이 몇 가지 점에서 유사하다는 사실이 확인된 상태에서 어떤 대상이 추가적 특성을 갖고 있음이 알려졌을 때 다른 대상도 그 추가적 특성을 가지고 있다고 추론하는 논증이다. 유비 논증은 이미 알고 있는 전제에서 새로운 정보를 결론으로 도출하게 된다는 점에서 유익하기 때문에 일상생활과 과학에서 흔하게 쓰인다. 특히 의학적인 목적에서 포유류를 대상으로 행해지는 동물 실험이 유효하다는 주장과 그에 대한 비판은 유비 논증을 잘 이해할 수 있게 해 준다.
2문단: 비연역 논증의 특징과 예시

③ 유비 논증을 활용해 동물 실험의 유효성을 주장하는 쪽은 인간과 ⓐ실험동물이 ⓑ유사
동물 실험의 유효성 주장의 근거, 유비 논증의 전제

지문 구조도

화제 제시: 논증의 종류와 연역 논증(1문단)
• 논증: 연역 논증과 비연역 논증으로 나뉨. • 연역 논증: 전제로부터 결론을 도출하는 추론으로, 전제가 참이면 결론도 반드시 참이 됨.

↓

구체화 1: 비연역 논증의 특징과 예시(2문단)
비연역 논증: 귀납 논증과 유비 논증으로 나뉨.

↓

구체화 2: 유비 논증이 활용된 동물 실험의 유효성 논란(3~6문단)	
동물 실험의 유효성을 주장하는 쪽	동물 실험을 반대하는 쪽
인간과 실험동물 사이에 유사성(혈액 순환, 허파 호흡)이 있음. → 실험동물의 반응 결과를 인간에게 안전하게 적용할 수 있음.	인간과 실험동물 사이의 유사성은 기능적 차원의 유사성일 뿐 그 기능을 구현하는 인과적 메커니즘은 동물마다 차이가 있음. 또 인간과 마찬가지로 동물도 고통을 느낌.

출제 의도 동물 실험에 대한 찬반 논쟁에서 활용된 유비 논증에 대해 이해할 수 있는지를 평가하기 위한 지문이다. 동물 실험에 대한 각 입장에서 주장을 뒷받침하기 위해 어떻게 유비 논증을 활용하고 있는지, 그 과정에서 도출할 수 있는 유비 논증의 특징이 무엇인지를 파악하는 문제가 출제되었다.

주제 동물 실험에 대한 찬반 논쟁을 통해 살펴본 유비 논증

성을 보유하고 있기 때문에 신약*이나 독성 물질에 대한 실험동물의 ⓒ반응 결과를 인간에게 안전하게 적용할 수 있다고 추론한다. 이를 바탕으로 이들은 동물 실험이 인간에게 명백하고 중요한 이익을 준다고 주장한다.
    3문단: 동물 실험의 유효성 주장에 활용된 유비 논증

4 도출한 새로운 정보가 참일 가능성을 유비 논증의 개연성*이라 한다. 개연성이 높기 위해서는 비교 대상 간의 유사성이 커야 하는데 이 유사성은 단순히 비슷하다는 점에서의 유사성이 아니고 새로운 정보와 관련 있는 유사성이어야 한다. 예를 들어 ㉠동물 실험의 유효성을 주장하는 쪽은 실험동물로 많이 쓰이는 포유류가 인간과 공유하는 유사성, 가령 비슷한 방식으로 피가 순환하며 허파로 호흡을 한다는 유사성은 실험 결과와 관련 있는 유사성으로 보기 때문에 자신들의 유비 논증은 개연성이 높다고 주장한다. 반면에 인간과 꼬리가 있는 실험동물은 꼬리의 유무에서 유사성을 갖지 않지만 그것은 실험과 관련이 없는 특성이므로 무시해도 된다고 본다.
    4문단: 유비 논증이 높은 개연성을 갖기 위한 조건

5 그러나 ㉡동물 실험을 반대하는 쪽은 유효성을 주장하는 쪽을 유비 논증과 관련하여 두 가지 측면에서 비판한다. 첫째, 인간과 실험동물 사이에는 위와 같은 유사성이 있다고 말하지만 그것은 기능적 차원에서의 유사성일 뿐이라는 것이다. 인간과 실험동물의 기능이 유사하다고 해도 그 기능을 구현하는 인과적 메커니즘은 동물마다 차이가 있다는 과학적 근거가 있는데도 말이다. 둘째, 기능적 유사성에만 주목하면서도 막상 인간과 동물이 고통을 느낀다는 기능적 유사성에는 주목하지 않는다는 것이다. 인간은 자신의 고통과 달리 동물의 고통은 직접 느낄 수 없지만 무엇인가에 맞았을 때 신음 소리를 내거나 몸을 움츠리는 동물의 행동이 인간과 기능적으로 유사하다는 것을 보고 유비 논증으로 동물이 고통을 느낀다는 것을 알 수 있는데도 말이다.
    5문단: 동물 실험 유효성 주장에 대한 비판

6 요컨대 첫째 비판은 동물 실험의 유효성을 주장하는 유비 논증의 개연성이 낮다고 지적하는 반면 둘째 비판은 동물도 고통을 느낀다는 점에서 동물 실험의 윤리적 문제를 제기하는 것이다. 인간과 동물 모두 고통을 느끼는데 인간에게 고통을 ⓒ끼치는 실험은 해서는 안 되고 동물에게 고통을 끼치는 실험은 해도 된다고 생각하는 것은 공평하지 않다고 생각하기 때문이다. 결국 윤리성의 문제도 일관되지 않게 쓰인 유비 논증에서 비롯된 것이다.
    6문단: 동물 실험에 대한 두 가지 비판의 의미

구절 풀이

○ 동물 실험의 유효성을 주장하는 쪽에서는 포유류와 인간의 혈액 순환 방식과 호흡 방식의 유사성을 들어 동물 실험이 유효하다고 주장함. 반면 동물 실험을 반대하는 쪽에서는 실험동물과 인간의 유사성은 기능적 차원의 유사성일 뿐, 기능을 구현하는 인과적 메커니즘은 차이가 있다고 주장함. 또 동물도 인간처럼 고통을 느낀다는 기능적 유사성은 무시한다면서 동물 실험을 반대함.

○ 인간은 고통을 느낄 때 신음 소리를 내거나 몸을 움츠림. → 인간과 기능적으로 유사한 동물도 충격이 가해졌을 때 신음 소리를 내거나 몸을 움츠림. → 동물도 고통을 느낌.

어휘 풀이

* 신약: 새로 발명한 약.
* 개연성: 절대적으로 확실하지 않으나 아마 그럴 것이라고 생각되는 성질.

지문 해제

이 글은 여러 논증 가운데 주로 유비 논증에 대해 설명하고 있다. 논증은 참이라고 주장되는 어떤 결론을 뒷받침하는 이유나 증거들을 밝히는 것인데, 크게 연역 논증과 비연역 논증으로 나뉜다. 연역 논증은 확실하고 설득력이 있지만 전제에 이미 포함된 결론을 다시 확인하는 것이기에 지식을 확장할 수 없다. 이런 이유로 과학적 설명이 가능하지 않은 상태에서 논증을 펼치지만, 지식을 확장시킬 수 있는 비연역 논증도 실재적 맥락에서는 필요하다. 비연역 논증에는 귀납 논증과 유비 논증이 있는데, 포유류를 대상으로 행해지는 동물 실험의 유효성 주장과 그에 대한 비판을 통해 유비 논증을 이해할 수 있다. 동물 실험의 유효성을 주장하는 입장에서는 유비 논증을 활용하여 인간과 실험동물이 유사성을 보유하고 있기 때문에, 실험동물의 반응 결과를 인간에게 안전하게 적용할 수 있다고 주장한다. 또한 실험동물과 인간이 공유하는 비슷한 방식으로 피가 순환하고 허파로 호흡하는 등의 기능적 차원의 유사성으로 인해 자신들의 유비 논증은 개연성이 높다고 주장한다. 하지만 동물 실험을 반대하는 쪽에서는 인간과 실험동물의 기능이 유사하다고 해도 그 기능을 구현하는 인과적 메커니즘에 차이가 있어 개연성이 낮으며, 유비 논증을 통해 동물도 고통을 느낀다는 것을 알 수 있지만 이를 주목하지 않는 것은 윤리적 문제라면서 동물 실험의 유효성을 주장하는 쪽을 비판한다.

선생님의 Tip

"메커니즘(mechanism)"

'메커니즘'이란, 사물의 작용 원리나 구조를 의미하는 단어로, 경제, 의학, 철학 등 다양한 분야에서 사용됨. 지문에서 동물 실험의 유효성을 주장하는 입장은 횡격막의 움직임에 의하여 흉곽이 확대되면 공기가 허파에 들어가고 흉곽이 좁아지면 허파의 공기가 대기중으로 나오게 되는 인간과 포유류인 실험동물의 '호흡의 메커니즘'이 유사한 것을 근거로 실험의 개연성이 높다고 주장함. 하지만 동물 실험을 반대하는 입장은 실험동물과 인간이 허파로 호흡을 하는 것은 유사하지만 A 때문에 B가 발생하고, B 때문에 C가 발생하는 식의 인과적 메커니즘은 동물마다 차이가 있다며 실험의 개연성을 인정하지 않고 있음.

01 논지 전개 방식의 파악 | 정답 ④ |

윗글에 대한 이해로 적절하지 않은 것은?

① 연역 논증의 결론에서 나타나는 특성을 구체적인 예를 들어 설명하고 있다.
　　　　　　　　　　　　　　1문단

② 동물 실험을 예로 들어 유비 논증이 높은 개연성을 갖기 위한 조건을 설명하고 있다.
　　　4문단, 비교 대상 간의 유사성이 커야 함.

③ 동물 실험 유효성 주장이 유비 논증을 잘못 적용하고 있다는 비판을 소개하고 있다.
　　　　　　6문단

④ 동물 실험 유효성 주장이 갖는 현실적 문제들을 유비 ~~논증의~~ 차원을 넘어서 살펴보고 있다.
　　7문단, 유비 논증의 차원에서 비판함.

⑤ 귀납 논증이 과학적 설명이 가능하지 않은 상태에서 펼치는 논증임을 구체적 예를 들어 설명하고 있다.
　　　　　　　　　　　　2문단

📁 발문 분석

각 문단의 중심 내용을 이해하고 글의 논지 전개 방식을 파악할 수 있는지 묻고 있다. 선택지의 내용이 지문의 어느 부분에서 언급되고 있는지를 살펴보아야 한다.

◎ 정답 풀이

④ 5문단에서 '인간과 실험동물의 기능이 유사하다고 해도 그 기능을 구현하는 인과적 메커니즘은 동물마다 차이가 있'다면서 6문단에서 '동물 실험의 유효성을 주장하는 유비 논증의 개연성이 낮'고 비판하고 있다. 또 '인간과 동물 모두 고통을 느끼는데 인간에게 고통을 끼치는 실험은 해서는 안 되고 동물에게 고통을 끼치는 실험은 해도 된다고 생각'하는 '윤리성의 문제도 일관성되지 않게 쓰인 유비 논증에서 비롯된 것'이라고 비판하고 있다. 이 비판들은 유비 논증의 차원에서 동물 실험의 유효성 주장이 갖는 문제점을 살펴본 것이지, 유비 논증의 차원을 넘어서 살펴보고 있는 것은 아니다.

✖ 오답 풀이

① 1문단에서 연역 논증은 '전제가 참이면 결론도 반드시 참이 된다.'라면서 '전제로부터 결론이 올바르게 도출되는 경우 '타당하다'라고' 한다고 하였다. 또 우리 반 학생들은 모두 휴대 전화를 가지고 있고, 지원이가 우리 반 학생이라는 전제를 제시한 후, 지원이가 휴대 전화를 갖고 있다는 결론이 도출된 것은 참이므로 이것이 타당하다면서 구체적인 예를 들어 연역 논증의 특성을 설명하고 있다.

② 4문단에서 '실험동물로 많이 쓰이는 포유류가 인간과 공유하는 유사성, 가령 비슷한 방식으로 피가 순환하며 허파로 호흡을 한다는 유사성은 실험 결과와 관련 있는 유사성으로' 본다는 예를 들어 '유비 논증이 개연성이 높기 위해서는 비교 대상 간의 유사성이 커야 한다'는 조건을 설명하고 있다.

③ 5문단과 6문단에서 동물 실험을 반대하는 쪽의 비판 내용을 제시하고 있다. 특히 6문단에서는 '동물 실험의 유효성을 주장하는 유비 논증의 개연성이 낮'고 '인간과 동물 모두 고통을 느끼는데 인간에게 고통을 끼치는 실험을 해서는 안 되고 동물에게 고통을 느끼는 실험은 해도 된다고 생각하는' '윤리성의 문제도 일관되지 않게 쓰인 유비 논증에서 비롯된 것'이라면서 동물 실험을 반대하는 쪽이 동물 실험 유효성을 주장하는 사람들을 비판하는 내용을 언급하고 있다.

⑤ 1문단에서 비연역 논증은 '과학적으로 설명할 수 없는 상태에서 논증을 펼치는 부당한 논증'이라고 하였다. 또 2문단에서는 '그러므로 모든 새들이 날개가 있다.'라는 결론이 도출되는 귀납 논증의 예를 들어 귀납 논증은 검증이 이루어지지 않고, 과학적 증거가 존재하지 않은 논증임을 설명하고 있다.

🐝 선생님의 꿀 정보

01번 문제: 문단의 중심 내용을 찾는 방법

글의 내용을 이해한다는 것은 단어나 문장의 의미를 이해하는 것에서 더 나아가 문단의 중심 내용을 이해하고 이를 종합하여 글의 주제를 파악하는 것을 의미한다. 이를 위해서는 문단의 중심 내용을 찾는 것이 중요한데 그 방법은 다음과 같다.

① 중심 화제 찾기

대부분 한 문단에는 여러 개의 핵심어가 포함되는데, 중심 화제란 여러 핵심어 가운데 문단에서 논의의 중심이 되는 것을 말한다.

→ 1문단에 언급된 핵심어는 크게 '논증', '연역 논증', '비연역 논증'이라고 볼 수 있다. 일반적으로 문단의 핵심어 중 가장 상위 개념이 중심 화제일 가능성이 높기 때문에 '논증'이 중심 화제라고 생각할 수도 있다. 하지만 이 글에서 '논증'은 '연역 논증'과 '비연역 논증'에 대한 이해를 돕기 위한 배경지식을 제시한 것이므로 보조 화제라고 볼 수 있다. 또한 '연역 논증'과 '비연역 논증' 중 '연역 논증'에 대해 여러 문장에 걸쳐 자세히 설명하고 있는데 일반적으로 이렇게 자세히 설명하는 화제가 중심 화제일 가능성이 높다. 따라서 이 문단의 중심 화제는 '연역 논증'이라고 보아야 한다.

② 중심 문장 찾기

중심 화제에 대해 설명하고 있는 문장들 중 어느 문장이 중심 문장인지를 찾아야 한다. 이때 가장 중요한 문장은 대부분 하나 또는 두 개이며 나머지 문장은 이를 부연하거나, 예를 들어 설명하는 보조 문장이다. 문장 간의 관계를 따져 보았을 때 주된 문장은 중심 문장, 부연이나 예시와 같이 종속된 문장은 보조 문장이 된다.

→ 대부분 중심 문장은 문단의 맨 앞이나 뒤에 놓일 가능성이 높다. 지문의 1문단의 경우에도 중심 화제를 설명하고 있는 두번째 문장이 중심 문장이다.

③ 중심 내용 정리하기

중심 내용을 묻는 문제에서는 선택지에 각 문단의 중심 문장을 그대로 언급하는 것이 아니라 이를 간단히 요약·정리하여 제시하는 것이 보통이다. 따라서 중심 문장을 찾은 뒤에 이를 스스로 정리해 보는 것이 좋다.

02 추론의 적절성 판단 | 정답 ⑤ |

윗글을 바탕으로 추론한 내용으로 가장 적절한 것은?

① 유비 논증의 개연성은 이미 알고 있는 ~~정보~~와 관련이 없는 새로운 대상이 추가될 때 높아진다.

② 인간은 자신이 고통을 느낀다는 것이나 동물이 고통을 느낀다는 것이나 모두 유비 ~~논증~~에 의해 안다.

③ 인간이 꼬리가 있는 실험동물과 차이가 있다는 사실은 ~~동물 실험의 유효성을 주장하는 논증의 개연성을 낮춘다.~~

④ 동물 실험이 인간에게 중대한 이익을 가져다준다는 것은 동물 실험의 유효성과 ~~상관없이~~ 알 수 있는 정보이다.

⑤ 동물 실험에 윤리적 문제가 있다는 주장에는 인간과 동물의 고통을 공평한 기준으로 대해야 한다는 생각이 전제되어 있다.
　　　고통을 끼치는 실험을 해서는 안 됨.

📋 **발문 분석**

지문의 세부 내용을 정확히 이해하고 추론할 수 있는지 묻고 있다. 지문에 언급된 유비 논증에 대한 설명과 동물 실험의 유효성을 주장하는 쪽, 동물 실험을 반대하는 쪽의 견해를 살펴본 다음 선택지의 내용과 1:1로 비교하며 선택지의 적절성을 판단해야 한다.

◎ **정답 풀이**

⑤ 6문단에서 동물 실험을 반대하는 쪽은 '인간과 동물 모두 고통을 느끼는데 인간에게 고통을 끼치는 실험은 해서 안 되고 동물에게 고통을 끼치는 실험은 해도 된다고 생각하는 것은 공평하지 않다'라고 생각한다면서 이는 '윤리성의 문제'라고 하였다. 따라서 동물 실험을 반대하는 입장에서는 인간과 동물의 고통을 공평한 기준으로 대해야 한다는 생각이 전제되어 있다고 추론할 수 있다.

❌ **오답 풀이**

① 4문단에서 '도출한 새로운 정보가 참일 가능성을 유비 논증의 개연성이라 한다. 개연성이 높기 위해서는 비교 대상 간의 유사성이 커야' 한다고 하였다. 또 이때의 유사성은 '새로운 정보와 관련이 있는 유사성이어야 한다.'라고도 덧붙였다. 이를 고려하면 유비 논증의 개연성은 이미 알고 있는 정보와 관련이 없는 것이 아니라, 관련이 있는 새로운 대상이 추가될 때 높아지는 것이라고 추론할 수 있다.

② 5문단에서 '인간은 자신의 고통과 달리 동물의 고통은 직접 느낄 수 없지만 무엇인가에 맞았을 때 신음 소리를 내거나 몸을 움츠리는 동물의 행동이 인간과 기능적으로 유사하다는 것을 보고 유비 논증으로 동물이 고통을 느낀다는 것을 알 수 있'다고 하였다. 따라서 인간이 자신이 고통을 느낀다는 것을 유비 논증에 의해서 안다고 추론하는 것은 적절하지 않다.

③ 4문단에서 '새로운 정보가 참일 가능성을 유비 논증의 개연성이라 한다.'라면서 '인간과 꼬리가 있는 실험동물은 꼬리의 유무에서 유사성을 갖진 않지만 그것은 실험과 관련이 없는 특성이므로 무시해도 된다'고 하였다. 따라서 인간이 꼬리가 있는 동물과 차이가 있다는 사실은 개연성에 영향을 미치지 않는다고 추론하는 것이 적절하다.

④ 3문단에서 '동물 실험의 유효성을 주장하는 쪽은 인간과 실험동물이 유사성을 보유하고 있기 때문에' '실험동물의 반응 결과를 인간에게 안전하게 적용할 수 있'다고 추론한다고 하였다. 또 '이를 바탕으로 이들은 동물 실험이 인간에게 명백하고 중요한 이익을 준다고 주장'한다고 하였다. 이를 고려하면 동물 실험이 유효하지 않다면 실험의 결과를 인간에게 적용할 수 없고, 이는 인간에게 아무런 이익을 주지 못한다고 추론하는 것이 적절하다.

🍯 **선생님의 꿀 정보**

02번 문제: 세부 정보를 추론하는 문제의 오답 선택지를 만드는 법과 대처 방법

오답 선택지를 만드는 방법	대처 방법
1. 지문에서 진술한 내용과 반대로 서술한다. → 선택지 ①번. 지문에서는 '유사한 대상'이었던 것을 선지에서는 '새로운 대상'으로 바꾸었음.	선택지에서 서술하고 있는 내용을 지문에서 찾은 후, 달라진 점이 없는지 확인한다.
2. 하나의 대상에만 해당되는 내용을 두 개 이상의 대상에 해당하는 것처럼 서술한다. → 선택지 ②번. 고통을 느끼는 것을 유비 논증으로 알 수 있는 것은 동물에게만 해당되는 내용인데 이를 인간까지 포함함.	둘 이상의 대상이 묶여 서술될 경우에는 대상의 특징이 모두에게 적용되는 것인지, 하나의 대상에게만 적용되는 것인지를 정확하게 파악해야 한다.
3. 지문의 내용을 다른 용어로 바꾸어 표현하는 과정에서 잘못된 내용을 포함하여 서술한다. → 선택지 ③번. 지문의 '꼬리의 유무는 실험과 관련이 없는 특성이므로 무시해도 된다고 본다.'를 '개연성에 영향을 주지 않는다.'라는 표현으로 바꾸는 과정에서 '개연성을 낮춘다'로 바꾸었음. → 선택지 ④번. '실험동물의 반응 결과를 인간에게 안전하게 적용할 수 있음을 바탕으로'를 '동물 실험의 유효성을 바탕으로'라는 표현으로 바꾸는 과정에서 '동물 실험의 유효성과 상관없이'로 바꾸었음.	지문의 내용을 선택지에서 다른 표현으로 바꾸어 서술하고 있기 때문에 다소 어렵게 느껴질 수 있다. 선택지에 서술된 내용이 지문의 어떠한 내용을 언급하고 있는지를 찾은 후, 수정된 부분이나 잘못 서술한 부분은 없는지 살펴보아야 한다.

03 **핵심 정보의 파악** | 정답 ③ |

㉠과 ㉡에 대한 설명으로 가장 적절한 것은?

① ㉠과 ㉡은 모두 인간과 동물이 ~~기능적으로 유사하면 인과적 메커니즘도 유사하다고 생각한다.~~
4문단. 인과적 메커니즘은 동물마다 차이가 있다.

② ㉠이 ㉡의 비판에 적절히 대응하기 위해서는 ~~인간과 동물이 기능적으로 유사하지 않다는 것을~~ 보여주면 된다.
2문단. 인간과 동물의 기능적 유사성을 근거로 동물 실험의 유효성을 주장함.

③ ㉡은 ㉠이 인간과 동물 사이의 기능적 차원의 유사성과 인과적 메커니즘의 차이점 중 전자에만 주목한다고 비판한다.

④ ㉡은 ㉠과 달리 ~~인간과 동물이 유사하지 않으면~~ 동물 실험 결과는 인간에게 적용할 수 없다고 생각한다.
2문단

⑤ ㉡은 ㉠과 달리 인간이 고통을 느끼는 것과 동물이 고통을 느끼는 것은 ~~기능적으로 유사하지 않다고~~ 생각한다.
4문단. 인간과 동물이 고통을 느낀다는 기능적 유사성을 주장함.

📋 **발문 분석**

동물 실험의 유효성을 주장하며 동물 실험을 찬성하는 입장인 ㉠과 동물 실험을 반대하는 입장인 ㉡의 주장과 근거를 명확하게 파악할 수 있는지 묻고 있다. 각각의 입장에서 주장하고 있는 바가 무엇인지, 그 근거가 무엇인지를 파악해야 한다.

◎ **정답 풀이**

③ 5문단에서 ㉡'동물 실험을 반대하는 쪽'은 ㉠'동물 실험의 유효성을 주장하는 쪽'이 인간과 실험동물 사이에 '유사성이 있다고 말하지만 그것은 기능적 차원에서의 유사성일 뿐'이며, '기능이 유사하다 해도 그 기능을 구현하는 인과적 메커니즘은 동물마다 차이가 있다는 과학적 근거가 있'다고 비판하였다. 따라서 ㉡은 ㉠이 인간과 동물 사이의 기능적 차원의 유사성에만 주목하는 것을 비판하고 있다고 볼 수 있다.

❌ **오답 풀이**

① 5문단에서 ㉡은 '인간과 실험동물의 기능이 유사하다고 해도 그 기

능을 구현하는 인과적 메커니즘은 동물마다 차이가 있다'고 하였다.

② 3문단에서 ㉠은 '인간과 실험동물이 유사성을 보유하고 있기 때문에 신약이나 독성 물질에 대한 실험동물의 반응 결과를 인간에게 안전하게 적용할 수 있다고 추론한다.'라고 하였다. 이를 고려하면 ㉠이 ㉡의 비판에 대응하기 위해서는 인간과 동물이 기능적으로 유사하다는 것을 보여 주어야 한다. 5문단에서 ㉡은 '인간과 실험동물의 기능이 유사하다고 해도 그 기능을 구현하는 인과적 메커니즘은 동물마다 차이가 있다'면서 동물 실험을 반대하고 있다. 따라서 ㉠이 인간과 동물의 기능적 유사성보다는 기능 구현의 인과적 메커니즘의 유사성을 밝히는 것이 더욱 적절한 대응이라고 볼 수 있다.

④ 3문단에서 ㉠은 '인간과 실험동물이 유사성을 보유하고 있기 때문에' '실험동물의 반응 결과를 인간에게 안전하게 적용할 수 있다고 추론한다.'라고 하였다. 또 5문단에서 ㉡은 ㉠이 주장하는 인간과 실험동물 사이의 유사성이 '기능적 차원에서의 유사성일 뿐'이라면서 동물 실험을 반대하고 있다고 하였다. 이를 고려하면 ㉠과 ㉡ 모두 인간과 동물이 유사하지 않으면 동물 실험의 결과를 인간에게 적용할 수 없다고 생각한다고 추측할 수 있다.

⑤ 5문단에서 ㉡은 인간은 '무언가에 맞았을 때 신음 소리를 내거나 몸을 움츠리는 동물의 행동이 인간과 기능적으로 유사하다는 것을 보고 유비 논증으로 동물이 고통을 느낀다는 것을 알 수 있다'고 하였다.

04 구체적 상황에 적용 | 정답 ② |

[보기]는 유비 논증의 하나이다. 유비 논증에 대한 윗글의 설명을 참고할 때, ⓐ~ⓒ에 해당하는 것을 ㉮~㉱ 중에서 골라 알맞게 짝지은 것은?

─| 보기 |
내가 알고 있는 ㉮어떤 개는(실험동물) ㉯몹시 사납고 물려는 버릇이(반응 결과) 있다. 나는 공원에서 산책을 하다가 그 개와 ㉰비슷하게 생긴(유사성) ㉱다른 개를 만났다. 그래서 이 개도 사납고 물려는 버릇이(인간) 있을 것이라고 추측했다.

	ⓐ	ⓑ	ⓒ
①	㉮	㉯	㉱
②	㉮	㉰	㉯
③	㉱	㉮	㉰
④	㉱	㉯	㉰
⑤	㉱	㉰	㉯

발문 분석

지문에 언급된 유비 논증에 대해 이해하고, 동물 실험의 유효성을 주장하는 입장에서 활용한 유비 논증을 새로운 구체적 상황에 적용할 수 있는지를 묻고 있다. 각 대상이 가진 특징에 유의하여 지문의 ⓐ~ⓒ가 [보기]의 ㉮~㉱ 중 어느 것에 대응되는지를 판단해야 한다.

보기 분석

지문에서 동물 실험의 유효성을 주장하는 쪽은 인간과 실험동물(ⓐ)이 유사성(ⓑ)을 갖고 있어서 실험동물의 반응 결과(ⓒ)를 인간에게 적용할 수 있다고 하였

다. [보기]는 내가 알고 있는 개의 특성을 다른 개도 갖고 있을 것이라고 추측했다는 유비 논증의 예이다.

정답 풀이

② 3문단에서 확인할 수 있듯이 ⓐ'실험동물'은 실험자가 실험을 통해 특정한 물질에 대해 어떠한 ⓒ'반응 결과'를 보이는지를 이미 알고 있는 대상이다. 따라서 ⓐ는 [보기]의 '내'가 기존에 경험을 통해 알고 있던 ㉮'어떤 개'에, ⓒ는 ㉯'몹시 사납고 물려는 버릇'에 해당한다고 볼 수 있다. 또한 3문단에서 인간과 ⓐ'실험동물'이 ⓑ'유사성'을 보유하고 있는 것을 근거로 ⓒ'반응 결과'를 인간에게 안전하게 적용할 수 있다고 추론하고 있다. 이를 [보기]의 '나'가 ㉮'어떤 개'와 ㉰'비슷하게 생긴' 것을 근거로 공원에서 만난 ㉱'다른 개' 또한 ㉯'몹시 사납고 물려는 버릇'이 있을 것이라고 추측한 것에 적용하면 '인간'은 ㉱'다른 개'에, ㉰'비슷하게 생긴'은 ⓑ'유사성'에 해당한다고 볼 수 있다. 이를 정리하면 ⓐ는 ㉮에, ⓑ는 ㉰에, ⓒ는 ㉯에 해당한다고 볼 수 있다.

05 구체적 사례에 적용 | 정답 ④ |

윗글을 참고하여 [보기]를 이해한 내용으로 적절하지 않은 것은?

─| 보기 |

	ㄱ	ㄴ	ㄷ
A	물은 1기압에서 온도가 100℃에 이르면 끓는다.	나비는 알을 낳는다. 매미도 알을 낳는다.	원숭이는 뇌가 복잡한 피질로 덮여 있어 지능 활동을 활발히 하는 영리한 동물이다.
	↓	↓	↓
B	1기압에서 주전자 속의 물이 끓기 시작했다.	나비와 매미는 모두 곤충이다.	돌고래도 원숭이와 비슷한 뇌를 가지고 있다.
	↓	↓	↓
C	주전자 속의 물의 온도는 100℃에 이르렀다.	따라서 곤충은 알을 낳는다.	돌고래도 영리한 동물이다.

① ㄱ은 C가 참이 되려면 A와 B가 기압계와 온도계로 정확히 측정한 사실이어야겠군. 1문단. 연역 논증은 전제가 참이면 결론도 반드시 참이 됨.

② ㄴ은 경험적 관찰을 바탕으로 일반적 사실을 도출하였으므로 귀납 논증에 해당하겠군. 나비와 매미는 알을 낳음. 곤충은 알을 낳음.

③ ㄷ은 원숭이와 돌고래의 유사성을 근거로 새로운 결론을 도출한 것이로군. 뇌 구조 돌고래도 영리한 동물이다.

④ ㄱ과 ㄴ은 확실하고 설득력 있지만 기존 사실을 확인한 것일 귀납 논증 연역 논증 뿐 새로운 지식을 확장해 주지는 못하는군.

⑤ ㄱ, ㄴ, ㄷ은 모두 C가 A와 B로부터 도출된 사실이라 할지라도 올바르지 않을 가능성이 있겠군. 1문단

발문 분석

지문을 참고하여 [보기]에 제시된 논증의 유형을 파악하고, 각 논증의 특성을 파악할 수 있는지를 묻고 있다. [보기]에 제시된 논증의 전제와 결론을 도출하는 과정에서의 특징을 통해 ㄱ~ㄷ이 해당하는 논증

의 유형을 파악한 후, 선택지의 내용이 적절한지를 판단해야 한다.

✔ 보기 분석

1문단에서 '연역 논증은 전제로부터 결론을 도출하는 추론으로, 전제가 참이면 결론도 반드시 참이 된다.'라고 하였다. 또 2문단에서 '귀납 논증은 특수한 사실로부터 일반적 사실을 도출하는 추론으로, 주로 경험적 관찰에 기반을 둔다.'라고 하였다. 또 '유비 논증은 두 대상이 몇 가지 점에서 유사하다는 사실이 확인된 상태에서 어떤 대상이 추가적 특성을 갖고 있음이 알려졌을 때 다른 대상도 그 추가적 특성을 가지고 있다고 추론하는 논증이다.'라고 하였다.

• ㄱ은 물이 100℃에 이르면 끓는다는 전제가 참이라면 주전자 속에서 끓고 있는 물의 온도가 100℃에 이르렀다는 결론 또한 참이 될 수밖에 없는 논증이다. 또한 주전자 속에서 끓는 물의 온도가 100℃라는 결론은 물이 100℃에서 끓는다는 전제를 확인시켜줄 뿐, 지식을 확장시켜주지 못한다. 따라서 ㄱ은 연역 논증에 해당한다.

• ㄴ은 관찰 주체가 나비가 알을 낳고 매미가 알을 낳는다는 사실을 발견한 후, 이들이 모두 곤충에 포함된다는 사실을 근거로 곤충은 모두 알을 낳는다는 사실을 도출해낸 것이다. 나비와 매미가 알을 낳는다는 개별적 지식으로부터 곤충은 알을 낳는다는 일반적 지식을 획득하게 되었으므로 지식이 확장되었다고 볼 수 있다. 그러나 이는 개인의 경험을 바탕으로 한 논증이므로 만약 곤충임에도 알이 아닌 새끼를 낳는 사례를 발견한다면 이 논증에는 오류가 발생하게 된다. 따라서 ㄴ은 귀납 논증에 해당한다.

• ㄷ은 복잡한 피질로 덮여 있는 뇌의 특징으로 인해 원숭이가 영리함을 갖게 되었음을 밝힌 후, 원숭이와 돌고래가 비슷한 뇌 구조를 갖고 있음을 근거로 돌고래 또한 영리할 것이라는 결론을 도출해낸 것이다. 이는 이미 알고 있는 전제에서 새로운 정보를 결론으로 도출한 것이며 새로운 정보로 지식이 확장되었다고 볼 수 있다. 따라서 ㄷ은 유비 논증에 해당한다.

◎ 정답 풀이

④ [보기]의 ㄱ은 연역 논증, ㄴ은 귀납 논증, ㄷ은 유비 논증의 사례이다. 1문단에서 논증은 연역 논증과 비연역 논증으로 나뉘며, 연역 논증은 '설득력이 있지만 이것만으로는 지식을 확장할 수 없다'고 하였다. 이를 통해 연역 논증은 새로운 지식을 확장해 주지 못하고, 비연역 논증은 새로운 지식을 확장해 준다고 추측할 수 있다. 따라서 ㄱ은 새로운 지식을 확장해 주지 못하지만 ㄴ은 새로운 지식을 확장해 준다고 이해해야 한다.

✖ 오답 풀이

① 1문단에서 연역 논증은 '전제가 참이면 결론도 반드시 참'이라고 하였으므로, 연역 논증의 결론인 C가 참이 되기 위해서는 전제인 A와 B가 반드시 참이어야 한다. A와 B가 참이려면 물이 끓었을 때의 기압과 온도가 각각 1기압, 100℃가 맞는지에 대한 과학적 검증이 필요하다. 따라서 C가 참이 되려면 A와 B가 기압계와 온도계로 정확히 측정한 사실이어야 한다고 이해하는 것은 적절하다.

② 2문단에서 '귀납 논증은 특수한 사실들로부터 일반적 사실을 도출하는 추론으로, 주로 경험적 관찰에 기반을 둔다.'라고 하였다. ㄴ은 나비와 매미가 알을 낳는다는 경험적 관찰로부터 곤충은 알을 낳는다는 일반적 사실을 도출해 낸 것이다. 따라서 ㄴ을 귀납 논증에 해당한다고 이해하는 것은 적절하다.

③ 2문단에서 '유비 논증은 두 대상이 몇 가지 점에서 유사하다는 사실이 확인된 상태에서 어떤 대상이 추가적 특성을 갖고 있음이 알려졌을 때 다른 대상도 그 추가적 특성을 가지고 있다고 추론하는 논증'이라고 하였다. 유비 논증에 해당하는 ㄷ은 원숭이와 돌고래가 비슷한 뇌를 가지고 있다는 유사성을 근거로 원숭이와 마찬가지로 돌고래도 영리한 동물이라는 결론을 도출해 내고 있다.

⑤ 1문단에서 연역 논증은 '전제가 참이면 결론도 반드시 참이라고 하

였다. 이를 통해 전제가 거짓이면 결론도 거짓이 된다는 점을 추측할 수 있다. 또 연역 논증에서 '전제로부터 결론이 올바르게 도출되는 경우 '타당하다'라고 하고, 그렇지 않은 경우 '부당하다'라고 한다.'라고 하였다. 이를 고려하면 연역 논증의 결론이 전제로부터 도출된 것일지라도 타당하지 않을 가능성이 있다고 추측할 수 있다. 또 1문단에서 '과학적으로 설명할 수 없는 상태에서 논증을 펼치는 부당한 논증인 비연역 논증의 필요성이 제기된다.'라고 하였다. 이를 통해 전제로부터 얻어진 결론이 올바르지 않을 가능성이 있음을 추측할 수 있다. 2문단에 언급된 귀납 논증의 예에서 모든 새들이 날개가 있는지에 대한 검증이 이루어지지 않았다는 내용과, 5~6문단에서 동물 실험의 유효성을 주장하는 쪽의 유비 논증을 동물 실험을 반대하는 쪽이 두 가지 측면에서 비판하고 있다는 내용이 언급되어 있다. 이를 고려하면 비연역 논증의 결론이 올바르지 않을 가능성이 있다고 추측할 수 있다. 따라서 ㄱ, ㄴ, ㄷ 모두 C가 A와 B로부터 도출된 사실이라 할지라도 올바르지 않을 가능성이 있다고 이해하는 것은 적절하다.

---

06 어휘의 문맥적 의미 파악 | 정답 ① |

문맥상 ⓒ과 바꿔 쓰기에 적절하지 않은 것은?
            끼치는
① 맡~~기~~는   ② 가하는   ③ 주는
④ 안기는   ⑤ 겪게 하는

📁 발문 분석

문맥을 고려하여 어휘의 의미를 이해하고, 이를 다른 어휘와 바꾸어 쓸 수 있는지를 묻고 있다. 각각의 어휘를 해당 문맥에 넣어 자연스러운지 여부를 따져보아야 한다.

◎ 정답 풀이

① ⓒ'끼치는'의 기본형 '끼치다'는 '영향, 해, 은혜 따위를 당하거나 입게 하다.'라는 의미이다. 그런데 '맡기다'는 '어떤 일에 대한 책임을 지고 담당하게 하다.'라는 의미이므로 ⓒ과 바꾸어 쓰기에 적절하지 않다.

✖ 오답 풀이

② '가하다'는 '어떤 행위를 하거나 영향을 끼치다.'를 의미하는 어휘이다. 영향을 끼친다는 점에서 ⓒ과 의미상 유사하므로, 바꾸어 쓰기에 적절하다.

③ '주다'는 '(사람이 어떤 일이나 감정을 다른 대상에게) 겪게 하거나 느끼게 하다.'를 의미하는 어휘이다. 고통을 겪게 한다는 점에서 ⓒ과 의미상 유사하므로, 바꾸어 쓰기에 적절하다.

④ '안기다'는 '(사람이 책임이나 빚, 피해 따위를) 떠맡게 하거나 당하게 하다.'를 의미하는 어휘이다. 해를 당하게 한다는 점에서 ⓒ과 의미상 유사하므로, 바꾸어 쓰기에 적절하다.

⑤ '겪게 하다'는 '어렵거나 경험될 만한 일을 당하여 치르게 하다.'를 의미하는 어휘이다. 어려운 일을 치르게 한다는 점에서 ⓒ과 의미상 유사하므로, 바꾸어 쓰기에 적절하다.

구절 풀이

천이 있어야 인간이 존재함.

예로부터 동양은 주로 농경사회였고, 농사를 짓는 일에는 자연현상과 기후의 변화가 중요했음. 그래서 천이 어떻게 작용하는지를 파악하려고 했음.

자연천 개념에서의 천은 인격적이거나 도덕적인 성격이 없음.

상제천 개념에서 천은 의지를 가진 절대적 권능의 존재임. 이 개념 아래에서 통치자들은 천의 의지인 천명을 그들의 통치권과 정통성을 보장하는 근거로 삼았음.

어휘 풀이

* 함의: 말이나 글 속에 어떠한 뜻이 들어 있음. 또는 그 뜻.
* 영위: (사람이 일 따위를) 실제로 행하거나 꾸림.
* 상제: 세상을 창조하고 이를 주재한다고 믿어지는 초자연적인 절대자.
* 주재: 어떤 일을 중심이 되어 맡아 처리함.
* 가치중립적: 어떤 가치관이나 태도에도 치우치지 않는 것.

선생님의 Tip

"천명(天命)에 의한 통치"

가치중립적 성격을 가지고 있던 천이 정치적인 개념으로 변화된 것은 나라를 다스리는 권력을 부여하는 것으로 천의 의지를 해석했기 때문임. 대표적인 예는 우리나라의 건국 신화임. 고조선의 시조 단군이 하느님의 아들인 환웅의 아들이라는 것이나, 신라의 시조 박혁거세가 하늘이 보낸 알에서 태어났다는 것은 시조의 탄생이 하늘의 뜻이라는 것을 강조하며 시조가 통치권을 가지는 것에 정당성을 부여함.

① 동양에서 '천(天)'은 그 함의*가 넓다. 모든 존재의 근거가 그것으로부터 말미암지 않는 것이 없다는 면에서 하나의 표본이었고, 모든 존재들이 자신의 생존을 영위*하고 그 존재 가치와 의의를 실현하는 데도 그것의 이치와 범주를 벗어날 수 없다는 면에서 하나의 기준이었다. 이처럼 천은 인간 존재의 근본이며 인간이 존재하는 필연적인 세계였다. 그래서 현실 세계 안에서 인간의 삶을 모색하는 데 관심을 두었던 동양에서는 인간이 천을 어떻게 이해하느냐에 따라 삶의 길이 달리 설정되었을 만큼 천에 대한 이해가 다양하였다.
　　　　　중심 화제 제시
1문단: 동양에서의 천(天)에 대한 다양한 이해

② 천은 자연현상 가운데 인간에게 가장 크게 영향을 미치는 것이자 가장 크고 뚜렷하게 파악되는 현상으로 여겨졌다. 농경을 주로 하는 문화적 특성상 자연현상과 기후의 변화를 파악하는 것이 중시된 만큼 천의 표면적인 모습 외에 작용 면에서 천을 파악하려는 경향이 ⓐ짙었다. 그래서 천은 자연적 현상과 작용 등을 포괄하는 '자연천(自然天)' 개념으로 자리를 잡았다. 자연천 개념 하에서는 번개가 치고 천둥이 치는 것도 기후 작용의 하나로서, 그 광경과 소리가 웅장하여 인간에게 두려움을 줄 수는 있으나 그것이 괴이하다거나 인간에게 내려지는 경고라는 의미는 주지 않았다. 그저 자연현상 중 하나로 생각되었다.
　　　　　천 개념 ①
2문단: 자연천(自然天)의 개념과 등장 배경

③ 이러한 천 개념하에서 인간은 도덕적 자각이 없었을 뿐만 아니라 자연 변화의 원인과 의지도 알 수 없었다. 그러므로 인간의 힘으로는 어찌할 수 없는 하늘을 우러러보며 숭배하는 배천사상(拜天思想)이 예로부터 싹트게 되었다. 이처럼 천은 신성한 대상으로 간주되었고, 배천사상의 개념 여러 자연신 가운데 하나로 생각되었다. 특히 상제(上帝)*와 결부됨으로써 모든 것을 주재*하는 절대적인 권능을 가진 '상제천(上帝天)' 개념이 자리 잡았다. 길흉화복을 주재하고 생천 개념 ② 　 좋고 나쁜 사람의 운수 사여탈권까지 관장하는 종교적인 의미로 그 성격이 변화한 것이다. 이러한 천관(天觀)은 하늘에 인격을 부여하는 것으로서, 하늘이 인간사의 모든 것을 주재한다는 의미로 '주재천(主宰天)'이라고도 한다. 자연천 개념에서는 가치중립적*이었던 천이 의지를 가진 절대적 권능의 존재로 수용되면서 정치적인 개념으로 (천명(天命))'이 등장하였다. 그리고 통치자들은 자연천(가치중립적)에서 실제천(절대자로서의 천)으로 변화함. 하늘로부터 부여받은 권력 천의 명령을 통해 통치권을 부여받았고, 천의 의지인 천명은 제사 등을 통해 통치자만 알 수 있는 것으로 규정되었다. 그리하여 천명은 통치자가 권력을 행사하고, 정권의 정통성을 보장하는 근거가 되었다.
3문단: 상제천(上帝天)의 개념과 천명(天命)의 등장 배경

④ 그러나 독점적이고 배타적인 천명에 근거한 권력 행사는 부작용을 가져왔다. 도덕적 경 천명이라는 이유로 통치자가 권력을 독차지하고 다른 이를 배척함. 도덕적이지 않은 계심이 결여된 통치자의 권력 행사는 백성에 대한 억압의 계기로 작용하였다. 어떤 통치자

지문 구조도

화제 제시: 천에 대한 이해(1문단)
천(天)은 인간 존재의 근본이며 인간이 존재하는 필연적 세계로, 동양에서 천에 대한 이해는 다양하였음.

↓

전개: 천의 변화(2문단~5문단)
① 자연천: 농경 생활에서는 자연현상과 기후 변화를 중시하여 작용 면에서 천을 파악하려 함. ② 상제천: 천은 절대적인 권능을 가진 것으로 통치자의 권력 남용이라는 부작용이 발생할 수 있음. ③ 의리천: 인간의 도덕성과 규범의 근거로서 천을 수용함.

↓

마무리: 동양철학에 영향(6문단)
천은 시대와 상황에 따라 그 개념이 변화해 왔고, 천 개념은 동양철학자들에게 다양하게 수용되면서 동양철학을 발전시키는 데 영향을 끼쳤음.

들은 권력이 천의 명령이라는 부정할 수 없는 근거를 무기로 통치권을 횡포를 저지르는 수
_{상제천 개념 하에서의 인식}
단으로 사용하였으며, 이러한 상황에도 천의 명령을 받았기에 통치자는 교체될 수 없었다.
그러나 통치의 부작용이 심화됨에 따라 천에 대한 반성이 제기되었고, 도덕적 반성을 통해
_{'상제천' 개념을 돌이켜 봄.}
천명 의식은 수정되었다. 그리고 '천은 명을 주었다가도 통치자가 정치를 잘못하면 언제나
그 명을 박탈해 간다.', '천은 백성들이 원하는 것을 들어준다.'는 생각이 현실화되었다. 천
명은 계속 수용되었지만, 그것의 불변성, 독점성, 편파성 등은 수정되었고, 그 기저*에는
도덕적 의미로서 '의리천(義理天)' 개념이 자리하였다.
_{천 개념 ③}   **4문단: 천명(天命) 의식의 수정과 의리천(義理天)의 개념**
5 상제로서의 천 개념이 개방되면서 주재적 측면이 도덕적 측면으로 수용되었고, '의리천'
_{여기에서는 '수정'으로 해석}
개념은 더욱 심화되어 천은 인간의 도덕성과 규범의 근거로 받아들여졌다. 천을 인간 내면
으로 끌어들여 인간 본성을 자연한 것이자 도덕적인 것으로 간주하였다. 천이 도덕 및 인간
_{이에 따르면 천과 인간이 하나가 될 수 있음.}
본성과 결부됨에 따라 인간 내면에 있는 천으로서의 본성을 잘 발휘하면 도덕을 실현함은
_{의리천의 결과 ①}
물론, 천의 경지에 도달할 수 있다고 여겨졌다. 내면화된 천은 비도덕적 행위에 대한 제어
_{의리천의 결과 ②   인간 본성이 천과 같이 도덕적이게 되면 비도덕적 행위를 하지 않게 됨.}
장치 역할을 하는 양심의 근거로도 수용되어 천의 도덕적 의미는 더욱 강조되었다. 천명 의
_{불변성, 독점성, 편파성 등이 수정됨.}
식의 변화와 확장된 천 개념의 결합에 따라 천은 초월성과 내재성을 가진 존재로서 받아들
_{도덕적 의미로 심화됨.}
여졌고, ㉠인간 행위의 자율성과 타율성을 이끌어 내는 기반이 되어 인간 삶의 중요한 근거
로서 그 위상이 강화되었다.   **5문단: 천명(天命) 의식의 변화에 따라 복합적으로 수용된 천(天) 개념**
6 천명 의식의 변화와 맞물려 천 개념은 동양철학자들에게 다양하게 받아들여졌다. 공자
_{동양철학자 ①}
는 인(仁)을 논하면서 인격 도야를 통해 인간에게 내재된 본성이 천에 다가갈 수 있다고 하
_{의리천 개념을 받아들임.}
였다. 그러면서도 주재적인 천을 그대로 믿고, 하늘을 외경*하는 태도를 견지*하며 제자의
_{상제천 개념을 받아들임.}
죽음 앞에서 운명적인 천명을 탄식하기도 하였다. 맹자 또한 성선설(性善說)을 강조하고
_{동양철학자 ②   의리천 개념을 받아들임.}
수양을 통한 천인합일을 강조하였지만, 천이 절대적인 권력을 가지고 인간의 대소사*를 관
장한다고 생각하며 경천(敬天)*하였고 제왕은 하늘의 명을 받은 사람이라는 정치적 천명사
_{상제천 개념을 받아들임.}
상을 논하였다. 반면 노자와 장자는 천의 도덕적 의의와 종교적 의의 대신 자연적 의의를
_{동양철학자 ③   동양철학자 ④}
중시하여 천을 아무런 목적의식 없이 항상성을 가지고 움직이는 영구불변의 자연으로 파악
_{자연천 개념을 받아들임.}
하였다. 이처럼 천은 시대와 상황에 따라 그 개념이 변화해 왔고, 천 개념은 동양철학자들
에게 다양하게 수용되면서 동양철학을 발전시키는 데 영향을 끼쳤다.
                                6문단: 동양철학자들에게 다양하게 수용된 천 개념

* 경천: 하늘을 우러르며 숭배함.

지문 해제

이 글은 동양철학에서의 천(天) 개념에 대해 소개하면서, 천 개념이 어떻게 변화되어 왔는지를 설명하고 있다.
인간이 천을 이해하는 방식은 다양한데, 가장 먼저 등장한 것이 자연현상과 작용 등을 포괄하는 자연천 개념이다.
농경 사회에서 자연현상과 기후 변화는 매우 중요한 것이었기에 인간은 천의 표면적인 부분뿐만 아니라 작용 면
에서 천을 살폈다. 그런데 이러한 천의 작용은 인간으로서는 그 원인을 알 수 없는 것이었기에 인간은 천을 숭배
하게 되었고, 배천사상을 바탕으로 상제천 개념이 등장하게 되었다. 천이 모든 것을 주재하며 절대적 권능을 행사
하는 존재가 된 것이다. 이 개념하에서 나타난 천명 의식은 정치적인 개념으로 받아들여지면서, 통치권은 천의 명
령이기에 통치자가 절대 권력을 행사할 수 있다는 생각으로 규정되었다. 그러나 통치자의 독점적이고 배타적인 통
치 때문에 부작용이 발생하자 천명 의식은 수정되었고, 천의 주재적 성격이 도덕적 성격으로 변화하며 의리천 개
념이 등장하였다. 의리천 개념 하에서 인간은 천으로서의 본성을 내면에 가지고 있는 존재로, 도덕적 수양을 통해
이 본성에 다가갈 수 있다고 여겼다. 그리하여 천은 인간의 양심적 행위의 근거가 되었으며 개념의 확장을 통해
인간 행위의 자율성과 타율성을 이끌어 내는 기반이 되었다. 천 개념은 시대와 상황에 따라 그 개념이 변화되어
왔고, 동양철학자들에게 다양하게 수용되면서 동양철학을 발전시키는 데 영향을 끼쳤다.

구절 풀이

○ 통치자의 권력은 하늘이 준 것이고, 하늘이
절대적인 존재라면 통치자가 어떤 통치를
하더라도 백성들은 그를 따라야 함. 그러나
백성을 위한 통치가 아닐 경우 하늘이 통치
권을 통치자로부터 회수할 수 있다고 여기
게 되었고 절대적인 통치권의 위상과 기존
의 천명 의식은 백성들의 마음을 살피는 도
덕적 역할로 바뀌게 되었음.

○ 천에 대한 인식이 숭배에서 도덕적 실천으
로 바뀜.

○ ┌ 자율성: 인간은 내면의 본성을 수양하며 천
│   에 다가감.
└ 타율성: 인간은 천명에 의해 살아감.

어휘 풀이

* 기저: 어떤 것의 바탕이 되는 부분.
* 외경: 공경하면서 두려워함.
* 견지: 어떤 견해나 입장 따위를 굳게 지니거
나 지킴.
* 대소사: 크고 작은 모든 일.

선생님의Tip

"천(天) 이해의 변화"

① **자연천**: 자연적 현상과 작용 등을 포
괄함. 도덕적 자각이 없고, 자연 변화
의 원인과 의지도 알 수 없었음.
② **상제천**: 절대적인 권능을 가짐. 종교
적인 의미로 성격이 변화함.
③ **의리천**: 천의 불변성, 독점성, 편파성
등이 수정되고 도덕적 의미로 자리
함. 인간의 도덕성과 규범의 근거로
받아들여짐.

"천자(天子)"

천(天)에 대한 정치적 이해는 가족 관계
의 이해와 결합하여 '천자(天子)'라는 용
어를 만들어 냈다. 천자란 하늘의 의지
를 대표하여, 이 세상을 다스리는 하늘
의 대리인이거나 아들이라는 의미임. 천
지의 신들에게 제사 지낼 때나 외국 군
주와의 교섭 등에서 주로 쓰였음.

01 세부 정보의 이해　　　　| 정답 ② |

윗글의 내용과 일치하지 <u>않는</u> 것은?

① 자연으로서의 천 개념에서는 천의 작용에 관심을 가졌다.

② 상제로서의 천<del>개</del>념이 심화되면서 천은 인간 양심의 근거가
되었다.
　　　　　　　　자연현상, 기후의 변화

③ 천은 인간에게 자연현상이자 도덕적 가치의 근원으로 받아들
여졌다.
　　　자연천 개념　　　　의리천 개념

④ 동양에서는 천을 벗어난 인간의 존재 실현은 불가능하다고
생각하였다.
　　　하나의 표본이자, 기준으로 여김.

⑤ 천명 의식은 천이 절대적인 권능을 가지고 있다는 인식에서
비롯되었다.
　　　　　　상제천 개념

📁 발문 분석

선택지에 제시된 내용 중 지문의 내용을 수정하여 잘못 서술하고 있는
부분을 찾을 수 있는지 묻고 있다. 천 개념을 잘못 설명하고 있는 것
을 찾으려면 지문과 선택지를 꼼꼼하게 비교해야 한다.

◎ 정답 풀이

② 5문단에서 '내면화된 천은 비도덕적 행위에 대한 제어 장치 역할을 하는
양심의 근거로 수용되'었다고 하였다. 이는 의리천 개념이 심화되어 인간
의 도덕성과 규범의 근거로 받아들여졌다는 의미이다. 따라서 상제로서
의 천 개념이 아니라, 의리천으로서의 천 개념이 심화되었다고 할 수 있
다.

✖ 오답 풀이

① 2문단에서 자연으로서의 천 개념은 농경 생활과 관련이 있으며, 농
경 생활에서 중요했던 자연현상과 기후의 변화를 파악하는 것이 중
시되었다고 하였다. 이것은 천의 표면적인 모습 외에 작용 면에서
천을 파악한 것이다. 따라서 자연으로서의 천 개념에서는 천의 작
용에 관심을 가졌다는 진술은 적절하다.

③ 2문단에서 자연으로서의 천 개념을 제시하였고, 4문단에서 도덕적
의미로서 의리천 개념을 제시하였다. 또 5문단에서 의리천 개념이
더욱 심화된 도덕적 기준으로서의 천 개념을 제시하였다. 천을 자
연현상으로 본 것은 자연천 개념이며, 도덕적 기준으로 본 것은 의
리천 개념이다. 이를 고려하면 천은 인간에게 자연현상이자 도덕적
가치의 근원으로 받아들여졌다는 진술은 적절하다.

④ 1문단에서 천은 모든 존재의 근거이며, '모든 존재들이 자신의 생
존을 영위하고 그 존재 가치와 의의를 실현하는 데도 그것의 이치
와 범주를 벗어날 수 없'다고 하였다. 또 '천은 인간 존재의 근본이
며 인간이 존재하는 필연적인 세계'라고 하였다. 따라서 동양에서
는 천을 벗어난 인간 존재의 실현은 불가능하다고 생각했다는 진술
은 적절하다.

⑤ 3문단에서 '천이 의지를 가진 절대적 권능의 존재로 수용되면서 정
치적인 개념으로 천명이 등장'했다고 하였다. 따라서 천명 의식은
천이 절대적인 권능을 가지고 있다는 인식에서 비롯되었다는 진술
은 적절하다.

---

02 중심 화제의 파악　　　　| 정답 ② |

[보기]의 ㉮~㉲ 중, 윗글에서 중점적으로 다루고 있는 것은?

┤보기├

　　특정한 사상의 개념을 이해하기 위해서는 그 ㉮개념의 어
원에서 출발하여 ㉯개념의 의미 변천, ㉰개념의 장단점과
㉱현대적 적용 양상을 폭넓게 다룰 필요가 있다. 특히 개념에
대해 더욱 풍부하게 이해하기 위해서는 ㉲사상사 속에서 드
러나는 주요한 쟁점이 표출하는 다양한 의식의 층위도 고찰
해야 한다.

① ㉮　　　　② ㉯　　　　③ ㉰

④ ㉱　　　　⑤ ㉲

📁 발문 분석

지문에서 중점적으로 다루는 내용이 무엇인지 묻고 있다. 지문의 중
심 화제인 '천 개념'의 어원, 의미 변천, 장단점, 현대에의 적용, 주요
쟁점 등이 지문에 포함되어 있는지 확인해야 한다. 두 가지 이상이 포
함되었을 때에는 좀 더 중점적으로 다루고 있는 내용이 무엇인지 판단
해야 한다.

✔ 보기 분석

[보기]는 특정한 사상의 개념을 이해하기 위해 다루어야 할 내용을 설명하고 있
다. 즉 어떤 개념을 설명할 때는 개념의 어원, 개념의 의미 변천, 개념의 장단점,
현대적 적용 양상, 사상사 속에서 드러나는 주요한 쟁점을 다루어야 한다는 것이
다.

◎ 정답 풀이

② 이 글은 동양철학에서의 천 개념을 중심 화제로 다루면서, 2~5문단에서
천 개념의 변천을 중점적으로 설명하고 있다. 즉, 2문단에서는 자연천 개
념을, 3문단에서는 상제천 개념을 설명하고, 4문단에서는 상제천 개념의
부작용과 그로 인해 의리천 개념이 등장하였음을 설명하고 있다. 그리고
5문단에서 의리천 개념을 심화하여 소개하며 천 개념의 변화 양상을 보
여주고 있다. 따라서 이 글에서 ㉯'개념의 의미 변천'을 중점적으로 다루
고 있다고 할 수 있다.

✖ 오답 풀이

① 천(天)이라는 단어가 어디로부터 유래하였는지 그 어원을 설명하고
있지 않다.

③ 4문단에서 상제천 개념의 부작용을 설명하고는 있으나, 그 외에 다
른 천 개념의 장점과 단점을 설명하고 있지 않다.

④ 동양철학에서의 천 개념이 현대적으로는 어떻게 받아들여지고 있
는지 개념의 적용 양상은 드러나 있지 않다.

⑤ 6문단에서 동양철학자들이 각각 천 개념을 어떻게 수용하였는지는
단순하게 설명하고 있지만, 쟁점을 두고 논쟁하는 내용은 언급하고
있지 않다.

03 특정 기준에 따른 개념 이해 | 정답 ① |

⊙에 대한 설명으로 적절하지 않은 것은?

① '자연천'에서는 인간 행위의 자율성이 ~~부각된다.~~

② '상제천'에서 인간 행위의 타율성이 나타나기 시작한다.
　　　　　　천의 명령에 의해 통치권을 부여받았음.

③ '의리천'에서 인간 행위의 자율성이 잘 발휘되면 천의 경지에
　　　　　인간 내면의 본성으로서의 천의 실현
　　도달할 수 있다.

④ 천 개념의 개방에 따라 인간 행위의 자율성이 인정되는 방향
　　주재적 측면이 도덕적 측면으로 수용
　　으로 나갔다.

⑤ 천명 의식이 달라짐에 따라 인간 행위의 자율성과 타율성의
　　　　　　　　의리천 개념　　상제천 개념
　　양상이 변화하였다.

📁 발문 분석

⊙이라는 특정한 기준을 제시하고, 그 기준에 맞추어 다양한 천 개념을 이해하고 있는지 묻고 있다. '인간의 행위'를 천에 의한 것인지, 인간 내면의 본성에 의한 것인지를 각각의 천 개념에서 어떻게 인식하고 있는지 파악할 수 있어야 한다.

◎ 정답 풀이

① 3문단에서 자연천 개념하에서 '인간은 도덕적 자각이 없었을 뿐만 아니라 자연 변화의 원인과 의지도 알 수 없었다.'라고 하였다. 따라서 자연천 개념에서 인간의 행위가 자율성을 가진다고 볼 수 없다.

✖ 오답 풀이

② 3문단에서 하늘을 숭배하는 배천사상이 상제의 개념과 결부된 상제천 개념에서 통치자들은 천의 명령인 '천명을 통해 통치권을 부여받았'다고 생각했다고 하였다. 이처럼 국가의 통치를 인간의 의지가 아니라 천의 의지로 보고 있으므로, 상제천에서 인간 행위의 타율성이 나타나기 시작한다고 볼 수 있다.

③ 5문단에서 의리천 개념이 심화됨에 따라 '천이 도덕 및 인간 본성과 결부됨에 따라 인간 내면에 있는 천으로서의 본성을 잘 발휘하면 도덕을 실현함은 물론, 천의 경지에 도달할 수 있다고 여겨졌다.'라고 하였다. 이처럼 내면에 존재하는 천으로서의 본성을 발휘하는 것은 인간이 자율성을 바탕으로 하는 것이다. 따라서 '의리천'에서 인간 행위의 자율성이 잘 발휘되면 천의 경지에 도달할 수 있다고 볼 수 있다.

④ 5문단에서 '상제로서의 천 개념이 개방되면서 주재적 측면이 도덕적 측면으로 수용되었고, '의리천' 개념은 더욱 심화되어 천은 인간의 도덕성과 규범의 근거'가 되었다고 하였다. 이는 천이 모든 것을 관장하는 것이 아니라 인간이 도덕성과 규범을 지키기 위해 노력하고 있다는 의미이므로, 인간 행위의 자율성이 인정되는 방향으로 나갔다고 할 수 있다.

⑤ 4, 5문단에서 상제천 개념에서 비롯된 천명 의식이 도덕적 반성을 통해 수정되면서 천의 '주재적 측면이 도덕적 측면으로 수용되'었다고 하였다. 이처럼 천 개념이 개방되고 결합함에 따라 인간의 행위도 상제천 개념에서 비롯된 타율성이 의리천 개념에서 비롯된 자율성으로 양상이 변화했다고 볼 수 있다. 따라서 천명 의식이 달라짐에 따라 인간 행위의 자율성과 타율성의 양상이 변화하였다고 할 수 있다.

🍯 선생님의 꿀 정보

03번 문제: 특정 기준에서 개념을 이해해야 할 때

특정 기준을 제시하고, 그 기준에 따라 지문에 제시된 개념을 이해하는 문제가 출제되면 어떻게 풀어야 할까? 03번 문제를 예시로 살펴보자.

03번 문제에서는 인간 행위의 자율성과 타율성을 기준으로 제시하였다. 가장 먼저 기준의 사전적 의미를 생각해 본 후 다음으로 전체 지문의 내용과 관련하여 자율성과 타율성의 의미를 문맥적으로 생각해 보아야 한다.

① 자율성과 타율성의 사전적 의미
• 자율성: 자기 스스로의 원칙에 따라 어떤 일을 하거나 자기 스스로 자신을 통제하여 절제하는 성질이나 특성.
• 타율성: 자신의 의지와 관계없이 정하여진 원칙이나 규율에 따라 움직이는 성질.

② 자율성과 타율성의 문맥적 의미
• 자율성: 천의 명령에 따르는 것이 아니라 자신의 행위를 자신이 결정함.
• 타율성: 천의 명령에 의해 행위를 결정함.

①과 ②를 고려하면 지문에 제시된 천 개념 가운데 인간 행위의 자율성이 잘 드러나는 천 개념은 '의리천'(인간 내면의 본성으로서의 천을 실현함.)이고, 타율성이 잘 드러나는 개념은 '상제천(통치권을 천으로부터 받는 천명 의식 등 천을 절대적으로 권능한 존재로 여김.)'임을 알 수 있다. 이것을 바탕으로 선택지의 적절성을 판단해 보면 된다.

👑 04 구체적 사례에 적용 | 정답 ④ |

윗글의 천 개념에 해당하는 예를 [보기]에서 골라 바르게 묶은 것은?

┌─ 보기 ┐

ㄱ. 천은 크기로 보면 바깥이 없고, 운행이 초래하는 변화는
　　　　　　　　　　가장 큰 것.
　　다함이 없다.
　　계속 변화하는 것.

ㄴ. 만물의 생성과 변화를 살피면 그와 같이 되도록 주재하고
　　운용하는 존재가 있는 것으로 생각된다.
　　절대적 권능을 가지고 있음.

ㄷ. 인심이 돌아가는 곳은 곧 천명이 있는 곳이다. 그러므로
　　백성을 위함. 도덕적 측면
　　사람을 거스르고 천을 따르는 자는 없고, 사람을 따르고
　　천을 거스르는 자도 없다.

ㄹ. 이 세상 사물 가운데 털끝만큼 작은 것들까지 천이 내지
　　않은 것이 없다고들 한다. 대체 하늘이 어떻게 하나하나
　　명을 낸단 말인가? 천은 텅 비고 아득하여 아무런 조짐도
　　없으면서 저절로 되어 가도록 맡겨 둔다.
　　　　　　　자연적인 것

	자연천	상제천	의리천
①	ㄱ	ㄴ, ㄹ	ㄷ
②	ㄴ	ㄱ	ㄷ, ㄹ
③	ㄹ	ㄴ	ㄱ, ㄷ
④	ㄱ, ㄹ	ㄴ	ㄷ
⑤	ㄱ, ㄹ	ㄷ	ㄴ

여러 가지 천 개념을 이해하고 적합한 예를 도출할 수 있는지 묻고 있다. [보기]의 견해들은 모두 직접적으로 천 개념을 설명하고 있는 것이 아니라 천 개념을 내포하고 있다. 따라서 ㄱ~ㄹ 속에 내포된 의미를 명확한 언어로 바꾼 후 각각 어떤 천 개념을 뜻하는 것인지 파악해야 한다.

✔️ 보기 분석

[보기]는 천 개념에 대한 여러 사상가들의 생각이다. ㄱ에서는 천이 가장 큰 것이라는 의미를 내포하고 있고, ㄴ에서는 만물의 생성과 변화를 주재하고 운용하는 존재가 있다는 것은(그것이 천이라는 의미) 천이 절대적인 권능을 가지고 있다는 의미를 내포하고 있다. 한편 ㄷ에서 사람의 마음이 곧 천의 명령이라는 것은 천명을 실행함에 있어 사람을 생각해야 한다는, 즉 도덕적 측면을 강조한 것이다. ㄹ에서 하늘이 하나하나 명을 낼 수 없으며, 하늘은 저절로 되어 가도록 맡겨 둔다고 한 것은 천의 자연적인 측면을 주장한 것이다.

◎ 정답 풀이

④ 자연천

ㄱ. 2문단에서 '천은 자연현상 가운데 인간에게 가장 크게 영향을 미치는 것이자 가장 크고 뚜렷하게 파악되는 현상으로 여겨졌다.'라고 하였는데, 이것은 자연천 개념에서 바라본 천이다. ㄱ에서는 천의 크고 다함이 없는 점에 주목하고 있으므로 자연천의 개념의 예라고 할 수 있다.

ㄹ. 2문단에서 '천은 자연적 현상과 작용 등을 포괄하는' 개념이라고 하였으며, 번개가 치고 천둥이 치는 것도 기후 작용의 하나로 인식했다고 하였다. 이런 작용은 어떤 의지가 개입되는 것이 아니라 자연스러운 것으로, ㄹ에서 언급한 저절로 되는 것과 상통한다. 따라서 ㄹ은 자연천 개념의 예라고 할 수 있다.

상제천

ㄴ. 3문단에서 천은 '상제와 결부됨으로써 모든 것을 주재하는 절대적인 권능을 가진' 존재로 자리 잡았다고 하였다. ㄴ에서는 주재하고 운용하는 존재가 있다고 하였으므로 ㄴ은 상제천의 개념의 예라고 할 수 있다.

의리천

ㄷ. 4문단에서 '천은 명을 주었다가도 통치자가 정치를 잘못하면 언제나 그 명을 박탈해 간다.', '천은 백성들이 원하는 것을 들어준다.'고 하였는데, 이것은 상제천에서 말하는 천명 의식이 수정되고 의리천의 개념으로 자리하는 것을 의미한다. ㄷ에서는 인심이 중요하고 사람을 따라야 천도 따를 수 있는 것이라고 하였으므로 ㄷ은 의리천의 개념의 예라고 할 수 있다.

🍯 선생님의 **꿀 정보**

04번 문제: 지문의 내용과 [보기]의 내용을 연결하기

04번 문제의 경우, [보기]의 견해들은 지문의 내용을 내포하고 있는 것들이지만 지문에서 사용한 단어를 그대로 사용하고 있지 않다. 그러므로 같은 단어로 정리해 준 다음 비교하면 문제를 쉽게 해결할 수 있다.

1단계: 발문에서 '천 개념'에 대해 묻고 있다는 것을 확인하기
2단계: 지문에서 천 개념의 의미를 파악하기
3단계: [보기]의 견해에서 키워드 뽑기
　예) ㄱ - 크기, 변화, 다함이 없음, ㄴ - 주재, 운용
　　　ㄷ - 인심 = 천명, ㄹ - 저절로
4단계: [보기]의 키워드를 해당하는 천 개념에 연결하기

👑 **05** 다른 견해와의 비교　　　| 정답 ③ |

[보기]는 천 개념에 대한 순자의 견해이다. 윗글과 [보기]를 고려하여 순자의 견해를 이해한 것으로 적절하지 <u>않은</u> 것은?

┌─보기┐
◇ 다스려지고 어지러워지는 것은 하늘에 달린 것인가? 해와 달과 별들의 상서로운 질서는 우임금 때나 걸왕 때나 똑같은데, 우임금 때에는 다스려지고 걸왕 때에는 어지러워졌으니, 다스려지고 어지러워지는 것은 <u>하늘에 달린 것이 아니다.</u>
　천의 주재성을 부정함.

◇ 하늘을 따라 칭송하는 것과 <u>하늘의 움직임을 파악하여 이용하는 것</u>과는 어느 것이 더 나은가? 때가 오기를 우러러
　천을 이용하려는 적극적인 태도
보고 기다리는 것과 때를 잘 응용하여 그것을 잃지 않는 것과는 어느 것이 더 나은가?…… 그러므로 사람의 일을 놓아두고 하늘을 사모하면 만물의 실정을 잃게 되는 것이다.
└──────┘

① 공자, 맹자와 달리 천의 주재성에 반대한다.
　　　　　　　　하늘이 인간사의 모든 것을 주재함.
② 노자, 장자와 마찬가지로 자연에는 질서와 법칙이 있음을 인정하고 있다.
　　　　　　　하늘의 움직임, 때
③ 공자, 맹자와 마찬가지로 도덕성을 통해 천명을 알 수 있다고 생각하고 있다.
④ 노자, 장자와 달리 <u>천의 이용</u>에 대한 인간의 적극적인 노력
　　　　　　　　하늘을 이용
과 실천을 요구한다.
⑤ 공자, 맹자와 달리 천과 인간을 합일하는 존재가 아니라 분리된 존재로 인식한다.
　인간사와 하늘의 일을 구분함.

📁 발문 분석

[보기] 속 순자의 견해를 정확하게 이해하고 다른 동양철학자들의 견해와 비교할 수 있는지 묻고 있다. [보기]에 드러난 순자의 의도를 명확히 파악한 후 지문의 공자와 맹자, 노자와 장자의 견해와 비교해야 한다.

✔️ 보기 분석

[보기]는 순자가 바라보는 천 개념이다. 순자는 다스려지고 어지러워지는 것이 하늘에 달린 것이 아니라고 하였으므로, 천의 절대적인 권능인 주재성에 반대하고 있음을 알 수 있다. 또 하늘을 칭송하기보다 이용하는 것이 더 낫다고 하였으므로 천을 이용하려는 적극적인 태도를 강조하고 있다고 볼 수 있다.

◎ 정답 풀이

③ 6문단에서 공자와 맹자는 상제천으로서의 천 개념과 의리천으로서의 천 개념을 복합적으로 수용하고 있음을 제시하고 있다. 그러나 [보기]에서 순자는 천의 주재성을 부정하고 천에 대한 인간의 적극적인 이용을 중시했다고 하였으므로 순자는 공자, 맹자와는 견해가 다르다고 볼 수 있다.

❌ 오답 풀이

① 6문단에서 공자는 '주재적인 천을 그대로 믿고', 맹자는 '천이 절대적인 권력을 가지고 인간의 대소사를 관장'한다고 하였다. 그러나 [보기]의 순자는 '다스려지고 어지러워지는 것이 하늘에 달린 것이 아니다.'라고 하면서 천의 주재성을 부정하고 있다. 따라서 순자는 공자, 맹자와 달리 천의 주재성에 반대한다는 진술은 적절하다.

② 6문단에서 노자와 장자는 '천의 도덕적 의의와 종교적 의의 대신 자연적 의의를 중시하여 천을 아무런 목적의식 없이 항상성을 가지

고 움직이는 영구불변의 자연으로 파악하였다.'라고 하였다. [보기]의 순자도 하늘이 자연적으로 움직이는 법칙이 있다는 것을 전제하여 하늘의 움직임과 때를 논하고 있다. 따라서 순자는 노자, 장자와 마찬가지로 자연에는 질서와 법칙이 있음을 인정한다는 진술은 적절하다.

④ 6문단에서 노자와 장자는 천의 자연적 의의를 중시하여 '천을 아무런 목적의식 없이 항상성을 가지고 움직이는 영구불변의 자연으로 파악'하였다고 하였다. 그러나 [보기]의 순자는 이러한 자연으로서의 '하늘의 움직임을 파악하고 이용'해야 한다고 함으로써 인간의 적극적인 노력이 있어야 함을 강조하고 있다. 따라서 순자는 노자, 장자와 달리 천의 이용에 대한 인간의 적극적인 노력과 실천을 요구한다는 진술은 적절하다.

⑤ 6문단에서 공자는 천에 다가가려는 인격 도야를 강조하였고 맹자는 수양을 통한 천인합일 등을 강조하며 천과 인간이 합일할 수 있는 존재라고 바라보았다고 하였다. 그러나 [보기]의 순자는 다스려지고 어지러워지는 인간사의 일이 하늘에 달린 것이 아니라고 하면서 이 둘을 구분하고 있다. 따라서 순자는 공자, 맹자와 달리 천과 인간을 합일하는 존재가 아니라 분리된 존재로 인식한다는 진술은 적절하다.

④ '일정한 공간에 냄새가 가득 차 보통 정도보다 강하다.'의 의미로 쓰인 것이다.

⑤ '그림자나 어둠 같은 것이 아주 뚜렷하거나 빛깔에 아주 검은색이 있다.'의 의미로 쓰인 것이다.

선생님의 꿀 정보

지문 먼저? 문제 먼저?

비문학(독서) 문제를 풀 때 지문을 먼저 보든 문제를 먼저 보든 정답은 없다. 하지만 문제를 먼저 보는 것을 추천한다. 문제를 먼저 보면 글을 읽을 때 어떤 부분에서 좀 더 집중해서 읽어야 하는지 파악할 수 있으며, 글을 읽는 도중에 풀 수 있는 문제들도 있어서 시간을 줄일 수도 있기 때문이다.

문제를 본다는 것은 발문과 선택지를 본다는 것이다. 발문을 본다는 것은 발문을 읽으며 어떤 유형의 문제인지 파악해야 한다는 의미이다. 발문을 통해 내용 일치를 묻는 문제인지, 내용 전개 방식을 묻는 문제인지, 구체적 사례에 적용하는 문제인지, 단어의 의미를 묻는 문제인지 등을 판단한다. 단어의 의미를 묻는 문제의 경우 지문을 읽으면서 바로 풀 수도 있다.

선택지를 본다는 것은 '정독'을 하는 것이 아니라, 어떤 단어들이 제시되어 있는지 '스캔'하듯이 읽는다는 의미이다. 어차피 선택지를 정독해봤자 바로 문제를 풀 수 없다. 그러나 선택지에 제시된 단어들을 살펴보면 지문의 내용을 짐작할 수 있으며, 문제를 푸는 데 필요한 부분을 쉽게 찾아낼 수도 있다.

06 다의어의 의미 파악 | 정답 ① |

ⓐ와 가장 가까운 뜻으로 쓰인 것은?

짙었다

① 폭우가 내릴 가능성이 짙어 건물 외벽을 점검했다.

② 짙게 탄 커피를 마시면 잠이 잘 안 온다.

③ 철수는 짙은 안개 속에서 길을 잃었다.

④ 정원에서 꽃향기가 짙게 풍겨 온다.

⑤ 해가 지고 어둠이 짙게 깔렸다.

발문 분석

'짙다'가 다의어임을 알고, 문맥에 따라 '짙다'의 다의적 의미를 파악하고 그 용례를 적절하게 연결할 수 있는지 묻고 있다. ⓐ의 앞뒤 문맥에 따라 ⓐ의 의미를 파악하고, 그 의미가 가장 가까운 선택지를 찾아야 한다.

정답 풀이

① '짙다'는 다의어로, '빛깔을 나타내는 물질이 많이 들어 있어 보통 정도보다 빛깔이 강하다.'라는 중심 의미와 여러 주변 의미를 가지고 있다. 주변 의미로는 '그림자나 어둠 같은 것이 아주 뚜렷하거나 빛깔에 아주 검은색이 있다.', '안개나 연기 따위가 자욱하다.', '액체 속에 어떤 물질이 많이 들어 있어 진하다.', '일정한 공간에 냄새가 가득 차 보통 정도보다 강하다.', '드러나는 기미, 경향, 느낌 따위가 보통 정도보다 뚜렷하다.' 등이 있다. 지문에서 ⓐ는 '경향이 있다, 많다'는 의미로 사용되었으므로, '드러나는 기미, 경향, 느낌 따위가 보통 정도보다 뚜렷하다.'의 의미로 사용된 것이다. ①은 '폭우가 내릴 가능성이 많다'는 내용이므로 ⓐ와 가장 가까운 뜻으로 쓰인 것이다.

오답 풀이

② '액체 속에 어떤 물질이 많이 들어 있어 진하다.'의 의미로 쓰인 것이다.

③ '안개나 연기 따위가 자욱하다.'의 의미로 쓰인 것이다.

M·E·M·O

_____

_____

_____

_____

_____

_____

_____

_____

신채호의 역사관

[2015학년도 대학수학능력시험 기출 변형]

01 ④	02 ④	03 ⑤	04 ③	05 ③	06 ③

본문 ◐ 20쪽

구절 풀이

신채호의 사상에서 투쟁과 연대가 모순되지 않는 요소라는 점을 이해하려면 신채호 사상의 핵심 개념인 '아'를 이해해야 함.

아의 자성 = 항성+변성
나의 나됨 = 자신에 대해 자각+비아와의 관계 속에서 자기의식을 갖게 됨.

상속성과 보편성의 관계: 보편성 확보 → 상속성 실현 → 상속성 유지 → 보편성 실현

어휘 풀이

* 멸절: 멸망하여 아주 없어짐. 또는 멸망시켜 아주 없애 버림.
* 사욕: 자기 한 개인의 이익만을 꾀하는 욕심.

─ 선생님의 **Tip**

"신채호의 『조선 상고사』"

1931년에 「조선일보」에 연재하였던 내용을 11편으로 나누어 엮은 것으로 1948년에 간행됨. 고조선부터 고구려·백제·신라의 삼국 시대까지의 역사를 기록한 책임.
총론에서 '역사는 아(我)와 비아(非我)의 투쟁의 기록'이라고 밝힌 것처럼, 신채호는 조선 민족과 타민족, 민족적인 것과 비민족적인 것, 주체적인 것과 사대적인 것, 혁신적인 것과 보수적인 것 사이의 투쟁을 구명하는 방식으로 역사 연구를 함. 『조선상고사』는 은나라가 망한 후 기자(箕子)가 고조선에 망명하여 세웠다고 하는 '기자조선'을 부정하고, 일본의 야마토왜가 4세기 후반에 백제·신라·가야를 지배하고, 가야에는 일본부라는 기관을 두어 6세기 중엽까지 직접 지배하였다는 임나일본부설을 부정함. 만주영토설, 삼국 문화 일본 유입설, 삼국 통일 및 김춘추 비판론, 발해·신라 양국 시대론, 김부식 비판론 등을 발전시킴.
기존의 왕조 중심사를 비판·극복하고, 일제의 식민사관에 의한 조선사 왜곡을 통렬히 논박하였다고 평가받고 있음.

1 역사가 신채호는 역사를 아(我)와 비아(非我)의 투쟁 과정이라고 정의한 바 있다. 그가 _{중심 화제: 신채호의 역사관} 무장 투쟁의 필요성을 역설한 독립 운동가이기도 했다는 사실 때문에, 그의 이러한 생각은 그를 투쟁만을 강조한 강경론자처럼 비춰지게 하곤 한다. 하지만 그는 식민지 민중과 제국주의 국가에서 제국주의를 반대하는 민중 간의 연대를 지향하기도 하였다. 그의 사상에서 투쟁과 연대는 모순되지 않는 요소였던 것이다. 이를 바르게 이해하기 위해서는 그의 사상의 핵심 개념인 '아'를 정확하게 이해할 필요가 있다.
_{신채호 사상의 특징}
_{1문단: 신채호 사상의 핵심인 '아'에 대한 이해의 필요성}

2 신채호의 사상에서 아란 자기 ⊙본위에서 자신을 ⓒ자각하는 주체인 동시에 항상 나와 _{신채호 사상의 '아'의 개념} 상대하고 있는 존재인 비아와 마주 선 주체를 의미한다. 「자신을 자각하는 누구나 아가 될 수 있다는 상대성을 지니면서 또한 비아와의 관계 속에서 비로소 아가 생성된다는 상대성 _{「」: '아'의 특징} 도 지닌다.」 신채호는 조선 민족의 생존과 발전의 길을 모색하기 위해 『조선 상고사』를 저술하여 아의 이러한 특성을 규정하였다. 그는 아의 자성(自性), 곧 '나의 나됨'은 스스로의 고유성을 유지하려는 항성(恒性)과 환경의 변화에 대응하여 적응하려는 변성(變性)이라는 두 _{자성의 구성 요소 ①} _{자성의 구성 요소 ②} 요소로 이루어져 있다고 하였다. 아는 항성을 통해 아 자신에 대해 자각하며, 변성을 통해 비아와의 관계 속에서 자기의식을 갖게 되는 것으로 ©설정하였다. 그리고 자성이 시대와 환경에 따라 변화한다고 하였다. _{2문단: 신채호가 제시한 아의 개념과 특성}
_{자성의 특징}

3 신채호는 아를 ⓐ소아와 ⓑ대아로 구별하였다. 그에 따르면, 소아는 개별화된 개인적 _{소아의 개념} 아이며, 대아는 국가와 사회 차원의 아이다. 소아는 자성은 갖지만 상속성(相續性)과 보편 _{대아의 개념} _{'소아'의 특징} 성(普遍性)을 갖지 못하는 반면, 대아는 자성을 갖고 상속성과 보편성을 가질 수 있다. 여기 _{'대아'의 특징} 서 상속성이란 시간적 차원에서 아의 생명력이 지속되는 것을 뜻하며, 보편성이란 공간적 _{상속성의 의미} 차원에서 아의 영향력이 ②파급되는 것을 뜻한다. 상속성과 보편성은 긴밀한 관계를 가지 _{보편성의 의미} 는데, 보편성의 확보를 통해 상속성이 실현되며 상속성의 유지를 통해 보편성이 실현된다. 대아가 자성을 자각한 이후, 항성과 변성의 조화를 통해 상속성과 보편성을 실현할 수 있 _{대아의 상속성과 보편성 실현 방법} 다. 만약「대아의 항성이 크고 변성이 작으면 환경에 순응하지 못하여 멸절(滅絕)*할 것이며, _{「」: 항성과 변성의 크기에 따른 대아의 운명} 항성이 작고 변성이 크면 환경에 주체적으로 대응하지 못하여 우월한 비아에게 정복당한다」 고 하였다. _{3문단: '소아'와 '대아'의 개념과 특징}

4 신채호는 개별 주체인 소아는 대아로 거듭나야 한다고 하였다. 이는 조선 민족이 사욕* _{신채호의 주장: 소아 → 대아} 을 극복하고 민족적인 생존을 위해 일본의 제국주의 침략에 저항할 수 있는 실천적 주체가

지문 구조도

화제 제시: 신채호의 역사관(1문단)
역사: '아(我)'와 '비아(非我)'의 투쟁 과정 → 투쟁과 연대는 모순되지 않음.

↓

구체화1: 신채호의 사상	
'아'의 개념과 특성(2~4문단)	**'자성'의 개념과 특성(2, 3문단)**
아: 자기 본위에서 자신을 자각하는 주체이자 '비아'와 마주선 주체	자성: '나의 나됨'은 항성과 변성으로 이루어져 있음. – 항성: 스스로의 고유성을 유지하려는 성질. '아'는 항성을 통해 자신에 대해 자각함. – 변성: 환경의 변화에 대응하여 적응하려 하는 성질. '아'는 비아와의 관계 속에서 자기의식을 갖게 됨.

↓

구체화2: 신채호의 인식(5, 6문단)
조선 민중은 민족 내부의 연대는 물론 제국주의 국가에서 제국주의를 반대하는 민중과의 연대를 통해 인류로서 인류를 억압하지 않는 자유를 지향해야 함.

출제 의도 신채호 사상의 핵심인 '아(我)'와 '자성'의 의미를 바탕으로 신채호의 역사관을 이해할 수 있는지를 평가하기 위한 지문이다. 신채호 사상의 핵심인 '자성'의 의미와 '소아'와 '대아'의 관계, 신채호의 역사관 등 추상적인 개념과 사실적 정보를 정확히 파악했는지를 평가하는 문제들이 출제되었다.

주제 신채호의 역사관을 통해 살펴본 투쟁과 연대의 의미

되어야 한다는 것을 의미한다. 그는 소아 상태를 극복한 대아가 많아지면 일본 제국주의자를 비롯한 친일 세력 등 반민족 세력을 파괴할 수 있는 동력이 확장된다고 보았다. 그러나 신채호가 되어야 한다고 주장한 대아가 개별 주체의 존엄성이 소멸된 전체주의적 주체를 의미하는 것은 아니다. 그가 의미하는 대아란 소아의 상태를 극복하고 양심의 본연*을 회복한 상태를 말하는 것이지, 개인의 존엄성을 도외시*하거나 집단적 획일주의를 지향한 것은 아니기 때문이다. 따라서 신채호가 되어야 한다고 주장하는 대아는 옳고 그름을 올바르게 판단하고 그것을 실천하는 주체를 의미하는 것이라고 볼 수 있다.
대아의 의미
4문단: '소아'와 '대아'의 관계 및 '대아'의 의미

5 이러한 아의 개념을 통해 우리는 투쟁과 연대에 관한 신채호의 인식을 정확히 이해할 수 있다. 일본의 제국주의 침략에 ㉤직면하여 그는 신국민이라는 새로운 개념을 제시하고 조선 민족이 신국민이 될 때 민족 생존이 가능하다고 보았다. 신국민은 상속성과 보편성을 지닌 대아로서 역사적 주체 의식이라는 항성과 제국주의 국가에 대응하여 생긴 국가 정신이라는 변성을 갖춘 조선 민족의 근대적 대아에 해당한다. 또한 그는 일본을 중심으로 서구 열강에 대항하자는 동양주의에 반대하였다. 동양주의는 비아인 일본이 아가 되어 동양을 통합하는 길이기에, 조선 민족인 아의 생존이 위협받는다고 보았기 때문이다.
신국민의 의미
동양주의의 개념
신채호가 동양주의를 반대한 이유
5문단: 아의 개념을 통해 본 투쟁과 연대에 관한 신채호의 인식

6 식민 지배가 심화될수록 일본에 동화되는 세력이 증가하면서 신채호는 아 개념을 더욱 명료화할 필요가 있었다. 이에 그는 조선 민중을 아의 중심에 놓으면서, 아에도 일본에 동화된 '아 속의 비아'가 있고, 일본이라는 비아에도 아와 연대할 수 있는 '비아 속의 아'가 있음을 밝혔다. 민중은 비아에 동화된 자들을 제외한 조선 민족을 의미한 것이었다. 그는 조선 민중을, 민족적인 생존과 자유 등 전체적인 삶을 선택하는 주체라는 점에서 대아와 동일시하였다. 즉, 신채호는 조선 민중을 대아가 가진 민족적인 의식을 지니고 있어 제국주의 국가의 이념에 매몰되지 않고, 자각된 주체성과 도덕성을 지니고 있어 민족 내부의 압제*와 위선*을 제거하고 참된 민족 생존과 번영을 달성할 수 있는 주체로 인식하였다. 그리고 제국주의 국가에서 제국주의를 반대하는 민중과의 연대를 통하여 부당한 폭력과 억압을 강제하는 제국주의에 함께 저항할 수 있는 주체로 보았다. 신채호가 인식한 민중은 민족 내부의 연대는 물론 세계적 차원의 민중 연대를 자각하고 실천할 수 있다는 점에서 국가적인 경계를 넘어설 수 있는 주체라고 볼 수 있다. 그는 이러한 민중 연대를 통해 '인류로서 인류를 억압하지 않는' 자유를 지향하였다.
연대할 수 없는 조선인
연대할 수 있는 일본인
연대할 수 있는 일본인
신채호가 궁극적으로 지향한 것
6문단: 신채호가 인식한 민중의 의미와 민중 연대의 의의

지문 해제

이 글은 신채호 역사관의 핵심 개념인 '아'의 의미를 제시하고, 이를 통해 그가 지향한 투쟁과 연대의 의미에 대해 설명하고 있다. 신채호의 사상에서 아는 자기 본위에서 자신을 자각하는 주체인 동시에 나와 상대하고 있는 존재인 비아와 마주 선 주체를 의미한다. 아는 항성과 변성으로 이루어진 자성(自性)을 갖고 있는데, 이 자성은 시대와 환경에 따라 변화한다. 신채호는 아를 개별화된 개인적 아인 소아와 국가와 사회 차원의 아인 대아로 구별하였다. 그는 소아가 대아로 거듭나야 한다고 여겼으며, 대아는 자성을 자각한 이후 항성과 변성의 조화를 통해 상속성과 보편성을 실현할 수 있다고 보았다. 신채호는 조선 민족에 대아가 많아진다는 것은 반민족 세력을 파괴할 수 있는 동력이 확장되는 것이라고 인식하면서, 대아는 옳고 그름을 올바르게 판단하고 그것을 실천하는 주체라고 하였다. 한편, 일본의 식민 지배가 심화되는 상황에 직면한 신채호는 아에도 일본에 동화된 '아 속의 비아'가 있으며, 일본이라는 비아에도 아와 연대할 수 있는 '비아 속의 아'가 있다고 하였다. 그는 조선 민중이 제국주의 국가에서 제국주의를 반대하는 민중, 즉 '비아 속의 아'와의 연대를 통해서 '인류로서 인류를 억압하지 않는' 자유를 지향해야 한다고 주장하였다.

구절 풀이

신채호는 조선 민족이 근대적 대아인 신국민이 되어야 한다고 보았음. 그는 조선 민중이 자각된 주체성과 도덕성을 갖고 전체적인 삶을 선택하는 주체가 되어야 한다고 주장했으며, 이렇게 되어야만 제국주의 침략에 저항할 수 있다고 생각했음.

어휘 풀이

* 본연: 본디 생긴 그대로의 타고난 상태.
* 도외시: 상관하지 아니하거나 무시함.
* 압제: 권력이나 폭력으로 남을 꼼짝 못 하게 강제로 누름.
* 위선: 겉으로만 착한 체함. 또는 그런 짓이나 일.

선생님의Tip

"전체주의"

개인의 모든 활동은 민족·국가와 같은 전체의 존립과 발전을 위해서 존재한다는 이념 아래 개인의 자유를 억압하는 사상을 의미함. 이탈리아의 파시즘과 독일의 나치즘이 대표적임.
일반적으로 전체주의는 개인주의와 대립되는 개념으로 이해되는데, 이러한 의미에서의 전체주의는 부분에 대한 전체의 선행성과 우월성을 주장함. 그래서 개인의 이익보다는 집단의 이익을 강조하여 집권자의 정치권력이 국민의 정치 생활은 물론, 경제·사회·문화생활의 모든 영역에 걸쳐 전면적이고 실질적인 통제를 가하는 것을 의미하기도 함.

"동양주의"

동양주의는 현재 서구에서 통용되는 '오리엔탈리즘'과는 다른 개념임. 20세기 전반까지 아시아에서의 동양주의는 19세기 말경 서구에 위기를 느낀 일본이 아시아의 연대를 주장하며 내세운 '아시아주의'에 연원을 둔 용어였음. 이후 1930년대 일본의 제국주의적 팽창과 더불어, 서구 중심의 보편사를 비판하는 일본의 이데올로기로 활용됨. 동양주의는 현실 정치에서는 '동아협동체', '동아연맹론', '대동아공영권론' 등으로 등장하였고, 지적 영역에서는 '서양(근대=자본주의=민주주의)'을 타자화하며 그것의 대안을 '동양'에서 찾는 사상으로 변화하였음.

01 개괄적 정보의 파악 | 정답 ④ |

윗글에서 다룬 내용으로 적절하지 않은 것은?

① 신채호 사상의 핵심 개념에 대한 이해의 필요성
　　　아(我), 1문단
② 신채호 사상에서의 자성의 의미
　　　　　　　　　2문단
③ 신채호가 밝힌 대아와 소아의 차이
　　　　3문단, 상속성○ 보편성○ 상속성× 보편성×
④ 신채호 사상에서의 대아의 역사적 기원
⑤ 신채호가 지향한 민중 연대의 의의
　　　　　　　　　　　6문단

📁 발문 분석

지문의 개괄적인 내용을 이해했는지를 묻고 있다. 지문에 언급된 신채호의 사상과 아와 비아 등의 개념을 살펴본 다음, 선택지와 비교하여 선택지의 적절성을 판단해야 한다.

◎ 정답 풀이

④ 3문단에서 '신채호는 아를 소아와 대아로 구별하였'고, '대아는 국가와 사회 차원의 아'로 '자성을 갖고 상속성과 보편성을 가질 수 있다.'라고 하였다. 또 4문단에서 대아를 '민족적인 생존을 위해 일본의 제국주의 침략에 저항할 수 있는 실천적 주체'이며 '소아의 상태를 극복하고 양심의 본연을 회복한 상태'라고 하였다. 따라서 이 글에서는 대아의 개념과 특성에 대해서는 설명하고 있다고 볼 수 있다. 그러나 대아가 생겨난 역사적인 기원에 대해서는 언급하지 않았다.

✖ 오답 풀이

① 1문단에서 신채호가 '무장 투쟁의 필요성을 역설한 독립 운동가이기도 했'기 때문에 '그를 투쟁만을 강조한 강경론자처럼 비춰지게'도 하지만, 그는 '민중 간의 연대를 지향하기도 하였다.'라고 하였다. 그리고 '그의 사상에서 투쟁과 연대는 모순되지 않는 요소였'다면서, '이를 바르게 이해하기 위해서는 그의 사상의 핵심 개념인 '아'를 정확하게 이해할 필요가 있다.'라고 하였다. 따라서 신채호 사상의 핵심 개념에 대한 이해의 필요성을 다루고 있다는 진술은 적절하다.

② 2문단에서 아의 자성을 '나의 나됨'이라고 설명하면서 '스스로의 고유성을 유지하려는 항성과 환경의 변화에 대응하여 적응하려는 변성이라는 두 요소로 이루어져 있다'고 하였다. 따라서 신채호 사상에서의 자성의 의미를 다루고 있다는 진술은 적절하다.

③ 3문단에서 '신채호는 아를 대아와 소아로 구별'했다면서 '소아는 개별화된 개인적 아'이며 '자성은 갖지만 상속성과 보편성을 갖지 못'한다고 하였다. 반면 '대아는 국가와 사회 차원의 아'이며, '자성을 갖고 상속성과 보편성을 가질 수 있다.'라고 하였다. 따라서 신채호가 밝힌 대아와 소아의 차이를 다루고 있다는 진술은 적절하다.

⑤ 6문단에서 신채호는 조선 민중을 '제국주의 국가에서 제국주의를 반대하는 민중과의 연대를 통하여 부당한 폭력과 억압을 강제하는 제국주의에 함께 저항할 수 있는 주체로 보았다.'라고 하였다. 또 '민중 연대를 통해 인류로서 '인류를 억압하지 않는 자유'를 지향하였다.'라고 하였다. 따라서 신채호가 지향한 민중 연대의 의의를 다루고 있다는 진술은 적절하다.

02 핵심 정보의 이해 | 정답 ④ |

윗글의 자성(自性)에 관한 이해로 가장 적절한 것은?

① 자성을 갖춘 모든 아는 ~~상속~~성과 보편성을 갖는다.
② ~~소아~~의 ~~항성~~과 변성이 조화를 이루면, 상속성과 보편성이 모두 실현된다.
　　항성과 변성의 조화를 통해 상속성과 보편성이 실현되는 것은 대아임.
③ 대아의 항성이 작고 변성이 크면, ~~상속성은~~ 실현되어도 보편성은 실현되지 않는다.
④ 항성과 변성이 조화를 이루지 못하면, 대아의 상속성과 보편성은 실현되지 않는다.
⑤ 소아의 항성이 크고 변성이 작으면, ~~상속성은~~ 실현되어도 보편성은 실현되지 않는다.

📁 발문 분석

지문에 제시된 핵심 개념을 정확히 파악할 수 있는지를 묻고 있다. '자성'에 대해 주로 설명하고 있는 2문단과 3문단의 내용을 꼼꼼히 살펴보아야 한다.

◎ 정답 풀이

④ 3문단에서 '대아가 자성을 자각한 이후, 항성과 변성의 조화를 통해 상속성과 보편성을 실현할 수 있다.'라면서 '대아의 항성이 크고 변성이 작으면 환경에 순응하지 못하고 멸절할 것이며, 항성이 작고 변성이 크면 환경에 주체적으로 대응하지 못해 우월한 비아에게 정복당한다'고 하였다. 이를 고려하면 항성과 변성이 조화를 이루지 못하면 대아의 상속성과 보편성은 실현되지 않는다고 볼 수 있다.

✖ 오답 풀이

① 3문단에서 신채호는 '아를 소아와 대아로 구별'하고, '소아는 개별화된 개인적 아'로 '자성은 갖지만 상속성과 보편성을 갖지 못하는 반면', '대아는 국가와 사회 차원의 아'로 '자성을 갖고 상속성과 보편성을 가질 수 있다.'라고 하였다. 따라서 소아는 자성은 갖지만 상속성과 보편성은 갖지 않는다고 볼 수 있다.

② 3문단에서 소아는 '상속성과 보편성을 갖지 못'한다고 하였으므로 소아의 항성과 변성이 조화를 이루더라도 상속성과 보편성이 실현된다고 보기는 어렵다.

③ 3문단에서 '대아의 항성이 작고 변성이 크면 환경에 주체적으로 대응하지 못하여 우월한 비아에게 정복당한다'고 하였다. 우월한 비아에게 정복당한다는 것은 아를 지키지 못했다는 의미이다. 또 '상속성이란 시간적 차원에서 아의 생명력이 지속되는 것을 뜻'한다고 하였다. 이를 고려하면 대아의 항성이 작고 변성이 크면 상속성이 실현되었다고 볼 수 없다.

⑤ 3문단에서 '소아는 자성은 갖지만 상속성과 보편성을 갖지 못'한다고 하였다. 따라서 소아를 통해서는 상속성이 실현된다고 볼 수 없다.

선생님의 꿀 정보

02번 문제: 핵심 정보의 이해

① 핵심 정보가 지문의 어디에 위치하고 있는지를 파악한다.

→ 02번 문제에서 언급한 '자성'은 지문의 2, 3문단에 제시되어 있으므로 이 부분을 다시 읽으며 '자성'에 관한 정보를 확인한다.

② 제시되는 개념들 간의 인과 관계나 상·하위 관계 등을 파악한다.

→ 02번 문제를 해결하려면 지문에 언급된 항성과 상속성의 관계와 변성과 보편성의 관계를 이해해야 한다. 또 상속성과 보편성이 서로 불가분의 관계에 있다는 것도 파악해야 한다.

③ 선택지의 순서가 지문에 제시되는 내용의 순서와 일치하는 경우가 있으므로 선택지와 지문을 번갈아 가며 읽어 본다.

→ 이 지문의 경우 '자성'은 2문단에, '소아'와 '대아', '상속성'과 '보편성'은 3로 문단에 언급되어 있다. 단, 모든 지문이 이런 것은 아니므로, 상황에 맞게 적절히 조절해 가며 선택지의 적절성을 판단해야 한다.

03 핵심 정보의 비교 | 정답 ⑤ |

ⓐ와 ⓑ에 대한 설명으로 적절한 것은?
소아 대아

① ⓐ는 시비 판단이 가능하고 그 판단을 실천으로 옮길 수 있는 존재이다.

② ⓑ는 비아에 동화된 자들과의 연대를 통해 제국주의에 저항하는 존재이다.

③ ⓐ는 ⓑ가 지닌 항성과 변성이 결여된 존재이므로 신국민에 포함될 수 없다.

④ ⓑ는 ⓐ가 지닌 존엄성을 도외시하고 전체주의를 지향하는 존재이다.

⑤ ⓐ가 ⓑ로 변화하는 것은 민족적인 생존을 위한 실천적 주체가 되는 것이다.
4문단

📁 **발문 분석**

지문에 제시된 특정 개념의 의미와 특징을 정확히 파악할 수 있는지를 묻고 있다. ⓐ'소아'와 ⓑ'대아'에 대해 설명하고 있는 3문단과 4문단을 중심으로 소아와 대아의 특성을 파악한 후 두 개념의 관계를 도출해야 한다.

◎ **정답 풀이**

⑤ 4문단에서 '신채호는 개별 주체인 소아는 대아로 거듭나야 한다'면서 '이는 조선 민족이 사욕을 극복하고 민족적인 생존을 위해 일본의 제국주의 침략에 저항할 수 있는 실천적 주체가 되어야 한다는 것을 의미한다.'라고 하였다. 따라서 ⓐ'소아'가 ⓑ'대아'로 변화하는 것이 민족적 생존을 위한 실천적 주체가 되는 것이라고 파악하는 것은 적절하다.

✖ **오답 풀이**

① 4문단에서 '신채호가 되어야 한다고 주장하는 대아는 옳고 그름을 올바르게 판단하고 그것을 실천하는 주체를 의미하는 것'이라고 하였다. 따라서 시비를 가릴 수 있고 그 판단을 실천으로 옮길 수 있는 존재는 ⓐ'소아'가 아닌 ⓑ'대아'라고 할 수 있다.

② 4문단에서 신채호는 대아를 '민족적인 생존을 위해 일본의 제국주의 침략에 저항할 수 있는 실천적 주체'라고 보았다고 하였다. 6문

단에서 신채호는 조선 민중을 '대아와 동일시하'면서 '제국주의 국가에서 제국주의를 반대하는 민중과의 연대를 통하여 부당한 폭력과 억압을 강제하는 제국주의에 함께 저항할 수 있는 주체'로 인식하였다고 하였다. 여기에서 제국주의 국가에서 제국주의를 반대하는 민중은 '비아 속의 아'라고 할 수 있다. 그러므로 '비아에 동화된 자'들은 제국주의, 즉 일본에 동화된 자들이며 조선 민족에 포함되지 않는 존재이다. 따라서 대아가 일본, 즉 비아에 동화된 자들과의 연대를 통해 제국주의에 저항하는 존재라고 이해하는 것은 적절하지 않다.

③ 3문단에서 '소아는 자성은 갖지만 상속성과 보편성을 갖지 못'하는 존재라고 하였다. 그리고 2문단에서 자성은 '스스로의 고유성을 유지하려는 항성과 환경 변화에 대응하여 적응하려는 변성이라는 두 요소로 이루어져 있다'고 하였다. 이를 종합하면 ⓐ'소아'는 항성과 변성을 가진 존재이므로, 항성과 변성이 결여된 존재라고 이해하는 것은 적절하지 않다.

④ 4문단에서 '신채호가 되어야 한다고 주장한 대아가 개별 주체의 존엄성이 소멸된 전체주의적 주체를 의미하는 것은 아니'라고 하였다. 따라서 ⓑ'대아'는 ⓐ'소아'가 가진 존엄성을 도외시하고 전체주의를 지향하는 존재라고 이해하는 것은 적절하지 않다.

👑 04 세부 정보의 이해와 추론 | 정답 ③ |

윗글에 대한 이해로 적절하지 않은 것은?

① 신채호가 『조선 상고사』를 쓴 것은, 대아인 조선 민족의 자성을 역사적으로 어떻게 유지·계승할 수 있는지 모색하기 위한 것이겠군.

② 신채호가 동양주의를 비판한 것은, 동양주의로 인해 아의 항성이 작아짐으로써 아의 자성을 유지하기 어렵게 될 것으로 보았기 때문이겠군.
일본이 중심이 되면 조선 민족의 고유성 유지가 어려움.

③ 신채호가 신국민이라는 개념을 설정한 것은, 대아인 조선 민족이 시대적 환경에 대응하여 비아와의 연대를 통해 아의 생존을 꾀할 수 있다고 보았기 때문이겠군.

④ 신채호가 독립 투쟁을 한 것은, 비아인 일본 제국주의의 침략이 아의 상속성과 보편성 유지를 불가능하게 하기에 일본 제국주의와 투쟁해야 한다고 생각했기 때문이겠군.

⑤ 신채호가 제국주의 국가에서 제국주의를 반대하는 민중과 식민지 민중의 연대를 지향한 것은, 아가 비아 속의 아와 연대하여 억압을 이겨 내고 자유를 얻을 수 있다고 생각했기 때문이겠군.
비아 속의 아

📁 **발문 분석**

지문에 대한 이해를 바탕으로 신채호의 역사관을 적절히 추론할 수 있는지를 묻고 있다. 신채호의 사상, 투쟁과 연대에 대한 인식에 대해 언급한 부분을 중점적으로 살펴보면서, 선택지에 언급된 내용이 논리적으로 타당한지를 판단해야 한다.

◎ **정답 풀이**

③ 5문단에서 신채호는 '상속성과 보편성을 지닌 대아'로 신국민의 개념을 제시하고 신국민이 '조선 민족의 근대적 대아에 해당한다'고 보았다고 하였다. 그리고 6문단에서 '조선 민중을 아의 중심에 놓고 '민족 내부의 압

제와 위선을 제거하고 참된 민족 생존과 번영을 달성할 수 있는 주체'이자 '제국주의 국가에서 제국주의를 반대하는 민중과의 연대를 통하여 제국주의에 함께 저항할 수 있는 주체'로 인식했다고 하였다. 그런데 제국주의 국가에서 제국주의를 반대하는 민중은 일본인 중에서 일본의 제국주의적 침략을 반대하는 '비아 속의 아'라고 할 수 있다. 따라서 신채호가 조선 민족의 연대 대상으로 설정한 것은 '비아'가 아닌 '비아 속의 아'라고 이해해야 한다.

❌ 오답 풀이

① 2문단에서 '신채호는 조선 민족의 생존과 발전의 길을 모색하기 위해 『조선상고사』를 저술'했다고 하였다. 그리고 4문단에서 조선 민족이 대아로 거듭나야 하는데, 이때의 대아는 '민족적인 생존을 위해 일본의 제국주의 침략에 저항할 수 있는 실천적 주체'라고 하였다. 이를 고려하면 조선 민족의 생존과 발전의 길을 모색하는 것은 곧 대아인 조선 민족의 자성을 어떻게 유지하고 계승할 수 있는지를 모색하는 것이라고 볼 수 있다.

② 5문단에서 신채호는 '동양주의는 비아인 일본이 아가 되어 동양을 통합하는 길이기에, 조선 민족인 아의 생존이 위협받는다고 보았기 때문'에 동양주의에 반대했다고 하였다. 그리고 2문단에서 '항성'은 '스스로의 고유성을 유지하려는' 것이라고 하였다. 이를 고려하면 신채호는 동양주의를 아의 항성을 작아지게 만드는 것으로 인식하였다고 추측할 수 있다.

④ 3문단에서 신채호는 대아를 '국가와 사회 차원의 아'라고 규정했다고 하였다. 또 5문단에서 신채호는 '일본의 제국주의 침략에 직면하여' 조선 민족이 상속성과 보편성을 지닌 대아, 즉 '신국민이 될 때 민족 생존이 가능하다고 보았다.'라고 하였다. 이를 고려하면 신채호가 독립 투쟁을 한 것은 비아인 일본 제국주의의 침략이 아의 상속성과 보편성을 유지할 수 없게 하므로, 신국민이 되어 투쟁을 통해 상속성과 보편성을 유지하고자 했기 때문이라고 볼 수 있다.

⑤ 6문단에서 신채호는 조선 민중을 '제국주의 국가에서 제국주의를 반대하는 민중과의 연대를 통하여 부당한 폭력과 억압을 강제하는 제국주의에 함께 저항할 수 있는 주체로 보았다.'라고 하였다. 그리고 그는 '민중 연대를 통해 인류로서 인류를 억압하지 않는 자유를 지향하였다.'라고 하였다. 이를 고려하면 신채호가 비아 속의 아와 식민지 민중의 연대를 지향한 것은 조선 민중이 비아 속의 아와의 연대를 통해 자유를 얻을 수 있을 것이라고 생각했기 때문이라고 볼 수 있다.

🍯 선생님의 꿀 정보

글의 구조를 파악하는 방법

비문학(독서) 영역의 지문을 읽을 때 가장 중요한 것은 지문의 구조를 파악하는 것이다. 왜냐하면 문단별로 중심 내용을 파악한 뒤 지문의 구조에 따라 전체의 내용을 파악해야만 지문이 전달하고자 하는 바를 명확하게 이해할 수 있기 때문이다. 글의 구조를 파악하는 방법은 다음과 같다.

① 문단별로 나누어서 중심 내용을 이해한다.
- 중심 문장을 찾아 밑줄을 쳐 놓고 중심 화제가 무엇인지 표시해 놓으면 지문의 흐름을 한눈에 파악할 수 있다.

② 문단별로 구조적인 연관성이 보이면 그 관계를 파악하며 읽는다.
- 각 문단에 서로 다른 개념이 나오면 차이점이나 공통점을 표시해 둔다. 이렇게 하면 구조적인 연관성을 파악할 때 도움이 된다.

---

05 추론의 적절성 판단 | 정답 ③ |

윗글과 [보기]를 읽고 추론한 내용으로 적절하지 않은 것은?

┌─ 보기 ─┐
이광수와 최남선은 서구적 근대성을 재생산한 일본의 문명화론을 보편이념으로 수용하여 타자의 관점을 스스로 내재
_{이광수·최남선의 역사의식 ①}   _{이광수·최남선의 역사의식 ②}
화하였으며, 그 시선으로 주체를 단정하였다. 이광수는 민중은 지식인과 자본가들의 지도로 개조되어야 하는 우매한 존재이기 때문에 역사를 이끌어갈 근대적 민족 주체가 아니라
_{신채호가 인식한 '민중'과의 차이점}
고 보았다. 최남선은 주체의 정체성을 확립함으로써 타자에 맞서기 위해 소년과 청년을 설정하였으나, 이 역시 일본이라
_{신채호가 인식한 '민중'과의 공통점}
는 타자의 수용을 전제로 한 것이었다.
_{최남선의 한계}
└──────┘

① 최남선이 설정한 소년과 청년은 타자에 맞서기 위한 존재라는 점에서 신채호 사상의 핵심인 '아'와 유사하다고 할 수 있다.
_{'아'와의 공통점}

② 이광수는 민중을 민족의 생존과 번영을 달성할 수 있는 주체로 인식한 신채호의 관점을 수용하지 않을 것이다.

③ 신채호가 국가적인 경계를 넘어서는 민중 연대를 지향한 것은 최남선처럼 타자로서의 일본을 수용하고자 한 것이다.

④ 신채호는 민중이 민족 생존과 번영을 달성할 수 있다고 보았으므로 이광수처럼 민중을 개조의 대상으로 인식하지는 않았다.

⑤ 신채호는 최남선과 이광수가 타자의 관점을 내재화한 것은 환경에 주체적으로 대응하지 못했기 때문이라고 볼 것이다.

🔎 발문 분석

서로 다른 관점을 가진 사상가들의 역사의식을 이해하고 적절히 비교하여 추론할 수 있는지를 묻고 있다. 지문에서 언급한 신채호의 사상이나 투쟁과 연대에 대한 인식을 파악한 후, 선택지에 제시된 내용이 [보기]에 제시된 역사의식과 상충되지는 않는지 판단해야 한다.

✔ 보기 분석

[보기]는 이광수와 최남선의 역사의식에 대해 언급하고 있다. 이광수와 최남선은 모두 일본의 이념인 문명화론을 수용하고 있다고 하였는데 [보기]와 지문 속 사상가들의 역사의식을 비교하여 정리하면 다음과 같다.

1) 이광수의 '민중'과 신채호의 '민중'

이광수의 '민중'	우매한 존재 → 개조의 대상, 역사를 이끌어 갈 수 있는 민족 주체가 아님.
신채호의 '민중'	역사적 주체, 민족 생존과 번영을 달성할 수 있는 주체, 연대를 통해 제국주의에 저항할 수 있는 주체

2) 최남선의 '소년과 청년'과 신채호의 '아와 비아'

	최남선의 '소년과 청년'	신채호의 '아와 비아'
공통점	일본이라는 타자에 맞서기 위한 존재	아는 비아, 즉 일본과 마주 선 주체인 제국주의에 저항할 수 있는 주체
차이점	일본의 문명화론을 보편이념으로 수용하여 설정함.	민족의 주체성과 도덕성의 자각을 전제로 함.

정답 풀이

③ 6문단에서 신채호는 조선 민중을 '민족 내부의 연대는 물론 세계적 차원의 민중 연대를 자각하고 실천할 수 있'는 존재로 보았다고 하였다. 일본의 제국주의 침략에 직면했음을 고려하면 국가적인 경계를 넘어서는 민중 연대란 제국주의 국가에서 제국주의를 반대하는 민중과의 연대라고 할 수 있다. 따라서 신채호가 국가적인 경계를 넘어서는 민중 연대를 지향한 것은 타자로서의 일본을 수용하고자 한 것이 아니라, 제국주의 국가에서 제국주의를 반대하는 민중, 즉 일본 내에서 일본의 제국주의적 침략을 반대하는 이들인 '비아 속의 아'와 연대하는 것을 지향한 것이라고 볼 수 있다.

오답 풀이

① [보기]의 '소년과 청년'은 최남선이 주체의 정체성을 확립함으로써 타자에 맞서기 위해 설정한 존재들이다. 2문단에서 '신채호의 사상에서 아란 자기 본위에서 자신을 자각하는 주체인 동시에 항상 나와 상대하고 있는 존재인 비아와 마주 선 주체를 의미한다.'라고 하였다. 또 6문단에서 신채호가 조선 민중을 '대아와 동일시'했다고 하였으므로 신채호는 대아를 제국주의에 저항할 수 있는 주체로 이해했다고 추측할 수 있다. 이를 고려하면 최남선이 설정한 소년과 청년은 타자, 즉 일본에 맞서기 위한 존재라는 점에서 신채호 사상의 '아'와 유사하다고 볼 수 있다.

② [보기]에서 이광수는 민중을 '역사를 이끌어갈 근대적 민족 주체가 아니라고' 인식했다고 하였다. 반면 6문단에서 신채호는 민중을 '민족적인 생존과 자유 등 민족의 전체적인 삶을 선택하는 주체'로 인식했다고 하였다. 그러므로 이광수는 민중을 민족의 생존과 번영을 달성할 수 있는 주체로 인식한 신채호의 인식을 수용하지 않을 것이라고 볼 수 있다.

④ [보기]에서 이광수는 민중을 '개조되어야 하는 우매한 존재'로 인식했다고 하였다. 한편 6문단에서 신채호는 민중을 '민족 내부의 압제와 위선을 제거하고 참된 민족 생존과 번영을 달성할 수 있는 주체'로 인식했다고 하였다. 이를 고려하면 신채호는 이광수처럼 민중을 개조의 대상으로 인식하지 않았다고 볼 수 있다.

⑤ 3문단에서 신채호는 '항성이 작고 변성이 크면 환경에 주체적으로 대응하지 못하여 우월한 비아에게 정복당한다'고 하였다. [보기]의 최남선과 이광수는 일본의 문명화론을 수용하여 '타자의 관점을 스스로 내재화'하였다. 따라서 신채호는 최남선과 이광수는 고유성은 없고 환경의 변화에만 완전히 적응하였으므로 신채호는 최남선과 이광수를 환경에 주체적으로 대응하지 못해 비아에게 정복당했다고 볼 것이다.

---

06 어휘의 사전적 의미 파악 | 정답 ③ |

㉠~㉤의 사전적 의미로 적절하지 않은 것은?

① ㉠: 판단이나 행동에서 중심이 되는 기준.
본위
② ㉡: 자기의 처지나 능력 따위를 스스로 깨달음.
자각
③ ㉢: 여럿 가운데서 어떤 것을 뽑아 정함.
설정
④ ㉣: 어떤 일의 여파나 영향이 다른 데로 미침.
파급
⑤ ㉤: 어떠한 일이나 사물을 직접 당하거나 접함.
직면

발문 분석

어휘의 의미를 이해하고, 사전적 의미를 파악할 수 있는지를 묻고 있다. 사전적 의미를 모르는 단어들은 앞뒤 문장의 내용을 고려하여 어휘의 의미를 추측해 보아야 한다.

정답 풀이

③ 2문단의 ㉢'설정(設定)'은 '새로 만들어 정해 둠.'이라는 의미이다. '여럿 가운데서 어떤 것을 뽑아 정함.'을 의미하는 단어는 '선정(選定)'이다.

오답 풀이

① '본위(本位)'의 사전적 의미이다.
② '자각(自覺)'의 사전적 의미이다.
④ '파급(波及)'의 사전적 의미이다.
⑤ '직면(直面)'의 사전적 의미이다.

선생님의 꿀 정보

어휘의 의미를 파악하는 문제 해결 방법

① 수능에 자주 등장하는 어휘는 그 의미를 정확히 알아둔다.

→ 수능에서는 이미 출제되었던 어휘들이 다시 출제되는 경우가 많다. 따라서 기출 문제 등을 풀어볼 때에는 헷갈렸던 어휘를 체크해두고, 사전을 활용하여 정확한 의미를 확인하여 정리해 두는 것이 좋다.

② 문맥을 활용하여 어휘의 의미를 추측해 본다.

→ 문제를 풀다가 선택지로 제시된 단어의 의미가 헷갈릴 경우에는 다시 지문으로 돌아가 앞뒤 문맥을 통해 어휘의 의미를 추리해 본다. 그 다음 선택지에 제시된 단어를 지문에 대입해 보면서 어휘의 의미를 생각해 본다. 그 후에는 국어사전을 활용하여 해당 어휘의 뜻을 파악해 둔다. 이렇게 하면 실제 시험에서 모르는 어휘가 나올 때에도 당황하지 않고 그 어휘의 의미를 자연스럽게 추론하며 문제를 풀 수 있다.

지식의 구분

01 ②   **02** ④   **03** ⑤   **04** ⑤   **05** ②

구절 풀이

논리실증주의자와 포퍼의 견해

	논리실증주의자	포퍼
공통점	• 지식을 경험과 무관한 것과 경험에 의존하는 것으로 구분함. • 과학적 지식은 과학적 방법에 의해 누적된다고 봄.	
차이점	예측이 맞을 경우에 예측을 도출한 가설이 새로운 지식으로 추가된다고 봄.	예측이 틀리지 않는 한 예측을 도출한 가설이 새로운 지식으로 추가된다고 봄.

콰인은 예측은 가설, 기존의 지식들, 여러 조건 등을 모두 합쳐야만 논리적으로 도출되며, 이런 전체 지식이 시험의 대상이 된다는 '총체주의'를 주장함.

논리실증주의자와 포퍼는 '동어 반복 명제'와 '동어 반복 명제로 환원할 수 있는 명제'를 경험과 무관하게 참으로 분별되는 '분석 명제'라고 함.

어휘 풀이

* 가설: 어떤 사실을 설명하거나 어떤 이론 체계를 연역하기 위하여 설정한 가정. 이로부터 이론적으로 도출된 결과가 관찰이나 실험에 의하여 검증되면, 가설의 위치를 벗어나 일정한 한계 안에서 타당한 진리가 됨.

* 명제: 어떤 문제에 대한 하나의 논리적 판단 내용과 주장을 언어 또는 기호로 표시한 것. 참과 거짓을 판단할 수 있는 내용이라는 점이 특징임. 이를테면, '고래는 포유류이다.' 따위임.

선생님의 Tip

"논리 실증주의"

과학의 논리적 분석 방법을 철학에 적용하고자 하는 사상으로, 현대 분석 철학의 주류 중 하나임. 지식의 궁극적 기초가 개인의 경험이 아니라, 공적인 실험적 검증에 의거한다고 주장하여 이전의 경험론자나 실증주의자와는 구별됨. 논리 실증주의자들은 진정한 철학은 모두 언어 비판이며, 자연에 관한 참된 지식을 모든 과학에 공통된 하나의 언어로 표현할 수 있다는 과학의 통일성을 주장함.

1 ㉠논리실증주의자와 포퍼는 지식을 수학적 지식이나 논리학 지식처럼 경험과 무관한 것과 과학적 지식처럼 경험에 의존하는 것으로 구분한다. 그중 과학적 지식은 과학적 방법에 의해 누적된다고 주장한다. 가설*은 과학적 지식의 후보가 되는 것인데, 그들은 가설로부터 논리적으로 도출된 예측을 관찰이나 실험 등의 경험을 통해 맞는지 틀리는지 판단함으로써 그 가설을 시험하는 과학적 방법을 제시한다. 논리실증주의자는 예측이 맞을 경우에, 포퍼는 예측이 틀리지 않는 한, 그 예측을 도출한 가설이 하나씩 새로운 지식으로 추가된다고 주장한다. *1문단: 논리실증주의자와 포퍼의 지식에 대한 견해*

2 하지만 ㉡콰인은 가설만 가지고서 예측을 논리적으로 도출할 수 없다고 본다. 예를 들어 ⓐ새로 발견된 금속 M은 열을 받으면 팽창한다는 가설만 가지고는 ⓑ열을 받은 M이 팽창할 것이라는 예측을 이끌어낼 수 없다. 먼저 지금까지 관찰한 모든 금속은 열을 받으면 팽창한다는 기존의 지식과 M에 열을 가했다는 조건 등이 필요하다. 이렇게 예측은 가설, 기존의 지식들, 여러 조건 등을 모두 합쳐야만 논리적으로 도출된다는 것이다. 그러므로 예측이 거짓으로 밝혀지면 정확히 무엇 때문에 예측에 실패한 것인지 알 수 없다는 것이다. 이로부터 콰인은 개별적인 가설뿐만 아니라 ㉢기존의 지식들과 여러 조건 등을 모두 포함하는 전체 지식이 경험을 통한 시험의 대상이 된다는 총체주의를 제안한다. *2문단: 콰인의 지식에 대한 견해*

3 논리실증주의자와 포퍼는 수학적 지식이나 논리학 지식처럼 경험과 무관하게 참으로 판별되는 분석 명제*와, 과학적 지식처럼 경험을 통해 참으로 판별되는 종합 명제를 서로 다른 종류라고 구분한다. 그러나 콰인은 총체주의를 정당화하기 위해 이 구분을 부정하는 논증을 다음과 같이 제시한다. 논리실증주의자와 포퍼의 구분에 따르면 "총각은 총각이다."와 같은 동어 반복 명제와, "총각은 미혼의 성인 남성이다."처럼 동어 반복 명제로 환원할 수 있는 것은 모두 분석 명제이다. 그런데 후자가 분석 명제인 까닭은 전자로 환원할 수 있기 때문이다. 이러한 환원이 가능한 것은 '총각'과 '미혼의 성인 남성'이 동의적 표현이기 때문인데 그게 왜 동의적 표현인지 물어보면, 이 둘을 서로 대체하더라도 명제의 참 또는 거짓

지문 구조도

화제 제시: 지식에 대한 논리실증주의자와 포퍼의 견해(1문단)
지식은 경험과 무관한 것과 경험에 의존하는 것으로 나눌 수 있으며, 가설만이 경험을 통한 실험의 대상이 됨.

↓

전개 1: 지식에 대한 콰인의 견해(2문단)
예측은 가설, 기존의 지식, 조건 등이 모두 합쳐져야 논리적으로 도출됨(전체 지식). → 총체주의

↓

전개 2: 콰인의 논증 (3문단)
총체주의의 정당화를 위해 분석 명제와 종합 명제의 구분을 부정함.

↓

전개 3: 중심부 지식과 주변부 지식(4문단)
지식을 경험과 직접 충돌하지 않는 중심부 지식과 경험과 직접 충돌할 수 있는 주변부 지식으로 구별함.

↓

마무리: 총체주의의 효용과 한계(5문단)
아무도 의심하지 않는 지식은 분석 명제로 분류해야 한다는 비판이 있음.

출제 의도 콰인이 주장한 총체주의 관점에서의 지식에 대해 정확하게 이해할 수 있는지를 평가하기 위한 지문이다. '지식'에 대한 각 학자들의 주장을 파악하고 공통점과 차이점을 도출할 수 있는지, 총체주의에 대해 이해하고 적절히 비판할 수 있는지 등을 평가하는 문제가 출제되었다.

주제 지식에 대한 콰인의 총체주의적 관점

이 바뀌지 않기 때문이라고 할 것이다. 하지만 이것만으로는 두 표현의 의미가 같다는 것을 보장하지 못해서,「동의적 표현은 언제나 반드시 대체 가능해야 한다는 필연성 개념에 다시 의존하게 된다. 이렇게 되면 동의적 표현이 동어 반복 명제로 환원 가능하게 하는 것이 되어, 필연성 개념은 다시 분석 명제 개념에 의존하게 되는 순환론에 빠진다.」따라서 콰인은 종합 명제와 구분되는 분석 명제가 존재한다는 주장은 근거가 없다는 결론에 ©도달한다.

3문단: 논리실증주의자와 포퍼의 명제 구분과 이에 대한 콰인의 비판

④ 콰인은 분석 명제와 종합 명제로 지식을 엄격히 구분하는 대신, 경험과 직접 충돌하지 않는 중심부 지식과, 경험과 직접 충돌할 수 있는 주변부 지식을 상정한다. 경험과 직접 충돌하여 참과 거짓이 쉽게 바뀌는 주변부 지식과 달리 주변부 지식의 토대가 되는 중심부 지식은 상대적으로 견고하다. 그러나 이 둘의「경계를 명확히 나눌 수 없기 때문에, 콰인은 중심부 지식과 주변부 지식을 다른 종류라고 하지 않는다.」수학적 지식이나 논리학 지식은 중심부 지식의 한가운데에 있어 경험에서 가장 멀리 떨어져 있지만 그렇다고 경험과 무관한 것은 아니라는 것이다. 그런데 주변부 지식이 경험과 충돌하여 거짓으로 밝혀지면 전체 지식의 어느 부분을 수정해야 할지 고민하게 된다. 주변부 지식을 수정하면 전체 지식의 변화가 크지 않지만 중심부 지식을 수정하면 관련된 다른 지식이 많기 때문에 전체 지식도 크게 변화하게 된다. 그래서 대부분의 경우에는 주변부 지식을 수정하는 쪽을 선택하겠지만 실용적 필요 때문에 중심부 지식을 수정하는 경우도 있다. 그리하여 콰인은「중심부 지식과 주변부 지식이 원칙적으로 모두 수정의 대상이 될 수 있고, 지식의 변화도 더 이상 개별적 지식이 단순히 누적되는 과정이 아니라고 주장한다.

4문단: 콰인이 제시한 중심부 지식과 주변부 지식

⑤ 총체주의는 특정 가설에 대해 제기되는 반박이 결정적인 것처럼 보이더라도 그 가설이 실용적으로 필요하다고 인정되면 언제든 그와 같은 반박을 피하는 방법을 강구*하여 그 가설을 받아들일 수 있다. 그러나 총체주의는 "A이면서 동시에 A가 아닐 수는 없다."와 같은 논리학의 법칙처럼 아무도 의심하지 않는 지식은 분석 명제로 분류해야 하는 것이 아니냐는 비판에 답해야 하는 어려움이 있다.

5문단: 총체주의의 특징과 한계

구절 풀이

○ '분석 명제→동의적 표현→필연성→분석 명제'로 돌고 도는 논리, 즉 왜 분석 명제인지 설명하기 위해 분석 명제에 의존하게 됨.

○ 경험과 직접 충돌하여 쉽게 바뀌는 주변부 지식과 달리, 중심부 지식은 경험과 직접 충돌하지 않기 때문에 쉽게 바뀌지 않음.

○ 논리실증주의자와 포퍼는 수학적 지식이나 논리학 지식은 경험과 무관하다고 보았으나 (1문단), 콰인은 그렇지 않다고 보았음. 이는 콰인이 지식을 중심부 지식(경험과 직접 충돌 X)과 주변부 지식(경험과 직접 충돌)으로 나누었지만, 둘의 경계를 명확히 나눌 수 없다고 보았기 때문임.

○ 가설에 대한 반박을 피하기 위해 주변부 지식뿐만 아니라, 중심부 지식을 수정하는 방법을 사용함.

어휘 풀이

* 강구: 구하기 힘든 것을 억지로 구함.

지문 해제

이 글은 논리실증주의자와 포퍼의 주장과 대조하여 지식의 구분에 대한 총체주의적 입장인 콰인의 주장을 제시하고 있다. 논리실증주의자와 포퍼는 지식을 수학적 지식, 논리학 지식과 같이 경험과 무관한 것과 과학적 지식과 같이 경험에 의존하는 것으로 구분하였다. 그들은 과학적 지식은 가설로부터 논리적으로 도출된 예측을 관찰이나 실험 등의 경험을 통해 맞는지 여부를 판단하여 새로운 지식이 된다고 보았다. 반면 콰인은 가설만으로는 예측을 논리적으로 도출할 수 없고, 개별 가설을 포함한 기존의 지식, 조건 등을 모두 포함하는 전체 지식이 경험을 통한 시험의 대상이 된다는 총체주의를 주장하였다. 또 콰인은 경험과 무관하게 참으로 판별되는 분석 명제와 경험을 통해 참으로 판별되는 종합 명제를 엄격히 구분한 논리실증주의자와 포퍼의 견해를 부정하였다. 분석 명제의 개념과 필연성 개념이 순환론에 빠질 수 있기 때문에 종합 명제와 구분되는 분석 명제는 존재하지 않는다는 것이다. 대신 콰인은 지식을 경험과 직접 충돌하지 않는 중심부 지식과 경험과 직접 충돌할 수 있는 주변부 지식으로 나누어 인식하였다. 콰인의 견해에 따르면 두 지식은 경계를 나눌 수 없어 다른 종류의 것이 아니며 필요에 따라 중심부 지식을 수정할 수도 있다. 이러한 콰인의 총체주의는 어떤 필요한 가설을 반박으로부터 보호할 수 있는 근거가 될 수 있지만, 아무도 의심하지 않는 지식은 분석 명제로 분류해야 하는 것이 아니냐는 비판에 답을 해야 하는 한계가 있다.

선생님의 Tip

"칼 포퍼와 콰인"

칼 포퍼(Karl Raimund Popper 1902. 07. 28. ~ 1994. 09. 17.)는 영국의 자연 과학·사회과학 철학자. 지식은 정신의 경험에서 진화한다고 믿음으로써 결정론에 반대하는 형이상학을 내세웠음. '반증 가능성 기준'을 통해 가설을 연역적으로 검증할 수 있다고 주장함.

콰인(Willard Van Orman Quine 1908. 6. 25. ~ 2000. 12. 25.)은 미국의 논리학자이자 철학자. 체계적인 구성주의적 철학분석을 주장함. 초기에는 주로 철학의 기초가 되는 논리학의 전문적 측면을 강조했지만, 후기에는 체계적인 언어학의 틀 안에서 철학의 일반 주제를 다루었음.

01 　세부 내용의 이해와 비교　|정답 ②|

윗글을 바탕으로 할 때, ㉠과 ㉡이 모두 '아니요'라고 답변할 질문은?

① 과학적 지식은 개별적으로 누적되는가?
　㉠○, ㉡×
② 경험을 통하지 않고 가설을 시험할 수 있는가?
　㉠×, ㉡×
③ 경험과 무관하게 참이 되는 지식이 존재하는가?
　㉠○, ㉡×
④ 예측은 가설로부터 논리적으로 도출될 수 있는가?
　㉠○, ㉡×
⑤ 수학적 지식과 과학적 지식은 종류가 다른 것인가?
　㉠○, ㉡×

📁 발문 분석

지식에 대한 학자들의 견해를 이해하고 공통점을 도출해 낼 수 있는지를 묻고 있다. 논리실증주의자와 포퍼와 콰인이 지식에 대해 어떻게 인식하고 있는지를 이해하고, 각 학자들이 주장하는 바와 주장의 특징을 정확하게 파악해야 한다.

◎ 정답 풀이

② 1문단에서 논리실증주의자와 포퍼는 '가설로부터 논리적으로 도출된 예측을 관찰이나 실험 등의 경험을 통해 맞는지 틀리는지 판단함으로써 그 가설을 시험하는 과학적 방법을 제시한다.'라고 하였다. 그리고 2문단에서 콰인은 '개별적인 가설뿐만 아니라 기존의 지식들과 여러 조건 등을 모두 포함하는 전체 지식이 경험을 통한 시험의 대상이 된다는 총체주의를 제안한다.'라고 하였다. 따라서 ㉠'논리실증주의자와 포퍼'와 ㉡'콰인' 모두 가설은 경험을 통해 판단하거나 시험해야 한다고 여겼음을 알 수 있다. 그러므로 ㉠과 ㉡이 '경험을 통하지 않고 가설을 시험할 수 있는가?'라는 질문에 '아니요'라고 답변할 것이라고 추론할 수 있다.

✖ 오답 풀이

① 1문단에서 '논리실증주의자는 예측이 맞을 경우에, 포퍼는 예측이 틀리지 않는 한, 그 예측을 도출한 가설이 하나씩 새로운 지식으로 추가된다고 주장한다.'라고 하였다. 따라서 ㉠은 '과학적 지식은 개별적으로 누적되는가?'라는 질문에 '예'라고 답변할 것이라고 추측할 수 있다. 그러나 4문단에서 콰인은 '지식의 변화도 더 이상 개별적 지식이 단순히 누적되는 과정이 아니라고 주장한다.'라고 하였다. 따라서 ㉡은 '과학적 지식은 개별적으로 누적되는가?'라는 질문에 '아니요'라고 답변할 것이라고 추측할 수 있다.

③ 3문단에서 '논리실증주의자와 포퍼는 수학적 지식이나 논리학 지식처럼 경험과 무관하게 참으로 판별되는 분석 명제와 과학적 지식처럼 경험을 통해 참으로 판별되는 종합 명제를 서로 다른 종류라고 구분한다.'라고 하였다. 따라서 ㉠은 '경험과 무관하게 참이 되는 지식이 존재하는가?'라는 질문에 '예'라고 답변할 것이라고 추측할 수 있다. 하지만 3문단에서 콰인은 '종합 명제와 구분되는 분석 명제가 존재한다는 주장은 근거가 없다는 결론에 도달'했다고 하였다. 또 4문단에서 콰인이 지식을 '경험과 직접 충돌하지 않는 중심부 지식과, 경험과 직접 충돌할 수 있는 주변부 지식을 상정'해 '수학적 지식이나 논리학 지식은 중심부 지식의 한가운데에 있어 경험에서 가장 멀리 떨어져 있지만 그렇다고 경험과 무관한 것은 아니라'고 인식했다고 하였다. 따라서 ㉡은 '경험과 무관하게 참이 되는 지식이 존재하는가?'라는 질문에 '아니요'라고 답변할 것이라고 추측할 수 있다.

④ 1문단에서 논리실증주의자와 포퍼는 '가설로부터 논리적으로 도출된 예측을 관찰이나 실험 등의 경험을 통해 맞는지 틀리는지 판단함으로써 그 가설을 시험하는 과학적 방법을 제시한다.'라고 하였

다. 따라서 ㉠은 '예측은 가설로부터 논리적으로 도출될 수 있는가?'라는 질문에 '예'라고 답변할 것이라고 추론할 수 있다. 반면 2문단에서 콰인은 '가설만 가지고서 예측을 논리적으로 도출할 수 없다고 본다'면서 '예측은 가설, 기존의 지식들, 여러 조건 등을 모두 합쳐야만 논리적으로 도출된다'고 보았다고 하였다. 따라서 ㉡은 '예측은 가설로부터 논리적으로 도출될 수 있는가?'라는 질문에 '아니요'라고 답변할 것이라고 추측할 수 있다.

⑤ 3문단에서 논리실증주의자와 포퍼는 '수학적 지식이나 논리학 지식처럼 경험과 무관하게 참으로 판별되는 분석 명제와, 과학적 지식처럼 경험을 통해 참으로 판별되는 종합 명제를 서로 다른 종류라고 구분한다.'라고 하였다. 따라서 ㉠은 '수학적 지식과 과학적 지식은 종류가 다른 것인가?'라는 질문에 '예'라고 답변할 것이라고 추측할 수 있다. 반면 콰인은 3문단에서 '종합 명제와 구분되는 분석 명제가 존재한다는 주장은 근거가 없다'고 여긴다고 하였다. 또 4문단에서 '분석 명제와 종합 명제로 지식을 엄격히 구분하는 대신, 경험과 직접 충돌하지 않는 중심부 지식과, 경험과 직접 충돌할 수 있는 주변부 지식을 상정'한 후, '이 둘의 경계를 명확히 나눌 수 없기 때문에, 콰인은 중심부 지식과 주변부 지식을 다른 종류라고 하지 않는다.'라고 하였다. 따라서 ㉡은 '수학적 지식과 과학적 지식은 종류가 다른 것인가?'라는 질문에 '아니요'라고 답변할 것이라고 추측할 수 있다.

🍯 선생님의 꿀 정보

01번 문제: 두 대상의 특징이나 입장의 공통점 파악하기

① 먼저 지문에 나타난 두 대상이 무엇인지 파악하는 것이 중요하다. △와 □ 등의 기호를 활용하여 각 대상의 주장이나 입장에 표시를 하면서 지문을 읽는다.

② 여러 관점을 동시에 살피기보다는 하나의 관점에서 특징이나 입장을 확인하여 선택지에 ○, ×표를 한다. 그 다음 선별된 선택지에서만 다른 관점의 특징이나 입장을 확인하여 정답을 찾는다. 이렇게 하면 헷갈리지 않고, 시간도 절약할 수 있다.

③ 01번 문제의 경우 '아니요'라는 대답을 해야 한다. 이를 표로 만들면 아래와 같이 나타낼 수 있다. '논리실증주의자와 포퍼(㉠)'의 관점에서 대답을 추론한 후, ×표를 한 선택지 즉, ②번만을 대상으로 '콰인(㉡)'의 관점에서 ×표를 할 수 있는지를 확인하면 쉽게 해결할 수 있다.

	㉠	㉡
①	○	×
②	×	×
③	○	×
④	○	×
⑤	○	×

02 세부 내용의 파악 | 정답 ④ |

윗글에 대해 이해한 내용으로 가장 적절한 것은?

① 포퍼가 제시한 과학적 방법에 따르면, 예측이 틀리지 않았을 경우보다는 맞을 경우에 그 예측을 도출한 가설이 지식으로 인정된다. ~~도출한~~
  └ 포퍼의 입장
  └ 논리실증주의자의 입장

② 논리실증주의자에 따르면, "총각은 미혼의 성인 남성이다."가 분석 명제인 것은 총각을 한 명 한 명 조사해 보니 모두 미혼의 성인 남성으로 밝혀졌기 때문이다.
  └ 경험에 의한 판별임.

③ 콰인은 관찰과 실험에 의존하는 지식이 관찰과 실험에 의존하지 않는 지식과 ~~근본적으로~~ 다르다고 한다.
  └ 다르지 않다고 봄.

④ 콰인은 분석 명제가 무엇인지는 동의적 표현이란 무엇인지에 의존하고, 다시 이는 필연성 개념에, 필연성 개념은 다시 분석 명제 개념에 의존한다고 본다.
  └ 순환론에 빠짐.

⑤ 콰인은 어떤 명제에, 의미가 다를 뿐만 아니라 서로 대체할 경우 그 명제의 참 또는 ~~거짓이 바뀌는~~ 표현을 사용할 수 있으면, 그 명제는 동어 반복 명제라고 본다.
  └ 바뀌지 않는

📁 발문 분석

지문의 세부 내용을 정확히 파악했는지를 묻고 있다. 지문에 언급된 포퍼와 논리실증주의자, 콰인의 견해를 살펴본 후, 선택지의 내용과 꼼꼼히 비교하여 적절성을 판단해야 한다.

◎ 정답 풀이

④ 3문단에서 콰인은 분석 명제와 종합 명제를 구분한 논리실증주의자와 포퍼의 견해를 반박하며, '종합 명제와 구분되는 분석 명제가 존재하는 주장은 근거가 없다'고 하였다. 이때 근거로 든 것이 동어 반복 명제로 환원할 수 있는 분석 명제는 동의적 표현의 개념에 의존하고, 동의적 표현은 필연성 개념(동의적 표현은 언제나 반드시 대체 가능해야 함.)에 다시 의존하게 되며, 필연성 개념은 다시 분석 명제 개념에 의존(필연성 개념도 분석 명제이므로)하게 되는 순환론(분석 명제 → 동의적 표현 → 필연성 개념 → 분석 명제)에 빠진다는 것이다. 즉 콰인은 다음과 같은 논리를 펼치며 논리실증주의자와 포퍼의 견해를 반박하고 있다.

'동어 반복 명제로 환원할 수 있는 것이 왜 분석 명제인가?' ⇒ '동의적 표현이기 때문이다.' ⇒ '왜 동의적 표현인가?' ⇒ '서로 대체해도 명제의 참 또는 거짓이 바뀌지 않기 때문이다.' ⇒ '두 표현의 의미가 같다는 것을 보장하는가?' ⇒ '필연성 개념에 의하면 동의적 표현은 언제나 반드시 대체 가능하다.' ⇒ '이 또한 분석 명제 아닌가?' ⇒ '따라서 종합 명제와 구분되는 분석 명제가 존재한다는 주장은 근거가 없다.'

✖ 오답 풀이

① 1문단에서 '논리실증주의자는 예측이 맞을 경우에, 포퍼는 예측이 틀리지 않는 한, 그 예측을 도출한 가설이 하나씩 새로운 지식으로 추가된다고 주장한다.'라고 하였다. 그러므로 예측이 맞을 경우에 지식으로 인정된다고 한 것은 포퍼가 아니라 논리실증주의자이다.

② 3문단에서 논리실증주의자는 '수학적 지식이나 논리학 지식처럼 경험과 무관하게 참으로 판별되는' 것을 '분석 명제'라고 한다고 하였다. 총각을 한 명 한 명 조사해 보는 방식은 경험을 통해 참으로 판별하는 것이라고 볼 수 있다. 이를 고려하면 논리실증주의자가 총각을 한 명 한 명 조사해 보는 경험적 방법을 통해 분석 명제를 판별했다고 이해하는 것은 적절하지 않다.

③ 3문단을 통해 콰인이 경험과 무관하게 참으로 판별되는 분석 명제와 경험을 통해 참으로 판별되는 종합 명제를 구분한 논리실증주의

자와 포퍼의 주장을 반박하였음을 알 수 있다. 또 4문단에서 콰인은 지식을 '경험과 직접 충돌하지 않는 중심부 지식과, 경험과 직접 충돌할 수 있는 주변부 지식'으로 나누었지만 '이 둘의 경계를 명확히 나눌 수 없기 때문에, 콰인은 중심부 지식과 주변부 지식을 다른 종류라고 하지 않는다.'라고 하였다. 이를 고려하면 콰인이 관찰과 실험에 의존하는 지식이 관찰과 실험에 의존하지 않는 지식과 근본적으로 다르다고 보았다고 이해하는 것은 적절하지 않다.

⑤ 3문단에서 동어 반복 명제란 "총각은 총각이다."처럼 같은 단어가 반복적으로 사용된 표현이고, "총각은 미혼의 성인 남성이다."는 동어 반복 명제로 환원할 수 있는 명제인데, 이는 '총각'과 '미혼의 성인 남성'이 동의적 표현이기 때문이라고 하였다. 또 이 둘을 서로 대체하더라도 명제의 참 또는 거짓이 바뀌지 않는다고 하였다. 이를 고려하면 서로 대체했을 때 참 또는 거짓이 바뀌는 것은 동어 반복 명제가 아니라고 볼 수 있다. 따라서 콰인이 서로 대체할 경우 참 또는 거짓이 바뀌는 명제를 동어 반복 명제라고 본다고 이해하는 것은 적절하지 않다.

👑 고난도
03 반응의 적절성 판단 | 정답 ⑤ |

윗글을 바탕으로 총체주의의 입장에서 @~ⓒ에 대해 평가한 것으로 적절하지 않은 것은?

① ⓑ가 거짓으로 밝혀지더라도 그것이 @ 때문이라고 단정하지 못하겠군.
  └ 정확히 무엇 때문이라고 예측하기 어렵다고 봄.

② ⓑ가 거짓으로 밝혀지면 ⓒ의 어느 부분을 수정하느냐는 실용적 필요에 따라 달라지겠군.
  └ 실용적 필요에 따라 중심부 지식을 수정하는 경우도 있음.

③ ⓑ는 @와 ⓒ로부터 논리적으로 도출된다고 하겠군.
  └ 예측은 가설, 기존의 지식, 조건 등을 모두 합쳐서 논리적으로 도출된다고 봄.

④ ⓑ가 거짓으로 밝혀지면 ⓑ는 ⓒ의 주변부에서 경험과 직접 충돌한 것이라고 하겠군.
  └ 주변부 지식은 경험과 충돌하여 참, 거짓이 밝혀지게 됨.

⑤ ⓑ가 거짓으로 밝혀지면 ⓒ를 수정하는 방법으로는 @를 받아들일 수 ~~없다고~~ 하겠군.
  └ 실용적 필요에 따라 지식을 수정하여 가설을 받아들일 수 있음.

📁 발문 분석

총체주의에 대해 이해하고 적절히 반응할 수 있는지를 묻고 있다. 콰인이 제시한 '총체주의'의 핵심 개념을 파악한 후 @'가설', ⓑ'예측', ⓒ'전체 지식'의 상관관계를 꼼꼼하게 따져보아야 한다.

◎ 정답 풀이

⑤ 2문단에서 콰인이 총체주의를 제안했다고 하였다. 그리고 4문단에서 콰인은 '주변부 지식이 경험과 충돌하여 거짓으로 밝혀지면 전체 지식의 어느 부분을 수정해야 할지 고민하게 된다.'라면서 '대부분의 경우에는 주변부 지식을 수정하는 쪽을 선택하겠지만 실용적 필요 때문에 중심부 지식을 수정하는 경우도 있다.'라고 하였다. 또 5문단에서 총체주의는 '가설이 실용적으로 필요하다고 인정되면 언제든지 그와 같은 반박을 피하는 방법을 강구하여 그 가설을 받아들일 수 있다.'라고 하였다. 그러므로 총체주의의 입장에서는 ⓑ가 거짓으로 밝혀지더라도 @가 필요하다고 인정되면 ⓒ를 수정하는 방법을 강구하여 @를 받아들일 것이라고 추측할 수 있다.

✖ 오답 풀이

① 2문단에서 콰인은 '예측은 가설, 기존의 지식들, 여러 조건 등을 모두 합쳐야만 논리적으로 도출된다'고 생각했다고 하였다. 또 이러

한 '예측이 거짓으로 밝혀지면 정확히 무엇 때문에 예측에 실패한 것인지 알 수 없다'고 보았다고 하였다. 그러므로 ⓑ가 거짓으로 밝혀지더라도 그것이 ⓐ 때문이라고 단정하지는 못할 것이라고 평가하는 것은 적절하다.

② 4문단에서 콰인은 '주변부 지식이 경험과 충돌하여 거짓으로 밝혀지면, 전체 지식의 어느 부분을 수정해야 할지 고민하게 된다.'라면서 '대부분의 경우 주변부 지식을 수정하는 쪽을 선택하겠지만 실용적 필요 때문에 중심부 지식을 수정하는 경우도 있다.'라고 하였다. 그러므로 ⓑ가 거짓으로 밝혀지면 ⓒ의 어느 부분을 수정하느냐는 실용적 필요에 따라 달라진다고 평가하는 것은 적절하다.

③ 2문단에서 콰인은 '예측은 가설, 기존의 지식들, 여러 조건 등을 모두 합쳐야만 논리적으로 도출된다'고 보았다고 하였다. 그러므로 ⓑ는 ⓐ와 ⓒ로부터 논리적으로 도출된다고 평가하는 것은 적절하다.

④ 4문단에서 콰인은 '주변부 지식이 경험과 충돌하여 거짓으로 밝혀지면 전체 지식의 어느 부분을 수정해야 할지 고민하게 된다.'라고 인식했다고 하였다. 그러므로 ⓑ가 거짓으로 밝혀지면 ⓑ는 ⓒ의 주변부에서 경험과 직접 충돌한 것이라고 평가하는 것은 적절하다.

선생님의 꿀 정보

03번 문제: 선택지 간에 논리적인 유사성이 있는 문제

① 논리적 동일성이 높은 선택지 가운데 정답이 있을 확률이 매우 높다.
→ 03번 문제의 경우 4개의 선택지가 'ⓑ가 거짓으로 밝혀지'는 것을 전제로 하고 있으므로, 이 중에 정답이 있을 확률이 매우 높다고 볼 수 있다.

② 선택지가 진술된 그 자체의 논리적 관계를 파악하고 지문과 비교하여 적절성을 판단한다.
→ 03번 문제의 경우 대부분의 선택지가 '전제-결론'의 형식으로 제시되어 있다. 따라서 지문에서 선택지의 전제인 '예측이 거짓으로 밝혀졌을 경우'와 관련 있는 내용을 찾아 선택지의 '결론' 부분의 진술이 맞는지를 판단하면 선택지의 적절성을 쉽게 평가할 수 있다.

---

04   비판적 이해의 적절성 판단 | 정답 ⑤ |

윗글의 총체주의에 대한 비판으로 가장 적절한 것은?

① 가설로부터 논리적으로 도출된 예측이 경험과 충돌하더라도 그 충돌 때문에 가설이 틀렸다고 할 수 없다.

② 논리학 지식이나 수학적 지식이 중심부 지식의 한가운데에 위치한다고 해서 경험과 무관한 것은 아니다.

③ 전체 지식은 어떤 결정적인 반박일지라도 피할 수 있기 때문에 수정 대상을 주변부 지식으로 한정하는 것은 잘못이다.
  총체주의는 수정 대상을 주변부 지식으로 한정하지 않음.

④ 중심부 지식을 수정하면 주변부 지식도 수정해야 하겠지만, 주변부 지식을 수정한다고 해서 중심부 지식을 수정해야 하는 것은 아니다.
  총체주의에서 언급되지 않은 내용임.

⑤ 중심부 지식과 주변부 지식 간의 경계가 불분명하다 해도 중심부 지식 중에는 주변부 지식들과 종류가 다른 지식이 존재한다.
  아무도 의심하지 않는 지식은 분석 명제로 분류해야 하는 것 아니냐는 비판이 있음.

발문 분석

특정 관점을 비판적으로 파악할 수 있는지를 묻고 있다. 총체주의가 주장하는 바가 무엇인지를 파악한 후 선택지의 비판이 지문에 언급된 내용인지, 논리적으로 타당한지 살펴보아야 한다.

정답 풀이

⑤ 4문단에서 총체주의를 제안한 콰인은 중심부 지식과 주변부 지식의 '경계를 명확히 나눌 수 없기 때문에' 이 둘을 '다른 종류라고 하지 않는다.'라고 하였다. 한편 5문단에서 '총체주의는 "A이면서 동시에 A가 아닐 수는 없다."와 같은 논리학의 법칙처럼 아무도 의심하지 않는 지식은 분석 명제로 분류해야 하는 것이 아니냐는 비판에 답해야' 한다고 하였다. 이를 고려하면 중심부 지식 중에는 참과 거짓이 바뀌는 주변부 지식과는 다른 종류의 지식, 즉 분석 명제와 같은 지식이 존재할 수 있다면서 총체주의를 비판할 수 있다.

오답 풀이

① 2문단에서 '콰인은 가설만 가지고서 예측을 논리적으로 도출할 수 없다고 본다.'라면서 콰인이 '총체주의를 제안'했다고 하였다. 이를 고려하면 총체주의에서 예측을 '가설로부터 논리적으로 도출'되었다고 보지 않는다는 것을 알 수 있다. 또 2문단에서 '예측이 거짓으로 밝혀지면 정확히 무엇 때문에 예측에 실패한 것인지 알 수 없다'라고 하였다. 이는 가설, 기존의 지식과 같은 여러 조건 중 정확히 무엇 때문에 예측에 실패했는지 알 수 없다는 것이다. 이를 고려하면 '그 충돌 때문에 가설이 틀렸다고 할 수 없다'는 것은 가설을 원인으로 단정할 수 없다는 의미이고 총체주의의 주장과 일치한다. 따라서 이것을 총체주의를 비판한 것으로 보기에는 적절하지 않다.

② 4문단에서 콰인은 '수학적 지식이나 논리학 지식은 중심부 지식의 한가운데에 있어 경험에서 가장 멀리 떨어져 있지만 그렇다고 경험과 무관한 것은 아니'라고 하였다. 따라서 논리학 지식이나 수학적 지식이 '경험과 무관한 것은 아니'라는 것은 총체주의의 입장과 유사하다. 따라서 이것을 총체주의를 비판한 것으로 보기에는 적절하지 않다.

③ 4문단에서 '콰인은 중심부 지식과 주변부 지식이 원칙적으로 수정 대상이 될 수 있'다고 보았다고 하였다. 따라서 수정 대상을 주변부 지식으로 한정한다는 것은 총체주의를 잘못 이해하고 비판한 것이므로, 총체주의를 비판한 것으로 보기에는 적절하지 않다.

④ 4문단에서 '주변부 지식을 수정하면 전체 지식의 변화가 크지 않'다고 하였을 뿐, 주변부 지식을 수정하면 중심부 지식을 수정해야 한다고 하지는 않았다. 따라서 총체주의를 잘못 이해하고 비판한 것이므로, 총체주의를 비판한 것으로 보기에는 적절하지 않다.

선생님의 꿀 정보

04번 문제: 특정 관점에 대한 비판의 적절성 판단

관점은 사물이나 현상을 관찰할 때, 주체가 보고 생각하는 태도나 방향 또는 처지를 의미한다. 관점의 주체는 지문에 따라 다양하게 나타날 수 있으며, 같은 화제라고 하더라도 주체에 따라 다른 관점을 드러내기도 하기 때문에 독해 과정에서는 먼저 관점을 명확하게 파악해야 한다.

관점과 관련되는 문제는 관점에 대해 직접 묻는 유형, 관점을 구체적 사례에 적용해 보는 유형, 관점 사이의 공통점이나 차이점을 찾는 유형, 관점에 대한 평가나 비판을 하는 유형 등으로 다양하게 출제된다.

관점에 관한 문제는 문제에서 제시하고 있는 해당 관점을 정확하게 이해하는 것이 가장 중요하다. 그리고 특정 관점이 제시될 때에는 대개 '입장, 시각, 측면, 관점, 태도, 견해'나 '~에 따르면', '~라고 판단한다', '~라고 주장한다.'와 같은 표현이 함께 쓰일 때가 많으므로 이와 같은 표현이 나오면 주의깊게 살펴보도록 한다.

① **선택지의 내용 중 특정 관점의 주장이 지문에서 밝힌 특정 관점의 견해와 일치하는지를 파악해야 한다.**
→ 04번 문제의 ③번과 ④번 선택지처럼 특정 관점의 견해가 아닌 다른 관점의 견해를 비판하거나, 특정 관점의 견해와 일치하지 않는 선택지는 오답이다.

② **특정 관점에 대한 비판이 지문에서 밝힌 특정 관점의 주장에 대한 비판인지를 파악해야 한다.**
→ 04번 문제의 ①번과 ②번 선택지처럼 지문에서 밝힌 특정 관점의 견해를 비판하지 않고, 그 견해와 일치하는 내용을 진술한 선택지는 오답이다.

③ **특정 관점에 대한 비판이 지문을 고려했을 때 도출될 수 있는 타당한 비판인지를 판단해야 한다.**
→ 지문에서 밝힌 특정 관점의 견해가 아닌 엉뚱한 내용을 비판하는 경우가 있다. 그런 선택지는 오답이다.

④ **선택지의 진술이 논리적으로 타당하게 전개되고 있는지를 파악해야 한다.**
→ 선택지 진술 자체가 비논리적이어서 틀린 선택지가 되는 경우가 있다.

05 어휘의 문맥적 의미 파악 | 정답 ② |

문맥상 ⓒ과 바꿔 쓰기에 가장 적절한 것은?
도달한다
① 잇따른다 ② 다다른다
③ 봉착한다 ④ 회귀한다
⑤ 기인한다

발문 분석

문맥을 고려하여 어휘의 의미를 이해하고, 이를 다른 어휘와 바꾸어 쓸 수 있는지를 묻고 있다. 각각의 어휘를 해당 문맥에 넣어 자연스러운지 여부를 따져보아야 한다.

정답 풀이

② ⓒ '도달(到達)하다'는 '목적한 곳이나 수준에 다다르다.'라는 의미이다. 따라서 '어떤 수준이나 한계에 미치다.'라는 의미의 어휘인 '다다르다'와 바꾸어 쓰는 것이 적절하다.

오답 풀이

① '잇따르다'는 '움직이는 물체가 다른 물체의 뒤를 이어 따르다.' 또는 '어떤 사건이나 행동 따위가 이어 발생하다.'를 의미하는 어휘이다.

③ '봉착(逢着)하다'는 '어떤 처지나 상태에 부닥치다.'를 의미하는 어휘이다.

④ '회귀(回歸)하다'는 '한 바퀴 돌아 제자리로 돌아오거나 돌아가다.'를 의미하는 어휘이다.

⑤ '기인(起因)하다'는 '어떠한 것에 원인을 두다.'를 의미하는 어휘이다.

M·E·M·O

인문 05 공자가 제안한 군자에 의한 정치

[2012년 9월 평가원 기출 변형]

01 ④   **02** ⑤   **03** ④   **04** ⑤   **05** ②   **06** ④

본문 ◐ 28쪽

구절 풀이

공자가 살았던 시대적·사상적 배경. 사회가 혼란스럽자 공자가 '예'를 제안하게 됨.

공자는 법과 형벌에 의한 정치를 하면 형벌을 피하기 위해 백성들이 판단을 하지 않고 법만을 지킬 것이라고 보았음. 그래서 공자는 법과 형벌에 의한 정치가 아닌 예에 의한 정치를 해야 백성들이 옳고 그름을 스스로 판단할 수 있다고 생각하고 이를 주장하였음.

군자는 남들을 잘 이해하고 어울리지만, 자신만의 철학이나 가치를 가지고 있어 남들과 같아지지는 않음.

어휘 풀이

* 봉건제: 임금이 신하에게 땅을 나누어주고 그 지역을 통치하게 만드는 방식. 중국 주나라의 국가 체제에서 비롯된 것으로, 제후는 왕실을 종가(宗家)로 받들며 공납과 부역을 부담하였음.
* 덕성: 덕을 가진 성질.
* 사리사욕: 사사로운 이익과 욕심.

선생님의 Tip

"공자의 인(仁) 사상"

공자는 도덕성 회복을 위해 '인(仁)'을 강조함. '인'은 인간의 내면적 도덕성을 의미하는데 공자는 흐트러진 도덕성 회복의 근본 방도가 '인'이라 생각함. 이를 실천하기 위해 제시한 항목이 바로 효제충신(孝悌忠信, 어버이에 대한 효도와 형제끼리의 우애, 임금에 대한 충성과 벗 사이의 믿음을 통틀어 이르는 말)임. 공자는 이 네 가지 항목을 실천하기 위해 스스로 "내 마음(心)과 같이(如)한다."라는 뜻의 '서'와 사람들이 질서를 유지하기 위해 필요한 외적인 사회 규범인 '예'를 중시하며 자신의 사상을 펼쳤음.

---

1 공자가 살았던 춘추 시대는 주나라 봉건제*가 무너지고 제후국들이 주도권을 놓고 치열하게 전쟁을 일삼던 시기였다. 이러한 사회적 혼란을 극복하기 위한 방법으로 공자는 예(禮)를 제안하였다. 예란 인간의 도덕적 본성을 그 사회에 맞게 규범화한 것으로 단순히 신분적 차이를 드러내거나 행동을 타율적으로 규제하는 억압 장치는 아니었다. 예는 개인의 윤리 규범이면서 사회와 국가의 질서를 바로잡는 제도였으며, 인간관계를 올바르게 형성하는 사회적 장치였다.

1문단: 공자가 제시한 '예'의 의미와 등장 배경

2 공자는 예에 기반을 둔 정치는 정명(正名)에서 시작한다고 하며, 정명을 실현할 주체로서 군자를 제시하였다. 정명이란 '이름을 바로잡는다'라는 뜻으로, 다양한 사회적 관계 속에서 자신이 마땅히 해야 할 도리를 행하는 것을 의미한다. 군주는 군주다운 덕성*을 갖추고 그에 ⓐ맞는 예를 실천해야 하며, 군주뿐만 아니라 신하, 부모 자식도 그러해야 한다. 만일 군주가 예에 의하지 아니하고 법과 형벌에 ⓑ기대어 정치를 한다면, 백성들은 형벌을 면하기 위해 법을 지킬 뿐, 무엇이 옳고 그른지 스스로 판단하려 하지 않는 문제가 생길 것이라고 공자는 보았다.

2문단: '정명'을 실천할 주체로서의 군자

3 공자가 제시한 군자는 도덕적 인격을 완성하기 위해 애쓰는 사람이기도 하면서 자신의 도덕적 수양을 통해 예를 실현하는 사람이다. 원래 군자는 정치적 지배 계층을 ⓒ가리키는 말로 일반 서민을 가리키는 소인과 대비되는 개념이었다. 공자는 이러한 개념을 확장하여 군자와 소인을 도덕적으로도 구별하였다. 사리사욕*에 ⓓ사로잡혀 자신의 이익과 욕심을 채우는 데만 몰두하는 소인과 도덕적 수양을 최우선으로 삼는 군자를 도덕적으로 차별화한 것이다. 군자는 이익을 따지기보다는 무엇이 옳고 그른지를 먼저 판단해야 한다고 하였다. 그리고 군자는 남들과 잘 어울리되 같아지지는 않는다고 하여 소인과 군자를 구분하였다. 소인은 남들과 같아지기는 잘하지만 남들과 어울리지는 못한다고 하였으며, 남과 같다면 자신의 존재 의미는 없게 된다. 자신이 참다운 가치가 있다면, 자신의 역할을 누구도 대신

지문 구조도

화제 제시: 공자의 '예' 제안(1문단)
공자는 당시 혼란한 시대를 극복할 수 있는 방법으로 '예'를 제안하였음.

↓

전개 1: 예에 기반을 둔 정치(2문단)
예에 기반을 둔 정치의 시작인 '정명'은 자신이 마땅히 해야 할 도리를 행하는 것을 의미함.

↓

전개 2: 군자와 소인의 비교(3~5문단)		
군자 • 도덕적 수양을 통해 예를 실천하는 사람. • 남들과 잘 어울리지만 같아지지는 않음. • 참다운 가치가 있어 군자의 역할을 누구도 대신하지 못함. • 군자가 되려면 도덕적 수양 실천을 해야 하며, 학문적 소양을 갖춰야 함.	도덕적으로 구별	**소인** • 자신의 이익과 욕심을 채우는 데만 몰두하는 사람. • 남들과 같아지기는 잘하나 어울리지는 못함. • 누구라도 대신할 수 있음. • 정명을 통한 예의 실천으로 군자가 될 수 있음.

↓

마무리: '성인'의 의미 (6문단)
'성인'은 유학에서 말하는 이상적인 인간이자 '인간의 도덕적 본성'을 완성한 완전한 존재임.

출제 의도 '예'에 기반을 둔 공자의 정치 사상과 그 사상의 핵심인 '예', '정명', '군자', '성인' 등의 개념을 이해할 수 있는지를 평가하기 위한 지문이다. 공자가 주장한 사상의 형성 배경, 사상의 내용과 개념을 이해할 수 있는지, 핵심 개념을 파악하고 다른 자료와 관련지어 이해할 수 있는지를 묻는 문제가 출제되었다.

주제 공자가 주장한 정치 이념의 의미와 의의

할 수 없어야 하는데, 군자는 그 역할을 충실히 하는 사람이다. 반대로 소인은 누구라도 그 사람을 대신할 수 있다고 하였다. 즉 남들과 참답게 어울린다는 것은 그 사람이 주체가 될 때만 가능한 것이다.　　　　　　　　　　　　　　**3문단: 공자가 제시한 '군자'의 개념**

④ 공자는 군주는 군자다운 성품을 지녀야 한다고 함으로써 정치적 지도자가 가져야 할 덕목으로 도덕적 수양과 실천을 강조하였다. 이는 공자가 당시 지배 계층에게 도덕적 본성을 요구했다는 점에서 큰 의미가 있다. 인간의 도덕적 본성에 근거한 정치를 시행해야 한다는 유학적 정치 이념을 제시한 것이기 때문이다. 또한 공자는 소인도 군자가 될 수 있다고 강조하여 사회 전반에 걸쳐 정명을 통한 예의 실천을 구현하고자 하였다.
(군주는 군자가 되어야 함 / 도덕적 수양과 실천 / 소인 → 군자)　　　**4문단: 공자가 제시한 정치 이념의 의의**

⑤ 공자는 군자가 되기 위해서는 항상 마음이 참되고 미더운 상태가 되도록 자신의 내면을 잘 ⓔ살피라고 하였다. 이렇게 도덕적 수양을 할 뿐만 아니라 옛 성현*의 책을 읽고 육예(六藝)를 고루 익혀 다양한 학문적 소양*을 갖춰야 한다고 하였다. 육예(六藝)는 공자가 제자들을 가르쳤던 예의범절·음악·활쏘기·말타기 또는 마차몰기·붓글씨·수학으로, 일종의 커리큘럼 같은 것이다. 즉, 공자는 몇 가지만을 잘 한다고 해서 훌륭한 인격과 능력을 갖춘 것이 아니라, 다양한 학문적 소양을 함께 갖추어야만 진정한 군자가 될 수 있다고 보았다. 이를 통해 어느 한 가지 특정 분야에서 뛰어나기보다는 어떤 상황에서든 그에 맞는 제 역할을 다하는 사람이 되라고 독려*하였다.
(군자의 특징 / 진정한 군자의 요건, 전인적 인간상)　　　**5문단: 군자가 갖추어야 할 요소**

⑥ 유학에서 말하는 이상적인 인간은 성인(聖人)이다. 공자도 자신을 성인이라고 자처하지 않았다. 성인은 도덕적 수양이 더 이상 필요 없는, '인간의 도덕적 본성'을 완성한 인격자를 가리키는데 언제 어디서건 인간의 도리를 벗어나는 일을 하지 않는 완전한 존재로 보았다. 따라서 군자는 일상생활에서의 도덕적 수양을 통해 성인의 경지에 도달할 것을 목표로 삼아야 한다고 하였다. 공자는 정치적 지도자뿐만 아니라 일반 서민의 지속적인 도덕적 수양을 통해 혼란스러운 당시의 세상을 이상적인 사회로 이끌고자 하였다.
(성인의 의미 / 이상적인 인간이기 때문 / 춘추 시대 / 소인 → 군자 → 성인 / 정명 / 도덕적 수양)　　　**6문단: 공자가 제시한 '성인'의 의미**

구절 풀이

○ 공자는 인간을 가변적이고 무한한 가능성이 있는 존재로 보았기 때문에 소인도 도덕적 수양과 실천을 하면 군자가 될 수 있다고 보았음.

○ 공자는 군자가 한 가지에만 국한되어 뛰어난 사람이 아니라, 어떤 상황에서든 그에 맞는 역할을 할 수 있는 사람이라고 보았음.

어휘 풀이

* 성현: 성인(聖人)과 현인(賢人, 어질고 총명하여 성인에 다음가는 사람)을 아울러 이르는 말.
* 소양: 평소 닦아 놓은 학문이나 지식.
* 독려: 감독하며 격려함.

지문 해제

　　이 글은 공자가 혼란스러운 사회를 바로잡기 위해 생각했던 정치 이상이 무엇인지를 '예', '정명', '군자', '소인', '성인' 등의 개념을 중심으로 설명하고 있다. 공자는 개인의 윤리 규범이면서 사회와 국가의 질서를 바로잡는 방법으로 '예'를 제시하였는데, 이를 통해 사회의 혼란을 극복해 낼 수 있다고 보았다. 공자는 다양한 사회적 관계 속에서 자신의 위치에 맞게 자신이 마땅히 해야 할 도리를 행하는 '정명'을 강조하였으며, 이를 실현할 주체로 '군자'를 제시하였다. 군자는 도덕적 인격을 완성하기 위해 애쓰는 사람이기도 하면서 자신의 도덕적 수양을 통해 예를 실현하는 사람이다. 공자는 군자는 남들과 잘 어울리되 같아지지는 않는다면서 군자와 소인을 도덕적으로 구별하였다. 공자가 주장한 군자가 되기 위해서는 항상 마음이 참되고 미더운 상태가 되도록 자신의 내면을 다듬는 도덕적 수양을 해야 한다. 또 도덕적 수양과 함께 옛 성현의 책을 읽고 육예를 골고루 익혀 학문적 소양도 갖춰야 한다. 유학에서 도덕적 수양이 더 이상 필요 없는, 인간의 도덕적 본성을 완성한 인격자를 성인이라고 하였는데, 공자는 군자가 성인의 경지에 도달하는 것을 목표로 삼아야 한다고 하였다. 공자는 정치적 지도자뿐만 아니라 일반 서민의 지속적인 도덕적 수양을 통해 혼란스러운 당시 세상을 이상적인 사회로 이끌고자 하였다.

선생님의 Tip

"맹자"

맹자는 공자의 사상을 계승하였지만 '인(仁)'과 '의(義)'를 구별하였음. '인'은 너그러움으로 사람을 따뜻하게 포용하는 사랑을 의미하는 반면, '의'는 옳고 그름을 분명하게 구분할 줄 아는 의로움을 말함. 맹자는 인간의 본성으로서 악성이 존재하기도 하지만, 인간의 본성은 선(善)한 것이라고 주장하면서, 모든 사람이 도덕에 대한 의욕을 가져야 한다고 하였음. 그래서 사람들에게는 수양을 통해 욕심을 줄여 본래의 그 착한 본성을 길러내는 일이 중요하다 보았음. 그러한 관점에 입각한 정치가 '왕도 정치'임. 맹자는 군주는 덕을 바탕으로 정치를 해야 한다고 주장하였고, 또 경제적으로 풍요롭게 한 다음 도덕 교육을 해야 한다고 강조하였음. 이러한 주장은 당시 춘추 전국 사회 때 사람들이 패권을 잡기 위해 부국강병을 추구하는 패도 정치를 비판한 것임. 한편 맹자는 군주답지 못한 군주는 몰아내야 한다는 '역성 혁명' 사상을 주장하기도 하였음.

01 내용 전개 방식의 파악 | 정답 ④ |

윗글의 내용 전개 방식에 대한 설명으로 가장 적절한 것은?

① 특정 개념의 ~~역사적 변천~~과정을 소개하고 있다.
② 특정 현상을 바라보는 상반된 ~~관점~~을 절충하고 있다.
③ 기존의 사상으로부터 새로운 ~~사상~~을 이끌어 내고 있다.
④ 특정 사상에 대해 핵심 개념을 중심으로 설명하고 있다.
　　공자의 사상　　'예', '정명', '소인', '군자', '성인'
⑤ ~~현실에 대한~~ 진단을 바탕으로 미래 ~~상황을~~ 예견하고 있다.

📂 **발문 분석**

지문에서 사용한 내용 전개 방식을 파악할 수 있는지 묻고 있다. 일부분이 아니라 글 전체의 내용 전개 방식에 해당하는 선택지를 골라야 한다.

◎ **정답 풀이**

④ 이 글은 공자의 사상을 '예', '정명', '소인', '군자', '성인' 등의 핵심 개념을 제시하며 설명하고 있다.

❌ **오답 풀이**

① 특정 개념은 '공자의 사상'으로 볼 수 있으나, 공자의 사상이 역사적으로 어떻게 변화하고 있는지를 소개하고 있지는 않다.
② 이 글은 공자의 사상에 대해 설명하고 있을 뿐, 특정 현상을 바라보는 상반된 관점은 드러나 있지 않고 그것을 절충하고 있지도 않다.
③ 이 글은 공자의 사상을 설명하고 있을 뿐, 이로부터 새로운 사상을 이끌어 내고 있지 않다.
⑤ 현실에 대한 진단은 드러나 있지 않으며, 미래 상황을 예견하고 있지도 않다.

🗑️ **선생님의 꿀 정보**

01번 문제: 내용 전개 방식의 파악

　글의 내용 전개 방식을 파악하면 글의 내용을 체계적으로 이해할 수 있고, 글의 내용이 어떤 방향으로 전개될 것인지도 예측할 수 있다. 내용 전개 방식을 묻는 문제는 발문에서 글쓰기 전략, 서술상의 특징 등으로 표현되기도 하는데, 표현이 다르더라도 같은 유형의 문제이므로 당황하지 않도록 한다.
　보통 글은 종류와 목적에 따라 내용 구조와 자주 사용하는 전개 방식이 달라진다. 따라서 지문을 읽을 때는 글의 종류와 목적에 주의를 기울이면서 연결어 등의 표지를 활용하여 어떤 내용 전개 방식이 사용되었는지를 파악해야 한다. 지문을 훑어보면서 각 문단별 핵심 단어에 표시를 해 두고 이를 바탕으로 글의 전체 구조를 짐작하면 내용 전개 방식을 쉽게 파악할 수 있다.

① 중심 화제를 찾는다(중심 화제는 주로 첫 문단에 등장하며, 제시문 전체에서 반복적으로 등장함.).
　→ 지문의 첫 문단에서 중심 화제는 '공자의 사상'이라는 것을 알 수 있음.
② 문단 내에서 가장 중심이 되는 단어나 문장을 찾는다.
　→ 여러 문단에서 '예', '정명', '소인', '군자', '성인' 등의 핵심이 되는 단어들이 자주 언급되고 있음.
③ 연결어, 제시어 등의 표지와 내용의 전개 방향을 암시하는 단서들을 통해 문단 간, 문단 내 관계를 정리한다.
　→ 핵심이 되는 단어들(예 정명, 소인 등)이 자주 나오며, 이들을 비교하거나 이어서 설명하고 있음.

02 세부 내용의 이해 | 정답 ⑤ |

윗글의 내용과 일치하지 않는 것은?

① 공자가 살았던 시기는 제후국의 패권 경쟁이 심하던 시대였다.
　　　　　　　　　　　　　　　사회적 혼란의 시기
② 공자는 군자의 개념을 확장하고 유학적 정치 이념을 제시하였다.
　군자와 소인을 도덕적으로 구별　　인간의 도덕적 본성에 근거
③ 공자는 예에 기반을 둔 정치를 실현할 주체로 군자를 제시하였다.
　　　　　　　　　　　정명을 실현
④ 공자는 다양한 학문적 소양을 군자가 갖추어야 할 요소로 보았다.
　　　　　　　　　　　육예를 고루 익힘.
⑤ 공자는 도덕적 판단의 기준으로 법과 ~~형벌의~~ 중요성을 강조하였다.

📂 **발문 분석**

공자가 주장한 내용을 정확히 이해했는지를 묻고 있다. 내용 일치 문제이므로, 선택지의 내용이 어떤 문단에 언급되어 있는지 파악해야 한다.

◎ **정답 풀이**

⑤ 2문단에서 공자는 '만일 군주가 예에 의하지 아니하고 법과 형벌에 기대어 정치를 한다면, 백성들은 형벌을 면하기 위해 법을 지킬 뿐, 무엇이 옳고 그른지 스스로 판단하려 하지 않는 문제가 생길 것이라고' 하였다. 이를 통해 공자는 법과 형벌에 의한 정치를 부정적으로 보고 있음을 알 수 있다. 따라서 공자가 도덕적 판단의 기준으로 법과 형벌의 중요성을 강조한다는 진술은 적절하지 않다.

❌ **오답 풀이**

① 1문단에서 '공자가 살았던 춘추 시대는 주나라 봉건제가 무너지고 제후국들이 주도권을 놓고 치열하게 전쟁을 일삼던 시기였다.'라고 하였다. 따라서 공자가 살았던 시기는 제후국의 패권 경쟁이 심하던 시대였다는 진술은 적절하다.
② 3문단에서 공자가 군자의 개념을 확장하여 군자와 소인을 도덕적으로 차별화하였다고 하였다. 또 4문단에서 예의 실천, 도덕적 수양 등을 통해 '인간의 도덕적 본성에 근거한 정치를 시행해야 한다는 유학적 정치 이념을 제시'하였다고 하였다. 따라서 공자가 군자의 개념을 확장하고 유학적 정치 이념을 제시하였다는 진술은 적절하다.
③ 2문단에서 '공자는 예에 기반을 둔 정치는 정명에서 시작한다고 하며, 정명을 실현할 주체로서 군자를 제시하였다.'라고 하였다. 따라서 공자가 예에 기반을 둔 정치를 실현할 주체로 군자를 제시하였다는 진술은 적절하다.
④ 5문단에서 공자는 군자가 되기 위해서는 '도덕적 수양을 할 뿐만 아니라, 옛 성현의 책을 읽고 육예를 고루 익혀 다양한 학문적 소양을 갖춰야 한다고 하였다.'라고 하였다. 따라서 공자가 다양한 학문적 소양을 군자가 갖추어야 할 요소로 보았다는 진술은 적절하다.

선생님의 꿀 정보

02번 문제: 내용 일치 문제에서 선택지를 만드는 법

1. 정답 선택지 만드는 법
   1) 지문의 진술을 그대로 사용함.
   2) 지문의 긴 내용을 간단히 요약해서 사용함.
   3) 지문의 진술에서 핵심 단어를 유사한 단어로 바꿔 사용함.

2. 오답 선택지 만드는 법
   1) 지문에 전혀 없는 내용을 제시함.
   2) 'A+B'의 문장을 'A+C'로 서술하거나 'A+not B'로 제시함.
   3) 지문의 진술에서 핵심 단어를 유사하지만 내용이 달라지는 단어로 바꿔서 사용함.

   1)의 경우 난도가 낮기 때문에 고민 없이 빨리 풀고 넘어갈 수 있다. 하지만 2), 3)의 경우 실수하기 쉬운 선택지이므로, 이때에는 지문에서 선택지의 핵심어가 언급된 부분을 꼼꼼히 읽고 선택지와 비교해 보아야 한다.

02번 문제를 살펴보자.
선택지 ①번 - 공자가 살았던 시기는 제후국의 패권 경쟁이 심하던 시대였다.
지문(1문단) - 공자가 살았던 춘추 시대는 주나라 봉건제가 무너지고 제후국들이 주도권을 놓고 치열하게 전쟁을 일삼던 시기였다.

→ 1.2) 지문의 긴 내용을 간단히 요약해서 사용함.

선택지 ②번 - 공자는 군자의 개념을 확장하고 유학적 정치 이념을 제시하였다.
지문(3문단/4문단) - 원래 군자는 정치적 지배 계층을 가리키는 말로 일반 서민을 가리키는 소인과 대비되는 개념이었다. 공자는 이러한 개념을 확장하여 군자와 소인을 도덕적으로도 구별하였다. / 인간의 도덕적 본성에 근거한 정치를 시행해야 한다는 유학적 정치 이념을 제시한 것이기 때문이다.

→ 1.2) 지문의 긴 내용을 간단히 요약해서 사용함.

선택지 ③번 - 공자는 예에 기반을 둔 정치를 실현할 주체로 군자를 제시하였다.
지문(2문단) - 공자는 '예'에 기반을 둔 정치는 정명에서 시작한다고 하며, 정명을 실현할 주체로서 군자를 제시하였다.

→ 1.1) 지문의 진술을 그대로 사용함.

선택지 ④번 - 공자는 다양한 학문적 소양을 군자가 갖추어야 할 요소로 보았다.
지문(5문단) - 공자는 군자가 되기 위해서는 항상 마음이 참되고 미더운 상태가 되도록 자신의 내면을 잘 살피라고 하였다. 이렇게 도덕적 수양을 할 뿐만 아니라 옛 성현의 책을 읽고 육예를 고루 익혀 다양한 학문적 소양을 갖춰야 한다고 하였다.

→ 1.2) 지문의 긴 내용을 간단히 요약해서 사용함.

선택지 ⑤번 - 공자는 도덕적 판단의 기준으로 법과 형벌의 중요성을 강조하였다.
지문(2문단) - 만일 군주가 예에 의하지 아니하고 법과 형벌에 기대어 정치를 한다면, 백성들은 형벌을 면하기 위해 법을 지킬 뿐, 무엇이 옳고 그른지 스스로 판단하려 하지 않는 문제가 생길 것이라고 공자는 보았다.

→ 2.2) 'A+B'의 문장을 'A+C'로 서술하거나 'A+not B'로 제시함.

---

03 핵심 정보의 이해 | 정답 ④ |

윗글에 나타난 '예(禮)'에 대한 설명으로 적절하지 않은 것은?

① 인간관계를 올바르게 형성하는 사회적 장치이다.
_{1문단}
② 당시 사회의 혼란을 극복할 방법으로 제안되었다.
_{1문단}
③ 인간의 도덕적 본성을 사회적으로 규범화한 것이다.
_{1문단}
④ 사회 구성원의 신분적 평등 관계를 추구하는 규범이다.
⑤ 모든 계층에게 도덕성을 요구하는 규범으로 강조되었다.
_{4, 6문단}

📁 발문 분석

'예'의 개념을 정확하게 이해하고 있는지를 묻고 있다. 선택지와 지문의 단어에만 신경을 쓰다 보면 실수하기 쉬우므로, 선택지 전체의 내용에 초점을 맞춰야 한다.

◎ 정답 풀이

④ 2문단에서 '공자는 예에 기반을 둔 정치는 정명에서 시작한다'고 하였는데, 이는 '다양한 사회적 관계 속에서 자신이 마땅히 해야 할 도리를 행하는 것을 의미한다.'라고 하였다. 즉 군주는 군주로서, 신하는 신하로서, 부모는 부모로서, 자식은 자식으로서 각자 자신의 자리에 맞는 예를 실천해야 한다는 것이다. 따라서 공자가 제시한 예는 개인의 윤리 규범이자 사회와 국가의 질서를 바로 잡는 제도이지, 사회 구성원의 신분적 평등 관계를 추구하는 규범이라 할 수는 없다.

✖ 오답 풀이

① 1문단에서 예는 '개인의 윤리 규범이면서 사회와 국가의 진실을 바로잡는 제도였으며, 인간관계를 올바르게 형성하는 사회적 장치'라고 하였다. 따라서 예가 인간관계를 올바르게 형성하는 사회적 장치라는 진술은 적절하다.

② 1문단에서 '사회적 혼란을 극복하기 위한 방법으로 공자는 예를 제안하였다.'라고 하였다. 따라서 예가 당시 사회의 혼란을 극복할 방법으로 제안되었다는 진술은 적절하다.

③ 1문단에서 예는 '인간의 도덕적 본성을 그 사회에 맞게 규범화한 것으로 단순히 신분적 차이를 드러내거나 행동을 타율적으로 규제하는 억압 장치는 아니었다.'라고 하였다. 따라서 예가 인간의 도덕적 본성을 사회적으로 규범화한 것이라는 진술은 적절하다.

⑤ 4문단에서 공자는 '사회 전반에 걸쳐 정명을 통한 예의 실천을 구현하고자 하였다.'라고 하였다. 또 6문단에서 '공자는 정치적 지도자뿐만 아니라 일반 서민의 지속적인 도덕적 수양을 통해 혼란스러운 당시의 세상을 이상적인 사회로 이끌고자 하였다.'라고 하였다. 따라서 예가 모든 계층에게 도덕성을 요구하는 규범으로 강조되었다는 진술은 적절하다.

핵심 정보의 비교 | 정답 ⑤ |

윗글의 내용에 부합하는 것을 [보기]에서 고른 것은?

┌ 보기 ┐
ㄱ. 소인이 군자가 되면 인간의 도리를 벗어나는 법이 없다.
　　　　　　　성인에 관한 설명
ㄴ. 군자는 완전한 인격체로서 유학에서 목표로 삼는 대상이다.
　　　　　　　성인에 관한 설명
ㄷ. 소인도 도덕적 수양을 하고 학문적 소양을 갖추면 군자가
　　될 수 있다.
　　4문단
ㄹ. 군자는 어느 하나만 잘하기보다는 다양한 상황에서 현명
　　하게 대처할 수 있는 사람이다.
　　　　　　5문단
└─────────────────────────┘

① ㄱ, ㄴ　　　② ㄱ, ㄷ　　　③ ㄴ, ㄷ
④ ㄴ, ㄹ　　　⑤ ㄷ, ㄹ

📁 **발문 분석**

지문의 핵심 정보인 '소인'과 '군자'에 대해 파악할 수 있는지를 묻고 있다. 3~5문단에 나타난 '소인'과 '군자'에 관한 정보와 6문단의 '성인'에 관한 정보도 함께 파악해야 한다.

◎ **정답 풀이**

⑤ ㄷ. 4문단에서 '공자는 소인도 군자가 될 수 있다고 강조'했다고 하였다. 또 5문단에서는 군자가 되기 위해서는 도덕적 수양을 하고 다양한 학문적 소양을 갖춰야 한다고 하였다. 따라서 소인도 도덕적 수양을 하고 학문적 소양을 갖추면 군자가 될 수 있다는 진술은 지문의 내용에 부합한다.
ㄹ. 5문단에서 공자는 군자가 되려면 '어느 한 가지 특정 분야에서 뛰어나기보다는 어떤 상황에서든 그에 맞는 제 역할을 다하는 사람이 되라고 독려하였다.'라고 하였다. 따라서 군자는 어느 하나만 잘하기보다는 다양한 상황에서 현명하게 대처할 수 있는 사람이라는 진술은 지문의 내용에 부합한다.

✖ **오답 풀이**

ㄱ. 6문단에서 성인은 '언제 어디서건 인간의 도리를 벗어나는 일을 하지 않는 완전한 존재'라고 하였다.
ㄴ. 6문단에서 '유학에서 말하는 이상적인 인간은 성인'이며, '군자는 일상생활에서의 도덕적 수양을 통해 성인의 경지에 도달할 것을 목표로 삼아야 한다'고 하였다.

👑 고난도
05 자료 해석의 적절성 판단 | 정답 ② |

윗글의 내용을 [보기]와 관련지어 이해한 것으로 적절하지 않은 것은?

┌ 보기 ┐
유학자들이 인간을 보는 입장은 다음과 같다. 그들은 인간을 다양한 사회 관계 속에서 존재하는 '사회적 관계체'로 보았고, 이는 인간 개개인을 자신에게 주어진 역할과 의무를 다하며, 주변을 배려하는 '역할·의무·배려의 복합체'로 보는 입장으로 이어졌다. 이들은 인간이 자신이 속한 집단 속에서 타인과 원만한 관계를 맺고 유지하는 것에 최종적인 목표를 두는 존재라고 여겼다. 또한 인간을 이기적인 욕구와 감정을 덕에 맞추어 통제할 수 있으며 모든 책임을 자신에게 찾을 수 있는 '능동적 주체자'로 파악하였다. 그리고 유학자들은 인간을 누구나 가르침과 배움을 통해 덕을 이룰 수 있는 '무한한 가능체'로 간주하였다. 이와 관련하여 개체로서의 인간이
　　　　　　　　　인간은 과정적이고 가변적인 존재이므로
자신의 단점을 인정하고 배움을 통해 개선함으로써 자기 향상을 이룰 수 있는 '과정적이고 가변적인 존재'로 보았다.
└─────────────────────────┘
　　　　　　　　'사회적 관계체'의 최종 목표

① 공자가 말하는 '군자'는 주어진 역할과 의무를 충실히 수행한
　다는 점에서 '역할·의무·배려의 복합체'라고 할 수 있겠군.
　　　　　　　　　3문단
② 공자가 말하는 '성인'은 스스로 이기적인 욕구와 감정을 통제
　하려고 노력한다는 점에서 '능동적 주체자'로 볼 수 있겠군.
　　　　6문단. 성인은 이미 도덕적 수양이 필요없는 완성된 존재임.
③ 공자가 '소인'이 남들과 어울리지는 못한다는 점을 비판한 것
　은 '사회적 관계체'로서의 역할을 제대로 하지 못했기 때문이
　　　　　　3문단
　라고 할 수 있겠군.
④ 공자가 '소인'도 '군자'가 될 수 있다고 본 것은 인간을 가르침
　과 배움을 통해 덕을 이룰 수 있는 '무한한 가능체'로 보았기
　　　　4문단　　　　　　　　　　　　　5문단
　때문이라고 할 수 있겠군.
⑤ 공자가 '군자'에게 '도덕적 수양'을 강조한 것은 인간을 자신
　의 단점을 인정하고 이를 개선할 수 있는 '과정적이고 가변적
　　　　　　5문단
　인 존재'로 보았기 때문이라 할 수 있겠군.

📁 **발문 분석**

지문에 언급된 핵심 개념들의 특징을 이해하고, 그것을 [보기]의 내용과 연관지어 이해할 수 있는지를 묻고 있다. 공자가 구분한 '소인'이나 '군자' 등의 개념과 유학자들이 보는 인간관을 연결지어 이해한 후 선택지의 적절성을 판단해야 한다.

✔ **보기 분석**

[보기]는 유학자들이 인간을 보는 입장을 정리한 것이다. 유학자들은 인간을 다양한 사회 관계 속에서 존재하는 '사회적 관계체'로 보았고, 이는 '역할·의무·배려의 복합체'로 이어졌다. 또 유학자들은 인간을 덕에 맞추어 통제할 수 있고 모든 책임을 자신에게 찾을 수 있는 '능동적 주체자'로 파악하였다. 그리고 인간을 덕을 이룰 수 있는 '무한한 가능체'로 간주하면서 이와 관련하여 인간이 '과정적이고 가변적인 존재'라고 인식하였다.

◎ **정답 풀이**

② 6문단에서 '성인은 도덕적 수양이 더 이상 필요 없는 '인간의 도덕적 본성'을 완성한 인격자를 가리킨다고 하였다. 따라서 성인이 스스로 이기적인 욕구와 감정을 통제하려고 노력한다고 이해하는 것은 적절하지 않다.

① 3문단에서 공자는 '자신이 참다운 가치가 있다면, 자신의 역할을 누구도 대신할 수 없어야 하는데, 군자는 그 역할을 충실히 하는 사람이다.'라고 하였다. 이는 [보기]에서 말하는 주어진 역할과 의무를 다하는 '역할·의무·배려의 복합체'로서의 인간과 관련지어 이해할 수 있다.

③ 3문단에서 공자가 '소인은 남들과 같아지기는 잘하지만 남들과 어울리지는 못한다'고 보았다고 하였다. 이는 [보기]에서 말하는 인간이 다양한 사회 관계 속에서 존재하는 '사회적 관계체'로서의 역할을 제대로 못했기 때문이라고 이해할 수 있다.

④ 4문단에서 공자는 '소인도 군자가 될 수 있다'고 강조했다고 하였다. 또 5문단에서 도덕적 수양과 다양한 학문적 소양을 갖추면 진정한 군자가 될 수 있다고 하였다. 이는 [보기]에서 말하는 가르침과 배움을 통해 덕을 이룰 수 있는 '무한한 가능체'로서의 인간과 관련지어 이해할 수 있다.

⑤ 5문단에서 '공자는 군자가 되기 위해서는 항상 마음이 참되고 미더운 상태가 되도록 자신의 내면'을 살펴야 하며 다양한 학문적 소양을 갖추려 노력해야 한다고 하였다. 이는 [보기]에서 말하는 인간은 배움을 통해 개선함으로써 자기 향상을 이룰 수 있는 '과정적이고 가변적인 존재'와 관련지어 이해할 수 있다.

🍯 선생님의 꿀 정보

어휘 문제의 유형

독해력의 기본은 단어의 의미를 정확하게 알고 있는 것에서부터 시작한다. 이러한 능력을 평가하기 위해 보통 비문학(독서) 영역의 마지막 문제에서 단어의 의미를 묻는 문제가 출제된다. 어휘 문제는 대체로 다음의 4가지 발문 유형으로 출제되는 편이다.

유형 1: ⓐ~ⓔ의 사전적 의미로 적절하지 않은 것은?
유형 2: ㉠의 문맥적 의미와 같은 것은?
유형 3: 윗글의 ㉠~㉤과 같은 의미로 사용된 것은?
유형 4: ㉠~㉤을 사용하여 만든 문장으로 적절하지 않은 것은?

유형 1과 같이 단어의 사전적 의미를 직접적으로 묻는 경우와 유형 2와 같이 단어의 문맥적 의미를 묻는 경우, 유형 3이나 유형 4와 같이 단어를 다른 문장에 적용한 뒤 적절한지를 묻는 경우 등으로 나눌 수 있다. 유형이 달라보이지만 결국은 단어의 의미를 알고 있는지를 평가하는 문제이다.

대개 어휘 문제는 유형 1과 유형 2로 출제되는 편인데, 유형 1은 보통 한자어의 사전적 의미를 묻는 경우가 많다. 유형 1은 지문에서 단어가 사용된 문맥을 통해 제시된 사전적 의미가 적절한지 판단하거나 제시된 사전적 의미를 지문에 넣었을 때 자연스러운지 아닌지를 판단하면 된다. 유형 2는 지문에서 단어가 사용된 문장의 문장 성분들을 살펴보고 선택지의 문장 성분들과 비교해 성격이 가장 비슷한 것을 찾으면 된다.

06 한자어의 의미 파악 | 정답 ④ |

ⓐ~ⓔ를 한자어로 바꾼 것으로 적절하지 않은 것은?

① ⓐ: 합당(合當)한
  맞는
② ⓑ: 의거(依據)하여
  기대어
③ ⓒ: 지칭(指稱)하는
  가리키는
④ ⓓ: 매수(買收)되어
  사로잡혀
⑤ ⓔ: 성찰(省察)하라고
  살피라고

📁 발문 분석

고유어의 의미를 이해하고 한자어로 바꿔 쓸 수 있는지 묻고 있다. 문맥을 통해 ⓐ~ⓔ의 의미를 추측해 보고 선택지의 한자어로 바꾸었을 때 어색한지를 따져 보아야 한다.

⭕ 정답 풀이

④ '매수(買收)되다'는 '물건이 사들여지다.', 또는 '금품이나 그 밖의 수단 따위에 넘어가 그 편이 되다.'를 의미하므로, ⓓ'사로잡혀'와 바꾸어 쓰기에 적절하지 않다. ⓓ'사로잡혀'는 '마음이 다른 것에 사로잡혀 넘어가다.'라는 의미의 '매혹(魅惑)되다'와 바꿔 쓰는 것이 더 적절하다.

❌ 오답 풀이

① '합당(合當)하다'는 '어떤 기준, 조건, 용도, 도리 따위에 꼭 알맞다.'라는 의미이므로, '맞다'와 바꿔 쓰기에 적절하다.

② '의거(依據)하다'는 '어떤 사실이나 원리 따위에 근거하다.'라는 의미이므로, '기대다'와 바꿔 쓰기에 적절하다.

③ '지칭(指稱)하다'는 '어떤 대상을 가리켜 이르다.'라는 의미이므로, '가리키다'와 바꿔 쓰기에 적절하다.

⑤ '성찰(省察)하다'는 '자기의 마음을 반성하고 살피다.'라는 의미이므로, '살피다'와 바꿔 쓰기에 적절하다.

M·E·M·O

구절 풀이

일반적인 불안과 달리 불안할 이유가 없는데도 불안해지거나 일상생활에 문제가 될 만큼 불안하다면 불안 장애라고 볼 수 있음.

공황 발작이 일어나면 스스로를 통제하지 못하여 미치거나 죽을 것 같다는 공포감을 느끼게 됨.

어휘 풀이

* 교감신경계: 내장에 분포하는 신경이 척수에서 가슴 신경과 위쪽 허리 신경을 통하여 나오는 자율 신경 계통의 부분.
* 자율신경계: 인체의 내장근·샘 따위의 신경 지배를 통하여, 순환·소화 따위의 식물성 기능을 통제·조절하는 신경 계통.
* 항진: 기세나 기능 따위가 높아짐.
* 각성: 깨어 정신을 차림. 또는 자극에 반응을 보이는 생리적·심리적 상태.

선생님의Tip

"공황 통제 치료"

공황 발작이 신체 감각을 위험한 것으로 잘못 해석하는 '파국적 오해석'에 의해 유발된다고 본 Clark의 입장을 수용하여 Barlow와 Craske가 발전시킨 치료법. 파국적 오해석이란 평소보다 불규칙한 심장 박동, 흉부 통증, 호흡 곤란, 현기증 등의 신체 현상을 자신이 죽거나 미치거나 통제 불능 상태로 빠져버리는 것으로 잘못 해석하는 것을 의미함. 이러한 해석으로 인해 염려와 불안이 강화되어 신체 감각이 더욱 증폭되고, 더 파국적인 해석을 하는 악순환으로 결국 공황 발작이 일어나기 때문에 이러한 특정 신체 감각들과 오해석 간의 연결 고리를 끊으려 노력하는 치료법임.

1 불안은 어떤 위험을 받거나 위험에 처했을 때 누구나 경험하는 정서 상태이다. 불안해지면 교감신경계*의 활동 증가로 혈압이 상승하고 땀이 나며 호흡과 심장박동이 빨라지는 등 신체 생리적 증상이 나타나고, 걱정이나 두려움 등의 감정이 ⓐ수반된다. 이러한 불안은 불쾌한 심리이지만, 위협이나 위험에서 자신을 보호하기 위해 경계 태세를 취하게 하는 적응적인 반응이다. 따라서 현실적인 위협이나 위험의 상황에서 느끼는 불안은 자연스러운 심리적 반응이며, 정상적인 불안이라고 할 수 있다. 그러나 불안할 이유가 없는데도 불안해지거나 그 정도가 심하여 일상생활에 문제가 된다면 병적인 불안, 즉 불안 장애라고 할 수 있다. 대표적인 불안 장애에는 공황 장애와 강박 장애가 있다. 1문단: 불안과 불안 장애를 구별하는 기준

2 ㉮공황 장애는 갑작스럽게 강한 공포감 혹은 불안에 휩싸여 금방 죽을 것 같은 위급함을 경험하는 공황 발작이 주요 증상으로 나타나는 불안 장애이다. 공황 발작이 일어나면 자율신경계*가 극도로 항진*되어 호흡이 곤란하고, 가슴이 심하게 뛰며, 현기증이 나고, 죽거나 자제력을 완전히 잃을 것 같은 극심한 공포감을 느끼게 되는데, 보통 몇 분간 지속된다. 공황 장애는 예기치 못한 공황 발작이 반복되는 것인데, 발작이 없을 때에도 재발 및 공황 발작의 결과에 대한 걱정을 계속하게 되고 부적응적인 행동 변화를 보이게 된다. 2문단: 공황 장애의 개념과 증상

3 공황 장애는 ㉠광장공포증이 있는 공황 장애와 광장공포증이 없는 공황 장애로 구분된다. 광장공포증은 사람이 많은 장소나 상황에 대한 공포를 보이는 것으로, 사람이 많은 장소에서 예기치 않은 공황 발작을 경험한 사람이 이로 인해 창피를 당할 수 있는 장소나 상황을 ⓑ회피하게 되는 것이 광장공포증이 있는 공황 장애이다. 반면에 광장공포증이 없는 공황 장애는 발작을 두려워하면서도 그저 참고 지내면서, 광장공포증이 아닌 다른 회피 증상을 보이는 것이다. 즉 발작이 시작될 때와 비슷한 생리적 각성*을 불러일으키는 상황, 예를 들면 운동, 사우나, 공포 영화 관람, 격렬한 토론 등을 피하는 것이다. 3문단: 공황 장애의 종류

4 공황 장애의 치료에는 약물 치료와 심리 치료가 있다. 약물 치료는 삼환계 항우울제, 벤조다이아제핀 등을 복용하는 것으로, 삼환계 항우울제 중 하나인 이미프라민은 현기증, 구강 건조 등의 강한 부작용이 있지만 이것을 견디는 사람에게는 공황 장애와 불안을 감소시키는 데 효과적이다. 또 벤조다이아제핀 중 하나인 알프라졸람은 효과가 빠르고 복용하기 쉬우나, 다량을 복용해야 하고 의존성과 중독성이 강하다. 그런데 약물 치료는 약물을 ⓒ복용하는 것을 중단하면 재발률이 높아진다는 단점이 있다. 공황 장애의 심리 치료에는 노출 기법, 불안 대처 기법, 공황 통제 치료 등이 있다. 노출 기법은 「환자를 가장 공포를 적게 느

지문 구조도

화제 제시: 불안 장애(1문단)
불안할 이유가 없는데도 불안해하거나 그 정도가 심하여 일상생활에 문제가 되는 것을 불안 장애라고 함.

↓

전개: 불안 장애의 종류(2~7문단)	
공황 장애	**강박 장애**
• 공황 발작이 주요 증상으로 나타나는 불안 장애	• 원하지 않는 생각이나 행동을 반복하는 불안 장애
• 광장공포증이 있는 공황 장애와 광장공포증이 없는 공황 장애로 나뉨.	• 순수 강박관념형, 내현적 강박 행동형, 외현적 강박 행동형 강박 장애로 나뉨.
• 약물 치료: 약물 복용을 중단하면 재발률이 높음.	• 약물 치료: 약물의 복용을 중단하면 재발됨.
• 심리 치료: 노출 기법, 불안 대처 기법, 공황 통제 치료	• 심리 치료: 노출 및 반응 저지법

↓

마무리: 불안 장애의 이해 및 예방과 치료에 대한 노력의 필요성(8문단)
급격한 변화와 치열한 경쟁 속을 살아가는 현대인들은 불안 장애를 겪을 위험이 높으므로 관심을 가져야 함.

출제 의도 불안 장애의 일종인 공황 장애와 강박 장애의 개념을 파악하고 이해할 수 있는지를 평가하기 위한 지문이다. 각 장애의 개념과 증상, 치료 방법 등을 이해하고 있는지 평가하는 문제가 출제되었다.

주제 공황 장애와 강박 장애의 개념과 증상 및 치료법

끼는 상황에서부터 가장 극심한 공포를 느끼는 상황에까지 단계적으로 직면 또는 접근하도록 반복해 실제 공포 상황과 점차 가까워지도록 하는 것이다. 또한 불안 대처 기법은 「복식 호흡 훈련이나 근육이나 정신을 편안하게 만드는 긴장 이완 훈련을 통해 불안에 대처하도록 하는 것이다.」 그리고 공황 통제 치료는 「공황 발작을 특정 신체감각에 학습된 경계 반응으로 보고, 이 특정 신체감각과 경계 반응 간의 연결을 끊고자 하는 것이다.」

4문단: 공황 장애의 치료법

⑤ ㉣강박 장애는 원하지 않는 생각이나 행동을 반복하게 되는 불안 장애로, 강박관념과 강박 행동 두 양상으로 나타난다. 강박관념은 개인이 저항하고 싶지만 계속적으로 침범해 들어오는 불합리한 사고를 말하며, 고통스러운 생각이나 충동 등이 반복되는 것이다. 그리고 강박 행동은 불안을 감소시키기 위해 반복적으로 나타내는 행동으로, 강박관념을 억압하거나 강박관념과 관련된 위험한 사태를 ⓓ예방하기 위해 고안*된 행동들이다. 강박 행동을 하면 일시적으로 불안을 감소시키나, 하지 않으면 불안이 증가되는 경향이 있다.

5문단: 강박 장애의 개념과 증상

⑥ 강박 장애는 세 가지 유형으로 구분되는데, 첫째는 순수 강박관념형이다. 이는 내면적인 강박관념만 지니고 강박 행동은 하지 않는 경우로, 도덕관념과 ⓔ배치되는 비윤리적인 상상 등 불편한 생각이 자꾸 떠올라 무기력하게 괴로워하거나 마치 내면적 논쟁을 하듯이 대응하는 경우이다. 둘째는 내현적 강박 행동형으로, 강박관념과 더불어 마음속으로 숫자를 세거나 기도를 하거나 어떤 단어를 반복적으로 외우는 등 겉으로 관찰되지 않는 내면적 강박 행동만을 지니는 경우이다. 셋째는 외현적 강박 행동형으로, 강박관념과 더불어 겉으로 드러나는 강박 행동, 즉 문을 잠갔는지 반복적으로 확인하거나 손에 병균이 묻은 것 같아 하루에 수십 번씩 손을 씻는 경우이다.

6문단: 강박 장애의 종류

⑦ 강박 장애를 약물로 치료할 때에는 세로토닌 재흡수 억제제*가 주로 사용되는데, 그 중 플루오세틴은 강박 장애 환자의 증상 완화에 도움이 되지만, 약물 복용을 중단할 경우 증상이 재발된다. 강박 장애에 가장 효과적인 심리 치료 방법은 노출 및 반응 저지법으로, 환자를 그들이 두려워하는 자극이나 사고에 노출시키되 강박 행동을 하지 못하게 막는 것이다. 이를 통해 두려워하는 자극과 사고를 강박 행동 없이 견디는 둔감화* 효과가 나타나고, 강박 행동을 하지 않아도 두려워하는 결과가 나타나지 않는다는 것을 학습하게 된다.

7문단: 강박 장애의 치료법

⑧ 현대인은 급격한 변화와 치열한 경쟁 속에서 살아가기 때문에 누구나 불안 장애를 겪을 위험에 노출되어 있다고 해도 과언이 아니다. 따라서 행복하고 건강한 삶을 위해서는 불안 장애에 대해 이해하고 이를 예방하고 치료하고자 적극적으로 노력해야 한다.

8문단: 불안 장애의 이해 및 예방과 치료에 대한 노력의 필요성

지문 해제

이 글은 불안 장애 중 공황 장애와 강박 장애에 대해 설명하고 있다. 공황 장애는 공황 발작이 주로 나타나는 불안 장애로, 광장공포증이 있는 공황 장애와 광장공포증이 없는 공황 장애로 나뉜다. 공황 장애의 치료에는 약물 치료와 심리 치료가 있는데 약물로 치료하면 효과가 빠르지만, 복용을 중단하면 재발률이 높다는 단점이 있다. 한편 심리 치료에는 노출 기법, 불안 대처 기법, 공황 통제 치료 등이 있다. 강박 장애는 원하지 않는 생각이나 행동을 반복하게 되는 불안 장애로 강박관념과 강박 행동의 두 가지 양상이 있다. 강박관념은 개인이 저항하고 싶지만 계속적으로 침범해 들어오는 불합리한 사고를, 강박 행동은 강박관념으로 인한 불안을 감소시키기 위해 반복적으로 나타내는 행동을 의미한다. 강박 장애에는 강박관념만을 지니고 있는 순수 강박관념형, 강박관념과 겉으로 관찰되지 않는 내면적 강박 행동만을 지닌 내현적 강박 행동형, 강박관념과 분명히 겉으로 드러나는 강박 행동을 하는 외현적 강박 행동형 강박 장애가 있다. 강박 행동의 약물 치료에는 주로 세로토닌 재흡수 억제제가 사용되며, 플루오세틴은 복용하면 증상 완화에 도움을 주지만 복용을 중단하면 재발한다는 문제가 있다. 강박 장애의 심리 치료에는 환자가 두려워하는 자극이나 사고에 노출시키되 강박 행동을 하지 못하도록 막는 노출 및 반응 저지법이 있다. 현대인들은 불안 장애를 겪을 가능성이 높으므로, 불안 장애에 대해 이해하고 예방하고 치료하려고 노력해야 한다.

어휘 풀이

* 고안: 연구하여 새로운 안을 생각해 냄. 또는 그 안.
* 세로토닌 재흡수 억제제: 세로토닌(행복을 느끼는 데 기여하는 신경전달물질)이 연접이전 세포로 재흡수되는 것을 막음으로써 세포외 수준의 세로토닌을 증가시키는 약물.
* 둔감화: 감정이나 감각이 점점 무디어짐.

구절 풀이

○ 순수 강박관념형 강박 장애는 강박관념을 억제하기 위해 심리적으로 다투면서 대응함.

○ 불안 장애가 발병할 수 있는 환경 때문에 현대인에게 불안 장애가 생길 가능성이 높음.

선생님의 **Tip**

"불안 장애의 하위 유형"

범불안 장애	일상생활의 아주 사소한 많은 일에 만성적 불안과 과도한 걱정을 나타내는 경우
특정 공포증	특정 대상이나 상황에 대한 비합리적 두려움과 회피 행동을 지속적으로 나타내는 경우
사회 공포증	다른 사람들과 상호작용하는 사회적 상황을 두려워하여 회피하는 공포증
광장공포증	사람이 많은 장소나 상황에 대해 공포를 보이고 회피하려는 공포증
외상후 스트레스 장애	충격적인 사건을 경험하고 난 후 극심한 공포, 무력감, 공포 등을 지속적으로 겪는 경우

* 지문에 설명된 공황 장애와 강박 장애는 제외함.

01 내용 전개 방식의 파악 | 정답 ③ |

윗글에 대한 설명으로 가장 적절한 것은?

① 대상이 일어나는 원인을 밝히고 ~~미래 상황을~~ 예측하고 있다.
② 대상이 ~~변화하는~~ 과정을 설명하고 그 이유를 분석하고 있다.
③ 대상의 개념을 설명하고 그 종류와 해결 방안을 제시하고 있다.
    _{2,5문단}   _{3,6문단}   _{4,7문단}
④ 대상에 대한 ~~다양한 견해를 소개하고~~ 그 견해들을 ~~비교하고~~
   있다.
⑤ 대상을 바라보는 ~~상반된 의견을 제시하고~~ 대상의 의의를 설
   ~~명하고~~ 있다.

📁 **발문 분석**

지문에서 중심 화제의 어떤 측면을 어떻게 서술하고 있는지를 파악할 수 있는지 묻고 있다. 중심 화제를 어떤 방식으로 서술하고 있는지 파악하여 선택지의 적절성을 판단해야 한다.

◎ **정답 풀이**

③ 이 글은 1문단에서 중심 화제인 공황 장애와 강박 장애에 대해 소개하고, 2문단과 5문단에서 공황 장애와 강박 장애의 개념을 설명하였다. 그리고 3문단에서 공황 장애를 광장공포증이 있는 공황 장애와 광장공포증이 없는 공황 장애로, 6문단에서 강박 장애를 순수 강박관념형과 내현적 강박 행동형 그리고 외현적 강박 행동형으로 나누고 있다. 또 4문단과 7문단에서 공황 장애와 강박 장애의 치료법을 제시하고 있다. 따라서 대상의 개념을 설명하고 그 종류와 해결 방안을 제시하고 있다고 보는 것은 적절하다.

❌ **오답 풀이**

① 이 글에서 공황 장애와 강박 장애가 일어나는 원인에 대해 설명한 부분이나, 미래 상황을 예측한 부분은 찾을 수 없다.
② 이 글에서 공황 장애나 강박 장애가 변화하는 과정을 설명한 부분이나, 그 이유를 분석하는 부분은 찾을 수 없다.
④ 이 글에서 공황 장애와 강박 장애에 대한 다양한 견해를 소개하고 그 견해를 비교하는 부분은 찾을 수 없다.
⑤ 이 글에서 공황 장애와 강박 장애를 바라보는 상반된 의견을 제시하고, 공황 장애와 강박 장애의 의의를 설명하는 부분은 찾을 수 없다.

🗑️ **선생님의 꿀 정보**

01번 문제: 두 가지 이상의 중심 화제를 병렬적으로 제시한 지문 읽기

중심 화제가 두 가지 이상인데, 이를 병렬적으로 제시한 지문을 접했을 때에는 각 문단의 요지를 파악하며 각각의 문단들이 중심 화제의 어떤 측면을 다루고 있는지를 살펴야 한다. 보통 이런 경우 두 중심 화제를 다루고 있는 문단들이 서로 대응되는 경우가 많다. 하나의 중심 화제를 다룬 문단의 내용과 다른 중심 화제를 다룬 문단의 내용이 서로 짝을 이루도록 구성하는 것이 일반적이기 때문이다.

예를 들어 하나의 중심 화제를 다룬 문단이 '개념-장단점-의의'의 순서로 구성되었다면, 다른 하나의 중심 화제를 다룬 문단도 '개념-장단점-의의'의 순서로 구성했을 가능성이 높다. 이렇게 글의 논리적인 흐름을 먼저 파악하면 글의 세부적인 정보를 이해하기 어려운 경우에도 문단 전체에서 다루고 있는 내용이나, 대응되는 문단에서 다루고 있는 내용을 통해 글의 세부 정보를 짐작할 수 있다.

다음의 단계에 따라 이 지문의 문단들이 어떻게 대응되는지 살펴보자.

1단계: 각 문단의 요지를 파악함.
2단계: 각각의 중심 화제를 다룬 문단들이 서로 대응되는지 파악함.
3단계: 문단의 요지와 지문의 논리적 흐름을 염두에 두고 세부 내용을 이해함.

	중심 화제 ① 공황 장애		중심 화제 ② 강박 장애
개념 및 증상	2문단	↔	5문단
종류	3문단	↔	6문단
치료법	4문단	↔	7문단

02 세부 정보의 이해 | 정답 ④ |

윗글에서 알 수 있는 내용으로 적절하지 <u>않은</u> 것은?

① 불안 장애는 현대인이라면 누구나 겪을 가능성이 있다.
             _{8문단}
② 불안할 때 나타나는 신체 생리적 증상은 교감신경계와 관련
   이 있다. _{1문단}
③ 일상생활에 문제가 될 정도로 과도한 불안은 불안 장애라고
   할 수 있다. _{1문단}
④ 극심한 공포감을 주는 공황 발작은 대부분 ~~장시간 지속되는~~
   경향이 있다. _{몇 분간 지속됨.}
⑤ 불안은 자신을 위험으로부터 안전하게 보전하도록 돕는 순기
   능을 갖고 있다. _{1문단}

📁 **발문 분석**

지문에 제시된 정보를 정확하게 이해하고 있는지를 묻고 있다. 추론의 형식을 취하고 있으나, 결국 내용 일치 문제이므로 지문과 선택지를 꼼꼼히 비교해 가며 적절한 내용인지 판단해야 한다.

◎ **정답 풀이**

④ 2문단에서 '공황 발작이 일어나면 자율신경계가 극도로 항진되어 호흡이 곤란하고, 가슴이 심하게 뛰며, 현기증이 나고, 죽거나 자제력을 완전히 잃을 것 같은 극심한 공포감을 느끼게 되는데 보통 몇 분간 지속된다.'라고 하였다. 따라서 공황 발작은 대부분 장시간 지속되는 것이 아니라, 몇 분간 지속됨을 알 수 있다.

❌ **오답 풀이**

① 8문단에서 '현대인은 급격한 변화와 치열한 경쟁 속에서 살아가기 때문에 누구나 불안 장애를 겪을 위험에 노출되어 있다고 해도 과언이 아니다.'라고 하였다. 따라서 불안 장애가 현대인이라면 누구나 겪을 가능성이 있는 것임을 알 수 있다.
② 1문단에서 '불안해지면 교감신경계의 활동 증가로 혈압이 상승하고 땀이 나며 호흡과 심장박동이 빨라지는 등 신체 생리적 증상이 나타'난다고 하였다. 따라서 불안할 때 나타나는 신체 생리적 증상은 교감신경계와 관련이 있음을 알 수 있다.
③ 1문단에서 '불안할 이유가 없는데도 불안해지거나 그 정도가 심하여 일상생활에 문제가 된다면 병적인 불안, 즉 불안 장애라고 할 수 있다.'라고 하였다. 따라서 일상생활에 문제가 될 정도로 과도한 불안은 불안 장애라고 할 수 있음을 알 수 있다.
⑤ 1문단에서 '불안은 불쾌한 심리이지만, 위협이나 위험에서 자신을

보호하기 위해 경계 태세를 취하게 하는 적응적인 반응이다.'라고 하였다. 따라서 불안은 자신을 위험으로부터 안전하게 보전하도록 돕는 순기능이 있음을 알 수 있다.

03 핵심 정보의 파악 | 정답 ④ |

강박 장애
㉮와 ㉯의 치료에 대한 설명으로 가장 적절한 것은?
공황 장애

① ㉮와 달리 ㉯는 불안을 느끼는 상황에 노출시키는 치료법을
㉮에도 노출 기법이 사용됨.
사용한다.

② ㉮와 달리 ㉯는 약물 치료를 중단하면 그 증상이 재발되는
㉮에도 해당되는 특징임.
현상이 나타난다.

③ ㉮와 달리 ㉯는 신체감각과 반응 간의 학습된 연결을 끊는 치
㉯의 치료법에는 언급되지 않음.
료법을 사용한다.

④ ㉯와 달리 ㉮는 효과가 빠르고 복용하기 쉬운 알프라졸람을
㉮에만 사용되고, ㉯의 치료법에는 언급되지 않음.
약물 치료에 사용한다.

⑤ ㉯와 달리 ㉮는 세로토닌 재흡수 억제제 중 플루오세틴을 약
㉯에만 사용됨.
물 치료에 사용하면 증상이 완화된다.

📁 **발문 분석**

㉮와 ㉯의 개념과 치료법을 정확히 파악했는지를 묻고 있다. '공황 장애'와 '강박 장애'의 치료법을 꼼꼼히 확인하되, 그 차이점에 중점을 두고 선택지의 적절성을 판단해야 한다.

◎ **정답 풀이**

④ 4문단에서 '공황 장애'의 약물 치료에서 쓰이는 약물인 '벤조다이아제핀 중 하나인 알프라졸람은 효과가 빠르고 복용하기' 쉽다고 하였다. 따라서 ㉮'공황 장애'에는 알프라졸람을 사용함을 알 수 있다. 7문단에서 '강박 장애를 약물로 치료할 때에는 세로토닌 재흡수 억제제가 주로 사용'된다면서 세로토닌 재흡수 억제제인 플루오세틴에 대해서 설명하고 있다. 그러나 알프라졸람에 대한 언급은 찾을 수 없다. 따라서 ㉯'강박 장애'와 달리 ㉮'공황 장애'는 효과가 빠르고 복용하기 쉬운 알프라졸람을 약물로 사용한다는 진술은 적절하다.

❌ **오답 풀이**

① 7문단의 '환자를 그들이 두려워하는 자극이나 사고에 노출시키되 강박 행동을 하지 못하게 막는 것이다.'에서 ㉯'강박장애'의 치료법으로 환자가 불안을 느끼는 상황에 노출시키는 방법을 사용함을 알 수 있다. 그리고 4문단의 '노출 기법은 환자를 가장 공포를 적게 느끼는 상황에서부터 가장 극심한 공포를 느끼는 상황에까지 단계적으로 직면 또는 접근하도록 반복해 실제 공포 상황과 점차 가까워지도록 하는 것이다.'에서 ㉮'공황 장애'에도 불안을 느끼는 상황에 노출시키는 치료법을 사용함을 알 수 있다.

② ㉮'공황 장애'의 치료법을 설명한 4문단에서 '약물 치료는 약물을 복용하는 것을 중단하면 재발률이 높아진다는 단점이 있다.'라고 하였다. 그리고 ㉯'강박 장애'의 치료법을 설명한 7문단에서 '약물 복용을 중단할 경우 증상이 재발된다.'라고 하였다. 따라서 ㉮'공황 장애'와 ㉯'강박 장애'는 둘 다 복용하던 약물을 중단하면 그 증상이 재발됨을 알 수 있다.

③ ㉮'공황 장애'의 치료법을 설명한 4문단의 '공황 통제 치료는 공황 발작을 특정 신체감각에 학습된 경계 반응으로 보고, 이 특정 신체감각과 경계 반응 간의 연결을 끊고자 하는 것이다.'에서 신체감각

과 반응 간의 연결을 끊는 치료법은 ㉮'공황 장애'에 사용하는 것임을 알 수 있다. 그런데 ㉯'강박 장애'의 치료법을 설명한 7문단에서는 두려워하는 자극과 사고를 강박 행동 없이 견디게 하는 노출 및 반응 저지법에 대해 설명하고 있을 뿐, 신체감각과 반응 간의 연결을 끊는 치료법에 대해 설명하지는 않았다.

⑤ ㉯'강박 장애'의 치료법을 설명한 7문단의 '세로토닌 재흡수 억제제가 주로 사용되는데, 그 중 플루오세틴은 강박 장애 환자의 증상 완화에 도움이' 된다고 한 것에서 ㉯'강박 장애'는 플루오세틴을 사용하면 증상 완화이 완화됨을 알 수 있다. 그러나 ㉮'공황 장애'의 치료법을 설명한 4문단에서 플루오세틴을 사용한다고 언급하지는 않았다.

👑 고난도
04 핵심 정보의 비교 | 정답 ④ |

윗글의 ㉠과 [보기]의 ㉡에 대한 이해로 가장 적절한 것은?

─ 보기 ─

특정 공포증은 명확히 구분할 수 있는 대상이나 상황에 대
특정 공포증의 개념
한 현저하고 지속적인 공포를 말한다. 그 중 ㉡상황형 공포증
은 공포가 대중교통, 터널, 교각, 엘리베이터, 비행기, 폐쇄된
상황형 공포증의 개념
공간 등의 특수한 상황에 의해 유발되는 공포증이다. 이는 예
기치 못한 발작이 선행되지 않아도 나타나며, 비슷한 상황보
상황형 공포증의 주요 특징
다는 특정한 상황에서만 공포를 느낀다는 특징이 있다. 예를
들어 엘리베이터에 공포를 느끼는 사람은 엘리베이터 안에
갇히거나, 그곳에서 숨을 못 쉬게 될 것을 두려워하여 고층에
있는 직장을 걸어서 다니든지 아예 직장을 엘리베이터가 없
는 곳으로 옮기는 등의 회피 양상을 보이는데, 다른 밀폐된
공간에서는 이러한 증상을 보이지 않는다.
특정한 상황이 아니면 증상이 나타나지 않음.

① ㉠과 달리 ㉡은 사람이 많은 곳에서 증상이 나타나는 질병이다.
㉠도 사람이 많은 곳에서 증상이 나타남.

② ㉠과 달리 ㉡은 장소나 상황에 대한 회피 증상을 보이는 질병
㉠도 장소나 상황에 대한 회피 증상을 보임.
이다.

③ ㉠과 달리 ㉡은 공포를 유발하는 유사한 환경에서도 증상이
㉡은 유사한 환경에서 증상이 나타나지 않음.
일어나는 질병이다.

④ ㉡과 달리 ㉠은 예기치 못한 발작을 경험한 후 발병하는 질병
㉡은 예기치 못한 발작이 우선되지 않고, ㉠은 해당됨.
이다.

⑤ ㉡과 달리 ㉠은 예상되는 불안이나 두려움 때문에 고통 받는
㉡도 예상되는 불안, 두려움 때문에 고통 받음.
질병이다.

📁 **발문 분석**

지문과 [보기]의 핵심 정보를 비교하여 이해할 수 있는지 묻고 있다. '광장공포증이 있는 공황 장애'와 '상황형 공포증'의 특징을 파악한 후 이 특징을 비교 · 대조하여 선택지의 적절성을 판단해야 한다.

✓ **보기 분석**

[보기]는 특정 공포증의 일종인 상황형 공포증에 대해 설명하고 있다. [보기]에 제시된 상황형 공포증의 특징은 다음과 같다.
① 증상이 발병하는 조건이 특수한 상황임.
② 예기치 못한 발작이 먼저 나타나지 않아도 공포를 느끼고, 증상을 보임.
③ 비슷한 상황에서는 증상이 안 나타나고, 특정한 상황에서만 나타남. 즉 특정한

상황에 한정되어 증상이 나타남.
④ 자신이 공포를 느끼는 특정한 상황에 처할 것을 두려워하여 회피 양상을 보임.

정답 풀이

④ 3문단에서 '사람이 많은 장소에서 예기치 않은 공황 발작을 경험한 사람이 이로 인해 창피를 당할 수 있는 장소나 상황을 회피하게 되는 것이 광장공포증이 있는 공황 장애이다.'라고 하였다. 이를 고려하면 ㉠'광장공포증이 있는 공황 장애'는 예기치 못한 발작을 경험한 후 발병하는 것임을 알 수 있다. 그리고 [보기]에서 상황형 공포증은 '예기치 못한 발작이 선행되지 않아도 나타'난다고 하였다. 이를 고려하면 ㉡'상황형 공포증'은 예기치 못한 발작이 먼저 나타나지 않아도 증상을 보이는 것임을 알 수 있다. 따라서 ㉡'상황형 공포증'과 달리 ㉠'광장공포증이 있는 공황 장애'는 예기치 못한 발작을 경험한 후 발병하는 질병이라고 한 진술은 적절하다.

오답 풀이

① [보기]에서 '상황형 공포증은 공포가 대중교통, 터널, 교각, 엘리베이터, 비행기, 폐쇄된 공간 등의 특수한 상황에 의해 유발되는 공포증이다.'라고 하였다. 여기서 언급한 '대중교통'이나 '비행기' 등은 사람이 많은 장소라고 할 수 있다. 그러나 ㉡'상황형 공포증'은 어떤 특수한 상황에서 공포를 느껴 증상이 나타나는 것이지, 사람이 많은 곳이어서 나타나는 증상은 아니다. 그리고 3문단에서 '광장공포증은 사람이 많은 장소나 상황에 대한 공포를 보이는 것으로, 사람이 많은 장소에서 예기치 않은 공황 발작을 경험한 사람이 이로 인해 창피를 당할 수 있는 장소나 상황을 회피하게 되는 것이 광장공포증이 있는 공황 장애이다.'라고 하였다. 이를 고려하면 ㉠'광장공포증이 있는 공황 장애'는 사람이 많은 장소에서 증상이 나타나는 질병임을 알 수 있다. 따라서 ㉠'광장공포증이 있는 공황 장애'와 달리 ㉡'상황형 공포증'은 사람이 많은 곳에서 증상이 나타나는 질병이라고 한 진술은 적절하지 않다.

② [보기]의 '고층에 있는 직장을 걸어서 다니든지 아예 직장을 엘리베이터가 없는 곳으로 옮기는 등의 회피 양상을 보이는데'에서 ㉡'상황형 공포증'이 공포를 주는 장소나 상황에 대해 회피 증상을 보이는 질병임을 알 수 있다. 그리고 3문단의 '이로 인해 창피를 당할 수 있는 장소나 상황을 회피하게 되는 것이 광장공포증이 있는 공황 장애이다.'에서 ㉠'광장공포증이 있는 공황 장애'도 장소나 상황에 대한 회피 증상을 보이는 질병임을 알 수 있다. 따라서 ㉠'광장공포증이 있는 공황장애'와 달리 ㉡'상황형 공포증'은 장소나 상황에 대한 회피 증상을 보이는 질병이라고 한 진술은 적절하지 않다.

③ [보기]의 '비슷한 상황보다는 특정한 상황에서만 공포를 느낀다는 특징이 있다.'와 '다른 밀폐된 공간에서는 이러한 증상을 보이지 않는다.'에서 ㉡'상황형 공포증'이 공포를 유발하는 유사한 환경에서는 증상이 일어나지 않는 특징이 있음을 알 수 있다. 그리고 3문단의 '이로 인해 창피를 당할 수 있는 장소나 상황을 회피하게 되는 것이 광장공포증이 있는 공황 장애이다.'에서 ㉠'광장공포증이 있는 공황 장애'는 특정한 상황이나 장소가 아닌 공포를 유발하는 유사한 환경에서도 일어날 수 있음을 짐작할 수 있다. 따라서 ㉠'광장공포증이 있는 공황 장애'와 달리 ㉡'상황형 공포증'은 공포를 유발하는 유사한 환경에서도 증상이 일어나는 질병이라고 한 진술은 적절하지 않다.

⑤ 3문단의 '이로 인해 창피를 당할 수 있는 장소나 상황을 회피하게 되는 것이 광장공포증이 있는 공황 장애이다.'에서 ㉠'광장공포증이 있는 공황 장애'는 예상되는 불안이나 두려움 때문에 고통 받는

질병임을 알 수 있다. 그리고 [보기]의 '엘리베이터 안에 갇히거나, 그곳에서 숨을 못 쉬게 될 것을 두려워하여'에서 ㉡'상황형 공포증'도 예상되는 불안이나 두려움 때문에 고통 받는 질병임을 알 수 있다. 따라서 ㉡'상황형 공포증'과 달리 ㉠'광장공포증이 있는 공황 장애'는 예상되는 불안이나 두려움 때문에 고통 받는 질병이라고 한 진술은 적절하지 않다.

고난도
05 | 구체적 상황에 적용 | 정답 ② |

윗글을 읽고 [보기]에 대해 보인 반응으로 적절하지 <u>않은</u> 것은?

> **│보기│**
> ─ A씨는 직장에서 일을 하는 동안 주변 사람들을 공격하고
>   <small>내현적 강박 행동형</small>
> 싶은 생각이 자꾸 든다. 이를 잊기 위해 2의 배수를 1000
>   <small>겉으로 드러나지 않는 내면적 강박 행동</small>
> 까지 소리 내지 않고 속으로 세는 것을 반복하느라고 직장
> 생활에 어려움을 겪고 있다.
> ─ B씨는 길을 가다가 쓰레기차를 보게 되면 차를 접촉하지
>   <small>외현적 강박 행동형</small>
> 않고 본 것만으로도 세균이 묻은 것 같은 찜찜한 생각이 든
> 다. 그래서 집에 돌아와서 손을 500번 이상 씻고 입었던
>   <small>겉으로 드러나는 강박 행동</small>
> 옷을 모두 벗어 10여 차례씩 세탁한다.

① A씨가 2의 배수를 세는 행동을 하지 않으면 불안이 증가하겠군.
   <small>5문단</small>

② A씨는 내면적인 강박관념만을 지닌 순수 강박관념형이라고 할 수 있군.
   <small>내현적 강박 행동형임.</small>

③ A씨가 플루오세틴을 복용하면 강박 장애의 증상이 완화되는 효과를 거두겠군.
   <small>7문단</small>

④ B씨는 겉으로 드러나는 강박 행동을 하는 외현적 강박 행동형이라고 할 수 있군.
   <small>6문단</small>

⑤ B씨에게는 쓰레기차를 본 후 손을 씻지 못하게 막는 방법이 효과적인 치료법이겠군.
   <small>7문단</small>

발문 분석

강박 장애의 유형을 파악하고 구체적인 사례에 적용할 수 있는지 묻고 있다. 강박 장애의 개념, 증상, 치료법 등을 파악한 후 [보기]의 A씨와 B씨가 어떤 강박 장애에 해당하는지 생각해 보아야 한다.

보기 분석

[보기]의 A씨와 B씨의 행동을 정리하면 다음과 같다.

A씨 (내현적 강박 행동형 강박 장애)	직장에서 일을 하는 동안에 주변 사람들을 공격하고 싶은 생각이 자꾸 듦. → 강박관념이 있음.
	이를 잊기 위해 2의 배수를 1000까지 소리 내지 않고 속으로 세는 것을 반복함. → 겉으로 관찰되지 않는 내면적 강박 행동을 함.
B씨 (외현적 강박 행동형 강박 장애)	쓰레기차를 보게 되면 세균이 묻은 것 같은 찜찜한 생각이 듦. → 강박관념이 있음.
	집에 돌아와서 손을 500번 이상 씻고 입었던 옷을 모두 벗어 10여 차례씩 세탁함. → 겉으로 드러나는 강박 행동을 함.

정답 풀이

② 6문단에서 내현적 강박 행동형 강박 장애는 '강박관념과 더불어 마음속으로 숫자를 세거나 기도를 하거나 어떤 단어를 반복적으로 외우는 등 겉으로 관찰되지 않는 내면적 강박 행동만을 지니는 경우'라고 하였다. 이를 고려하면 [보기]의 A씨처럼 '2의 배수를 1000까지 소리 내지 않고 속으로 세는 것을 반복'하는 경우는 내현적 강박 행동형 강박 장애에 속함을 알 수 있다. 그러므로 A씨를 내면적인 강박관념만을 지닌 순수 강박관념형이라고 반응하는 것은 적절하지 않다.

오답 풀이

① 5문단에서 '강박 행동은 불안을 감소시키기 위해 반복적으로 나타내는 행동으로, 강박관념을 억압하거나 강박관념과 관련된 위험한 사태를 예방하기 위해 고안된 행동들이다.'라고 하였다. 따라서 A씨가 공격적인 생각을 잊기 위해 2의 배수를 세는 것은 강박관념을 억압하기 위한 강박 행동임을 알 수 있다. 또한 5문단에서 '강박 행동을 하면 일시적으로 불안을 감소시키나, 하지 않으면 불안이 증가되는 경향이 있다.'라고 하였다. 이를 고려하면 A씨가 2의 배수를 세는 강박 행동을 하지 않으면 불안이 증가할 것임을 알 수 있다. 따라서 A씨가 2의 배수를 세는 행동을 하지 않으면 불안이 증가할 것이라고 반응하는 것은 적절하다.

③ 7문단에서 '플루오세틴은 강박 장애 환자의 증상 완화에 도움'이 된다고 하였으므로 A씨가 플루오세틴을 복용하면 강박 장애의 증상이 완화될 것임을 알 수 있다. 따라서 A씨가 플루오세틴을 복용하면 강박장애의 증상이 완화되는 효과를 거두겠다고 반응하는 것은 적절하다.

④ 6문단에서 외현적 강박 행동형은 '강박관념과 더불어 겉으로 드러나는 강박 행동, 즉 문을 잠갔는지 반복적으로 확인하거나 손에 병균이 묻은 것 같아 하루에 수십 번씩 손을 씻는 경우이다.'라고 하였다. 이를 통해 B씨처럼 '세균이 묻은 것 같은 찜찜한 생각에 손을 500번 이상 씻고 입었던 옷을 모두 벗어 10여 차례씩 세탁'하는 경우는 외현적 강박 행동형 강박 장애에 속함을 알 수 있다. 따라서 B씨가 겉으로 드러나는 강박 행동을 하는 외현적 강박 행동형이라고 반응하는 것은 적절하다.

⑤ 7문단에서 '강박 장애에 가장 효과적인 심리 치료 방법은 노출 및 반응 저지법으로, 환자를 그들이 두려워하는 자극이나 사고에 노출시키되 강박 행동을 하지 못하게 막는 것이다.'라고 하였다. 이를 통해 B씨가 두려워하는 쓰레기차라는 자극을 주고 손을 씻는 강박 행동을 못하게 하는 방법이 효과적인 치료법이라고 추측할 수 있다. 따라서 B씨에게 쓰레기차를 본 후 손을 씻지 못하게 막는 방법이 효과적인 치료법이라고 반응하는 것은 적절하다.

06 어휘 활용의 적절성 판단 | 정답 ③ |

ⓐ~ⓔ를 사용하여 만든 문장으로 적절하지 않은 것은?

① ⓐ: 무분별한 산업 개발은 환경 파괴가 <u>수반</u>된다.
　　수반
② ⓑ: 일반적으로 채무자는 채권자를 <u>회피</u>하는 경향이 있다.
　　회피
③ ⓒ: 샘물을 끓이지 않고 <u>복용</u>하여 배탈이 났다.
　　복용
④ ⓓ: 사용하지 않는 콘센트는 안전 커버를 씌워 두면 감전 사고를 <u>예방</u>할 수 있다.
　　예방
⑤ ⓔ: 그의 주장은 헌법에 정면으로 <u>배치</u>되는 의견이었다.
　　배치

발문 분석

어휘의 의미를 파악하고 적절히 활용할 수 있는지를 묻고 있다. 먼저 지문에서 해당 어휘의 문맥적 의미를 파악한 후, 선택지의 어휘와 같은 의미인지를 판단해야 한다.

정답 풀이

③ ⓒ'복용(服用)'은 '약을 먹음.'을 의미한다. 그러나 '샘물'은 약이 아니므로 '복용'이라는 어휘를 사용하는 것은 적절하지 않다. '샘물'의 경우에는 '마시다'라는 의미의 '음용(飲用)'이라는 어휘를 사용하는 것이 적절하다.

오답 풀이

① ⓐ'수반'은 '붙좇아서 따름.'을 의미하는 어휘이다. 그리고 '무분별한 산업 개발은 환경 파괴가 수반된다.'는 산업 개발에 환경 파괴가 붙좇아서 따르게 됨을 의미하므로, ⓐ'수반'을 사용한 문장으로 적절하다.

② ⓑ'회피'는 '몸을 숨기고 만나지 아니함.'을 의미하는 어휘이다. 그리고 '일반적으로 채무자는 채권자를 회피하는 경향이 있다.'는 채무자가 몸을 숨기고 채권자를 만나지 아니함을 의미하므로, ⓑ'회피'를 사용한 문장으로 적절하다.

④ ⓓ'예방'은 '질병이나 재해 따위가 일어나기 전에 미리 대처하여 막는 일.'을 의미하는 어휘이다. 그리고 '사용하지 않는 콘센트는 안전 커버를 씌워 두면 감전 사고를 예방할 수 있다.'는 사용하지 않는 콘센트에 안전 커버를 씌우면 감전 사고가 일어나기 전에 막을 수 있음을 의미하므로, ⓓ'예방'을 사용한 문장으로 적절하다.

⑤ ⓔ'배치'는 '서로 반대로 되어 어그러지거나 어긋남.'을 의미하는 어휘이다. 그리고 '그의 주장은 헌법에 정면으로 배치되는 의견이었다.'는 그의 주장이 헌법과 반대가 되어 어긋난다를 의미하므로, ⓔ'배치'를 사용한 문장으로 적절하다.

중화주의와 통일적 다민족 국가론

[신출제]

01 ④   **02** ③   **03** ②   **04** ④   **05** ④   본문 ○ 36쪽

구절 풀이

여러 국가를 하나로 통일하면서 속국이 된 나라를 누를 수 있는 통치 이념이 필요하였기 때문에 중화주의의 개념이 형성됨.

송·요·금 시대 이전 시대까지는 한족이 세운 국가가 중국을 지배하면서 '화'는 발달한 문화를 가지고 있는 한족이었음. 그리고 '이'는 상대적으로 열등하다고 치부되는 비한족이었음. 하지만 송·요·금 시대에 이르러 비한족이 지배 민족이 되면서 권력을 가지게 된 이들은 더 이상 자신들을 '이'로 여기지 않고 자신들을 '화'라 주장하게 되었음. 이 때문에 기존의 '화'와 '이'의 구분이 흔들리기 시작하였음.

어휘 풀이

* 귀속: 재산이나 영토, 권리 따위가 특정 주체에 붙거나 딸림.
* 이적: 오랑캐.
* 덕치주의: 덕망 있는 사람이 도덕적으로 어두운 사람을 다스려야 한다는 정치사상.
* 자임: 어떤 일에 대하여 자기가 적임이라고 자부함.
* 패전: 싸움에 짐.

선생님의 Tip

"조공 제도"

조공은 전근대 동아시아의 국제 관계에서 중국 주변에 있는 나라들이 정기적으로 중국에 사절을 보내 예물을 바친 행위를 말함. 일종의 정치적인 지배 수단이라고 볼 수 있음. 중국 주나라 때의 제후는 지역 특산물을 휴대하고 정기적으로 천자를 만나 군신지의(임금과 신하의 예)와 신례행위(신하가 예를 표하는 행위)를 행했는데 천자는 이를 통하여 여러 제후를 통제하고 지배하였음.

---

1 오늘날 중국은 대외적으로는 주변 국가와의 역사·영토의 귀속*권을 둘러싼 분쟁에서 우위를 차지하고, 내부적으로는 하나의 중국을 만드는 사회적 흐름을 ⓐ조성하기 위한 전략으로 중국 내 역사학계를 통해 '통일적 다민족 국가론'이라는 이론적 틀을 제시하였다. 이는 '신중화주의'라는 말로 잘 알려져 있는데, 과거 중국의 내외를 통치하는 이념으로 ⓑ통용된 '중화주의'와는 다른 의미를 가진다.

통일적 다민족 국가론의 형성 배경   **1문단: 통일적 다민족 국가론의 배경**

중화주의와 통일적 다민족 국가론의 차이

2 '중화주의'는 '중화' 이외에는 '이적*'이라며 천시하고 배척하는 관념으로 '화이사상' 또는 '화이론'이라고도 한다. '중'은 '중앙'이라는 뜻이며, '화'는 '문화'라는 뜻으로, '중화'는 자신들이 온 천하의 중심이면서 가장 발달한 문화를 가지고 있다는 의식을 나타낸다. 이는 전국 시대부터 진·한 시대 이전에 정치적 통일 과정과 유교적 덕치주의* 이론의 정비 과정이 서로 맞물리면서 형성되었고, 주변국에 대한 책봉·조공 체제의 논리, 그리고 중국 왕조의 정치적·경제적·군사적인 우월감 등이 모두 포함되었다. 이때까지 '화'와 '이'를 나누는 기준은 민족적 혈연보다는 중원에서의 주도권과 중원 문화를 지녔느냐의 여부였다.

시대의 흐름에 따른 서술   '화'와 '이'를 구분하는 기준   **2문단: 중화주의의 형성과 화이론**

3 그러던 것이 진·한 시대에는 우열 관계에 입각한 민족적, 문화적 구별이 점차 분명해져 '화'와 '이'는 각각 중국 문명이 발달한 민족과 발달하지 못한 민족이라는 의식이 자리 잡게 되었다. 이후에는 한족이 통치권을 잡게 되면서 중국은 한족 왕조가 통치하는 모든 영토를 지칭하게 되었고 발달한 문화를 가지고 있느냐가 '화'와 '이'를 구별하는 관념이 되었다.

진·한 시대 이후 '화'와 '이'를 구분하는 기준   **3문단: '화'와 '이'를 구별하는 화이론**

4 그러나 송·요·금 시대에 이르러 한족이 아니라 비(非)한족이 세운 국가들이 자신을 정통이라고 주장하면서 '화'와 '이'의 구분이 모호해지기 시작했다. 원 시대에는 원을 비롯하여 송·요·금·서하 모두가 '중화'로 ⓒ간주되었고, 이후 청 시대에는 청이 자신들을 중화의 정통 계승자로 자임*하고 몽골·대만까지 중국으로 포함하였다. 특히 한족 지식인조차

'화'의 개념이 확대됨.   비한족의 나라인 청나라는 강력한 경제·군사력을 바탕으로 자신들을 '화'라고 주장함.

청을 중국의 합법적인 정부로 승인하여 중화의 정통으로 여기게 되었다. 이 시기에 화이론이 붕괴되지 않고 명맥을 유지할 수 있었던 것은 청이 강력한 경제·군사력을 바탕으로 변방의 소수 민족이나 국가에 대한 책봉·조공 체제를 강제할 수 있었기 때문이었다.

책봉·조공을 받을 수 있는가가 '화'를 구분하는 기준이 됨.   **4문단: '중화'의 대상 범위 확대**

5 그러나 명맥을 유지하던 화이관은 아편 전쟁 이후, 청 정부가 서양 오랑캐로 간주하던 '양이(洋夷)'에게 수차례 패전*하고 책봉·조공 체제의 일원이었던 조공국들이 그 체제에서

서양 오랑캐   책봉하고 조공을 받을 수 없어서 우월한 민족이라는 '화'의 위상이 사라짐.

떨어져 나가면서 급격하게 무너지기 시작하였다. 그리고 자신들이 천하의 중심이면서 가장

지문 구조도

화제 제시: 중화주의와 통일적 다민족 국가론(1문단)

통일적 다민족 국가론은 신중화주의라고 불리는데, 기존의 중화주의와는 다른 개념임.

↓

구체화: 중화주의의 변천과 통일적 다민족 국가론의 문제점(2~7문단)

• 중화주의: '중화' 이외에는 '이적'이라 천시하고 배척하는 관념.
① 전국 시대부터 진·한 시대 이전까지: '화'와 '이'를 중원에서의 주도권과 중원 문화를 가졌는지의 여부에 따라 구분함.
② 진·한 시대: '화'와 '이'를 발달한 문화를 가졌는지의 여부에 따라 구분함.
③ 송·요·금 시대: 비한족이 세운 국가들이 자신을 정통이라고 주장하면서 '화'와 '이'의 구분이 모호해짐.
④ 원 시대와 청 시대: 소수 민족이나 국가에 대한 책봉·조공 체제를 강제할 수 있는지 여부에 따라 '화'와 '이'를 구분함.
⑤ 아편 전쟁 이후: '화'와 '이'의 개념이 무너짐.
• 통일적 다민족 국가론
① 대일통의 전통에 의해 여러 민족이 단결·융합하면서 통일적인 다민족 국가를 형성했음을 강조함.
② 이민족의 역사적 활동이나 세운 왕조 모두 중국의 왕조이며, 관할 지역도 중국의 영토라고 인식함.
③ 현 시대의 정치적 논리가 개입되어 문제가 됨(예-동북공정).

출제 의도 '중화주의'와 '통일적 다민족 국가론'의 개념을 정확하게 이해할 수 있는지 평가하기 위한 지문이다. 시대에 따른 '중화주의'의 개념 변화를 파악할 수 있는지, 외적 준거를 바탕으로 중화주의를 비교하여 이해할 수 있는지를 평가하는 문제가 출제되었다.

주제 중화주의와 통일적 다민족 국가론의 개념과 통일적 다민족 국가론의 문제점

발달한 문화를 가지고 있다는 의식은 점차 설 자리를 잃게 되었고, 중국의 중화주의는 한동안 '과거'의 의식으로만 자리 잡고 있었다.

5문단: 화이론의 쇠퇴

6 하지만 1990년대 이후 중국의 역사학계는 '통일적 다민족 국가론'이라는 중국의 '신중화주의'를 내세우기 시작하였다. 이는 '화'와 '이'의 통일성과 일체성을 강조한 개념으로, 한때 중국이 한족과 다수의 비한족으로 나뉘어 서로 경쟁하면서 ⓓ분열되기도 했지만 기본적으로는 대일통(大一統)의 오랜 전통에 의해 여러 민족이 단결 · 융합하면서 통일적인 다민족 국가를 형성해 왔으므로 중화 민족은 긴 역사 속에서 한족과 이민족이 상호작용하면서

> 통일적 다민족 국가론의 핵심: 대일통 전통에 의해 중국은 여러 민족이 단결·융합하여 이뤄낸 국가라는 주장

ⓔ융합된 '복합 민족' 혹은 '역사 융합의 산물'이라는 것이다. 또한 현재 중국의 영토는 물론,

> 한족과 이민족은 서로 교류하며 융화된 복합 민족임.

1840년 아편 전쟁 이전 청나라의 최대 영토 속에 존재했거나 존재하는 모든 민족은 '중국'이라는 역사 공동체를 형성하는데 일정한 역할을 해 왔으므로 모두 중국을 구성하는 중화 민족이라는 것이다. 따라서 그들의 역사적인 활동이나 그들이 세운 왕조 모두 중국의 왕

> 영토 기준: 현재 영토 포함 최대 영토였던 청나라 포함, 민족 기준: 영토에 존재했거나 존재하는 모든 민족

조이며, 각각의 왕조들이 관할하던 지역도 역시 중국의 영토에 해당한다고 주장한다.

6문단: 통일적 다민족 국가론의 개념

7 그러나 과거의 최대 영토에 속했던 모든 민족이 중화 민족이고 그들의 역사가 모두 중국의 역사라는 주장은 억지스러운 면이 있다. 그것은 '통일적 다민족 국가론'이 역사적 흐름에서 자연스럽게 등장한 것이 아니라 현 시대의 정치적 논리가 개입되어 나타났기 때문이다. 개혁 · 개방 정책 이후 중국 사회는 대내적으로는 빈부 격차로 인한 불만, 소수 민족의 소외

> 국내 문제

감 표출과 분리 독립 요구 등과 같은 문제에, 대외적으로는 주변국들과 역사 · 영토를 둘러

> 국외 문제

싼 분쟁 등의 외교 문제와 직면하였다. 이에 따라 중국 정부는 '대일통'을 강조하면서 빈부

> ㄱ: 통일적 다민족 국가론 형성의 이유, 목적

격차로 분리된 민족을 통합하고, 소수 민족의 소외감과 분리 의도를 잠식*시켜 민족을 단결시킬 필요가 있었다. 또 역사 · 영토 분쟁이 있는 주변국의 역사까지 자국의 역사로 끌어들여 국제 분쟁에서도 우위를 선점*하려는 의도도 포함되어 있다. 그 단적인 예가 고구려와 발해의 역사를 왜곡하여 자국의 역사라고 주장하는 동북공정이다. 이는 '중국 영토 내에서 각 민족이 이루어낸 역사적 활동은 모두 중국사'라는 현재적 편의의 역사관과 '현재의 중국 영토 내에서 활동했던 모든 민족은 중국인이고 중국 민족'이라는 민족관, '근대 이후 형성된 영토 개념을 전 근대 시기까지 소급*하여 과거 자신들의 영토'라고 주장하는 자의적 영토관에 의한 해석이라는 점에서 모두 타당성을 얻기 힘들다.

> 동북공정이 비판 받는 이유

7문단: 통일적 다민족 국가론의 문제점

지문 해제

이 글은 전국 시대부터 형성되어 중국의 통치 철학으로 자리 잡은 '중화주의'와 현재의 정치적 상황과 외교 상황을 고려한 '통일적 다민족 국가론'에 대해 설명하고 있다. '중화주의'는 '중화' 이외에는 '이적'이라며 천시하고 배척하여 '화이사상' 또는 '화이론'이라고도 한다. 진 · 한 시대 이전에는 중원에서의 주도권과 중원 문화를 가졌는지 여부를 기준으로 '화'와 '이'를 구분하였고, 진 · 한 시대에는 발달한 문화를 가지고 있는지 여부로 '화'와 '이'를 구분하였다. 송 · 요 · 금 시대에 이르러서는 한족이 아닌 비한족이 세운 국가들이 자신을 정통이라고 주장하면서 '화'와 '이'의 구분이 모호해졌다. 원 시대에는 원을 비롯해 송 · 요 · 금 · 서하 모두 '중화'로 간주되었고, 청 시대에는 경제 · 군사력을 바탕으로 청이 스스로를 중화의 정통 계승자라고 자임하면서 중화는 힘을 가진 민족을 의미하게 되었다. 이러한 '화'와 '이'의 개념은 아편 전쟁 이후 청이 강력한 경제 · 군사력을 잃게 되면서 무너지게 되었고, 1990년대 이후 '통일적 다민족 국가론'이 주장되었다. '통일적 다민족 국가론'은 대일통의 오랜 전통에 의해 여러 민족이 단결 · 융합하면서 '중국'이라는 통일적인 다민족 국가를 형성해 왔으므로, 중화 민족은 한족과 이민족이 상호작용하면서 융합된 '복합 민족' 혹은 '역사 융합의 산물'이라는 주장이다. 중국 내적으로는 빈부 격차로 분리된 민족을 통합하여 소수 민족의 소외감과 분리 의도를 잠식시키고, 국외적으로는 주변국의 역사까지 자신들의 역사로 끌어들여 분쟁 시 우위를 점하려는 의도에서 만들어졌다. '동북공정' 등을 주장하는 '통일적 다민족 국가론'은 현재적 편의의 역사관, 자국 중심의 민족관, 자의적 영토관 등의 문제점이 있어 타당성을 얻기 힘들다.

구절 풀이

○ 중국은 1990년대 이후 급격한 경제 발전을 이루었음. 그러나 국내적으로는 소수 민족의 독립 요구에, 대외적으로는 주변국과의 영토 문제 등에 직면하게 되었음. 이것을 잠재울 만한 사상이 필요하였고, 과거 중국의 자긍심을 불러일으키면서도 현재의 이러한 문제점도 해결할 수 있는 '신중화주의', 즉 '통일적 다민족 국가론'을 내세우게 됨.

○ 중국은 중국 내의 다양한 민족을 통합하고 국외의 다양한 분쟁에서 우위를 점하고자 통일적 다민족 국가론을 내세우기 시작함.

어휘 풀이

* 잠식: 누에가 뽕잎을 먹듯이 점차 조금씩 침략하여 먹어 들어감.
* 선점: 남보다 앞서서 차지함.
* 소급: 과거에까지 거슬러 올라가서 미치게 함.

선생님의 Tip

"동북공정"

중국의 국경 안에서 전개된 모든 역사를 중국의 역사로 편입하려는 연구 프로젝트. 2001년부터 2006년까지 5년을 기한으로 진행되었으나, 그 목적을 위한 역사 왜곡은 지금도 진행 중임. 궁극적인 목적은 중국의 전략 지역인 동북 지역, 특히 고구려 · 발해 등 한반도와 관련된 역사를 중국의 역사로 만들어 한반도가 통일되었을 때 일어날 가능성이 있는 영토 분쟁을 미연에 방지하는 데 있음.

"소수 민족"

중국은 다수 민족인 한족과 55개의 소수 민족으로 이루어진 다민족국가임. 한족이 중국 전체 인구의 약 91.5%를 구성하고 있고 나머지 55개의 소수 민족이 약 8.5%를 차지함. 인구로는 10%가 채 안되지만 소수 민족이 자치하는 면적은 중국 전체 영토의 60%에 달함.

01 내용 전개 방식의 파악 | 정답 ④ |

윗글에 대한 설명으로 적절한 것은?

① 중화주의와 통일적 다민족 국가론을 비교하며 ~~절충안을~~ 마련하고 있다.

② 중화주의와 ~~통일적 다민족 국가론의~~ 변천 과정을 고찰하고 ~~더 진보한 이론을~~ 제안하고 있다.

③ 중화주의와 통일적 다민족 국가론의 문제점을 분석하고 바람직한 ~~해결 방안을~~ 제시하고 있다.

④ 중화주의와 통일적 다민족 국가론에 대해 설명하고, 통일적 다민족 국가론의 문제점을 지적하고 있다.
　중화주의 2~5문단 / 통일적 다민족 국가론 6문단
　7문단

⑤ 중화주의와 통일적 다민족 국가론에 대해 설명하고 이에 대한 ~~다양한 학자의 비판적~~ 견해를 소개하고 있다.

📁 발문 분석

지문에서 중화주의와 통일적 다민족 국가론을 서술하고 있는 방식을 파악할 수 있는지 묻고 있다. 중심 화제의 어떤 측면을 어떻게 다루고 있는지를 파악해 보아야 한다.

◎ 정답 풀이

④ 1문단에서 중화주의와 통일적 다민족 국가론에 대해 언급한 후 2~5문단에서는 중화주의의 개념과 그 변화에 대해 설명하였다. 그리고 6문단에서는 통일적 다민족 국가론의 개념과 특성을, 7문단에서는 통일적 다민족 국가론의 문제점을 설명하였다. 따라서 중화주의와 통일적 다민족 국가론에 대해 설명하고 통일적 다민족 국가론의 문제점을 지적하고 있다는 진술은 적절하다.

✖ 오답 풀이

① 이 글은 중화주의가 어떻게 변해 왔고, 어떠한 배경 속에서 통일적 다민족 국가론이 등장했는지 설명하고 있을 뿐, 두 개념을 비교하며 절충하고 있지는 않다.

② 이 글에서는 중화주의의 변천 과정은 설명하고 있으나, 통일적 다민족 국가론의 변천 과정은 언급하지 않았다. 또 통일적 다민족 국가론에서 더 진보한 이론을 제안하고 있지도 않다.

③ 중화주의의 개념과 그 변화 과정에 대해서 설명하고 있을 뿐, 중화주의의 문제점이나 해결 방안을 밝히고 있지 않다. 또한 통일적 다민족 국가론의 문제점만 제시하고 있을 뿐, 해결 방안을 제시하고 있지 않다.

⑤ 중화주의와 통일적 다민족 국가론에 대해 설명하고 있으나, 이에 대한 다양한 학자의 비판적 견해는 소개하고 있지 않다.

🍯 선생님의 꿀 정보

01번 문제: 글의 구조와 흐름을 파악하는 방법

글의 구조와 흐름을 파악하면 지문의 내용을 이해하고, 관련된 문제를 해결하는 것이 한결 수월해진다. 인문 07 지문은 크게 두 가지 구조로 나누어 볼 수 있다.

① 중심 화제가 두 가지이며 병렬적으로 존재한다.

'중화주의' / '통일적 다민족 국가론'

→ 각 개념에 대한 설명이 제시되어 있을 때 각 개념이 의미하는 바를 파악하여야 하며, 이 두 개념이 어떠한 점 때문에 나란히 설명되고 있으며, 어

떤 점 때문에 나누어 설명되고 있는지를 파악해야 한다. 대부분의 경우 두 개념이 병렬적으로 제시되면 두 개념의 차이점을 파악하고 있는지 평가하기 위한 문제가 출제된다.

② 중심 화제의 개념이 시간이 지남에 따라 어떻게 변화하고 있는지 서술하였다.

→ 이 글은 '중화주의'가 시대에 따라 어떤 의미를 가지고 어떻게 변화하고 있는지를 시기별로 나누어 그 특징을 설명하고 있다. '전국시대부터 진·한 시대 이전', '진·한 시대', '송·요·금 시대', '원 시대', '청 시대', '아편 전쟁 이후' 등으로 비교적 명확하게 시대를 구분한 뒤 설명하고 있으므로, 각 시기별로 '중화주의'와 '화', '이'의 개념이 어떻게 변화하고 있는지를 표시하면서 읽어야 한다.

예 전국 시대부터 진·한 시대 이전까지: 중원에서 주도권을 가지고 있는지가 중요함.

진·한 시대: 문명이 발달한 민족인지의 여부가 중요함.

송·요·금 시대: 비한족까지 포함하게 되면서 '화'의 개념이 흔들림.

지문에서 설명하는 시대와 그 시대의 핵심 개념을 연결하여 읽을 때에는 다양한 기호를 활용하여 메모를 해 두는 것도 내용을 파악하고 이해하는 데 도움이 된다.

02 세부 정보의 이해 | 정답 ③ |

'화'에 대한 이해로 적절하지 않은 것은?

① 진·한 시대 이전까지는 중원의 주인이 곧 '화'라고 인식되었다.
　2문단

② 진·한 시대에는 중국 문명이 발달한 민족이 곧 '화'라고 인식되었다.
　3문단

③ 송·요·금 시대부터 원 시대까지 '화'는 ~~곧~~ 한족이라고 인식되었다.

④ 청 시대에는 상대국에게 조공을 받아낼 수 있는 힘이 있는 나라가 곧 '화'라고 인식되었다.
　4문단

⑤ 아편 전쟁 이후 서양의 공격과 조공국들의 일탈로 '화'의 개념은 무너지기 시작하였다.
　5문단

📁 발문 분석

지문에 제시된 '화'에 관한 내용을 정확하게 파악하고 있는지 묻고 있다. 지문에 언급된 시기별로 '화'를 어떻게 규정하고 있는지를 살핀 후 선택지와 비교해야 한다.

◎ 정답 풀이

③ 4문단에서 '송·요·금 시대에 이르러 한족이 아니라 비한족이 세운 국가들이 자신을 정통이라고 주장하면서 '화'와 '이'의 구분이 모호해지기 시작했다.'라고 하였다. 또 '원 시대에는 원을 비롯하여 송·요·금·서하 모두 '중화'로 간주되었다'고 하였다. 이것은 송·요·금 시대와 원 시대 때에는 비한족인 경우도 '화'로 인식되었음을 의미한다. 따라서 송·요·금 시대부터 원 시대까지 '화'는 곧 한족이라는 의식이 자리 잡고 있었다는 진술은 적절하지 않다.

✖ 오답 풀이

① 2문단에서 '진·한 시대 이전까지 '화'와 '이'를 나누는 기준은 민족적 혈연보다는 중원에서의 주도권과 중원 문화를 지녔느냐의 여부였다.'라고 하였다. 따라서 진·한 시대 이전까지는 중원의 주인이

되는 민족이 곧 '화'라고 여겨졌다는 것을 알 수 있다.

② 3문단에서 진·한 시대에는 "화'와 '이'가 각각 중국 문명이 발달한 민족과 발달하지 못한 민족이라는 의식이 자리 잡게 되었다.'라고 하였다. 따라서 진·한 시대에는 중국 문명이 발달한 민족이 곧 '화'라고 여겨졌다는 것을 알 수 있다.

④ 4문단에서 '청 시대에 '화이론이 붕괴되지 않고 명맥을 유지할 수 있었던 것은 청이 강력한 경제·군사력을 바탕으로 변방의 소수 민족이나 국가에 대한 책봉·조공 체제를 강제할 수 있었기 때문'이라고 하였다. 따라서 청 시대에는 상대국에게 조공을 받아낼 수 있는 힘이 있는 나라가 '화'로 여겨졌다는 것을 알 수 있다.

⑤ 5문단에서 '화이관은 아편 전쟁 이후, 청 정부가 서양 오랑캐로 간주하던 '양이'에게 수차례 패전하고 책봉·조공 체제의 일원이던 조공국들이 그 체제에서 떨어져 나가면서 급격하게 무너지기 시작'했다고 하였다. 따라서 아편 전쟁 이후 서양의 공격과 조공국들의 일탈로 '화'의 개념이 무너지기 시작하였다는 것을 알 수 있다.

선생님의 꿀 정보

02번 문제: 있다. ≠ 있는 것 같다.

내용 이해 유형의 문제를 풀다 보면, 분명히 답은 찾을 수 있지만 선택지에 제시된 내용이 지문의 어디에 있는지 찾아보라고 하면 쉽게 찾지 못하는 경우가 있다. 지문의 '어디선가 본 것 같다.'는 생각은 고득점으로 가는 것을 방해한다. '있다'와 '있는 것 같다.'는 엄연히 다르기 때문이다.

02번 문제의 선택지에 제시된 내용을 지문에 직접 표시하면서 읽어 보자. 이때 선택지에 제시된 내용이 하나의 문단에 몰려 있는 것이 아니라, 각 문단에 고루 퍼져 있다는 것을 염두에 두어야 한다.

'중화주의'는 '중화' 이외에는 '이적'이라며 천시하고 배척하는 관념으로 '화이사상' 또는 '화이론'이라고도 한다. '중'은 '중앙'이라는 뜻이며, '화'는 '문화'라는 뜻으로, '중화'는 자신들이 온 천하의 중심이면서 가장 발달한 문화를 가지고 있다는 의식을 나타낸다. 이는 전국 시대부터 진·한 시대 이전에 정치적 통일 과정과 유교적 덕치주의 이론의 정비 과정이 서로 맞물리면서 형성되었고, 주변국에 대한 책봉·조공 체제의 논리, 그리고 중국 왕조의 정치적·경제적·군사적인 우월감 등이 모두 포함되었다. 이때까지 '화'와 '이'를 나누는 기준은 민족적 혈연보다는 중원에서의 주도권과 중원 문화를 지녔느냐의 여부였다.
_{선택지 ①번}

그러던 것이 진·한 시대에는 우열 관계에 입각한 민족적, 문화적 구별이 점차 분명해져 '화'와 '이'는 각각 중국 문명이 발달한 민족과 발달하지 못한 민족이라는 의식이 자리 잡게 되었다. 이후에는 한족이 통치권을 잡게 되면서 중국은 한족 왕조가 통치하는 모든 영토를 지칭하게 되었고 발달한 문화를 가지고 있느냐가 '화'와 '이'를 구별하는 관념이 되었다.
_{선택지 ②번}

그러나 송·요·금 시대에 이르러 한족이 아니라 비(非)한족이 세운 국가들이 자신을 정통이라고 주장하면서 '화'와 '이'의 구분이 모호해지기 시작했다. 원 시대에는 원을 비롯하여 송·요·금·서하 모두가 '중화'로 ⓒ간주되었고, 이후 청 시대에는 청이 자신들을 중화의 정통 계승자로 자임하고 몽골·대만까지 중국으로 포함하였다. 특히 한족 지식인조차 청을 중국의 합법적인 정부로 승인하여 중화의 정통으로 여기게 되었다. 이 시기에 화이론이 붕괴되지 않고 명맥을 유지할 수 있었던 것은 청이 강력한 경제·군사력을 바탕으로 변방의 소수 민족이나 국가에 대한 책봉·조공 체제를 강제할 수 있었기 때문이었다.
_{선택지 ③번}
_{선택지 ④번}

그러나 명맥을 유지하던 화이관은 아편 전쟁 이후, 청 정부가 서양 오랑캐로 간주하던 '양이(洋夷)'에게 수차례 패전하고 책봉·조공 체제의 일원이었던 조공국들이 그 체제에서 떨어져 나가면서 급격하게 무너지기 시작하였다. 그리고 자신들이 천하의 중심이면서 가장 발달한 문화를 가지고 있다는 의식은 점차 설 자리를 잃게 되었고, 중국의 중화주의는 한동안 '과거'의 의식으로만 자리 잡고 있었다.
_{선택지 ⑤번}

이렇게 선택지에 언급된 내용을 확실히 표시하며 읽게 되면 문제를 풀 때 헷갈리지 않게 되어 실수를 줄일 수 있고, 글을 볼 때 무엇을 중심으로 보아야 하는지도 파악할 수 있게 된다.

03 핵심 정보의 파악 | 정답 ② |

윗글을 읽은 학생이 [보기]와 같이 반응했다고 할 때, ㉠과 ㉡에 들어갈 말이 적절하게 짝지어진 것은?

보기

이 글을 읽어 보니 '중화주의'는 '화'와 '이'를 분리하여 민족의 (㉠)을 드러내고자 하였지만, '통일적 다민족 국가론'은 '화'와 '이'를 하나로 모아 민족의 (㉡)을 강조하고자 하였군.
_{중심 화제 1}
_{중심 화제 2}

	㉠	㉡		㉠	㉡
①	차별성	평등성	②	우월성	일체성
③	통합성	정체성	④	다양성	단결성
⑤	단일성	복합성			

발문 분석

이 글의 중심 화제인 '중화주의'와 '통일적 다민족 국가론'에 대해 정확히 이해하고 있는지 묻고 있다. 각 사상이 의미하는 바와 목적이 무엇인지를 파악해야 한다.

보기 분석

지문에서 설명하고 있는 '중화주의'와 '통일적 다민족 국가론'이 어떠한 목적을 가진 사상인지를 요약하여 제시하고 있다.

정답 풀이

② 2문단에서 중화주의는 '중국 왕조의 정치적·경제적·군사적인 우월감 등이 모두 포함되었다.'라고 하였고, 전국 시대부터 진·한 시대 이전까지는 '중원에서의 주도권과 중원 문화를 지녔느냐의 여부'로 '화'와 '이'를 나누었다고 하였다. 그리고 3문단과 4문단에서 진·한 시대에는 문명의 발달 정도인 '발달한 문화를 가지고 있느냐'의 여부와 송·요·금·원·청 시대에는 '강력한 경제·군사력'을 기준으로 '화'와 '이'를 분리했다고 하였다. 이를 고려하면 '화'를 '이'보다 뛰어난 것으로 인식하였음을 알 수 있다. 따라서 '중화주의'는 '화'와 '이'를 분리하여 특정 민족의 '우월감'을 드러내고자 한 것이라고 볼 수 있다. 한편 6문단에서 '통일적 다민족 국가론'은 '대일통의 오랜 전통에 의해 여러 민족의 단결·융합하면서 통일적인 다민족 국가를 형성해 왔다'고 하였다. 따라서 ㉠에는 우월성, ㉡에는 일체성이 들어가는 것이 적절하다.

오답 풀이

① 2문단에서 중화주의는 '전국 시대부터 진·한 시대 이전에 정치적

통일 과정과 유교적 덕치주의 이론의 정비 과정이 서로 맞물리면서 형성되었다고 하였다. 따라서 '중화주의'는 통일된 나라를 통치하기 위해 통치자가 피통치 대상보다 우월하다는 점을 강조하여 통치를 수월하게 하고자 한 것이므로 '차별성'을 강조하고자 했다고 보기는 어렵다. 그리고 6문단에서 '통일적 다민족 국가론'은 여러 민족을 하나로 모으고자 '통일성과 일체성을 강조한 개념'이라고 하였으므로, '평등성'을 강조하고자 했다고 보기도 어렵다.

③ [보기]에서 '중화주의'는 '화'와 '이'를 분리하여 ㉠을 드러내고자 하였다고 했는데, ㉠에 '통합성'이라는 단어를 넣으면, '분리하여'란 단어와 '통합성'이라는 단어가 모순된다. 또 '통일적 다민족 국가론'은 '화'와 '이'를 하나로 모아 ㉡을 강조하고자 하였다고 했는데, ㉡에 '정체성'이라는 단어를 넣으면, '화'와 '이', 즉 다른 둘을 '모아' 정체성을 강조하였다는 것도 모순된다.

④ 6문단에서 '대일통의 오랜 전통에 의해 여러 민족이 단결 · 융합하면서 통일적인 다민족 국가를 형성해 왔다'고 하였으므로, '통일적 다민족 국가론'이 민족의 '단결성'을 강조하고자 했다는 것은 적절하다. 그러나 '중화주의'가 민족의 '다양성'을 드러내고자 했다는 내용은 지문에서 찾을 수 없다.

⑤ '중화주의'가 민족의 '단일성'을 드러내고자 했다는 내용은 지문에서 찾을 수 없다. 또한 6문단에서 '통일적 다민족 국가론'은 '여러 민족이 단결 · 융합하면서 통일적인 다민족 국가를 형성해 왔다'며 민족의 복합성을 인정하면서 통일성을 강조한 것이라고 하였다. 이것은 민족의 복합성을 강조하고자 한 것과는 거리가 멀다.

👑 고난도
04 외적 준거와의 비교 | 정답 ④ |

[보기]의 역사가가 '동북공정'에 드러난 중국 역사학자들의 연구를 비판한다면 그 내용으로 가장 적절한 것은?

┌─ 보기 ─
• ㉮크로체는 모든 역사는 '현대사'라고 선언하였다. 그것은 역사란 본질적으로 현재의 눈을 통해서 그리고 현재의 문제를 비추어 과거를 바라보는 것이며 역사가의 중요한 임무는 기록하는 것이 아니라 평가하는 것임을 의미한다.
• ㉯카는 역사가란 사실과 해석의 양자 사이에서 균형을 잡고 있는 사람들이다. 그는 이 양자를 분리할 수 없다. 역사는 본질상 변화요, 운동이요, 진보이다.
└─

① ㉮는 역사는 과거의 사실을 현재의 관점으로 해석하는 것이 적절하지만 중국의 역사학자들은 ~~객관적 사실만을~~ 지나치게 강조하고 있다며 비판할 것이다.

② ㉮는 역사는 큰 흐름 속에서 그 의미가 평가되어야 하는데, 중국의 역사학자들은 ~~사건 당시의 상황~~만을 고려한 역사를 서술하고 있다며 비판할 것이다.

③ ㉯는 역사는 ~~발생 · 성장 · 해체~~의 과정을 되풀이 하는 것인데, 중국의 역사학자들은 역사의 변화와 ~~진보~~를 인정하고 있지 않다며 비판할 것이다.

④ ㉯는 과거의 사실과 역사가의 해석이 균형을 이루어야 하는데, 중국의 역사학자들은 과거 사실보다 현재 자신들의 관점을 지나치게 강조하고 있다며 비판할 것이다.
   카의 관점
   해석만 강조

⑤ ㉮와 ㉯는 역사는 ~~사료를 근거로~~ 기술되는 것이 옳으나, 중국의 역사학자들은 사료의 검증을 소홀히 하고 있다며 비판할 것이다.

📖 발문 분석
[보기]에 제시된 관점의 핵심을 파악하고 그 관점에서 동북공정을 비판적으로 이해할 수 있는지 묻고 있다. [보기]의 두 관점에서 중시하는 바가 무엇인지 파악한 후 '동북공정'에 드러난 중국 역사학자들의 생각과 비교해 보아야 한다.

✔ 보기 분석
[보기]는 역사를 바라보는 두 역사가의 관점을 정리한 것이다. ㉮'크로체'는 역사란 '현재'의 시점으로 '과거'를 보는 것이고, 역사가는 기록이 아닌 평가를 해야 한다고 주장한다. 이를 고려하면 크로체는 역사가의 '주관'을 강조하고 있음을 알 수 있다.
㉯'카'는 역사란 사실과 해석이 공존하는 것이며 어떤 하나로 치우쳐서는 안 된다고 주장한다. 이를 고려하면 카는 '사실'과 '주관'의 균형을 강조하고 있음을 알 수 있다. 한편 카는 역사를 '변화'하는 것이라고 인식하고 있다.

◎ 정답 풀이
④ [보기]의 ㉯'카'는 역사적 사실과 역사가의 주관적 해석의 '균형'을 강조하고 있다. 따라서 ㉯'카'의 관점에서는 '동북공정'에서 고구려와 발해의 역사를 왜곡하며, 현재적 편의의 역사관으로 주변국의 역사까지 자국의 역사로 끌어들이는 중국의 역사학자들에 대해 역사가로서 균형을 잃고 현재 자신들의 관점을 지나치게 강조하고 있다고 비판할 수 있다.

✖ 오답 풀이
① 7문단에는 '동북공정'이 중국의 역사학자들이 '현재적 편의의 역사관'으로 역사를 왜곡했다는 내용이 서술되어 있을 뿐, 중국의 역사학자들이 객관적인 사실에만 치우쳐 있다는 내용은 서술되어 있지 않다. 따라서 [보기]의 ㉮'크로체'가 중국의 역사학자들은 객관적 사실만을 지나치게 강조하고 있다며 비판할 것이라는 진술은 적절하지 않다.

② [보기]의 ㉮'크로체'는 역사는 '현재'의 눈을 통해서 역사가가 평가해야 한다고 하였다. 한편 7문단에서는 '동북공정'이 중국 역사학자들이 현재적 편의의 역사관으로 주변국의 역사까지 왜곡한다고 하였다. 이를 고려하면 사건 당시의 상황만을 고려해 역사를 서술하고 있다는 것은 적절하지 않다. 따라서 ㉮'크로체'가 중국의 역사학자들이 사건 당시의 상황만을 고려해 역사를 서술하고 있다며 비판할 것이라는 진술은 적절하지 않다.

③ [보기]의 ㉯'카'는 역사가 변화한다고 하였을 뿐, '발생 · 성장 · 해체의 과정을 되풀이'한다고 설명하지는 않았다. 또 7문단에서 '동북공정'을 설명하면서 중국의 역사학자들이 역사의 변화와 진보를 인정하고 있지 않다는 내용은 언급되지 않았다. 따라서 ㉯'카'가 역사는 발생 · 성장 · 해체의 과정을 되풀이 하는 것인데, 중국의 역사학자들은 역사의 변화와 진보를 인정하고 있지 않다며 비판할 것이라는 진술은 적절하지 않다.

⑤ [보기]에서 ㉮'크로체'와 ㉯'카' 모두 역사는 사료를 근거로 기술되는 것이 옳다라고 언급하지는 않았다. 또한 7문단에서 '동북공정'에는 중국의 역사학자들이 역사를 왜곡하고 있다는 내용만 언급되어 있을 뿐, 사료 검증에 대한 태도는 드러나 있지 않다. 따라서 ㉮'크로체'와 ㉯'카'가 모두 역사는 사료를 근거로 기술되는 것이 옳으나, 중국의 역사학자들은 사료의 검증을 소홀히 하고 있다며 비판할 것이라는 진술은 적절하지 않다.

선생님의 꿀 정보

04번 문제: 관점의 차이를 고려하여 서술 대상에 대해 적절히 반응하기

① [보기]에 주어진 관점의 핵심이 무엇인지 파악한다. 보통 두 개 정도의 관점이 주어지는 경우가 많은데, 이 때에는 두 관점의 차이에 주목하여 관점을 파악해야 한다.

→ [보기]의 ㉮크로체는 '현재적 관점으로 서술'과 '역사가의 주관'을 강조하고 있고, ㉯카는 '사실과 주관의 균형'을 강조하고 있다. 이 두 관점의 가장 큰 차이는 크로체는 역사가의 '주관'을 강조하고 있으나, 카는 '균형'적인 주관을 강조하고 있다는 점이다.

② 지문의 내용을 통해 중심 서술 대상의 핵심 요소를 찾아낸다.

→ 7문단에서 설명하고 있는 '동북공정'에 대해 파악할 때에는 중국의 역사학자들이 '현재적 편의의 역사관'을 가지고 역사를 왜곡하고 있음을 파악해야 한다. 그리고 이것이 ㉮와 ㉯가 비판하는 대상임을 도출해야 한다.

③ ①과 ②의 내용을 바탕으로 선택지와 꼼꼼히 비교하며 선택지의 적절성을 판단하도록 한다.

---

05 | 어휘 활용의 적절성 판단 | 정답 ④ |

ⓐ~ⓔ를 사용하여 만든 문장으로 적절하지 <u>않은</u> 것은?

① ⓐ: 우리 선생님은 우리반에 면학 풍토를 <u>조성</u>하였다.
　조성
② ⓑ: 일부 청소년들은 '모범생'이란 말을 융통성 없고 답답한
　통용
　아이를 뜻하는 말로 <u>통용</u>하고 있다.
③ ⓒ: 그 기사는 일부 소수의 의견을 대다수의 의견인 것처럼
　간주
　<u>간주</u>하고 있다.
④ ⓓ: 지금 전국이 황폐되어 모든 힘이 완전히 <u>분열</u>되었다.
　분열
⑤ ⓔ: 한국의 경우 의상미와 육체미가 서로 <u>융합</u>되어 하나의
　융합
　미를 꾸민다.

📁 발문 분석

어휘의 의미를 파악한 후 문장에서 어휘를 적절히 활용할 수 있는지 묻고 있다. 문맥을 고려하여 해당 어휘의 의미를 파악한 후, 그 어휘를 활용한 문장이 자연스러운지를 판단해야 한다.

◎ 정답 풀이

④ ⓓ'분열'은 '집단이나 단체, 사상 따위가 갈라져 나뉘게 됨.'을 의미한다. 그러나 '지금 전국이 황폐되어 모든 힘이 완전히 분열되었다.'에서 '힘'은 집단이나 단체, 사상이 아니므로 '분열'이라는 어휘를 사용하는 것이 적절하지 않다. 이 경우 '분열'보다는 '갈라져 흩어지다.'를 의미하는 '분산'이라는 단어를 사용하는 것이 적절하다.

✖ 오답 풀이

① ⓐ'조성'은 '분위기나 정세 따위를 만듦.'을 의미한다. 그리고 '우리 선생님은 우리 반에 면학 풍토를 조성하였다.'에서 '조성'은 선생님이 면학 풍토라는 분위기를 만들었다는 의미로 사용되었으므로, ⓐ를 활용한 문장으로 적절하다.

② ⓑ'통용'은 '어떤 말이나 사물을 어떤 수단으로 씀.'을 의미한다. 그리고 '일부 청소년들은 '모범생'이란 말을 융통성 없고 답답한 아이를 뜻하는 말로 통용하고 있다.'에서 '통용'은 '모범생'이란 어떤 말을 '융통성 없고 답답한 아이를 뜻하는 말'이라는 의미로 사용되었으므로, ⓑ를 활용한 문장으로 적절하다.

③ ⓒ'간주'는 '상태, 모양, 성질 따위가 그와 같다고 보거나 그렇다고 여김.'을 의미한다. 그리고 '그 기사는 일부 소수의 의견을 대다수의 의견인 것처럼 간주하고 있다.'에서 '간주'는 소수의 의견을 대다수의 의견과 같다고 보거나 그렇다고 여긴다는 의미로 사용되었으므로, ⓒ를 활용한 문장으로 적절하다.

⑤ ⓔ'융합'은 '다른 종류의 것이 녹아서 서로 구별이 없게 하나로 합하여짐.'을 의미한다. 그리고 '한국의 경우 의상미와 육체미가 서로 융합되어 하나의 미를 꾸민다.'에서 '융합'은 다른 종류의 것이 녹아 하나로 합하여진다는 의미로 사용되었으므로, ⓔ를 활용한 문장으로 적절하다.

M·E·M·O

신경향 비문학 워크북 **정답 및 해설**

SUB NOTE

II

사회

구절 풀이

광고를 통해 기업은 기업과 상품의 인지도를 높이고, 소비자는 상품의 성능, 가격, 판매 조건 등의 정보를 얻을 수 있음.

소비자 책임 부담 원칙에 따르면, 광고로 인한 피해에 대해 소비자의 책임만 있을 뿐, 기업의 책임은 사라짐.

한 기업이 독점하여 상품을 파는 상황이 늘어나면서 소비자는 여러 상품을 비교할 수 없게 되었고, 이로 인해 상품의 자유로운 선택이 어려워졌음.

기업의 시장 독과점 상황+상품의 복잡성과 첨단성+통념에 어긋나는 광고 표현 → 소비자를 보호해야 한다는 당위성과 공감대가 확산됨.

소비자가 이성적인 판단이 어렵도록 광고를 제작한 기업에 책임을 물어야 한다는 생각

어휘 풀이

* 폐해: 폐단으로 생기는 해.
* 기만성: 남을 속여 넘기려는 성질.
* 독과점: 독점(한 회사의 시장 점유율이 50% 이상)과 과점(셋 이하의 회사의 시장 점유율의 합이 75%가 되는 경우)을 합친 용어.
* 당위: 마땅히 그렇게 하거나 되어야 하는 것.

선생님의 Tip

"광고 심의와 광고 규제"

광고 심의는 각종 매체에 실리는 광고에 대해 심사하는 것을 의미하고, 광고 규제는 광고 심의를 거치지 않는 광고의 송출을 막는 것을 의미함. 심의 시기에 따라 사전 심의와 사후 심의로, 규제 주체에 따라 법적, 자율, 소비자 규제로 구분할 수 있음.

---

1 상업 광고는 기업은 물론이고 소비자에게도 ⓐ요긴하다. 기업은 마케팅 활동의 주요한 수단으로 광고를 적극적으로 이용하여 기업과 상품의 인지도를 높이려 한다. 소비자는 소비 생활에 필요한 상품의 성능, 가격, 판매 조건 등의 정보를 광고에서 얻으려 한다. 광고를 통해 기업과 소비자가 모두 이익을 얻는다면 이를 규제할 필요는 없을 것이다. 그러나 광고에서 기업과 소비자의 이익이 ⓑ상충되는 경우가 발생할 수 있고, 어떤 광고는 잘못된 내용과 방식으로 인해 사회 전체에 폐해*를 낳기도 한다. 따라서 이러한 광고의 폐해를 예방하고 광고로 인해 피해를 받는 경우가 생기지 않도록 다양한 규제 방식이 모색되었다.

1문단: 상업 광고에서 다양한 규제 방식이 모색된 이유

2 이때 문제가 된 것은 과연 광고로 인한 피해를 책임질 당사자로서 누구를 ⓒ상정할 것인가하는 것이었다. 초기에는 ㉠'소비자 책임 부담 원칙'에 따라 광고 정보를 활용한 소비자의 구매 행위에 대해 소비자가 책임을 져야 한다고 보았다. 여기에는 광고 정보가 정직한 것인지와는 상관없이 소비자는 이성적으로 이를 판단하여 구매할 수 있어야 한다는 전제가 있었다. 만약 광고에 과장이나 허위적인 사실이 있다고 하더라도 소비자는 그것을 그대로 받아들여서는 안 되며, 구매를 할 때에는 본인의 이성적 판단을 거쳐 책임감 있게 구매해야 한다고 생각한 것이다. 그래서 기업은 광고에 의존하여 물건을 구매한 소비자가 입은 피해에 대하여 책임을 지지 않았고, 광고의 기만성*에 대한 입증 책임도 광고의 내용을 최종적으로 판단하고 구매를 결정한 소비자에게 있었다.

2문단: '소비자 책임 부담 원칙'의 등장 배경

3 책임 주체로 기업을 상정하여 ㉡'기업 책임 부담 원칙'이 ⓓ부상하게 된 배경은 복합적이다. 시장의 독과점* 상황이 광범위해지면서 소비자의 자유로운 선택이 어려워졌고, 상품에 응용된 과학 기술이 복잡해지고 첨단화되면서 상품 정보에 대한 소비자의 정확한 이해도 기대하기 어려워졌다. 또한 다른 상품 광고와의 차별화를 위해 광고를 하는 기업이 사회적인 통념에 어긋나는 표현이나 장면을 자주 활용하는 경우가 생기게 되었다. 이러한 상황은 경제적, 사회·문화적 측면에서 광고로부터 소비자를 보호해야 한다는 당위*를 바탕으로 기업이 광고에 대해 책임을 져야 한다는 생각을 불러 일으켰다. 그리하여 광고를 보고 구매 행위를 한 소비자보다 소비자가 이성적인 판단을 하기 어렵도록 광고를 제작한 기업에 책임을 물어야 한다는 공감대가 확산된 것이다.

3문단: '기업 책임 부담 원칙'의 등장 배경

4 오늘날 행해지고 있는 여러 광고 규제는 이런 공감대 속에서 나온 것인데 크게 보아 법적 규제와 자율 규제로 나눌 수 있고, 그 외에 주목할 만한 규제로 소비자 규제를 들 수 있

지문 구조도

화제 제시: 상업 광고의 규제(1문단)
광고의 폐해를 예방하고 피해가 발생하지 않도록 광고 규제 방식이 모색됨.

구체화1: 책임 주체에 따른 규제(2, 3문단)	
소비자 책임 부담 원칙	**기업 책임 부담 원칙**
• 소비자의 구매 행위는 소비자가 책임져야 한다는 원칙. • 전제: 소비자는 이성적 판단을 통해 책임감 있게 구매할 수 있어야 함.	• 광고를 제작한 기업이 책임을 져야 한다는 원칙. • 경제적, 사회·문화적 측면에서 광고로부터 소비자를 보호해야 한다는 당위를 바탕으로 함.

구체화2: 여러 가지 광고 규제(4문단~6문단)		
법적 규제	**자율 규제**	**소비자 규제**
• 구체적인 법 조항을 통해 규제. • 강제적인 조치를 통해 정부기관이 주체로 규제를 가함.	• 광고의 순기능을 극대화하기 위한 자율적 조치. • 광고주 등이 주체가 되어 집행 기준, 윤리 강령을 정해 준수함.	• 소비자가 광고의 폐해에 직접 대응. • 법적 규제와 자율 규제를 강화하도록 압박함.

출제 의도 상업 광고의 규제에 대해 이해할 수 있는지 평가하기 위한 지문이다. 피해 책임의 주체가 누구인지, 법적 규제, 자율 규제, 소비자 규제 등의 개념과 각 개념 간의 관계를 파악할 수 있는지 등을 평가하는 문제가 출제되었다.

주제 상업 광고의 규제 배경과 유형

다. 구체적인 법 조항을 통해 광고를 규제하는 법적 규제는 광고 또한 사회적 활동의 일환*
_{법적 규제의 근거}
이라는 점을 바탕으로 하고 있다. 특히 자본주의 사회에서는 기업이 시장 점유율을 높여 다른 기업과의 경쟁에서 승리하는 것을 목적으로 사실에 반하는 광고나 소비자를 현혹*하는 광고를 할 가능성이 높다. 법적 규제는 허위 광고나 기만 광고 등을 불공정 경쟁의 수단으로 ⓔ간주하여 정부 기관이 규제를 가하는 것이다. 법적 규제는 강제적인 성격을 가지고 있
_{법적 규제의 주체}
으며, 규제를 위반하는 광고를 제작하고 배포할 경우에는 그에 상응하는 수준으로 경고, 벌금, 판매 금지 등의 조치를 받게 된다. **4문단: 광고 규제의 종류와 법적 규제의 의미**

⑤ 자율 규제는 법적 규제에 대한 기업의 대응책으로 등장하였다. 법적 규제가 광고의 역기능에 따른 피해를 막기 위한 강제적 조치라면, 자율 규제는 광고의 순기능을 극대화하기 위한 자율적 조치이다. 다양하고 참신한 광고를 가능하게 하면서도, 사회·문화적 측면에서 소비자를 보호할 수 있는 광고를 제작하도록 노력하겠다는 기업의 약속인 것이다. 여기서 광고는 기업의 마케팅 활동으로 한정되지 않고 사회의 가치와 문화에 영향을 끼치는 활동으로 간주된다. 그래서 광고주, 광고업계, 광고 매체사 등이 광고 집행 기준이나 윤리 강령
_{자율 규제의 주체}
등을 정하고 이를 준수하고자 한다. 광고에 대한 기업의 책임감에서 비롯된 자율 규제는 법적 규제를 보완하는 효과가 있다. **5문단: 자율 규제의 등장 배경과 효과**

⑥ 소비자 규제는 소비자가 광고의 폐해에 직접 대응하는 것이다. 이는 소비자야말로 불공
_{소비자 규제의 주체}
정하거나 불건전한 광고의 직접적인 피해자라는 점에 근거한다. 이러한 광고들은 사회 전체에도 피해를 끼치기 때문에, 소비자 규제는 발생한 피해에 대응하는 것뿐만 아니라 피해가 예상되는 그릇된 정보의 유통과 광고의 방법 자체를 문제 삼기도 한다. 이때 규제의 주체로서 집단적 성격을 지니는 소비자는 법적 규제를 입안*하거나 실행하는 주체는 아니다. 그래서 소비자 규제는 법적 규제와 자율 규제를 강화하도록 압박하는 방식을 취하며, 광고 규제의 효과 면에서는 법적 규제와 자율 규제를 보완한다는 의미를 가지고 있다. 소비자 규제는 광고 주체들의 이기적인 행태를 견제하는 기능이 있다는 점에서 법적 규제와 공통점
_{법적 규제=소비자 규제}
이 있으며, 소비자 규제의 주체는 광고의 폐해에 직접 대응하기 때문에 자율 규제의 주체와 긴장하는 관계에 놓여 있다. 소비자의 권리 행사는 소비자 보호 운동의 형태로 나타나며, 경제적 측면만이 아니라 사회·문화적 측면에서도 소비자의 피해를 줄이는 효과를 가지고 있다. **6문단: 소비자 규제의 의미와 효과**

지문 해제

이 글은 상업 광고의 규제 배경과 그 유형에 대해 소개하고 있다. 상업 광고는 잘 활용하면 기업에게는 기업과 상품을 알리는 마케팅 활동의 주요한 수단이 될 수 있고, 소비자에게는 필요한 상품의 정보를 얻음으로써 구매에 도움을 줄 수 있다. 그러나 광고에서 기업과 소비자의 이익이 상충되거나, 광고의 잘못된 내용과 방식으로 사회에 폐해를 낳기도 해 상업 광고에 대한 규제가 모색되었다. 상업 광고로 인한 피해를 책임질 당사자로서 누구를 상정할 것인가가 문제되었을 때, 초기에는 소비자의 구매 행위에 대해 소비자가 책임을 져야 한다는 '소비자 책임 부담 원칙'을 따랐다. 이 때문에 기업은 광고 때문에 발생한 소비자의 피해를 책임지지 않았다. 그러나 소비자가 이성적인 판단이 어렵도록 광고를 제작한 기업이 책임을 져야 한다는 공감대가 확산되고, 광고로부터 소비자를 보호해야 한다는 당위를 바탕으로 책임 주체를 기업으로 상정하는 '기업 책임 부담 원칙'이 부상하게 되었다. 이러한 공감대 속에서 허위 광고나 기만 광고 등에 대해 정부 기관이 규제를 가하는 강제적인 성격의 법적 규제와, 기업이 광고의 순기능을 극대화하기 위해 자율적으로 조치하는 자율 규제가 등장하였다. 또 소비자가 광고의 폐해에 직접 대응하는 소비자 규제는 법적 규제와 자율 규제를 강화하도록 압박하는 방식이다. 소비자 규제는 광고 규제의 효과 측면에서 법적 규제와 자율 규제를 보완하며, 소비자 보호 운동의 효과로 나타나 경제적, 사회적·문화적 측면에서 소비자의 피해를 줄이는 역할을 하고 있다.

사회 01

구절 풀이

○ 기업이 생산 및 영업 활동을 하면서 사회 전체의 이익을 동시에 추구하며, 의사 결정과 활동을 한다는 점을 근거로 상업 광고의 법적 규제가 이루어지고 있음.

○ 법적 규제는 광고로 인해 소비자가 피해를 보거나 사회적 폐해에 따른 피해를 막기 위한 강제적 조치임.

○ 자율 규제는 기업은 광고를 통해 상품의 홍보를 하고 소비자는 상품에 대한 정보를 제공받는 것을 극대화하는 광고의 순기능을 극대화하고자 자율적으로 등장한 것임.

어휘 풀이

* 일환: 서로 밀접한 관계로 연결되어 있는 여러 것 가운데 한 부분.
* 현혹: 정신을 빼앗겨 하여야 할 바를 잊어버림. 또는 그렇게 되게 함.
* 입안: 어떤 안을 세움. 또는 그 안건.

선생님의Tip

"잘못된 광고의 예"

① **허위 광고**: 사실과 다르거나 객관적 근거가 없는 내용으로 광고하는 것을 말함. 거래 여부를 결정하는 핵심적인 부분을 거짓으로 속임. 원료의 성질이나 제조원을 속이는 경우 등이 해당함.

② **기만 광고**: 소비자의 구매 선택에 중요한 영향을 미칠 수 있는 내용의 전부 또는 일부를 은폐하거나 누락, 축소하여 표시해 광고하는 것을 말함. 이용 조건을 말하지 않고 모든 소비자에게 혜택이 주어지는 것처럼 광고하는 경우 등이 해당함.

③ **과장 광고**: 표시 내용이 사실 또는 객관적 근거에 기초하지만 그 내용을 지나치게 부풀려 표시해 광고하는 것을 말함. 부동산 광고에서 수익성을 부풀리는 경우 등이 해당함.

01 개괄적 정보의 파악 | 정답 ① |

윗글의 표제와 부제로 가장 적절한 것은?

① 광고 규제의 배경과 유형
    - 피해 책임의 주체와 규제의 주체를 중심으로
② 광고 규제의 필요성과 의의
    - 시대에 따른 소비자의 역할을 중심으로
③ 광고 규제의 순기능과 역기능
    - 문제점의 진단과 개선 방안을 중심으로
④ 광고 규제에 대한 대립적 시각
    - 기업과 소비자의 이익 극대화 방안을 중심으로
⑤ 광고 규제를 둘러싼 사회적 갈등
    - 규제의 도입 배경과 원인을 중심으로

📁 **발문 분석**

글의 전체 내용을 아우를 수 있는 표제와 부제를 찾을 수 있는지 묻고 있다. 표제는 지문의 주제를 나타내고, 부제는 주제를 보완할 수 있는 내용으로 작성되어야 한다는 점에 유의하며 선택지의 적절성을 판단해야 한다.

◎ **정답 풀이**

① 이 글은 크게 '광고 규제의 배경'과 '광고 규제의 유형'에 관한 내용으로 구성되어 있다. 1문단에서 상업 광고를 규제하게 된 배경에 대해서 언급하고 있으며, 2문단과 3문단에서는 각각 광고로 인한 피해의 책임을 누가 지느냐에 따라 구분되는 책임 부담 원칙에 대해 설명하고 있다. 4~6문단에서는 광고를 규제하는 주체에 따라 법적 규제(정부 기관), 자율 규제(광고주 등), 소비자 규제(소비자)로 유형을 구분하여 각 규제에 대해 설명하고 있다. 따라서 이 글의 표제는 '광고 규제의 배경과 유형'이, 부제는 '피해 책임의 주체와 규제의 주체를 중심으로'라고 하는 것이 가장 적절하다.

✖ **오답 풀이**

② 표제로 제시된 광고 규제의 필요성과 의의는 이 글에 언급되어 있다. 그러나 부제로 제시된 '시대에 따른 소비자의 역할'에 대해서는 언급되어 있지 않다.

③ 1문단에서 '광고의 폐해를 예방하고 광고로 인해 피해를 받는 경우가 생기지 않도록 다양한 규제 방식이 모색되었다.'라고 하였다. 이를 고려하면 광고 규제의 순기능은 소비자와 사회의 피해를 막을 수 있다는 것이라고 이해할 수 있다. 그러나 광고 규제를 함으로써 발생하는 역기능은 이 글에서 언급하고 있지 않다. 또한 광고 규제의 문제점이나 개선 방안도 언급하고 있지 않다.

④ 광고 규제에 대한 찬성이나 반대의 시각이 대립적으로 드러나 있지 않다. 그리고 규제의 책임을 누구로 하느냐에 따라 기업과 소비자의 이익이 달라질 수 있지만 그 내용이 중심 내용은 아니다. 따라서 '기업과 소비자의 이익 극대화를 중심으로'라고 설정한 부제도 적절하지 않다.

⑤ 표제로 제시된 '광고 규제를 둘러싼 사회적 갈등'에 대해서는 이 글에 언급되어 있지 않다. 그리고 부제에 제시된 '규제의 도입 배경과 원인'이 1문단과 3문단에 언급되어 있으나, 그 내용이 중심 내용은 아니다. 따라서 '규제의 도입 배경과 원인을 중심으로'라고 설정한 부제도 적절하지 않다.

🍯 **선생님의 꿀 정보**

글을 쓴 목적을 파악하며 글 읽기

비문학(독서) 지문에서는 주로 설명문이 많이 나오지만, 글쓴이의 주장이 명시되어 있는 논설문이 제시될 수도 있다. 또한 설명문 중에서도 대상이나 현상에 대한 객관적인 설명을 하는 것에서 그치는 글이 있는 반면, 대상이나 현상의 장단점 혹은 문제점과 개선 방안을 설명하여 한 쪽의 시각을 드러내는 설명문이 출제되기도 한다.

따라서 지문을 읽을 때에는 먼저 전체적인 글의 목적을 생각하여 설명문인지 논설문인지를 파악하는 것이 중요하다. 또한 설명문이라고 하더라도 글 속에 숨어 있는 글쓴이의 의도를 정확하게 파악하여 글의 성격을 이해해야 한다. 이러한 과정을 거친다면 글의 주제와 구조를 더 세밀하게 이해할 수 있다.

02 세부 정보의 추론 | 정답 ④ |

윗글을 통해 알 수 있는 내용으로 가장 적절한 것은?

① 광고 주체의 자율 규제가 잘 작동될수록 광고에 대한 법적 규제의 역할도 커진다.
② 기업의 이익과 소비자의 이익이 상충되는 정도가 클수록 법적 규제와 자율 규제의 필요성이 약화된다.
③ 시장 독과점 상황이 심각해지면서 기업 책임 부담 원칙이 약화되고 소비자 책임 부담 원칙이 부각되었다.
    시장 독과점→소비자 보호 필요→기업 책임 부담 원칙↑
④ 첨단 기술을 강조한 상품의 광고일수록 소비자가 광고 내용을 정확히 이해하지 못한 채 상품을 구매할 가능성이 커진다.
⑤ 광고의 기만성을 입증할 책임을 소비자에게 돌리는 경우, 그 이유는 소비자에게 이성적 판단 능력이 있다는 전제를 받아들이지 않기 때문이다.
    소비자의 이성적 판단 능력이 전제됨.

📁 **발문 분석**

지문의 내용을 이해하고 합당하게 추론할 수 있는지를 묻고 있다. 선택지의 표현은 모두 지문을 재구성한 것이므로 지문의 내용을 왜곡하지 않은 선택지를 찾아야 한다.

◎ **정답 풀이**

④ 3문단에서 '상품에 응용된 과학 기술이 복잡해지고 첨단화되면서 상품 정보에 대한 소비자의 정확한 이해도 기대하기 어려워졌다'고 하였다. 따라서 첨단 기술을 강조한 상품의 광고일수록 소비자가 광고 내용을 정확히 이해하지 못한 채 상품을 구매할 가능성이 커진다고 할 수 있다.

✖ **오답 풀이**

① 5문단에서 '광고에 대한 기업의 책임감에서 비롯된 자율 규제는 법적 규제를 보완하는 효과가 있다.'라고 하였다. 따라서 자율 규제가 잘 작동될수록 광고에 대한 법적 규제의 역할도 커진다는 진술은 적절하지 않다.

② 1문단에서 '광고에서 기업과 소비자의 이익이 상충'되거나 광고가 '사회 전체에 폐해를 낳'는 경우가 있어 다양한 규제 방식이 모색되었다고 하였다. 이를 통해 기업의 이익과 소비자의 이익이 상충되는 정도가 클수록 법적 규제와 자율 규제의 필요성이 강화된다고 추측할 수 있다. 따라서 기업의 이익과 소비자의 이익이 상충되는

정도가 클수록 법적 규제와 자율 규제의 필요성이 약화된다는 진술은 적절하지 않다.

③ 3문단에서 '시장의 독과점 상황이 광범위해지면서 소비자의 자유로운 선택이 어려워졌'기 때문에 '기업 책임 부담 원칙이 부상'하게 되었다고 하였다. 따라서 시장 독과점 상황이 심각해지면서 기업 책임 부담 원칙이 약화되고 소비자 책임 부담 원칙이 부각되었다는 진술은 적절하지 않다.

⑤ 2문단에서 소비자 책임 부담 원칙을 따를 때, '광고 정보가 정직한 것인지와는 상관없이 소비자는 이성적으로 이를 판단하여 구매할 수 있어야 한다는 전제가 있었다.'라고 하였다. 또 광고의 기만성에 대한 입증 책임도 광고의 내용을 최종적으로 판단하고 구매를 결정한 소비자에게 있었다.'라고 하였다. 따라서 광고의 기만성을 입증할 책임을 소비자에게 돌리는 경우, 소비자의 이성적 판단 능력을 전제로 한다는 것을 알 수 있다. 따라서 광고의 기만성을 입증할 책임을 소비자에게 돌리는 경우, 그 이유는 소비자에게 이성적 판단 능력이 있다는 전제를 받아들이지 않기 때문이라는 진술은 적절하지 않다.

03 핵심 정보의 파악 | 정답 ② |

> 기업 책임 부담 원칙
> ⊙과 ⓒ에 대한 설명으로 적절하지 않은 것은?
> 소비자 책임 부담 원칙
> ① ⊙보다 ⓒ이 소비자에게 더 유리하다.
> ② ⓒ보다 ⊙이 광고의 사회적 책임을 더 중시한다.
> 　　　　　　기업의 사회적 책임을 의미
> ③ ⊙과 ⓒ은 모두 광고의 폐해를 전제로 적용되는 것이다.
> ④ ⓒ보다 ⊙을 따를 때 광고 표현에 대한 기업의 자율성이 확대된다.
> ⑤ ⊙보다 ⓒ을 따를 때 정부가 법정에서 피해를 입증해야 할 책임이 커질 수 있다.
> 　　　　　　광고에 대한 법적 규제를 만들어야 하므로

📁 발문 분석

각 개념의 의미와 특징을 파악하고 두 개념을 비교할 수 있는지 묻고 있다. 광고로 인한 피해 책임의 주체에 따라 어떤 면이 강조되고 중요한지를 파악해야 한다.

🎯 정답 풀이

② 3문단에서 ⓒ'기업 책임 부담 원칙'은 '경제적, 사회·문화적 측면에서 광고로부터 소비자를 보호해야 한다는 당위를 바탕으로' 공감대가 확산되어, 광고에 대한 책임을 기업이 져야 한다는 원칙이라고 하였다. 따라서 이것은 기업의 사회적 책임을 의미한다고 볼 수 있다. 이를 고려하면 ⓒ'기업 책임 부담 원칙'보다 ⊙'소비자 책임 부담 원칙'이 광고의 사회적 책임을 더 중시한다고 할 수 없다.

❌ 오답 풀이

① 2문단에서 ⊙'소비자 책임 부담 원칙'은 광고의 기만성에 대한 입증 책임이 소비자에게 있다고 하였고, 3문단에서 ⓒ'기업 책임 부담 원칙'은 책임이 기업에 있다고 하였다. 따라서 ⊙보다 ⓒ이 소비자들에게 더 유리하다는 진술은 적절하다.

③ 2문단에서 '광고로 인한 피해를 책임질 당사자로서 누구를 상정할 것인가'에 대해 두 가지 원칙이 등장했다고 하였다. 그러므로 ⊙'소비자 책임 부담 원칙'과 ⓒ'기업 책임 부담 원칙' 모두 광고의 폐해가 있을 때 그 책임을 누가 질 것인가 하는 문제를 해결하기 위한 것이라고 볼 수 있다. 원칙들은 광고로 인한 소비자나 사회 전체에

폐해가 있다고 전제할 때 나올 수 있는 원칙들이다. 따라서 ⊙과 ⓒ이 모두 광고의 폐해를 전제로 적용되는 것이라는 진술은 적절하다.

④ 2문단에서 언급한 것처럼 ⊙'소비자 책임 부담 원칙'을 따르게 되면 광고로 인한 피해를 소비자가 책임지게 되므로, 광고에 대한 기업의 책임이 사라진다. 그러면 기업은 책임에서 자유로워지므로 자율성을 가지고 광고를 제작할 수 있을 것이다. 따라서 ⓒ보다 ⊙을 따를 때 광고 표현에 대한 기업의 자율성이 확대된다는 진술은 적절하다.

⑤ 3문단과 4문단을 고려하면 ⓒ'기업 책임 부담 원칙'을 따르면 정부 기관은 잘못된 광고에 대한 책임을 기업에 묻기 위하여 법적 규제를 마련해야 한다. 따라서 정부가 광고로 인한 피해를 입증해야 할 책임이 발생할 수 있다고 추측할 수 있다. 따라서 ⊙보다 ⓒ을 따를 때 정부가 법정에서 피해를 입증해야 할 책임이 커질 수 있다는 진술은 적절하다.

👑 04 구체적 상황에 적용 | 정답 ⑤ |

윗글을 바탕으로 [보기]를 이해한 내용으로 적절하지 않은 것은?

> ── 보기 ──
> 　　화학 성분을 사용하지 않았을 것이라는 생각에 비싼 가격을 지불하고 '천연 화장품'을 구매하는 소비자가 늘고 있다. 그러나 '천연 화장품'의 광고에 대한 규제가 없어 소비자들이 제품에 대한 정확한 정보 없이 화장품을 구매하고 있다. 현행
> 　　　　　　　　　　　　　　광고로 인한 피해
> 화장품 표시 및 광고와 관련된 법률에는 '천연' 표시에 대한 규정이 없어 조금이라도 천연 성분이 들어가면 '천연 화장품'이라는 명칭을 붙일 수 있고, '천연 화장품'이라고 광고할 수 있다. 즉, 기능성을 입증할 수 없는데도 기능이 있는 것처럼
> 허위 광고를 하거나 화장품인데도 의약품과 같은 효과가 있
> 규제 대상 ①
> 을 것처럼 과장 광고하는 것은 법률에 의해 금지되어 있지만
> 　　　　　규제 대상 ②
> '천연'에 대한 규제는 명시되어 있지 않기 때문에 천연 성분이 조금이라도 포함되었다면 '천연 화장품'이라고 광고할 수 있는 것이다. 이로 인해 천연 성분이 채 1%도 들어가지 않았는데도 '천연 화장품'이라고 믿고 구매하는 피해 사례가 늘고 있다. 피해 소비자들은 '천연' 성분이 극소량 포함된 '천연 화장품'의 불매 운동을 벌였으며, 식품의약품안전처에서는 관련
> 　　　　　　　　　　　　　　　　　법적 규제를 마련하는 정부 기관
> 규제를 마련하여 부적절한 제품이 '천연 화장품'으로 광고되는 것을 막겠다고 나섰다.

① 식품의약품안전처에서는 법적 규제를 만들 계획을 가지고 있군.

② 법적 규제를 통해 과장 광고나 허위 광고의 역기능을 막을 수 있겠군.

③ 화장품에 대한 과장 광고는 특정 조항에 의해 강제적인 성격의 규제를 받고 있군.
　　　　　　　　　　　　　　　　법적 규제의 특징

④ 소비자 규제의 주체는 소비자 보호 운동을 통해 천연 화장
　　소비자　　　　　　　　소비자 규제 실현
품 광고로 인한 피해를 막으려고 하는군.

⑤ 1% 미만의 천연 성분을 포함한 화장품을 천연 화장품으로 광고하는 것은 자율 규제의 결과로 볼 수 있겠군.
　　　　　　기업들이 자율적으로 윤리 강령을 만들어 지키지 않은 결과임.

광고 규제의 유형에 대한 개념과 그 내용을 이해하고, 이를 구체적인 상황에 적용할 수 있는지를 묻고 있다. 지문에서 설명하고 있는 광고 규제의 종류를 파악한 후 천연 화장품과 관련된 상황에 대입하여 보도록 한다.

✔️ 보기 분석

[보기]는 '천연 화장품' 광고에 대한 법적 규제가 없어 소비자들이 피해를 보는 사례가 많음을 보여 주고 있다. 화장품에 천연 성분이 함유된 것을 표기하는 법적 기준이 없기 때문에 기업에서는 이를 이용하여 아주 소량의 천연 성분이 포함된 제품도 천연 화장품이라고 광고하여 판매하는 경우가 있다. 이것은 기업이 자율적으로 기준을 정하는 자율 규제가 작동하지 않은 결과라고 볼 수 있다.

◎ 정답 풀이

⑤ 5문단에서 자율 규제는 '광고주, 광고업계, 광고 매체사 등이 광고 집행 기준이나 윤리 강령 등을 정하고 이를 준수하고자 한다.'라고 하였다. [보기]에서는 현행 화장품 표시 및 광고와 관련된 법률에는 '천연'에 대한 법적 규제가 없다고 하였다. 만약 광고주나 광고업계 등이 자율 규제를 하였다면 채 1%도 포함되지 않은 천연 성분을 강조하기 위해 천연 화장품이라고 광고하지는 않을 것이다. 따라서 [보기]의 상황은 광고주나 광고업계 등이 법적 규제가 없는 상황에서 제대로 검증을 하지 않고 천연 화장품을 판매하고 있으므로, 자율 규제의 결과라고 볼 수 없다.

❌ 오답 풀이

① [보기]에서 식품의약품안전처에서는 관련 규제를 마련하겠다고 하였다. 이는 4문단에서 언급한 것을 고려하면 정부 기관인 식품의약품안전처에서 규제를 마련한다는 것은 법적 규제를 만드는 것이라고 볼 수 있다. 따라서 식품의약품안전처에서 법적 규제를 만들 계획을 가지고 있다는 진술은 적절하다.

② 5문단에서 '법적 규제가 광고의 역기능에 따른 피해를 막기 위한 강제적 조치'라고 하였다. 따라서 법적 규제를 통해 과장 광고나 허위 광고의 역기능을 막을 수 있다는 진술은 적절하다.

③ [보기]에서 의약품과 같은 효과가 있을 것처럼 화장품을 과장 광고하는 것은 현행 화장품 표시 및 광고와 관련된 법률에 의해 규제를 받고 있다고 하였다. 4문단에서 법 조항을 통해 광고를 규제하는 것은 법적 규제로, 이는 강제적인 성격을 가지고 있다고 하였다. 따라서 화장품에 대한 과장 광고는 특정 조항에 의해 강제적인 성격의 규제를 받고 있다는 진술은 적절하다.

④ 6문단에서 소비자 규제의 주체인 소비자는 '법적 규제와 자율 규제를 강화하도록 압박하는 방식을 취'하며 '소비자의 권리 행사는 소비자 보호 운동의 형태로 나타'난다고 하였다. 그러므로 소비자는 소비자 보호 운동을 벌임으로써 기업이 자율적으로 광고를 시정할 수 있도록 압박할 수 있을 것이다. 따라서 소비자 규제의 주체는 소비자 보호 운동을 통하여 천연 화장품 광고로 인한 피해를 막으려 한다는 진술은 적절하다.

👨‍🏫 선생님의 꿀 정보

지문에 제시된 내용을 새로운 사례([보기])에 적용하는 문제를 만났을 때

1단계: [보기]의 내용을 읽고 지문의 어느 부분과 관련 있는 사례인지 파악하기

2단계: 선택지의 단어들을 보고 1단계에서 생각한 것이 적절한지 확인하기
※ 이때, [보기]나 선택지에서 지문의 해당 개념이 ㉠, ㉡ 등으로 대체되어 있거나 유사한 표현으로 수정되어 있다면 지문에 나오는 표현으로 고쳐 써 주는 것이 나중에 헷갈리는 것을 방지해 줌.

3단계: 지문에서 제시된 해당 부분의 내용을 명확히 정리하기
4단계: 지문에 제시된 해당 개념과 [보기]에 언급된 사례를 연결하기
5단계: 4단계의 결과, 일치하는 부분은 그대로 적용하고, 달라진 부분은 따로 표시해 두기
6단계: 선택지를 보며 적절한 내용과 적절하지 않은 내용을 골라내기

05 구체적 사례에 적용 | 정답 ③ |

윗글의 소비자 규제에 해당하는 사례가 아닌 것은?

① 부작용이 없다고 광고하는 병원에서 시술을 받고 피부색이 변한 환자들이 해당 병원을 공정거래위원회에 고발하였다.
　　　　　　　　　　　　　　　　　정부 기관

② ○○초등학교 학부모들은 학교 앞 슈퍼에서 유기농 식품이라고 광고하지만 검증되지 않은 불량 식품을 판매하는 것을 보고 공동으로 슈퍼 주인에게 항의하였다.
　　　　　　　　　　　　　　자율 규제를 촉구

③ ○○ 소비자 보호 단체는 실제로 옷을 구매하지 않은 사람이 옷을 구매한 것처럼 쓴 상품평을 광고에 사용한 인터넷 쇼핑몰에 경고 조치를 하였다.
　　　법적 규제의 일종, 소비자가 할 수 있는 일이 아님.

④ 늘 신선한 재료만 사용한다고 광고하는 커피 전문점의 조리대에 유통 기한이 지난 우유팩이 여러 개 놓여 있는 것을 보고 ○○구청 직원들은 구청 민원 창구에 해당 사실을 접수하였다.
　　　　　　　　　　　　　　정부 기관

⑤ 홈쇼핑에서 광고하는 것을 보고 ○○여행사를 통해 패키지 여행을 예약한 고객들은 선택 관광이 추가로 요금을 내야 한다는 것을 고지하지 않고 일정에 포함한 여행사의 행위를 방송국에 제보하였다.
자율 규제를 촉구

📁 발문 분석

지문의 특정 개념을 이해하고 구체적인 사례에 적용할 수 있는지 묻고 있다. 6문단에 제시된 소비자 규제의 역할, 조건, 한계점 등을 꼼꼼히 파악한 후 소비자 규제에 해당되지 않는 선택지를 찾아야 한다.

◎ 정답 풀이

③ 실제로 옷을 구매하지도 않은 사람이 옷을 구매한 것처럼 꾸며 상품평을 쓴 것은 잘못된 광고 방법으로, 규제의 대상이 될 수 있다. 그러나 6문단에서 '소비자는 법적 규제를 입안하거나 실행하는 주체가 아니'라고 하였으므로, 법적 규제의 일종인 경고 조치를 내릴 수 없다. 4문단에서 언급한 것처럼 해당 광고주에게 경고 조치를 내리는 것은 법적 규제의 일종이며, 법적 규제를 가할 수 있는 주체는 정부 기관이다.

❌ 오답 풀이

① 병원에서는 부작용이 없다고 광고하였는데 시술 후 환자들의 피부색이 변했다는 것은 잘못된 광고로 인해 피해를 본 사례로 볼 수 있다. 공정거래위원회는 정부 기관으로, 6문단에서 언급한 것처럼 정부 기관에 고발하여 정부 기관이 법적 규제를 가하도록 압박하는 것은 소비자 규제의 한 방법이다.

② 학부모들은 소비자인 자녀들의 부모로서, 자녀들이 이미 피해를 보

앗거나 피해를 볼 것을 우려하여 검증되지 않은 불량 식품을 파는 주인에게 항의할 수 있다. 6문단에서 언급한 것처럼 이것은 슈퍼 주인이 스스로 불량 식품의 판매를 중단하기를 바라는 것으로 자율 규제의 촉진을 유도하는 행위로 볼 수 있다.

④ 늘 신선한 재료를 사용한다고 광고하는 커피 전문점에서 유통 기한이 지난 식재료를 조리대에 올려 놓고 있다는 것은 실제로 배탈 등의 피해가 발생하지 않았더라도 앞으로 발생할 가능성이 충분한 상황이라고 볼 수 있다. 6문단에서 언급한 것처럼 이에 대해 정부 기관인 구청에 민원 접수를 하는 것은 법적 규제를 가할 것을 압박하는 행위이므로 소비자 규제에 해당한다.

⑤ 홈쇼핑에서 광고할 때 추가 금액을 고지하지 않고 선택 관광을 일정에 포함시킨 것은 소비자들로 하여금 선택 관광이 패키지 금액에 포함되어 있는 것이라고 혼동하게 만들 수 있다. 이는 홈쇼핑 회사와 여행사가 제대로 여행 상품 광고를 하지 않은 것이다. 6문단에서 언급한 것처럼 소비자들은 이를 방송국에 제보하여 여행사의 자정 작용을 기대할 수 있으므로 방송국에 제보하는 것은 자율 규제를 압박하는 소비자 규제라고 할 수 있다.

선생님의 꿀 정보

비문학(독서) 지문 독해 전략

1. 독서 지문은 매일 조금씩 푸는 것이 좋다.

한 번에 많은 양을 연습하고 한동안 보지 않는다면 감이 떨어지기 마련이다. 따라서 평소에 감을 잊지 않으려면 조금씩 지문을 읽고 문제를 푸는 습관을 기르는 것이 중요하다.

2. 시간을 재면서 푸는 것은 실력이 쌓인 후에!

평소 시간이 부족해서 문제를 다 풀지 못한 학생들은 시간 안배를 잘못했다는 생각에 평소 공부할 때 시간을 재면서 풀게 된다. 하지만 이것은 정확도보다는 시간 안배 능력만 길러주는 셈이다. 독해 능력을 기른 후에도 시간을 단축할 수 있으므로 천천히 읽더라도 처음부터 정확하게 읽는 습관을 들이자.

3. 지문을 대충 읽기보다는 한 번 읽을 때 제대로!

지문을 대충 읽은 후 문제를 풀면 한 문제를 풀 때마다 지문과 선택지를 왔다 갔다 하게 된다. 이는 더 많은 시간을 낭비하는 지름길이다. 지문을 읽을 때에는 문단별로 문단의 핵심 내용을 머릿속에 요약하는 연습을 하자. 이렇게 하다 보면 문단별로 어떤 내용이 언급되어 있는지 파악할 수 있으며, 글 전체의 구조도 파악할 수 있다. 처음에는 시간이 많이 걸리고 잘 되지 않을 수도 있지만, 꾸준히 연습하다 보면 의식하지 않아도 알아서 머릿속에 지문의 내용과 구조가 정리되는 경지에 이를 수 있다.

06 어휘 활용의 적절성 판단 | 정답 ③ |

ⓐ~ⓔ를 활용한 문장으로 적절하지 않은 것은?

① ⓐ: 예전에 선물받은 담요는 지금도 요긴하게 잘 쓰고 있다.
요긴

② ⓑ: 이해관계의 상충으로 인해 회담은 더 이상 진행되지 못했다.
상충

③ ⓒ: 교육부는 선행 학습 금지와 관련된 의제를 본회의에 상정했다.
상정

④ ⓓ: 그 후보는 이번 시장 선거의 새로운 인물로 부상하고 있다.
부상

⑤ ⓔ: 일부의 의견을 모두의 의견인 것으로 간주하면 안 된다.
간주

📁 발문 분석

한자어의 의미를 파악하고 이를 적절히 활용할 수 있는지 묻고 있다. 문맥을 고려하여 제시된 어휘가 어떤 의미인지 파악해야 한다.

◎ 정답 풀이

③ '당사자로서 누구를 ⓒ상정할 것인가'에서의 '상정(想定)'은 '어떤 정황을 가정적으로 생각하여 단정함. 또는 그런 단정.'이라는 의미이다. '본회의에 상정했다'에서의 상정(上程)은 '의안을 회의에 내어 놓음.'이라는 의미이다. 따라서 '상정(想定)'과 '상정(上程)'은 서로 다른 뜻을 가진 동음이의어이므로 ⓒ를 활용한 문장으로 적절하지 않다.

✖ 오답 풀이

① '요긴(要緊)'은 '꼭 필요하고 중요함.'을 의미하는 어휘이므로, ⓐ'요긴'을 활용한 문장으로 적절하다.

② '상충(相衝)'은 '맞지 아니하고 서로 어긋남.'을 의미하는 어휘이므로, ⓑ'상충'을 활용한 문장으로 적절하다.

④ '부상(浮上)'은 '어떤 현상이 관심의 대상이 되거나 어떤 사람이 훨씬 좋은 위치로 올라섬.'을 의미하는 어휘이므로 ⓓ'부상'을 활용한 문장으로 적절하다.

⑤ '간주(看做)'는 '상태, 모양, 성질 따위가 그와 같다고 봄. 또는 그렇다고 여김.'을 의미하는 어휘이므로 ⓔ'간주'를 활용한 문장으로 적절하다.

사회 02 환율의 변동 및 환율과 경상 수지의 관계

[2010년 9월 평가원 기출 변형]

01 ②   **02** ②   **03** ④   **04** ③   **05** ②   **06** ①

본문 ➌ 46쪽

구절 풀이

〈그림〉에서 E점은 균형 환율로, 외화의 수요와 공급이 일치하고 환율이 균형을 이룬 지점. 이때의 환율을 자국통화표시법에 따라 표기하면 '1,000원/달러'가 됨.

환율이 상승(1,000원/달러 → 1,200원/달러)함에 따라 외화의 초과 공급(S → S₁)이 발생하게 되는데, 이는 외화의 수출이 수입을 초과하게 되기 때문임. 따라서 외화의 초과 공급이 발생하면 환율은 다시 하락함.

환율이 하락(1,000원/달러 → 800원/달러)함에 따라 외화의 초과 수요(D → D₁)가 발생하게 되는데, 이는 외화의 수입이 수출을 초과하게 되기 때문임. 따라서 외화의 초과 수요가 발생하면 환율은 다시 상승함.

어휘 풀이

* 통화: 유통 수단이나 지불 수단으로서 기능하는 화폐. 본위 화폐, 은행권, 보조 화폐, 정부 지폐, 예금 통화 따위가 있음.
* 수급: 수요와 공급을 아울러 이르는 말.

선생님의 Tip

환율 표시법

자국통화표시법 (직접 표시법)	외국통화표시법 (간접 표시법)
환율을 '1,000원/달러'로 표시함.	환율을 '0.001달러/원'로 표시함.
우리나라를 포함한 세계 대부분의 나라가 사용함.	영국, 오스트레일리아, 남아프리카 공화국 등 일부 영국 연방 국가들이 사용함.
미국은 두 방법을 다 사용함.	

외화의 수요와 공급 요인

외화의 수요 요인	외화의 공급 요인
외화가 해외로 나가는 모든 경우	외화가 국내로 들어오는 모든 경우
수입, 해외 투자, 해외여행, 외국 유학 경비 송금, 외국에 대한 원조, 외국인 근로자의 해외 송금 등	수출, 외국인들의 국내 투자, 외국인의 한국 관광, 외국으로부터 돈을 빌려오는 차관 도입, 해외 취업 근로자들의 국내 송금 등

---

1 환율은 다른 나라 화폐인 외화 1단위를 구입할 때 지급하는 자국 화폐의 수량, 즉 외화와 자국 화폐의 교환 비율을 의미한다. 예를 들어 미국 돈 1달러를 구입하기 위해 우리나라 돈 1,000원을 지급해야 한다면, 1,000원이 원화의 미국 달러화에 대한 환율이 된다. 환율을 표시하는 방법에는 두 가지가 있다. 첫 번째는 '1,000원/달러'라고 표시하는 것처럼 외국 통화* 1단위와 교환할 수 있는 자국 통화의 단위수를 가리키는 환율 표시법으로, 자국통화표시법이라고 하며 세계의 많은 나라에서 사용하고 있다. 두 번째는 '0.001달러/원'처럼 자국 통화를 1로 하고 이를 외국 통화로 나타내는 방식으로, 외국통화표시법이라고 한다.
1문단: 환율의 개념과 환율 표시법의 종류

2 외화의 가격인 환율은 다른 재화와 마찬가지로 외환 시장에서의 수요와 공급에 의해 결정된다. 자본의 이동에 따르는 외화의 수급*을 제외하면 재화와 서비스의 수입과 수출이 외화의 수요와 공급에 영향을 미치는 가장 중요한 요인이 된다. 일반적으로 환율이 상승하면 외화의 수요(D)가 감소하고, 외화의 공급(S)이 증가하므로 외화의 수요 곡선은 우하향하고, 외화의 공급 곡선은 우상향한다. 이러한 외화의 수요 곡선과 공급 곡선이 만나는 점에서 균형 환율이 결정된다. 〈그림〉에서 미국 달러화에 대한 원화의 균형 환율은 '1,000원/달러'로, 외화의 수요와 공급이 일치하고 환율이 균형을 이룬 상태로 볼 수 있다. 만약 이 상태에서 환율이 '1,200원/달러'가 되면, 외화의 초과 공급이 발생하고 환율은 다시 하락할 것이고 환율이 '800원/달러'가 되면, 외화의 초과 수요가 발생하여 환율은 다시 상승할 것이다.
2문단: 환율의 결정 요인과 수요와 공급 곡선

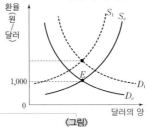

〈그림〉

3 환율 이외의 요인이 변하면 외화의 수요 곡선과 외화의 공급 곡선도 변동하게 된다. 가장 대표적인 것으로 국민 소득이 변하는 경우와 물가가 변하는 경우를 들 수 있다. 먼저 국민 소득이 변하는 예로 국민 경제가 성장하여 국민 소득이 증가하면 사람들의 소비 지출이 증가하고 외국 상품을 더 많이 수입하게 되는 경우를 들 수 있다. 이렇게 되면 외화에 대한 수요가 증가하고, 이에 따라 외화에 대한 수요 곡선이 우상향으로 이동하며 환율은 상승하게 된다.
3문단: 외화의 수요와 공급 곡선이 변화하는 요인 ①: 국민 소득의 변화

4 물가가 변하는 예로는 우리나라의 물가가 상승하여 수출품 가격도 상승하게 되고 외국 시장에서 우리나라 상품에 대한 수요가 감소하고 이에 따라 수출이 줄어들게 되는 경우를 들 수 있다. 수출이 줄어들면 외화의 공급량도 감소하게 되기 때문에 우리나라의 물가가 상승하면 외화의 공급 곡선은 좌상향으로 이동한다. 한편 우리나라의 물가가 상승하면 수입품 가격이 상대적으로 싸진다. 따라서 수입품에 대한 수요가 늘어나고 이에 따라 외화에 대한 수요도 증가한다. 즉 외화 수요 곡선이 우상향으로 이동하게 된다. 이처럼 공급 곡선과
물가의 상승이 외화의 수요 곡선에 미치는 영향: 수요가 증가함.

지문 구조도

화제 제시: 환율의 개념과 환율 표시법의 종류(1문단)
환율: 다른 나라 화폐인 외화 1단위를 구입할 때 지급하는 자국 화폐의 수량.

⬇

구체화 1: 환율의 결정(2~4문단)
• 환율은 시장에서의 수요와 공급에 의해 결정됨.   • 환율의 수요 곡선은 우하향하고 공급 곡선은 우상향하는데, 두 곡선이 만나는 점에서 균형 환율이 결정됨.

⬇

구체화 2: 환율과 경상 수지와의 관계(5~8문단)
• 환율이 상승하면 경상 수지가 개선된다는 것이 일반적 관념이나 그렇지 않은 경우도 있음.   • J커브 현상: 환율이 올라도 단기적으로 경상 수지가 악화되었다가 다시 개선되는 현상.   • 환율 상승 후 수요 구조에 따라 혹은 경쟁력을 잃은 경우 경상 수지의 개선을 이루지 못하는 경우도 있음.

출제 의도 환율과 관련된 여러 정보들을 이해하고 그들의 관계를 파악할 수 있는지를 평가하기 위한 지문이다. '환율', '공급 곡선', '수요 곡선' 등의 주요 개념을 이해하고, 환율 변동의 원인, J커브 현상의 개념과 원인, 환율과 경상 수지와의 관계 등을 파악할 수 있는지 평가하는 문제가 출제되었다.

주제 환율의 개념과 환율의 변동, 환율과 경상 수지와의 관계

수요 곡선이 이동하게 됨에 따라 환율은 더욱 상승하게 된다.
물가의 상승이 환율에 미치는 영향: 환율 상승 | 4문단: 외화의 수요와 공급 곡선이 변화하는 요인 ②: 물가의 변화

5 일반적으로 환율의 상승은 경상 수지*를 개선하는 것으로 알려져 있다. 이를테면 국내
└ 환율과 경상 수지와의 관계에 대한 통념
기업은 수출에서 벌어들인 외화를 국내로 들여와 원화로 바꾸기 때문에, 환율이 상승한 경
└ 환율 상승이 경상 수지를 개선하는 과정 | 원화의 가치가 떨어짐.
우에는 외국에서 우리 상품의 외화 표시 가격을 다소 낮추어도 수출량이 늘어나면 수출액
외화 표시 가격을 낮추어도 원화로 바꾸면 환율 상승 이전의 가격과 비슷해지므로
이 증가한다. 동시에 수입 상품의 원화 표시 가격은 상승하여 수입품을 덜 소비하므로 수입
액은 감소한다. 그런데 이와 같이 환율 상승이 항상 경상 수지를 개선할 것 같지만 반드시
그런 것은 아니다. **5문단: 환율 상승과 경상 수지의 관계에 대한 일반적 관념**

6 환율이 올라도 단기적으로는 경상 수지가 오히려 악화되었다가 점차 개선되는 현상이
있는데, 이를 그래프로 표현하면 J자 형태가 되므로 J커브 현상 이라 한다. J커브 현상에서
'J커브 현상'의 개념
경상 수지가 악화되는 원인 중 하나로, 환율이 오른 비율만큼 수입 상품의 가격이 오르지
않는 것을 꼽을 수 있다. 이는 환율 상승 후 상당 기간 동안 외국 기업이 매출 감소를 우려
└ 환율이 상승해도 경상 수지가 악화되는 원인 ①
해 상품의 원화 표시 가격을 바로 올리지 않기 때문이다. 또한 소비자들의 수입 상품 소비
환율이 오른 비율만큼 수입 상품의 가격이 오르지 않는 이유
가 가격 변화에 따라 줄어들기까지는 상당 기간이 소요된다. 그뿐만 아니라 국내 기업이 수
└ 환율이 상승해도 경상 수지가 악화되는 원인 ②
출 상품의 외화 표시 가격을 낮추더라도 외국 소비자가 이를 인식하고 소비를 늘리기까지
└ 환율이 상승해도 경상 수지가 악화되는 원인 ③
는 다소 시간이 걸린다. 그러나 J커브의 형태가 보여 주듯이, 당초에 올랐던 환율이 지속되
는 상황에서 어느 정도 시간이 지나 상품의 가격 및 물량의 조정이 제대로 이루어진다면 경
상 수지가 개선된다. 'J커브 현상'에서 악화되었던 경상 수지가 개선되는 요인 **6문단: 'J커브 현상'의 개념과 원인**

7 한편, J커브 현상과는 별도로 환율 상승 후에 얼마의 기간이 지나더라도 경상 수지의 개
선을 이루지 못하는 경우도 있다. 첫째, 상품의 가격 조정이 일어나도 국내외의 상품 수요
└ 환율이 상승해도 경상 수지가 개선되지 못하는 원인 ①
가 가격에 어떻게 반응하는가 하는 수요 구조에 따라 경상 수지는 개선되지 못하기도 한다.
수출량이 증가하고 수입량이 감소하더라도, ㉠경상 수지가 그다지 개선되지 않거나 오히려
악화될 수도 있다는 것이다. 둘째, 장기적인 차원에서 ㉡수출 기업이 환율 상승에만 의존하
└ 환율이 상승해도 경상 수지가 개선되지 못하는 원인②
여 품질 개선이나 원가* 절감 등의 노력을 계속하지 않는다면 경쟁력을 잃어 경상 수지를 악
화시킬 수도 있다. **7문단: 환율이 상승해도 경상 수지가 개선되지 못하는 다른 원인**

8 우리나라의 경우 환율은 외환 시장에서 결정되나, 정책 당국이 필요에 따라 간접적으로
우리나라에서 사용하는 환율 정책
외환 시장에 개입하는 환율 정책을 구사한다. 경상 수지가 적자 상태라면 일반적으로 고환
율 정책이 선호된다. 그러나 이상에서 언급한 환율과 경상 수지 간의 복잡한 관계 때문에
환율 정책은 신중하게 검토되어야 한다. 환율 정책이 신중하게 적용되어야 하는 이유 **8문단: 환율 정책을 결정할 때 고려해야 할 요인**

* 경상 수지: 상품(재화와 서비스 포함)의 수출액에서 수입액을 뺀 결과. 수출액이 수입액보다 클 때는 흑자, 작을 때
는 적자로 구분함.

지문 해제

이 글은 환율의 개념, 환율의 변동과 그 원인, 환율과 경상 수지의 관계 등을 설명하고 있다. 환율은 외화 1단위
를 구입할 때 지급하는 자국 화폐의 수량을 의미하며, 환율을 표시하는 방법으로는 자국통화표시법과 외국통화표
시법이 있다. 환율은 외환 시장에서의 수요와 공급에 의해 결정되는데, 재화와 서비스의 수입과 수출이 중요한 원
인으로 작용한다. 외화의 수요와 공급은 우하향하는 수요 곡선과 우상향하는 공급 곡선으로 표시할 수 있으며, 외
화의 수요 곡선과 공급 곡선이 만나는 지점에서 균형 환율이 결정된다. 외화의 수요와 공급 곡선은 국민 소득이나
물가 등의 요인에 의해 변동하게 된다. 환율이 상승하면 경상 수지가 개선된다는 통념이 항상 성립하는 것은 아닌
데, 대표적인 예로 'J커브 현상'을 들 수 있다. 이 현상은 환율이 오를 때 경상 수지가 일시적으로 악화되었다가 점
차 개선되는 것으로, 환율이 상승해도 외국 기업이 원화 표시 가격을 바로 올리지 않거나, 소비자의 수입 상품의
소비가 줄어들기까지의 시간과 외국 소비자가 국내 수출 상품의 소비를 늘리기까지 시간이 걸리기 때문에 발생한
다. 한편 제품의 수요 구조나 제품에 대한 기업의 경쟁력 상실 등도 환율 상승에 따른 경상 수지 개선을 이루지 못
하는 원인이 된다. 이처럼 환율과 경상 수지 간의 관계는 복잡하기 때문에 환율 정책을 도입할 때에는 신중히 검
토하여 결정해야 한다.

구절 풀이

○ 환율의 상승이 경상 수지를 개선하지 않거
나 오히려 악화시키는 경우도 있음.
(예) J커브 현상)

○ 대부분의 경우 환율이 상승하여 해외 시장
에서 우리나라 상품 A의 가격이 떨어진다면
대부분의 해외 소비자들은 가격이 떨어졌으
므로 더 많이 구매할 것임. 이렇게 되면 해
외에서의 소비가 많아지므로 수출량이 늘어
나고 수출액도 증가할 것임. 그러나 A의 가
격이 떨어졌다고 하더라도 해외 소비자들이
더 소비를 하지 않는다면 수출량은 늘어나
지 않을 것이고, 수출액 또한 줄어들 것임.
이렇게 되면 경상 수지도 개선되지 않음.

어휘 풀이

* 원가: 상품의 제조, 판매, 배급 따위에 든 재
화와 용역을 단위에 따라 계산한 가격

선생님의 Tip

"J커브 현상"

J커브는 과거 영국의 파운드가 절하될
때 무역 수지가 변동되는 모습에서 유
래된 것임. 무역 수지가 나쁠 경우 환율
인상을 통해 그 균형을 맞추는데 그 효
과는 느리게 나타나게 됨. 그 모양을 그
림으로 그리면 J자 모양과 유사하기 때
문에 'J커브 현상'이라고 부르게 되었음.
특정 국가가 무역 수지를 개선하기 위해
단행하는 통화가치 평가가 효과를 거두
기 위해서는 '마샬-러너 조건(Marshall-
Lerner condition)'을 충족시켜야 한다는
국제무역이론이 있음. 그 조건을 따르면
외화 표시 수출 수요의 가격 탄력성과
자국 통화 표시 수입 수요의 가격 탄력
성을 합한 값이 '1'을 넘어야 함. 하지만
이런 가격 탄력성이 낮으면 수출과 수
입 수요에 미치는 영향이 적어 무역수
지 변화가 즉각 발생하지 않아 'J커브
현상'이 오래 지속됨.

01 개괄적 정보의 확인 | 정답 ② |

윗글에서 다루지 <u>않은</u> 내용은?

① 환율 상승에 따르는 수입 상품의 가격 변화
            5문단
② 경상 수지 개선을 위한 고환율 정책의 필연성
             8문단, 환율 정책을 신중하게 검토해야 한다고 함.
③ 가격 변화에 대한 외국 소비자의 지체된 반응
             6문단
④ 국내외 수요 구조가 경상 수지에 미치는 영향
             7문단
⑤ 환율 상승이 경상 수지에 미치는 영향에 대한 일반적인 기대
             5문단

📁 발문 분석

지문에 언급된 다양한 정보를 정확히 파악할 수 있는지를 묻고 있다. 선택지의 내용이 지문의 어느 부분에 언급되어 있는지 살펴야 한다.

◎ 정답 풀이

② 8문단에서 '우리나라의 경우 환율은 외환 시장에서 결정되나, 정책 당국이 필요에 따라 간접적으로 외환 시장에 개입'한다면서 '경상 수지가 적자 상태라면 일반적으로 고환율 정책이 선호된다.'라고 하였다. 그런데 '환율과 경상 수지 간의 복잡한 관계 때문에 환율 정책은 신중하게 검토되어야 한다.'라고 하였으므로, 경상 수지 개선을 위한 고환율 정책의 필연성을 다루고 있다고 보는 것은 적절하지 않다.

✖ 오답 풀이

① 5문단에서 '환율이 상승한 경우에는 외국에서 우리 상품의 외화 표시 가격을 다소 낮추게 되고, '수입 상품의 원화 표시 가격은 상승'한다고 하였다. 따라서 환율 상승에 따른 수입 상품의 가격 변화를 다루고 있다고 볼 수 있다.

③ 6문단에서 '국내 기업이 수출 상품의 외화 표시 가격을 낮추더라도 외국 소비자가 이를 인식하고 소비를 늘리기까지는 다소 시간이 걸린다.'라고 하였다. 따라서 가격 변화에 대한 외국 소비자의 지체된 반응을 다루고 있다고 볼 수 있다.

④ 7문단에서 '국내외의 상품 수요가 가격에 어떻게 반응하는가 하는 수요 구조에 따라 경상 수지는 개선되지 못하기도 한다.'라고 하였다. 따라서 국내외의 수요 구조가 경상 수지에 미치는 영향을 다루고 있다고 볼 수 있다.

⑤ 5문단에서 '일반적으로 환율의 상승은 경상 수지를 개선하는 것으로 알려져 있다.'라고 하였다. 따라서 환율 상승이 경상 수지에 미치는 영향에 대한 일반적인 기대를 다루고 있다고 볼 수 있다.

🐝 선생님의 꿀 정보

01번 문제: 개괄적인 정보를 파악하는 문제

개괄적인 정보를 확인하는 문제의 선택지는 대부분 지문의 있는 내용을 일반화하여 진술한다. 따라서 선택지에 일반화되어 제시된 내용이 지문 내용을 대체하거나 포괄할 수 있는지를 확인해야 한다.
→ 01번 문제의 선택지 ③번 '지체된'이 '시간을 늦추거나 질질 끎.'을 의미한다는 것을 안다면, 이것이 외국 소비자가 소비를 늘리기까지 '시간이 걸린다'는 표현을 대체한 것이라는 것을 바로 파악할 수 있다. 또 정답인 선택지 ②번의 '필연성'이 '사물의 관련이나 일의 결과가 반드시 그렇게 될 수밖에 없는 요소나 성질'을 의미한다는 것을 알고, 경상 수지 개선을 위해서는 고환율 정책이 반드시 필요하다는 의미로 이해한다면 8문단의 '환율 정책은 신중하게 검토해야 한다'와 내용상 일치하지 않는 표현임을 파악할 수 있다.

02 세부 정보의 이해 | 정답 ② |

윗글의 내용과 일치하지 <u>않는</u> 것은?

① 균형 환율에서 환율이 상승하면 외화의 초과 공급이 발생할 수 있다.
            2문단
② 우리나라의 물가가 상승하면 외국 수입품에 대한 수요량이 줄어든다.
③ 균형 환율은 외화의 수요 곡선과 공급 곡선이 만나는 점에서 정해진다.
            2문단
④ 세계 다수의 국가에서 자국통화표시법을 사용하여 환율을 표기하고 있다.
            1문단
⑤ 외국통화표시법은 자국 통화를 1로 하여 외국 통화를 나타내는 방식이다.
            1문단

📁 발문 분석

지문의 내용을 이해하고 세부 내용을 파악할 수 있는지 묻고 있다. 선택지의 내용이 적절한지 지문과 1:1로 비교하여 적절성을 판단해야 한다.

◎ 정답 풀이

② 4문단에서 '우리나라의 물가가 상승하면 수입품 가격이 상대적으로 싸'지므로 '수입품에 대한 수요가 늘어나'게 된다고 하였다. 이를 고려하면 우리나라의 물가가 상승하면 외국 수입품에 대한 수요량이 줄어든다고 보는 것은 적절하지 않다.

✖ 오답 풀이

① 2문단에서 균형 환율이란 '외화의 수요와 공급이 일치하고 환율이 균형을 이룬 상태'라고 하였다. 이 상태에서 '환율이 '1,200원/달러'가 되면, 외화의 초과 공급이 발생하고 환율은 다시 하락할 것'이라고 하였다. 환율이 균형을 이룬 상태에서 '환율이 1,200원/달러가 된다'는 것은 환율이 균형 환율에서 상승하는 것을 의미하므로, 균형 환율에서 환율이 상승하면 외화의 초과 공급이 발생할 수 있다고 보는 것은 적절하다.

③ 2문단에서 '외화의 수요 곡선과 공급 곡선이 만나는 점에서 균형 환율이 결정된다.'라고 하였다. 그러므로 균형 환율은 외화의 수요 곡선과 공급 곡선이 만나는 점에서 정해진다고 보는 것은 적절하다.

④ 1문단에서 '외국 통화 1단위와 교환할 수 있는 자국 통화의 단위수를 가리키는' 자국통화표시법을 '세계의 많은 나라에서 사용하고 있다.'라고 하였다. 그러므로 세계 다수의 국가에서 자국통화표시법을 사용하여 환율을 표기하고 있다고 보는 것은 적절하다.

⑤ 1문단에서 '0.001달러/원처럼 자국 통화를 1로 하고 이를 외국 통화로 나타내는 방식'을 외국통화표시법이라고 한다고 하였다.

03 반응의 적절성 판단 | 정답 ④ |

윗글의 〈그림〉을 보고 학생들이 보였을 반응으로 가장 적절한 것은?

① S_0이 S_1로 이동하였다면, 국내 물가가 하락한 것을 원인으로 추측할 수 있겠군.
　국내 물가가 상승한 것이 원인임.

② S_1이 S_0으로 이동하였다면, 국민 소득이 감소한 것을 원인으로 추측할 수 있겠군.
　외화의 공급 증가와 국민 소득 감소의 관계에 대한 언급 없음.

③ S_1이 S_0으로 이동하였다면, 국내 물가가 상승한 것을 원인으로 추측할 수 있겠군.
　국내 물가의 상승은 외화의 공급 감소의 원인임.

④ D_0이 D_1로 이동하였다면, 국민 소득이 증가한 것을 원인으로 추측할 수 있겠군.

⑤ D_1이 D_0으로 이동하였다면, 국내 물가가 상승한 것을 원인으로 추측할 수 있겠군.
　국내 물가의 상승은 외화의 수요 증가의 원인임.

발문 분석

지문의 내용을 이해하고 제시된 자료를 적절히 해석할 수 있는지를 묻고 있다. 〈그림〉이 무엇을 나타낸 그래프인지를 확인하고 그래프의 이동이 무엇을 의미하는지를 판단해야 한다.

정답 풀이

④ 〈그림〉은 외화의 수요와 공급을 나타낸 그래프이다. 우상향하고 있는 S_0, S_1은 외화의 공급 곡선을, 우하향하고 있는 D_0, D_1은 외화의 수요 곡선을 나타낸다. 3문단에서 '국민 소득이 증가하면' '외화에 대한 수요가 증가하고, 이에 따라 외화에 대한 수요 곡선이 우상향으로 이동하며 환율은 상승하게 된다.'라고 하였다. 이를 고려하면 〈그림〉에서 D_0이 D_1로 이동했다는 것은 외화의 수요가 증가했다는 것을 의미하므로, 이와 같은 수요 곡선의 이동 원인을 국민 소득의 증가 때문이라고 추측하는 것은 적절하다.

오답 풀이

① 공급 곡선 S_0이 S_1로 이동했다는 것은 외화의 공급이 감소했다는 것을 의미한다. 그런데 4문단에서 '우리나라의 물가가 상승하면 외화의 공급 곡선은 좌상향으로 이동한다.'라고 하였다. 이를 고려하면 S_0이 S_1로 이동한 것의 원인을 국내 물가의 하락 때문이라고 추측하는 것은 적절하지 않다.

② 공급 곡선 S_1이 S_0으로 이동했다는 것은 외화의 공급이 증가했다는 것을 의미한다. 3문단에서 '국민 소득이 증가하면 사람들의 소비 지출이 증가하고' '외화에 대한 수요가 증가'한다고 하였다. 그러나 국민 소득의 감소가 외화의 공급에 어떤 영향을 주는지는 언급되어 있지 않다. 따라서 S_1이 S_0으로 이동한 것의 원인이 국민 소득이 감소 때문이라고 추측하는 것은 적절하지 않다.

③ 공급 곡선 S_1이 S_0으로 이동했다는 것은 외화의 공급이 증가했다는 것을 의미한다. 4문단에서 '우리나라의 물가가 상승하면(외화의 공급량이 감소하여) 외화의 공급 곡선은 좌상향으로 이동한다.'라고 하였다. 따라서 S_1이 S_0으로 이동한 것의 원인이 국내 물가가 상승했기 때문이라고 추측하는 것은 적절하지 않다.

⑤ 수요 곡선 D_1이 D_0으로 이동했다는 것은 외화의 수요가 감소했다는 것을 의미한다. 4문단에서 우리나라의 물가가 상승하면 외화에 대한 수요가 증가하여 '외화의 수요 곡선이 우상향으로 이동'한다고 하였다. 따라서 D_1이 D_0으로 이동한 것의 원인이 국내 물가의 상승 때문이라고 추측하는 것은 적절하지 않다.

선생님의 꿀 정보

03번 문제: 그래프를 해독하는 내용의 문제

① 그래프가 무엇을 다룬 그래프인지를 파악한 후, 그래프의 선이나 점이 무엇을 의미하는지 살펴본다. 그리고 그 내용을 표로 정리해 본다.

② 지문을 읽으면서 그래프와 관련이 있는 내용은 없는지 살펴보고, 관련 있는 내용이 있으면 ①의 표에 같이 정리해 둔다.

③ 정리한 표를 보면서 선택지의 적절성을 판단한다.

→ 03번 문제의 경우, 다음과 같이 정리할 수 있다.

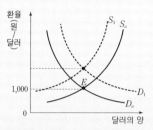

곡선의 이동	이동의 의미	관련 있는 지문의 내용
$S_0 \rightarrow S_1$	외화 공급의 감소	국내 물가 상승
$S_1 \rightarrow S_0$	외화 공급의 증가	
$D_0 \rightarrow D_1$	외화 수요의 증가	국민 소득 증가, 국내 물가 상승
$D_1 \rightarrow D_0$	외화 수요의 감소	

---

04 이유 추론의 적절성 판단 | 정답 ③ |

㉠의 이유로 가장 적절한 것은?

① 환율이 상승하면 국내외 상품의 수요 구조에 따라 수출 상품의 가격 조정이 선행될 수 있다.

② 환율이 상승하더라도 국내외 기업은 환율이 얼마나 안정적인지 관찰한 후 가격을 조정한다.

③ 환율이 상승하더라도 경우에 따라서는 국내외 상품 수요가 가격에 민감하지 않을 수 있다.

④ 가격의 조정이 신속하게 이루어질수록 국내외 상품 수요는 가격에 민감하게 반응한다.
　민감하게 반응하지 않을 수 있음.

⑤ 국내외 상품 수요가 가격에 얼마나 민감한지는 경상 수지의 개선 여부와는 무관하다.
　경상 수지의 개선에 영향을 미침.

발문 분석

지문의 내용을 이해하고 밑줄 친 부분의 이유를 적절히 추론할 수 있는지를 묻고 있다. 앞뒤 문맥을 고려하여 환율이 상승하더라도 경상 수지가 기대만큼 개선되지 않거나 오히려 악화될 수 있는 이유를 적절히 추론해야 한다.

정답 풀이

③ 7문단에서 '상품의 가격 조정이 일어나도 국내외의 상품 수요가 가격에 어떻게 반응하는가 하는 수요 구조에 따라 경상 수지는 개선되지 못'할 수도 있다고 하였다. 이를 고려하면 환율이 상승하더라도 국내외 상품 수요가 가격에 민감하게 반응하지 않는다면 경상 수지가 개선되지 못하거나 오히려 악화될 수도 있다고 추론할 수 있다.

❌ **오답 풀이**

① 7문단에서 '환율 상승 후'에 '상품의 가격 조정이 일어나도 국내외의 상품 수요가 가격에 어떻게 반응하는가 하는 수요 구조에 따라 경상 수지는 개선되지 못하기도 한다.'라고 하였다. 이를 고려하면 ㉠의 이유를 환율이 상승한다고 해서 수출 상품의 가격 조정이 선행되기 때문이라고 추측하는 것은 적절하지 않다.

② 지문에서 국내 기업이 환율의 안정성을 살펴본 후 가격 조정을 한다는 내용은 찾아볼 수 없다. 그러므로 ㉠의 이유가 국내 기업이 환율의 안정성을 살펴본 후 가격 조정을 하기 때문이라고 추측하는 것도 적절하지 않다.

④ 6문단에서 '소비자들의 수입 상품 소비가 가격 변화에 따라 줄어들기까지는 상당 기간이 소요'되며, '국내 기업이 수출 상품의 외화 표시 가격을 낮추더라도 외국 소비자가 이를 인식하고 소비를 늘리기까지는 다소 시간이 걸린다.'라고 하였다. 따라서 가격을 신속하게 조정한다고 하더라도 소비자들의 반응, 즉 국내외 상품 수요는 민감하게 반응하지 않을 수도 있다는 것을 알 수 있다. 이를 고려하면 ㉠의 이유가 국내외 상품 수요가 가격에 민감하게 반응하기 때문이라고 추측하는 것은 적절하지 않다.

⑤ 7문단에서 환율 상승 후에 '상품의 가격 조정이 일어나도 국내외의 상품 수요가 가격에 어떻게 반응하는가 하는 수요 구조에 따라 경상 수지는 개선되지 못하기도 한다.'라고 하였다. 이를 고려하면 ㉠의 이유가 국내외 상품 수요가 가격에 얼마나 민감한지가 경상 수지의 개선에 영향을 미치지 않기 때문이라고 추측하는 것은 적절하지 않다.

05 자료 해석의 적절성 판단 | 정답 ② |

윗글을 바탕으로 [보기]의 J커브 그래프를 해석한 내용으로 옳은 것만을 있는 대로 고른 것은?

┤보기├

ⓐ: 경상 수지 악화-환율이 상승해도 경상 수지가 개선되지 않고 오히려 악화되는 구간

ⓒ: 경상 수지 개선-상품의 가격 및 물량의 조정으로 경상 수지가 개선되는 구간

ㄱ. 수입 상품 가격의 상승 비율이 환율 상승 비율에 가까울수록 ⓐ의 골이 얕아진다.
　환율의 상승 비율만큼 수입 상품의 가격이 상승하는 것을 말함.
　경상 수지 악화의 정도가 감소함.

ㄴ. 수출 기업의 품질 및 원가 경쟁력이 강화될수록 ⓐ 구간이 넓어진다.
　좁아지거나 골이 얕아질 수 있음.

ㄷ. ⓑ를 기점으로 하여 환율이 상승하게 된다.
　경상 수지가 개선됨.

ㄹ. ⓒ는 환율 상승을 통해 경상 수지 개선 효과가 나타나는 구간이다.
　ⓑ를 기점으로 경상 수지가 개선되어 ⓒ는 경상 수지가 개선된 구간임.

① ㄱ, ㄷ　　❷ ㄱ, ㄹ　　③ ㄴ, ㄷ
④ ㄱ, ㄴ, ㄹ　　⑤ ㄴ, ㄷ, ㄹ

📁 **발문 분석**

주요 개념을 이해하고, 제시된 자료에 적용하여 해석할 수 있는지를 묻고 있다. 'J커브 현상'의 개념과 원인을 이해한 후, 그래프의 내용을 설명한 선택지의 내용이 적절한지 판단해야 한다.

✔ **보기 분석**

[보기]에 제시된 그래프는 환율이 오를 때 경상 수지가 일시적으로 악화되었다가 점차 개선되는 현상인 'J커브 현상'을 표현한 것이다. x축은 화살표 방향으로 갈수록 시간이 흐름을 나타내고, y축은 화살표 방향으로 갈수록 경상 수지가 개선되는 것을 나타낸다. 이를 고려하면 ⓐ는 경상 수지가 마이너스(-)인 구간이므로, 경상 수지가 악화된 것을 표현하고 있음을 할 수 있다. 이 구간에서는 환율이 상승해도 경상 수지가 개선되지 않고 오히려 악화되고 있는데, 이는 환율 상승의 효과가 아직 나타나지 않았기 때문이다. ⓐ의 골이 얕으면 경상 수지가 악화된 정도가 적은 것이고, 골이 깊으면 경상 수지가 악화된 정도가 많은 것이다. 또 ⓐ의 골이 좁으면 경상 수지가 악화되는 시간이 짧은 것이고, 골이 넓으면 경상 수지가 악화되는 시간이 긴 것이다.

한편 ⓑ는 경상 수지가 마이너스(-)에서 플러스(+)로 변하는 기점, 즉 경상 수지가 개선되기 시작하는 시점을 나타낸 것임을 알 수 있다.

그리고 ⓒ는 경상 수지가 플러스(+)이므로, 경상 수지가 개선되고 있는 구간임을 알 수 있다. 이 구간에서는 시간이 흐름에 따라 상품의 가격 및 물량이 조정되어 환율 상승의 효과가 나타나고 있다.

⭕ **정답 풀이**

② ㄱ. 6문단에서 J커브 현상은 '환율이 올라도 단기적으로는 경상 수지가 오히려 악화되었다가 점차 개선되는 현상'이라면서 'J커브 현상에서 경상 수지가 악화되는 원인 중 하나로 환율이 오른 비율만큼 수입 상품의 가격이 오르지 않는 것'을 꼽았다. 이를 고려하면 수입 상품의 가격이 환율의 상승 비율만큼 오른다면, 경상 수지의 악화 정도가 약화될 것이라고 짐작할 수 있다. 수입 상품 가격의 상승 비율이 환율 상승 비율에 가깝다는 것은 환율의 상승 비율과 비슷하게 수입 상품의 가격이 오른다는 것을 의미하고, 그래프의 ⓐ는 경상 수지가 악화된 구간이며 골이 얕다는 것은 경상 수지의 악화 정도가 적다는 것을 의미한다. 따라서 수입 상품 가격의 상승 비율이 환율 상승 비율에 가까울수록 ⓐ의 골은 얕아진다고 해석하는 것은 적절하다.

ㄹ. 6문단에서 J커브 현상은 '올랐던 환율이 지속되는 상황에서 어느 정도 시간이 지나 상품의 가격 및 물량의 조정이 제대로 이루어진다면 경상 수지가 개선된다.'라고 하였다. 그래프의 ⓒ는 경상 수지가 플러스(+)이므로, 경상 수지가 개선되고 있는 구간이다. 따라서 ⓒ는 환율 상승을 통해 경상 수지 개선 효과가 나타나는 구간이라고 해석하는 것은 적절하다.

❌ **오답 풀이**

ㄴ. 7문단에서 환율이 상승한 후에 시간이 지나도 경상 수지가 개선되지 못하는 경우로 '수출 기업이 환율 상승에만 의존하여 품질 개선이나 원가 절감 등의 노력을 계속 하지 않는' 경우를 들었다. 이를 고려하면 수출 기업이 품질 및 원가를 절감하는 등의 제품 경쟁력을 강화하면 수출이 늘어나 경상 수지가 개선될 수 있을 것이라고 추측할 수 있다. 그래프의 ⓐ 구간이 좁아지거나 아래로 처지는 골이 얕아지는 것은 경상 수지가 악화된 정도가 적거나, 그 시간이 짧은 것을 의미한다. 따라서 수출 기업의 품질 및 원가 경쟁력이 강화될수록 ⓐ 구간이 넓어지는 것, 즉 경상 수지가 악화된 시간이 길어진다고 해석하는 것은 적절하지 않다.

ㄷ. 6문단에서 J커브 현상은 '환율이 올라도 단기적으로는 경상 수지가 오히려 악화되었다가 점차 개선되는 현상'이라고 하였다. 이를 고려하면 J커브 현상은 환율 상승을 전제로 한 개념임을 알 수 있다. 따라서 그래프의 ⓐ 구간에서부터 이미 환율은 상승된 것이라고 추측할 수 있다. 또 그래프의 ⓑ는 경상 수지가 마이너스(-)를

벗어나 플러스(+)로 돌아서는 기준점일 뿐이므로 ⓑ를 기점으로 환율이 상승하게 된다고 해석하는 것은 적절하지 않다.

06 관용어구의 이해 및 적용 | 정답 ① |

ⓒ에 대해 [보기]처럼 이해한다고 할 때, 밑줄 친 곳에 들어갈 말로 가장 적절한 것은?

┌─ 보기 ─────────────────────────────┐
│ _____ 더니, 수출 기업이 환율 상승만 믿고 │
│ 경쟁력을 제고하기 위한 방책을 강구하지 않는다는 말이군. │
│   제고함. 높임.   강구하다 좋은 대책과 방법을 궁리하여 찾아내거나 좋은 대책을 세움. │
└──────────────────────────────────┘

① 감나무 밑에 누워 홍시 떨어지기를 바란다
② 소도 비빌 언덕이 있어야 비빈다
③ 가난 구제는 나라님도 어렵다
④ 원숭이도 나무에서 떨어진다
⑤ 말 타면 경마 잡히고 싶다

📁 발문 분석
지문의 내용을 이해하고, 적절한 속담을 활용하여 비판할 수 있는지를 묻고 있다. 지문과 [보기]의 문맥적 의미와 각 속담의 의미를 고려한 후 선택지의 속담을 해당 문맥에 넣어 자연스러운지 여부를 따져보아야 한다.

◎ 정답 풀이
① ⓒ은 수출 기업이 환율이 상승하는 것만 기대하고 품질을 개선하거나, 원가를 절감하는 등 상품의 경쟁력을 높이려는 노력을 기울이지 않는 경우를 의미하고, [보기]는 이와 같은 기업의 태도를 비판하는 내용이다. 따라서 '아무런 노력도 하지 않고 좋은 결과가 이루어지기만을 바란다.'를 의미하는 속담인 '감나무 밑에 누워 홍시 떨어지기를 바란다'가 밑줄 친 곳에 들어갈 말로 가장 적절하다.

❌ 오답 풀이
② '소도 비빌 언덕이 있어야 비빈다'는 '언덕이 있어야 소도 가려운 곳을 비비거나 언덕을 디뎌 볼 수 있다는 의미로, 누구나 의지할 곳이 있어야 무슨 일이든 시작하거나 이룰 수가 있음.'을 의미하는 속담이다.
③ '가난 구제는 나라님도 어렵다'는 '남의 가난한 살림을 도와주기란 끝이 없는 일이어서, 개인은 물론 나라의 힘으로도 구제하지 못함.'을 의미하는 속담이다.
④ '원숭이도 나무에서 떨어진다'는 '아무리 익숙하고 잘하는 사람이라도 간혹 실수할 때가 있음.'을 의미하는 속담이다.
⑤ '말 타면 경마 잡히고 싶다'는 '사람의 욕심이란 한이 없음.'을 의미하는 속담이다.

🍯 선생님의 꿀 정보

관용어

관용어는 두 개 이상의 단어가 결합하여 각 단어의 원래 의미와는 다른 새로운 의미를 나타내고, 일반 대중에 의해 관습적으로 사용되면서 그 새로운 의미로 굳어진 말을 가리킨다. 속담은 예로부터 민간에서 전하여 오는, 삶의 교훈이 담겨 있는 한 문장의 짧은 글을 가리키며, 이를 통해 우리 조상들의 지혜와 사고방식을 엿볼 수 있다.

기본적으로는 속담도 관용어에 해당된다. 그러나 관용어는 전체 문장에서 특정한 문장 성분으로 의미를 형성하는 데 사용되지만, 속담은 그 자체가 하나의 문장으로 기능하며 의미를 구성한다는 점에서 차이가 있다.

모의고사와 수능의 어휘 문제와 지문에 가끔씩 관용어와 속담 등이 출제되므로, 문제를 풀 때 헷갈리거나 의미를 모르는 관용어와 속담 등은 정리를 해 두는 것이 좋다. 자주 나오는 관용어와 속담은 다음과 같은 것들이 있다.

① **제 [내] 논에 물 대기** : 자기에게만 이롭도록 일을 하는 경우.
② **물에 빠진 놈 건져 놓으니까 망건 값 달라 한다.** : 남에게 은혜를 입고서도 그 고마움을 모르고 생트집을 잡음.
③ **아는 길도 물어 가랬다.** : 잘 아는 일이라도 세심 하게 주의를 하라는 말.
④ **남의 잔치[장/제사]에 감 놓아라 배 놓아라 한다.** : 남의 일에 공연히 간섭하고 나섬을 비유적으로 이르는 말.
⑤ **달도 차면 기운다.** : 세상의 온갖 것이 한번 번성 하면 다시 쇠하기 마련이라는 말. 또는 행운이 언제까지나 계속 되는 것은 아님을 비유적으로 이르는 말.
⑥ **재미난 골에 범 난다.** : 편하고 재미있다고 위험한 일이나 나쁜 일을 계속 하면 나중에는 큰 화를 당하게 됨.
⑦ **혀 아래 도끼 들었다.** : 말을 잘못하면 재앙을 받게 되니 말조심을 하라.
⑧ **나는 바담 풍 해도 너는 바람 풍 해라.** : 자신은 잘못된 행동을 하면서 남 보고는 잘하라고 요구한다. (옛날 어느 서당에서 선생님이 '바람 풍(風)' 자를 가르치는데 혀가 짧아서 '바담 풍'으로 발음하니 학생들도 '바담 풍'으로 외운 데서 나온 말)
⑨ **봉사 문고리 잡기** : 눈먼 봉사가 요행히 문고리를 잡은 것과 같다. 그럴 능력이 없는 사람이 어쩌다가 요행수로 어떤 일을 이룬 경우를 비유적으로 이르는 말.
⑩ **말은 해야 맛이고 고기는 씹어야 맛이다.** : 마땅히 할 말은 해야 한다는 말.

구절 풀이

사람은 권리 능력을 가지기 때문에 소유권의 주체가 될 수 있고 채권을 누릴 수 있으며 채무를 질 수도 있음.

법인이 아닌 사단이란, 권리 능력이 없는 사단을 의미함.

사원의 책임이 사단의 책임은 아님.

사단은 보통 사람들이 일정한 목적을 갖고 결합한 조직체이지만, 일인 주주로 설립된 회사는 사람들이 목적을 갖고 결합한 것이 아님. 따라서 사단성을 갖추지 못했다고 할 만한 형태이지만 상법의 개정에 따라 법인으로 인정받은 것임.

어휘 풀이

* 채권: 특정인이 다른 특정인에게 어떤 행위를 청구할 수 있는 권리.
* 채무: 특정인이 다른 특정인에게 어떤 행위를 하여야 할 의무.
* 지분: 공유물이나 공유 재산 따위에서, 공유자 각자가 소유하는 몫. 또는 그런 비율.
* 출자: 자금을 내는 일.
* 양도: 권리나 재산, 법률에서의 지위 따위를 남에게 넘겨줌. 또는 그런 일.

① 권리와 의무의 주체가 될 수 있는 자격을 권리 능력이라 한다. 사람은 태어나면서 저절로 권리 능력을 갖게 되고 생존하는 내내 보유한다. 그리하여 사람은 재산에 대한 소유권의 주체가 되며, 다른 사람에 대하여 채권*을 누리기도 하고 채무*를 지기도 한다. 사람들의 결합체인 단체도 일정한 요건을 ㉠갖추면 법으로써 부여되는 권리 능력인 법인격을 취할 수 있다. 단체 중에는 사람들이 일정한 목적을 갖고 결합한 조직체로서 구성원과 구별되어 독자적인 실체로서 존재하며, 운영 기구를 두어, 구성원의 가입과 탈퇴에 관계없이 존속하는 단체가 있다. 이를 사단(社團)이라 하며, 사단이 갖춘 이러한 성질을 사단성이라 한다. 사단의 구성원은 사원이라 한다. 사단은 법인(法人)으로 등기되어야 법인격이 생기는데, 법인격을 가진 사단을 사단 법인이라 부른다. 법인이란 단체의 법률관계를 간명하게 처리하기 위한 것으로, 권리의무의 주체가 될 수 있는 지위 또는 자격이다. 사단성이 단체의 내부 관계에서 구성원의 결합관계를 의미하는 것이라면, 법인격은 단체의 외부관계에서 인격자로 나타나는 문제라 할 수 있다. 반면에 사단성을 갖추고도 법인으로 등기하지 않은 사단은 '법인이 아닌 사단'이라 한다. 사람과 법인만이 권리 능력을 가지며, 사람의 권리 능력과 법인격은 엄격히 구별된다. 그리하여 사단 법인이 자기 이름으로 진 빚은 사단이 가진 재산으로 갚아야 하는 것이지 ⓐ사원 개인에게까지 ⓑ책임이 미치지 않는다.

1문단: 사단과 법인격의 개념과 특성

② 회사도 사단의 성격을 갖는 법인이다. 회사의 대표적인 유형이라 할 수 있는 주식회사는 주주들로 구성되며 주주들은 보유한 주식의 비율만큼 회사에 대한 지분*을 갖는다. 주식회사의 사단으로서의 첫 번째 특징은 '사람'의 결합이 아니라 '자본'의 결합이라는 점이다. 이러한 자본은 주식으로 균일하게 분할되어 있으므로, 사원의 개념은 주식의 개념으로 대체된다. 따라서 주식회사에서는 복수의 사원이 아니라 복수의 주식이 요구된다고 볼 수 있다. 두 번째 특징은 사원의 지위의 이전이 증권화된 주권(株券)*에 의하여 유통되고 있는 점이다. 이 때문에 주식 전부가 1인의 소유가 될 수도 있다. 2001년에 개정된 상법은 한 사람이 전액을 출자*하여 일인 주주로 회사를 설립할 수 있도록 하였다. ⓒ사단성을 갖추지 못했다고 할 만한 형태의 법인을 인정한 것이다. 또 여러 주주가 있던 회사가 주식의 상속, 매매, 양도* 등으로 말미암아 모든 주식이 한 사람의 소유로 되는 경우가 있다. 이런 '일인 주식회사'에서는 일인 주주가 회사의 대표 이사가 되는 사례가 많다. 이처럼 일인 주주가 회

선생님의 Tip

"1인 법인의 설립"

2001년 상법 개정으로 인해 1인 발기인(주식회사를 설립하기 위해 회사의 정관, 즉 회사 또는 법인의 자주적 법규에 서명한 사람)으로도 법인을 설립할 수 있게 되었음. 그 전에는 최소 주주의 수가 3인, 많게는 7인이었지만 개정하면서 발기인 수에 대한 규정이 폐지되었고 주주(발기인) 1인이 전액 출자하는 주식회사를 설립할 수 있게 되었음.

지문 구조도

화제 제시: 사단 법인(1문단)
사단 법인: 법인격(법으로써 부여되는 권리 능력)을 가진 사단.

↓

구체화1: 주식회사(2문단)
• 사단의 성격을 갖는 법인: 법인격을 가짐. → 사람의 권리 능력과 법인격은 구별됨. → 회사의 빚을 사원이 책임질 필요 없음. • 사단으로서의 특징: '자본'의 결합으로, 사원의 지위의 이전이 증권화된 주권에 의해 유통됨.

↓

구체화2: 일인 주식회사(3문단)
• 이사회나 주주 총회의 기능이 퇴색되며 회사에서 발생한 이익이 대표 이사인 주주에게 귀속되기도 함. • 사원과 법인이 구분되므로 회사와 거래 관계에 있는 사람들이 재산상의 피해를 입기도 함.

↓

구체화3: 법인격 부인론(4문단)
• 법인격 부인론: 법인격이 남용된 특정한 경우에 회사의 독립적인 법인격을 제한함. • 회사와 사원 간의 분리 원칙의 적용을 배제함. → 회사의 행위로 인한 책임은 사원에게 귀속됨.

출제 의도 사단 법인과 법인격의 성격을 이해하고, 일인 주식회사의 법인격이 남용될 때의 문제점과 해결 방안으로서의 '법인격 부인론'을 이해할 수 있는지 평가하기 위한 지문이다. 각 개념을 이해하고 특성을 파악할 수 있는지, 주식회사의 성격과 법인격 부인론이 제기된 배경을 이해하고 특성을 구분할 수 있는지를 평가하는 문제가 출제되었다.

주제 사단 법인의 특징과 법인 제도의 문제점

사를 대표하는 기관이 되면 경영의 주체가 개인인지 회사인지 모호해진다. 법인인 회사의 운영이 독립된 주체로서의 경영이 아니라 마치 @개인 사업자의 영업처럼 보이는 것이다.

일인 주식회사의 문제점

2문단: 주식회사의 사단으로서의 특징과 일인 주식회사의 특성

❸ 구성원인 사람의 인격과 법인으로서의 법인격이 잘 분간되지 않는 듯이 보이는 경우에는 간혹 문제가 일어난다. 상법상 회사는 이사들로 이루어진 이사회만을 업무 집행의 의결 기관으로 둔다. 또한 대표 이사는 이사* 중 한 명으로, 이사회에서 선출되는 기관이다. 그리고 이사의 선임과 이사의 보수는 주주 총회에서 결정하도록 되어 있다. 그런데 일인 주식회사는 주주가 1인이므로 복수의 주주를 전제로 하여 주주의 이익을 보호하기 위한 상법상의 규정은 완화하여 적용된다. 즉 주주 총회의 소집절차나 의결방법이 상법의 규정에 위배된다고 하여도, 그것이 1인 주주의 의사에 합치하는 한 유효하다고 보는 것이다. 따라서 주주가 한 사람뿐이면 사실상 그의 뜻대로 될 뿐, 이사회나 주주 총회의 기능은 퇴색하기 쉽다. 심한 경우에는 회사에서 발생한 이익이 대표 이사인 주주에게 귀속되고 회사 자체는 @허울만 남는 일도 일어난다. 이처럼 회사의 운영이 주주 한 사람의 개인 사업과 다름없이 이루어지고, 회사라는 이름과 형식은 장식에 지나지 않는 경우에는, 회사와 거래 관계에 있는 사람들이 재산상 피해를 입는 문제가 발생하기도 한다. 이때 그 특정한 거래 관계에 관해서만 예외적으로 회사의 법인격을 일시적으로 부인하고 회사와 주주를 동일시해야 한다는 ⓒ'법인격 부인론'이 제기된다.

3문단: 일인 주식회사의 문제점

❹ 법인격 부인론은 법인격이 남용된 특정한 경우에 그 회사의 독립적인 법인격을 제한함으로써 회사 형태의 남용에서 생기는 폐단을 바로잡고자 하는 이론이다. 이는 특정한 경우에 회사와 사원 간의 분리 원칙의 적용을 배제*함으로써 회사와 사원을 동일시하여 구체적으로 타당한 해결을 이끌어내려는 이론인 것이다. 법률은 이에 대하여 명시적으로 규정하고 있지 않지만, 법원은 권리 남용의 조항을 끌어들여 이를 받아들인다. 회사가 일인 주주에게 완전히 지배되어 회사의 회계, 주주 총회나 이사회 운영이 적법하게 작동하지 못하는데도 회사에만 책임을 묻는 것은 법인 제도가 남용되는 사례라고 보는 것이다. 법인격 부인론이 적용되어 회사의 법인격이 부인되면 그 회사의 독립적 존재가 부인되고, 회사와 사원은 동일한 실체로 취급된다. 따라서 회사의 행위로 인한 책임은 사원에게 귀속되는 것이다.

법인격 부인론의 적용 결과 및 목적

4문단: 법인격 부인론의 성격과 의의

* 주권: 주주의 출자에 대하여 교부하는 유가 증권.

지문 해제

이 글은 사단과 법인격의 개념과 특성을 설명하고, 일인 주식회사가 갖는 문제점과 이를 해결하기 위한 방안으로 법인격 부인론을 소개하고 있다. 권리와 의무의 주체가 될 수 있는 자격인 권리 능력은 사람이 태어나면서 저절로 보유하는 것이다. 단체도 일정한 요건을 갖추면 법으로써 부여되는 권리 능력인 법인격을 취할 수 있다. 사람들이 일정한 목적을 갖고 결합한 조직체인 사단이 법인으로 등기되면 법인격이 생기는데, 이러한 사단을 사단 법인이라 한다. 사단 법인에서 사람의 권리 능력과 법인격은 엄격히 구별되며 사단 법인이 진 빚은 사원 개인에게까지 그 책임이 미치지 않는다. 주식회사는 사단의 성격을 갖는 법인으로, 자본의 결합으로 이루어진 것이다. 사단성을 갖추지 못했지만 상법의 개정으로 인정받게 된 일인 주식회사는 한 사람이 전액을 출자하여 일인 주주로 회사를 설립하거나, 여러 주주가 있던 회사가 주식의 상속 매매, 양도 등으로 모든 주식이 한 사람의 소유로 된 경우이다. 일인 주식회사는 주주가 한 사람이므로 이사회나 주주 총회의 기능은 퇴색되고 회사에서 발생한 이익이 대표 이사인 주주에게 귀속되는 등의 문제가 발생한다. 이처럼 법인격이 남용된 특정한 경우에, 그 회사의 독립적인 법인격을 제한함으로써 회사 형태의 남용에서 생기는 폐단을 바로잡는 수단으로 법인격 부인론이 제기되었다. 법인격 부인론은 특정한 거래 관계에 관해서만 예외적으로 회사의 법인격을 일시적으로 부인하고, 회사와 주주를 동일시하는 것이다. 이 이론에 따르면 법인 제도가 남용되는 사례에 한해 회사의 법인격을 부인함으로써 회사의 행위로 인한 책임을 사원에게 귀속한다.

구절 풀이

○ 주식의 전부가 1인의 소유라는 것은 그 사람의 회사에 대한 지분이 100%라는 의미임. 따라서 주주가 한 사람뿐이면 그의 뜻대로 운영하게 됨.

○ 사람의 권리 능력과 법인격은 엄격히 구분되므로(1문단) 회사의 책임을 개인에게 물을 수 없기 때문에 거래 관계에 있는 사람이 피해를 입을 수도 있음.

어휘 풀이

* 이사: 법인의 사무를 처리하며 이를 대표하여 법률 행위를 행하는 집행 기관. 또는 그 직위에 있는 사람.
* 배제: 받아들이지 아니하고 물리쳐 제외함.

선생님의 Tip

"주주총회"

주식회사의 주주들이 모여 회사의 중요한 사안을 정하는 최고 의사 결정 기관. 주주는 한 주당 한 개의 의결권을 가지며 의결권 행사는 직접 할 수도 있고 위임장을 작성해 대리인을 통해서도 가능함. 두 개 이상의 주식을 가진 주주는 서로 다르게 의결권을 행사할 수도 있음.

"법인격 부인론의 적용 사례"

(1) **회사가 개인 기업에 불과한 경우**
회사가 외형상으로는 법인의 형식을 갖추고 있지만, 실질적으로는 완전히 개인 기업에 불과하거나, 회사가 그 배후에 있는 개인의 법률적인 책임을 회피하기 위한 수단으로 함부로 쓰이는 경우가 있음. 이러한 경우 법인격의 남용으로 보아 회사는 물론 그 배후에 있는 개인에 대해서도 회사의 행위에 관한 책임을 물을 수 있음.

(2) **부당한 목적을 위해 회사를 설립한 경우**
기존 회사가 채무를 벗어나기 위하여 기업의 형태나 내용이 실질적으로 동일한 신설 회사를 설립하였다면, 신설 회사의 설립은 기존 회사의 채무를 벗어나려는 위법한 목적을 달성하기 위해 회사제도를 남용한 것에 해당함. 이러한 경우에는 기존 회사의 채권자에 대하여 두 회사가 별개의 법인격을 갖고 있다고 볼 수 없으므로, 기존 회사의 채권자는 두 회사 중 어느 쪽이든 채무의 이행을 청구할 수 있음.

01 세부 정보의 추론 | 정답 ⑤ |

윗글을 통해 알 수 있는 내용으로 적절하지 <u>않은</u> 것은?

① 사단성을 갖춘 단체는 그 단체를 운영하기 위한 기구를 둔다.
　　　　　　　　　　　　　　_{구성원과의 구별을 위해}
② 주주가 여러 명인 주식회사의 주주는 사단의 사원에 해당한다.
　　　　　　　　　_{주주 → 주식회사의 구성원}
③ 법인격을 얻은 사단은 재산에 대한 소유권의 주체가 될 수 있다.
　　_{권리 능력을 가짐.}
④ 사단 법인의 법인격은 구성원의 가입과 탈퇴에 관계없이 존
　　　　　　　　　　　　_{독자적인 실체이기 때문}
　속한다.
⑤ 사람들이 결합한 단체에 권리와 의무를 누릴 수 있는 자격을
　주는 제도가 사단이다.

발문 분석

지문을 이해하고 관련된 내용을 적절히 추론할 수 있는지를 묻고 있
다. 지문에 언급된 핵심 정보들의 개념과 성격, 특징 등의 전반적인
내용을 근거로 선택지의 적절성을 판단해야 한다.

정답 풀이

⑤ 1문단에서 사단은 '사람들이 일정한 목적을 갖고 결합한 조직체로서 구
성원과 구별되어 독자적인 실체로서 존재하며, 운영 기구를 두어 구성원
의 가입과 탈퇴에 관계없이 존속하는 단체'를 의미한다고 하였다. 그리고
사단이 '법인으로 등기되어야 법인격이 생기는데, 법인격을 가진 사단을
사단 법인'이라고 하며 '사람과 법인만이 권리 능력을' 가진다고 하였다.
따라서 사람들이 결합한 단체에 권리와 의무를 누릴 수 있는 자격을 주
는 제도는 사단이 아니라 사단 법인 제도이다.

오답 풀이

① 1문단에서 사단이 갖춘 성질을 사단성이라고 하며, 사단은 '운영
기구를 두어, 구성원의 가입과 탈퇴에 관계없이 존속하는 단체'라
고 하였다.
② 1문단에서 사원은 '사단의 구성원'이라고 하였다. 그리고 2문단에
서 '회사도 사단의 성격을 갖는 법인이다. 회사의 대표적인 유형이
라 할 수 있는 주식회사는 주주들로 구성'된다고 하였다. 따라서 주
주는 주식회사라는 사단의 사원에 해당한다고 할 수 있다.
③ 1문단에서 '권리와 의무의 주체가 될 수 있는 자격을 권리 능력'이
라 하며 이를 가진 사람은 '재산에 대한 소유권의 주체'가 된다고
하였다. 사단도 '일정한 요건을 갖추면 법으로써 부여되는 권리 능
력인 법인격을 취할 수 있다.'라고 하였으므로, 법인격을 얻은 사단
인 사단 법인은 재산에 대한 소유권의 주체가 될 수 있다고 볼 수
있다.
④ 1문단에서 사단은 '구성원과 구별되어 독자적인 실체로 존재하며,
운영 기구를 두어, 구성원의 가입과 탈퇴에 관계없이 존속하는 단
체'라고 하였다. 또한 '사람의 권리 능력과 법인격은 엄격히 구별된
다.'라고 하였다. 그러므로 사단 법인의 법인격은 구성원의 가입과
탈퇴에 관계없이 존속한다고 할 수 있다.

선생님의 꿀 정보

법률 지식과 관련된 사회 지문을 읽는 방법

1. 생소한 법률 용어의 개념에 집중한다.

　　법률과 관련된 지문이 출제될 때에는 보통 '법률 용어의 개념 – 특성 – 구
체적인 상황'으로 구성되는 경우가 많다. 따라서 개념을 이해하면 자연스
럽게 그 개념의 특성을 이해할 수 있고, 이를 바탕으로 구체적인 상황에 적
용도 쉽게 할 수 있다. 지문에서 언급된 구체적인 상황을 분석하는 것은 앞
서 설명된 법률 용어의 개념을 정확히 이해했는지를 확인하는 것으로 특히
중요하다고 볼 수 있다.

→ 제시된 지문에서 '법인격', '사단', '사단 법인', '법인격 부인론' 등의 개
념을 이해하다 보면 각 개념 간의 관계를 알 수 있다. 또 단체가 일정한
요건을 갖추고 법인으로 등기하면 법인격을 취할 수 있다는 특징도 이해
할 수 있다.

그리고 이를 바탕으로 문제에 제시된 [보기] 자료를 분석하다 보면 [보
기]에서 묻고자 하는 문제 상황을 파악할 수 있으며, 이와 더불어 지문에
서 언급한 다양한 개념 등을 다시 확인할 수 있다.

2. 법률적인 조항이나 제도와 관련된 '단서'에 유의한다.

　　법률 지식과 관련된 사회 지문은 과학 지문만큼이나 단서 조항이 많이
제시된다. 특정 법률이 보편적인 상황에서 두루 적용되는 경우는 드물기 때
문에 관련 법률의 개념을 설명하면서 '~일 때'나 '~이면'과 같은 단서를 언
급하는 경우가 많다. 이러한 단서는 내용 일치 문제나 추론 문제, 구체적인
상황에 적용하는 문제에서 선택지의 적절성을 판가름하는 중요한 요소로
작용한다.

→ 1문단에서 '사단은 법인(法人)으로 등기되어야 법인격이 생'긴다고 설
명하고 있다. 그렇다면 사단이 법인격을 가지기 위한 단서는 '법인으로
등기'되어야 하는 것이라고 볼 수 있다.

그리고 3문단에서 '특정한 거래 관계에 관해서만 예외적으로 회사의 법
인격을 일시적으로 부인하고 회사와 주주를 동일시해야 한다는 법인격
부인론이 제기된다.'라고 설명하고 있다. 여기서도 '법인격 부인론'이
제기되기 위한 단서 '특정한 거래 관계에 관해서만' 이루어지는 것이라
고 볼 수 있다.

---

02 세부 정보의 파악 | 정답 ① |

윗글에서 설명한 주식회사에 대한 이해로 가장 적절한 것은?

① 대표 이사는 주식회사를 대표하는 기관이다.
② 일인 주식회사는 대표 이사가 법인격을 갖는다.
　　　　　_{법인격 → 사단법인, 주식회사}
③ 주식회사의 이사회에서 이사의 보수를 결정한다.
　　　　　　　　_{이사의 선임, 보수 결정 → 주주 총회}
④ 주식회사에서는 주주 총회가 업무 집행의 의결 기관이다.
　　　　　　　　　　_{업무 진행 의결 기관 → 이사회}
⑤ 여러 주주들이 모여 설립된 주식회사가 일인 주식회사로 바
　꿀 수 없다.

발문 분석

지문에 제시된 정보를 바탕으로 '주식회사'의 특징을 정확히 파악하였
는지를 묻고 있다. 지문에서 '주식회사'와 관련한 정보를 확인하고, 이
를 종합하여 선택지의 적절성을 판단해야 한다.

정답 풀이

① 2문단에서 주식회사는 '회사의 대표적인 유형'이라고 하였다. 그리고 3문

단에서 회사의 '대표 이사는 이사 중 한 명으로, 이사회에서 선출되는 기관'이라고 하였다. 따라서 대표 이사는 주식회사를 대표하는 기관이라고 할 수 있다.

✖ 오답 풀이

② 1문단에서 '사람과 법인만이 권리 능력을 가지며 사람의 권리 능력과 법인격은 엄격히 구별된다.'라고 하였다. 또 2문단에서 '회사도 사단의 성격을 갖는 법인'이라고 하였으므로, 회사는 법인격을 갖는다고 할 수 있다. 이를 종합하여 볼 때 회사의 일종인 일인 주식회사에서 대표 이사의 권리 능력과 회사의 법인격은 구별됨을 알 수 있다. 이때 법인격을 갖는 것은 대표 이사가 아니라 회사 법인 자체이다.

③ 3문단에서 '회사는 이사들로 이루어진 이사회만을 업무 집행의 의결 기관으로 둔다.'라고 하였다. 그리고 '이사의 선임과 이사의 보수는 주주 총회에서 결정하도록 되어 있다.'라고 하였다. 따라서 이사회는 업무 집행의 의결 기관이며, 이사의 보수를 결정하는 것은 주주 총회이다.

④ 3문단에서 이사의 선임과 이사의 보수는 주주 총회에서 결정하도록 되어 있다.'라고 하였다. 그리고 '이사들로 이루어진 이사회만을 업무 집행의 의결 기관으로 둔다.'라고 하였다. 따라서 주식회사에서 업무 집행의 의결 기관은 주주 총회가 아니라 이사회이다.

⑤ 2문단에서 '여러 주주가 있던 회사가 주식의 상속, 매매, 양도 등으로 말미암아 모든 주식이 한 사람의 소유로 되는 경우가 있다.'면서 이를 '일인 주식회사'라고 하였다. 따라서 여러 주주들이 모여 설립된 주식회사라도 상속, 매매, 양도 등을 통해 일인 주식회사로 바뀔 수 있다.

🍯 선생님의 꿀 정보

02번 문제: 배경지식이 독이 될 수 있다.

실제 모의고사에서 02번 문제의 선택지 ①번은 선택률이 34%였고 오답인 선택지 ②번은 선택률이 33%로 나타났다. 왜 이런 현상이 나타났을까? 이는 문제를 풀 때 지문과 별도로 자신의 상식에 의존하여 '대표 이사=기관'을 파악하지 못해 함정에 빠진 것이다.

이처럼 '배경지식이 많으면 독해가 훨씬 쉽지 않나요?', '제가 아는 게 지문으로 나와서 대충 읽고 문제 풀었어요.' 이런 생각을 갖고 문제를 푸는 것은 정말 위험하다.

수능의 국어 영역에서는 학생들의 배경지식을 묻지 않는다. 국어 영역의 비문학(독서) 지문에서 학생들에게 요구하는 것은 '지문 독해 능력'이다. 물론 배경지식을 가지고 있다면 글의 내용이 더 쉽게 느껴질 수는 있지만, 배경지식을 이용해서 글을 읽기 시작하면 정확한 독해를 할 수 없다.

칸트에 대한 지문이 제시되더라도 지문의 내용은 학생들이 아는 '칸트'에 대한 정보와 다르거나 학생들이 배우지 않았던 철학적 이론일 수도 있기 때문이다. 또 자신이 정확히 알고 있다고 생각하는 지식도 정확하지 않은 내용으로 기억하고 있을 수도 있기 때문이다.

따라서 지문을 독해하거나 문제를 푸는 데 있어서 배경지식에 의존하는 습관은 버려야 한다. 돌다리도 두드려서 건너라는 말처럼 지문에서 제시한 내용을 정확히 파악하고 의미를 정리하는 연습을 해야 한다.

---

03 문맥상 의미의 이해 | 정답 ⑤ |

ⓐ~ⓔ의 문맥상 의미에 대한 이해로 적절하지 않은 것은?

① ⓐ: 법인에 속해 있지만 법인격과는 구별되는 존재
　　　　　사람의 권리 능력≠회사의 법인격
② ⓑ: 사단이 진 빚을 갚아야 할 의무
　　　회사가 진 빚
③ ⓒ: 여러 사람이 결합한 조직체로서의 성격
　　　사단
④ ⓓ: 회사라는 법인격을 가진 독자적인 실체로서 운영되지 않는 경영
　　　　　　　회사와 개인이 구분되지 않는 경영
⑤ ⓔ: 회사의 자산이 감소하여 ~~권리 능력을 누릴 수 없게 된 상태~~

📂 발문 분석

문맥을 고려하여 지문 속 구절이나 어휘가 어떤 의미인지를 파악할 수 있는지 묻고 있다. 단순히 어휘의 의미를 파악하는 것이 아니라, 해당 구절이나 어휘가 문맥상 어떤 의미를 내포하고 있는지를 생각해 보아야 한다.

◎ 정답 풀이

⑤ ⓔ'허울'의 앞부분에서는 일인 주식회사의 폐해가 심한 경우에는 '회사에서 발생한 이익이 대표 이사인 주주에게 귀속'된다고 하였다. 이를 고려하면 문맥상 ⓔ의 의미는 회사에서 발생한 이익이 회사로 돌아가야 하지만, 그렇지 않게 되어 회사 자체는 이익을 남기지 못하는 상태라고 볼 수 있다. 그러므로 이를 회사의 자산이 감소할 수는 있지만 권리 능력을 누릴 수 없게 된 상태를 의미한다고 이해할 수는 없다.

✖ 오답 풀이

① ⓐ'사원 개인'은 사단 법인에 속한 개인을 의미한다. 1문단에서 '사람의 권리 능력과 법인격은 엄격히 구별된다.'라고 하였으므로, 사원은 사단의 구성원으로 법인에 속해 있지만, 법인격과 구별되는 권리 능력을 가진 존재라고 할 수 있다.

② ⓑ'책임'은 문맥상 사단 법인이 자기 이름으로 진 빚을 갚아야 할 의무를 의미한다. 1문단에서 '사단 법인이 자기 이름으로 진 빚은 사단이 가진 재산으로 갚아야 하는 것이지, 사원 개인에게까지 책임이 미치지는 않는다.'라고 하였다.

③ 1문단에서 사단은 '사람들이 일정한 목적을 갖고 결합한 조직체'라고 하였으며, 사단이 갖춘 성질을 사단성이라 한다고 하였다. 따라서 ⓒ'사단성'은 여러 사람이 결합한 조직체로서의 성격을 의미한다고 할 수 있다.

④ 문맥상 ⓓ'개인 사업자의 영업'은 '법인인 회사의 운영이 독립된 주체로서 경영'되는 것과 대비되는 의미라고 할 수 있다. 따라서 법인격을 지닌 회사와 개인이 구분되지 않는 경영, 즉 법인격을 가진 독자적인 실체로서 운영되지 않는 경영을 의미한다고 할 수 있다.

윗글을 바탕으로 [보기]의 상황을 이해한 내용으로 적절하지 <u>않은</u> 것은?

┌─ 보기 ─────────────────────────────

　　모 회사는 주식회사 A에 아파트 건축 공사를 의뢰하였고, 주식회사 A는 다시 을의 회사에 이 공사를 의뢰하였다. <u>주식회사 A의 주식은 모두 갑이 소유하고 있으며, 갑이 대표 이사</u> _{주식회사 A는 일인 주식회사} 로서 회사를 실질적으로 운영하고 있다. 을은 주식회사 A로부터 하청 받은 공사를 완료하였으나, 공사 대금을 받지 못했고, 주식회사 A와 갑은 5월 1일까지 밀린 대금을 지급하기로 하였다. 이에 앞서 모 회사는 <u>아파트 두 채를 갑의 명의로 이전해 주는 것으로 주식회사 A에게 공사 대금을 지불하였다.</u> _{회사에서 발생한 이익이 대표 이사인 주주에게 귀속} 을은 공사 대금 지급이 지연되자 갑과 주식회사 A를 상대로 소송을 제기하였고, <u>법원은 갑에게 공사 대금을 지급할 것을 명령하였다.</u> 이에 갑은 이의 신청을 하였다. _{법인격 부인론 적용: 회사의 행위로 인한 책임 사원에게 귀속}

──────────────────────────────────────

① 주식회사 A는 <u>갑이 주식의 전부를 소유</u>하고 있으므로 일인 _{주식회사 A는 일인 주식회사} 주식회사라고 할 수 있다.

② 법원이 갑에게 공사 대금을 지급하라고 명령한 것은 <u>회사의 독립된 존재를 부인하고 회사와 주주를 동일시</u>한 것이라고 _{법인격 부인론} 할 수 있다.

③ 공사 대금으로 받은 <u>아파트가 갑의 명의</u>로 된 것은 회사에서 _{회사의 이익　　　　개인의 이익} 발생한 이익이 대표 이사인 주주에게 귀속된 것이라고 할 수 있다.

④ 을이 갑과 주식회사 A를 상대로 소송을 제기한 것은 갑과 법인격이 <s>분리</s>된 경영으로 피해를 입었다고 생각했기 때문이라고 할 수 있다.

⑤ 갑이 법원의 명령에 이의를 신청한 것은 <u>회사가 진 빚은 사원 개인에게까지 책임이 미치지 않는다</u>는 원칙에 근거한 것이라 _{사람의 권리 능력과 법인격의 엄격한 구별} 고 할 수 있다.

📋 **발문 분석**

지문의 핵심 내용을 파악하고 구체적 사례에 적용할 수 있는지 묻고 있다. [보기]에서 설명하고 있는 개념이나 상황이 어떤 상황인지 확인한 후 관련된 정보를 지문에서 찾아 연결하면서 논리적으로 해석해야 한다.

✔️ **보기 분석**

[보기]는 일인 주식회사의 문제 상황을 해결하기 위해 법인격 부인론이 적용된 사례이다. 주식회사 A의 이익인 공사 대금이 대표 이사인 갑, 즉 주주에게 귀속되는 문제가 발생하였다.

◎ **정답 풀이**

④ [보기]에서 '주식회사 A의 주식은 모두 갑이 소유하고 있다'고 하였으며 주식회사 A의 이익인 아파트 두 채는 갑의 명의로 이전되어 회사가 아닌 주주 개인에게 귀속된 것이라고 볼 수 있다. 그 결과 을은 공사 대금을 제대로 받지 못하게 되었다. 2문단에서 '일인 주주가 회사를 대표하는 기관이 되면' '법인인 회사의 운영이 독립된 주체로서의 경영이 아니라 마치 개인 사업자의 영업처럼' 보인다고 하였다. 따라서 을이 갑과 주식회사 A를 상대로 소송을 제기한 것은 갑과 주식회사 A가 법인격이 분리되

지 않은, 즉 경영의 주체가 개인인지 법인격인지 모호하여 피해가 발생했다고 생각했기 때문이라고 볼 수 있다.

❌ **오답 풀이**

① 2문단에서 '모든 주식이 한 사람의 소유로 되는 경우'를 '일인 주식회사'라고 한다고 하였다. 따라서 주식회사 A는 갑이 주식의 전부를 소유하고 있으므로 일인 주식회사라고 볼 수 있다.

② [보기]에서 법원이 주주 개인인 갑에게 공사 대금을 지급할 것을 명령했다고 하였다. 이는 4문단에서 언급한 것처럼 법원이 회사의 법인격을 부인하고 '회사와 사원을 동일시하여 구체적으로 타당한 해결을 이끌어 내려'한 것이라고 할 수 있다. 이는 회사와 사원 간의 분리 원칙의 적용을 배제하고 회사의 행위로 인한 책임을 사원에게 귀속시킨 것이라고 볼 수 있다.

③ [보기]에서 주식회사 A에 아파트 건축을 하청한 모 회사는 갑의 명의로 아파트 두 채를 이전해 주는 것으로 공사 대금을 지불했다고 하였다. 이것은 회사와 갑을 동일시한 것으로, 3문단에서 언급한 '회사에서 발생한 이익이 대표 이사인 주주에게 귀속'된 경우라고 볼 수 있다.

⑤ [보기]에서 갑이 법원의 명령에 이의를 신청한 것은 회사의 책임을 대표 이사 개인에게 귀속시키는 것을 인정하지 못했기 때문이라고 볼 수 있다. 이는 갑이 1문단에서 언급한 '사단 법인이 자기 이름으로 진 빚은 사단이 가진 재산으로 갚아야 하는 것이지 사원 개인에게까지 책임이 미치지 않는다'라는 회사와 사원 간의 분리 원칙에 근거하고 있다고 볼 수 있다.

🎓 **선생님의 꿀 정보**

지문의 내용을 구체적인 사례에 적용하기

　　지문의 내용을 구체적 사례에 적용하는 문제의 경우, 대부분 지문 전체를 대상으로 하기보다는 지문의 일부분을 대상으로 출제하는 경향이 있다. 그 이유는 지문 전체의 내용을 대상으로 하면 다른 문제에서 출제할 내용이 없기 때문이다.

　　따라서 구체적 사례에 적용하는 문제를 해결할 때에는 먼저 [보기]에 제시된 사례를 분석한 후, 그것이 지문의 어느 부분과 관련이 있는 것인지 파악해야 한다. 그리고 해당 부분을 꼼꼼히 읽으면서 사례에 어떻게 적용할 수 있는지 생각해 보아야 한다. 다음과 같은 단계를 따르면 좀 더 쉽게 해결할 수 있다.

1단계	[보기]를 분석하여 그 사례가 지문의 어느 부분과 관련이 있는지 파악하기
2단계	지문에서 해당되는 부분을 꼼꼼히 읽으면서 [보기]의 사례에 적용해 보기
3단계	지문의 내용을 바탕으로 [보기]에 적용한 내용이 선택지에 적절히 반영되어 있는지 살펴보기

05 세부 정보의 이해 | 정답 ⑤ |

ⓒ에 관한 설명으로 가장 적절한 것은?

① 회사의 경영이 이사회에 장악되어 있는 경우에만 예외적으로
～～～～～～
  특정한 경우에 해당하지 않음.
  법인격 부인론을 적용할 수 있다.

② 법인격 부인론은 주식회사 제도의 허점을 악용하지 못하도록
  법률의 개정을 통해 도입된 제도이다.
  ～～～～～～～～
  법률에서 명시적으로 규정되지 않음.

③ 회사가 채권자에게 손해를 입혔다는 것이 확정되면 법원은 법
  인격 부인론을 받아들여 그 회사의 법인격을 영구히 박탈한다.
                              ～～～～～～～～～
④ 법원이 대표 이사 개인의 권리 능력을 부인함으로써 대표 이사
         ～～～～～～～～～～～～
            회사의 법인격을 부인함.
  가 회사에 대한 책임을 면하지 못하도록 하는 것이 법인격 부
  인론의 의의이다.

⑤ 특정한 거래 관계에 법인격 부인론을 적용하여 회사의 법인격
  을 부인하려는 목적은 그 거래와 관련하여 회사가 진 책임을
  주주에게 부담시키기 위함이다.
  ～～～～～～～～～～～～
  회사의 행위로 인한 책임을 사원에게 귀속

📁 발문 분석

핵심 제재와 관련된 내용을 얼마나 정확히 파악할 수 있는지를 묻고
있다. '법인격 부인론'이 제기된 배경과 성격, 기능 등을 지문에서 확
인한 후 선택지의 적절성을 판단해야 한다.

⊙ 정답 풀이

⑤ 3문단에서 '특정한 거래 관계에 관해서만 예외적으로 회사의 법인격을
일시적으로 부인하고 회사와 주주를 동일시해야 한다는 법인격 부인론
이 제기된다.'라고 하였다. 그리고 4문단에서 '회사가 일인 주주에게 완
전히 지배되어 회사의 회계, 주주 총회나 이사회 운영이 적법하게 작동
하지 못하는데도 회사에만 책임을 묻는 것은 법인 제도가 남용되는 사례
라고 보는 것이다.'라고 하였다. 그러므로 법인 제도가 남용된 특정한 경
우에는 법인격 부인론을 받아들여 회사의 법인격을 부인하고, 회사의 행
위로 인한 책임은 일인 주주에게 귀속될 수 있다고 볼 수 있다. 따라서
특정한 거래 관계에 법인격 부인론을 적용하여 회사의 법인격을 부인하
려는 목적은 그 거래와 관련하여 회사가 진 책임을 주주에게도 부담시키
기 위함이라는 진술은 적절하다.

✖ 오답 풀이

① 3문단에서 법인격 부인론은 '특정한 거래 관계에 관해서만 예외적
으로' 제기되는 것이라 하였다. 이때 특정한 거래 관계란 '회사의
운영이 주주 한 사람의 개인 사업과 다름없이 이루어지고', '회사와
거래 관계에 있는 사람들이 재산상 피해를 입는 문제가 발생'하는
경우라고 하였다. 따라서 회사의 경영이 이사회에 장악되어 있는
경우에만 예외적으로 법인격 부인론을 적용할 수 있다는 진술은 적
절하지 않다.

② 4문단에서 법률은 법인격 부인론에 대해 '명시적으로 규정하고 있
지는 않지만, 법원은 권리 남용의 조항을 끌어들여 이를 받아들인
다.'라고 하였다. 따라서 법인격 부인론이 법률의 개정을 통해 도입
된 제도라는 진술은 적절하지 않다.

③ 회사가 채권자에게 손해를 입혔다면 회사는 법인격으로서 이에 대
한 책임을 져야 한다. 그리고 3문단에서 법원이 법인격 부인론을
받아들이면 '특정한 거래 관계에 관해서만 예외적으로 회사의 법인
격을 일시적으로 부인'한다고 하였다. 따라서 회사가 채권자에게
손해를 입혔다는 것이 확정되면 법원이 법인격 부인론을 받아들여
그 회사의 법인격을 영구히 박탈한다는 진술은 적절하지 않다.

④ 3문단에서 법인격 부인론은 법인격이 남용된 '특정한 거래 관계에
관해서만 예외적으로 회사의 법인격을 일시적으로 부인하고 회사
와 주주를 동일시해야 한다는' 것이라고 하였다. 따라서 법인격 부
인론이 대표 이사 개인의 권리 능력을 부인함으로써 대표 이사의
회사에 대한 책임을 면하지 못하도록 하는 것이라는 진술은 적절하
지 않다.

06 어휘의 적절성 판단 | 정답 ② |

문맥상 ⊙과 바꿔 쓰기에 가장 적절한 것은?
          갖추면
① 겸비(兼備)하면
  겸할 겸, 갖출 비
② 구비(具備)하면
  갖출 구, 갖출 비
③ 대비(對備)하면
  대할 대, 갖출 비
④ 예비(預備)하면
  미리 예, 갖출 비
⑤ 정비(整備)하면
  가지런할 정, 갖출 비

📁 발문 분석

고유어와 대응되는 한자어를 파악할 수 있는지 묻고 있다. ⊙의 문맥
적 의미를 파악한 후 선택지의 한자어를 ⊙에 대입해 보면서 의미의
변화 없이 자연스러운 어휘를 골라야 한다.

⊙ 정답 풀이

② ⊙'갖추면'은 '있어야 할 것을 가지거나 차리다.'의 의미이다. '구비(具備)
하다'는 '있어야 할 것을 빠짐없이 다 갖추다.'라는 의미이므로 ⊙과 바꿔
쓰기에 적절하다.

✖ 오답 풀이

① '겸비(兼備)하다'는 '두 가지 이상을 함께 아울러 갖추다'라는 의미이
다. ⊙이 포함된 문장에는 일정한 요건을 두 가지 이상 아울러 갖추
어야 한다는 내용이 제시되지 않았으므로 ⊙과 바꿔 쓰기에 적절하
지 않다.

③ '대비(對備)하다'는 '앞으로 일어날지도 모르는 어떠한 일에 대응하
기 위하여 미리 준비하다.'라는 의미이다. ⊙이 포함된 문장에는 일
정한 요건을 어떠한 일에 대응하기 위하여 미리 준비한다는 내용이
제시되지 않았으므로 ⊙과 바꿔 쓰기에 적절하지 않다.

④ '예비(豫備)하다'는 '필요할 때 쓰기 위하여 미리 마련하거나 갖추어
놓다.'라는 의미이다. ⊙이 포함된 문장에는 일정한 요건을 필요할
때 쓰기 위해 미리 마련해 둔다는 내용이 제시되지 않았으므로 ⊙
과 바꿔 쓰기에 적절하지 않다.

⑤ '정비(整備)하다'는 '흐트러진 체계를 정리하여 제대로 갖추다.'라는
의미이다. ⊙이 포함된 문장에는 일정한 요건을 체계 있게 정리한
다는 내용이 제시되지 않았으므로 ⊙과 바꿔 쓰기에 적절하지 않
다.

구절 풀이

GDP에는 최종생산물의 가치만이 포함되므로 다른 생산물을 생산하는데 사용된 원재료 등의 중간생산물의 시장가치는 제외됨. 중간생산물은 생산과정에서 사용되기 때문에 이미 최종생산물의 가치 속에 포함되어 있으므로, 중간 생산물을 GDP에 포함시키면 중복 계산되는 문제가 발생함. 한편 일정 기간 국내에서 생산된 최종생산물이라고 하더라도 시장에서 거래된 것만 포함되므로, 주부의 가사 노동이나 암시장에서의 거래는 GDP에 포함되지 않음.

어휘 풀이

* 배당: 주식회사가 이익금을 현금 또는 주식으로 할당하여 일부를 출자자나 주주에게 나누어 줌.
* 국면: 어떤 일이 벌어진 장면이나 형편.
* 침체: 어떤 현상이나 사물이 진전하지 못하고 제자리에 머무름.
* 대부금: 이자와 기한을 정하고 빌려주는 돈.
* 도산: 재산을 모두 잃고 망함.

선생님의 **Tip**

"GDP와 GNP"

GDP(국내 총생산)란 국민 총생산에서 투자 수익 따위의 해외로부터의 순소득을 제외한 지표를 말함. 한 나라 안에서 그 나라의 국민과 외국인이 1년 동안 새로이 생산한 재화와 서비스의 시장 가치를 합산한 것을 의미함.
GNP(국민 총생산)란 일정 기간 동안 한 나라의 국민이 생산한 재화와 용역의 부가 가치를 시장 가격으로 평가한 총액을 의미함. 보통 1년간을 단위로 하며, 그 나라의 경제 규모를 재는 척도가 됨.

---

1 국내 총생산(GDP)이란 '일정 기간 국내에서 생산된 모든 최종생산물의 시장가치의 합계'를 말한다. '일정 기간'이란 통상 1년으로, 공산품 등을 생산할 때에는 연초에 당해 연도의 생산 계획을 세우고 1년 동안 생산 활동을 하며 1년이 지난 뒤에 그 수익을 투자자들에게 배당*하는 것처럼 대체로 모든 경제가 1년을 기본 주기로 삼기 때문이다. '국내에서 생산된' 상품이라는 것은 지리적인 제한을 의미하는데 한국인 노동자

[A] 가 이라크 건설 현장에서 번 소득은 제외하지만 외국인이 국내에 투자하여 TV를 생산한 것은 GDP에 포함한다. '시장가치의 합계'는 1년 동안 생산한 재화와 서비스를 합계하는 방식이 각 상품들의 시장 가격으로 한다는 의미이다. 예컨대 어느 나라에서 쌀이 20섬, 구두가 150켤레, 그리고 의료 서비스 60회가 시장에서 거래되었고 그 가격은 각각 4만원, 5천원, 3천원이었다면 쌀, 구두, 의료 서비스로 구성된 이 나라의 GDP는 (4만원×20섬)+(0.5만원×150켤레)+(0.3만원×60회)로 총 173만원이 된다.

1문단: GDP의 개념과 충족 조건

2 경제 성장은 장기적인 관점에서 국내 총생산(GDP)이 지속적으로 증가하는 것이다. 그러나 경제가 꾸준히 성장하는 국가라 하더라도, 경기는 좋을 때도 있고 나쁠 때도 있다. 경기 변동은 실질 GDP*의 추세를 장기적으로 보여주는 선에서 단기적으로 그 선을 이탈하여 상승과 하락을 보여주는 현상을 말한다. 일정한 주기를 두고 발생하는 경기 변동은 일반적으로 네 가지 국면*으로 나뉜다. 첫 번째 국면은 투자나 생산 활동이 침체*되고, 실업의 증대, 물가의 하락, 금리의 저하, 주가의 폭락 등이 나타나는 불황기 또는 침체기이다. 두 번째 국면은 생산의 축소·조정 과정을 거친 다음, 경제가 전환점을 넘어서 상향하는 회복기이다. 이 국면에서 거래는 회복되고 투자나 생산은 상승 기미를 보이며, 실업은 감소하기 시작한다. 세 번째 국면은 투자가 활발해지고, 생산재나 소비재의 생산이 증가하며, 고용이 증가하고 임금도 상승하는 호황기 또는 번영기이다. 네 번째 국면은 생산의 상승이 정점에 달하여 과잉 생산이 일어나고, 자본 설비도 과잉 상태가 되어 투자가 급격히 감소하는 후퇴기 또는 공황이다. 이 국면에서는 재고가 늘어나고 기업의 자금 조달이 어려워지며 은행은 전망에 대한 불안에서 대부금*의 회수를 서두른다. 이러한 상태가 극에 달하면 기업은 도산*하고 실업자는 대량으로 발생하며 물가나 주가가 떨어진다. 이러한 경기 변동을 촉발하는 주원인을 바라보는 시각에는 여러 견해가 있다.

2문단: 경제 성장과 경기 변동의 개념

3 1970년대까지는 경기 변동이 ⓐ일어나는 주원인이 ㉮민간 기업의 투자 지출 변화에 의한 총수요* 측면의 충격에 있다는 견해가 우세하였다. 민간 기업이 미래에 대해 갖는 기대에 따라 투자 지출이 변함으로써 경기 변동이 촉발된다는 것이다. 따라서 정부가 총수요 충격에 대응하여 적절한 총수요 관리 정책을 실시하면 경기 변동을 억제할 수 있다고 보았다.

견해 ①의 경기 변동 억제 방안

지문 구조도

화제 제시: GDP와 경기 변동(1, 2문단)

· GDP: 일정 기간 국내에서 생산된 모든 최종생산물의 시장가치의 합계.
· 경기 변동: 실질 GDP의 추세를 장기적으로 보여주는 선에서 단기적으로 그 선을 이탈하여 상승과 하락을 보여주는 현상.

↓

구체화: 경기 변동에 대한 견해(3문단~7문단)

① 1970년대: 총수요 측면의 충격에서 금융 당국의 자의적인 통화량 조절이 원인으로 작용한다는 주장이 제기됨.
② 화폐적 경기 변동 이론: 경제 주체들이 항상 '합리적 기대'를 한다고 보고, 이들이 불완전한 정보로 인해 잘못된 판단을 하여 경기 변동이 발생함.
③ 실물적 경기 변동 이론: 경기 변동의 주원인을 실물적 요인에서 찾음.
④ 최근 일부 학자들은 한 나라의 경기 변동을 설명하는 중요한 요소로 해외 부문을 거론함.

출제 의도 국내 총생산과 경기 변동을 일으키는 주원인에 대한 다양한 견해를 파악한 후 각 견해의 특징과 차이점을 파악할 수 있는지를 평가하기 위한 지문이다. GDP의 개념과 경기 변동의 개념에 대해 이해했는지, 제시된 사례가 경기 변동을 일으키는 주원인 중 어떤 원인에 의해 촉발되었는지 등을 파악하는 문제가 출제되었다.

주제 경기 변동과 경기 변동의 주원인에 대한 다양한 견해

그러나 1970년대 이후 총수요가 변해도 총생산은 변하지 않을 수 있다는 비판이 제기되자,
_{견해 ⓛ에 대한 비판 내용}
이에 따라 ⓓ금융 당국의 자의적인 통화량* 조절이 경기 변동의 원인으로 작용한다는 주장
_{경기 변동의 발생 원인에 대한 견해 ②}
이 제기되었다.   **3문단: 경기 변동의 주원인에 대한 1970년대 전후의 견해**

④ 이후 루카스는 경제 주체들이 항상 '합리적 기대'를 한다고 보고, 이들이 불완전한 정보
_{화폐적 경기 변동 이론의 개념}
로 인해 잘못된 판단을 하여 경기 변동이 발생한다는 ⓔ'화폐적 경기 변동 이론'을 주장하
_{경기 변동의 발생 원인에 대한 견해 ③}
였다. 합리적 기대란 어떤 정보가 새로 들어왔을 때 경제 주체들이 이를 적절히 이용하여
_{'합리적 기대'의 의미}
미래에 대한 기대를 형성한다는 것이다. 그러나 경제 주체들에게 주어지는 정보가 불완전
하기 때문에 그들은 잘못 판단할 수 있으며, 이로 인해 경기 변동이 발생하게 된다. 루카스
는 ㉠가상의 사례를 들어 이를 설명하고 있다.   **4문단: '화폐적 경기 변동 이론'의 소개**

⑤ 일정 기간 오직 자신의 상품 가격만을 아는 한 기업이 있다고 하자. 이 기업의 상품 가격
_{새로 들어온 정보}
이 상승했다면, 그것은 통화량의 증가로 전반적인 물가 수준이 상승한 결과일 수도 있고,
_{상승 원인 ①: 통화량 증가 → 화폐 가치 하락 → 물가 상승}
이 상품에 대한 소비자들의 선호도 변화 때문일 수도 있다. 전반적인 물가 상승에 의한 것
_{상승 원인 ②: 상품에 대한 소비자 선호도 증가 → 수요 증가 → 상품 가격 상승}
이라면 기업은 생산량을 늘릴 이유가 없다. 하지만 일정 기간 자신의 상품 가격만을 아는
_{수요에 변동이 없는 상태에서 공급을 늘림.→가격 하락/재고량 증가 → 기업 손해 발생}
기업에서는 아무리 합리적 기대를 한다 해도 가격 상승의 원인을 정확히 판단할 수 없다.
_{주어진 정보가 불완전하므로}
따라서 전반적인 물가 수준이 상승한 경우에도 그것이 선호도 변화에서 온 것으로 판단하
_{잘못된 판단}
여 상품 생산량을 늘릴 수 있다. 이렇게 되면 근로자의 임금은 상승하고 경기 역시 상승하
_{경기 변동의 발생}
게 된다. 그러나 일정 시간이 지나 가격 상승이 전반적인 물가 수준의 상승에 의한 것임을
알게 되면, 기업은 자신이 잘못 판단했음을 깨닫고 생산량을 줄이게 된다.
                                              5문단: '화폐적 경기 변동 이론'의 예

⑥ 그러나 이러한 루카스의 견해로는 대규모의 경기 변동을 모두 설명하기 어렵다는 비판
_{화폐적 경기 변동 이론에 대한 비판}
이 제기되었다. 이에 따라 일부 학자들은 경기 변동의 주원인을 기술 혁신, 유가 상승과 같
_{실물적 경기 변동 이론의 내용}
은 실물적 요인에서 찾게 되었는데, 이를 ⓕ'실물적 경기 변동 이론'이라고 한다. 이들에 의
_{경기 변동의 발생 원인에 대한 견해 ④}
하면 기업에서 생산성을 향상시킬 수 있는 기술 혁신이 발생하면 기업들은 더 많은 근로자
를 고용하려 할 것이다. 그 결과 고용량과 생산량이 증가하여 경기가 상승하게 된다. 반면
유가가 상승하면 기업은 생산 과정에서 에너지를 덜 쓰게 되므로 고용량과 생산량은 줄어
들게 된다.   **6문단: '실물적 경기 변동 이론'의 소개**

⑦ 최근 일부 학자들은 한 나라의 경기 변동을 설명하는 중요한 요소로 해외 부문을 거론하
_{경기 변동의 발생 원인에 대한 견해 ⑤}
고 있다. 이들은 세계 각국의 경제적 협력이 밀접해지면서 각국의 경기 변동이 서로 높은 상
_{경기 변동이 해외의 영향을 받음}
관관계를 가진다고 보고, 그에 따라 ⓖ경기 변동이 국제적으로 전파될 수 있다고 생각한다.
                                  7문단: 최근 경기 변동의 주원인으로 거론되는 해외 부문
* 실질 GDP: 물가 변동에 의한 생산액의 증감분을 제거한 GDP.
* 총수요: 국민 경제의 모든 경제 주체들이 소비, 투자 등의 목적으로 사려고 하는 재화와 용역의 합.

지문 해제

이 글은 GDP(국내총생산)의 개념을 설명하고, 경기 변동을 촉발하는 주원인에 대한 여러 견해를 제시하고 있다. GDP는 일정 기간 국내에서 생산된 모든 최종생산물의 시장가치의 합계를 의미한다. 경기 변동은 실질 GDP의 추세를 장기적으로 보여주는 선에서 단기적으로 그 선을 이탈하여 상승과 하락을 보여주는 현상을 말하는데, 1970년대까지는 민간 기업의 투자 지출 변화에 의한 총수요 측면의 충격을 경기 변동의 주원인으로 보는 견해가 우세하였다. 그러나 1970년 이후 총수요가 변해도 총생산은 변하지 않을 수 있다는 비판이 제기되었고, 금융 당국의 자의적인 통화량 조절이 경기 변동의 원인으로 작용한다는 주장이 제기되었다. 이후 루카스는 합리적 기대를 하는 경제 주체들이 정보를 완전하게 알지 못하기 때문에 잘못된 판단을 함으로써 경기 변동이 일어난다는 '화폐적 경기 변동 이론'을 주장하였다. 그러나 루카스의 견해로는 대규모 경기 변동을 모두 설명하기 어렵다는 비판이 다시 제기되면서 경기 변동의 주원인을 기술 혁신, 유가 상승과 같은 실물적 요인에서 찾는 '실물적 경기 변동 이론'도 나타나게 되었다. 최근 일부 학자들은 경기 변동의 원인으로 해외 부문에서의 영향을 거론하고 있다.

구절 풀이

○ 화폐적 경기 변동 이론은 경기 변동의 충격에 대해서는 설명할 수 있음. 하지만 1회적인 화폐의 충격이 어떤 경로를 통해서 경제에 파급되는지, 1회적인 통화충격은 단지 1회적인 산출량의 변동만을 가져올 뿐인데 어떻게 경기 변동이 지속되는지 등에 대해서는 설명하지 못함.

○ 대규모로 일어나는 경기 변동을 설명하는 실물적 경기 변동 이론은 다음과 같이 정리할 수 있음.

경기 상승	기술 혁신으로 생산성이 향상됨. → 고용량과 생산량이 증가함. → 경기가 상승함.
경기 하락	유가가 상승함. → 고용량과 생산량이 줄어듦. → 경기가 하락함.

어휘 풀이

* 통화량: 나라 안에서 실제로 유통되고 있는 화폐의 양.

선생님의**Tip**

"통화 정책: 금융 당국의 통화량 조절이 경기 변동에 미치는 영향"

중앙은행이 통화량을 늘리거나 줄이는 것을 통화 정책이라고 함. 어떤 이유에서 소비와 투자가 줄어들고 통화량이 축소되어 경기 침체가 발생했다면, 통화량을 증가시키는 정책을 통해 경기 침체에서 벗어날 수 있음. 중앙은행이 통화의 공급을 늘려서 인위적으로 실질이자율을 낮게 만들고, 낮아진 실질이자율을 이용하여 개인의 소비와 기업의 투자가 증가함에 따라 거시경제 생산량이 늘어나 경기가 좋아지도록 하는 것임. 하지만 중앙은행이 적정 통화량을 넘는 화폐를 계속 유통시킨다면, 실질적인 생활수준은 변하지 않은 채 그저 물가수준만 상승하여 인플레이션(통화량이 팽창하여 화폐 가치가 떨어지고 물가가 계속적으로 올라 일반 대중의 실질적 소득이 감소하는 현상)이 발생함. 이때 개인의 자산 가치가 폭락하거나 기업의 투자수익률이 기대보다 낮을 경우 빚을 갚기 위해 지출과 투자를 줄이는 현상이 발생하는데, 이는 경기 침체를 불러일으킬 수 있음.

01 글의 전개 방식 파악 |정답 ①|

윗글에 대한 설명으로 가장 적절한 것은?

① 경기 변동의 주원인에 대한 여러 견해를 순차적으로 소개하
~~일정한 순서에 따라 차례차례~~
고 있다.

② 경기 변동의 과정에서 경제 주체들이 ~~대응~~하는 방식을 대조
하고 있다.

③ 경기 변동의 불황기와 후퇴기의 발생을 ~~억제~~할 수 있는 방안
2문단
을 모색하고 있다.

④ 경기 변동으로 인한 생산량의 ~~변화~~가 초래할 수 있는 상황에
5, 6문단
대해 예측하고 있다.

⑤ 경기 변동에 대한 이해를 돕기 위해 국내 총생산의 ~~변화~~를 통
시적으로 설명하고 있다.

📁 발문 분석

지문을 읽고 글의 전개 방식을 파악할 수 있는지 묻고 있다. 중심 화
제가 무엇인지 먼저 파악한 후, 지문에서 화제를 어떻게 설명해 나가
고 있는지를 살펴보아야 한다.

◎ 정답 풀이

① 3문단에서는 1970년대 전후의 경기 변동의 주원인에 대한 견해를 소개
하고, 4문단에서는 루카스의 '화폐적 경기 변동 이론'을, 6문단에서는 '실
물적 경기 변동 이론'을, 7문단에서는 최근 일부 학자들이 경기 변동의
원인으로 해외 부문을 거론하고 있다는 내용을 시간의 순서에 따라 소개
하고 있다. 따라서 이 글은 GDP의 개념을 설명한 후, 경기 변동의 주원
인에 대한 여러 견해를 순차적으로 제시하고 있다고 볼 수 있다.

✖ 오답 풀이

② 2문단을 보면 후퇴기 또는 공황 국면에서는 '재고가 늘어나고 기업
의 자금 조달이 어려워지며 은행은 전망에 대한 불안에서 대부금의
회수를 서두른다.'라면서 경기 변동의 과정에서 경제 주체가 대응
하는 방식이 언급되어 있다. 그러나 단순히 대응 방식만 언급하였
을 뿐, 각 경기 주체들이 대응하는 방식을 대조하고 있지는 않다.

③ 2문단에서 불황기에는 '투자나 생산 활동이 침체되고, 실업의 증
대, 물가의 하락, 금리의 저하, 주가의 폭락 등이 나타'난다고 하였
고, 후퇴기에는 '기업은 도산하고 실업자는 대량으로 발생하며 물
가나 주가가 떨어진다.'라고 하였다. 그러나 경기 변동의 불황기와
후퇴기의 발생을 억제할 수 있는 방안에 대해서는 언급하지 않았
다.

④ 5문단에서 기업이 상품 생산량을 늘리면 '근로자의 임금은 상승하
고 경기 역시 상승'한다고 하였다. 또 6문단에서 기업들이 더 많은
근로자를 고용하려 하면 '고용량과 생산량이 증가하여 경기가 상
승' 한다고 하였다. 이를 통해 생산량이 증가하면(원인) 경기가 상
승한다(결과)는 것을 알 수 있다. 그러나 경기 변동으로 인한 생산
량의 변화가 초래할 수 있는 상황에 대해서는 언급하지 않았다.

⑤ 1문단에서 국내 총생산(GDP)의 개념을 밝힌 후, 2문단에서 경제
성장의 개념을 장기적인 관점에서 GDP가 지속적으로 증가하는 것
이라고 하였다. 이는 '실질 GDP의 추세를 장기적으로 보여주는 선
에서 단기적으로 그 선을 이탈하여 상승과 하락을 보여주는 현상'
인 경기 변동에 대한 이해를 돕기 위해 제시한 것이라고 볼 수 있
다. 따라서 이를 통해 GDP가 변화한다는 것을 확인할 수 있지만,
GDP의 변화를 통시적으로 설명하고 있지는 않다.

🍯 선생님의 꿀 정보

전개 방식을 파악하는 문제의 선택지에 자주 나오는 어휘

보통 글의 전개 방식을 파악하는 문제의 선택지에는 다양한 어휘가 제시
되는데, 그것이 의미하는 바를 정확히 정리해 두지 않으면 실제 시험에서
어려움을 겪을 수 있다. 미리 이러한 어휘를 정리해 두면 당황하지 않고 쉽
게 문제를 해결할 수 있다. 자주 나오는 어휘를 정리하면 다음과 같다.

① 통시적: 어떤 시기를 종적으로 바라보는. 또는 그런 것.
　↔ 공시적: 어떤 시기를 횡적으로 바라보는. 또는 그런 것.
② 고답적: 속세에 초연하며 현실과 동떨어진 것을 고상하게 여기는. 또는 그런 것.
③ 배타적: 남을 배척하는. 또는 그런 것.
④ 부차적: 주된 것이 아니라 그것에 곁딸린. 또는 그런 것.
⑤ 순차적: 순서를 따라 차례대로 하는. 또는 그런 것.
⑥ 유기적: 생물체처럼 전체를 구성하고 있는 각 부분이 서로 밀접하게 관련을
　　　　　가지고 있어서 떼어 낼 수 없는. 또는 그런 것.
⑦ 인과적: 원인과 결과 관계를 파악하는. 또는 그런 것.
⑧ 점진적: 조금씩 앞으로 나아가는. 또는 그런 것.
⑨ 타성적: 오래되어 굳어진 버릇과 같은. 또는 그런 것.
⑩ 피상적: 본질적인 현상은 추구하지 아니하고 겉으로 드러나 보이는 현상에만
　　　　　관계하는. 또는 그런 것.

---

02 세부 내용의 이해 |정답 ⑤|

윗글의 내용과 일치하지 않는 것은?

① 경제가 장기적으로 성장하는 국가에서도 실질 GDP가 단기
2문단
적으로 하락하는 기간이 있을 수 있다.

② 경제 주체들이 소비나 투자 목적으로 사려고 하는 재화와 용
3문단, 총수요
역의 합이 변해도 총생산은 변하지 않을 수 있다.

③ 생산과 자본 설비의 과잉 상태로 인한 재고의 증가는 기업의 자
금 조달을 어렵게 만들어 기업을 도산에 이르게 할 수도 있다.
2문단

④ 실물적 경기 변동 이론에서는 대규모로 일어나는 경기 변동
을 설명하기 어렵다는 점을 들어 화폐적 경기 변동 이론을
7문단
비판한다.

⑤ 실물적 경기 변동 이론에서는 유가 상승이 생산 과정에서 쓰
이는 에너지를 감소시켜서 ~~생산량을 늘리는~~ 실물적 요인으로
6문단, 생산량을 줄이게 됨.
~~작용~~한다고 본다.

📁 발문 분석

지문의 세부 내용을 정확히 이해했는지를 묻고 있다. 지문에 언급된
다양한 개념과 견해를 꼼꼼히 확인한 후 선택지의 내용과 1:1로 비교
하며 적절성을 판단해야 한다.

◎ 정답 풀이

⑤ 6문단에서 '실물적 경기 변동 이론'을 주장하는 사람들에 의하면 '유가가
상승하면 기업은 생산 과정에서 에너지를 덜 쓰게 되므로 고용량과 생산
량은 줄어들게 된다.'라고 하였다. 따라서 유가 상승이 생산량을 늘리는
실물적 요인으로 작용한다고 파악하는 것은 적절하지 않다.

✖ 오답 풀이

① 2문단에서 '경제가 꾸준히 성장하는 국가라 하더라도, 경기는 좋을

때도 있고 나쁠 때도 있다.'라고 하였다. 따라서 경제가 장기적으로 성장하는 구간에서도 실질 GDP가 단기적으로는 하락할 수도 있다고 파악하는 것은 적절하다.

② 3문단에서 '1970년대 이후 총수요가 변해도 총생산은 변하지 않을 수 있다는 비판이 제기'되었다고 하였다. 따라서 경제 주체들이 소비나 투자 목적으로 사려고 하는 재화나 용역, 즉 수요가 변해도 총생산은 변하지 않을 수 있다고 파악하는 것은 적절하다.

③ 2문단에서 경기 변동의 후퇴기 또는 공황 국면일 때에는 '과잉 생산이 일어나고 자본 설비도 과잉 상태가 되어' '재고가 늘어나고 기업의 자금 조달이 어려워지며 은행은 전망에 대한 불안에서 대부금의 회수를 서두'르고 '이러한 상태가 극에 달하면 기업은 도산'한다고 하였다. 따라서 생산과 자본 설비의 과잉 상태로 인한 재고의 증가는 기업의 자금 조달을 어렵게 만들어 기업을 도산에 이르게 할 수도 있다고 파악하는 것은 적절하다.

④ 6문단에서 루카스의 견해, 즉 '화폐적 경기 변동 이론'으로는 '대규모의 경기 변동을 모두 설명하기 어렵다는 비판이 제기'되었다면서 이에 '일부 학자들은 경기 변동의 주원인을 기술 혁신, 유가 상승과 같은 실물적 요인에서 찾는' '실물적 경기 변동 이론'을 주장하였다고 하였다. 따라서 실물적 경기 변동 이론에서는 대규모로 일어나는 경기 변동을 설명하기 어렵다는 점을 들어 화폐적 경기 변동 이론을 비판한다고 파악하는 것은 적절하다.

03 구체적 사례에 적용 | 정답 ④ |

[A]를 참고할 때, [보기]에서 올해의 GDP에 포함되는 것을 모두 고른 것은?

┤보기├

ㄱ. 충남에 사는 농민 유 씨는 올 한 해 농사를 지어 총 3천만 원 어치의 쌀을 도매상에게 판매하였다.
  국내   일정 기간   시장 가치
                                              생산물
ㄴ. 외국계 보험 회사의 한국 지점에서 근무하는 회사원 최 씨는 올해 총 8천만 원의 연봉을 받았다.
                    국내   생산된 서비스
     일정 기간   시장가치
ㄷ. 외국인 강사 루시는 이번 달에 인천의 한 영어 학원에서 강의를 하여 월급 300만 원을 받았다.
                       일정 기간   국내
   생산된 서비스   시장 가치
ㄹ. 서울에 사는 회사원 김 씨는 오늘 자신이 소유하고 있던
  국내   일정 기간
  △△ 전자 주식의 명의를 타인에게 이전해 주고 500만 원을 받았다.
          생산이 아닌 소유권 이전   시장 가치
ㅁ. 경기도에 사는 서 씨는 올해 초에 생산된 중고차를 800만 원에 구입하였다.
   국내   일정 기간   생산물×
    시장가치

① ㄱ, ㄴ   ② ㄷ, ㄹ   ③ ㄹ, ㅁ
④ ㄱ, ㄴ, ㄷ   ⑤ ㄷ, ㄹ, ㅁ

📋 발문 분석

지문에 제시된 개념을 이해하고 실제 사례에 적용할 수 있는지를 묻고 있다. [A]에 언급된 GDP의 조건을 모두 충족한 선택지가 무엇인지 따져보아야 한다.

✔ 보기 분석

[A]에서는 GDP가 '일정 기간 국내에서 생산된 모든 최종생산물의 시장가치의 합계'라고 하였다. 이때 '일정 기간'이란 통상 1년을 말하며, '국내에서 생산'이라는

것은 생산된 재화나 서비스가 '국내'에서 만들어졌다는 지리적인 제한을 의미한다. 또 생산된 재화나 서비스를 합계하는 방식은 '시장에서 거래되는 가격'을 기준으로 한다. 이 세 가지 조건에 모두 부합해야만 올해의 GDP에 포함될 수 있다.

◎ 정답 풀이

④ ㄱ. 경제 주체인 유 씨가 사는 '충남'은 '국내'에 해당하며, '올 한 해'는 '일정 기간'에 포함된다. 또 농사를 지어 '생산한' 쌀을 도매상에게 팔아 '3천만 원'이라는 '시장가치'를 창출하였으므로 올해의 GDP에 포함된다.

ㄴ. 경제 주체인 회사원 최 씨는 외국계 보험 회사의 '한국 지점'에서 근무하고 있다고 하였다. 이는 '국내'에서 서비스를 생산하는 것이라고 볼 수 있다. 또 '올해'라는 '일정 기간'에 '8천만 원'이라는 연봉을 받았다고 하였는데, 이 연봉은 바로 최 씨가 '생산'한 서비스의 '시장가치'라고 볼 수 있다. 따라서 올해의 GDP에 포함된다.

ㄷ. 경제 주체인 강사 루시는 외국인이지만 '국내'인 '인천의 한 영어 학원'에서 근무하였다. 또한 '이번 달'이라는 올해의 '일정 기간'에 '강의'라는 서비스를 '생산'하여 '300만 원'이라는 '시장가치'를 창출하였으므로 올해의 GDP에 포함된다.

✘ 오답 풀이

ㄹ. '국내'인 '서울'에 사는 경제 주체 회사원 김 씨가 '오늘'이라는 올해의 '일정 기간'에 '자신이 소유하고 있던 △△전자의 주식'을 '500만 원'이라는 '시장가치'를 받고 타인에게 명의를 이전해 주었다. 이는 상품이나 서비스를 생산한 것이 아니라, 주식의 명의만 이전한 것이다. 따라서 ㄹ은 올해의 GDP에 포함되지 않는다.

ㅁ. '국내'인 '경기도'에 사는 경제 주체 서 씨가 '올해 초'라는 '일정 기간'에 '생산'된 중고차를 800만 원이라는 '시장가치'를 주고 구입하였다. 이때 신차는 1년 동안 생산한 재화에 해당되지만, 중고차는 새로 생산한 것이 아니다. 중고차의 시장가치를 GDP에 포함할 경우 신차의 시장 가치와 중복되어 합산하게 되기 때문에 중고차 거래는 올해의 GDP에 포함되지 않는다.

👑고난도
04 구체적 상황의 추론 | 정답 ⑤ |

㉠을 참고할 때, [B]에 들어갈 내용으로 가장 적절한 것은?

┤보기├

선생님: 루카스가 경기 변동 과정을 설명하기 위해 사용했던
                                                  5문단
가상의 사례는 금융 당국의 정책을 그다지 신뢰하지 않았
                    통화량 증가는 기업이 잘못된 판단을 내리게 할 수 있음.
던 그의 생각을 이해하는 데 중요한 전제가 됩니다. 경기
상승을 위해 통화량 증가 정책을 반복적으로 시행한다면,
                통화량 증가로 물가 수준이 상승한 경우
기업들은 자기 상품의 가격이 상승할 때   [B]   할 것
입니다. 합리적 기대를 하는 경제 주체들은 새로운 정보를
받아들여 자신의 잘못된 판단을 줄여 나가기 때문입니다.

① 자신들의 합리적 기대와는 무관하게 생산량을 늘리려
        루카스는 합리적 기대를 하는 경제 주체를 기본 전제로 삼음.
② 통화량이 계속 증가할 것이라고 보고 생산량을 늘리려
③ 근로자의 임금이 변화되는 것을 고려하여 생산량을 늘리려
        근로자의 임금 변화는 생산량을 늘린 결과임.
④ 소비자들의 선호가 수시로 바뀔 수 있다고 보고 생산량을 늘리지 않으려
⑤ 전반적인 물가 수준이 상승한 것이라고 판단하여 생산량을 늘리지 않으려
  5문단. 전반적 물가 상승이 원인이라면 생산량을 늘릴 이유가 없음.

발문 분석

지문에 제시된 이론과 사례를 이해하고, 다른 상황에 적절히 적용할 수 있는지를 묻고 있다. ⊙이 제시된 문단과 그 이후 문단을 통해 ⊙이 시사하는 바가 무엇인지를 파악한 후, 다른 상황에 이를 적용하였을 때 어떠한 공통점과 차이점이 도출되는지를 살펴보아야 한다.

보기 분석

5문단에는 자신의 상품 가격만을 아는 기업이 가격의 상승 원인을 정확히 판단할 수 없는 경우, 통화량의 증가로 인한 전반적인 물가 상승 때문에 상품 가격이 상승했을지라도 고객의 선호도 변화 때문에 상품 가격이 상승했다고 판단하여 상품 생산량을 늘리게 되는 경우가 제시되어 있다. 루카스는 금융 당국의 정책 때문에 통화량이 증가한 것이 결국 기업들이 잘못된 판단을 내리는데 영향을 미쳤다는 것으로 보아 금융 당국을 신뢰하지 않았던 것이다. 이는 [보기]에서 선생님이 루카스가 든 ⊙'가상의 사례'가 루카스가 '금융 당국의 정책을 그다지 신뢰하지 않았던' 이유를 이해하는데 중요한 전제가 된다고 한 이유이다.

[보기]의 상황은 국가가 경기 상승을 위해 통화량을 늘린 경우로, [B]에는 이 경우 기업이 어떻게 할 것인가가 들어가야 한다. '합리적 기대를 하는 경제 주체들은 새로운 정보를 받아들여 자신의 잘못된 판단을 줄여 나'간다고 한 점에 초점을 맞추어야 한다.

정답 풀이

⑤ [보기]에서 선생님은 '합리적 기대를 하는 경제 주체들은 새로운 정보를 받아들여 자신의 잘못된 판단을 줄여 나'간다고 하였으므로 [B]에는 루카스의 주장과는 달리 경제 주체들이 올바르게 판단한 내용이 들어가야 한다. 그러므로 기업은 통화량 증가 정책이 반복적으로 시행될 경우 잘못된 판단을 내렸던 과거의 경험들을 새로운 정보로 받아들이게 되고, 상품 가격이 상승한 원인을 통화량 증가로 인한 전반적인 물가 수준이 상승한 결과라고 올바르게 판단하여 생산량을 늘리지 않게 될 것이라고 추측할 수 있다. 따라서 [B]에는 기업들이 자신들의 상품의 가격이 상승할 때 전반적인 물가 수준이 상승한 것이라고 판단하여 생산량을 늘리지 않으려 한다는 내용이 들어가는 것이 가장 적절하다.

오답 풀이

① 4문단에서 '루카스는 경제 주체들이 항상 합리적 기대를 한다고 보'았다고 하였다.

② '통화량이 계속 증가할 것이라' 본다는 것은 5문단에서 언급한 것처럼 '통화량의 증가로 전반적인 물가 수준이 상승한 것'이라고 본다는 것이다. 5문단에서는 '전반적인 물가 상승에 의한 것이라면 기업은 생산량을 늘릴 이유가 없다.'라고 하였다.

③ 5문단에서 기업이 상품 생산량을 늘릴 경우 '근로자의 임금은 상승'한다고 하였다. 기업의 상품 생산의 목적은 이윤 추구이기 때문에 기업은 상품에 대한 소비자들의 선호도가 높아졌을 때 이윤을 늘리기 위해 생산량을 늘릴 뿐, 근로자의 임금의 변화에 따라 생산량을 늘린다고 보기는 어렵다.

④ 5문단에서 기업의 상품 가격이 상승했고 이를 기업이 상품에 대한 소비자들의 '선호도 변화에서 온 것으로 판단하'면 기업은 '상품 생산량을 늘릴 수 있다.'라고 하였다.

05 자료 해석의 적절성 판단 | 정답 ⑤ |

윗글의 ㉮~㉱와 [보기]를 관련지어 이해한 것으로 적절하지 않은 것은?

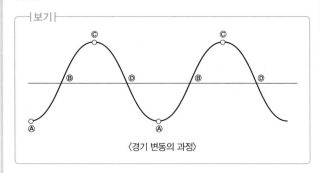

〈경기 변동의 과정〉

① ㉮는 ⓒ에서 ⓓ로의 변화가 일어난 것은 민간 기업이 투자 지출을 줄였기 때문이라고 생각했겠군.
  금융 당국의 자의적인 통화량 조절을 원인으로 보는 입장 3문단

② ㉯는 금융 당국이 나라 안에서 유통되고 있는 화폐의 양을 임의적으로 조절하면 ⓐ~ⓓ와 같은 변화가 일어날 수 있다고 보았겠군. 3문단

③ ㉰는 기업의 생산량이 증가하고 근로자의 임금이 상승하면 ⓐ에서 ⓒ로의 변화가 발생한다고 보았겠군.
  화폐적 경기 변동 이론 4, 5문단

④ ㉮와 ㉰는 ⓐ~ⓓ와 같은 변화가 기업이라는 경제 주체의 행위에 영향을 받은 것이라고 보았겠군.
  실물적 경기 변동 이론   경기 변동이 국제적으로 전파될 수 있다고 보는 입장 3, 6문단

⑤ ㉱는 지리적으로 인접한 두 국가에서 비슷한 시기에 ⓒ에서 ⓓ를 거쳐 ⓐ로의 변화가 일어났다면 한 국가가 다른 국가에 영향을 미쳤다고 보았겠군. 7문단

발문 분석

경기 변동을 촉발하는 주원인이 무엇인지에 대한 여러 학자들의 견해를 이해하고, 그래프를 통해 각 견해에서 경기 변동의 과정을 어떻게 바라보고 있는지를 파악할 수 있는지를 묻고 있다. [보기]에 제시된 그래프의 ⓐ~ⓓ가 의미하는 바가 무엇인지 파악한 후, 지문에서 각각의 견해가 경기 변동의 과정을 어떻게 파악하고 있는지를 살펴보아야 한다.

보기 분석

[보기]는 2문단에 언급된 경기 변동의 네 가지 국면이 주기적으로 반복되는 것을 나타낸 그래프이다. ⓐ는 불황기 또는 침체기, ⓑ는 회복기, ⓒ는 호황기 또는 번영기, ⓓ는 후퇴기 또는 공황에 해당한다.

정답 풀이

⑤ 7문단에서는 최근 일부 학자들이 '경기 변동을 설명하는 중요한 요소로 해외 부문을 거론'한다면서 그 이유를 이들이 '세계 각국의 경제적 협력이 밀접해지면서 각국의 경기 변동이 서로 높은 상관관계를 가진다고 보았기 때문이라고 하였다. 따라서 이들의 입장에서는 지리적으로 인접한 두 국가에서 비슷한 시기에 호황기에서 후퇴기를 거쳐 불황기로의 변화, 즉 경기가 나빠지는 현상이 발생했다 할지라도, 두 국가 사이에 경제적 협력이 없으면 한 국가가 다른 국가에 영향을 미쳤다고 보지는 않을 것이라고 이해할 수 있다.

오답 풀이

① 3문단의 ㉮'민간 기업의 투자 지출 변화에 의한 총수요 측면의 충격에 있다는 견해'에서는 '민간 기업이 미래에 대해 갖는 기대에 따라 투자 지출이 변함으로써 경기 변동이 촉발된다'고 인식했다고

하였다. 그리고 2문단에서 호황기 또는 번영기에는 '투자가 활발해지고, 생산재나 소비재의 생산이 증가하며, 고용이 증가하고 임금도 상승'하게 되고, 후퇴기 또는 공황에는 '투자가 급격히 감소'하며 '기업은 도산하고 실업자가 대량 발생하며 주가가 떨어진다.'라고 하였다. 이를 고려하면 ㉮는 경기가 호황기에서 후퇴기로 변화하였다면 이것의 원인을 민간 기업이 투자 지출을 줄였기 때문이라고 생각했을 것이라고 추측할 수 있다.

② 3문단에서 ㉮에 '총수요가 변해도 총생산은 변하지 않을 수 있다는 비판이 제기되자' ㉯'금융 당국의 자의적인 통화량 조절이 경기 변동의 원인으로 작용한다는 주장'이 제기되었다고 하였다. 따라서 ㉯에서는 금융 당국이 나라 안에서 유통되고 있는 화폐의 양, 즉 통화량을 임의적으로 조절하면 Ⓐ~Ⓓ와 같은 변화 즉, 경기 변동이 일어날 수 있다고 보았다고 추측할 수 있다.

③ 4문단에서 루카스가 ㉰'화폐적 경기 변동 이론'의 관점을 주장했다고 하였다. 또 5문단에서는 기업이 상품 생산량을 늘리면 '근로자의 임금은 상승하고 경기 역시 상승하게 된다.'라고 하였다. 이를 고려하면 ㉰는 기업의 생산량이 증가하고 근로자의 임금이 상승하면 불황기에서 호황기로의 변화, 즉 경기가 상승할 것으로 보았을 것이라고 추측할 수 있다.

④ 3문단에서 ㉮는 경기 변동의 주원인을 '민간 기업이 미래에 대해 갖는 기대에 따라 투자 지출이 변함으로써 경기 변동이 촉발된다'고 보았다고 하였다. 또 6문단에서 ㉱'실물적 경기 변동 이론'은 '기업에서 생산성을 향상시킬 수 있는 기술 혁신이 발생하면 기업들은 더 많은 근로자를 고용하'고 그 결과 '고용량과 생산량이 증가하여 경기가 상승하게 된다.'라고 보았다고 하였다. 이를 고려하면 ㉮와 ㉱가 Ⓐ~Ⓓ와 같은 변화, 즉 경기 변동이 기업이라는 경제 주체의 행위에 영향을 받은 것으로 보았을 것이라고 추측할 수 있다.

🍯 선생님의 꿀 정보

05번 문제: 그래프가 제시된 문제

05번 문제처럼 [보기]에 그림이나 그래프를 제시하고 이를 분석할 수 있는지를 평가하는 문제는 비문학(독서) 영역에서 자주 출제된다. 그래프는 주어진 지문을 이해하면 해결할 수 있는 수준에서 출제되므로, 당황하지 말고 다음과 같은 순서로 접근하여 해결해 보도록 하자.

① 주어진 자료와 지문의 연결고리 찾기

그림 또는 그래프가 어느 문단과 연관이 있는지 찾고 해당 문단의 중심 내용을 다시 되짚어본다. 만약 글 전체와 관련이 있다면 그 자료와 관련된 문단의 핵심어와 그에 대한 설명을 확인한다.

→ 05번 문제에 제시된 그래프는 지문의 2문단을 도식화한 것임.

② 자료에 제시된 기호나 수치, 직선이나 곡선 등의 의미 분석하기

x축과 y축이 각각 의미하는 것은 무엇인지, 기호가 제시되어 있다면 그 기호가 가르키는 바가 무엇인지 파악한다.

→ 05번 문제에 제시된 그래프의 Ⓐ~Ⓓ는 경기 변동의 네 가지 국면을 가리키며, 곡선은 경기 변동을 의미함.

③ 선택지의 적절성 판단하기

자료의 내용을 파악한 후 선택지와 1:1로 대응해 보고 그 내용이 적절한지 판단한다.

→ 05번 문제에서는 경기 변동을 촉발하는 주원인에 대한 견해를 ㉮~㉲로 기호화한 후 이들의 입장에서 [보기]를 분석해야 적절성을 판단할 수 있었음.

06 어휘의 문맥적 의미 파악 | 정답 ② |

ⓐ와 문맥적 의미가 가장 유사한 것은?

① 얼마 후에 꺼져 가던 불꽃이 다시 ~~일었다~~. [약하거나 희미하던 것이 성하여지다]

②❷ 그녀는 싸움이 일어난 틈을 타서 그 자리를 떠났다.

③ 그는 친구의 말에 화가 ~~일었지만~~ 곧 마음을 가라앉혔다. [어떤 마음이 생기다]

④ 구성원들이 적극적으로 ~~일어나~~ 동아리의 위기를 해결하였다. [몸과 마음을 모아 나서다]

⑤ 체육 대회가 가까워질수록 승리에 대한 열기가 다시 ~~일었다~~. [약하거나 희미하던 것이 성하여지다]

📁 **발문 분석**

문맥을 고려하여 어휘의 의미를 이해하고, 같은 의미로 쓰인 어휘를 찾을 수 있는지를 묻고 있다. 같은 단어일지라도 문맥에 따라 다른 의미로 쓰일 수 있으므로, 각 선택지의 해당 어휘를 다른 단어로 바꾸어 보고, 그 어휘를 ⓐ와 바꾸어 보았을 때 자연스러운지 여부를 따져보아야 한다.

◎ **정답 풀이**

② 3문단의 '경기 변동이 일어나는'에서 ⓐ'일어나는'은 '어떤 일이 생기다'라는 의미이다. '싸움이 일어난'의 '일어나다'는 싸움이라는 일이 생겼다는 의미이므로 ⓐ와 문맥적 의미가 유사하다.

❌ **오답 풀이**

① '약하거나 희미하던 것이 성하여지다.'를 의미하는 어휘이다.
③ '어떤 마음이 생기다.'를 의미하는 어휘이다.
④ '몸과 마음을 모아 나서다.'를 의미하는 어휘이다.
⑤ '약하거나 희미하던 것이 성하여지다.'를 의미하는 어휘이다.

M·E·M·O

_____

_____

_____

_____

_____

_____

_____

_____

_____

구절 풀이

보험은 사고 발생이라는 조건이 어떻게 실현되느냐에 따라 받을 수 있는 보험금이나 서비스가 달라지므로 조건부 상품이라고 볼 수 있음.

사고 발생 확률에 비례하여 보험금을 납부해야 한다는 의미임.

어휘 풀이

* 재화: 인간이 바라는 바를 충족시켜 주는 모든 물건.
* 산정: 셈하여 정함.
* 보전: 온전하게 보호하여 유지함.

선생님의 Tip

"보험료율"

보험료율이란 보험 계약을 체결할 때 보험료를 결정하는 비율을 말함. 정액으로 표시되는 경우도 있고, 백분율로 표시되는 경우도 있음. 또 보험료율을 산정하는 방식으로는 개별 실적을 조사하여 반영하는 방식과 사고 위험도에 비례하여 차등적으로 적용하는 방식이 있으며, 이를 혼합한 방식도 있음. 한국에서는 차등 요율을 기본으로 하고 부분적으로 개별 실적 요율을 적용함. 적정성·공평성·안정성·신축성·사고 방지의 장려성 등의 보험료 산정 원칙이 있음.

"정보의 비대칭성"

정보가 한 쪽에만 존재하고 다른 한 쪽에는 존재하지 않는 상황을 말함. 보험회사와 보험가입자, 고용주와 피고용인 등 여러 유형의 관계에서 발견할 수 있음. 이처럼 주체 간에 정보가 비대칭적으로 존재하는 상황 때문에 여러 가지 독특한 경제 현상이 나타나며, 이러한 불공정함을 해결하기 위한 전략들도 다양하게 마련되고 있음.
㋐ 중고차를 사려고 하는 사람은 중고차 시장에 있는 어떤 차를 보고 결점이 있는지 없는지 잘 알 수 없음. 이때 사려는 차의 실제 품질이 '감추어진 특성'이 됨.

1 보험은 같은 위험을 보유한 다수인이 위험 공동체를 형성하여 보험료를 납부하고 보험 사고가 발생하면 보험금을 지급받는 제도이다. 보험 상품을 구입한 사람은 장래의 우연한 사고로 인한 경제적 손실에 ⓐ대비할 수 있다. 보험금 지급은 사고 발생이라는 우연적 조건에 따라 결정되는데, 이처럼 보험은 조건의 실현 여부에 따라 받을 수 있는 재화*나 서비스가 달라지는 조건부 상품이다.
1문단: 보험의 개념과 성격

2 위험 공동체의 구성원이 납부하는 보험료와 지급받는 보험금은 그 위험 공동체의 사고 발생 확률을 근거로 산정*된다. 특정 사고가 발생할 확률은 정확히 알 수 없지만 그동안 발생된 사고를 바탕으로 그 확률을 예측한다면 관찰 대상이 많아짐에 따라 실제 사고 발생 확률에 근접하게 된다. 본래 보험 가입의 목적은 금전적 이득을 취하는 데 있는 것이 아니라 장래의 경제적 손실을 보상받는 데 있으므로 위험 공동체의 구성원은 자신이 속한 위험 공동체의 위험에 상응하는 보험료를 납부하는 것이 공정할 것이다. 따라서 공정한 보험에서는 구성원 각자가 납부하는 보험료와 그가 지급받을 보험금에 대한 기댓값이 일치해야 하며 구성원 전체의 보험료 총액과 보험금 총액이 일치해야 한다. 이때 보험금에 대한 기댓값은 사고가 발생할 확률에 사고 발생 시 수령할 보험금을 곱한 값이다. 보험금에 대한 보험료의 비율(보험료/보험금)을 보험료율이라 하는데, 보험료율이 사고 발생 확률보다 높으면 구성원 전체의 보험료 총액이 보험금 총액보다 더 많고, 그 반대의 경우에는 구성원 전체의 보험료 총액이 보험금 총액보다 더 적게 된다. 따라서 공정한 보험에서는 보험료율과 사고 발생 확률이 같아야 한다.
2문단: 공정한 보험료가 산출되는 요건

3 물론 현실에서 보험사는 영업 활동에 소요되는 비용 등을 보험료에 반영하기 때문에 공정한 보험이 적용되기 어렵지만 기본적으로 위와 같은 원리를 바탕으로 보험료와 보험금을 산정한다. 그런데 보험 가입자들이 자신이 가진 위험의 정도에 대해 진실한 정보를 알려 주지 않는 한, 보험사는 보험 가입자 개개인이 가진 위험의 정도를 정확히 ⓑ파악하여 거기에 상응하는 보험료를 책정하기 어렵다. 이러한 이유로 사고 발생 확률이 비슷하다고 예상되는 사람들로 구성된 어떤 위험 공동체에 사고 발생 확률이 더 높은 사람들이 동일한 보험료를 납부하고 진입하게 되면, 그 위험 공동체의 사고 발생 빈도가 높아져 보험사가 지급하는 보험금의 총액이 증가한다. 보험사는 이를 보전*하기 위해 구성원이 납부해야 할 보험료를 ⓒ인상할 수밖에 없다. 결국 자신의 위험 정도에 상응하는 보험료보다 더 높은 보험료를 납부하는 사람이 생기게 되는 것이다. 이러한 문제는 정보의 비대칭성에서 비롯되는데 보

지문 구조도

화제 제시: 보험의 개념과 특성(1문단)

보험은 위험 공동체가 보험료를 납부하고 보험 사고가 발생하면 보험금을 지급받는 조건부 상품임.

↓

구체화 1: 공정한 보험(2, 3문단)

• 보험료와 보험금에 대한 기댓값이 일치해야 하며, 구성원 전체의 보험료 총액과 보험금 총액이 일치해야 함.
• 보험료율과 사고 발생 확률이 같아야 함.

↓

구체화 2: 고지 의무 제도(5, 6문단)

• 고지 의무 제도: 보험 가입자의 감춰진 특성을 파악할 수 있는 수단이 구현된 법적 제도.
• 보험 가입자가 고지 의무를 위반했을 경우 보험사는 일방적 의사 표시로 계약을 해지할 수 있으나, 보험사에 중대한 과실이 있어 알지 못했다면 행사할 수 없음.

출제 의도 보험에 대한 다양한 개념을 이해할 수 있는지 평가하기 위한 지문이다. 보험의 개념 및 성격, '공정한 보험'이 되기 위한 조건, '정보의 비대칭성'으로 인한 불공정한 보험의 가능성, 그것을 제어하고 보완하기 위한 '고지 의무 제도' 등을 파악할 수 있는지, 경제학적인 개념과 문제 상황을 제시하고 그것을 보완할 수 있는지 등을 평가하는 문제가 출제되었다.

주제 보험의 경제학적 원리와 고지 의무 제도

험 가입자의 위험 정도에 대한 정보는 보험 가입자가 보험사보다 더 많이 갖고 있기 때문이다. 이를 해결하기 위해 보험사는 보험 가입자의 감춰진 특성을 파악할 수 있는 수단이 필요하다.

3문단: 보험료가 인상되는 원인

4 우리 상법에 규정되어 있는 고지 의무는 이러한 수단이 법적으로 구현된 제도이다. 보험 계약은 보험 가입자의 청약*과 보험사의 승낙으로 성립된다. 보험 가입자는 반드시 계약을 체결하기 전에 '중요한 사항'을 알려야 하고, 이를 사실과 다르게 진술해서는 안 된다. *사고 발생 확률을 높일 수 있는 보험 가입자의 감춰진 특성* 여기서 '중요한 사항'은 보험사가 보험 가입자의 청약에 대한 승낙을 결정하거나 차등적인 보험료를 책정하는 근거가 된다. 따라서 고지 의무는 결과적으로 다수의 사람들이 자신의 위험 정도에 상응하는 보험료보다 더 높은 보험료를 납부해야 하거나, 이를 이유로 아예 보험에 가입할 동기를 상실하게 되는 것을 방지한다. *고지 의무 제도의 기능*

4문단: 고지 의무 제도의 개념과 취지

5 보험 계약 체결 전 보험 가입자가 고의나 중대한 과실*로 '중요한 사항'을 보험사에 알리지 않거나 사실과 다르게 알리면 고지 의무를 위반하게 된다. *고지 의무가 이행되어야 하는 시점* 이러한 경우에 우리 상법은 보험사에 계약 해지권을 부여한다. 보험사는 보험 사고가 발생하기 이전이나 이후에 상관없이 고지 의무 위반을 이유로 계약을 해지할 수 있고, 해지권 행사는 보험사의 일방적인 의사 표시로 가능하다. 해지를 하면 보험사는 보험금을 지급할 책임이 없게 되며, 이미 보험금을 지급했다면 그에 대한 반환을 청구할 수 있다. 일반적으로 법에서 의무를 위반하게 되면 위반한 자에게 그 의무를 이행하도록 강제하거나 손해 배상을 청구할 수 있는 것과 달리, 보험 가입자가 고지 의무를 위반했을 때에는 보험사가 해지권만 행사할 수 있다. 그런데 보험사의 계약 해지권이 제한되는 경우도 있다. *일반적인 의무 위반과 다른 점* 계약 당시에 보험사가 고지 의무 위반에 대한 사실을 알았거나 중대한 과실로 인해 알지 못한 경우에는 보험 가입자가 고지 의무를 *보험사의 계약 해지권이 제한되는 경우①* 위반했어도 보험사의 해지권은 ⓐ배제된다. *보험사의 계약 해지권이 제한되는 경우②* 이는 보험 가입자의 잘못보다 보험사의 잘못에 더 책임을 둔 것이라 할 수 있다. *양측 모두 잘못이 있다면 보험사에 책임을 물음.* 또 보험사가 해지권을 행사할 수 있는 기간에도 일정한 제한을 두고 있는데, 이는 양자의 법률관계를 신속히 확정함으로써 보험 가입자가 불안정한 *보험사와 보험 가입자* 법적 상태에 장기간 놓여 있는 것을 방지하려는 것이다. 그러나 고지해야 할 '중요한 사항' 중 고지 의무 위반에 해당되는 사항이 보험 사고와 인과 관계가 없을 때에는 보험사는 보험금을 지급할 책임이 있다. 그렇지만 이때에도 해지권은 행사할 수 있다.

5문단: 고지 의무 위반과 계약 해지권의 행사

6 보험에서 고지 의무는 보험에 가입하려는 사람의 특성을 검증함으로써 다른 가입자에게 보험료가 부당하게 ⓔ전가되는 것을 막는 기능을 한다. 이로써 사고의 위험에 따른 경제적 *보험료 인상* 손실에 대비하고자 하는 보험 본연의 목적이 달성될 수 있다.

6문단: 고지 의무 제도의 기능

지문 해제

이 글은 보험과 관련된 개념들을 소개하고, 보험의 목적 달성을 위해 보험사에게 필요한 고지 의무 제도에 대해 설명하고 있다. 보험은 사고로 인한 경제적 손실을 대비하기 위한 조건부 상품으로, 보험료와 보험금은 사고 발생 확률을 근거로 산정된다. 이때 보험금에 대한 기댓값은 사고가 발생할 확률에 사고 발생 시 수령할 보험금을 곱한 값이고, 보험료율은 보험금에 대한 보험료의 비율이다. 공정한 보험에서는 보험료율과 사고 발생 확률이 같아야 한다. 한편 보험사와 보험 가입자 사이에는 정보의 비대칭성 때문에 보험료가 인상되는 등의 문제가 발생하는데 이러한 문제를 해결하기 위해 보험사는 보험 가입자의 감춰진 특성을 파악할 수 있는 수단이 필요하다. 이러한 수단이 법적으로 구현된 제도가 상법에 규정된 고지 의무이다. 고지 의무는 보험 가입자가 보험 계약 체결 전에 '중요한 사항'을 보험사에 알려야 한다는 것이다. 만약 보험 가입자가 '중요한 사항'을 보험사에 알리지 않았다면 보험사는 계약 해지권을 행사할 수 있고, 보험금을 지급하지 않거나 지급된 보험금의 반환을 청구할 수 있다. 그러나 보험사가 계약 당시 보험 가입자의 고지 의무 위반에 대한 사실을 알았거나 중대한 과실로 인해 알지 못했다면 보험사의 계약 해지권은 배제된다. 이러한 고지 의무는 다른 가입자에게 보험료가 부당하게 전가되는 것을 막는 기능을 하며, 사고에 따른 경제적 손실을 대비하고자 하는 보험의 취지에도 부합한다.

구절 풀이

○ 보험사는 정보의 비대칭성을 해결하기 위해서 보험 가입자의 감춰진 특성, 즉 중요한 사항을 파악할 수 있는 수단이 필요함.

○ 보험사가 보험 가입자의 감춰진 특성을 파악할 수 있게 하는 수단

○ '중요한 사항'은 사고 발생 확률을 높일 수 있는 보험 가입자의 감춰진 특성이므로, 이를 사실과 다르게 진술해서는 안 됨. 이렇게 중요한 사항을 알리는 것을 고지 의무라고 함.

○ 보험 가입자가 고지 의무를 다해야 하는 이유를 의미함.

○ 고지해야 할 '중요한 사항' 중 고지 의무 위반에 해당되는 사항이라도 보험 사고와 관련이 없는 사고가 발생했다면 보험사는 가입자에게 보험금을 지급해야 함.

어휘 풀이

* 청약: 일정한 내용의 계약을 체결할 것을 목적으로 하는 일방적·확정적 의사 표시.

* 과실: 부주의나 태만 따위에서 비롯된 잘못이나 허물.

선생님의 Tip

"보험의 특징"

① 손실의 집단화: 손실을 한데 모음으로써 개별 위험을 손실 집단으로 전환함.

② 위험 분산: 개별적으로 부담하기 힘든 손실을 서로 나누어 분담함으로써 손실로부터 회복을 용이하게 해 줌.

③ 위험 전가: 손실의 빈도는 적지만 손실의 규모가 커서 스스로 부담하기 어려운 위험을 보험사에 전가함으로써 개인이나 기업이 위험에 대하여 효과적으로 대응할 수 있게 해 줌.

④ 실제 손실 보상: 보험사가 보상하는 것은 실제로 발생한 손실을 원상 회복하거나 교체할 수 있는 금액으로 한정됨.

01 중심 화제의 파악 | 정답 ③ |

윗글에 대한 설명으로 가장 적절한 것은?

① 보험 계약에서 보험사가 준수해야 할 법률 규정의 실효성을 검토하고 있다.

② 보험사의 보험 상품 판매 전략에 내재된 경제학적 원리와 법적 규제의 필요성을 강조하고 있다.

③ 공정한 보험의 경제학적 원리와 보험의 목적을 실현하는 데 기여하는 법적 의무를 살피고 있다.

④ 보험금 지급을 두고 벌어지는 분쟁의 원인을 나열한 후 경제적 해결책과 법적 해결책을 모색하고 있다.

⑤ 보험 상품의 거래에 부정적으로 작용하는 법률 조항의 문제점을 경제학적인 시각에서 분석하고 있다.

📁 발문 분석

보험과 관련된 주요 내용이 지문에 어떻게 서술되고 있는지 묻고 있다. 지문의 큰 틀과 핵심 내용이 반영된 선택지를 찾아야 한다.

◎ 정답 풀이

③ 이 글은 '공정한 보험료'와 관련된 경제학적 원리와 그것을 실현하는데 기여하는 법적 의무인 '고지 의무'에 대한 내용으로 구성되어 있다. 2문단, 즉 [가]에서는 보험금에 대한 기댓값과 보험료율의 산출 방법을 소개하며 공정한 보험의 경제학적 원리를 설명하고 있으며 3~5문단에서는 보험사와 가입자 사이의 정보의 비대칭성을 보완하기 위해 상법에 규정된 고지 의무와 관련된 내용을 다루고 있다. 그리고 6문단에서는 고지 의무 제도가 보험 본연의 목적을 달성하는 데 중요한 기능을 하고 있음을 밝히고 있다. 따라서 이 글은 공정한 보험의 경제학적 원리와 보험의 목적을 실현하는 데 기여하는 법적 의무를 살피고 있다고 볼 수 있다.

✖ 오답 풀이

① 이 글에서는 보험 계약 시 보험 가입자가 준수해야 할 의무에 대해서는 언급하고 있지만, 보험 계약에서 보험사가 준수해야 할 법률 규정에 대해서는 다루지 않았다.

② 이 글에서는 공정한 보험에 대한 경제학적 원리와 법적 제도에 대해서는 언급하고 있지만, 보험사의 보험 상품 판매 전략에 내재된 경제학적 원리나 법적 규제의 필요성에 대해서는 언급하지 않았다.

④ 이 글의 3문단에서 보험사와 보험 가입자 간의 정보의 비대칭성 때문에 불공정한 보험이 될 수 있는 상황은 언급하고 있지만 보험금 지급을 두고 벌어지는 분쟁에 대해서는 언급하지 않았다.

⑤ 이 글에서는 불공정한 보험 제도가 되는 것을 방지하기 위한 수단에 해당하는 '고지 의무 제도'에 대해서는 설명하였으나, 보험 상품 거래에 부정적으로 작용하는 법률 조항에 대한 내용은 다루지 않았다.

🍯 선생님의 꿀 정보

지문을 읽고 있는데도 무슨 말인지 모를 때

① 1문단의 첫 문장과 마지막 문장에 주목한다.

보통 1문단의 첫 문장과 마지막 문장에는 해당 지문에서 다루고자 하는 '화제'가 드러나 있다. 화제를 파악했다면 이미 지문의 50%는 이해한 것이다. 만약 화제가 무엇인지 파악이 잘 안 된다면 한 번 더 읽어서 화제가 무엇인지 반드시 확인해야 한다. 그리고 '화제'에 기호를 활용하여 표시를 해 두는 것이 좋다.

② 각 문단의 첫 문장과 마지막 문장에 주목한다.

국어를 공부할 때 많이 들어본 '두괄식 문단', '미괄식 문단'에 대해 생각해 보면, 핵심(중심)문장은 대부분 첫 문장 또는 마지막 문장에 위치한다는 것을 알 수 있다. 지문에 언급된 다양한 내용 때문에 글쓴이가 무엇을 말하고 있는지 파악할 수 없다면 보통 첫 문장이나 마지막 문장에 그 해답이 있다. 따라서 이 부분에서 의미하는 바가 무엇인지 반드시 이해하고 넘어가야 한다.

③ 지문 전체의 흐름을 파악해 본다.

1문단에서 화제를 찾고, 2~3문단에서 그 문단의 중심 문장을 찾아 보았다면 화제와 2~3문단의 관계를 생각해 보면서 지문 전체의 흐름을 예상해 보아야 한다. 글이 시간의 흐름에 따라 전개되고 있는지, 두 대상을 비교하면서 전개되고 있는지, 문제가 제시되고 그 해결 방법을 서술하고 있는지 등을 파악하면서 읽어야 한다. 이러한 연습을 꾸준히 하여야 하므로 평소 지문을 읽으며 글 전체의 흐름을 파악하는 습관을 들여야 한다.

※ 글을 읽으면서 이 부분을 주목하자!

① ' ': 작은 따옴표 안에 제시된 단어는 대체로 개념어를 의미하고, 뒤에는 개념이 정의되므로 밑줄을 그어 표시해 두는 것이 좋다.

② 그러나, 반면, 하지만: 뒤에 나오는 내용은 이제까지와 다른 이야기이므로 내용이 어떻게 달라지는지에 주목해야 한다.

③ 즉, 이처럼, 정리하면: 앞의 내용을 정리해서 다시 짚어주는 부분이다. 따라서 이어지는 내용을 반드시 파악하여야 글의 내용을 이해할 수 있다.

02 세부 정보의 이해 | 정답 ④ |

윗글을 이해한 내용으로 가장 적절한 것은?

① 보험사가 청약을 하고 보험 가입자가 승낙해야 보험 계약이 체결된다.
   보험 가입자의 청약→보험사의 승낙→계약 체결

② 구성원 전체의 보험료 총액보다 보험금 총액이 더 많아야 공정한 보험이 된다.
   보험료 총액=보험금 총액

③ 보험 사고 발생 여부와 관계없이 같은 보험료를 납부한 사람들은 동일한 보험금을 지급받는다.

④ 보험에 가입하고자 하는 사람이 알린 중요한 사항을 근거로 보험사는 보험 가입을 거절할 수 있다.
   4문단

⑤ 우리 상법은 보험 가입자보다 보험사의 잘못을 더 중시하기 때문에 보험사에 계약 해지권을 부여하고 있다.

📁 발문 분석

글의 세부 내용을 정확히 이해하였는지를 묻고 있다. 보험과 관련하여 선택지에 언급된 내용을 지문 속 내용과 비교하여 그 적절성을 판단해야 한다.

◎ 정답 풀이

④ 4문단에서 '보험 가입자는 반드시 계약을 체결하기 전에 '중요한 사항'을 알려야 하고', 보험사는 보험 가입자가 알려 온 '중요한 사항'을 근거로 '청약에 대한 승낙을 결정하거나 차등적인 보험료를 책정'한다고 하였다. 따라서 보험에 가입하고자 하는 사람이 알린 중요한 사항을 근거로 보험사가 보험 가입을 거절할 수 있다는 진술은 적절하다.

✖ 오답 풀이

① 4문단에서 '보험 계약은 보험 가입자의 청약과 보험사의 승낙으로

성립된다.'라고 하였다. 그리고 5문단에서 보험 가입자가 고지 의무를 위반하였을 때, 보험사는 '고지 의무 위반을 이유로 계약을 해지할 수 있고, 해지권 행사는 보험사의 일방적인 의사 표시로 가능하다.'라고 하였다. 따라서 보험사가 청약을 하고 보험 가입자가 승낙해야 보험 계약이 해지된다는 진술은 적절하지 않다.

② 2문단에서 공정한 보험에서는 '구성원 전체의 보험료 총액과 보험금 총액이 일치해야 한다.'라고 하였으므로, 보험금 총액이 더 많아야 공정한 보험이 된다는 진술은 적절하지 않다.

③ 1문단에서 보험은 '보험료를 납부하고 보험 사고가 발생하면 보험금을 지급받는 제도'라고 하였으므로, 보험 사고가 발생하지 않았을 때는 보험금을 지급받을 수 없다고 추측할 수 있다. 따라서 보험 사고 발생 여부와 관계없이 보험금을 지급받는다는 진술은 적절하지 않다. 또한 2문단에서 '보험료와 지급받는 보험금은 그 위험 공동체의 사고 발생 확률을 근거로 산정된다.'라고 하였으므로, 사고 발생 시 같은 보험료를 납부한 사람들이라도, 그 위험 공동체의 사고 발생 확률이 다르다면 보험금을 다르게 지급받을 수 있다고 추측할 수 있다. 따라서 같은 보험료를 납부한 사람들은 동일한 보험금을 지급받는다는 진술도 적절하지 않다.

⑤ 5문단에서 '우리 상법은 보험사에 계약 해지권을 부여한다.'라고 하였다. 6문단에서 이는 '다른 가입자에게 보험료가 부당하게 전가되는 것을 막'고, 이로써 '보험 본연의 목적을 달성'하기 위함이라고 하였다. 따라서 보험 가입자보다 보험사의 잘못을 더 중시해서 보험사에 계약 해지권을 부여하고 있다는 진술은 적절하지 않다.

고난도
03 구체적 사례에 적용 | 정답 ⑤ |

[가]를 바탕으로 [보기]의 상황을 이해한 내용으로 적절한 것은?

┤보기├

사고 발생 확률이 각각 0.1과 0.2로 고정되어 있는 위험 공동체 A와 B가 있다고 가정한다. A와 B에 모두 **공정한 보험**이 항상 적용된다고 할 때, 각 구성원이 납부할 보험료와 사
<small>보험료율=사고 발생 확률</small>
고 발생 시 지급받을 보험금을 산정하려고 한다.

단, 동일한 위험 공동체의 구성원끼리는 **납부하는 보험료가 같고, 지급받는 보험금**이 같다. 보험료는 한꺼번에 모두
<small>보험료율(보험료/보험금)이 같다.</small>
납부한다.

① A에서 보험료를 두 배로 높이면 보험금은 두 배가 되지만 ~~보험금에 대한 기댓값~~은 변하지 않는다.
<small>보험금에 대한 기댓값=사고 발생 확률×보험금</small>

② B에서 보험료를 두 배로 높이면 ~~보험료는 변하지~~ 않지만 보험금에 대한 기댓값은 두 배가 된다.

③ A에 적용되는 보험료율과 B에 적용되는 보험료율은 ~~서로 같다.~~
<small>공정한 보험: 보험료율=사고 발생 확률(A=0.1, B=0.2)</small>

④ A와 B에서의 보험금이 서로 같다면 ~~A에서의 보험료~~는 B에서의 보험료의 두 배이다.
<small>보험금이 같다면 A에서의 보험료는 B의 ½이 됨.</small>

⑤A와 B에서의 **보험료**가 서로 같다면 A와 B에서의 **보험금**에 대한 기댓값은 서로 같다.

📁 발문 분석

[가]에 제시된 공정한 보험이 되는 원리를 이해하고 구체적인 상황에 적

용할 수 있는지를 묻고 있다. [가]에서 제시된 개념을 확인하여 [보기]의 구체적 상황과 관련지어 보고, 선택지의 적절성을 판단해야 한다.

✔ 보기 분석

[가]에서 제시된 '공정한 보험의 조건'을 바탕으로 [보기]의 상황을 요약하면 다음과 같다.

┌─────────────────────────────┐
[가]의 내용
• 보험료율 = 사고 발생 확률
• 보험료율 = 보험료/보험금
• 보험금에 대한 기댓값 = 사고 발생 확률×보험금
[보기]의 내용
• A의 사고 발생 확률은 0.1, B의 사고 발생 확률은 0.2로 고정됨.
• A와 B에 모두 공정한 보험이 적용됨.
• 동일한 위험 공동체의 구성원끼리는 납부하는 보험료가 같고, 지급받는 보험금이 같음.
└─────────────────────────────┘

◎ 정답 풀이

⑤ [보기]에서 'A와 B에 모두 공정한 보험이 항상 적용된다'고 하였다. 또 [가]에서는 '공정한 보험에서는 구성원 각자가 납부하는 보험료와 그가 지급받을 보험금에 대한 기댓값이 일치해야' 한다고 하였다. 따라서 A와 B에서의 보험료가 서로 같다면 A와 B에서의 보험금에 대한 기댓값도 서로 같을 것이라고 추측할 수 있다.

✘ 오답 풀이

① [가]에서 '공정한 보험에서는 보험료율과 사고 발생 확률이 같아야 한다.'라고 하였다. [보기]에서 A의 사고 발생 확률이 0.1로 고정되어 있다고 하였으므로, A에서 보험료를 두 배로 높이면 보험금도 두 배가 된다. 보험금에 대한 기댓값은 사고 발생 확률에 보험금을 곱한 값이므로, 보험금이 두 배가 되면 기댓값도 두 배가 된다.

② [가]에서 '공정한 보험에서는 보험료율과 사고 발생 확률이 같아야 한다.'라고 하였다. [보기]에서 B의 사고 발생 확률이 0.2로 고정되어 있다고 하였으므로, 보험금을 두 배로 높이면 보험료도 두 배가 되며, 보험금에 대한 기댓값도 두 배가 된다.

③ [보기]에서 'A와 B에 모두 공정한 보험이 항상 적용된다'고 하였다. 또 [가]에서 '공정한 보험에서는 보험료율과 사고 발생 확률이 같아야 한다.'라고 하였다. 따라서 A와 B에 적용되는 보험료율은 각각 0.1과 0.2로 서로 달라지게 된다.

④ [가]에서 '공정한 보험에서는 보험료율과 사고 발생 확률이 같아야 한다.'라고 하였다. 따라서 [보기]의 A와 B의 보험금이 서로 같다면 B에서의 보험료는 A에서의 보험료의 두 배가 된다.

🍯 선생님의 꿀 정보

03번 문제: 지문의 특정 부분을 바탕으로 [보기]의 상황을 이해하는 문제

03번 문제는 지문의 전체적인 내용을 묻는 것이 아니므로, [가]의 정보만 집중적으로 파악한 뒤, 문제에 적용해야 한다. 실제 시험에서 시간이 부족한 상황이라면, 지문을 읽을 때 [A] 또는 [가] 부분과 같이 표시된 부분을 충실히 읽고 문제로 바로 이동하여 문제를 푼 뒤 다시 지문으로 돌아가 지문을 읽는 것도 괜찮은 방법이다.

[가]의 내용을 바탕으로 03번 문제를 같이 살펴 보자.

[가]의 핵심: 공정한 보험의 조건
1)보험료=보험금에 대한 기댓값
2)보험료 총액=보험금 총액
3)보험료율=사고 발생 확률

[가]를 읽을 때 어떤 정보에 주목하고 읽어야 하는지 모르겠다면 문제의 선택지를 훑어보는 것도 도움이 된다. 선택지에서 반복되는 단어나 문장 구조가 바로 [가]에서 주목해서 봐야 할 정보이기 때문이다.

3번 문제의 선택지
① A에서 보험료를 두 배로 높이면 보험금은 두 배가 되지만 보험금에 대한 기댓값은 변하지 않는다.
② B에서 보험금을 두 배로 높이면 보험료는 변하지 않지만 보험금에 대한 기댓값은 두 배가 된다.
③ A에 적용되는 보험료율과 B에 적용되는 보험료율은 서로 같다.
④ A와 B에서의 보험금이 서로 같다면 A에서의 보험료는 B에서의 보험료의 두 배이다.
⑤ A와 B에서의 보험료가 서로 같다면 A와 B에서의 보험금에 대한 기댓값은 서로 같다.
→ 선택지 ①, ②, ④, ⑤에서 언급한 것을 바탕으로 보험료와 보험금의 관계가 매우 중요한 정보임을 추측할 수 있다.

선택지를 바탕으로 [가]의 핵심을 파악하였다면, [보기]에 제시된 상황의 특징을 파악하여야 한다.

[보기]의 핵심적 특징
1) 사고 발생 확률: A는 0.1, B는 0.2
2) A와 B에 모두 공정한 보험 적용

[보기]의 특성을 도출하였다면 선택지를 다시 확인하면서 (가)와 [보기]의 내용을 바탕으로 선택지의 적절성을 판단하면 된다.

04 핵심 정보의 파악 | 정답 ① |

윗글의 고지 의무에 대한 설명으로 적절하지 않은 것은?

① 고지 의무를 위반한 보험 가입자가 보험사에 손해 배상을 해야 하는 근거가 된다.
② 보험사가 보험 가입자의 위험 정도에 따라 차등적인 보험료를 책정하는 데 도움이 된다.
   보험 가입자가 '중요한 사항'을 알려야 하므로
③ 보험 계약 과정에서 보험사가 가입자들의 특성을 파악하는 데 드는 어려움을 줄여 준다.
④ 보험사와 보험 가입자 간의 정보 비대칭성에서 기인하는 문제를 줄일 수 있는 법적 장치이다.
   보험 가입자 > 보험사
   상법에 규정됨
⑤ 자신의 위험 정도에 상응하는 보험료보다 높은 보험료를 내야 한다는 이유로 보험 가입을 포기하는 사람들이 생기는 것을 방지하는 효과가 있다.
   보험료 인상을 막을 수 있기 때문

🗂 발문 분석

글의 핵심 정보인 '고지 의무'에 대해 제대로 이해하고 있는지를 묻고 있다. '고지 의무'가 어떤 맥락에서 도입되었고, 어떤 취지를 가지고 있는지를 살펴보아야 한다.

🎯 정답 풀이

① 3문단과 4문단을 통해 고지 의무는 보험 가입자가 보험사에 비해 보험 가입자의 위험 정도에 대한 정보를 더 많이 갖고 있는 정보의 비대칭성을 해결하기 위한 수단으로 도입된 것임을 알 수 있다. 고지 의무는 보험 가입자가 보험 계약 체결 전 '중요한 사항'을 보험사에 알리는 것을 의미하는데, 5문단에서 보험 가입자가 고지 의무를 위반하게 되면 '보험사는 계약 해지권을 부여'받는다고 하였다. 또 '해지를 하면 보험사는 보험금을 지급할 책임이 없게 되며, 이미 보험금을 지급했다면 그에 대한 반환을 청구할 수 있다.'라고 하였다. 따라서 고지 의무는 보험 가입자가 보험사에 손해 배상을 해야 하는 근거가 아니라, 보험사가 계약을 해지하고 보험 가입자에게 보험금을 지급하지 않거나 지급된 보험금 반환을 청구할 수 있는 근거가 된다.

❌ 오답 풀이

② 4문단에서 보험 가입자가 알려온 '중요한 사항'은 보험사가 '차등적인 보험료를 책정하는 근거'가 된다고 하였다.

③ 3문단과 4문단을 통해 보험사는 보험 가입자의 감춰진 특성을 파악할 수 있는 수단이 필요한데, 이러한 수단이 법적으로 구현된 제도가 고지 의무임을 알 수 있다.

④ 3문단에서 '자신의 위험 정도에 상응하는 보험료보다 더 높은 보험료를 납부하는 사람이 생기'는 것은 보험 가입자와 보험사 간의 정보의 비대칭성 때문이라고 하였다. 그리고 4문단에서 고지 의무는 '다수의 사람들이 자신의 위험 정도에 상응하는 보험료보다 더 높은 보험료를 납부'하는 것을 방지한다고 하였다. 따라서 고지 의무는 정보 비대칭성에서 기인하는 문제를 줄일 수 있는 법적 장치라고 할 수 있다.

⑤ 4문단에서 '고지 의무는 결과적으로 다수의 사람들이 자신의 위험 정도에 상응하는 보험료보다 더 높은 보험료를 납부해야 하거나, 이를 이유로 아예 보험에 가입할 동기를 상실하게 되는 것을 방지한다.'라고 하였다.

🍯 선생님의 꿀 정보

경제 영역의 지문을 읽는 방법

사회 영역의 지문 가운데 경제 분야를 다룬 지문에는 낯선 개념들이 많이 제시되는데, 그 개념 간의 관계가 밀접하면서도 차이가 있다. 이렇게 방대한 정보량을 짧은 시간에 모두 이해하면서 읽기는 매우 어렵기 때문에 이미 아는 정보에 대해서는 자신이 알고 있는 예와 엮어서 이해하려고 노력하면 기억에 오래 남아 문제를 풀 때 도움이 된다. 반면 모르는 정보나 쉽게 이해가지 않는 정보는 핵심어와 내용을 표시해 두고 문제를 풀 때 함께 연관 지어 읽는 것이 좋다.

그리고 경제 분야의 지문에는 '(어떻게) 하면, ~ (어찌) 되고, 반면 ~ (어떻게) 하면, ~ (어찌) 된다.'라는 문장 형식이 자주 나온다. '(어떻게) 하면, ~ (어찌) 된다.'라는 것은 사회 현상의 변화를 설명하는 것이고, '반면' 뒤의 내용은 그와 반대되는 변화를 보여 준다. 이런 문장이 자주 등장하는 이유는 사회 현상을 설명하기 좋은 문장이며 동시에 차이점을 보여 주는 문장이기 때문이다. 이 문장들은 지문의 핵심 내용과 차이점을 파악하고 있는지를 확인할 수 있는 부분이라 출제 빈도가 높으므로 주목하며 읽어야 한다.

1) 2문단: '보험료율이 사고 발생 확률보다 높으면 구성원 전체의 보험료 총액이 보험금 총액보다 더 많고, 그 반대의 경우에는 구성원 전체의 보험료 총액이 보험금 총액보다 더 적게 된다.'
2) 5문단: '일반적으로 법에서 의무를 위반하게 되면 위반한 자에게 그 의무

를 이행하도록 강제하거나 손해 배상을 청구할 수 있는 것과 달리, 보험 가입자가 고지 의무를 위반했을 때에는 보험사가 해지권만 행사할 수 있다.'
→ 이 두 문장은 각각 03번, 04번 문제에서 중요한 내용으로 다루어졌다.

05 구체적 상황에 적용 | 정답 ④ |

윗글을 바탕으로 [보기]의 사례를 검토한 내용으로 가장 적절한 것은?

─┤보기├─

보험사 A는 보험 가입자 B에게 보험 사고로 인한 보험금을 지급한 후, B가 중요한 사항을 고지하지 않았다는 사실을 뒤늦게 알고 해지권을 행사할 수 있는 기간 내에 보험금 반환을 청구했다.
고지 의무 위반
계약 당시 중대한 과실을 알지 못한 경우

① 계약 체결 당시 A에게 중대한 과실이 있었다면 A는 계약을 해지할 수 없으나 보험금은 돌려받을 수 있다.
② 계약 체결 당시 A에게 중대한 과실이 없다 하더라도 A는 보험금을 이미 지급했으므로 계약을 해지할 수 없다.
보험금 지급 여부가 계약 해지권에 영향을 주지는 않음.
③ 계약 체결 당시 A에게 중대한 과실이 있고 B 또한 중대한 과실로 고지 의무를 위반했다면 A는 보험금을 돌려받을 수 있다.
잘못의 책임: 보험사 〉 보험 가입자
④ B가 고지하지 않은 중요한 사항이 보험 사고와 인과 관계가 없다면 A는 보험금을 돌려받을 수 없다.
⑤ B가 자신의 고지 의무 위반 사실을 보험 사고가 발생한 후 A에게 즉시 알렸다면 고지 의무를 위반한 것이 아니다.
사고 시점이 아닌 계약 당시가 중요함.

📁 발문 분석
주요 개념인 고지 의무에 대해 이해하고 구체적인 사례에 적용하여 파악할 수 있는지 묻고 있다. '고지 의무'의 개념과 특징을 파악하여 [보기]에 적용해야 한다.

✔ 보기 분석
[보기]는 가입자 B가 중요한 사항을 고지 않았다는 사실을 보험사 A가 뒤늦게 알고 B에게 보험금 반환을 청구한 사례이다.

◎ 정답 풀이
④ 5문단에서 '고지해야 할 '중요한 사항' 중 고지 의무 위반에 해당되는 사항이 보험 사고와 인과 관계가 없을 때에는 보험사는 보험금을 지급할 책임이 있다.'라고 하였다. 따라서 [보기]의 보험 가입자 B가 고지하지 않은 중요한 사항이 보험 사고와 인과 관계가 없다면 보험사 A에게는 보험금을 지급할 책임이 있는 것이다. 그러므로 해지권을 행사할 수 있는 기간 내에 B에게 보험금 반환을 청구해도 A는 보험금을 돌려받을 수 없다.

✗ 오답 풀이
① 5문단에서 '계약 당시에 보험사가 고지 의무 위반에 대한 사실을 알았거나 중대한 과실로 인해 알지 못한 경우에는 보험 가입자가 고지 의무를 위반했어도 보험사의 해지권은 배제된다.'라고 하였다. 따라서 중대한 과실이 있는 A는 보험 계약 해지권을 행사할 수 없고, 지급한 보험금을 돌려받을 수도 없을 것이다.
② 5문단에서 보험 가입자가 고지 의무를 위반하면 보험사는 이를 이유로 '계약을 해지할 수 있고', 지급된 보험금에 대한 반환을 청구

할 수 있다고 하였다. 계약 체결 당시 A에게 과실이 없다면 보험 가입자 B가 중대한 과실로 '중요한 사항'을 고지하지 않은 것으로 볼 수 있다. 따라서 B가 고지 의무를 위반하였으므로, A는 보험 계약 해지권을 행사할 수 있고, 지급한 보험금에 대한 반환을 청구할 수 있을 것이다.
③ 5문단에서 상법은 '보험 가입자의 잘못보다 보험사의 잘못에 더 책임을' 두어, 보험사가 계약 당시 '고지 의무 위반에 대한 사실을 알았거나 중대한 과실로 인해 알지 못한 경우에는 보험 가입자가 고지 의무를 위반했어도 보험사의 계약 해지권은 배제된다.'라고 하였다. 따라서 계약 체결 당시 A에게 중대한 과실이 있었다면 B가 고지 의무를 위반했어도 계약 해지권이 배제되어 A는 보험금 반환 청구를 할 수 없을 것이다.
⑤ 4문단에서 '보험 가입자는 반드시 계약을 체결하기 전에 '중요한 사항'을 알려야' 한다고 하였다. 그리고 5문단에서 '보험 계약 체결 전 보험 가입자가 고의나 중대한 과실로 '중요한 사항'을 보험사에 알리지 않'으면 고지 의무를 위반한 것이라고 하였다. 또한 '보험사는 보험 사고가 발생하기 이전이나 이후에 상관없이 고지 의무 위반을 이유로 계약을 해지할 수 있'다고 하였다. 따라서 B가 보험 사고 발생 후 A에게 고지 의무 위반 사실을 알렸더라도 계약 체결 이후이므로 B는 고지 의무를 위반한 것이고, A는 계약 해지권을 행사할 수 있을 것이다.

06 어휘 활용의 적절성 판단 | 정답 ① |

ⓐ~ⓔ를 사용하여 만든 문장으로 적절하지 않은 것은?
① ⓐ: 지난해의 이익과 손실을 대비해 올해 예산을 세웠다.
대비
② ⓑ: 일을 시작하기 전에 상황을 파악하는 것이 중요하다.
파악
③ ⓒ: 임금이 인상되었다는 소식에 많은 사람들이 기뻐했다.
인상
④ ⓓ: 이번 실험이 실패할 가능성을 전혀 배제할 수는 없다.
배제
⑤ ⓔ: 그는 자신의 실수에 대한 책임을 동료에게 전가했다.
전가

📁 발문 분석
한자어의 의미를 바르게 알고 사용할 수 있는지 묻고 있다. 한자가 표기되어 있지 않아 전혀 다른 단어임에도 비슷해 보일 수 있으므로 이를 유의해야 한다.

◎ 정답 풀이
① '경제적 손실에 ⓐ대비할 수 있다.'에서의 '대비(對備)'는 '앞으로 일어날지도 모르는 어떠한 일에 대응하기 위하여 미리 준비함.'을 의미한다. 그러나 '이익과 손실을 대비하다.'에서의 대비(對比)는 '두 가지의 차이를 밝히기 위하여 서로 맞대어 비교함.'을 의미한다. 따라서 '대비(對備)'와 '대비(對比)'는 소리는 같지만 뜻이 서로 다른 동음이의어이다.

✗ 오답 풀이
② '파악(把握)'은 '어떤 대상의 내용이나 본질을 확실하게 이해하여 앎.'을 의미하는 어휘이다.
③ '인상(引上)'은 '물건값, 봉급, 요금 따위를 올림.'을 의미하는 어휘이다.
④ '배제(排除)'는 '받아들이지 아니하고 물리쳐 제외함.'을 의미하는 어휘이다.
⑤ '전가(轉嫁)'는 '잘못이나 책임을 다른 사람에게 넘겨씌움.'을 의미하는 어휘이다.

01 ② 02 ③ 03 ② 04 ① 05 ⑤ 본문 ○ 62쪽

구절 풀이

투표 가치가 평등하려면 모든 선거인이 1인 1표를 행사해야 하며, 1표의 가치가 대표자 선정이라는 선거의 결과에 기여한 정도도 평등해야 함. 그런데 인구 편차 3:1의 기준을 적용하면 특정한 1인의 투표 가치가 다른 1인의 투표 가치에 비해 세 배의 가치를 가지게 되므로 이는 투표 가치의 불평등이 지나치다고 할 수 있음.

어휘 풀이

* 획정: 경계 따위를 명확히 구별하여 정함.
* 선출직: 여럿 가운데서 뽑거나 골라서 확정된 직위나 직책.
* 공직자: 관청 또는 공공 단체의 직무를 맡아 보고 있는 사람.

─ 선생님의 Tip ─

"소선거구제와 중·대선거구제"

소선거구제는 하나의 선거구에서 1명의 의원을 선출하는 제도임. 의회 의석의 다수를 차지하는 다수당이 나타나기 쉬워 정국의 안정을 가져올 수 있고 선거 비용이 비교적 소액이라는 점이 장점임. 그러나 사표(死票)가 나올 가능성이 많고 정치적 소수는 대표를 선출하기 어렵다는 점, 선거 간섭이 용이해 부정투표의 가능성이 많다는 점이 단점임. 중·대선거구제는 한 선거구에서 2~4인의 대표를 선출하는 것으로 한 정당에서 복수의 후보가 출마할 수 있음. 사표가 적고, 군소정당이나 정치 신인의 국회 진입이 용이해진다는 효과가 있으나 정국의 불안정을 초래할 수 있으며 한 정당에서 복수의 후보가 출마할 수 있어 인물 정치, 금권 선거 대두와 같은 문제도 제기됨.

"인구 편차 계산 및 조정 방법"

인구 편차는 (최대 선거구 인구수)÷(최소 선거구 인구수)로 구함. 이때 최소 인구수인 '인구 하한선'을 상향 조정하거나 최대 인구수인 '인구 상한선'을 낮추면 인구 편차를 조정할 수 있음. 그러나 인근 지역구와 통합되는 선거구나 분할되는 선거구가 발생하게 됨.

"최소 의석 수"

역사적으로 형성된 지리적 경계를 존중하여 인구 편차 기준에 예외를 적용해 최소 의석을 할당하는 것을 의미함. 우리나라는 제주도 3석, 세종시 1석을 인구 규모와 관계없이 우선 할당하고 있음.

1 지난 2014년 10월, 헌법재판소는 국회의원 선거구별 인구 편차를 3:1까지 허용하는 현행 공직선거법에 대하여 헌법불일치 결정을 내리고, 선거구 간 인구 편차를 2:1 이하로 확정*하도록 명령하였다. 인구 편차 3:1의 기준을 적용하게 되면 1인의 투표 가치가 다른 1인의 투표 가치에 비하여 세 배의 가치를 가지는 경우도 발생하는데, 이는 지나친 투표 가치의 불평등이라는 것이다. 즉 인구가 적은 지역구에서 당선된 국회의원이 획득한 투표수보다 인구가 많은 지역구에서 낙선된 후보자가 획득한 투표수가 많은 경우가 발생할 가능성도 있는 바, ㉠대의 민주주의의 관점에서도 결코 바람직하지 아니하다는 것이다. 또한 국회를 구성함에 있어 국회의원의 지역 대표성이 고려되어야 한다고 할지라도 이것이 국민주권주의의 출발점인 투표 가치의 평등보다 우선시 될 수는 없다며 그 이유를 밝혔다. 헌법재판소의 이와 같은 결정이 지닌 의미를 이해하기 위해서는 선거구에 관한 개념과 선거구 획정에 대한 이해가 선행되어야 한다. **1문단: 헌법재판소의 선거구별 인구 편차에 대한 결정 판결**

2 선거구는 선출직* 공직자*를 선출하기 위해 선거가 실시되는 독립된 단위 지역을 말하고, 선거구를 기준으로 대표자를 선출하는 제도를 선거구제라고 한다. 우리나라는 지역구 국회의원 선거와 지역구 시·도의회의원 선거에서는 소선거구제를 채택하고 있고, 지역구 자치구·시·군의회의원 선거에서는 중선거구제를 채택하고 있다. 선거구 획정은 2단계로 구성되는데, 1단계는 전국적 인구조사 후 정치적 단위 지역 인구수에 비례하여 의회의 지역구 의석수를 재분배한다. 그리고 2단계는 각 단위 지역에 재분배된 의석수에 따라 그 지역 내 선거구의 경계선을 재획정한다. 이 과정에서 선거구 획정은 정치적 특성뿐 아니라 복잡한 기술적 문제도 포함한다. **2문단: 선거구의 개념과 선거구 획정의 과정**

3 선거구 획정의 기준을 논의하기 전에 선거구의 인구수 및 지리적 여건에 대한 정확한 데이터가 관리할 수 있는 형태로 정리되어 있어야 한다. 오늘날의 선거구 획정은 지리 정보 체계, 즉 GIS(Geographic Information System)를 이용하기 때문에 여러 가지 결과를 예측하고 다양한 선거구 획정안 지도를 작성할 수 있다. 그래서 시군구의 세부 도로, 읍면동 단위까지 지역 특성을 보여주는 획정안을 작성할 수 있다. **3문단: 선거구 획정에서 활용되는 GIS**

4 GIS란 지역에서 수집한 각종 지리 정보를 수치화하여 컴퓨터에 입력·처리하고, 이를 사용자의 요구에 따라 다양한 방법으로 분석·종합하여 제공하는 종합정보관리시스템을 말한다. 종이에 인쇄된 지도는 수시로 변하는 내용들을 수록하지 못하기 때문에 이용에 한계가 있었다. 이에 컴퓨터를 이용하여 자료를 수집·처리·분석하는 효과적인 이용방안을 제시하게 되었고, 방대하고 다양한 자료를 효율적으로 처리할 수 있는 종합적 공간처리 기술인 GIS가 발달하기에 이르렀다. GIS가 갖추어지면 다양한 공간 분석이 가능해지고, 그

지문 구조도

화제 제시: 선거구(1, 2문단)
• 헌법재판소는 현행 공직선거법에 대해 헌법불일치 결정을 내리고, 2:1 이하로 획정하라는 판결을 내림.
• 선거구: 선출직 공직자를 선출하기 위해 선거가 실시되는 독립된 단위 지역.

↓

전개: GIS 활용(3~5문단)
• GIS를 이용하여 다양한 선거구 획정안 지도를 작성할 수 있음.
• GIS를 통해 작성된 획정안은 경계선의 연속성과 선거구 형상의 조밀성 같은 기준들의 평가를 용이하게 함.

↓

마무리(6문단)
인구 비례성의 문제와 지역 대표성의 문제 → 투표의 등가성과 획정 결과의 공정성을 높여야 함.

출제 의도 선거구 획정의 개념과 획정 방법을 이해하고 이때 문제가 되는 것이 무엇인지를 파악할 수 있는지를 평가하기 위한 지문이다. 선거구 획정이 무엇을 의미하는지, GIS가 선거구 획정에서 어떠한 역할을 하는지 등을 이해했는지 묻는 문제가 출제되었다.

주제 선거구 획정의 특성과 문제점

래픽 정보나 관련 데이터베이스 등을 활용하여 각종 지형 정보를 상세히 알 수 있을 뿐 아니라, 처리 도구와 조작 도구를 이용해 방대한 공간 자료를 효율적으로 관리할 수 있다. 컴퓨터 관련 기술과 과학 기술의 발달은 인공위성을 활용한 원격 탐사를 통해 효율적으로 지리 자료를 수집하게 하여 GIS의 발달에 기여하였다.

4문단: GIS의 개념과 특징

5 이러한 GIS를 통해 작성된 획정안은 경계선의 연속성과 선거구 형상의 조밀성* 같은 기준을 평가하는 것을 훨씬 용이하게 한다. 이는 게리맨더링*의 문제와 밀접히 연계되어 있는 것으로, 우선 선거구 형태의 연결성 문제는 선거구 전체가 하나의 모양으로 연속되어 있어야 한다. ⓐ만약 단절된 2개 이상의 구역이 하나의 선거구로 인정되게 된다면 유권자의 대표성 실현이 무시된 채 현직자나 당파적* 이해관계에 따른 선거구 획정이 더욱 용이하게 될 것이기 때문이다. 선거구 형상의 조밀성 문제는 선거구 형태가 연결성을 가진다 해도 도마뱀 꼬리처럼 길게 지역을 구획하게 된다는 것이다. 결과적으로 양 극단에 속한 유권자들은 서로 다른 문화적, 행정적 공동체의 구성원이 될 가능성이 높아지게 되므로 이를 방지해야 한다.

5문단: GIS를 통해 작성된 선거구 획정안의 장점

6 선거구를 획정하는 과정에서 가장 큰 문제가 되는 것은 헌법재판소의 판결 내용에서도 알 수 있듯이 평등 선거의 원칙과 관련한 인구 비례성의 문제와, 각 지역의 특수성을 반영하는 지역 대표성의 문제이다. 인구 비례성의 문제는 평등 선거의 원칙을 기본으로 하는 '투표 가치 등가성*의 원칙'을 지키기 위한 것이다. 투표 가치 등가성의 원칙은 모든 선거인의 1인 1표를 인정하는 것 뿐만 아니라, 1표의 가치가 대표자 선정이라는 선거의 결과에 기여한 정도에서도 평등해야 함을 의미한다. 하지만 헌법재판소가 강조한 인구 비례성을 강화할 경우 지역 대표성이 약화된다. 특히 우리나라의 경우 도시와 농촌 간의 인구 격차가 심화되고 있는 상황이라, ⓑ인구 편차 기준을 절대적으로 반영하면 농어촌 지역의 선거구 축소가 불가피하고, 농어촌 선거권자들의 지역 대표성이 침해될 수 있다. 선거구 획정은 선거의 결과에 직접적으로 영향을 미치며, 투표에 참여하는 선거인들에게 평등하고 공정한 선거권을 보장해야 한다는 점에서 중요하다. 선거구를 획정할 때 공정성을 확보하는 방법 중의 하나는 선거구 획정 과정에서 가능한 정치적인 특성들을 배제하고, 중립적인 기관에 의해 획정 절차를 거쳐 투표의 등가성을 높이는 것이다.

6문단: 선거구 획정 과정에서의 쟁점과 공정성 확보 방안

---

* 게리맨더링: 1812년 미국 매사추세츠주 주지사 E.게리가 상원선거법 개정법을 강행하기 위해 자기당인 공화당에 유리하도록 선거구를 분할하였는데, 그 모양이 샐러맨더(salamander:도롱뇽)와 같다고 하여 반대당에서 샐러 대신에 게리의 이름을 붙여 게리맨더라고 비난한 데서 유래한 말.

지문 해제

이 글은 GIS를 활용한 선거구 획정의 장점을 소개하고, 선거구 획정과 관련된 문제점을 설명하고 있다. 선거구 획정의 기준을 논의하기 전에 먼저 선거구의 인구수 및 지리적 여건에 대한 정확한 데이터가 관리할 수 있는 형태로 정리되어야 하는데, 이때 GIS가 활용된다. GIS란 지역에서 수집한 각종 지리 정보를 수치화하여 컴퓨터에 입력·처리하고, 이를 사용자의 요구에 따라 다양한 방법으로 분석·종합하여 제공하는 종합정보관리시스템을 말한다. 선거구를 획정할 때 GIS를 이용하면 여러 가지 결과를 예측하며 다양한 선거구 획정안 지도를 작성할 수 있고, 이 덕분에 지역의 특성을 잘 보여 주는 획정안을 작성할 수 있다. GIS를 활용하면 다양한 공간을 분석할 수 있고 그래픽 정보나 관련 데이터베이스 등 각종 지형 정보를 상세히 알 수 있을 뿐 아니라, 방대한 공간 자료를 효율적으로 관리할 수 있다. 이러한 GIS를 통하여 작성된 획정안은 경계선의 연속성과 선거구 형상의 조밀성 같은 기준들을 평가하기 용이하게 한다. 한편 인구 비례성을 강화할 경우 지역 대표성이 약화되기 때문에 선거구를 획정하는 과정에서 인구 비례성의 문제와 지역 대표성의 문제가 쟁점이 된다. 따라서 선거구 획정할 때 공정성을 확보하기 위해서는 투표의 등가성과 획정 결과의 공정성을 높여야 한다.

구절 풀이

○ 인공위성을 활용하면 관측하고자 하는 대상과 접촉하지 않고 멀리서도 대상을 측정할 수 있으며, 이를 통해 정보를 얻을 수 있어 효율적임.

○ 선거구 전체가 하나의 모양으로 연속되지 않고, 2개 이상의 구역이 하나의 선거구로 인정되면 현직자나 각자 정당의 이해관계에 따라 선거구 획정이 용이하게 됨.

○ 선거구의 형상을 길게 구획하게 되면 양 극단에 속한 유권자들은 같은 문화적, 행정적 공동체가 속하지 않을 가능성이 높아짐.

어휘 풀이

* 조밀성: 촘촘하고 빡빡한 성질.
* 당파적: 자신이 속한 당파를 무조건 편들려 하는. 또는 그런 것.
* 등가성: 가치가 서로 같은 것을 요구하는 상품 교환의 특성.

선생님의Tip

"선거구 법정주의"

선거구 법정주의는 선거구를 획정하는 것은 국회에서 법률에 의하여 정하여야 한다는 원칙을 의미함. 선거구를 국민의 대표 기관인 국회에서 결정하도록 하는 것은 선거구 획정이 선거 결과에 미치는 영향이 매우 크고, 정당의 정권 획득 여부에도 큰 영향을 미치기 때문임. 선거구를 국회에서 법률로 정하는 것은 국회의 논의와 통과 과정을 거침으로써 선거구 획정의 공정성을 확보하고, 특정 정당이나 개인에게 유리한 선거구의 획정을 방지함으로써 게리맨더링을 방지하기 위해서임. 또 선거구를 획정하는 데 있어서 선거구 간의 선거인 수의 지나친 차이로 인한 평등선거 위반의 위헌성을 극복하고자 하는 목적도 있음. 국회에서는 선거구 법정주의를 실현하고 이를 전담하기 위하여 선거구 획정 위원회를 설치하여 운영하고 있음.

01 세부 내용의 이해 | 정답 ② |

윗글의 내용에 대한 이해로 적절하지 않은 것은?

① 한 선거구 내의 유권자들은 같은 문화적·행정적 공동체의 구성원이어야 한다.

② 우리나라는 선거구의 ~~크기에 따라~~ 소선거구제와 중선거구제를 달리 채택하고 있다.
　　선거구의 종류에 따라

③ 서로 떨어져 있는 구역이 하나의 선거구로 인정될 경우 정치적으로 악용될 수 있다.
현직자나 당파적 이해 관계에 따라 선거구를 획정할 가능성

④ 헌법재판소는 선거구를 정할 때 지역 대표성보다 인구 비례성의 문제가 우선시되어야 한다고 보았다.

⑤ 선거구 획정 시 인구 편차 기준의 절대적 반영은 농어촌 선거권자들의 지역 대표성을 침해할 가능성이 있다.

📁 발문 분석

지문의 내용을 이해하고 지문과 선택지의 내용이 일치하는지를 판단할 수 있는지 묻고 있다. 지문의 내용과 선택지의 내용을 꼼꼼히 비교하여 적절성을 판단해야 한다.

◎ 정답 풀이

② 2문단에서 '우리나라는 지역구 국회의원 선거와 지역구 시·도의회의원 선거에서는 소선거구제를 채택하고 있고, 지역구 자치구·시·군의회의원 선거에서는 중선거구제를 채택하고 있다.'라고 하였다. 이는 선거의 종류에 따라 그에 적합한 선출 의원 수를 달리하고 있는 것이지, 선거구의 크기를 기준으로 달리 채택하고 있는 것은 아니다.

✕ 오답 풀이

① 5문단에서 '선거구 형상의 조밀성 문제는 선거구 형태가 연결성을 가진다 해도' 길게 지역을 구획하게 된다면, '양 극단에 속한 유권자들은 서로 다른 문화적, 행정적 공동체의 구성원이 될 가능성이 높아지게 되므로 이를 방지해야 한다.'라고 하였다. 이는 한 선거구의 유권자들은 서로 같은 문화적, 행정적 공동체의 구성원이어야 한다는 것을 전제하고 있다는 의미이다.

③ 5문단에서 '만약 단절된 2개 이상의 구역이 하나의 선거구로 인정되게 된다면 유권자의 대표성 실현이 무시된 채 현직자나 당파적 이해관계에 따른 선거구 획정이 더욱 용이하게 될 것'이라고 하였다. 따라서 서로 떨어져 있는 구역이 하나의 선거구로 인정될 경우 정치적으로 악용될 수 있다고 볼 수 있다.

④ 1문단에서 헌법재판소는 '국회를 구성함에 있어 국회의원의 지역 대표성이 고려되어야 한다고 할지라도 이것이 국민주권주의의 출발점인 투표 가치의 평등보다 우선시 될 수는 없다'고 하였다. 이를 통해 헌법재판소가 지역 대표성보다 투표 가치의 평등을 더 우선시하였음을 알 수 있다. 그런데 6문단에서 '인구 비례성의 문제는 평등 선거의 원칙을 기본으로 하는 '투표 가치 등가성의 원칙'을 지키기 위한 것'이라 하였고, '헌법재판소가 강조한 인구 비례성을 강화할 경우 지역 대표성이 약화된다.'라고 하였다. 따라서 헌법재판소가 선거구를 정할 때 지역 대표성보다 인구 비례성의 문제를 더 우선시하였다고 볼 수 있다.

⑤ 6문단에서 '인구 편차 기준을 절대적으로 반영하면 농어촌 지역의 선거구 축소가 불가피하고, 농어촌 선거권자들의 지역 대표성이 침해될 수 있다.'라고 하였다.

👑 고난도
02 전제의 추론 | 정답 ③ |

[보기]를 바탕으로 ㉠의 전제를 추론한 것으로 가장 적절한 것은?

┤보기├

　　국민 자치의 원리를 근간으로 하는 민주 정치의 본래 취지
　　　국민 스스로 국가를 다스림.
를 따르면, 국민이 직접 정책을 결정하는 직접 민주제가 바
　　　　　　　　　　　　　　　직접 민주제의 개념
람직하다. 그러나 인구가 많아지고 결정해야 할 정책 사안이
많아지면서 직접 민주제를 적용하는 데 많은 시간과 비용이
필요하다는 문제에 부딪힌다. 또한 국민 대다수가 자신의 직
　　　　　　　　　　직접 민주제 시행 시 발생하는 문제점
업과 생활에 전념해야 하는 현실적인 문제로 인해 직접 민주
제를 시행하는 데에는 어려움이 뒤따른다. 이 때문에 주권자
인 국민이 직접 선출한 대표가 의회에 모여 의사 결정을 하고
　　　　　　　　　　　　　　대의 민주제의 개념
이에 따르는 형태가 오늘날 보편적으로 시행되고 있는데 이
를 간접 민주제 또는 대의 민주제라고 한다. 대의 민주제는
다수결의 원칙 아래 국민들이 자신의 대표를 스스로 선택할
권리를 가지며, 그 대표가 사회의 공익을 추구하고 국가의 발
전을 도모한다는 것이 기본 원칙이 된다.
　　　　　대의 민주제 하의 국민 대표의 의무

① 대의 민주제에서 국민들은 선출된 대표들의 의사 결정에 따라야 한다.

② 대의 민주제에서는 선거를 통해 선출된 자만이 국민의 대표가 될 수 있다.

③ 대의 민주제에서는 선거에서 다수의 국민이 선택한 사람이 국민의 대표가 된다.

④ 대의 민주제의 한계를 극복하기 위해서는 국민이 자주적으로 대표를 선출해야 한다.

⑤ 대의 민주제에서 선출된 대표는 사회의 공익을 추구하고 국가의 발전을 도모해야 한다.

📁 발문 분석

직접 민주제와 간접 민주제에 대해 설명한 [보기]를 참고하여 ㉠의 전제를 추론할 수 있는지 묻고 있다. [보기]에서 언급한 대의 민주제의 특징을 파악한 후, 이를 바탕으로 ㉠이 의미하는 바를 추론해 보아야 한다.

✔ 보기 분석

[보기는 민주주의 국가들이 직접 민주제 대신 대의 민주제(간접 민주제)를 시행하고 있는 이유와 그 특징에 대해 설명하고 있다. [보기]의 내용을 정리하면 다음과 같다.

① 주권자인 국민이 대표를 직접 선출함.
② 선출된 대표가 의회에 모여 의사 결정을 함.
③ 국민은 선출된 대표가 결정한 사항에 따름.
④ 다수결의 원칙에 따라 국민들이 대표를 선출함.
⑤ 국민은 자신의 대표를 스스로 선택할 권리를 가짐.
⑥ 선출된 대표는 사회의 공익을 추구하고 국가의 발전을 도모함.

◎ 정답 풀이

③ 1문단의 ㉠은 인구가 적은 지역구에서 당선된 국회의원이 획득한 투표수보다 인구가 많은 지역구에서 낙선된 후보자가 획득한 투표수가 많은 경우에 대한 평가이다. 100명의 인구가 있는 A 지역구에서 당선된 국회의원이 획득한 투표수가 50표이고, 1000명의 인구가 있는 B 지역구에서

낙선된 후보자가 획득한 투표수가 300표라면 B 지역구에서 낙선된 후보자는 A 지역에서 당선된 국회의원보다 더 많은 국민의 지지를 받았음에도 국민의 대표가 되지 못한 것을 예로 들 수 있다. 이는 [보기]에서 설명한 '다수결의 원칙 아래 국민들이 자신의 대표를 스스로 선택할 권리'를 침해한 것으로도 볼 수 있다. 더 많은 국민이 선택한 사람보다 더 적은 국민이 선택한 사람이 국민의 대표가 되었기 때문이다. 따라서 ⊙의 전제로는 '대의 민주제에서는 선거에서 다수의 국민이 선택한 사람이 국민의 대표가 된다.'를 들 수 있다.

① [보기]에서 대의 민주제는 '주권자인 국민이 직접 선출한 대표가 의회에 모여 의사 결정을 하고 이에 따르는 형태'라고 하였다. 국민들이 선출된 대표들의 의사 결정에 따라야 한다는 것은 인구가 적은 지역구에서 당선된 국회의원이 획득한 투표수보다 인구가 많은 지역구에서 낙선된 후보자가 획득한 투표수가 많은 경우가 발생하는 것과는 직접적인 연관이 없는 내용이므로, ⊙의 전제로 보기는 어렵다.

② [보기]에서 '주권자인 국민이 직접 선출한 대표가 의회에 모여 의사 결정을 하고 이에 따르는 형태'가 대의 민주제라고 하였다. 그런데 인구가 적은 지역구에서 당선된 국회의원이 획득한 투표수보다 인구가 많은 지역구에서 낙선된 후보자가 획득한 투표수가 많은 경우가 발생하는 것과 선거를 통해 선출된 자가 대표가 된다는 것은 직접적인 연관이 없는 내용이므로, ⊙의 전제로 보기는 어렵다.

④ [보기]에서 대의 민주제에서 '국민들이 자신의 대표를 스스로 선택할 권리를 가진다고 하였다. 그런데 인구가 적은 지역구에서 당선된 국회의원이 획득한 투표수보다 인구가 많은 지역구에서 낙선된 후보자가 획득한 투표수가 많은 경우가 발생하는 것과 국민이 자주적으로 대표를 선출한다는 것은 직접적으로 연관이 없는 내용이므로, ⊙의 전제로 보기는 어렵다.

⑤ [보기]에서 국민들이 선출한 '대표가 사회의 공익을 추구하고 국가의 발전을 도모한다는 것'이 대의 민주제의 기본 원칙이라고 하였다. 그런데 인구가 적은 지역구에서 당선된 국회의원이 획득한 투표수보다 인구가 많은 지역구에서 낙선된 후보자가 획득한 투표수가 많은 경우가 발생하는 것과 선출된 대표가 사회의 공익을 추구하고 국가의 발전을 도모한다는 것은 직접적으로 연관이 없는 내용이므로, ⊙의 전제로 보기는 어렵다.

03 자료를 활용한 내용 추론　　|정답 ②|

윗글과 [보기]를 바탕으로 추론한 내용으로 적절하지 <u>않은</u> 것은?

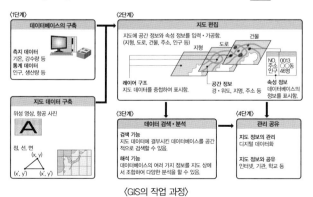

〈GIS의 작업 과정〉

① 선거구 획정에 GIS를 이용하기 위해서는 우선 <u>전국적 인구수에 대한 데이터베이스를 구축</u>해야겠군.
2문단과 [보기]의 1단계

②✕ 선거구의 인구수 및 지리적 여건을 지도에 입력하는 작업은 <u>데이터 검색·분석</u> 단계에서 이루어지겠군.
[보기]의 2단계 지도 편집 단계

③ 인공위성과 같은 과학 기술의 발달은 <u>위성 영상과 같은 효율적인 지도 데이터 수집을 가능</u>하게 하였군.
4문단과 [보기]의 1단계

④ GIS의 데이터 해석 기능은 특정 결과를 얻을 수 있는 선거구 획정안을 작성하는 데 도움을 줄 수 있겠군.
3문단과 [보기]의 3단계

⑤ 한 선거구의 인원수가 이전 선거 때와 달라졌다면 인쇄된 지도와 달리 GIS는 이를 반영한 지도 정보를 제공할 수 있겠군.
4문단과 [보기]의 1단계

지문에서 설명하고 있는 GIS에 관한 내용과 [보기]의 GIS의 작업 과정을 연관 지어 이해할 수 있는지 묻고 있다. 선택지의 내용이 지문의 어느 부분에 해당되는지, [보기]에서는 어느 단계에 해당되는지 파악해야 한다.

[보기]는 GIS의 작업 과정을 도식화한 자료이다. 그림을 살펴보면 GIS의 작업 과정은 크게 4단계로 나눌 수 있다.
1단계: 데이터베이스와 지도 데이터 구축
→ 측지 데이터와 통계 데이터, 지도 데이터 등 지리 정보와 관련된 각종 데이터를 입력하여 모음.
2단계: 지도 편집
→ 지도에 공간 정보와 속성 정보를 입력·가공함. 모든 지리 정보가 수치 데이터의 형태로 저장되어 사용자가 원하는 정보를 선택하여 필요한 형식에 맞추어 출력함.
3단계: 데이터 검색·분석
→ 공간적으로 검색할 수 있는 검색 기능과 지도 상에서 조합해 다양한 분석을 할 수 있는 해석 기능이 있음.
4단계: 관리 공유
→ 지도 정보를 디지털 데이터화하여 관리하고 공유함.

② 3문단에서 '선거구 획정의 기준을 논의하기 전에 선거구의 인구수 및 지리적 여건에 대한 정확한 데이터가 관리할 수 있는 형태로 정리되어 있어야 한다.'라고 하였다. 그리고 [보기]에서는 〈2단계〉인 지도 편집 단계에서 '지도에 공간 정보와 속성 정보를 입력·가공'한다고 하였다. 따라서 선거구의 인구수 및 지리적 여건을 지도에 입력하는 작업이 데이터 검색·분석 단계에서 이루어진다고 추론하는 것은 적절하지 않다.

① 2문단에서 '선거구 획정은 2단계로 구성되는데, 1단계는 전국적 인구 조사 후 정치적 단위 지역 인구수에 비례하여 의회의 지역구 의석수를 재분배'하고, '2단계는 각 단위 지역에 재분배된 의석수에 따라 그 지역 내 선거구의 경계선을 재획정한다.'라고 하였다. 이를 통해 선거구를 획정하기 위해서는 우선 전국적 인구수를 조사해야 함을 알 수 있다. 또 3문단에서 오늘날의 선거구 획정은 GIS를 이용하고 있다고 하였다. [보기]의 〈1단계〉 데이터베이스의 구축 단계를 보면 인구나 생산량 등과 같은 통계 데이터가 포함되어 있음을 알 수 있다. 이를 지도에 입력·가공해야 데이터를 검색하고 분석할 수 있으므로, 선거구 획정에 GIS를 이용하기 위해서는 우선 전국적 인구수에 대한 데이터베이스를 구축해야 한다는 추론은 적

절하다.

③ 4문단에서 '컴퓨터 관련 기술과 과학 기술의 발달은 인공위성을 활용한 원격 탐사를 통해 효율적으로 지리 자료를 수집하게 하여 GIS의 발달에 기여하였다.'라고 하였다. 이를 고려하면 [보기]의 〈1단계〉 지도 데이터 구축에 위성 영상이 포함되어 있는데, 이는 인공위성을 활용해 원격 탐사를 함으로써 얻어진 자료임을 알 수 있다. 따라서 인공위성과 같은 과학 기술의 발달이 위성 영상과 같은 효율적인 지도 데이터 수집을 가능하게 했다는 추론은 적절하다.

④ 3문단에서 오늘날의 선거구 획정은 'GIS를 이용하기 때문에 여러 가지 결과를 예측하고 다양한 선거구 획정안 지도를 작성할 수 있다.'라고 하였다. 그리고 [보기]의 〈3단계〉 데이터 검색·분석 단계의 해석 기능에서 '데이터베이스의 여러 가지 정보를 지도 상에서 조합하여 다양한 분석을 할 수 있'다고 하였다. 이를 고려하면 어떠한 선거구 획정이 청장년층 지지층이 많은 특정 정당에게 유리한지를 예측하여 선거구 획정안을 작성하고자 한다면, 각 지역별 청장년층의 인구수와 소득, 지지 정당 등 여러 가지 정보를 지도상에서 조합하여 분석할 수 있는 해석 기능을 활용할 수 있어 목적에 부합하는 획정안을 작성하는 데 도움을 줄 수 있다. 따라서 GIS 데이터 해석 기능은 특정 결과를 얻을 수 있는 선거구 획정안을 작성하는 데 도움을 줄 수 있다.

⑤ 4문단에서 '종이에 인쇄된 지도는 수시로 변하는 내용들을 수록하지 못하기 때문에 이용에 한계가 있었'고 이 때문에 '종합적 공간 처리 기술인 GIS가 발달하기에 이르렀다.'라고 하였다. 이를 바탕으로 GIS는 수시로 변하는 내용들을 수록하지 못하는 인쇄된 지도의 한계를 극복한 기술임을 알 수 있다. 그리고 [보기]의 〈1단계〉 데이터베이스의 구축 단계에서 인구나 생산량 등 통계 데이터를 구축하고 있음을 알 수 있다. 이를 고려하면 한 선거구의 인원수가 이전 선거 때와 달라졌다면 인쇄된 지도와 달리 GIS는 통계 데이터를 수정하여 이를 반영한 지도 정보를 제공할 수 있을 것이다.

04 세부 정보의 이해 | 정답 ① |

윗글을 바탕으로 ⓒ이 발생하는 이유를 진술한다고 할 때, [보기]의 ㉮, ㉯에 들어갈 말로 가장 적절한 것은?

┤보기├

우리나라는 도시에 비해 농어촌의 인구수가 (㉮)서 인구 편차 기준을 절대적으로 반영하면 농어촌 지역의 선거구의 개수가 축소되어 선출 의원 수가 (㉯) 때문이다.

	㉮	㉯		㉮	㉯
❶	적어	줄어들기	②	적어	늘어나기
③	적어	변하지않기	④	많아	줄어들기
⑤	많아	늘어나기			

📁 발문 분석

ⓒ이 발생하는 이유를 추론하여 [보기]의 ㉮, ㉯에 들어갈 말을 찾을 수 있는지 묻고 있다. 문맥을 바탕으로 ⓒ이 발생하는 이유를 파악하고, 이를 [보기]에 적용하여야 한다.

✔ 보기 분석

[보기]는 선거구를 획정할 때 인구 편차 기준을 절대적으로 반영할 경우, 농어촌

선거권자들의 지역 대표성이 침해되는 이유를 한 문장으로 요약하여 제시한 것이다.

🎯 정답 풀이

① 일반적으로 선거구별 인구 편차 기준을 강화하면 인구수가 적은 지역의 선거구의 개수는 줄어들게 된다. 그런데 6문단에서 '인구 편차 기준을 절대적으로 반영하면 농어촌 지역의 선거구 축소가 불가피'하다고 하였으므로, 농촌의 인구수가 도시의 인구수보다 적음을 추측할 수 있다. 또한 선거구별로 동일한 수의 의원을 선출하므로 선거구의 개수가 축소되면 선출 의원 수가 줄어들게 된다. 따라서 ㉮에는 '적어', ㉯에는 '줄어들기'가 들어가는 것이 적절하다.

🍯 선생님의 꿀 정보

04번 문제: 빈칸 채우기 유형의 문제를 해결하는 방법

2017학년도 대학 수학능력시험의 국어 영역 35번 문제에 다음과 같은 빈칸 채우기 유형의 문제가 출제되었다.

35. 윗글을 바탕으로 ㉠이 가능한 이유를 진술한다고 할 때, [보기]의 ㉮, ㉯에 들어갈 말로 가장 적절한 것은? [3점]

┤보기├

반추 동물이 섭취한 섬유소와 비섬유소는 반추위에서 (㉮), 이를 이용하여 생장하는 (㉯)은 반추 동물의 에너지원으로 이용되기 때문이다.

① ㉮: 반추위 미생물의 에너지원이 되고
  ㉯: 반추위 미생물이 대사 과정을 통해 생성한 대사산물
② ㉮: 반추위 미생물의 에너지원이 되고
  ㉯: 반추위 미생물이 대사 과정을 통해 생성한 포도당
③ ㉮: 반추위 미생물에 의해 합성된 포도당이 되고
  ㉯: 반추 동물이 대사 과정을 통해 생성한 포도당
④ ㉮: 반추위 미생물에 의해 합성된 포도당이 되고
  ㉯: 반추위 미생물이 대사 과정을 통해 생성한 대사산물
⑤ ㉮: 반추위 미생물에 의해 합성된 포도당이 되고
  ㉯: 반추위 미생물이 대사 과정을 통해 생성한 포도당

이러한 빈칸 채우기 문제는 주로 글 전체의 주제를 요약하거나, 문단의 내용을 요약하는 등 글의 핵심을 파악할 수 있는지를 평가하고자 출제된다. 따라서 이러한 문제를 해결하기 위해서는 글을 읽으며 핵심 내용을 파악할 수 있어야 한다. 이는 단번에 되는 것은 아니고 평소 글을 읽을 때 핵심어와 중심 내용에 표시를 하는 습관을 들여야 하며, 글의 주제를 파악하는 연습도 하여야 한다.

간혹 04번 문제와 같이 글에 직접 제시된 내용이 아닌 추론을 통해 빈칸을 채우는 문제가 출제되기도 한다. 이 경우에는 이와 관련된 글의 내용과 [보기]에 제시된 내용 등을 근거로 활용하여 빈칸에 들어가기에 적절한 것을 추론해야 한다.

05 부사어의 쓰임 이해 | 정답 ⑤ |

[보기]를 참고할 때, ⓐ와 그 쓰임이 유사하지 <u>않은</u> 것은?

┌─ 보기 ┐

'부사어'는 주로 용언을 수식하지만 관형어나 다른 부사어를 수식하기도 하고 문장이나 단어를 이어주기도 한다. 이때 용언이나 관형어, 다른 부사어와 같이 특정 성분을 수식하는
_{성분 부사어의 기능}
'성분 부사어'와 달리 윗글의 ⓐ와 같이 문장 전체와 관련을
_{문장 부사어의 기능}
맺는 부사어가 있는데 이를 '문장 부사어'라 한다. 문장 부사어는 화자의 심리적 태도를 나타내는 양태 부사들이 주류를
_{문장 부사어의 특징 ①}
이루고 있으며, 성분 부사어에 비해 문장에서 놓이는 위치가
비교적 자유롭다는 특징이 있다.
_{문장 부사어의 특징 ②}

└──────────┘

① <u>설마</u> 그가 거짓말을 할 줄은 몰랐다.
② 두 팀의 실력은 <u>확실히</u> 차이가 난다.
③ 몸은 <u>비록</u> 늙었을지라도 마음은 늘 젊은이 못지 않다.
④ 금년 추석 연휴의 귀경길은 <u>의외로</u> 교통 소통이 원활했다.
⑤ 열 시간 동안 낚시를 했는데 <u>겨우</u> 다섯 마리밖에 잡지 못했다.
_{위치를 옮기면 의미가 달라짐.}

📁 발문 분석

[보기]를 참고하여 ⓐ의 쓰임을 이해하고, 이와 그 쓰임이 다른 부사어를 찾을 수 있는지 묻고 있다. [보기]에서 설명하고 있는 성분 부사어와 문장 부사어의 특징을 이해한 후, 선택지의 부사어들이 어떤 부사어에 해당하는지 분석해야 한다.

✅ 보기 분석

[보기]는 부사어의 종류를 제시하고 문장 부사어의 특징에 대해 설명하고 있다. 문장 부사어의 특징을 정리하면 다음과 같다.
① 화자의 심리적 태도를 나타내는 양태 부사들이 주류를 이룸.
② 문장에서 놓이는 위치가 비교적 자유로움.

◎ 정답 풀이

⑤ ⓐ'만약'은 문장 부사어이다. '겨우'는 '넉넉하지 못하게 기껏해야'를 의미하며 부사어구인 '다섯 마리밖에'를 꾸며주고 있다. '겨우 열 시간 동안 ~', '열 시간 동안 겨우 낚시를~'과 같이 위치를 옮길 경우 문장의 의미는 달라지게 된다. 따라서 '겨우'는 문장 부사어인 ⓐ와 달리 성분 부사어이다.

❌ 오답 풀이

① '설마'는 '그럴 리는 없겠지만'을 의미하며 대개 부정적인 추측을 강조할 때 쓰인다. 위치를 옮겨도 문장의 의미가 변하지 않으므로 문장 부사어이다.
② '확실히'는 '틀림없이 그러하게'를 의미한다. 위치를 옮겨도 문장의 의미가 변하지 않으므로 문장 부사어이다.
③ '비록'은 '아무리 그러하더라도'를 의미하며 주로 '-ㄹ지라도', '-지마는'과 같은 어미가 붙는 용언과 함께 쓰인다. 위치를 옮겨도 문장의 의미가 변하지 않으므로 문장 부사어이다.
④ '의외로'는 '일반적인 생각이나 예상한 것과는 다르게'를 의미한다. 위치를 옮겨도 문장의 의미가 변하지 않으므로 문장 부사어이다.

🍯 선생님의 꿀 정보

05번 문제: 문법 문제 같은 어휘 문제

비문학(독서) 영역에서 어휘 문제는 매번 빠지지 않고 나오는 편이다. 대체적으로 사전적 의미를 묻거나 문맥적 의미를 묻는 경우가 많지만 05번 문제처럼 문법적인 내용을 묻는 유형도 간혹 출제되고 있다. 문장 성분에 관한 내용을 묻기도 하고 단어 간의 의미 관계를 파악할 수 있는지 묻기도 한다. 2013학년도 대학수학능력시험과 2016년 6월 평가원 모의평가에서도 이와 유사한 유형의 문제가 출제되었다.

┌──────────────────────────┐

28. [보기]를 바탕으로 할 때, 윗글의 ⓐ와 같은 방식으로 이루어진 것은?
[2013학년도 대학수학능력시험]

┌─ 보기 ┐

ⓐ는 '만화에서 주고받는 대사를 써넣은 풍선 모양의 그림'을 뜻한다. 원래 '풍선'에는 공기만이 담길 수 있을 뿐, '말'은 담길 수 없다. 따라서 ⓐ는 서로 담고 담길 수 없는 것들이 한데 묶인 단어이다.

└──────────┘

① 국그릇   ② 기름통   ③ 쾌주머니
④ 물병   ⑤ 쌀가마니

└──────────────────────────┘

┌──────────────────────────┐

33. [보기]를 바탕으로 할 때, ㉠과 쓰임이 유사한 것은? [2016년 6월 평가원]

┌─ 보기 ┐

윗글의 ㉠은 문장에서 자립적으로 쓰여 서술어 기능을 한다. 그러나 ㉡은 혼자서는 쓰이지 못하고 반드시 다른 용언의 뒤에 붙어서 의미를 더하여 주는 '보조 용언' 기능을 한다.

└──────────┘

① 그 일을 다 해 <u>버리니</u> 속이 시원하다.
② 그는 친구들의 고민을 잘 들어 <u>주었다</u>.
③ 내일 경기를 위해 잘 먹고 잘 쉬어 <u>둬라</u>.
④ 그는 내일까지 돈을 구해 <u>오겠다</u>고 큰소리를 쳤다.
⑤ 일을 추진하기 전에 득실을 꼼꼼히 계산해 <u>보고</u> 시작하자.

└──────────────────────────┘

대개 비문학(독서) 영역에 제시된 이러한 유형의 문제들은 문법 영역에서처럼 깊이 있는 문법 지식을 요구하기보다는 기본적인 개념이나 단어 간의 의미 관계와 같은 간단한 것을 묻고 있다. 또 [보기]를 주는 경우에는 [보기]에 문법적인 특징을 제시하여 주고 있으므로 이를 이해할 수만 있어도 문제를 풀 때 큰 어려움은 없을 것이다. 따라서 이러한 유형의 문제가 나온다면 문제에서 요구하는 바를 정확히 파악하여 적절하게 활용하면 해결할 수 있다.

구절 풀이

과학이 확실한 지식으로 인정받게 되면서 과학 그 자체가 독자적 분야로 지위가 상승하였고 다른 분야에 영향을 주게 되었음.

입법자로서의 신 + 군주제의 법 → 자연의 법칙

질셀은 16세기에서 17세기에 한 명의 왕이 유일하고 강력한 법률을 사용해서 국가를 다스린다는 생각이 유럽에 퍼지면서 입법자로서의 신이라는 개념과 결합하여 자연의 법칙이라는 개념이 등장하게 되었다고 설명함.

어휘 풀이

＊입법자: 법률 따위를 제정하는 사람.
＊절대왕정: 왕이 국가의 모든 권력을 장악하고 관료제와 상비군을 기반으로 절대적인 권력을 행사하는 정치 형태를 말함.
＊토대: 어떤 사물이나 사업의 밑바탕이 되는 기초와 밑천을 비유적으로 이르는 말.

선생님의 Tip

"절대왕정을 대표하는 프랑스의 루이 14세"

태양왕이라고 불리는 루이 14세는 어린 나이에 왕이 되어 늘 사람들의 반란에 시달려야만 했음. 정치를 대신하던 마자 랭이 죽고 직접 통치하게 되면서 스스로 강한 왕이 되어야 한다고 생각했음. 그는 국가의 번영과 국력의 신장을 정책의 목표로 삼고 이를 위해 국가의 부를 증대시켜야 한다고 생각했음. 그래서 국가의 이름으로 많은 돈을 벌어들였고, 그 돈으로 강력한 군대를 길렀으며 사람들에게는 자신을 '눈에 보이는 신, 태양왕'이라고 부르게 했음. 아름다운 베르사유 궁전을 지은 것도 그 때문임. 루이 14세는 태양왕에 걸맞은 예술적인 감각을 살리는 일을 많이 했으며 유럽 문화의 중심에 있었음.

1 과학과 법 사이의 상호 작용은 16~17세기 유럽의 과학 혁명 시기부터 시작되었다. 과학 혁명은 철학과 신학을 위해 봉사하던 과학이 세상에 대한 확실한 지식으로 인정받으면서 그 지위가 상승하여 다른 지식의 모델이 된 과정으로 해석할 수 있다. 과학 혁명기 동안의 과학과 법률의 관계는 자연철학, 즉 과학이 법률에서 여러 가지 개념을 가져오는 식으로 시작되었으나, 과학적 지식의 확실성이 확립되면서 ㉠그 관계가 역전되는 형태로 바뀌었다.
1문단: 과학 혁명기의 과학과 법률의 관계

2 과학 혁명기 동안의 과학과 법의 상호 작용은 세 가지 측면에서 살펴볼 수 있다. 첫 번째는 자연과학에서 사용하는 '자연의 법칙'이란 표현이 법률 영역에서 유래되었다는 것이다. 자연의 법칙은 자연의 사물과 현상 사이의 객관적이고 필연적인 관계를 가리킨다. 과학 사회학자 에드가 질셀은 ㉡'입법자＊로서의 신'이라는 개념과 군주제의 법 개념이 만나 과학에서 자연의 법칙이라는 표현이 나타났다고 보았다. 그리고 질셀은 ㉢절대왕정＊이 일찍 발달한 프랑스에서 자연 법칙이라는 개념이 처음으로 등장했다는 것에서 그 증거를 찾았다. 기독교가 지배적이었던 중세에는 신이 자연에 법칙을 부여한다는 입법자로서의 신이라는 개념이 퍼져 있어 단일한 법률로 백성을 다스리는 군주제가 발달하지 않았다. 질셀은 16세기에서 17세기를 거치면서 왕이 법률을 사용해 국가를 다스린다는 생각이 유럽에 널리 퍼졌고, 이런 변화가 입법자로서의 신이라는 개념과 결합해 비로소 자연의 법칙이라는 개념이 등장하였다고 보았다. 즉 과학에서의 자연의 법칙은 종교 영역의 '입법자로서의 신'과 법률 영역의 '법' 개념이 결합하면서, 신이 자연에도 법을 부여하였으므로 자연의 사물도 이 법을 지켜야 한다는 생각이 받아들여진 결과라는 것이다. 2문단: 법이 과학에 미친 영향 ① - '자연의 법칙'

3 두번째로 과학과 법의 상호 작용은 법률이 자연과학에 영향을 미친 '사실'이라는 개념에서 찾을 수 있다. 12세기 후기부터 유럽 여러 나라의 법정은 합리적인 판결의 토대＊를 마련하려고 했으며, 이 과정에서 사실이란 개념이 중요하게 부상하였다. 그 당시 법정에서 사용되던 '사실'은 '과거에 일어났던 인간의 사건 또는 행위'를 의미하였다. 이후 15~16세기에 이르러 법정의 배심원들은 사실의 문제를 가리는 사람으로, 판사와 같은 법관은 법률의 문제를 판단하는 사람으로 그 역할이 구분되었다. 배심원들은 증인의 증언을 들으면서 무엇이 사실인지를 스스로 판단해야 했는데, 이 과정에서 증인의 증언이나 목격자 진술의 신뢰성을 판단하기 위해 증인이나 목격자의 사회적 지위, 나이, 명성, 성실성 등을 고려하기 시작하였다. 그리하여 증인에 대한 신뢰는 증거에 대한 신뢰와 뗄 수 없는 관계를 맺게 되었다. 3문단: 법이 과학에 미친 영향 ② - '사실'이라는 개념

4 법정에서 ㉣증인이 한 증언의 신뢰성을 판단하는 데 사용되던 여러 가지 기준은 자연철학, 즉 과학에도 영향을 주었다. 17세기의 자연철학자들은 자연에 대한 사실은 실험실에서

지문 구조도

화제 제시: 과학혁명기의 과학과 법의 관계(1문단)
16~17세기부터 과학과 법 사이의 상호 작용이 시작됨.

↓

구체화: 과학과 법의 상호 작용(2문단~7문단)
• 자연의 법칙: '입법자로서의 신'이라는 개념과 군주제의 '법' 개념이 만나 생성됨.(법률 영역→과학 영역). • '사실'이라는 개념: 법정에서 증언과 진술의 신뢰성을 판단하는 데 사용되던 여러 기준을 실험실에서 만들어진 사실의 신뢰성을 확립하는 데 활용함(법률 영역→과학 영역). • 과학의 확실성 개념에 근거하여 '도덕적 확실성'이라는 개념이 제창됨. 이후 도덕적 확실성은 한 점의 의심도 없는 믿음이라는 법률적인 개념으로 정식화됨(과학 영역→법률 영역).

의 실험을 통해 만들어진다고 확신하였다. 따라서 실험실에서 만들어진 사실의 신뢰성을 확

_{자연 철학에서 생각하는 사실}

립하기 위해서 자연철학자들은 법정과 비슷하게 자신의 실험을 목격한 증인을 내세웠으며,

_{실험실로 들어온 법률의 '사실'이라는 개념}

특히 증인의 높은 사회적 지위와 이로부터 추론되는 증언의 신뢰성을 강조하였다. 또 실험 의 과정을 상세히 기록한 보고서를 썼는데, 이 보고서의 목적은 독자가 실험을 머릿속에서 떠올려 가상적으로 목격하게 함으로써 실험 결과를 사실로 받아들이게 하는 데 있었다.

4문단: 실험실로 들어온 법률 영역의 '사실'

5 사실이나 증거와 같은 개념이 법률 영역에서 과학 영역으로 건너온 데에는 <u>자연철학자 프랜시스 베이컨의 역할</u>이 결정적이었다. 그는 사변*적인 아리스토텔레스의 스콜라 철학*

_{'사실'이라는 개념이 과학의 영역으로 들어온 계기}

을 비판하면서 새로운 자연철학의 방법론으로 사실의 기록을 강조하였다. 이러한 사실들은 사변이 아니라 <u>협동적인 관찰과 실험을 통해서만 얻어지는</u> 것이었고, 이렇게 얻어진 사실

_{과학적 사실의 특성 ①}

들은 남아 있을 수 있는 오류를 제거하기 위해 <u>과학자 공동체에 의한 검증 작업을 거쳐야</u>

_{과학적 사실의 특성 ②}

했다. 베이컨의 이러한 사상을 이어 받아 17세기 중·후반에 활동한 자연철학자들은 <u>자신 들의 작업이 실험적 사실에 기초해야 한다</u>고 강조하였다. 이렇게 해서 자연의 법칙과 사실

_{과학적 사실의 특성 ③}

이라는 개념이 법률 영역에서 과학 영역으로 넘어왔고 과학의 핵심 개념으로 자리 잡았다.

5문단: 과학 영역에서의 '사실'의 특성

6 과학 혁명기의 법과 과학 사이의 세 번째 상호 작용은 과학이 법에 미친 영향 에서 찾을

_{과학과 법의 상호 작용 ③}

수 있다. 뉴턴에 의해 17세기 과학 혁명이 완성되면서 <u>과학은 개연성*을 추구하는 학문이 아니라 확실성을 보장하는 지적인 활동으로 인식되기 시작</u>하였다. 또 과학은 현미경이나 망원경처럼 인간의 감각을 보완하고 극복하는 기구를 사용했는데, 이는 과학이 확실한 지 식이라는 인식을 강화하였다. 경험주의 철학자 로크는 <u>확실한 지식이 관찰의 확실성, 경험</u>

_{확실한 지식으로서의 과학의 특징}

<u>혹은 실험의 빈도와 일관성, 그리고 증인의 수와 신뢰성에 기반을 둔다</u>고 하면서 법정에서 의 증언이 사실이라는 점을 확인하기 위해서는 증인의 수, 성실성, 숙련도, 각 부분의 일관 성과 연관 관계 등을 고려해야 한다고 강조하였다. 이는 ⓒ<u>과학에서 사실을 증명하는 방법 이 법정에서 증언의 신뢰성을 검증하는 기준으로 적용된 것</u>이라 할 수 있다.

6문단: 과학이 법에 미친 영향

7 뉴턴 이후 사람들은 자연과학에 수학적 확실성과 물리적 확실성이라는 두 가지 형태가 존재한다고 생각했는데, 17세기 후반에 법철학자들과 법률가들은 <u>이러한 확실성 개념에 근 거해서 '도덕적 확실성'이라는 개념을 제창</u>*하였다. 도덕적 확실성은 의심 없는 진리, 즉 편

_{과학이 법에 미친 영향} _{도덕적 확실성의 개념}

견이 없는 사람이라면 누구나 동의할 수 있는 확실성을 의미하였다. 18세기에 이르러 도덕 적 확실성은 한 점의 의심도 없는 믿음이라는 법률적인 개념으로 정식화되었다. 이는 법률 영역에서 확실성에 근거해 증거를 평가하고자 하는 기준이 자연과학에서의 확실성과 같은 법학 외부 영역에 영향을 받았음을 보여주는 것이다.

7문단: 과학의 영향으로 제창된 법의 '도덕적 확실성'

지문 해제

이 글은 과학 혁명기 동안 과학 영역과 법 사이의 상호 작용에 대해 설명하고 있다. 과학과 법의 상호 작용은 세 가지 측면에서 살펴볼 수 있다. 첫 번째는 법률 영역의 영향으로 자연과학에서는 '자연의 법칙'이라는 표현을 사용하게 되었다는 것이다. 자연과학에서 사용되는 자연의 법칙이라는 표현은 신이 자연에 법을 부여하였으므로 자연의 사물도 이 법을 지켜야 한다는 생각이 받아들여진 결과라고 하였다. 두 번째는 법률 영역의 영향으로 '사 실'이라는 개념이 과학에도 적용되었다는 것이다. 17세기의 자연철학자들은 자연에 대한 사실은 실험실에서 실험 을 통해 만들어진다고 확신하고 실험실에서 만들어진 사실의 신뢰성을 확립하기 위해서 자신의 실험을 목격한 증 인을 내세웠다. 또 증인의 높은 사회적 지위와 이로부터 추론되는 증언의 신뢰성을 강조하였다. 또 실험 결과를 사 실로 받아들이게 하기 위해 자연철학자들은 실험의 과정을 상세히 기록한 보고서를 썼다. 세 번째는 과학 영역의 영향으로 법률 영역에서 '도덕적 확실성'이라는 개념을 제창하게 되었다는 것이다. 과학 혁명의 완성으로 과학은 확실성을 보장하는 지적인 활동으로 인식되게 되었고 이러한 과학의 확실성 개념에 근거하여 법률가들은 '한 점의 의심도 없는 믿음'이라는 의미의 도덕적 확실성을 법률적 개념으로 정식화하게 되었다.

어휘 풀이

* 사변: 경험에 의하지 않고 순수한 이성에 의 하여 인식하고 설명하는. 또는 그런 것.

* 스콜라 철학: 8세기부터 17세기까지 중세 유 럽에서 이루어진 신학 중심의 철학.

* 개연성: 절대적으로 확실하지 않으나 아마 그 럴 것이라고 생각되는 성질.

* 제창: 어떤 일을 처음 내놓아 주장함.

구절 풀이

○ 뉴턴의 과학 혁명 이후 과학은 아마 그럴 것 이라고 추측되는 학문이 아니라, 확실함을 보장하는 지적인 활동으로 변화하였음.

○ 과학에서 사실을 증명하기 위해 실험의 빈 도와 일관성 등을 고려하는 것처럼 법정에 서도 증인이 한 증언의 신뢰성을 검증하기 위해 증인의 수, 성실성 등을 적용함.

선생님의 **Tip**

"과학과 법의 상호 작용"

'법' → '과학'

① 과학이 '자연의 법칙'이라는 표현을 사용함.: 종교의 영역에서의 '입법자 로서의 신'이라는 개념과 법률의 영 역에서의 '법'의 개념이 결합하면서, 신이 자연에 법을 부여했고 자연의 사물도 이 법을 지켜야 한다는 생각 이 받아들여진 결과임.

② '사실'이라는 개념이 과학에 적용됨.: 베이컨은 사실은 관찰과 실험을 통해 서만 얻어지며, 이 사실들은 과학자 공동체에서 검증 작업을 거쳐야 한다 고 함. 이후 자연철학자들은 자신들 의 작업이 실험적 사실에 기초해야 한다고 강조함.

'과학' → '법'

과학 혁명의 완성으로 과학은 확실성을 보장하는 지적인 활동으로 인식되기 시 작함. 이러한 과학의 확실성 개념을 수 용한 법률가들은 '도덕적 확실성'이라는 개념을 제창함. 이후 도덕적 확실성은 한 점의 의심도 없는 믿음이라는 법률적 개념으로 정식화됨.

01 중심 화제의 파악 | 정답 ① |

윗글에 대한 설명으로 가장 적절한 것은?

① 과학과 법률의 상호 작용을 학자들의 사상이나 관점을 근거로 살펴보고 있다.

② 법학 외부의 영역에 자극을 받아 이루어진 재판의 형식과 판결 방식들을 설명하고 있다.

③ 법률의 인식론적 지위가 상승된 원인을 과학과의 영향 관계를 바탕으로 검토하고 있다.
　　　과학에 대한 설명임.

④ 도덕적 확실성이 제창된 시대적 배경을 중심으로 법률과 과학의 관계를 분석하고 있다.

⑤ 과학이 확실한 지식으로 자리 잡게 된 과정을 역사적 사건과 연관 지어 제시하고 있다.

📁 발문 분석
지문에서 주요 내용을 전개하고 있는 방식을 파악할 수 있는지 묻고 있다. 세부적인 정보를 이해하기 보다는 글 전체의 흐름과 맥락을 중심으로 지문에서 언급하고 있는 핵심 내용을 파악해야 한다.

◎ 정답 풀이
① 1문단에서 과학 혁명기 동안의 과학과 법률의 관계가 처음에는 법률이 과학에 영향을 주었으나, 이후에는 과학이 법률에 영향을 주는 형태로 바뀌었다고 하였다. 그리고 2~7문단에서는 과학 혁명기 동안 과학과 법의 상호 작용을 '자연의 법칙'이라는 표현, '사실'이라는 개념, 과학이 법에 끼친 영향으로 나누어 살펴보고 있다. 그리고 각각의 영향 관계를 설명하면서 과학사회학자나 자연철학자, 경험주의 철학자 등의 사상이나 관점을 그 근거로 제시하고 있다. 따라서 이 글은 과학과 법률의 상호 작용을 학자들의 사상이나 관점을 근거로 살펴보고 있다고 할 수 있다.

✖ 오답 풀이
② 7문단에서 자연과학의 수학적 확실성과 물리적 확실성의 개념에 근거해서 '17세기 후반에 법철학자들과 법률가들'이 '도덕적 확실성'이라는 개념을 제창했다고 하였다. 그리고 이는 '18세기에 이르러 한 점의 의심도 없는 믿음이라는 법률적인 개념으로 정식화되었다.'라고 하였다. 이렇게 자연과학에 영향을 받은 도덕적 확실성이라는 개념은 '법률 영역에서 증거를 평가하는 기준이 자연과학에서의 확실성과 같은 법학 외부의 영역에 영향을 받았음을 보여주는 것'이라고 하였다. 따라서 법학 외부의 발전에 자극을 받아 '도덕적 확실성'이라는 법률 개념이 성립하였고, 이는 법에서 증거를 평가하는 하나의 기준이 되었음을 확인할 수 있다. 그러나 이 글은 법학 외부의 영역에 자극을 받아 이루어진 재판의 형식이나 판결의 방식 등을 설명하고 있지는 않다.

③ 1문단에서 과학과 법 사이의 상호 작용은 과학 혁명 시기부터 시작되었고, 과학 혁명은 과학이 세상에 대한 확실한 지식으로 인정받으면서 그 지위가 상승하여 다른 지식의 모델이 되는 과정'이라고 하였다. 그리고 2~5문단에서는 법률과 과학이 상호 작용하는 측면을 구체적으로 제시하고 있고, 6문단에서는 과학 혁명의 완성과 인간의 감각을 보완하는 기구의 사용으로 '과학이 확실한 지식이라는 인식이 강화'되었다고 하였다. 이를 고려하면 인식론적 지위가 상승한 것은 법률이 아닌 과학이다. 따라서 이 글은 법률의 인식론적 지위가 상승된 원인을 과학과의 영향 관계를 바탕으로 검토하고 있지 않다.

④ 7문단에서 자연과학의 확실성이라는 개념에 근거해서 '도덕적 확실성'이라는 법률적인 개념이 제창되었다고 하였다. 그러나 이 글은 도덕적 확실성이 제창된 시대적 배경에 대해서는 언급하지 않았으며, 이를 중심으로 법률과 과학의 관계를 분석하고 있지도 않다.

⑤ 1문단에서 과학이 세상에 대한 확실한 지식으로 인정받으면서 그 '지위가 상승하여 다른 지식의 모델'이 되었다고 하였다. 그리고 2~5문단에서 이러한 변화가 이루어진 시기에 법률과 과학이 상호 작용을 한 다양한 측면에 대해 설명하고 있다. 6문단에서는 '뉴턴에 의해 17세기 과학 혁명이 완성되면서', '과학은 확실성을 보장하는 지적인 활동으로 인식되기 시작'하였고, 인간의 감각을 보완하고 극복하는 기구를 사용함으로써 '과학이 확실한 지식이라는 인식을 강화하였다.'라고 하였다. 그러나 이 글은 과학이 확실한 지식으로 자리 잡게 된 과정을 역사적 사건과 연관 지으며 제시하고 있지는 않다.

02 세부 정보의 이해 | 정답 ④ |

윗글을 이해한 내용으로 가장 적절한 것은?

① 중세에는 입법자로서의 신의 개념과 군주제의 강력한 법 개념이 보편적으로 퍼져 있었다.

② 15~16세기에는 법관들이 사실의 문제를 가리는 동시에 법률의 문제를 판단하는 역할을 하였다.
　　　　　　　배심원의 역할

③ 과학 혁명 초기의 과학과 법률의 관계는 과학의 여러 가지 개념이 법률에 영향을 주는 형태였다.
　　초기에는 법률이 과학의 영역에 영향

④ 과학 혁명의 완성으로 과학은 개연성 추구가 아니라 확실성을 보장하는 지적 활동으로 인식되었다.

⑤ 17세기의 자연철학자들은 자연에 대한 사실은 경험이 아닌 순수한 이성에 의해 만들어진다고 보았다.
　　　　　관찰과 실험에 의해 획득

📁 발문 분석
지문에 제시된 세부 정보를 정확하게 이해하고 있는지를 묻고 있다. 지문의 내용과 선택지의 내용을 꼼꼼히 비교해가며 적절한 내용인지 판단해야 한다.

◎ 정답 풀이
④ 6문단에서 '뉴턴에 의해 17세기 과학 혁명이 완성되면서 과학은 개연성을 추구하는 학문이 아니라 확실성을 보장하는 지적인 활동으로 인식되기 시작하였다.'라고 하였다.

✖ 오답 풀이
① 2문단에서 '기독교가 지배적이었던 중세에는' '입법자로서의 신이라는 개념이 퍼져 있어 단일한 법률로 백성을 다스리는 군주제는 발달하지 않았다.'라고 하였다. 따라서 중세 시기에는 입법자로서의 신의 개념과 군주제의 강력한 법 개념이 보편적으로 퍼져 있었다는 진술은 적절하지 않다.

② 3문단에서 '15~16세기에 이르러 법정의 배심원들은 사실의 문제를 가리는 사람으로, 판사와 같은 법관은 법률의 문제를 판단하는 사람으로 그 역할이 구분되었다.'라고 하였다. 따라서 15~16세기에는 법관들이 사실의 문제를 가리는 동시에 법률의 문제를 판단하는 역할을 하였다는 진술은 적절하지 않다.

③ 1문단에서는 과학 혁명기 초기에는 '자연철학, 즉 과학이 법률에서 여러 가지 개념을 가져오는 식으로 시작되었으나, 과학적 지식의 확실성이 확립되면서 그 관계가 역전되는 형태로 바뀌었다.'라고 하였다. 즉 과학적 지식의 확실성이 확립된 이후 과학이 법률에 여러 가지 영향을 주게 된 것이다. 따라서 과학 혁명기 초기의 과학과 법률의 관계는 과학의 여러 가지 개념이 법률에 영향을 주는 형태였다는 진술은 적절하지 않다.

⑤ 4문단에서 '17세기의 자연철학자들은 자연에 대한 사실은 실험실의 실험을 통해 만들어진다고 확신하였다.'라고 하였다. 실험실의 실험은 경험에 의한 것이라 할 수 있으므로, 17세기의 자연철학자들이 자연에 대한 사실은 경험이 아닌 순수한 이성에 의해 만들어진다고 보았다는 진술은 적절하지 않다.

선생님의 꿀 정보

02번 문제: 세부 정보의 이해

1) 선택지의 표현이 지문의 표현 방식과 단순히 일치하는 경우

> ㉠ 선택지에서 참이나 거짓을 결정지을 핵심 단어와 논리적 인과 관계를 확인한다.
>
> ↓
>
> ㉡ 선택지에서 찾은 핵심 단어와 인과 관계를 지문 속의 관련 내용과 1:1로 대응해 본다.
> ㉢ 선택지에서 두 가지 이상의 정보를 언급한 경우 해당 정보들을 단계적으로 대응해 확인한다.

→ 선택지 ②번의 경우, 그 표현이 3문단의 진술과 동일하다. 선택지 ②번의 핵심은 '15~16세기의 법관'들의 역할이 '사실의 문제를 가리는' 것과 '법률의 문제를 판단하는' 것이라고 할 수 있다. 지문에서 이와 관련 있는 내용은 3문단에 제시되어 있는데 선택지와 3문단의 관련 내용을 1:1로 대응해 보면 '사실의 문제를 가리는 사람'은 배심원이고, '법률의 문제를 판단하는 사람'은 판사와 같은 법관임을 확인할 수 있다. 이와 같은 방식으로 선택지 ①번과 ④번도 확인할 수 있다.

2) 선택지의 표현이 지문의 표현 방식과 다르지만, 의미는 같은 경우

> ㉠ 선택지에서 참이나 거짓을 결정지을 핵심 단어와 논리적 인과 관계를 확인한다.
>
> ↓
>
> ㉡ 선택지가 지문의 세부 정보를 일반적, 개괄적으로 변형하여 표현하지 않았는지 확인한다.
> ㉢ 선택지가 문장의 구조나 단어를 바꾸어 진술하지는 않았는지 확인한다.
> ㉣ 지문에서는 여러 문장에 걸쳐 제시하고 있는 세부 정보를 선택지에서는 종합적으로 진술하지 않았는지 확인한다.

→ 선택지 ③번의 핵심은 '과학 혁명 초기의 과학과 법률의 영향 관계'이다. 이때의 방향성은 '과학→법률'임을 알 수 있다. 이와 관련된 내용은 지문의 1문단에 제시되어 있는데, 1문단에서는 과학 혁명기 동안의 과학과 법률과의 관계를 시작과 과학적 지식의 확실성 확립 이후로 나누어 설명하고 있으며, 선택지에 진술 표현과 동일하지 않음을 확인할 수 있다. 또 1문단에서 과학혁명기 초기의 과학과 법률과의 관계를 살펴보면 영향 관계가 '법률→과학'임을 확인할 수 있다. 따라서 과학의 개념이 법률에 영향을 주는 형태가 아니었음을 도출할 수 있다. 이와 같은 방식으로 선택지 ⑤번도 확인할 수 있다.

03 핵심 정보의 이해 | 정답 ① |

윗글의 과학과 법의 상호 작용에 대한 설명으로 적절하지 않은 것은?

① 자연철학자들이 실험적 사실에 기초한 작업을 강조한 것은 ~~법률에서의 사실과 같은 개념~~ 법률 영역에서 사실을 중시하는 데 영향을 주었다.

② 프랑스에서 자연 법칙이라는 개념이 처음 등장했다는 것은 입법자로서의 신과 군주제의 법의 만남 과학이 법률 영역의 영향을 받았다는 증거가 된다.

③ 자연 과학에서의 확실성 개념은 한 점의 의심도 없는 믿음이 도덕적 확실성 라는 법률적인 개념을 정식화하는 데 영향을 주었다.

④ 실험을 목격한 증인의 사회적 지위를 강조한 것은 법정에서 증인이 한 증언의 신뢰성을 판단하는 기준이 영향을 준 것이다.

⑤ 자연철학자들이 자신들의 작업이 실험적 사실에 기초해야 한 자연과학에 사실의 개념이 적용 다고 강조한 것은 사실과 증거를 강조하는 법률의 영향을 받은 것이다.

발문 분석

'과학과 법의 상호 작용'의 형태를 파악할 수 있는지 묻고 있다. 지문에서는 법 영역이 과학 영역에 영향을 준 것과 과학 영역이 법 영역에 영향을 준 것으로 나누어 설명하고 있으므로, 과학 영역과 법률 영역의 관계를 파악하여 선택지의 적절성을 판단해야 한다.

정답 풀이

① 5문단에서 '사실이나 증거와 같은 개념이 법률 영역에서 과학 영역으로 건너온 데에는 자연철학자 프랜시스 베이컨의 역할이 결정적이었다.'라고 하였다. 베이컨은 사실의 기록을 강조했는데, 베이컨에 영향을 받은 17세기 중·후반의 자연철학자들은 '자신들의 작업이 실험적 사실에 기초해야 한다고 강조'했다고 하였다. 그리고 '이렇게 해서 법칙과 사실이라는 개념이 법률 영역에서 과학 영역으로 넘어'오게 되었다고 하였다. 이를 종합해 볼 때 자연철학자들이 실험적 사실에 기초한 작업을 강조한 것은 법률 영역에서의 사실이라는 개념이 과학 영역으로 넘어왔기 때문이라고 할 수 있다. 따라서 자연철학자들이 실험적 사실에 기초한 작업을 강조한 것은 법률 영역에서 사실을 중시하는 데 영향을 주었다는 진술은 적절하지 않다.

오답 풀이

② 2문단에서 '자연의 법칙이란 표현이 법률 영역에서 유래되었다'면서 '입법자로서의 신이라는 개념과 군주제의 법 개념이 만나 과학에서 자연의 법칙이라는 표현이 나타났다고 보았다.'라고 하였다. 그리고 이에 대한 증거로 '절대왕정이 일찍 발달한 프랑스에서 자연 법칙이라는 개념이 처음으로 등장했다는 것'을 제시했다고 하였다. 이를 종합해 볼 때, 프랑스에서 절대왕정이 일찍 발달했다는 것은 군주제의 법 개념이 형성되었음을 의미하고, 이것이 입법자의 신 개념과 결합하면서 자연 법칙이라는 개념이 등장했다고 할 수 있다. 따라서 절대왕정이 일찍 발달한 프랑스에서 자연 법칙이라는 개념이 처음 등장했다는 것은 과학이 법률 영역의 영향을 받았다는 증거가 된다고 할 수 있다.

③ 7문단에서 수학적 확실성과 물리적 확실성이라는 자연 과학의 확실성 개념에 근거에서 '17세기 후반에 법철학자들과 법률가들은 '도덕적 확실성'이라는 개념을 제창하였다.'라고 하였다. 그리고 이는 '18세기에 이르러 한 점의 의심도 없는 믿음이라는 법률적인 개념으로 정식화되었다.'라고 하였다. 따라서 자연 과학의 확실성의 개념은 한 점의 의심도 없는 믿음이라는 법률적인 개념을 정식화하

는 데 영향을 주었다고 할 수 있다.

④ 4문단에서 '법정에서 증인이 한 증언의 신뢰성을 판단하는 데 사용되던 여러 가지 기준은 자연철학, 즉 과학에도 영향을 주었다.'라고 하였다. 그리고 '실험실에서 만들어진 사실의 신뢰성을 확립하기 위해서 자연과학자들은 법정과 비슷하게 자신의 실험을 목격한 증인을 내세'우고, 증인의 사회적 지위를 강조했다고 하였다. 따라서 실험을 목격한 증인의 사회적 지위를 강조한 것은 법정에서 증인이 한 증언의 신뢰성을 판단하는 기준이 영향을 준 것이라 할 수 있다.

⑤ 5문단에서 '사실이나 증거와 같은 개념이 법률 영역에서 과학 영역으로 건너온' 것을 설명하면서 베이컨이 이에 결정적인 역할을 했다고 하였다. 베이컨은 사실의 기록을 강조하였으며 사실들의 오류를 제거하기 위해서는 과학자 공동체의 검증 작업을 거쳐야 한다고 하였다. 이는 이후의 자연철학자들에게 계승되었으며 '그들은 자신들의 작업이 실험적 사실에 기초해야 한다고 강조하였다.'라고 하였다. 이를 종합해 볼 때, 자연철학자들이 자신들의 작업이 실험적 사실에 기초해야 한다고 강조한 것은 사실과 증거를 강조하는 법률의 영향을 받은 것이라 할 수 있다.

👑 고난도
04 구체적 사례에 적용 | 정답 ⑤ |

윗글을 바탕으로 [보기]를 이해한 내용으로 적절한 것은?

─ 보기 ├─

　　과학과 법률에서 사실을 밝히는 과정은 다소 차이가 있다. 먼저 과학자 들은 실험과 관찰 등을 통해 자연을 탐구하되, 그 과정을 상세히 기록하고, 탐구의 결과를 과학자 공동체에서 발표하였다. 그리고 그 탐구 결과는 동료 과학자들에 의해 논의와 검토를 거치게 되었다. 반면 법정 에서는 사실을 밝히기 위해 대심제를 발전시켰다. 변호사와 검사는 상대편 증인의 신뢰성을 검증할 수 있는 질문을 던져 증인이 진실을 이야기하게 하였고 증언의 진실성을 판단할 수 있는 객관적인 증거를 찾았다. 그리고 판사는 이들의 증언을 종합해서 누가 진실을 말하는가를 판단했는데 이 때에는 복수의 판사 제도나 배심원 제도가 도입되기도 하였다.

사실의 개념 적용
오류를 없애기 위한 검증 과정
소송의 양쪽 당사자를 출석하게 하여 심리하는 제도
사실 여부를 판단하는 데 근거로 작용
배심원이 사실의 문제를 가림.

① 진실 여부를 판단할 수 있게 하는 증거는 편견이 없는 사람이라면 누구나 동의할 수 있는 확실성을 의미한다.
도덕적 확실성은 증거를 평가하는 기준
② 과학자가 실험의 과정을 상세히 기록하는 것은 실험 과정에서 발생할 수 있는 오류를 제거하기 위해서이다.
③ 동료 과학자들이 탐구 결과를 검토하는 것은 협동적인 실험을 통해 과학적 사실이 획득될 수 있기 때문이다.
오류를 없애기 위한 검증 과정
④ 재판 과정에서 배심원 제도를 도입하는 것은 증인의 사회적 지위, 나이, 명성, 성실성을 고려하기 위해서이다.
합리적인 판결의 토대를 마련하기 위함.
⑤ 재판 과정에서 변호사와 검사가 증언의 신뢰성을 검증하는 것은 증인에 대한 신뢰가 증거에 대한 신뢰와 밀접하기 때문이다.

📂 발문 분석

지문과 [보기]의 내용을 고려하여 과학과 법의 특성을 파악하고 그 관계를 이해할 수 있는지를 묻고 있다. 지문에서 '사실'의 개념에 대해 설명한 부분을 참고하여 [보기]가 의미하는 바를 추측해 보도록 한다.

✔ 보기 분석

[보기]는 과학과 법률 영역에서 사실을 밝히는 과정을 설명하고 있다. 과학자들은 실험과 관찰을 통해 자연을 탐구하고, 그 결과는 다른 과학자들의 논의와 검토를 거치게 된다. 법정에서는 사실을 밝히기 위해 대심제를 발전시켰다.

◎ 정답 풀이

⑤ 3문단에서 배심원들은 증인이 하는 '증언이나 목격자 진술의 신뢰성을 판단하기 위해 증인이나 목격자의 사회적 지위, 나이, 명성 등을 고려하기 시작'했고, '증인에 대한 신뢰는 증거에 대한 신뢰와 뗄 수 없는 관계를 맺게 되었다.'라고 하였다. 따라서 변호사와 검사가 증인의 신뢰성을 검증하기 위해 질문을 던지는 것은 증인에 대한 신뢰가 증인의 증언을 포함한 증거에 대한 신뢰와 밀접한 관계를 맺기 때문이라고 할 수 있다.

✖ 오답 풀이

① [보기]에서 변호사나 검사는 상대편 증인이 진실을 얘기하는지를 판단할 수 있는 '객관적인 증거를 찾는다'고 하였다. 여기서 증거란 증언의 진실 여부를 판단할 수 있는 하나의 근거라 할 수 있다. 그리고 7문단에서 '도덕적 확실성은 의심 없는 진리, 즉 편견이 없는 사람이라면 누구나 동의할 수 있는 확실성을 의미'하고, '이는 법률 영역에서 확실성에 근거해 증거를 평가하고자 하는 기준이 자연과학에서의 확실성과 같은 법학 외부 영역에 영향을 받았음을 보여주는 것'이라고 하였다. 즉 도덕적 확실성은 증거를 평가하는 하나의 기준이 되는 것이다. 따라서 진실 여부를 판단할 수 있게 하는 증거가 편견이 없는 사람이라면 누구나 동의할 수 있는 확실성, 즉 도덕성 확실성을 의미한다는 진술은 적절하지 않다.

② 4문단에서 17세기 자연철학자들은 '실험의 과정을 상세히 기록한 보고서를 썼는데, 이 보고서의 목적은 독자가 실험을 머릿속에 떠올려 가상적으로 목격하게 함으로써 실험 결과를 사실로 받아들이게' 하기 위함이라고 하였다. 즉 보고서를 상세히 기록하는 이유는 실험에서 얻은 결과를 믿도록 만들기 위해서이다. 그리고 5문단에서 실험으로 얻은 사실에 '남아있을 수 있는 오류를 제거하기 위해 과학자 공동체에 의한 검증 과정을 거쳐야 했다.'라고 하였다. 따라서 과학자가 실험의 과정을 상세히 기록하는 것이 실험 과정에서 발생할 수 있는 오류를 제거하기 위해서라는 진술은 적절하지 않다.

③ 5문단에서 사실들은 '남아 있을 수 있는 오류를 제거하기 위해 과학자 공동체에 의한 검증 작업을 거쳐야 했다.'라고 하였다. 이를 통해 [보기]에서 언급한 탐구의 결과가 과학자 공동체에서 발표된 후 동료 과학자들에 의해서 논의되고 검토되는 것은 이러한 탐구 결과에 남아 있을 수 있는 오류를 제거하기 위함이라고 볼 수 있다. 따라서 동료 과학자들이 탐구 결과를 검토하는 것은 협동적인 실험을 통해 과학적 사실이 획득될 수 있기 때문이라는 진술은 적절하지 않다.

④ 3문단에서 '12세기 후기부터' '법정은 합리적인 판결의 토대를 마련하려고 했'다고 하였으며, '이 과정에서 사실이란 개념이 중요하게 부상하였다.'라고 하였다. 그리고 사실의 문제를 가리는 사람인 배심원들이 '증인의 증언이나 목격자 진술의 신뢰성을 판단하기 위해 증인이나 목격자의 사회적 지위, 나이, 명성 등을 고려하기 시작'했다고 하였다. 이를 통해 사실의 문제를 가리는 사람으로서 배심원

을 둔 것은 합리적인 판결의 토대를 마련하고자 함이었음을 알 수 있고, 배심원들이 사실을 가리기 위해 증인이나 목격자의 여러 가지 요소들을 고려하게 되었음을 확인할 수 있다. 따라서 재판 과정에서 배심원 제도를 두는 것은 증인의 사회적 지위, 나이, 명성, 성실성 등을 고려하기 위해서라고 한 진술은 적절하지 않다.

🍯 선생님의 꿀 정보

04번 문제: 구체적 사례에 적용

이러한 문제 유형은 대체로 [보기]로 제시되는 자료와 함께 출제되며 난도가 높은 문제인 경우가 많다. 그렇지만 겉으로 볼 때에는 다소 어렵게 보이는 문제라도 지문과 선택지에 이미 제시되어 있는 여러 정보들을 활용하면 그리 어렵지 않게 해결할 수 있다. 이러한 문제를 푸는 방법은 다음과 같다.

지문 독해	① 지문에 제시된 일반적 사실이나 원리를 정확하게 이해한다. → 지문에서는 과학과 법의 상호 작용을 세 가지 측면에서 설명하고 있다. 따라서 세 가지 측면에서 과학 영역과 법률 영역의 영향 관계 및 그 방향성에 대해 파악하되, 각 영역의 특성을 이해하는 것이 중요하다. ② 일반적 사실에 언급된 핵심 요소들의 관계와 구조에 초점을 두어 이해한다. → • 법률이 과학에 영향을 준 경우 　- 자연과학에서 사용하는 '자연의 법칙'이라는 표현 　- '사실'이라는 개념 • 과학이 법률에 영향을 준 경우 　- 확실성 개념에 근거하여 '도덕적 확실성'이라는 개념을 제창하게 됨.

↓

문제 해결	③ [보기]에 제시된 자료를 지문에서 언급한 핵심 요소와 대응하여 이해한다. → [보기]는 과학과 법률 영역에서 사실을 밝히는 과정에 대해 설명하고 있다. 과학에서 사실을 밝히는 과정은 지문의 4, 5문단과, 법률 영역에서 사실을 밝히는 과정은 지문의 3문단과 비교하며 이해한다. 그리고 이 두 영역의 관계는 지문의 6, 7문단을 통해 확인한다. ④ [보기]의 자료를 지문의 핵심 요소와 연관 지어 진술한 선택지를 살펴본다. 이때 지문의 핵심 요소를 빠짐없이 정확하게 언급하고 있는 선택지를 찾는다. → [보기]에서 언급한 과학자들이 사실을 밝히는 과정의 핵심 요소는 실험과 관찰, 상세한 기록, 동료 과학자들에 의한 논의와 검토이다. 이러한 요소들이 지문에서 어떠한 특징과 의미를 가지는지를 확인하여 선택지의 적절성을 판단한다. → [보기]에서 언급한 법정에서 사실을 밝히는 과정의 핵심 요소는 변호사와 검사, 판사의 역할, 증인의 신뢰성을 검증하기 위한 질문, 증거의 역할, 배심원 제도이다. 지문에서 이러한 요소들에 대한 정보를 찾고 이와 관련하여 선택지의 적절성을 판단한다.

05 구절의 문맥상 의미 파악　　|정답 ②|

⊙~⊕의 문맥상 의미에 대한 이해로 적절하지 않은 것은?

① ⊙: 법률이 과학에서 영향을 받는 형태

② ⓒ: 자연의 사물도 신이 부여한 법을 지켜야 한다
〔자연의 법칙〕

③ ⓒ: 왕이 법률을 사용해 국가를 다스린다는 생각이 발달한 프랑스

④ ⓔ: 증인의 사회적 지위나 나이, 명성, 성실성 등

⑤ ⑩: 관찰의 확실성, 경험 혹은 실험의 빈도와 일관성 등을 고려하는 것

📁 발문 분석

문맥을 고려하여 구절의 의미를 파악할 수 있는지 묻고 있다. 단순히 어휘의 의미를 묻는 것이 아니므로, 앞뒤 문맥의 의미와 문단의 의미를 바탕으로 해당 구절이 의미하는 바를 정확히 파악해야 한다.

◎ 정답 풀이

② 2문단에서 '과학에서의 자연의 법칙은 종교 영역의 '입법자로서의 신'과 법률 영역의 '법' 개념이 결합하면서 신이 자연에도 법을 부여하였으므로 자연의 사물도 이 법을 지켜야 한다는 생각이 받아들여진 결과'라고 하였다. 따라서 '입법자로서의 신'은 신이 자연에 법을 부여한 것을 의미하는 것이라 할 수 있다. 참고로 '자연의 사물도 신이 부여한 법을 지켜야 한다'는 '입법자로서의 신'과 법률 영역에서의 '법'의 개념이 결합한, 과학에서의 '자연의 법칙'을 의미하는 것이라 할 수 있다.

✕ 오답 풀이

① 1문단에서 '과학 혁명기 동안의 과학과 법률의 관계는' 처음에는 과학이 법률에서 여러 가지 개념을 가져오는 식이었으나 이후 그 관계가 역전되는 형태로 바뀌었다고 하였다. 즉 과학이 법률에서 여러 가지 개념을 가져오는 식과 반대되는 상황이 펼쳐진다는 의미이므로, 법률이 과학에서 여러 가지 영향을 받는 형태로 변화하는 것을 의미한다고 할 수 있다.

③ 2문단에서 '기독교가 지배적이었던 중세에는' 입법자로서의 신의 개념이 널리 퍼져 있었다고 하였다. 그리고 질셀은 '16세기에서 17세기를 거치면서 왕이 법률을 사용해 국가를 다스린다는 생각이 유럽에 널리 퍼졌고, 이런 변화가 입법자로서의 신이라는 개념과 결합'해서 자연의 법칙이라는 개념이 등장할 수 있었다고 하였다. 질셀은 이에 대한 증거를 '절대왕정이 일찍 발달한 프랑스에서 자연 법칙이라는 개념이 처음으로 등장했다는 것'에서 찾았다고 하였다. 이를 종합해 볼 때 프랑스는 신의 개념이 이미 널리 퍼져 있었던 상태이고, 이러한 프랑스에서 절대왕정이 일찍 발달했다는 것은 왕이 법률을 사용해 나라를 다스린다는 생각이 이미 발달했음을 의미한다고 할 수 있다.

④ 3문단에서 증인이 하는 증언의 신뢰성을 판단하기 위해 배심원들은 '증인이나 목격자의 사회적 지위, 나이, 명성, 성실성 등을 고려하기 시작'했다고 하였다. 따라서 증언의 신뢰성을 판단하는 데 사용되었던 기준은 증인의 사회적 지위, 나이, 명성, 성실성 등이라 할 수 있다.

⑤ 6문단에서는 과학의 '확실한 지식이 관찰의 확실성, 경험 혹은 실험의 빈도와 일관성, 그리고 증인의 수와 신뢰성에 기반을 둔다'고 하였다. 따라서 과학에서 사실을 증명하는 방법은 관찰의 확실성, 경험 혹은 실험의 빈도와 일관성, 그리고 증인의 수와 신뢰성 등을 고려하는 것이라 할 수 있다.

III

과학

과학 01 기체 분자의 속력 분포에 대한 맥스웰의 이론과 그 효용

[2012년 9월 평가원 기출 변형]

01 ④   **02** ④   **03** ③   **04** ④   **05** ②   **06** ⑤   본문 ○ 72쪽

구절 풀이

운동 에너지가 변하려면 외부로부터의 변화가 필요함. 외부로부터의 변화가 없는 경우 기체 분자들끼리 에너지를 서로 주고받아서 기체 전체의 운동 에너지는 변하지 않음.

맥스웰 이론은 온도와 기체 분자의 질량에 따라 다르게 나타남.

온도	올리면	기체의 평균 운동 에너지 증가, 속력이 빨라짐.
	낮추면	기체의 평균 운동 에너지 감소, 속력이 느려짐.
분자의 질량	크면	기체 분자의 평균 속도가 느려짐.
	작으면	기체 분자의 평균 속도가 빨라짐.

첫 번째 회전 원판을 통과한 기체 분자들 중 두 번째 회전 원판까지 닿는 속도가 두 회전 원판의 틈과 틈 사이의 각도만큼 회전하는 속도와 일치하는 분자만이 두 번째 회전 원판을 통과할 수 있음.

어휘 풀이

* 상온: 가열하거나 냉각하지 않은 자연 그대로의 기온. 보통 15℃를 가리킴.
* 대기압: 대기의 압력. 북위 45도의 바다 면과 0℃의 온도에서, 수은 기둥을 높이 760mm까지 올리는 데 작용하는 압력을 1기압이라 하며, 1기압은 1,013.25헥토파스칼과 같음.
* 인력: 공간적으로 떨어져 있는 물체끼리 서로 끌어당기는 힘.
* 입사하다: 하나의 매질(媒質) 속을 지나가는 소리나 빛의 파동이 다른 매질의 경계면에 이름.

선생님의 Tip

"맥스웰"(Maxwell, James Clerk)

영국의 물리학자(1831~1879). 패러데이의 전자기장 연구를 기초로 유체 역학을 수학적으로 체계화하였으며, 토성의 테에 관한 이론과 색채론 분야에서도 공헌하였음. 최초로 통계학적 방법을 열역학에 도입했고, 컬러 사진법, 효과적인 조속기 등을 고안했으며, 전자기학에 많은 업적을 남기기도 했음. 저서에 『전자기학』이 있음.

---

1 상온*에서 대기압* 상태에 있는 1리터의 공기 안에는 수없이 많은 질소, 산소 분자들을 비롯하여 다양한 기체 분자들이 있다. 이들 중 어떤 산소 분자 하나는 짧은 시간에도 다른 분자들과 많은 충돌을 하며, 충돌을 할 때마다 분자의 운동 방향과 속력이 변할 수 있기 때문에, 어떤 분자 하나의 정확한 운동 궤적을 아는 것은 불가능하다. 다만 어떤 구간의 속력을 가진 분자 수 비율이 얼마나 되는지를 의미하는 **분자들의 속력 분포**를 알 수 있을 뿐이다.

> 대기 중 기체 분자의 운동을 살펴보기 위한 조건
> 분자 하나의 정확한 운동 궤적을 알기 어려운 이유
> 분자들의 속력 분포의 의미   중심 화제   **1문단: 대기 중 기체 분자 운동의 특징**

2 위에서 언급한 상태에 있는 산소처럼 분자들 사이의 평균 거리가 충분히 먼 경우에, 우리는 분자들 사이의 인력*을 무시할 수 있고 분자의 운동 에너지만 고려하면 된다. 이 경우에 분자들이 충돌을 하게 되면 각 분자의 운동 에너지는 변할 수 있지만, 분자들이 에너지를 서로 주고받기 때문에 기체 전체의 운동 에너지는 변하지 않게 된다.

> 분자들 사이의 인력은 무시하고 분자의 운동 에너지만 고려하는 경우
> 기체 전체의 운동 에너지가 변하지 않는 이유
> **2문단: 기체 분자들의 충돌과 운동 에너지**

3 기체 분자들의 속력 분포는 **맥스웰의 이론**으로 계산할 수 있는데, 가로축을 속력, 세로축을 분자 수 비율로 할 때 종(鐘)모양의 그래프로 그려진다. 이 속력 분포가 의미하는 것은 기체 분자들이 0에서 무한대까지 모든 속력을 가질 수 있지만 꼭짓점 부근에 해당하는 속력을 가진 분자들의 수가 가장 많다는 것이다. 기체 분자들의 속력은 온도와 기체 분자의 질량에 의해서 결정된다. 다른 조건은 그대로 두고 온도만 올리면 기체의 평균 운동 에너지가 증가하므로, 그래프의 꼭짓점이 속력이 빠른 쪽으로 이동한다. 이와 동시에 그래프의 모양이 납작해지고 넓어지는데, 이는 전체 분자 수가 변하지 않았으므로 그래프 아래의 면적이 같아야만 하기 때문이다. 전체 분자 수와 온도는 같은데 분자의 질량이 큰 경우에는, 평균 속력이 느려져서 분포 그래프의 꼭짓점이 속력이 느린 쪽으로 이동하며, 분자 수는 같기 때문에 그래프의 모양이 뾰족해지고 좁아진다.

> 중심 화제
> 맥스웰 이론을 나타낸 그래프의 모양
> 꼭짓점 부근이 기체 분자의 평균 속력에 가까움.
> 분자의 수와 질량은 변화가 없음(조건 ①의 경우).   온도-기체의 평균 운동 에너지: 비례 관계
> 그래프의 꼭짓점이 오른쪽으로 이동함.
> 그래프의 꼭짓점이 이동해도 그래프 아래의 면적은 같아야 하는 이유
> 분자의 수와 온도는 변화가 없음(조건 ②의 경우). 기체 분자의 질량-평균 운동 에너지: 반비례 관계
> 그래프의 꼭짓점이 왼쪽으로 이동함.
> 그래프의 아래 면적은 같아야 하기 때문
> **3문단: 기체 분자들의 속력 분포 그래프의 특징**

4 〈그림〉은 맥스웰 속력 분포를 알아보기 위해 ㉠밀러와 쿠슈가 사용했던 실험 장치를 나타낸 것이다. 가열기와 검출기 사이에 두 개의 회전 원판이 놓여 있다. 각각의 원판에는 가는 틈이 있고 두 원판은 서로 연결되어 있다. 두 원판은 일정한 속력으로 회전하면서 특정한 속력 구간을 가진 분자들을 선택적으로 통과시킬 수 있다.

> 맥스웰의 속력 분포 이론을 증명하기 위한 장치
> 실험 장치의 구조
> 실험 장치의 구동 방식
> **4문단: 기체 분자들의 속력 분포 측정을 위한 실험 장치**

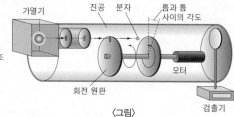

〈그림〉

5 가열기에서 나와 첫 번째 회전 원판의 가는 틈으로 입사한* 기체 분자들 중 조건을 만족하는 분자들만 두 번째 회전 원판의 가는 틈을 지나 검출기에 도달할 수 있다. 첫 번째 원판의 틈을 통과하는 분자들의 속력은 다양하지만, 회전 원판의 회전 속력에 의해 결정되는 특

지문 구조도

화제 제시: 대기 중 기체 분자 운동의 특징(1문단)
분자 하나의 정확한 운동 궤적을 알기는 어려우나 분자들의 속력 분포를 알 수는 있음.

전개 1: 기체 분자들의 충돌과 운동 에너지(2문단)	전개 2: 맥스웰의 기체 속력 분포 그래프(3문단)	전개 3: 밀러와 쿠슈의 입증 실험 (4, 5문단)
분자들이 충돌하면 기체 전체의 운동 에너지는 변하지 않음	기체 분자들의 속력은 온도와 기체 분자의 질량에 의해 결정됨.	기체 속력 분포가 맥스웰 이론에 부합한다는 것을 입증함.

마무리: 맥스웰 이론의 효용(6~8문단)
행성에 따라 대기의 상태가 다르다는 것을 이해하는 데 맥스웰 이론이 도움을 줌.

출제 의도 기체 분자들의 운동과 속력 분포에 대해 바르게 이해할 수 있는지 평가하기 위한 지문이다. '맥스웰의 이론', '밀러와 쿠슈의 실험', '맥스웰 이론의 효용' 등과 같은 핵심 개념을 이해했는지, 그림을 활용하여 관련된 정보를 파악할 수 있는지를 평가하는 문제가 출제되었다.

주제 기체 분자들의 속력 분포의 특징과 맥스웰 이론의 효용

정한 속력 구간을 가진 분자들만 두 번째 원판의 틈을 통과한다. 특정한 속력 구간보다 더 빠른 분자들은 두 번째 틈이 꼭대기에 오기 전에 원판과 부딪치며, 느린 분자들은 지나간 후에 부딪친다. 만일 첫 번째와 두 번째 틈 사이의 각도를 더 크게 만들면, 같은 회전 속력에서도 더 속력이 느린 분자들이 검출될 것이다. 이 각도를 고정하고 회전 원판의 회전 속력을 ⓐ바꾸면, 새로운 조건에 대응되는 다른 속력을 가진 분자들을 검출할 수 있다. 이 실험 장치를 이용하여 어떤 온도에서 특정한 기체의 속력 분포를 알아보았더니, 그 결과는 맥스웰의 이론에 부합*하였다.　　　　　5문단: 실험 장치의 원리와 맥스웰 이론의 타당성

6 한편 맥스웰의 이론은 행성에 따라 대기의 상태가 다른 것을 이해하는 데에도 도움을 준다. 행성의 대기를 이루는 기체는 자유롭게 움직이며 공간을 채우는 것처럼 보이지만 각 행성의 중력으로부터 영향을 받는다. 바다도 중력의 영향을 받지만 액체는 거의 압축이 일어나지 않아 깊이에 따른 밀도 변화가 크지 않지만, 기체는 높이에 따른 밀도 변화가 크다. 이 때문에 바다는 해수면이라는 뚜렷한 경계를 갖지만, 대기는 경계가 분명하지 않고 상층으로 갈수록 희박해지면서 행성 간 공간으로 이어진다. 행성의 표면에서 멀어질수록 중력의 크기가 감소하여 대기 상층부의 기체가 행성 간 공간으로 빠져나가기 쉽게 되는 것이다.
　　　　　6문단: 행성 중력의 영향을 받는 대기

7 그렇다면 행성의 대기를 이루는 기체가 행성 간 공간으로 빠져나가는 것을 결정하는 것은 무엇일까? 이것은 대기를 이루는 기체의 평균 속력과 행성의 탈출 속력과의 차이에 의해서 결정된다. 여기에서 행성의 탈출 속력이란 어떤 물체가 행성의 중력을 이기고, 그 행성을 벗어나기 위해 필요한 최소한의 초기 속력을 의미한다. 행성의 질량이 클수록, 반지름이 작을수록 탈출 속력이 빠른데, 행성의 탈출 속력이 빠르다는 것은 그 물체가 행성을 탈출하기가 어렵다는 것이다. 만약 기체의 평균 속력이 행성의 탈출 속력보다 아주 느리다면 대기 중의 기체가 모두 빠져나가는 데에는 아주 오랜 시간이 걸릴 것이다. 이 경우 대기는 거의 그대로 유지된다고 볼 수 있다.　7문단: 기체의 평균 속력과 행성의 탈출 속력에 따른 대기 상태의 차이

8 행성의 대기가 빠져나가는 것을 결정짓는 또 다른 중요한 변수*는 행성의 표면 온도이다. 행성의 표면 온도는 대체로 태양과의 거리가 가까울수록, 행성의 단면적이 클수록 높다. 행성의 표면 온도가 높다는 것은 대기를 이루는 기체 분자의 평균 속력이 빨라진다는 것을 의미한다. 따라서 행성의 표면 온도가 높아져서 대기를 이루는 기체 분자의 평균 속력이 행성의 탈출 속력보다 빨라지게 되면 행성의 대기를 이루는 기체는 행성 간 공간으로 유출되어 사라져 버리게 된다. 이때 행성마다 표면 온도와 질량이 다르기 때문에 대기의 상태가 제각각이 되는 것이다. 이처럼 맥스웰의 이론은 행성의 표면 온도 때문에 행성마다 대기의 상태가 다르게 된다는 사실을 이해하는데 기여한다.
　　　　　8문단: 맥스웰 이론의 효용성

구절 풀이

○ 원판의 회전 속력을 빠르게 하면 속도가 빠른 분자들이, 느리게 하면 속도가 느린 분자들이 원판의 틈을 통과하여 검출됨.

바다	밀도 변화가 적음. → 뚜렷한 경계(해수면)
기체	밀도 변화가 큼. → 경계 불분명, 상층부로 갈수록 희박해짐. → 행성 간 공간으로 이어짐.

기체의 평균 속력 <행성의 탈출 속력	대기 중의 기체가 느리게 빠져나감.
기체의 평균 속력> 행성의 탈출 속력	대기 중의 기체가 금방 빠져 나감.

어휘 풀이

* 부합: 부신(符信)이 꼭 들어맞듯 사물이나 현상이 서로 꼭 들어맞음.
* 변수: 어떤 상황의 가변적 요인.

지문 해제

이 글은 맥스웰의 이론을 소개하고 맥스웰 이론의 효용성에 대해 설명하고 있다. 맥스웰은 기체의 속력은 온도와 기체 분자의 질량에 의해 결정되는데, 온도가 올라갈수록 기체 분자의 속력이 빨라지고, 질량이 클수록 기체 분자의 속력이 느려진다고 보았다. 그리고 기체 분자들이 갖고 있는 각기 다른 속력 분포를 설명하기 위해 가로축을 속력, 세로축을 분자 수 비율로 하는 종모양의 그래프를 고안하였다. 밀러와 쿠슈는 이를 입증하기 위해 가열기와 검출기 사이에 두 개의 회전 원판이 있는 실험 장치를 이용하였다. 가열기에서 출발한 분자가 작은 틈이 있는 원판 두 개를 통과하여 검출기에 도달하면 특정한 속력 구간을 가진 분자만이 검출된다. 그리고 원판의 회전 속도나 틈 사이의 각도를 조절한 결과 맥스웰의 속력 분포 이론에 부합하는 결과를 얻게 되었다. 이러한 밀러와 쿠슈의 실험을 통해 입증된 맥스웰의 이론은 행성에 따라 대기의 상태가 다른 것을 이해하는데 도움을 준다. 행성의 대기를 이루는 기체가 행성 간 공간으로 빠져나가는 것은 기체의 평균 속력이 행성의 탈출 속력보다 큰 경우인데, 행성의 대기가 빠져나가는 것을 결정짓는 중요한 변수 중 하나는 행성의 표면 온도이다. 맥스웰의 이론을 고려하면 행성의 표면 온도가 높다는 것은 기체 분자의 평균 속력이 빨라진다는 것을 의미하고, 이것이 행성의 탈출 속력보다 빨라지면 대기를 이루는 기체는 행성 간으로 유출되게 되는 것이다.

선생님의 Tip

"태양계 행성들의 대기 구분"

지구형 행성	목성형 행성
질소나 산소, 이산화탄소와 같은 비교적 무거운 기체로 이루어진 대기가 있음.	수소나 헬륨과 같은 가벼운 기체로 이루어진 대기가 있음.
단단한 지각이 있는 행성임.	거대한 가스로 이루어진 행성임.
지구, 화성 등	목성, 토성 등

01 내용 전개 방식의 파악 | 정답 ④ |

윗글에 대한 설명으로 적절하지 <u>않은</u> 것은?

① 상황을 가정하여 실험 결과를 예측하고 있다.
   5문단
② 비교와 대조를 통해 바다와 대기의 특징을 부각하고 있다.
   6문단
③ 정의의 방식으로 행성의 탈출 속력의 개념을 제시하고 있다.
   7문단
④ 구분과 분류의 방식으로 대기압 상태에 있는 기체의 종류를
   기체의 종류를 구분, 분류하지 않음
   언급하고 있다.
⑤ 자문자답을 통해 기체가 행성 간 공간으로 빠져나가는 원인
   7문단
   을 설명하고 있다.

📂 발문 분석

글의 논지 전개 방식을 파악할 수 있는지 묻고 있다. 중심 화제가 무엇인지 먼저 파악한 후, 이를 지문에서 어떻게 설명해 나가고 있는지 살펴보아야 한다. 각 문단마다 화제가 달라지고 있으므로 각 문단에서 화제를 설명하는 방식과 선택지의 설명이 일치하는지를 판단해야 한다.

◎ 정답 풀이

④ 1문단에서 '상온에서 대기압 상태에 있는 1리터의 공기 안에는 수없이 많은 질소, 산소 분자들을 비롯하여 다양한 기체 분자들이 있다.'라고 언급하고는 있지만, 기체의 종류를 설명하고 있지는 않다.

✖ 오답 풀이

① 5문단의 '만일 첫 번째와 두 번째 틈 사이의 각도를 더 크게 만들면, 같은 회전 속력에서도 더 속력이 느린 분자들이 검출될 것이다.'에서 '만일~크게 만들면'이라는 상황을 가정한 후, '같은 회전 속력에서도~검출될 것이다'라면서 실험 결과를 예측하고 있다.
② 6문단의 '바다도 중력의 영향을 받지만 액체는 거의 압축이 일어나지 않아 깊이에 따른 밀도 변화가 크지 않지만, 기체는 높이에 따른 밀도 변화가 매우 크다. 이 때문에 바다는 해수면이라는 뚜렷한 경계를 갖지만, 대기는 경계가 분명하지 않고 상층으로 갈수록 희박해지면서 행성 간 공간으로 이어진다.'에서 바다와 대기를 비교하고 대조하여 바다와 대기의 공통점과 차이점을 부각하고 있다.
③ 7문단의 '행성의 탈출 속력이란 어떤 물체가 행성의 중력을 이기고, 그 행성을 벗어나기 위해 필요한 최소한의 초기 속력을 의미한다.'에서 행성의 탈출 속력의 개념을 정의의 방식으로 제시하고 있다.
⑤ 7문단의 '그렇다면 행성의 대기를 이루는 기체가 행성 간 공간으로 빠져나가는 것을 결정하는 것은 무엇일까? 이것은 대기를 이루는 기체의 평균 속력과 행성의 탈출 속력과의 차이에 의해서 결정된다.'에서 자문자답을 통해 기체가 행성 간 공간으로 빠져나가는 원인을 설명하고 있다.

🍯 선생님의 꿀 정보

01번 문제: 조건이나 환경의 변화 등에 따라 결과가 달라지는 내용의 지문 읽기

과학 영역의 지문에서는 종종 실험 과정과 결과를 다루기도 한다. 이때 조건이나 환경의 변화에 따른 결과를 비례나 반비례로 설명하는 경우가 많

은데, 지문을 읽을 때 이와 같은 내용을 간단하게 표로 정리해 두면 문제를 푸는데 도움이 된다.

이 지문의 경우 3문단에서는 온도 및 기체의 질량과 기체의 평균 속력에 대해 설명하고 있다. 이를 정리하면 다음과 같다.

항목	변화	기체 분자의 평균 속력	둘 사이의 관계
온도	상승	빨라짐.	비례
	하락	느려짐.	
기체의 질량	증가	느려짐.	반비례
	감소	빨라짐.	

또한 7문단에서는 행성의 질량 및 크기와 행성의 탈출 속력에 대해 설명하고 있다. 이를 정리하면 다음과 같다.

항목	변화	행성의 탈출 속력	둘 사이의 관계
질량	크다	빨라짐(탈출이 어려움).	비례 관계
	작다	느려짐(탈출이 쉬움).	
반지름	크다	느려짐(탈출이 쉬움).	반비례 관계
	작다	빨라짐(탈출이 어려움).	

그리고 8문단에서는 행성의 표면 온도와 태양과의 거리, 행성의 단면적과의 관계를 설명하고 있다. 이를 정리하면 다음과 같다.

항목	변화	행성의 탈출 속력	둘 사이의 관계
태양과의 거리	가깝다	높다	비례 관계
	멀다	낮다	
행성의 단면적	크다	높다	비례 관계
	작다	낮다	

또한 행성의 표면 온도와 기체 분자의 평균 속력 그리고 기체가 빠져나가는 관계를 설명하고 있다. 이를 정리하면 다음과 같다.

항목	변화	행성의 탈출 속력	둘 사이의 관계
행성의 표면 온도	상승	빨라짐 (빨라짐)	비례 관계
	하락	느려짐 (빨라짐)	

이처럼 관련된 내용을 정리해 두면 한눈에 알아보기 쉬워서 문제를 풀 때 헷갈리지 않는다.

02 세부 정보의 이해 | 정답 ④ |

윗글의 내용과 일치하지 <u>않는</u> 것은?

① 분자들의 충돌은 개별 분자의 속력을 변화시킬 수 있다.
   1문단
② 대기 중 산소 분자 하나의 운동 궤적을 정확히 구할 수 없다.
   1문단
③ 분자들 사이의 평균 거리가 충분히 멀다면 인력을 무시할 수
   있다.
   2문단
④ 분자의 충돌에 의해 기체 전체의 운동 에너지가 증가한다.
   2문단, 기체 전체의 운동 에너지는 변하지 않음.
⑤ 대기 중에서 개별 기체 분자의 속력은 다양한 값을 가진다.
   1문단

📂 발문 분석

지문의 세부 내용을 정확히 이해했는지를 묻고 있다. 지문에 언급된 분자들에 대한 정보를 꼼꼼히 확인한 후 선택지의 내용과 1:1로 비교하며 적절성을 판단해야 한다.

⊙ **정답 풀이**

④ 2문단에서 '분자들이 충돌을 하게 되면 각 분자의 운동 에너지는 변할 수 있지만, 분자들이 에너지를 서로 주고받기 때문에 기체 전체의 운동 에너지는 변하지 않게 된다.'라고 하였다. 따라서 분자의 충돌에 의해 기체 전체의 운동 에너지는 증가하지 않는다고 볼 수 있다.

✖ **오답 풀이**

① 1문단에서 '어떤 산소 분자 하나는 짧은 시간에도 다른 분자들과 많은 충돌을 하며, 충돌을 할 때마다 분자의 운동 방향과 속력이 변할 수 있'다고 하였다. 따라서 분자들의 충돌은 개별 분자들의 속력을 변화시킬 수 있다고 할 수 있다.

② 1문단에서 '어떤 산소 분자 하나는 짧은 시간에도 다른 분자들과 많은 충돌을 하며, 충돌을 할 때마다 분자의 운동 방향과 속력이 변할 수 있기 때문에 어떤 분자 하나의 정확한 운동 궤적을 아는 것은 불가능하다.'라고 하였다. 따라서 대기 중 산소 분자 하나의 운동 궤적을 정확히 구할 수 없다고 할 수 있다.

③ 2문단에서 '분자들 사이의 평균 거리가 충분히 먼 경우에, 우리는 분자들 사이의 인력을 무시할 수 있고 분자의 운동 에너지만 고려하면 된다.'라고 하였다. 따라서 분자들 사이의 평균 거리가 충분히 멀다면 인력을 무시할 수 있다고 할 수 있다.

⑤ 3문단에서 맥스웰 이론으로 계산한 기체 분자들의 속력 분포 그래프는 종모양으로, 이것이 의미하는 것은 '기체 분자들이 0에서 무한대까지 모든 속력을 가질 수 있지만 꼭짓점 부근에 해당하는 속력을 가진 분자들의 수가 가장 많다는 것'이라고 하였다. 따라서 대기 중에서 개별 기체 분자의 속력은 다양한 값을 가진다고 할 수 있다.

👑 **고난도**

03 구체적 사례에 적용 　　　　| 정답 ③ |

[보기]의 A, B, C는 맥스웰 속력 분포를 나타내는 그래프이다. 윗글에 비추어 볼 때, 기체와 그래프를 바르게 연결한 것은?

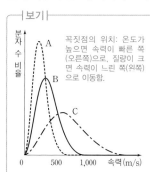

┤보기├

꼭짓점의 위치: 온도가 높으면 속력이 빠른 쪽(오른쪽)으로, 질량이 크면 속력이 느린 쪽(왼쪽)으로 이동함.

• 아르곤 분자는 크립톤 분자보다 가볍다.
　속력: 아르곤 분자>크립톤 분자
• 아르곤의 온도는 각각 25℃, 727℃, 크립톤의 온도는 25℃이다.
　속력: 아르곤 분자(727℃)>아르곤 분자(25℃)>크립톤 분자(25℃)
• 각 기체의 분자 수는 모두 같다.

	아르곤(25℃)	아르곤(727℃)	크립톤(25℃)
①	A	B	C
②	A	C	B
③	B	C	A
④	B	A	C
⑤	C	B	A

📋 **발문 분석**

기체 분자들의 속력 분포를 계산할 수 있는 맥스웰 이론에 대해 이해하고, 그래프의 내용을 파악할 수 있는지를 묻고 있다. 지문과 [보기]

를 통해 기체들의 평균 속력의 차이를 확인한 후, 그래프가 의미하는 바를 도출해야 한다.

✔ **보기 분석**

3문단에서 기체 분자들의 속력이 빨라지면 '그래프의 모양이 납작해지고 넓어지'며, 속력이 느려지면 '그래프의 모양이 뾰족해지고 좁아진다'고 하였다. 따라서 A는 속력이 가장 느린 기체의 속력 분포를, B는 속력이 중간 정도인 기체의 속력 분포를, C는 속력이 가장 빠른 기체의 속력 분포를 나타낸 것이라고 보아야 한다. [보기]에서 아르곤 분자가 크립톤 분자보다 가볍다고 한 것은 아르곤 분자의 속력이 크립톤 분자의 속력보다 빠르다는 것을 의미한다. 특히 25℃의 아르곤과 25℃의 크립톤은 온도라는 조건이 같으므로, 아르곤 분자가 크립톤 분자보다 빠른 상태가 유지될 것이라고 추측할 수 있다. 다만 온도가 높을수록 속력이 빨라지므로 727℃의 아르곤의 분자가 25℃의 아르곤 분자보다 속력이 빠를 것이다.

⊙ **정답 풀이**

③ 3문단에서 '다른 조건은 그대로 두고 온도만 올리면 기체의 평균 운동 에너지가 증가하므로, 그래프의 꼭짓점이 속력이 빠른 곳으로 이동한다. 이와 동시에 그래프의 모양이 납작해지고 넓어'진다고 하였다. 또 '전체 분자수와 온도는 같은데 분자의 질량이 큰 경우에는, 평균 속력이 느려져서 분포 그래프의 꼭짓점이 속력이 느린 쪽으로 이동하며, 분자 수는 같기 때문에 그래프의 모양이 뾰족해지고 좁아진다.'라고 하였다. 이를 고려하면 [보기]의 그래프에서 A가 가장 느린 속력 분포를, B는 중간, C가 가장 빠른 속력 분포를 보이고 있다고 볼 수 있다. 그런데 [보기]에서 아르곤 분자가 크립톤 분자보다 가볍다고 하였으므로, 동일한 조건에서 아르곤 분자가 크립톤 분자보다 빠른 속력 분포를 보일 것이다. 또한 아르곤의 온도가 각각 25℃, 727℃, 크립톤의 온도가 25℃라고 하였으므로, 동일한 온도인 25℃의 아르곤 분자가 25℃의 크립톤 분자보다 빠른 속력 분포를 보일 것이며 온도가 높은 727℃의 아르곤 분자가 온도가 낮은 25℃의 아르곤 분자보다 빠른 속력 분포를 보일 것이다. 따라서 각 기체 분자의 속력은 '727℃의 아르곤>25℃의 아르곤>25℃의 크립톤'의 순서가 될 것이다. 이를 그래프에 대입하면 25℃의 크립톤 분자의 속력 분포를 나타내는 것은 A, 25℃의 아르곤 분자의 속력 분포를 나타내는 것은 B이고, 727℃의 아르곤 분자의 속력 분포를 나타내는 것은 C이다.

🍯 **선생님의 꿀 정보**

03번 문제: 지문에서 그래프나 그림 등의 자료를 제시하지 않은 대신 [보기]를 통해 제시하고 있는 문제

　그래프나 그림 등으로 구현할 수 있는 내용을 설명하고 있으나, 그 자료를 제시하지 않은 지문은 그래프나 그림을 문제로 제시하여 학생들이 얼마나 지문의 내용을 이해하고 적용할 수 있는지를 평가하고자 하는 것이 대부분이다.

　03번 문제의 [보기]에 제시된 그래프처럼 그래프를 볼 때에는 먼저 가로축과 세로축의 항목이 무엇인지 파악해야 한다. 그 후 그래프의 모양이 바뀔 때 가로축과 세로축의 항목이 어떻게 변화하는지 확인해야 한다. 또 필요한 경우에는 그래프와 관련된 지문의 내용을 그래프의 한쪽에 적어두는 것도 그래프를 이해하는데 도움이 된다.

→ 03번 문제의 그래프에서 가로축은 속력을, 세로축은 분자 수 비율을 의미한다. 따라서 그래프가 오른쪽으로 이동하면 빠른 속력을 보이는 분자 수 비율이 증가한다고 볼 수 있다. 이를 고려하면 A는 분자 속력이 가장 느린 기체의 속력 분포를, B는 분자 속력이 중간 정도인 기체의 속력 분포를, C는 분자 속력이 가장 빠른 기체의 속력 분포를 나타낸 것이라고 볼 수 있다.

04 핵심 정보의 이해 | 정답 ④ |

㉠과 연관된 설명으로 적절하지 <u>않은</u> 것은?

① 맥스웰 속력 분포 이론을 실험으로 증명하기 위해 고안되었다.
　　　　　　4문단

② 첫 번째 회전 원판에 입사된 기체 분자들 중 일부가 검출기에
　도달한다.　　　　　5문단. 조건에 맞아 두 번
　째 원판의 틈을 통과한 분자만이 도달함.

③ 첫 번째 회전 원판의 틈을 통과하는 분자들은 <u>다양한 값의 속</u>
　<u>력을 가진다.</u>　　5문단

④ 원판의 회전 속력은 같고 틈과 틈 사이의 각도가 커지면 더
　<del>빠른</del> 분자들이 검출된다.　5문단. 더 느린 속력의 분자가 검출됨.

⑤ 틈과 틈 사이의 각도를 고정하고 원판의 회전 속력을 느리게
　하면 더 느린 분자들이 두 번째 회전 원판의 틈을 통과한다.
　5문단. 느린 회전 원판을 통과하려면 분자들의 속도도 느려야 함.

📁 발문 분석

글에 제시된 핵심 개념과 그 세부 내용을 정확히 파악할 수 있는지를
묻고 있다. '밀러와 쿠슈가 사용했던 실험 장치'가 무엇을 실험한 것인
지, 그 구조와 원리는 어떻게 되는지를 살펴본 후 선택지와 1:1로 비
교하여 적절성을 판단해야 한다.

◎ 정답 풀이

④ 5문단에서 '만일 첫 번째와 두 번째 틈 사이의 각도를 더 크게 만들면, 같
은 회전 속력에서도 더 속력이 느린 분자들이 검출될 것이다.'라고 하였
다. 이는 같은 회전 속력에서 회전 원판의 틈과 틈 사이의 각도가 커지면
속력이 더 느린 분자들이 검출된다는 의미이다. 따라서 원판의 회전 속
력은 같고 틈과 틈 사이의 각도가 커지면 더 빠른 분자들이 검출된다고
보는 것은 적절하지 않다.

❌ 오답 풀이

① 4문단에서 ㉠은 '맥스웰 속력 분포를 알아보기 위'한 것이라고 하였
　다. 또 5문단에서 '이 실험 장치를 이용하여 어떤 온도에서 특정한
　기체의 속력 분포를 알아보았더니, 그 결과는 맥스웰의 이론에 부
　합하였다.'라고 하였다. 이를 고려하면 ㉠은 맥스웰의 속력 분포 이
　론을 실험으로 증명하기 위해 고안되었다고 할 수 있다.

② 5문단에서 '가열기에서 나와 첫 번째 회전 원판의 가는 틈으로 입
　사한 기체 분자들 중 조건을 만족하는 분자들만 두 번째 회전 원판
　의 가는 틈을 지나 검출기에 도달할 수 있다.'라고 하였다. 이를 고
　려하면 첫 번째 회전 원판에 입사된 기체 분자들 중 조건에 만족하
　여 두 번째 회전 원판의 틈을 통과한 일부만이 검출기에 도달할 수
　있다고 할 수 있다.

③ 5문단에서 '첫 번째 원판의 틈을 통과하는 분자들의 속력은 다양'하
　다고 하였다. 이를 고려하면 첫 번째 회전 원판의 틈을 통과하는
　분자들은 다양한 값의 속력을 가진다고 할 수 있다.

⑤ 5문단을 통해 ㉠은 첫 번째 회전 원판을 통과한 기체 분자들 중 두
　번째 회전 원판까지 닿는 속도가 두 회전 원판의 틈과 틈 사이 각
　도만큼 회전하는 속도와 일치하는 분자만이 두 번째 회전 원판을
　통과할 수 있게 하는 장치임을 알 수 있다. 그리고 틈과 틈 사이의
　'각도를 고정하고 회전 원판의 회전 속력을 바꾸면, 새로운 조건에
　대응되는 다른 속력을 가진 분자들을 검출할 수 있다.'라고 하였다.
　이는 원판의 회전 속력을 빠르게 하면 속도가 빠른 분자들이, 회전
　속력을 느리게 하면 속도가 느린 분자들이 두 번째 회전 원판의 틈
　을 통과할 수 있다는 것이다. 이를 고려하면 틈과 틈 사이의 각도
　를 고정하고 원판의 회전 속력을 느리게 하면 더 느린 분자들이 두
　번째 회전 원판의 틈을 통과한다고 할 수 있다.

🍯 선생님의 꿀 정보

04번 문제: 장치의 구조나 실험의 원리를 설명하는 문제

　지문에서 장치의 구조나 실험의 원리를 설명하고 있는 경우에는 대부분
04번 문제처럼 그와 관련된 문제가 연계되어 출제된다. 04번 문제를 해결
하기 위해서는 4문단과 5문단에서 설명하고 있는 밀러와 쿠슈가 사용했던
실험 장치의 구조와 원리를 이해해야 한다.

　밀러와 쿠슈가 사용했던 실험 장치의 주요 구성 요소는 가열기와 검출
기, 그리고 두 개의 회전 원판이다. 기체 분자가 두 개의 회전 원판에 있는
틈을 모두 통과하여 검출기에 도달하려면 첫 번째 회전 원판을 통과한 기체
분자들 중 두 번째 회전 원판까지 닿는 속도가 두 회전 원판이 틈과 틈 사이
의 각도만큼 회전하는 속도와 일치해야만 한다. 즉 '분자가 첫 번째 회전 원
판을 통과하여 두 번째 회전 원판에 닿은 속도 = 두 회전 원판이 틈과 틈 사
이의 각도만큼 회전하는 속도'의 조건을 만족해야 검출기에 도달할 수 있
다.

　이 원리에 따라 조건을 달리하여 실험한 것을 정리하면 다음과 같다.

항목	변화	검출기에 도달하는 분자
첫 번째와 두 번째 틈 사이의 각도	크게 함	속력이 느린 분자
	작게 함	속력이 빠른 분자
회전 원판의 속력	빨리함	속력이 빠른 분자
	느리게 함	속력이 느린 분자

　실제 시험장에서 이와 같이 정리하는 것은 쉽지 않겠지만, 이런 식으로
정리를 하면서 문제를 푸는 연습을 해야 한다. 이것이 습관이 되면 실제 시
험에서 손으로 적지 않고도 머릿속으로 관련된 내용이 빨리 정리되기 때문
이다. 그렇게 되면 문제를 푸는 시간도 크게 단축할 수 있고, 문제 풀이의 정
확성도 높일 수 있다.

👑 고난도
05 반응의 적절성 판단 | 정답 ② |

윗글을 읽은 학생이 [보기]를 읽고 보인 반응으로 적절하지 <u>않은</u>
것은?

> **⌐보기⌐**
>
> 　태양의 주위를 도는 행성 ㉮, ㉯, ㉰, ㉱가 있을 때, 태양
> 과 가까운 순서는 ㉮, ㉯, ㉰, ㉱순이고, 각 행성의 질량과
> = 행성의 표면 온도가 높은 순서
> 반지름이 다음과 같다고 가정하자. 단, 질량과 반지름의 크기
> 는 지구를 1로 했을 때의 비율로 표시한다. 또한 이외에 각 행
> 성의 대기를 이루는 기체의 종류, 분포 등 다른 요인은 동일
> 태양과의 거리와 질량, 반지름의 크기를 제외한 요인이 동일함.
> 하고, 반지름이 같은 행성은 단면적도 같다고 가정한다.

행성	질량(지구=1)	반지름(지구=1)
㉮	0.7	1.2
㉯	0.7	0.9
㉰	1.4	0.9
㉱	1.4	1.2

① 행성 ㉮보다 행성 ㉯가 행성의 탈출 속력이 빠르겠군.

② 행성 ㉯보다 행성 ㉰가 행성의 <del>탈출</del> 속력이 느리겠군.
　　　　　　　　　　　　　　　㉰의 반지름이 작으므로
　　　　　　　　　　　　　　　㉰의 질량이 크므로

③ 행성 ⓒ보다 행성 ⓔ가 행성의 탈출 속력이 느리겠군.
④ 행성 ⓐ보다 행성 ⓔ가 기체 분자의 평균 속력이 느리겠군.
　　　　　　　　　　ⓔ의 반지름이 크므로
⑤ 행성 ⓒ보다 행성 ⓑ가 기체 분자의 평균 속력이 빠르겠군.
　　　　　　ⓒ의 표면온도가 낮으므로
　　　　　　ⓑ의 표면온도가 높으므로

📁 발문 분석

지문에 제시된 이론과 사례를 이해하고, 다른 상황에 적용할 수 있는
지를 묻고 있다. 맥스웰의 이론을 [보기]에 적용해 보고, 선택지의 설
명이 적절한지를 살펴보아야 한다.

✔ 보기 분석

8문단에서 '행성의 표면 온도는 태양과의 거리가 가까울수록, 행성의 단면적이 클
수록 높다. 행성의 표면 온도가 높다는 것은 대기를 이루는 기체 분자의 평균 속력
이 빨라진다는 것을 의미한다.'라고 하였다. 즉, 태양과의 거리가 가까울수록, 행
성의 단면적이 클수록 행성의 표면 온도는 높고 대기를 이루는 기체들의 속력도
빨라진다.
[보기]에는 '태양과 가까운 순서'와 '반지름이 같은 행성은 단면적도 같다'는 조건
이 제시되어 있으므로 8문단의 내용을 [보기]의 조건에 적용해야 한다.
반지름이 같은 행성 ⓐ와 ⓔ는 단면적도 같으므로 태양과 거리가 가까운 ⓐ의 표
면 온도가 ⓔ의 표면 온도보다 높다. 또 반지름이 같은 행성 ⓑ와 ⓒ도 단면적이
같으므로 태양과의 거리가 가까운 ⓑ의 표면 온도가 ⓒ의 표면 온도보다 더 높다.
또한 행성 ⓐ, ⓑ, ⓒ, ⓔ의 질량과 반지름을 제시한 표를 분석해 보면, 행성 ⓐ와
ⓑ, 행성 ⓒ와 ⓔ는 각각 질량은 같으나 반지름이 다르고, 행성 ⓐ와 ⓔ, ⓑ와 ⓒ
는 각각 반지름은 같으나 질량이 같다.
한편 각 행성의 대기를 이루는 기체의 종류, 분포 등 다른 요인은 동일하다고 하
였으므로 행성 ⓐ, ⓑ, ⓒ, ⓔ의 속력 분포 등을 살필 때는 각 행성의 질량과 반지
름, 온도만 고려하면 된다.

◎ 정답 풀이

② 7문단에서 '행성의 질량이 클수록, 반지름이 작을수록 탈출 속력이 빠'르
다고 하였다. 그리고 [보기]를 보면 행성 ⓑ와 행성 ⓒ의 반지름은 0.9로
같지만 행성 ⓑ는 질량이 0.7, 행성 ⓒ는 질량이 1.4로 행성 ⓒ의 질량이
더 크다는 것을 알 수 있다. 따라서 질량이 작은 행성 ⓑ보다 질량이 큰
행성 ⓒ가 행성의 탈출 속력이 크다고 추측할 수 있다.

❌ 오답 풀이

① 행성 ⓐ와 행성 ⓑ는 질량은 0.7로 같지만, 행성 ⓐ의 반지름은
1.2이고 행성 ⓑ의 반지름은 0.9이므로 반지름은 행성 ⓑ가 작다
는 것을 확인할 수 있다. 이를 고려하면 반지름이 큰 행성 ⓐ보다
반지름이 작은 행성 ⓑ가 행성의 탈출 속력이 빠르다고 추측할 수
있다.

③ 행성 ⓒ와 행성 ⓔ는 질량은 1.4로 같지만 행성 ⓒ의 반지름은 0.9
이고 행성 ⓔ의 반지름은 1.2로 반지름은 행성 ⓔ가 행성 ⓒ보다
크다는 것을 확인할 수 있다. 따라서 반지름이 작은 행성 ⓒ보다
반지름이 큰 행성 ⓔ가 행성의 탈출 속력이 느리다고 추측할 수 있
다.

④ 8문단에서 '행성의 표면 온도는 대체로 태양과의 거리가 가까울수
록, 행성의 단면적이 클수록 높다.'라고 하였다. [보기]에서 태양과
가까운 순서는 ⓐ,ⓑ,ⓒ,ⓔ 순이며 행성 ⓐ와 ⓔ는 반지름이 같은
데 이는 단면적도 같다는 것을 의미한다고 하였다. 이를 고려하면
행성의 표면 온도를 결정하는 요인들 중 두 행성의 단면적은 동일
하므로 태양에서 가까운 ⓐ의 표면 온도가 ⓔ에 비해 높다는 것을
알 수 있다. 그런데 8문단에서 '행성의 표면 온도가 높다는 것은 대
기를 이루는 기체 분자의 평균 속력이 빨라진다는 것을 의미한다.'

라고 하였으므로 표면 온도가 높은 행성 ⓐ보다 표면 온도가 낮은
행성 ⓔ가 기체 분자의 평균 속력이 느리다고 추측할 수 있다.

⑤ [보기]에서 태양과 가까운 순서는 ⓐ,ⓑ,ⓒ,ⓔ 순이라고 하였다.
또 행성 ⓑ와 ⓒ는 반지름이 같은데, 이는 단면적이 동일하다는 것
을 의미한다고 하였다. 이를 고려하면 행성의 표면 온도를 결정하
는 요인들 중 두 행성의 단면적은 동일하므로 태양에서 가까운 ⓑ
의 표면 온도가 ⓒ에 비해 높다는 것을 알 수 있다. 그러므로 표면
온도가 낮은 행성 ⓒ보다 표면 온도가 높은 행성 ⓑ가 기체 분자의
평균 속력이 빠르다고 추측할 수 있다.

06 어휘의 문맥적 의미 파악　　　　|정답 ⑤|

밑줄 친 부분이 ⓐ와 가장 가까운 뜻으로 쓰인 것은?

① 통역관이 우리의 말을 중국어로 바꾸어 주었다.
　　　　　　　　　　　　　　언어를 통역함.
② 지금 달러를 원화로 바꾸면 손해를 볼 수 있다.
　　　　　　　　　환전함(원래 있던 돈을 다른 나라 돈과 교체함).
③ 건전지를 새것으로 바꾸면 시계가 다시 움직인다.
　　　　　　　　　원래 있던 헌 건전지를 새것과 교체함.
④ 나의 새 신발과 친구의 헌 신발을 바꾸어 신고 왔다.
　　　　　　　　　　　　　교환함(나의 신발과 친구의 신발을 맞바꿈).
⑤ 머리 모양을 바꾸면 사람이 풍기는 인상이 달라진다.
　　　　상태를 다르게 고침.

📁 발문 분석

문맥을 고려하여 어휘의 의미를 이해하고, 같은 의미의 어휘가 쓰인
문장을 찾을 수 있는지를 묻고 있다. 같은 단어일지라도 문맥에 따라
다른 의미로 쓰일 수 있음을 이해해야 한다.

◎ 정답 풀이

⑤ 문맥상 ⓐ'바꾸면'은 '원래의 내용이나 상태를 다르게 고치다.'의 의미이
다. '머리 모양을 바꾸면'은 '머리 모양을 다르게 고치면'의 의미이므로
ⓐ와 문맥적 의미가 유사하다.

❌ 오답 풀이

① '한 언어를 다른 언어로 번역하여 옮기다.'를 의미하는 어휘이다.
② '원래 있던 것을 없애고 다른 것으로 채워 넣거나 대신하게 하다.'
를 의미하는 어휘이다.
③ '원래 있던 것을 없애고 다른 것으로 채워 넣거나 대신하게 하다.'
를 의미하는 어휘이다.
④ '자기가 가진 물건을 다른 사람에게 주고 대신 그에 필적할 만한 다
른 사람의 물건을 받다.'를 의미하는 어휘이다.

구절 풀이

효소는 효소 단백질을 주체로 하는 물질로, 생물의 세포 내에서 합성되며 소화, 흡수 등 생체 내에서 이루어지는 화학 반응의 촉매제 역할을 함. 사람의 몸에 필요한 효소는 체내의 단백질에서 합성되므로 음식물이나 약 등으로 섭취할 필요가 없음.

피브로박터 숙시노젠(F)	
기능 및 특성	식물체의 셀룰로스를 노출시킨 후 포도당으로 분해함. → 포도당을 대사 과정을 거쳐 에너지원으로 이용함.
대사 산물	아세트산(반추 동물의 세포로 직접 흡수되어 에너지원으로 이용됨, 체지방을 합성함.)
	숙신산(프로피온산을 대사산물로 생성하는 다른 미생물의 에너지원으로 이용됨.)

스트렙토코쿠스 보비스(S)	
기능 및 특성	녹말을 포도당으로 분해하여 대사 과정을 통해 자신에게 필요한 에너지원으로 이용함.
대사 산물	pH 7.0, 생장 속도가 느린 경우: 아세트산, 에탄올
	pH 6.0↓, 녹말의 양이 많은 경우: 젖산(반추 동물에게 직접 흡수되어 에너지원으로 이용됨, 아세트산이나 프로피온산을 대사산물로 배출하는 다른 미생물의 에너지원으로 이용됨.)

선생님의 Tip

"반추 동물과 위"

반추 동물은 소화 과정에서 한 번 삼킨 먹이를 다시 게워 내어 씹어 다시 먹는 특성을 가진 동물로 위가 네 개의 방으로 나뉘어 있음. 반추 동물들의 위는 보통 서너 개의 실(室) 또는 위(胃)로 나뉘어 있는데, 대부분 혹위(반추위), 벌집위, 겹주름위, 주름위로 구분됨. 제1위는 대략 150ℓ의 거대한 용량으로 무려 1000조 마리의 미생물들이 서식하며, 이 미생물들은 식물 셀룰로스를 포도당으로 분해함. 이처럼 제1위, 제2위에서 미생물에 의하여 소화된 음식물은 입으로 게워져 되새김된 후, 제3위를 거쳐 제4위에서 위액에 의해 소화됨.

1 사람이 생명 활동을 유지하기 위해서는 탄수화물, 단백질, 지방, 비타민, 무기 염류 등의 영양소가 필요하다. 이 중 탄수화물은 사람을 비롯한 동물이 생존하는 데 필수적인 에너지원이다. 탄수화물은 섬유소와 Ⓐ비섬유소로 구분된다. 「사람은 체내에서 합성한 효소를 이용하여 곡류의 녹말과 같은 비섬유소를 포도당으로 분해하고 이를 소장에서 흡수하여 에너지원으로 이용한다.」 반면, 사람은 풀이나 채소의 주성분인 셀룰로스와 같은 섬유소를 포도당으로 분해하는 효소를 합성하지 못하므로, 섬유소를 소장에서 이용하지 못한다. ㉠소, 양, 사슴과 같은 반추 동물도 섬유소를 분해하는 효소를 합성하지 못하는 것은 마찬가지이지만, 비섬유소와 섬유소를 모두 에너지원으로 이용하며 살아간다.

2 반추 동물이란 소화 형태상 반추하는 특성을 가진 동물로, 여기에서 반추(反芻)란 한번 삼킨 음식을 위(胃) 속에 저장하였다가 토해 낸 뒤 다시 씹는 것을 뜻한다. 위가 넷으로 나누어진 반추 동물의 첫째 위인 반추위에는 여러 종류의 미생물이 서식하고 있다. 반추 동물의 반추위에는 산소가 없는데, 이 환경에서 왕성하게 생장하는 반추위 미생물들은 다양한 생리적 특성을 가지고 있다. 그중 ⓐ피브로박터 숙시노젠(F)은 섬유소를 분해하는 대표적인 미생물이다. 식물체에서 셀룰로스는 그것을 둘러싼 다른 물질과 복잡하게 얽혀 있는데, 「F가 가진 효소 복합체는 이 구조를 끊어 셀룰로스를 노출시킨 후 이를 포도당으로 분해한다.」「F는 이 포도당을 자신의 세포 내에서 대사 과정을 거쳐 에너지원으로 이용하여 생존을 유지하고 개체 수를 늘림으로써 생장한다.」 이런 대사 과정에서 아세트산, 숙신산 등이 대사산물로 발생하고 이를 자신의 세포 외부로 배출한다. 반추위에서 미생물들이 생성한 아세트산은 반추 동물의 세포로 직접 흡수되어 생존에 필요한 에너지를 생성하는 데 주로 이용되고 체지방을 합성하는 데에도 쓰인다. 한편 반추위에서 숙신산은 프로피온산을 대사산물로 생성하는 다른 미생물의 에너지원으로 빠르게 소진된다. 이 과정에서 생성된 프로피온산은 반추 동물이 간(肝)에서 포도당을 합성하는 대사 과정에서 주요 재료로 이용된다.

3 반추위에는 비섬유소인 녹말을 분해하는 ⓑ스트렙토코쿠스 보비스(S)도 서식한다. 이 미생물은 「반추 동물이 섭취한 녹말을 포도당으로 분해하고, 이 포도당을 자신의 세포 내에서 대사 과정을 통해 자신에게 필요한 에너지원으로 이용한다.」 이때 S는 자신의 세포 내의 산성도에 따라 세포 외부로 배출하는 대사산물이 달라진다. 산성도를 알려 주는 수소 이온

지문 구조도

화제 제시: 사람과 반추 동물의 차이(1문단)
사람은 비섬유소만 이용하지만, 반추 동물은 비섬유소와 섬유소를 모두 에너지원으로 이용할 수 있음.

⬇

구체화 1: 피브로박터 숙시노젠(2문단)
F가 가진 효소 복합체가 식물체의 셀룰로스를 노출시킨 후 포도당으로 분해함. − 아세트산, 숙신산 등이 대사산물로 발생함.

⬇

구체화 2-1: 스트렙토코쿠스 보비스(3문단)	구체화 2-2: S의 과도한 생장이 미치는 영향(4문단)	구체화 2-3: 급성 반추위 산성증의 발병 환경과 그 증상(5문단)
• 녹말을 포도당으로 분해함. • pH가 7.0정도로 중성이고 생장 속도가 느리면 아세트산과 숙신산이 대사산물로 발생하고 pH가 6.0 이하이거나 생장 속도가 빠르면 젖산이 대사산물로 발생함.	S의 과도한 생장 → 과도한 양의 젖산 배출 → 반추위의 산성도가 높아짐. → 젖산 생성 미생물(락토바실러스 루미니스(L))의 증가	• 반추위의 pH가 5.0 이하로 떨어지는 현상. • 증상: 식욕 저하, 회색의 붉은 변 배설, 탈수증상, 맥박수 증가, 체온 저하, 동작 둔화, 누워서 혼수상태에 이름.

■출제 의도 반추 동물의 반추위 내 미생물의 기능과 대사 과정을 이해할 수 있는지를 평가하기 위한 지문이다. 피르로박터 숙시노젠, 스트렙토코쿠스 보비스, 락토바실러스 루미니스 등 반추위 속 미생물들의 특징과 대사산물의 배출 조건 등을 정확히 이해하였는지를 확인하는 문제들이 출제되었다.

■주제 반추 동물의 반추위 내 미생물의 생장

농도 지수(pH)가 7.0 정도로 중성이고 생장 속도가 느린 경우에는 아세트산, 에탄올 등이
_{아세트산, 에탄올 등이 대사산물로 배출되는 환경}
대사산물로 배출된다. 반면 산성도가 높아져 pH가 6.0 이하로 떨어지거나 녹말의 양이 충
_{S의 대사산물}
분하여 생장 속도가 빠를 때는 젖산이 대사산물로 배출된다. 반추위에서 젖산은 반추 동물
_{젖산이 대사산물로 배출되는 환경}   _{S의 대사산물}
의 세포로 직접 흡수되어 반추 동물에게 필요한 에너지를 생성하는 데 이용되거나 아세트
_{젖산의 기능 ①}
산 또는 프로피온산을 대사산물로 배출하는 다른 미생물의 에너지원으로 이용된다.
_{젖산의 기능 ②}   _{3문단: 스트렙토코쿠스 보비스(S)의 대사 과정과 대사산물}
4 그런데 S의 과도한 생장이 반추 동물에게 악영향을 끼치는 경우가 있다. 반추 동물이 짧
은 시간에 과도한 양의 비섬유소를 섭취하면 S의 개체 수가 급격히 늘고 과도한 양의 젖산
_{원인}   _{결과 ①}
이 배출되어 반추위의 산성도가 높아진다. 이에 따라 산성의 환경에서 왕성히 생장하며 항
상 젖산을 대사산물로 배출하는 ⓒ락토바실러스 루머니스(L)와 같은 젖산 생성 미생물들의
_{L의 특징}
생장이 증가하며 다량의 젖산을 배출하기 시작한다. F를 비롯한 섬유소 분해 미생물들은
_{결과 ②}
자신의 세포 내부의 pH를 중성으로 일정하게 유지하려는 특성이 있는데, 젖산 농도의 증가
_{섬유소 분해 미생물의 특성 – 결과 ③, ④의 전제}
로 자신의 세포 외부의 pH가 낮아지면 자신의 세포 내의 항상성*을 유지하기 위해 에너지를
사용하므로 생장이 감소한다. 만일 자신의 세포 외부의 pH가 5.8 이하로 떨어지면 에너지
_{결과 ③: 섬유소 분해 미생물의 생장 감소}
가 소진*되어 생장을 멈추고 사멸하는 단계로 접어든다. 이와 달리 S와 L은 상대적으로
_{결과 ④}
산성에 견디는 정도가 강해 자신의 세포 외부의 pH가 5.5 정도까지 떨어지더라도 이에 맞
_{S, L의 특징}
춰 자신의 세포 내부의 pH를 낮출 수 있어 자신의 에너지를 세포 내부의 pH를 유지하는
데 거의 사용하지 않고 생장을 지속하는 데 사용한다.   **4문단: S의 과도한 생장이 미치는 영향**
5 그러나 S도 자신의 세포 외부의 pH가 5.5 이하로 떨어지면 생장을 멈추고 사멸하는
_{원인}   _{결과 ①}
단계로 접어들고, 산성에 더 강한 L을 비롯한 젖산 생성 미생물들이 반추위 미생물의 많은
부분을 차지하게 된다. 그렇게 되면 반추위의 pH가 5.0 이하가 되는 급성 반추위 산성증이
_{결과 ②}
발병한다. 급성 반추위 산성증은 대개 비섬유소를 과잉 섭취한 후 12~24시간 이내에 뚜렷
한 증상이 나타난다. 일반적으로 관찰되는 증상은 식욕이 저하되거나 중단되며, 제1위 수축
_{급성 반추위 산성증의 증상 ①}
운동이 감소되고 회색의 묽은 변을 배설하며 탈수증상이 나타난다. 그리고 일반적으로 맥
_{급성 반추위 산성증의 증상 ②}
박수가 증가하고 체온이 저하되며 동작이 둔화된다. 병이 좀 더 진행되면 비틀거리며, 일어
_{급성 반추위 산성증의 증상 ③}   _{급성 반추위 산성증의 증상 ④}
서지 못하고, 누워서 혼수상태에 이른다.   **5문단: 급성 반추위 산성증의 발병 환경과 증상**

■구절 풀이

○ pH는 미생물의 생장과 생존에 큰 영향을 미치는 요인 중 하나로, 각 미생물은 정해진 pH 범위 내에서만 생장할 수 있고, 생장하기에 가장 좋은 최적 pH가 있음. 세포질의 pH가 급변하면 효소를 비롯한 세포의 각종 단백질 기능이 저하되어 세포가 손상되므로 세포 안에서 산성이나 알칼리성에 약한 생체 분자들이 파괴되는 것을 막기 위해 미생물들은 자신의 세포 내부의 pH를 일정하게 유지하려고 함.

○ 세포 내외의 pH 농도가 미생물과 반추 동물에게 미치는 영향

pH 7.0	S: 대사산물로 아세트산과 에탄올을 배출함.
pH 6.0↓	S: 대사산물로 젖산을 배출함.
pH 5.8↓	F: 생장을 멈추고 사멸함.
pH 5.5↓	S: 생장을 멈추고 사멸함.
	L을 비롯한 젖산 생성 미생물들이 반추위 미생물의 많은 부분을 차지함.
pH 5.0↓	급성 반추위 산성증이 발병함.

■어휘 풀이

* 항상성: 생체가 여러 가지 환경 변화에 대응하여 내부 상태를 일정하게 유지하는 현상. 또는 그 상태. 혈액 성상(性狀)의 일정성이나 체온 조절 따위가 그 예임.
* 소진: 점점 줄어들어 다 없어짐. 또는 다 써서 없앰.

■지문 해제

이 글은 섬유소와 비섬유소 모두를 에너지원으로 이용하는 반추 동물의 반추위 내 미생물의 생장과 사멸에 대해 설명하고 있다. 반추 동물의 반추위에는 여러 종류의 미생물이 서식하고 있는데, 그 중 피브로박터 숙시노젠(F)은 섬유소를 분해하는 대표적인 미생물이다. F가 가진 효소 복합체는 식물체 속 셀룰로스의 복잡한 구조를 끊어 셀룰로스를 노출시킨 후 이를 포도당으로 분해해 자신의 에너지원으로 이용한다. 한편 스트렙토코쿠스 보비스(S)는 비섬유소인 녹말을 포도당으로 분해하여 자신의 에너지원으로 이용한다. 이때 S는 자신의 세포 내의 산성도, 즉 pH가 7.0 정도로 중성이고 생장 속도가 느린 경우에는 아세트산, 에탄올 등을, pH가 6.0 이하로 떨어지거나 생장 속도가 빠를 때는 젖산을 대사산물로 배출한다. 반추 동물이 짧은 시간 동안 과도한 양의 비섬유소를 섭취하면 S의 개체 수가 급격히 늘고 과도한 양의 젖산이 배출되어 반추위의 산성도가 높아진다. 이렇게 되면 락토바실러스 루미니스(L) 같은 젖산 생성 미생물들의 생장이 증가하며 다량의 젖산이 배출된다. F를 비롯한 섬유소 분해 미생물들은 자신의 세포 내의 항상성을 유지하기 위해 에너지를 사용하기 때문에 생장이 감소하며, 외부 세포의 pH가 5.8 이하로 떨어지면 사멸하는 단계로 접어든다. 상대적으로 산성에 견디는 정도가 강한 S와 L은 자신의 세포 외부의 pH가 5.5 정도까지는 생장을 지속하지만, S는 그 이하가 되면 사멸하는 단계로 접어든다. 산성에 더 강한 L을 비롯한 젖산 생성 미생물들이 반추위 미생물의 많은 부분을 차지하게 되면 반추위의 pH가 5.0 이하가 되는 급성 반추위 산성증이 발병하게 된다.

━선생님의**Tip**━

"수소 이온 농도 지수(pH)"

농경학·화학·생물학 등에 널리 사용되는 이 용어는 1ℓ당 약 1~10−14g당량의 수소 이온 농도값을 0~14의 숫자로 전환하여 나타낸 것임. 중성인 순수한 물에서 수소 이온의 농도는 1ℓ당 10−7그램당량이고 이것은 pH 7에 해당함. pH 7 이하의 용액은 산성, pH 7 이상인 용액은 염기성 또는 알칼리성이라고 함.

과학 02

01 세부 내용의 파악 | 정답 ⑤ |

윗글을 읽고 알 수 있는 내용으로 가장 적절한 것은?

① 섬유소는 사람의 소장에서 포도당의 공급원으로 사용된다.
　　1문단, 비섬유소
② 반추 동물의 세포에서 합성한 효소는 셀룰로스를 분해한다.
　　1문단, 반추 동물도 섬유소 분해 효소를 합성하지 못함.
③ 반추위 미생물은 산소가 없는 환경에서 생장을 멈추고 사멸
한다.　　2문단, 산소가 없는 환경에서도 왕성하게 생장함.
④ 반추 동물의 과도한 섬유소 섭취는 급성 반추위 산성증을 유
발한다.　　4문단, 비섬유소 섭취
⑤ 피브로박터 숙시노젠(F)은 자신의 세포 내에서 포도당을 에
너지원으로 이용하여 생장한다.　　2문단

📁 발문 분석

지문의 세부 내용을 정확히 이해했는지를 묻고 있다. 지문에 언급된
다양한 개념과 그에 대한 설명을 확인한 후 선택지의 내용과 1:1로 비
교하며 선택지의 적절성을 판단해야 한다.

◎ 정답 풀이

⑤ 2문단에서 'F가 가진 효소 복합체는 이 구조를 끊어 셀룰로스를 노출시
킨 후 이를 포도당으로 분해'한 후 'F는 이 포도당을 자신의 세포 내에서
대사 과정을 거쳐 에너지원으로 이용하여 생존을 유지하고 개체 수를 늘
림으로써 생장한다.'라고 하였다.

✖ 오답 풀이

① 1문단에서 '사람은 체내에서 합성한 효소를 이용하여 곡류의 녹말
과 같은 비섬유소를 포도당으로 분해하고 이를 소장에서 흡수하여
에너지원으로 이용한다.'라고 하였다.
② 1문단에서 소, 양, 사슴과 같은 반추 동물도 셀룰로스와 같은 섬유
소를 분해하는 효소를 합성하지 못한다고 하였다.
③ 2문단에서 '반추 동물의 첫째 위인 반추위에는 여러 종류의 미생물
이 서식하고 있다. 반추 동물의 반추위에는 산소가 없'다고 하였다.
그리고 4문단에서 반추위 미생물 중 F는 자신의 세포 외부의 pH가
5.8 이하로 떨어지면 생장을 멈추고 사멸하는 단계로 접어든다고
하였다. 이를 통해 반추위 미생물은 산소가 없는 환경에서 사멸하
는 것이 아니라, pH가 낮은 환경에서 사멸한다는 것을 알 수 있다.
④ 4문단에서 '반추 동물이 짧은 시간에 과도한 양의 비섬유소를 섭취
하면 S의 개체 수가 급격히 늘고 과도한 양의 젖산이 배출되어 반
추위의 산성도가 높아진다.'라고 하였다. 또 F를 비롯한 섬유소 분
해 미생물들은 '젖산 농도의 증가로 자신의 세포 외부의 pH가 낮아
지면 자신의 세포 내의 항상성을 유지하기 위해 에너지를 사용하므
로 생장이 감소한다.'라고 하였다. 그리고 5문단에서 'S도 자신의
세포 외부의 pH가 5.5 이하로 떨어지면 생장을 멈추고 사멸'하고
'L을 비롯한 젖산 생성 미생물들이 반추위 미생물의 많은 부분을
차지하게' 되면 '반추위의 pH가 5.0 이하가 되는 급성 반추위 산성
증이 발병한다.'라고 하였다. 따라서 급성 반추위 산성증을 유발하
는 것은 섬유소가 아니라 비섬유소의 과도한 섭취 때문이다.

02 핵심 소재의 이해 | 정답 ④ |

윗글로 볼 때, ⓐ~ⓒ에 대한 이해로 적절하지 않은 것은?

① ⓐ와 ⓑ는 모두 급성 반추위 산성증에 걸린 반추 동물의 반
추위에서는 생장하지 못하겠군.
　　4문단, ⓐ는 pH 5.8, ⓑ는 pH 5.5 이하에서 사멸함.
② ⓐ와 ⓑ는 모두 반추위에서 반추 동물의 체지방을 합성하
는 물질을 생성할 수 있겠군.
　　2,3문단, ⓐ,ⓑ 모두 아세트산을 대사산물로 배출함.
③ 반추위의 pH가 6.0일 때, ⓐ는 ⓒ보다 자신의 세포 내의 산
성도를 유지하는 데 더 많은 에너지를 쓰겠군.
　　4문단, ⓒ는 항상성을 유지하기 위해 에너지를 사용함.
④ ⓑ와 ⓒ는 모두 반추위의 산성도에 따라 다양한 종류의 대
사산물을 배출하겠군.
⑤ 반추위에서 녹말의 양과 ⓑ의 생장이 증가할수록, ⓐ의 생장
은 감소하고 ⓒ의 생장은 증가하겠군.
　　3,4문단, ⓑ의 생장 속도가 빠를 때: 젖산 배출→산성도↑→ⓐ생장↓ⓒ생장↑

📁 발문 분석

글의 핵심 소재들의 특징을 이해하고 비교하여 파악할 수 있는지를 묻
고 있다. ⓐ~ⓒ가 언급되어 있는 문단을 찾아 ⓐ~ⓒ의 특징을 파악
한 후, 공통점과 차이점은 무엇인지를 살펴보아야 한다.

◎ 정답 풀이

④ 3문단에서 ⓑ'스트렙토코쿠스 보비스(S)'는 '자신의 세포 내의 산성도에
따라 세포 외부로 배출하는 대사산물이 달라진다.'라고 하였다. 또 4문단
에서 '산성의 환경에서 왕성히 생장하며 항상 젖산을 대사산물로 배출하
는' 것이 바로 ⓒ'락토바실러스 루미니스(L)'라고 하였다. 이를 고려하면
ⓑ는 반추위의 산성도에 따라 다양한 종류의 대사산물을 배출하지만, ⓒ
는 오직 하나의 대사산물만 배출한다고 이해하는 것이 적절하다.

✖ 오답 풀이

① 4문단에서 ⓐ'피브로박터 숙시노젠(F)'을 비롯한 섬유소 분해 미생
물들은 '자신의 세포 외부의 pH가 5.8 이하로 떨어지면 에너지가
소진되어 생장을 멈추고 사멸하는 단계로 접어든다.'라고 하였다.
또 4문단에서 ⓑ'스트렙토코쿠스 보비스(S)'는 '자신의 세포 외부의
pH가 5.5정도까지 떨어지더라도' 생장을 할 수 있지만 5문단에서
'자신의 세포 외부의 pH가 그 이하로 더 떨어지면 생장을 멈추고
사멸하는 단계로 접어'든다고 하였다. 5문단에서 '반추위의 pH가
5.0 이하가 되는' 것이 급성 반추위 산성증이라고 하였으므로, 급
성 반추위 산성증에 걸린 반추 동물의 반추위에서 ⓐ와 ⓑ는 생장
하지 못한다고 이해하는 것은 적절하다.
② 2문단에서 식물체의 셀룰로스는 그것을 둘러싼 다른 물질과 복잡
하게 얽혀 있는데 'F(ⓐ)가 가진 효소 복합체는 이 구조를 끊어 셀
룰로스를 노출시킨 후 이를 포도당으로 분해'하고, '이런 대사 과정
에서 아세트산, 숙신산 등이 대사산물로 발생'한다고 하였다. 그리
고 3문단에서 ⓑ'스트렙토코쿠스 보비스(S)'는 '수소 이온 농도 지
수(pH)가 7.0정도로 중성이고 생장 속도가 느린 경우에는 아세트
산, 에탄올 등이 대사산물'로 배출한다고 하였다. 2문단에서 '반추
위에서 미생물들이 생성한 아세트산'은 '체지방을 합성하는 데에도
쓰인다.'라고 하였으므로, ⓐ와 ⓑ가 반추위에서 반추 동물의 체지
방을 합성하는 물질을 생성할 수 있다고 이해하는 것은 적절하다.
③ 4문단에서 'F(ⓐ)를 비롯한 섬유소 분해 미생물들은 자신의 세포
내부의 pH를 중성으로 일정하게 유지하려는 특성이 있'으므로 '세
포 외부의 pH가 낮아지면 자신의 세포 내의 항상성을 유지하기 위
해 에너지를 사용하므로 생장이 감소한다.'라고 하였다. 또 '세포

외부의 pH가 5.8 이하로 떨어지면' 사멸하는 단계로 접어든다고
하였다. 그리고 3문단에서 '수소 이온 농도 지수(pH)가 7.0 정도로
중성'이라고 하였으므로 pH가 6.0일 때는 pH가 낮아진 것이므로
ⓐ가 자신의 세포 내의 항상성을 유지하기 위해 에너지를 쓸 것이
라고 추측할 수 있다. 한편 4문단에서 ⓒ는 '상대적으로 산성에 견
디는 정도가 강해 자신의 세포 외부의 pH가 5.5 정도까지 떨어지
더라도 이에 맞춰 자신의 세포 내부의 pH를 낮출 수 있어 자신의
에너지를 세포 내부의 pH를 유지하는 데 거의 사용하지 않고 생장
을 지속하는 데 사용한다.'라고 하였다. 그러므로 ⓒ는 pH 6.0에서
자신의 에너지를 세포 내부의 pH를 유지하는 데 거의 사용하지 않
을 것이라고 추측할 수 있다. 따라서 반추위의 pH가 6.0일 때, ⓐ
는 ⓒ보다 자신의 세포 내의 산성도를 유지하는 데 더 많은 에너지
를 쓰겠다고 이해하는 것은 적절하다.

⑤ 3문단에서 ⓑ의 대사 과정에서 '녹말의 양이 충분하여 생장 속도가
빠를 때는 젖산이 대사산물로 배출된다.'라고 하였다. 즉, 녹말의
양과 ⓑ의 생장이 증가할수록 젖산의 배출이 많아지게 되는 것이
다. 그런데 4문단에서는 '과도한 양의 젖산이 배출되어 반추위의
산성도가 높아'지면 ⓒ와 같은 '젖산 생성 미생물들의 생장이 증가
하며 다량의 젖산을 배출'한다고 하였다. 또 반추위의 산성도가 높
아지면 ⓐ는 '자신의 세포 내의 pH를 중성으로 유지하려는 특성'
때문에 '세포 내의 항상성을 유지하기 위해 에너지를 사용하므로
생장이 감소'하게 된다고 하였다. 따라서 반추위에서 녹말의 양과
ⓑ의 생장이 증가할수록 ⓐ의 생장은 감소하고, ⓒ의 생장은 증가
한다고 이해하는 것은 적절하다.

선생님의 꿀 정보

02번 문제: 소재 간의 공통점과 차이점 파악

지문의 핵심 소재들을 기호로 표시하고 이들의 공통점과 차이점을 묻는
02번과 같은 문제는 비문학(독서) 영역에서 자주 출제되는 유형 중 하나이
다. 이러한 문제를 해결하는 방법은 크게 두 가지가 있다.

① 선택지에 제시된 기호들과 관련 내용을 지문에서 모두 찾아 비교하기
→ 선택지 ①은 ⓐ와 ⓑ가 급성 반추위 산성증에 걸린 반추 동물의 반추위에서
생장할 수 있는지 여부를 확인하고 있다. 급성 반추위 산성증과 관련된 내용
은 4~5문단에 제시되어 있는데, ⓐ는 pH 5.8 이하, ⓑ는 pH 5.5 이하에서
사멸하는 단계에 접어듦을 확인할 수 있다. 또 5문단에서 급성 반추위 산성
증이 반추위의 pH가 5.0 이하로 떨어지는 것이라고 하였으므로 선택지 ①번
은 적절하다고 볼 수 있다. 이와 같이 이후 ②~⑤ 선택지의 내용도 각각 하나
하나 비교해야 한다.

**② 하나의 기호와 관련된 내용을 확인한 후 해당 기호가 포함된 선택지를
모두 확인하기**
→ ⓐ를 먼저 확인한다고 하면, ⓐ에 대해 설명하고 있는 2문단과 4문단의 내용
에서 중요한 내용을 확인한 후 ⓐ에 대해 언급하고 있는 선택지 ①번, ②번,
③번, ⑤번의 적절성을 판단해야 한다. 이러한 방법은 주로 글을 읽어나가는
과정에서 이루어지는데, 글을 읽는 동시에 선택지의 내용도 확인하기 때문에
문제 해결 시간을 단축할 수 있다.

지문의 내용을 정확하게 파악했을 경우에는 ②번 방법을 활용하는 것이
시간 절약의 측면에서 도움이 되지만, 꼼꼼하지 못하거나 실수를 자주 하는
편이라면 ①번 방법을 활용하되, ②번 방법을 활용하는 연습을 많이 하는
것이 좋다.

---

03 핵심 정보의 이해 | 정답 ① |

윗글을 바탕으로 ⓐ이 가능한 이유를 진술한다고 할 때, [보기]의
㉮, ㉯에 들어갈 말로 가장 적절한 것은?

| 보기 |
반추 동물이 섭취한 섬유소와 비섬유소는 반추위에서 (
㉮ **공통적으로 적용**), 이를 이용하여 생장하는 (㉯)은 반추 동물
의 에너지원으로 이용되기 때문이다.

① ┌ ㉮: 반추위 미생물의 에너지원이 되고
   2,3문단, 섬유소와 비섬유소를 분해하여 얻은 포도당을 각각 F와 S의 에너지원으로 이용함.
   └ ㉯: 반추위 미생물이 대사 과정을 통해 생성한 대사산물
     2,3문단, F와 S의 대사 과정에서 발생한 아세트산.젖산 등은 반추 동물의 세포로 직

② ┌ ㉮: 반추위 미생물의 에너지원이 되고 **접 흡수되어 생존에 필요한 에너**
     지를 생성함.
   └ ㉯: 반추위 미생물이 대사 과정을 통해 생성한 ~~포도당~~
     대사산물

③ ┌ ㉮: 반추위 미생물에 의해 **합성된** ~~포도당~~이 되고
   └ ㉯: 반추 동물이 대사 ~~과정~~을 통해 ~~생성한 포도당~~
     포도당 자체가 대사산물의 생장에 영향을 주지 않음.

④ ┌ ㉮: 반추위 미생물에 의해 **합성된** ~~포도당~~이 되고
     포도당이 반추위 미생물을 이용하여 생장하지 않음.
   └ ㉯: 반추위 미생물이 대사 과정을 통해 생성한 대사산물

⑤ ┌ ㉮: **반추위 미생물에 의해** ~~합성된 포도당~~이 되고
   └ ㉯: 반추위 미생물이 대사 과정을 통해 생성한 ~~포도당~~

발문 분석

글의 핵심 정보를 이해하고 요약할 수 있는지를 묻고 있다. 반추 동물
이 섭취한 섬유소와 비섬유소가 반추위에서 어떻게 소화되고 이용되
는지를 추론해야 한다.

보기 분석

㉠은 인간처럼 반추 동물도 섬유소를 분해하는 효소를 합성하지 못하지만 비섬유
소와 섬유소를 에너지원으로 이용한다는 내용이다. 따라서 [보기]는 반추 동물이
사람처럼 모두 섬유소를 분해하는 효소를 합성하지 못하는데 어떻게 섬유소를 에
너지원으로 이용할 수 있는지 그 이유를 요약한 것이라고 볼 수 있다.
[보기]에서 ㉮의 앞부분은 '섬유소와 비섬유소는'이라고 쓰여 있으므로 두 가지
모두에 공통적으로 해당되는 내용이 ㉮에 들어가야 한다. 또 ㉯에는 섬유소와 비
섬유소가 반추위에서 ㉮를 하고 이를 이용하여 생장하는 것 중 '반추 동물의 에너
지원으로 이용'되는 것이 무엇인지가 들어가야 한다.

정답 풀이

① 2문단에서 반추 동물이 섭취한 섬유소는 반추위 속 미생물인 F에 의해
포도당으로 분해되고, 'F는 이 포도당을 자신의 세포 내에서 대사 과정을
거쳐 에너지원으로 이용'한다고 하였다. 또 3문단에서 비섬유소인 녹말
을 분해하는 S는 '반추 동물이 섭취한 녹말을 포도당으로 분해하고, 이
포도당을 자신의 세포 내에서 대사 과정을 통해 자신에게 필요한 에너지
원으로 이용한다.'라고 하였다. 즉, 반추 동물이 섭취한 섬유소와 비섬유
소는 F와 S라는 반추위 미생물의 에너지원인 것이다. 2문단에서 F의 '이
러한 대사 과정에서 아세트산, 숙신산 등이 대사산물로 발생'하는데, '반
추위에서 미생물들이 생성한 아세트산은 반추 동물의 세포로 직접 흡수
되어 생존에 필요한 에너지를 생성하는 데 주로 이용'된다고 하였다. 또
3문단에서 S의 대사 과정에서 세포 내의 산성도에 따라 '아세트산', '에탄
올', '젖산'이 대사산물로 배출되며 '반추위에서 젖산은 반추 동물의 세포
로 직접 흡수되어 반추 동물에게 필요한 에너지를 생성하는 데 이용'된
다고 하였다. 따라서 ㉮에는 섬유소와 비섬유소가 반추위에서 '반추위 미
생물의 에너지원'이 된다는 내용이, ㉯에는 이를 이용하여 생장하는 '대
사산물'은 반추 동물의 에너지원으로 이용된다는 내용이 들어가야 한다.

② 2문단에서 반추위 미생물인 F가 가진 효소 복합체는 식물체에서 '셀룰로스를 노출시킨 후 이를 포도당으로 분해'하고 'F는 이 포도당을 자신의 세포 내에서 대사 과정을 거쳐 에너지원으로 이용'한다고 하였다. 또 3문단에서 S는 '반추 동물이 섭취한 녹말을 포도당으로 분해하고 이 포도당을 자신의 세포 내에서 대사 과정을 통해 자신에게 필요한 에너지원으로 이용한다.'라고 하였다. 이를 고려하면 포도당은 생장하는 물질이 아니고, 반추위에서 생성된 포도당은 반추 동물이 아닌 반추위 미생물의 에너지원이 되므로 ㉴와 같이 이해하는 것은 적절하지 않다.

③ 2문단과 3문단에서 확인할 수 있듯이 반추위 속 미생물들은 섬유소와 비섬유소를 포도당으로 분해하는 것이지, 포도당을 합성하는 것이 아니다. 또 2문단에서 언급한 것처럼 반추위 속 미생물들이 배출한 아세트산이 반추 동물의 세포로 직접 흡수되어 에너지를 생성하는 것이지, 반추 동물이 포도당 자체를 이용하여 생장한다고 볼 수 없으므로 ㉮와 ㉴ 같이 이해하는 것은 적절하지 않다.

④ 2문단과 3문단에서 확인할 수 있듯이 반추위 속 미생물들은 섬유소와 비섬유소를 포도당으로 분해하는 것이지 포도당을 합성하는 것이 아니다. 따라서 ㉮와 같이 이해하는 것은 적절하지 않다.

⑤ 2문단과 3문단에서 확인할 수 있듯이 반추위 속 미생물들은 섬유소와 비섬유소를 포도당으로 분해하는 것이지, 포도당을 합성하는 것이 아니다. 또 2문단에서 언급한 것처럼 반추 동물은 반추위에서 미생물들이 대사 과정에서 배출한 아세트산이나 젖산을 세포로 직접 흡수하여 필요한 에너지를 생성한다고 하였으므로 ㉮와 ㉴처럼 이해하는 것은 적절하지 않다.

04 세부 정보의 이해 | 정답 ③ |

윗글로 볼 때, 반추위 미생물에서 배출되는 숙신산과 젖산에 대한 설명으로 적절하지 않은 것은?

① 숙신산이 많이 배출될수록 반추 동물의 간에서 합성되는 포도당의 양도 늘어난다.
   2문단, 숙신산 → 프로피온산 → 간에서 포도당 합성할 때의 주요 재료

② 젖산은 반추 동물의 세포로 직접 흡수되어 반추 동물의 에너지원으로 이용될 수 있다.
   3문단

③ 숙신산과 젖산은 반추위가 산성일 때보다 중성일 때 더 많이 배출된다.

④ 숙신산과 젖산은 반추위 미생물의 세포 내에서 대사 과정을 거쳐 생성된다.
   2,3문단, 숙신산은 F, 젖산은 S의 대사산물임.

⑤ 숙신산과 젖산은 프로피온산을 대사산물로 배출하는 다른 미생물의 에너지원으로 이용되기도 한다.
   2,3문단

글의 세부 정보를 파악하고 그에 대해 이해하고 있는지를 묻고 있다. 숙신산과 젖산은 반추위의 미생물들이 대사 과정에서 배출하는 대사산물이므로, 이에 대해 다루고 있는 문단이 어디인지 확인한 후 선택지의 적절성을 판단해야 한다.

③ 2문단에서 F의 '대사 과정에서 아세트산, 숙신산 등이 대사산물로 발생'한다고 하였다. 그리고 4문단에서 'F를 비롯한 섬유소 분해 미생물들은 자신의 세포 내부의 pH를 중성으로 일정하게 유지하려는 특성이 있으

며 '자신의 세포 외부의 pH가 낮아지면 자신의 세포 내의 항상성을 유지하기 위해 에너지를 사용하므로 생장이 감소한다.'라고 하였다. 따라서 F는 세포 외부가 중성일 때 생장이 원활히 이루어지므로, F의 대사산물인 숙신산도 산성일 때보다 중성일 때 더 많이 배출될 것이라고 예측할 수 있다. 한편 3문단에서 S가 '산성도가 높아져 pH가 6.0 이하로 떨어지'는 경우, '젖산이 대사산물로 배출된다.'라고 하였다. 이를 고려하면 젖산은 세포 외의 pH가 중성일 때는 배출되지 않고 산성일 때 배출된다고 볼 수 있다. 따라서 젖산이 반추위가 산성일 때보다 중성일 때 더 많이 배출된다고 파악하는 것은 적절하지 않다.

① 2문단에서 '반추위에서 숙신산은 프로피온산을 대사산물로 생성하는 다른 미생물의 에너지원으로 빠르게 소진된다. 이 과정에서 생성된 프로피온산은 반추 동물이 간에서 포도당을 합성하는 대사 과정에서 주요 재료로 이용된다.'라고 하였다. 따라서 숙신산이 많이 배출될수록 반추 동물의 간에서 합성되는 포도당의 양도 늘어난다는 진술은 적절하다.

② 3문단에서 '반추위에서 젖산은 반추 동물의 세포로 직접 흡수되어 반추 동물에게 필요한 에너지를 생성하는 데 이용'된다고 하였다. 따라서 젖산이 반추 동물의 세포로 직접 흡수되어 반추 동물의 에너지원으로 이용될 수 있다는 진술은 적절하다.

④ 2문단에서 숙신산은 F의 대사 과정에서 발생한 대사산물이라고 하였다. 그리고 3문단에서 S의 대사 과정에서 'pH가 6.0 이하로 떨어지거나 녹말의 양이 충분하여 생장 속도가 빠를 때' 배출되는 대사산물이 젖산이라고 하였다. 따라서 숙신산과 젖산은 반추위 미생물의 세포 내에서 대사 과정을 거쳐 생성된다는 진술은 적절하다.

⑤ 2문단에서 '반추위에서 숙신산은 프로피온산을 대사산물로 생성하는 다른 미생물의 에너지원으로 빠르게 소진된다.'라고 하였다. 그리고 3문단에서 젖산은 '아세트산 또는 프로피온산을 대사산물로 배출하는 다른 미생물의 에너지원으로 이용된다.'라고 하였다. 따라서 숙신산과 젖산은 프로피온산을 대사산물로 배출하는 다른 미생물의 에너지원으로 이용되기도 한다는 진술은 적절하다.

05 접두사의 활용 이해 | 정답 ② |

[보기]를 참고할 때, 다음 중 ⒜와 같은 형태로 쓰일 수 있는 것은?
   비섬유소

┌ 보기 ┐
  한자어 접두사 '비(非)-'와 '불(不)-'은 모두 일부 한자어 명사 앞에 붙어 부정의 의미를 더한다. 『표준국어대사전』에서는 '비(非)-'를 '(일부 명사 앞에 붙어) '아님'의 뜻을 더하는
   '비'와 '불'의 쓰임
접두사로, '불-(不)'은 '(일부 명사 앞에 붙어) '아님, 아니함,
   '비'의 사전적 의미
어긋남'의 뜻을 더하는 접두사'로 비슷하게 뜻풀이를 하고 있
   '불'의 사전적 의미
는데, 사전적 의미만으로는 그 차이를 구분하기 쉽지 않다. 대체적으로 '불-'에 의해 만들어진 말은 '하다'와 결합하여 쓰일 수 있지만, '비-'에 의해 만들어진 말은 '하다'와 결합하지
   '불'의 쓰임상의 특징
못하고 주로 '-(적)이다'의 형태로 쓰이며 문장에서 서술어의 역할을 한다.
   '비'의 쓰임상의 특징
└─────────────────────┘

① 가능   ② 생산   ③ 공정
④ 규칙   ⑤ 완전

📖 발문 분석

[보기]를 참고하여 어휘의 특성을 파악하고 이와 같은 형태로 쓰일 수 있는 어휘를 찾을 수 있는지 묻고 있다. 선택지에 제시된 단어에 각 접두사를 붙여 보고, Ⓐ와 유사한 형태로 쓰일 수 있는 어휘를 골라야 한다.

✔️ 보기 분석

[보기]는 한자어 접두사 '비(非)-'와 '불(不)-'의 쓰임을 비교한 것이다. 두 접두사는 모두 명사 앞에 붙어 부정의 의미를 더하지만, 대체적으로 '비-'는 '-(적)이다.'의 형태로 서술어에 쓰일 수 있다고 하였다.

◎ 정답 풀이

② Ⓐ'비섬유소'는 접두사 '비-'에 명사 '섬유소'가 붙어서 만들어진 어휘이다. '생산'은 접두사 '비-'와 결합하면 '비생산'이 되며, [보기]에서 언급한 것처럼 '하다'와 결합할 경우 '비생산하다'와 같이 어색해진다. 반면 '-(적)이다'와 결합할 경우 '비생산적이다'가 되어 자연스럽다. 따라서 '생산'은 Ⓐ와 마찬가지로 접두사 '비-'와 결합하여 쓰인다고 볼 수 있다.

❌ 오답 풀이

① '가능'은 접두사 '비-'와 결합할 경우 '비가능적이다'와 같이 어색하며, 접두사 '불-'과 결합할 경우 '불가능하다'와 같이 자연스럽다.
③ '공정'은 접두사 '비-'와 결합할 경우 '비공정적이다'와 같이 어색하며, 접두사 '불-'과 결합할 경우 '불공정하다'와 같이 자연스럽다.
④ '규칙'은 접두사 '비-'와 결합할 경우 '비규칙적이다'와 같이 어색하며, 접두사 '불-'과 결합할 경우 '불규칙하다'와 같이 자연스럽다.
⑤ 접두사 '완전'은 '비-'와 결합할 경우 '비완전적이다'와 같이 어색하며, 접두사 '불-'과 결합할 경우 '불완전하다'와 같이 자연스럽다.

🍯 선생님의 꿀 정보

05번 문제: 비문학(독서) 영역에 출제된 문법 문제

비문학(독서) 영역에서 어휘와 관련된 문제는 주로 어휘의 사전적 의미나 문맥적 의미 파악하기, 다른 어휘로 바꿔 쓰기, 해당 단어를 넣어 문장 만들기 등의 유형으로 출제된다. 하지만 시험의 난도를 높이고자 할 때, 05번 문제처럼 문법과 관련된 어휘 문제가 출제되기도 한다.

2016년 6월 평가원 모의평가에서도 이와 유사한 문제가 출제되었다.

> 33. [보기]를 바탕으로 할 때, ㉠과 쓰임(악기가 ㉠ 내는)이 유사한 것은?
>
> ┤보기├
> 윗글의 ㉠은 문장에서 자립적으로 쓰여 서술어 기능을 한다. 그러나 ㉡은 혼자서는 쓰이지 못하고 반드시 다른 용언의 뒤에 붙어서 의미를 더하여 주는 '보조 용언' 기능을 한다.
>
> ① 그 일을 다 해 버리니 속이 시원하다.
> ② 그는 친구들의 고민을 잘 들어 주었다.
> ③ 내일 경기를 위해 잘 먹고 잘 쉬어 둬라.
> ④ 그는 내일까지 돈을 구해 오겠다고 큰소리를 쳤다.
> ⑤ 일을 추진하기 전에 득실을 꼼꼼히 계산해 보고 시작하자.

위의 문제나 05번 문제처럼 문법과 관련이 있는 문제라고 해도 [보기]에 문제 해결의 실마리가 제시되는 것이 대부분이다. 따라서 이와 같은 문제를 풀 때에는 다음과 같은 순서를 따르는 것이 좋다.

① **무엇을 묻고 있는지 확인한다.**
→ 05번 문제는 [보기]를 참고하여 Ⓐ와 같은 형태로 쓰일 수 있는 것을 선택지에서 찾는 것이었다. 이는 [보기]를 바탕으로 Ⓐ의 쓰임을 파악해야 한다는 것이므로 지문에서 Ⓐ가 무엇인지를 찾아 문제에 메모를 해 놓는 것이 좋다.

② **문제 풀이에 활용할 정보를 찾는다.**
→ [보기]에는 한자어 접두사 '비(非)-'와 '불(不)-'에 대한 여러 정보가 제공되어 있지만, 우리에게 필요한 정보는 두 접두사의 공통점이 아니라 차이점이다. [보기]에 나타난 두 접두사의 차이점을 정리하면 다음과 같다.

> ┌ '하다'와 결합할 수 있으면 '불-', 그렇지 않으면 '비-',
> └ '비-'는 주로 '-(적)이다'의 형태로 서술어에 쓰임.

③ **파악한 정보를 선택지에 적용한다.**
→ Ⓐ는 '비섬유소'로 명사 '섬유소'가 접두사 '비-'와 결합한 것이다. 따라서 선택지에서 '비-'와 결합할 수 있는 어휘를 찾으면 된다.

M·E·M·O

과학 03

파동과 음파

[2016년 3월 교육청 기출 변형]

01 ⑤ 02 ② 03 ② 04 ③ 05 ② 06 ⑤

본문 ➔ 80쪽

구절 풀이

역학적 파동은 진동이 일어나고, 그 진동이 주위의 다른 물질에 전파되어 나가는 파동을 의미함.

파장×주파수=파장의 진행 속도. 파동의 속도가 일정하다면 주파수가 높을수록 파장이 짧게 나타남.

액체나 기체에서는 수직 운동의 힘이 약하므로, 매질을 위아래로 흔드는 힘이 분산됨. 따라서 액체나 기체에서는 횡파가 통과되지 않음.

1 파동은 공간이나 물질의 한 부분에서 생긴 ⓐ주기적 진동이 시간의 흐름에 따라 주위로 멀리 퍼져 나가는 현상을 의미한다.(파동의 개념) 호수(수면파의 매질)에 돌을 던졌을 때 사방으로 퍼져 나가는 수면파, 공기(음파의 매질) 등을 통해 전달되는 음파 등은 매질*을 통하여 진동이 전달되는 역학적 파동의 대표적인 예이다. 이러한 역학적 파동의 에너지는 진동하는 매질의 ⓑ입자가 옆의 입자를 진동시키는 방법으로 매질을 따라 전달되는데, 이때 움직이는 것은 파동이지 매질이 아니다.

1문단: 파동의 개념

2 파동은 〈그림 1〉과 같은 사인 함수*의 모양으로 나타낼 수 있는데, 평형점 0을 기준으로 가장 높은 지점을 마루, 가장 낮은 지점을 골이라고 한다. 그리고 평형점 0에서 마루나 골까지의 높이 즉 진동하는 입자가 평형점에서 최대로 벗어난 거리를 진폭, 마루와 마루 또는 골에서 골까지 거리를 파장이라고 하며, 파동이 1초 동안 진동한 횟수를 주파수라고 한다. 파동의 진행 속도는 파장과 주파수의 곱으로 나타내며, 파동의 ⓒ속도가 일정할 경우 주파수가 높을수록 파장이 짧다는 특성이 있다.

〈그림 1〉

2문단: 파동과 관련된 여러 개념

3 파동은 진동이 일어나는 방향과 파가 나아가는 방향이 수직인지 수평인지에 따라(횡파와 종파를 구분하는 기준) 횡파와 종파로 구분할 수 있다. 용수철을 따라 진행하는 파동이 있다고 상상해 보자. 용수철의 오른쪽 끝을 고정하고 왼쪽 끝에서 계속 위아래로 흔들어주면 연속적 파동이 용수철을 따라 진행한다. 이때 매질의 모습은 〈그림 1〉과 같은 파동의 모습을 보인다. 용수철은 위아래로 위치가 바뀌게 되므로 세로로 진동하게 되는데 파동은 왼쪽에서 오른쪽으로 가로로 일어난다.(매질은 상하로 이동하고 파는 좌에서 우로 이동함.) 즉, 용수철의 진동 방향은 파동이 움직이는 방향에 수직이라는 것을 알 수 있다. 이런 운동을 가로운동이라고 말하고 이런 파동을 횡파라고 부른다. 고체와 달리 액체나 기체에서는 매질을 위아래로 흔드는 힘이 분산되기 때문에 횡파는 고체에서만 통과된다.

3문단: 횡파의 개념과 예

4 반면 용수철을 앞뒤로 흔들었다 놓으면 〈그림 2〉와 같이 용수철의 촘촘한 상태와 성긴 상태가 용수철의 길이 방향을 따라서 생성되며 전달되어 나가는 것을 볼 수 있다.(파동의 전달) 즉, 용수철은 가로로 진동하는데 파동 또한 용수철의 길이 방향으로 일어난다. 이처럼 진동이 일어나는 방향과 파가 나아가는 방향이 나란할 때 이런 파동을 종파라고 부른다. 종파도 〈그림 1〉과 같이 표현할 수 있는데, 〈그림 2〉의 촘촘한 부분이 마루(평형점 0을 기준으로 가장 높은 지점)가 되고 성긴 부분이 골(평형점 0을 기준으로 가장 낮은 지점)이 된다. 횡파와 달리 종파는 힘이 앞뒤로 전달되므로 모든 매질에서 전달 가능하다.

〈그림 2〉

4문단: 종파의 개념과 예

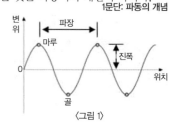

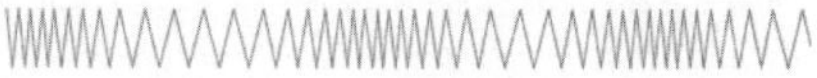

5 역학적 파동이 진행하면서 매질에 흡수되어 에너지를 잃는 경우도 있다. 음파*의 경우

어휘 풀이

* 매질: 파동을 매개하는 물질.
* 사인 함수: 사인의 변화에 비례하는 함수.
* 음파: 공기나 그 밖의 매질이 발음체의 진동을 받아서 생기는 파동.

선생님의 Tip

"<그림 1>"

지문에 제시된 〈그림 1〉은 파동과 관련된 개념들을 사인 함수 그래프 상에서 설명한 것임. 가로축은 파가 나아가는 방향의 위치이며, 세로축은 매질 입자의 위치로 진동의 세기를 나타내는 것임. 종파일 경우 세로축은 매질 입자의 빽빽함과 듬성함을 나타내는 것임.

지문 구조도

화제 제시: 파동(1문단, 2문단)

- 파동: 주기적 진동이 시간의 흐름에 따라 주위로 퍼져 나가는 현상으로 사인 함수 그래프로 표현됨.
- 관련 개념: 마루, 골, 진폭, 파장, 주파수 등.

⬇

구체화: 파동의 종류와 특징(3~8문단)

- 진동이 일어나는 방향과 파가 나아가는 방향이 수직이면 횡파, 나란하면 종파라고 함.
- 매질이 급격하게 변하는 경계에서 파동이 반대 방향으로 되돌려지는 것을 반사라고 하고 파동이 다른 매질에서도 그대로 진행되는 것을 투과라고 함.
- 에너지 보존 법칙에 따라 반사파와 투과파 에너지의 합은 입사한 파동의 에너지와 같음.

출제 의도 파동의 개념과 특성을 이해하고 파동과 관련된 용어의 개념과 각 개념의 관계를 파악하고 있는지 평가하기 위한 지문이다. 각 개념을 비교하여 이해할 수 있는지, 각 개념을 지진파나 음파, 초음파 등의 파동이 발생하는 실제 상황에 적용할 수 있는지를 평가하는 문제가 출제되었다.

주제 파동의 개념의 특징

주파수가 높을수록 매질에 더 잘 흡수되는 성질이 있기 때문에 **음파는 발생하더라도 멀리**
진행하지 못한다. 우리가 크게 노래를 부르더라도 어느 정도의 거리보다 먼 **거리에서는 그**
노래를 들을 수 없는데, 이것은 노래가 음파이므로 멀리 진행할 수 없다는 특성을 가지고
있기 때문이다. 높은 음의 목소리가 공기 중에서 낮은 음의 목소리보다 잘 들리지 않는 것
또한 이러한 특성으로 인한 것이다. 그리고 매질을 따라 진행하는 역학적 파동이 어느 지점
에서 다른 매질을 만나게 될 경우 진행하던 파동의 일부는 반사되어 돌아오고, 일부는 다른
매질로 투과하는 현상을 보인다. 그리하여 수면 위에서 말을 할 경우, 수면 위에서도 소리
를 들을 수 있지만 물 속에서도 수면 위의 말소리를 들을 수 있게 된다. 　5문단: 파동의 특징

6 반사와 투과를 줄을 따라 파동이 전달되는 상황을 통해 함께 알아 보자. 먼저, **⊙한 끝**
이 벽에 고정된 줄을 위아래로 흔들어 진동을 일으켜 파동을 전달시켜 본다. 이 파동이 매
질인 줄을 따라 진행하다가 벽에 ⓓ도달하면 진행해 온 반대 방향으로 줄을 따라 다시 돌아
와 줄을 쥔 손에 파동이 전달된다. 이처럼 **매질이 급격하게 변하는 경계에서 파동이 반대**
방향으로 되돌려지는 것을 반사 라고 한다. 밀도가 작은 매질에서 큰 매질로 파동이 이동할
때 일어나며 위상*이 180° 변하는 반사를 (고정단 반사)라고 하고, 밀도가 큰 매질에서 작은
매질로 파동이 이동할 때 일어나며 위상이 변하지 않는 반사를 (자유단 반사)라고 한다.
　6문단: 파동의 반사

7 다음으로 **ⓛ다른 조건은 모두 같을 때, 밀도가 낮은 줄이 밀도가 높은 줄에 연결되어 있**
고, 이 줄을 따라 파동이 진행하는 상황을 통해 투과를 설명할 수 있다. 이 경우 **파동이 밀**
도가 낮은 줄을 지나 밀도가 높은 줄과 연결된 경계에 도달하면 파동의 일부가 반사된다.
하지만 **일부는 밀도가 높은 줄로 계속 진행하는데, 이를** 투과 라고 한다. **경계 면에서 기존**
의 파동이 투과되는 정도를 투과 계수라고 하는데, 투과 계수는 매질들의 물리적 특성 차이
에 의해 달라질 수 있다. 가령 밀도 차이가 있는 연결된 두 줄에서 진행하는 파동의 경우 **두**
줄 간의 밀도 차가 클수록 투과보다는 반사되는 에너지가 더 많아 투과 계수가 작아진다.
음파의 경우에는 매질의 밀도와 음속을 곱한 값인 **음파 저항이 클수록 반사 정도가 큰 경계**
를 형성하게 되어 투과 계수는 작아지게 된다. 　7문단: 파동의 투과

8 한편, 입사한 하나의 파동이 매질의 물리적 저항이 다른 경계에서 반사파와 투과파로 나
누어질 때, 별도의 에너지 ⓔ손실이 없다고 가정하면, 에너지 보존 법칙*에 따라 두 파동
이 갖는 에너지의 합은 원래 입사한 파동의 에너지와 같게 된다. 다만 파동의 에너지는 진
폭의 제곱에 비례하기 때문에, 입사한 파동의 에너지 중에서 일부분만 포함하는 **반사파의**
진폭은 줄어들게 된다. 　8문단: 입사파와 반사파, 투과파의 관계

구절 풀이

○ 음파는 발생하더라도 매질인 공기에 흡수되어 멀리 진행할 수 없으므로, 먼 거리까지 전달되지 않음.

○ 음파의 경우 주파수가 높으면 매질에 더 잘 흡수되는 성질을 가짐.

○ 음파가 매질인 물을 투과하기 때문에 물 속에서도 수면 위의 말소리를 들을 수 있게 됨.

어휘 풀이

* 위상: 진동이나 파동과 같은 주기적 현상에서, 시간, 위치, 진동의 과정 중의 어느 단계에 있는가를 나타내는 변수.
* 에너지 보존 법칙: 에너지는 발생하거나 소멸하는 일 없이 열, 전기, 자기, 빛, 역학적 에너지 등 서로 형태만 바뀌고 총량은 일정하다는 법칙.

지문 해제

이 글은 횡파와 종파, 반사와 투과를 중심으로 파동의 개념과 특징을 설명하고 있다. 파동은 주기적 진동이 시간의 흐름에 따라 주위로 퍼져 나가는 현상을 의미하는데, 평형점 0을 기준으로 가장 높은 지점을 마루, 가장 낮은 지점을 골이라고 한다. 그리고 평형점 0에서 마루나 골까지의 높이를 진폭이라 하고, 마루와 마루 또는 골에서 골까지 거리를 파장이라 하며, 파동이 1초 동안 진동한 횟수를 주파수라 한다. 파동에는 진동이 일어나는 방향과 파가 나아가는 방향이 수직인 횡파와, 진동이 일어나는 방향과 파가 나아가는 방향이 나란한 종파가 있다. 역학적 파동이 진행할 때 매질에 흡수되어 에너지를 잃는 대표적인 것은 음파로, 음파는 주파수가 높으면 매질에 잘 흡수되어 진행 거리가 짧아진다. 한편 반사는 매질이 급격하게 변하는 경계에서 파동이 반대 방향으로 되돌려지는 것을 의미하며 밀도가 작은 매질에서 큰 매질로 파동이 이동할 때 일어나며 위상이 180° 변하는 반사인 고정단 반사와 밀도가 큰 매질에서 작은 매질로 파동이 이동할 때 일어나며 위상이 변하지 않는 반사인 자유단 반사로 나뉜다. 투과는 파동이 경계를 통과하여 밀도가 다른 매질로 계속 진행하는 것을 의미한다. 입사한 하나의 파동이 반사파와 투과파로 나누어질 때 에너지 보존 법칙에 따라 두 파동의 에너지 합은 입사한 파동의 에너지와 같게 된다.

선생님의 Tip

"고정단 반사와 자유단 반사"

파동이 작은 밀도의 매질에서 큰 밀도의 매질로 나아갈 때 경계 면에서 되돌아가는 반사파(고정단 반사)는 기존에 입사된 입사파와 정반대로 위상이 변함. 여기에서 위상이 변한다는 것은 진동하는 입자의 위치가 변한다는 의미임. 입사할 때 마루에 위치했던 입자는 반사할 때 골이 되며, 골이었던 입자는 마루가 됨. 예를 들어 벽에 고정된 줄의 경우 밑으로 내려갔다 평형점으로 돌아와 벽에 부딪친 줄은 벽에서 반사되어 나올 때 벽에 맞닿은 줄의 끝이 올라왔다가 평형점으로 내려오는 형태를 보이게 됨.
한편 파동이 큰 밀도의 매질에서 작은 밀도의 매질로 나아갈 때 경계 면에서 되돌아가는 반사파(자유단 반사)는 입사할 때와 같은 형태를 보임.

01 세부 정보의 파악 | 정답 ⑤ |

윗글의 내용과 일치하지 <u>않는</u> 것은?

① 파동의 에너지는 진폭의 제곱에 비례한다.
  _{8문단}
② 역학적 파동의 에너지는 매질을 통하여 전달된다.
  _{1문단}
③ 파동은 진동이 주위로 퍼져 나가는 현상을 의미한다.
  _{1문단}
④ 파동의 진폭은 진동하는 입자가 평형점에서 최대로 벗어난
  거리이다. _{2문단}
⑤ 파동의 진행 속도가 동일하다면 낮은 주파수의 파동일수록
  파장이 ~~짧다~~.

📁 **발문 분석**

지문에 언급된 개념과 선택지의 설명이 적절히 연결되었는지를 묻고
있다. 선택지에 언급된 개념이 포함된 문단을 다시 확인하면서 선택
지의 적절성을 판단해야 한다.

🎯 **정답 풀이**

⑤ 2문단에서 '파동의 속도가 일정할 경우 주파수가 높을수록 파장이 짧다
   는 특성이 있다.'라고 하였다. 이는 일정한 속도에서 주파수와 파장은 반
   비례 관계에 있다는 의미이다. 따라서 파동의 진행 속도가 동일하다면
   낮은 주파수의 파동일수록 파장이 길 것이다.

❌ **오답 풀이**

① 8문단에서 '파동의 에너지는 진폭의 제곱에 비례'한다고 하였다.
② 1문단에서 '역학적 파동의 에너지는 진동하는 매질의 입자가 옆의
   입자를 진동시키는 방법으로 매질을 따라 전달'된다고 하였다.
③ 1문단에서 '파동은 공간이나 물질의 한 부분에서 생긴 주기적 진동
   이 시간의 흐름에 따라 주위로 멀리 퍼져 나가는 현상을 의미한다.'
   라고 하였다.
④ 2문단에서 '진동하는 입자가 평형점에서 최대로 벗어난 거리를 진
   폭'이라고 한다고 하였다.

🐝 선생님의 꿀 정보

01번 문제: 세부 정보의 이해

01번 문제처럼 세부 정보의 내용을 파악할 수 있는지 확인하는 문제의
선택지는 대부분 지문에 언급된 단어의 순서를 바꾸거나 비슷한 단어로 교
체하여 지문과 유사하게 제시된다. 따라서 선택지에서 핵심어를 찾아 핵심
어에 해당되는 지문의 내용을 확인하는 것이 문제를 빠르게 해결하는 방법
이다.

이때 염두에 두어야 할 것은 일반적으로 출제자들이 문제를 설계할 때 중
심이 되는 핵심 문제를 출제한 후, 그 문제와 내용상 충돌되지 않는 부분에
서 세부 정보의 이해를 파악하는 문제를 출제한다는 점이다. 따라서 시험을
볼 때 시간이 없다면 지문에 딸린 문제 전체를 살펴본 후 핵심 문제와 관련
이 있는 부분이 아닌 부분에서 선택지 내용을 찾는 것이 시간을 절약하는 방
법이 되기도 한다. 다음과 같은 단계를 거치면 문제를 쉽게 해결할 수 있다.

1단계	각 선택지의 핵심어 파악하기

⬇

| 2단계 | 지문에서 각 선택지의 핵심어를 언급한 부분을 찾아 일치 여부를
확인하기 |
|---|---|

02 다른 상황에 적용 | 정답 ② |

윗글의 내용을 통해 [보기]를 이해한 것으로 가장 적절한 것은?

┤보기├

지진이 일어날 때 발생하는 지진파 중에는 P파와 S파가 있
다. P파는 종파이고, S파는 횡파이다. 지각 내부는 고체로 된
부분과 액체로 된 부분이 나누어져 있어, 지진파는 성질에 따
라 지각 내부의 일부만 통과할 수도 있다.
  _{3문단. 횡파는 고체에서만 통과됨.}

① S파가 발생하면 지각 내부의 모든 부분~~에서~~ 탐지될 수 있겠군.
② S파가 발생하면 지각 내부가 위아래 방향으로 흔들리게 되겠
  군.
③ 지진이 일어나면 지각 내부에서 P파보다 S파가 ~~더 빨리 전달~~
  ~~되겠군.~~ _{속도는 알 수 없음.}
④ P파는 지각 내부에서 파가 나아가는 방향이 ~~진동의 방향과~~
  ~~직각이겠군.~~
⑤ S파가 발생하면 지각 내부의 입자 간 간격이 ~~가까워졌다 멀~~
  ~~어졌다~~를 반복하겠군.

📁 **발문 분석**

지문에서 언급한 파동의 횡파와 종파에 대해 이해하고 [보기]에 제시
된 지진파의 횡파와 종파에 적용할 수 있는지를 묻고 있다. P파가 종
파이고, S파가 횡파라는 사실에 유의하여, 지문의 내용과 지진이 발
생했을 때의 상황을 연결지어 생각해야 한다.

✅ **보기 분석**

[보기]는 지진이 일어날 때 발생하는 지진파에 대해 설명하고 있다. 진동이 일어나
는 방향과 파가 나아가는 방향이 수직인지 수평인지에 따라 P파와 S파로 나눈다.
• P파: 종파 - 진동이 일어나는 방향과 파가 나아가는 방향이 수평임.
• S파: 횡파 - 진동이 일어나는 방향과 파가 나아가는 방향이 수직임.

🎯 **정답 풀이**

② 3문단에서 횡파는 진동 방향이 파동이 움직이는 방향에 수직인 파동이
   라고 하였다. 이것은 진동 방향이 위아래로 움직인다는 의미이다. [보기]
   에서 지진파의 S파는 횡파라고 하였으므로 S파가 발생하면 지각의 흔들
   림 방향은 위아래 방향이 될 것이다.

❌ **오답 풀이**

① 3문단에서 '고체와 달리 액체나 기체에서는 매질을 위아래로 흔드
   는 힘이 분산되기 때문에 횡파는 고체에서만 통과된다.'라고 하였
   다. 따라서 횡파인 S파가 지각 내부의 모든 부분에서 탐지된다고
   한 진술은 적절하지 않다.
③ 지문에서 종파와 횡파의 속도 차이에 대해서는 언급하지 않았다.
   따라서 지진파 중 종파인 P파와 횡파인 S파 가운데 지진이 발생했
   을 때 어떤 파가 더 빨리 전달되는지는 지문과 [보기]의 내용만으
   로는 알 수 없다.
④ 4문단에서 종파는 '진동이 일어나는 방향과 파가 나아가는 방향이
   나란'한 파동이라고 하였다. [보기]에서 지진파의 P파는 종파라고
   하였으므로 지각 내부에서 진동이 일어나는 방향과 파가 나아가는
   방향은 같은 방향이 된다. 따라서 P파는 지각 내부에서 파가 나아
   가는 방향이 진동의 방향과 직각이라는 진술은 적절하지 않다.
⑤ 4문단에서 용수철을 예로 들어 종파가 발생하면 '용수철의 촘촘한

상태와 성긴 상태가 용수철의 길이 방향을 따라 생성'된다고 하였다. 이것은 입자 간의 간격이 가까워졌다(촘촘한 상태) 멀어졌다(성긴 상태)하는 것이 반복되는 것이다. 그런데 [보기]에서 S파는 횡파라고 하였으므로, 지각 내부의 입자의 간격이 가까워졌다 멀어졌다를 반복한다는 진술은 적절하지 않다.

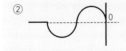

03 추론의 적절성 판단 | 정답 ② |

윗글을 참고하여 [보기]의 [A]에 들어갈 그림으로 가장 적절한 것은?

┤보기├

입사파의 방향 →

줄 ─────── 0

경계면

고정단 반사

그림과 같이 줄을 통해 전해지는 입사파의 위상이 마루에서 골이었다가 평형점 0이 되어 경계면에 다다랐을 때, 줄의 밀도가 경계면의 밀도보다 작을 경우의 반사파 모양은 [A]와 같게 된다.

[A]

① ② (선택)
③ ④
⑤

📂 발문 분석

고정단 반사와 자유단 반사의 개념을 정확히 이해하고 그 변화 양상을 추론하여 그림으로 구현해 낼 수 있는지 묻고 있다. 줄의 밀도가 경계면의 밀도보다 작은 상황이 고정단 반사이고, 고정단 반사가 반사파의 위상이 정반대로 변한다는 것을 이해해야 한다.

✔ 보기 분석

[보기]에서는 그림을 제시하면서 '줄의 밀도가 경계면의 밀도보다 작을 경우' 반사파 모양이 [A]처럼 된다고 하였다. 6문단에서 '밀도가 작은 매질에서 큰 매질로 파동이 이동할 때 일어나며 위상이 180° 변하는 반사를 고정단 반사라고' 한다고 하였다. 따라서 [보기]의 설명에서 줄의 밀도가 경계면의 밀도보다 작다고 하였으므로 [A]는 고정단 반사를 반영한 그림이라고 볼 수 있다.
고정단 반사에서는 파동이 입사할 때의 위치와 정반대의 위치를 가지게 된다. 입사할 때 마루였던 지점은 반사할 때에는 골이 되고, 반대로 입사할 때 골이었던 지점은 반사할 때에는 마루가 되는 것이다. 한편 자유단 반사에서는 파동이 입사할 때의 위치에서 변화가 없으므로 입사할 때 골이었다면 반사될 때에도 골의 위치에 있게 된다.

⊙ 정답 풀이

② [보기]의 그림은 줄의 파동이 마루였다가 평형점을 지나 골이 된 다음 다시 평형점이 되어 경계면에 부딪친 상황을 나타낸다. 6문단에서 '밀도가 작은 매질에서 큰 매질로 파동이 이동할 때 일어나며 위상이 180° 변하

는 반사를 '고정단 반사'라고' 한다고 하였으므로 [보기]에 제시된 그림은 고정단 반사임을 알 수 있다. 또 반사파의 방향은 입사파의 방향과 반대로 경계면에서 줄 방향이 된다는 것을 알 수 있다. 반사할 때 진동은 입사할 때의 위치와는 반대로 평형점에서 마루가 되고, 다시 평형점을 지나 골이 되어야 하므로, 이를 그림으로 나타내면 [보기]의 그림과는 줄의 높낮이 위치가 반대인 ②와 같은 형태라고 할 수 있다.

❌ 오답 풀이

① 입사파와 위상이 같다. 따라서 이 그림은 밀도가 큰 매질에서 작은 매질로 파동이 일어날 때 일어나는 위상이 변하지 않는 반사인 자유단 반사일 경우에 가능한 그림이다.
③ 사인 함수의 그래프를 그리지 않고 있으며, 골은 없이 마루와 평형점만 있는 형태이므로 파동을 나타낸 적절한 그림이 아니다.
④ 사인 함수의 그래프를 그리지 않고 있으며, 마루는 없이 골과 평형점만 있는 형태이므로 파동을 나타낸 적절한 그림이 아니다.
⑤ 사인 함수의 그래프를 그리지 않고 있으며, 골은 없이 마루와 평형점만 있는 형태이므로 파동을 나타낸 적절한 그림이 아니다.

🍯 선생님의 꿀 정보

03번 문제: 글의 내용을 그림으로 전환하여 이해하기

비문학(독서) 영역의 과학 지문에서는 글로만 설명하기가 어려운 내용을 [보기] 등의 그림을 통해 설명하고, 그를 바탕으로 추가적인 사고를 할 수 있는지를 평가하는 문제들이 출제된다.
03번 문제의 경우 지문에서 설명한 고정단 반사와 자유단 반사의 개념을 이해하고, [보기]의 그림과 추가 설명을 통해 두 반사에 대해 완벽하게 파악할 수 있는지를 물어본 것이다.
따라서 03번 문제와 같은 유형의 문제를 풀 때에는 글의 내용을 그대로 그림 위에 그려 보는 것이 좋다. 머릿속에서 바로 그림이 떠오르지 않을 때에는 직접 손으로 그려볼 수도 있다. 위상이 180° 변한다는 말이 위치가 정반대가 된다는 것이라고 생각하면 쉽게 그릴 수 있다. [보기]에 제시된 그림에 펜을 올리고, 줄이 올라가는 부분을 밑으로, 내려가는 부분을 위로 곡선을 그려본다. 그러면 선택지 ②번과 같은 형태의 그림을 그릴 수 있다.

②

04

세부 정보의 이해 | 정답 ③ |

⊙과 ⓒ에 대해 이해한 내용으로 가장 적절한 것은?
반사   투과
① ⊙과 ⓒ은 모두 역학적 파동으로 인한 매질의 특성 ~~변화~~를 보여 준다.

② ⊙과 ⓒ은 모두 역학적 파동의 진행에 따른 에너지의 ~~증가~~를 보여 준다.

③ ⊙과 ⓒ은 모두 매질의 경계에서 생겨나는 역학적 파동의 변화를 보여 준다.

④ ⊙은 파동의 진폭이 ~~커지는~~ 요인을, ⓒ은 파동의 진폭이 작아지는 요인을 보여 준다.

⑤ ⊙은 파동이 매질에 ~~입사되는~~ 양상을, ⓒ은 ~~파동이 매질에서 흡수되는~~ 양상을 보여 준다.

📁 **발문 분석**

'반사'와 '투과'의 개념과 특징을 정확하게 이해하고 있는지 묻고 있다. ⊙과 ⓒ이 매질의 경계에서 일어나는 역학적 파동이라는 것을 이해하고, ⊙과 ⓒ의 특성을 적절히 비교하여 파악해야 한다.

⭕ **정답 풀이**

③ ⊙은 줄의 끝이 벽에 닿아 줄을 통해 전달되어 온 파동이 다시 줄을 따라 돌아가는 '반사'의 상황을 의미한다. ⓒ은 낮은 밀도의 줄에서 높은 밀도의 줄로 파동이 전달되어, 일부는 반사되고 일부는 그대로 파동이 투과되는 상황을 의미한다. 6문단과 7문단을 고려하면 ⊙과 ⓒ 모두 매질의 경계에서 생겨나는 변화이며, 매질을 통해 진동이 전달되는 역학적 파동이라고 할 수 있다.

❌ **오답 풀이**

① ⊙과 ⓒ 모두 역학적 파동이 매질에서 변화되는 것을 보여 주는 예이다. 이는 매질의 차이로 인해 파동에 변화가 생겨나는 것이지, 파동 때문에 매질의 특성이 변화되는 것이 아니다.

② 5문단에서 '역학적 파동이 진행하면서 매질에 흡수되어 에너지를 잃'기도 한다고 하였지만, 에너지가 증가한다는 내용은 언급하지 않았다. 따라서 ⊙과 ⓒ 모두 에너지의 증가를 보여 준다고 이해하는 것은 적절하지 않다.

④ 지문에서 진폭이 커지는 요인에 대해서는 언급하지 않았다. 밀도가 낮은 줄에서 높은 줄로 파동이 이동하면 반사파와 투과파가 생기는데, 8문단에서 '파동의 에너지는 진폭의 제곱에 비례하기 때문에, 입사한 파동의 에너지 중에서 일부분만 포함하는 반사파의 진폭은 줄어'든다고 하였다. 또 '에너지 보존 법칙에 따라 두 파동이 갖는 에너지의 합은 원래 입사한 파동의 에너지와 같'다고 하였다. 이를 고려하면 투과파 역시 반사파가 전혀 없지 않은 이상 진폭이 줄어들게 된다고 이해해야 한다.

⑤ ⊙은 파동이 매질에 입사되었다가 반사되는 양상을 의미하고 ⓒ은 파동이 매질에 입사되었다가 투과되는 양상을 의미한다.

👑 고난도
구체적 사례에 적용 | 정답 ② |

윗글을 바탕으로 [보기]를 이해한 내용으로 적절하지 않은 것은?

─┤보기├─

초음파를 이용한 비파괴 검사는 음파 중에서 주파수가
음파의 일종
20,000Hz 이상인 초음파를 시험체에 입사한 후 반사파를 감지하여, 시험체 내부의 결함 유무 등을 확인하는 방법이다. (가)는 이러한 검사 방법을 도식화한 것이다. (나)는 검사 결과를 보여 주는 화면으로, 세로축은 입사파의 세기를 기준으로 한 반사파의 상대적인 세기를 비율로 보여 주고, 가로축은
반사파가 얼마나 강한지
반사파가 감지된 시간을 거리로 환산하여 보여 준다. Ⓐ는 결
거리가 길다=반사파가 감지된 시간이 늦다
함 부위에서의 반사, Ⓑ는 바닥에서의 반사를 나타낸 것이다.

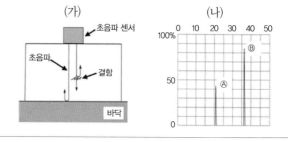

(가)   (나)

① (가)에서 결함 부위에서 반사된 초음파는 입사파보다 진폭이
입사파=반사파+투과파
작겠군.

② (가)에서 시험체의 두께가 두꺼울수록 높은 ~~주파수~~의 초음파를 이용해야겠군.

③ (나)에서 Ⓐ와 Ⓑ를 비교하면, 결함 부위의 음파 저항과 그 주변의 음파 저항의 차이보다 시험체의 음파 저항과 바닥의 음파 저항의 차이가 크다고 볼 수 있겠군.
음파 저항이 크다=반사 정도가 크다=반사파가 세다

④ (나)에서 결함 부위가 초음파 센서와 더 가까웠다면, Ⓐ는 현재보다 왼쪽에 나타났겠군.
더 일찍 감지

⑤ (나)에서 Ⓑ가 100%가 되지 않은 것은, 초음파의 에너지 일부가 시험체에 흡수된 것이 원인이라고 할 수 있겠군.
100% 반사가 안됨.

📁 **발문 분석**

지문의 내용을 파악하여 구체적인 상황에 적용할 수 있는지 묻고 있다. 같은 매질이지만 다른 위치에서 반사되는 두 파의 입사파와 반사파의 관계, 반사파의 특성 등을 비교해야 한다.

✔️ **보기 분석**

[보기]는 초음파를 이용한 비파괴 검사에 대해 설명하고 있다. 시험체에 초음파를 입사했을 때, 초음파는 바닥에서 반사되기도 하고 결함 부위에서 반사되기도 한다. 결함 부위가 바닥보다 초음파 센서에 가까울수록 반사파가 감지된 시간은 빨라지게 된다.

(나)의 가로축은 반사파가 감지된 시간을 의미하고 세로축은 입사파 대비 반사파의 세기 비율을 의미한다. 결함 부위 Ⓐ가 바닥 Ⓑ보다 센서와 더 가까우므로, 결함 부위가 바닥보다 (나) 그래프에서 더 왼쪽(시간상 더 빠름)에 위치하게 될 것이다. 또 결함 부위 Ⓐ의 세로축이 바닥 Ⓑ의 세로축보다 더 짧은 것으로 보아, 결함 부위 Ⓐ에서의 입사파 대비 반사파의 비율이 바닥 Ⓑ에서의 반사파 비율보다 더 작음을 알 수 있다. 이는 결함 부위 Ⓐ의 반사파 세기가 바닥 Ⓑ의 반사파 세기보다 더 작다는 의미이다. 또한 바닥 Ⓑ에서의 반사파 비율이 100%에 가깝지만 100%가 아니라는 것은 바닥 Ⓑ에서 반사되지 않고 흡수된 파가 일부 있다는 것을 의미한다.

정답 풀이

② 5문단에서 '음파의 경우 주파수가 높을수록 매질에 더 잘 흡수되는 성질이 있기 때문에 음파는 발생하더라도 멀리 진행하지 못한다.'라고 하였다. 초음파는 음파의 일종임을 고려하면 시험체의 두께가 두꺼우면 낮은 주파수의 초음파를 이용해야 멀리까지 초음파를 진행시킬 수 있을 것이다.

오답 풀이

① 8문단에서 '입사한 파동의 에너지 중에서 일부분만 포함하는 반사파의 진폭은 줄어들게 된다.'라고 하였다.

③ 7문단에서 음파의 경우에는 '음파 저항이 클수록 반사 정도가 큰 경계를 형성'한다고 하였다. 그러므로 (나)에서 Ⓐ보다 Ⓑ가 입사파의 세기에 대한 상대적 비율이 더 높은 것은 결함 부위에서 반사되어 돌아온 세기보다 바닥에서 반사되어 돌아온 세기가 더 강하다는 것을 의미한다.

④ [보기]에서 (나)의 가로축은 '반사파가 감지된 시간을 거리로 환산하여 보여 준다.'라고 하였다. 그러므로 결함 부위가 초음파 센서와 더 가깝다면 반사되어 돌아오는 초음파(반사파)는 이전보다 더 빨리 감지될 것이며 Ⓐ는 현재보다 왼쪽에 나타날 것이다.

⑤ 5문단에서 '역학적 파동은 진행하면서 매질에 흡수되어 에너지를 잃'기도 한다고 하였다. 그러므로 바닥에 반사되어 돌아온 초음파가 100%가 아닌 이유는 초음파의 에너지 일부가 시험체(매질)에 흡수되었기 때문이라고 할 수 있다.

선생님의 꿀 정보

05번 문제: 그래프의 해석

비문학(독서) 영역은 국어 영역에 해당하므로 그래프와는 관련이 없다고 생각할지도 모른다. 그러나 많은 지문에서 설명하고 있는 내용을 그래프에 담아 문제로 제시한다. 따라서 그래프를 보고 지문에서 설명한 내용과 연결하여 그 의미를 해석할 수 있어야 한다.

05번 문제에 제시된 (나) 그래프를 이해하려면 다음을 고려하여야 한다.

① [보기]에서 그래프의 가로축은 반사파가 감지된 시간을 거리로 환산한 것이라고 하였다. 이는 '거리가 가깝다는 것 = 반사파가 감지된 시간이 짧다는 것 = 그래프 상 더 왼쪽에 위치한다는 것'을 의미한다.

② [보기]에서 그래프의 세로축은 입사파의 세기를 기준으로 한 반사파의 상대적 세기를 비율로 보여 준 것이라고 하였다. 이는 반사파의 상대적 세기가 100%에 가까울수록 입사파의 세기와 거의 같다는 것, 즉 흡수되거나 투과되는 양이 적다는 것을 의미한다.

[보기]의 설명을 통해 (나) 그래프에서 위의 두 가지 의미를 도출해 냈다면, 지문의 내용을 적용하여 문제를 풀 수 있을 것이다.

과학 지문뿐만 아니라, 사회 지문 기술 지문 등에서도 그래프가 등장할 확률이 높으므로 평소에 그래프가 나오는 문제를 만났을 때에는 각 그래프가 의미하는 바를 스스로 해석하는 연습을 반드시 해 두어야 한다.

어휘의 사전적 의미 파악 | 정답 ⑤ |

ⓐ~ⓔ의 사전적 의미로 적절하지 <u>않은</u> 것은?

① ⓐ: 일정한 간격을 두고 되풀이하여 진행하거나 나타나는.
　주기적
② ⓑ: 물질을 구성하는 미세한 크기의 물체.
　입자
③ ⓒ: 물체가 나아가거나 일이 진행되는 빠르기.
　속도
④ ⓓ: 목적한 곳이나 수준에 다다름.
　도달
⑤ ⓔ: 일을 잘못하여 뜻한 대로 되지 아니하거나 그르침.
　손실　　　'실패(失敗)'의 사전적 의미

발문 분석

문맥을 고려하여 어휘의 사전적 의미를 파악할 수 있는지 묻고 있다. 어휘의 사전적 의미를 모르는 경우라면 앞뒤 문맥을 통해 어휘의 의미를 추론해 보도록 한다.

정답 풀이

⑤ ⓔ'손실(損失)'의 사전적 의미는 '잃어버리거나 손해를 봄.'이다. '일을 잘못하여 뜻한 대로 되지 아니하거나 그르침.'은 '실패(失敗)'의 사전적 의미이다.

오답 풀이

① '주기적(週期的)'의 사전적 의미이다.
② '입자(粒子)'의 사전적 의미이다.
③ '속도(速度)'의 사전적 의미이다.
④ '도달(到達)'의 사전적 의미이다.

M·E·M·O

구절 풀이

칼로릭 이론에 따르면 찬 물체와 뜨거운 물체가 접촉하여 두 물체의 온도가 같아지는 이유는 두 물체의 에너지가 평형 상태에 이르기 때문임.

열기관의 열효율 문제를 칼로릭 이론에 기반을 두고 연구하는 카르노는 물레방아에서 높이 차에 의해 물이 일을 하는 것처럼, 열기관에서는 온도 차에 의해 열효율이 발생한다고 보았음.

줄이 시행한 열의 일당량 실험은 열을 일로 바꾸는 열기관을 대상으로 한 것이 아니라, 일을 열로 바꾸는 실험이었음.

어휘 풀이

* 방출: 입자나 전자기파의 형태로 에너지를 내보냄.
* 등가성: 가치가 서로 같은 것을 요구하는 상품 교환의 특성.
* 입증: 어떤 증거 따위를 내세워 증명함.
* 위배: 법이나 약속 따위를 어기거나 지키지 않음.

1 18세기에는 열의 실체가 칼로릭(caloric)이며 칼로릭은 온도가 높은 쪽에서 낮은 쪽으로 흐르는 성질을 갖고 있는, 질량이 없는 입자들의 모임이라는 생각이 받아들여지고 있었다.
칼로릭의 개념
이를 칼로릭 이론이라 ㉠부르는데, 이에 따르면 찬 물체와 뜨거운 물체를 접촉시켜 놓았을 때 두 물체의 온도가 같아지는 것은 칼로릭이 뜨거운 물체에서 차가운 물체로 이동하기 때문이라는 것이다. 이러한 상황에서 과학자들의 큰 관심사 중의 하나는 증기 기관과 같은 열기관의 열효율 문제였다.   1문단: 칼로릭의 개념과 성질

2 열기관은 높은 온도의 열원에서 열을 흡수하고 낮은 온도의 대기와 같은 열기관 외부에 열을 방출*하며 일을 하는 기관을 말하는데, 열효율은 열기관이 흡수한 열의 양 대비 한 일
열효율의 개념
의 양으로 정의된다. 19세기 초에 카르노는 열기관의 열효율 문제를 칼로릭 이론에 기반을 두고 ㉡다루었다. 카르노는 물레방아와 같은 수력 기관에서 물이 높은 곳에서 낮은 곳으로 ㉢흐르면서 일을 할 때 물의 양과 한 일의 양의 비가 높이 차이에만 좌우되는 것에 주목하였다. 물이 높이 차에 의해 이동하는 것과 흡사하게 칼로릭도 고온에서 저온으로 이동하면서 일을 하게 되는데, 열기관의 열효율 역시 이러한 두 온도에만 의존한다는 것이었다.
2문단: 열기관의 열효율에 대한 카르노의 견해

3 한편 1840년대에 줄(Joule)은 일정량의 열을 얻기 위해 필요한 각종 에너지의 양을 측정하는 실험을 행하였다. 대표적인 것이 열의 일당량 실험이었다. 이 실험은 열기관을 대상으로 한 것이 아니라, 추를 낙하시켜 물속의 날개바퀴를 회전시키는 실험이었다. 열의 양은 칼로리로 표시되는데, 그는 역학적 에너지인 일이 열로 바뀌는 과정의 정밀한 실험을 통해 1kcal의 열을 얻기 위해서 필요한 일의 양인 열의 일당량을 측정하였다. 줄은 이렇게 일과
열의 일당량의 개념
열은 형태만 다를 뿐 서로 전환이 가능한 물리량이므로 등가성*을 갖는다는 것을 입증*하
추가 한 일=얻은 열의 양
였으며, 열과 일이 상호 전환될 때 열과 일의 에너지를 합한 양은 일정하게 보존된다는 사
열의 에너지+일의 에너지 → 보존
실을 알아내었다. 이후 열과 일뿐만 아니라 화학 에너지, 전기 에너지 등이 등가성을 가지며 상호 전환될 때에 에너지의 총량은 변하지 않는다는 에너지 보존 법칙이 입증되었다.
에너지 보존 법칙의 개념   3문단: 일과 열의 등가성과 에너지 보존 법칙

4 열과 일에 대한 이러한 이해는 카르노의 이론에 대한 과학자들의 재검토로 이어졌다. 특
에너지의 총량은 변하지 않음.
히 톰슨은 ⓐ칼로릭 이론에 입각한 카르노의 열기관에 대한 설명이 줄의 에너지 보존 법칙에 위배*된다고 지적하였다. 카르노의 이론에 의하면, 열기관은 높은 온도에서 흡수한 열
온도 차에 의한 칼로릭 이동

선생님의 Tip

"칼로릭"

라부아지에는 열의 원인, 즉 열을 발생시키는 아주 탄력성이 있는 유체를 일종의 원소라고 인정하고 칼로릭이라 불렀음. 칼로릭은 모든 물질의 입자와 결합하며, 무게를 갖지 않는 칭량 불가의 원소임. '물+칼로릭=수증기'이고 '산소 기체+칼로릭=산소 가스'라고 생각하면, 가열에 의해 중량 변화를 수반하는 일 없이 상태의 변화가 일어나는 사실을 그 예라고 할 수 있음. 열을 원소라고 하는 것은 지금으로서는 이해하기 어렵지만, 18세기부터 19세기에 걸쳐 칭량 불가의 유체라고 하는 사상이 일반적으로 이해되었으며 열, 빛, 전기, 자기 등이 이와 같은 것이라고 받아들여졌음.

지문 구조도

화제 제시: 칼로릭의 개념(1문단)
칼로릭: 열의 실체, 온도가 높은 쪽에서 낮은 쪽으로 흐르는 성질을 가진 질량이 없는 입자들의 모임.

⬇

구체화 1: 카르노와 줄(2, 3문단)
• 카르노: 칼로릭 이론에 기반한 열기관의 열효율 문제를 연구함. 열기관의 열효율도 고온에서 저온으로 이동하는 온도 차이에만 의존한다고 생각함. • 줄: 열의 일당량 실험을 통해 일과 열은 등가성을 갖는다는 것을 입증하고, 에너지 보존 법칙을 입증함.

⬇

구체화 2: 카르노 이론의 재검토
• 톰슨: 카르노의 이론이 열과 일의 등가성과 에너지 보존 법칙에 어긋난다면서 반박함. • 클라우지우스: 열이 저온에서 고온으로 흐르지 않는다는 점을 이용해 카르노의 이론을 증명함. 열의 방향성과 비대칭성에 주목하여, 엔트로피 개념과 열역학 제2법칙을 제시함.

출제 의도 열과 일의 관계에 대한 과학자들의 탐구 과정을 파악할 수 있는지 평가하기 위한 지문이다. 각 과학자들의 이론을 파악할 수 있는지, 각 학자들의 이론을 다른 상황에 적용하여 파악할 수 있는지 등을 평가하는 문제가 출제되었다.

주제 열역학에 대한 과학자들의 탐구 과정과 엔트로피

전부를 낮은 온도로 방출하면서 일을 한다. 이것은 줄이 입증한 열과 일의 등가성과 에너지 보존 법칙에 ㉣어긋나는 것이어서 열의 실체가 칼로릭이라는 생각은 더 이상 유지될 수 없게 되었다. 하지만 열효율에 관한 카르노의 이론은 클라우지우스의 증명으로 유지될 수 있었다. 그는 카르노의 이론이 유지되지 않는다면 열은 저온에서 고온으로 흐르는 현상이 ㉤생길 수도 있을 것이라는 가정에서 출발하여, 열기관의 열효율은 열기관이 고온에서 열을 흡수하고 저온에 방출할 때의 두 작동 온도에만 관계된다는 카르노의 이론을 증명하였다.

4문단: 카르노의 이론에 대한 상반된 평가

5 클라우지우스는 자연계에서는 열이 고온에서 저온으로만 흐르고 그와 반대되는 현상은
클라우지우스가 주목한 점 ①
일어나지 않는 것과 같이 경험적으로 알 수 있는 방향성이 있다는 점에 주목하였다. 또한 일이 열로 전환될 때와는 달리, 열기관에서 열 전부를 일로 전환할 수 없다는, 즉 열효율이 100%가 될 수 없다는 상호 전환 방향에 관한 비대칭성이 있다는 사실에 주목하였다. 많은
클라우지우스가 주목한 점 ②
과학자들이 이러한 방향성과 비대칭성에 대해 설명할 수 있는 이론을 정립*하려 애썼지만 한동안 성공하지 못하였다.

5문단: 열의 방향성과 비대칭성

6 하지만 클라우지우스는 이러한 현상을 에너지 보존 법칙, 즉 열역학 제1법칙 안에서만 이해하려 할 것이 아니라 열은 스스로 차가운 물체에서 뜨거운 물체로 옮겨갈 수 없다는 것
클라우지우스가 새로 제안한 틀
자체를 새로운 법칙으로 정하자며 과학계에 ㉮새로운 창을 내놓았다. 그는 가용*할 수 있는 에너지는 일정한데 자연의 물질은 일정한 방향으로만 움직이기 때문에 무용*한 상태로 변화한 자연현상이나 물질의 변화는 다시 되돌릴 수 없다는 것에 착안하여 다시 가용할 수 있는 상태로 환원*시킬 수 없는, 무용의 상태로 전환된 질량(에너지)의 총량을 엔트로피
엔트로피의 개념
(entropy)라고 하고, 이를 통해 열역학의 방향성과 비대칭성을 설명하였다. 대부분의 자연현상의 변화는 어떤 일정한 방향으로만 진행하고, 이미 진행된 변화를 되돌릴 수 없다. 따라서 자연 물질계의 변화는 엔트로피의 총량이 증가하는 방향으로 진행하며 이것을 엔트로
열역학 제2법칙의 개념
피 증가의 법칙이라고 하며, 열역학 제2법칙으로 부르게 되었다. 다시 말해 열역학 제2법
= 엔트로피 증가의 법칙
칙은 고립계의 엔트로피는 절대로 줄어들지 않는다는 법칙이며 고립계는 시간이 흐르면 열적 평형 상태, 즉 엔트로피가 최대가 되는 상태에 도달한다. 이때 엔트로피는 어떤 계의 무
열역학 제2법칙의 내용
질서 정도를 나타내는 척도이며, 엔트로피가 높을수록 계의 무질서도가 높다고 할 수 있다.

6문단: 엔트로피의 개념과 열역학 제2법칙의 등장

지문 해제

이 글은 열역학에 대한 과학자들의 탐구 과정을 소개하고 있다. 칼로릭은 18세기에 열의 실체로 여겨졌던 입자들의 모임으로, 고온에서 저온으로 이동하는 성질이 있다. 칼로릭 이론을 바탕으로 카르노는 열기관의 열효율에 대해 연구하여, 칼로릭이 고온에서 저온으로 이동하면서 일을 하는 것처럼 열기관의 열효율도 두 온도에만 의존한다고 보았다. 한편 줄은 열의 일당량 실험을 통해 일과 열이 형태만 다를 뿐, 등가성을 가진 서로 전환 가능한 물리량이며, 열과 일이 상호 전환될 때 열과 일의 에너지를 합한 양은 일정하게 보존된다는 사실을 확인하였다. 이후 열과 일뿐만 아니라 화학 에너지, 전기 에너지 등도 등가성을 가지며 상호 전환될 때 에너지의 총량은 변하지 않는다는 에너지 보존 법칙이 입증되었고 이에 따라 기존 이론에 대한 과학자들의 재검토가 이루어졌다. 톰슨은 카르노의 이론을 열과 일의 등가성과 에너지 보존 법칙에 어긋난다면서 반박하였다. 그러나 클라우지우스는 열이 저온에서 고온으로 흐르지 않는다는 점을 이용하여 카르노의 이론을 증명하였다. 또 클라우지우스는 열과 일의 방향성과 상호 전환 방향에 관한 비대칭성에 주목하여, 이와 같은 현상을 설명하기 위해 엔트로피라는 새로운 개념을 제시하였다. 그는 한번 무용한 상태로 변화한 자연현상이나 물질의 변화는 다시 되돌릴 수 없다는 것에 착안하여 다시 가용할 수 있는 상태로 환원시킬 수 없는, 무용의 상태로 전환된 질량의 총량을 엔트로피라고 하였다. 또 고립계에서 엔트로피는 절대로 줄어들지 않는다는 열역학 제2법칙도 제시하였다.

구절 풀이

○ 톰슨이 카르노 이론이 열과 일의 등가성과 에너지 보존 법칙에 어긋난다고 반박하자 클라우지우스가 증명을 통해 이를 다시 반박하였음.

○ 열역학 제1법칙은 줄이 입증한 에너지 보존 법칙을 의미함.

어휘 풀이

* 정립: 정하여 세움.
* 가용: 사용할 수 있음.
* 무용: 쓸모가 없음.
* 환원: 본디의 상태로 다시 돌아감. 또는 그렇게 되게 함.

선생님의 Tip

"에너지 보존 법칙 이후에 발생한 과학자들의 의문"

열은 에너지이므로 높은 온도에서 낮은 온도로 흘러간다고 해도 총량은 변하지 않음. 이는 100℃의 물체가 가지고 있던 100cal의 열량이 0℃의 물체로 흘러가도 열량은 100cal 그대로 유지된다는 의미임. 온도가 낮아진다는 것은 열에너지가 없어지는 것이 아니라 넓게 퍼지는 것이라고 이해해야 함.

열도 에너지의 일종이고 총량이 변하지 않는 것이라면 낮은 온도의 물체에서 높은 온도의 물체로도 흘러갈 수 있어야 함. 하지만 열은 높은 온도에서 낮은 온도로만 흐를 뿐 낮은 온도에서 높은 온도로 흐르지 않음. 이것은 에너지 보존 법칙으로는 설명할 수 없는 현상임.

한편 운동 에너지는 모두 열에너지로 바꿀 수 있음. 달리던 물체에 마찰력이 작용하면 물체가 가지고 있던 운동 에너지는 모두 열에너지로 바뀌고 물체는 정지하는 것이 그 예임. 그러나 열에너지는 일부만 운동 에너지로 바꿀 수 있음. 과학자들은 운동 에너지와 열에너지는 모두 에너지인데 왜 열에너지는 일부만 운동 에너지로 변환되는 것인지 설명할 수 없어서 의문을 품었음.

01 추론의 적절성 판단 　　　| 정답 ⑤ |

윗글에서 알 수 있는 내용으로 가장 적절한 것은?

① 열기관은 외부로부터 받은 일을 열로 변환하는 기관이다.
　　　　　　　　　　　　　　　　열→일
② 수력 기관에서 물의 양과 한 일의 양의 비는 물의 온도 차이
　　　　　　　　　　　　　　　　　　　　　　　　높이 차이
　에 비례한다.
③ 칼로릭 이론에 의하면 차가운 쇠구슬이 뜨거워지면 쇠구슬의
　질량은 증가하게 된다.
　변화 없음.
④ 칼로릭 이론에서는 칼로릭을 온도가 낮은 곳에서 높은 곳으
　　　　　　　　　　　　　　　　고온→저온
　로 흐르는 입자라고 본다.
⑤ 열기관의 열효율은 두 작동 온도에만 관계된다는 이론은 칼
　로릭 이론의 오류가 밝혀졌음에도 유지되었다.

📁 **발문 분석**

지문에 제시된 정보를 바탕으로 적절히 추론할 수 있는지 묻고 있다.
선택지에 지문에 언급되지 않았거나, 지문을 수정한 내용은 없는지를
살펴보고 적절성을 판단해야 한다.

◎ **정답 풀이**

⑤ 2문단에서 카르노는 열기관의 열효율이 고온과 저온의 '두 온도에만 의
존한다'고 주장하였다고 하였다. 그런데 4문단에서 톰슨은 카르노의 이
론은 '줄의 에너지 보존 법칙에 위배된다고 지적'했다고 하였다. 그러나
클라우지우스는 '카르노의 이론이 유지되지 않는다면 열은 저온에서 고
온으로 흐르는 현상이 생길 수도 있을 것'이라는 가정에서 출발하여, 열
기관의 열효율은 열기관이 고온에서 열을 흡수하고 저온에서 방출할 때
의 두 작동 온도에만 관계된다는 카르노의 이론을 증명'했다고 하였다.
따라서 열기관의 열효율은 두 작동 온도에만 관계된다는 이론은 칼로릭
이론의 오류가 밝혀졌음에도 유지되었다는 진술은 적절하다.

❌ **오답 풀이**

① 2문단에서 '열기관은 높은 온도의 열원에서 열을 흡수하고 낮은 온
도의 대기와 같은 열기관 외부에 열을 방출하며 일을 하는 기관'이
라고 하였다.
② 2문단에서 '수력 기관에서 물이 높은 곳에서 낮은 곳으로 흐르면서
일을 할 때 물의 양과 한 일의 양의 비가 높이 차이에만 좌우'된다
고 하였다.
③ 1문단에서 칼로릭 이론은 '찬 물체와 뜨거운 물체를 접촉시켜 놓
을 때 두 물체의 온도가 같아지는 것은 칼로릭이 뜨거운 물체에서
차가운 물체로 이동하기 때문'이라고 하였다. 그러나 칼로릭은 '질
량이 없는 입자들의 모임'이라고 했으므로 차가운 쇠구슬 쪽으로
칼로릭이 이동해도 질량이 증가하지는 않는다.
④ 1문단에서 '칼로릭은 온도가 높은 쪽에서 낮은 쪽으로 흐르는 성질
을 갖고 있는, 질량이 없는 입자들의 모임'이라고 하였다.

🍯 **선생님의 꿀 정보**

두 개 이상의 이론을 설명하고 있는 지문을 읽을 때

　과학 05 지문과 지문에 같이 두 가지 이상의 이론에 대한 설명이 제시되
면, 각 이론 간의 대비되는 내용(상충되는 내용, 차이가 있는 내용)이 글에
서 전달하고자 하는 핵심 정보라고 할 수 있다. 그래서 이러한 요소들을 파
악하는 문제도 반드시 출제된다. 특히 과학 지문에서는 시대적 흐름을 바탕

으로 여러 개의 다른 이론을 한꺼번에 제시하는 경우가 많으므로, 지문에서
새로운 이론이 언급될 때마다 그 이론의 명칭과 핵심 내용을 도형과 밑줄을
활용하여 표시하도록 한다. 이렇게 해 두면 글을 읽을 때 이해하지 못하고
넘어간 부분이라도, 문제에서 물어보는 경우에 바로 돌아와 다시 살펴볼 수
있다.
　또한 이렇게 정보가 많이 주어지는 지문을 이해하기 어렵다면 지문부터
읽기보다는 문제부터 살펴보고 지문의 핵심 내용이 무엇인지, 화제어가 무
엇인지, 문제에 어떤 부분이 활용되는지를 파악하는 것이 시간을 단축하고
이해력을 높이는 데 도움이 된다.

02 세부 정보의 파악 　　　| 정답 ② |

윗글로 볼 때 ⓐ의 내용으로 가장 적절한 것은?

① 화학 에너지와 전기 에너지는 서로 전환될 수 없는 에너지라
　는 점
② 열의 실체가 칼로릭이라면 열기관이 한 일을 설명할 수 없다
　는 점
③ 자연계에서는 열이 고온에서 저온으로만 흐르는 것과 같은
　방향성이 있는 현상이 존재한다는 점
　에너지 보존 법칙과는 관련이 없음.
④ 열효율에 관한 카르노의 이론이 맞지 않는다면 열은 저온에
　서 고온으로 흐르는 현상이 생길 수 있다는 점
　클라우지우스의 가정으로 톰슨의 주장과는 관련이 없음.
⑤ 열기관의 열효율은 열기관이 고온에서 열을 흡수하고 저온에
　방출할 때의 두 작동 온도에만 관계된다는 점
　　　　　　　카르노의 이론을 뒷받침하는 내용

📁 **발문 분석**

지문의 내용을 논리적으로 파악하고 해당 부분의 의미를 추론할 수 있
는지 묻고 있다. 2문단과 3문단의 내용을 바탕으로 카르노의 이론이
왜 에너지 보존 법칙에 위배되는지를 파악해야 한다.

◎ **정답 풀이**

② 3문단에서 줄은 '일과 열은 형태만 다를 뿐 서로 전환이 가능한 물리량이
므로 등가성'을 가지며, '열과 일이 상호 전환될 때 열과 일의 에너지를
합한 양은 일정하게 보존된다'는 것을 입증했다고 하였다. 그러나 2문단
에서 카르노는 칼로릭이 고온에서 저온으로 이동한다고 하였으며, 4문단
에서 '카르노의 이론에 의하면 열기관은 높은 온도에서 흡수한 열 전부
를 낮은 온도로 방출하면서 일을 한다.'라고 하였다. 따라서 칼로릭 이론
으로는 열기관이 한 일을 설명할 수 없으므로 이는 줄의 에너지 보존 법
칙에 위배된다.

❌ **오답 풀이**

① 3문단에서 줄은 '열과 일뿐만 아니라 화학 에너지, 전기 에너지 등
이 등가성을 가지며 상호 전환'될 수 있다고 하였다.
③, ④ 4문단과 5문단을 고려하면 열이 고온에서 저온으로만 흐르는
방향성은 클라우지우스가 카르노의 이론을 입증할 때 주목한 현상
이라는 것을 알 수 있다.
⑤ 2문단에서 카르노의 이론을 설명하면서 카르노는 열기관의 열효율
이 두 작동 온도에만 의존한다고 보았다고 하였다.

03 내용의 비판적 이해 | 정답 ⑤ |

윗글을 바탕으로 할 때, [보기]의 [가]에 들어갈 말로 가장 적절한 것은?

> ─보기─
> 줄의 실험과 달리, 열기관이 흡수한 열의 양(A)과 열기관
> (열의 일당량=1(에너지 보존))
> 으로부터 얻어진 일의 양(B)을 측정하여 $\frac{B}{A}$ 로 열의 일당량을
> (1보다 작음(열효율)
> 구하면, 그 값은 ([가])는 결과가 나올 것이다.
> (100% 미만).

① 열기관의 두 작동 온도의 차이가 일정하다면 줄이 구한 열의 일당량과 같다.

② 열기관이 열을 흡수할 때의 온도와 상관없이 줄이 구한 열의 일당량과 같다.

③ 열기관이 흡수한 열의 양이 많을수록 줄이 구한 열의 일당량보다 더 커진다.

④ 열기관의 두 작동 온도의 차이가 커질수록 줄이 구한 열의 일당량보다 더 커진다.

⑤ 열기관이 흡수한 열의 양과 두 작동 온도에 상관없이 줄이 구한 열의 일당량보다 작다.

📁 발문 분석

열기관의 열효율과 줄의 열의 일당량 실험에 대해 정확하게 이해하고 있는지 묻고 있다. 3문단에 제시된 줄의 실험 내용을 정확하게 이해해야 한다.

✅ 보기 분석

[보기]는 줄의 실험과 열기관의 일당량을 비교하여 한 문장으로 제시한 것이다. 3문단에서 줄은 일과 열은 등가성을 가지며 상호 전환될 때 에너지의 총량은 변하지 않는다고 하였다. 그런데 [보기]에서는 열기관에서의 열의 일당량을 구한 값이 줄의 실험 결과와 다르다고 언급하였다.

◎ 정답 풀이

⑤ 3문단에서 줄은 '일과 열은 형태만 다를 뿐 서로 전환 가능한 물리량이므로 등가성을 갖는다'고 하였다. 이를 고려하면 [보기]의 흡수한 열의 양(A)과 얻어진 일의 양(B)을 측정하여 B/A로 열의 일당량을 구하면 그 값은 1이 되어야 한다. 하지만 5문단에서 클라우지우스는 '열기관에서 열 전부를 일로 전환할 수 없다는, 즉 열효율이 100%가 될 수 없다'는 점에 주목했다고 하였다. [보기]에서는 '줄의 실험과 달리' 결과가 나왔다고 하였으므로 열기관에서 열의 일당량은 1보다 작을 것이라고 추측할 수 있다. 따라서 [가]에는 B/A의 값이 줄이 구한 열의 일당량보다 작다는 내용이 들어가야 한다.

✖ 오답 풀이

① 3문단을 통해 줄이 일과 열의 등가성을 강조했다는 것을 알 수 있지만, 열기관의 열효율(흡수한 열의 양 대비 한 일의 양)은 100%가 아니므로, $\frac{B}{A}$ 는 줄이 구한 열의 일당량과 같을 수 없다.

② 열기관이 열을 흡수할 때의 온도와 상관없이 열기관의 열효율은 100%가 아니다. 따라서 $\frac{B}{A}$ 는 줄이 구한 열의 일당량과 같을 수 없다.

③ 열기관의 열효율은 100%가 아니기 때문에 흡수한 열의 양과 상관없이 $\frac{B}{A}$ 는 줄이 구한 열의 일당량인 1보다 작다.

④ 두 작동 온도의 차이와 상관없이 열기관의 열효율은 100%가 아니라고 하였으므로, $\frac{B}{A}$ 는 줄이 구한 열의 일당량인 1보다 작다.

04 구절의 의미 추론 | 정답 ④ |

㉠가 의미하는 바로 가장 적절한 것은?

① 기존의 이론이 가지고 있던 원리와 대립되는 전혀 다른 이론

② 세계는 고정된 것이 아니고 끊임없이 변화한다는 새로운 가설

③ 기존의 연구들이 열의 이동을 제대로 설명하지 못했다는 것에 대한 반성

④ 기존의 과학자들이 설명하지 못했던 열의 방향성, 비대칭성을 설명할 수 있는 개념

⑤ 온도가 다른 두 물체를 접촉시켰을 때 열이 이동하는 모습을 볼 수 있는 새로운 기구

📁 발문 분석

문맥을 고려하여 해당되는 부분의 의미를 파악할 수 있는지 묻고 있다. 지문의 흐름을 바탕으로 클라우지우스가 제시한 것이 무엇이고 어떤 의미를 갖는지를 생각해 보아야 한다.

◎ 정답 풀이

④ 5문단과 6문단을 고려하면 에너지 보존 법칙 안에서는 열의 방향성과 에너지 상호 전환 방향의 비대칭성을 설명할 수 없었다는 것을 알 수 있다. 6문단에서 클라우지우스는 '무용한 상태로 변화한 자연현상이나 물질의 변화는 다시 되돌릴 수 없다는 것에 착안하여 다시 가용할 수 있는 상태로 환원시킬 수 없는, 무용의 상태로 전환된 질량의 총량을 '엔트로피'라고 하고, 이를 통해 열역학의 방향성과 비대칭성을 설명'했다고 하였다. 클라우지우스가 과학계에 내놓은 ㉠'새로운 창'을 통해 과학자들은 열의 방향성과 에너지 상호 전환 방향의 비대칭성을 설명할 수 있게 되었으므로, ㉠는 기존의 과학자들이 설명하지 못했던 열의 방향성, 비대칭성을 설명할 수 있는 개념을 의미한다.

✖ 오답 풀이

① 6문단을 통해 '엔트로피'가 기존에 설명되지 않았던 현상을 설명할 수 있게 해주었다는 것을 확인할 수 있다. 그러나 기존의 이론과 대립된다는 내용은 지문에서 찾아 볼 수 없다.

② 6문단에서 '엔트로피'는 '다시 가용할 수 있는 상태로 환원시킬 수 없는, 무용의 상태로 전환된 질량의 총량'을 의미한다고 하였다. 따라서 세계는 고정된 것이 아니고 끊임없이 새롭게 변화한다는 가설과는 상관이 없다.

③ 6문단을 고려하면 클라우지우스는 '엔트로피'라는 새로운 개념을 제시하여 그동안 설명하지 못했던 현상을 설명할 수 있게 한 것이지, 설명하지 못했던 것을 반성하고 있다고 볼 수는 없다.

⑤ 6문단에서 클라우지우스가 '엔트로피'라는 개념을 제시하였다고 하였을 뿐, 열이 이동하는 모습을 시각적으로 볼 수 있는 기구를 발견하였다고 하지는 않았다.

🏫 선생님의 꿀 정보

04번 문제: 특정 구절이나 문장이 의미하는 바를 파악하는 방법

① 앞뒤 문장에 주목한다.

지문에 제시된 특정 구절이나 문장의 의미를 추론해야 하는 경우 문제를 해결할 결정적 단서는 해당 부분의 바로 앞, 또는 바로 뒤에 제시되는 경우가 많다. 혹시 그 부분에 언급되어 있지 않다면, 앞뒤 문장의 핵심어 두 개

과
학
04

정도, 그리고 밑줄 친 특정 문장의 핵심어 두 개 정도를 이해하고 그 관계와 비슷하게 서술된 선택지를 찾으면 도움이 된다.

② 틀린 선택지부터 지워나간다.

①번의 방법이 출제자가 정답을 만드는 원리를 사용한 풀이법이라면, ②번 방법은 오답을 만드는 방법을 사용한 풀이법이다. 출제자는 오답을 만들 때 내용의 지문의 내용과 전혀 다른 내용을 서술하여 선택지를 만들거나, 밑줄 친 특정 문장의 반대 개념의 내용을 가져와서 상관없는 내용을 서술하여 선택지를 만든다. 따라서 이러한 내용이 보이는 선택지는 과감히 삭제해 나가야 한다.

👑고난도
05 구체적 상황에 적용 | 정답 ⑤ |

윗글을 바탕으로 [보기]를 이해한 것으로 적절하지 <u>않은</u> 것은?

┌─ 보기 ┐

커다란 비커에 찬물을 담고, 작은 비커에 뜨거운 물을 담았다. 그리고 두 비커를 그림과 같이 접촉시키고 온도의 변화를 관찰하였다(이때, 큰 비커는 비커 밖과 열의 출입이 차단된 고립계라고 가정한다.).

① 찬물과 뜨거운 물을 접촉시킨 뒤 더 이상의 온도 변화가 없다면, 이때의 엔트로피는 최대치를 보이겠군.
　　　　　　_{열적 평형 상태}
② 열은 일정한 방향성을 가지고 이동하므로 찬물에 뜨거운 물을 접촉시키면, 열은 뜨거운 물에서 찬물 쪽으로 이동하겠군.
　　　　　　　　_{방향성}
③ 열역학 제2법칙에 따르면 찬물과 뜨거운 물을 접촉시켜서 만들어진 물은 다시 찬물과 뜨거운 물로 되돌아갈 수 없겠군.
④ 찬물에 뜨거운 물을 접촉시켜 전체적으로 미지근한 물이 되었다면, 비커 안은 접촉 전보다 무질서한 상태로 볼 수 있겠군.
⑤ 찬물과 뜨거운 물을 접촉시킨 후의 에너지 총량과 접촉시키기 전의 에너지 총량을 비교하면, 접촉시키기 전이 더 많은 에너지량을 보이겠군.
　　　_{에너지 보존 법칙에 따라 전후의 에너지량은 같음.}

📁 발문 분석
지문에 언급된 열의 이동에 관련된 내용을 구체적인 상황에 적용하여 이해할 수 있는지를 묻고 있다. '엔트로피', '열역학 제2법칙' 등의 개념을 [보기]에 적용해 보고 선택지의 적절성을 따져 보아야 한다.

✔️ 보기 분석
[보기]는 열역학 제2법칙을 실험으로 나타낸 것이다. 고립계인 커다란 비커에는 찬물을 담고, 작은 비커에 뜨거운 물을 담아 [보기]의 그림과 같이 접촉시키고 온도의 변화를 관찰한다고 하였는데, 이는 주로 6문단에서 언급한 엔트로피와 관련된 내용이다.

◎ 정답 풀이
⑤ 3문단에서 열과 일이 '상호 전환될 때에 에너지의 총량은 변하지 않는다는 에너지 보존 법칙'에 대해 설명하였다. 이를 고려하면 [보기]의 찬물과 뜨거운 물을 접촉시키기 전과 접촉시키고 나서의 에너지의 총량도 변화

가 없을 것이다. 큰 비커는 고립계라고 가정하였으므로 밖과의 열 교류는 제한되어 있다고 보아야 하기 때문이다. 따라서 찬물과 뜨거운 물을 접촉시킨 뒤의 에너지 총량과 접촉시키기 전의 에너지 총량을 비교하면, 접촉시키기 전이 더 많은 에너지량을 보이겠다고 이해하는 것은 적절하지 않다.

✖️ 오답 풀이
① 6문단에서 '고립계는 시간이 흐르면 열적 평형 상태, 즉 엔트로피가 최대가 되는 상태에 도달한다.'라고 하였다. 따라서 찬물과 뜨거운 물을 접촉시킨 뒤 더 이상의 온도 변화가 없다면, 이는 평형 상태에 도달한 것으로 볼 수 있으며 이 때 엔트로피가 최대치를 보인다고 이해하는 것은 적절하다.
② 5문단에서 '자연계에서는 열이 고온에서 저온으로만 흐르고 그와 반대되는 현상은 일어나지 않는'다면서 방향성에 대해 설명하였다. 따라서 찬물에 뜨거운 물을 접촉시키면, 열은 뜨거운 물에서 찬물 쪽으로 이동한다고 이해하는 것은 적절하다.
③ 6문단에서 '대부분의 자연 현상의 변화는 어떤 일정한 방향으로만 진행하고, 이미 진행된 변화를 되돌릴 수 없다.'라고 하였고, '열역학 제2법칙은 고립계의 엔트로피는 절대로 줄어들지 않는다는 법칙'이라고 하였다. 따라서 찬물과 뜨거운 물을 접촉시켜 만들어진 물이 다시 찬물과 뜨거운 물로 되돌아갈 수 없다고 이해하는 것은 적절하다.
④ 6문단에서 '자연 물질계의 변화는 엔트로피의 총량이 증가하는 방향으로 진행'하고, '엔트로피가 높을수록 계의 무질서가 높다'고 하였다. 따라서 찬물과 뜨거운 물을 접촉시켜 만들어진 미지근한 물은 엔트로피가 증가한 것이고, 엔트로피의 증가는 곧 무질서의 증가이므로 비커 안은 접촉 전보다 무질서한 상태라고 이해하는 것은 적절하다.

🎁 선생님의 꿀 정보

시각 자료를 파악하는 방법

　과학 지문에 출제된 '구체적 사례에 적용' 유형의 문제는 구체적인 사례가 [보기]에 서술형으로 제시되는 경우도 있지만, 표, 그래프, 그림, 사진 등의 시각 자료로 제시되는 경우가 많다. 이러한 시각 자료를 어려워하는 수험생이 많은데, 아무리 복잡하고 어려운 시각 자료라고 하더라도 지문의 내용을 바탕으로 만들어진 것이므로 지문과 연결하여 해석하면 쉽게 이해할 수 있다. 수능이나 모의고사에서 출제되는 대표적인 시각 자료들은 다음과 같다.

① 표

┌─ 예 ┐

다음은 가상의 별 A, B에 대한 정보이다. 별 B의 반지름과 표면 온도는 각각 별 A의 반지름과 표면 온도를 1로 설정하여 계산한 값이다.

	겉보기 등급	절대 등급	거리 지수	반지름	표면 온도
A	2	−1	3	1	1
B	1	−6	7	0.1	10

　표가 제시되면 표의 가로 항목과 세로 항목을 확인해야 한다. 제시된 대상들이 동일한 항목에 대해 수치가 어떻게 다른지를 비교하면서 보도록 한다. 이때, 서술형으로 언급된 조건도 함께 살펴야 한다.

② 그래프

┌ 예 ┐

종류가 다른 실제 기체 A, B와 이상 기체 C 각 1몰에 대해, 같은 온도에서의 부피와 압력 사이의 관계를 그래프로 나타내었다.

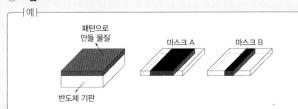

그래프가 제시되면 그래프의 가로 항목과 세로 항목을 확인하고, 왼쪽에서 오른쪽으로 갈수록 그래프의 모양이 어떻게 변화되는지 파악해야 한다. 그래프가 여러 개 제시되었다면 제시된 각 그래프가 무엇을 의미하는지도 비교해야 한다. 마찬가지로 서술형으로 언급된 조건도 함께 살펴야 한다.

③ 그림

┌ 예 ┐

패턴으로 만들 물질

반도체 기판

마스크 A   마스크 B

양성 감광 물질을 패턴으로 만들 물질 위에 바르고 마스크 A를 이용하여 포토리소그래피 공정을 수행하여 패턴을 얻은 후, 그 위에 음성 감광 물질을 바르고 마스크 B를 이용하여 포토리소그래피 공정을 수행하였다.

대부분의 그림은 지문에서 언급된 내용이나 과정 등을 바탕으로 제시된다. 따라서 그림이 제시되면 그림이 의미하는 것이 지문에서 설명한 것인지를 먼저 파악해야 한다. 한편 [보기]에 제시된 그림은 지문을 이해하는 데 도움을 주기도 한다.

06 어휘의 문맥적 의미 파악 | 정답 ④ |

윗글의 ㉠~㉤과 같은 의미로 사용된 것은?

① ㉠: 웃음은 또 다른 웃음을 <u>부르는</u> 법이다.
　부르는데
② ㉡: 그는 익숙한 솜씨로 기계를 <u>다루고</u> 있었다.
　다루었다
③ ㉢: 이야기가 엉뚱한 방향으로 <u>흐르고</u> 있다.
　흐르면서
④ ㉣: 그는 상식에 <u>어긋나는</u> 일을 한 적이 없다.
　어긋나는
⑤ ㉤: 하늘을 보니 당장이라도 비가 오게 <u>생겼다.</u>
　생길

📁 발문 분석

다의어의 의미를 이해하고 문맥을 고려하여 같은 의미로 쓰인 어휘를 고를 수 있는지 묻고 있다. ㉠~㉤은 여러 상황에서 여러 의미로 사용되는 단어들이므로 문맥을 고려하여 의미를 추측하되, ㉠~㉤이 요구하는 문장 성분도 살펴보아야 한다.

⭕ 정답 풀이

④ ㉣은 '기대에 맞지 아니하거나 일정한 기준에서 벗어나다.'를 의미한다. '상식에 어긋나는'의 어긋나다도 기준에서 벗어난다는 의미이므로, ㉣과 같은 의미로 사용되었다.

❌ 오답 풀이

① ㉠은 '무엇이라 가리켜 말하거나 이름을 붙이다.'를 의미한다. 그러나 '웃음을 <u>부르는</u>'에서의 부르다는 '어떤 행동이나 말이 관련된 다른 일이나 상황을 초래하다.'를 의미한다.

② ㉡은 '어떤 것을 소재나 대상으로 삼다.'를 의미한다. 그러나 '기계를 <u>다루고</u>'의 다루다는 '기계나 기구 따위를 사용하다.'를 의미한다.

③ ㉢은 '액체 따위가 낮은 곳으로 내려가거나 넘쳐서 떨어지다.'를 의미한다. 그러나 '엉뚱한 방향으로 <u>흐르고</u>'의 흐르다는 '어떤 한 방향으로 치우쳐 쏠리다.'를 의미한다.

⑤ ㉤은 '어떤 일이 일어나다.'를 의미한다. 그러나 '비가 오게 <u>생겼다.</u>'의 생기다는 '일의 상태가 부정적인 어떤 지경에 이르게 되다.'를 의미한다.

🍯 선생님의 꿀 정보

06번 문제: 문맥적 의미가 같은 어휘 활용하기

① 본문에 '제시된 단어'를 '비슷한 의미의 다른 단어'로 바꿔 본다. 그리고 그 단어를 선택지의 밑줄 친 부분에 넣어 보았을 때 자연스러운지 여부를 살펴본다.

→ (지문) 이를 칼로릭 이론이라 <u>부르는데</u>
　　　　　　　　　　　　명명하였는데
　(선택지) 웃음은 또 다른 웃음을 <u>부르는</u> 법이다.
　　　　　　웃음은 또 다른 웃음을 <u>명명하는</u> 법이다.(??)
⇒ 지문과 선택지의 '부르다'는 다른 의미로 사용되었다.

본문의 단어를 다른 단어로 바꾸기 어렵다면, 선택지의 단어를 다른 단어로 바꾸어 본다. 지문의 '부르는데'의 비슷한 뜻의 단어로 '명명하였는데'가 떠오르지 않는다면, 선택지의 '부르는'과 비슷한 의미의 다른 단어를 생각해 보고 그 단어를 지문의 '부르는데'에 대입해 본다.

→ '웃음은 또 다른 웃음을 <u>이끄는</u> 법이다'

② 본문에 '제시된 단어'가 필요로 하는 문장 성분을 확인해 본다.

→ (지문) 카르노는 열기관의 열효율 문제를 칼로릭 이론에 기반을 두고 <u>다루었다.</u>
　　'~은 ~을 ~으로(을) ~하였다.'
　(선택지) 그는 익숙한 솜씨로 기계를 <u>다루고</u> 있었다.
　　　삭제할 수 있는 문장 성분　'~은 ~을 ~하였다.'
⇒ 지문과 선택지의 '다루다'는 필요로 하는 문장 성분이 다르므로 다른 의미로 사용되었다.

구절 풀이

자문자답의 형식: 어떤 물체가 힘과 변형의 관계에서 즉각성과 시간 지연성을 모두 갖고 있을 때 점탄성을 가지고 있다고 함.

용수철: 탄성, 즉각성을 가짐.

꿀: 점성, 시간 지연성을 가짐.

응력 완화를 보여 주는 예: 고무줄에 힘을 주어 특정 길이만큼 당긴 후 이를 유지하는 경우 → 시간이 지남에 따라 응력이 감소함.

크리프를 보여 주는 예: 고무줄에 추를 매달아 고무줄이 일정한 응력을 받도록 하는 경우, 오랜 세월이 지나면 유리창 유리의 아랫부분이 두꺼워지는 경우 → 응력이 고정되어 있을 때 변형이 서서히 증가함.

상온에서 나일론에서 보이는 응력 완화와 크리프는 인지할 수 있으나, 금속의 경우에는 인지할 수 없음. → 분자나 원자 간의 결합 및 배열이 서로 다르기 때문

---

1 어떤 물체가 점탄성이라는 성질을 가지고 있다고 했을 때, 점탄성이란 무엇일까? 점탄성을 이해하기 위해 점성을 가진 물체와 탄성을 가진 물체의 특징을 알아보자. 용수철에 힘을 가하여 잡아당기면 용수철은 즉각적으로 늘어나며 용수철에 가한 힘을 ㉠없애면 바로 원래의 형태로 되돌아가는데, 이는 <u>용수철</u>이 탄성을 가지고 있기 때문이다. 이와 같이 용수철은 힘과 변형의 관계가 즉각적으로 ㉡이루어지는 '즉각성'을 가지고 있다. 반면 꿀을 평평한 판 위에 올려놓으면 꿀은 중력에 의해 서서히 흐르는 변형을 하게 되는데, 이는 <u>꿀</u>이 흐름에 저항하는 성질인 점성을 가지고 있기 때문이다. 즉 꿀은 힘과 변형의 관계가 시간에 따라 변하는 '시간 지연성'을 가지고 있다.
<small>즉각성의 개념, 탄성체의 특징 / 점성체의 특징 / 시간 지연성의 개념 / 1문단: 점성과 탄성을 가진 물체의 특징</small>

2 어떤 물체가 힘과 변형의 관계에서 탄성체가 가지고 있는 '즉각성'과 점성체가 가지고 있는 '시간 지연성'을 모두 가지고 있을 때 <u>점탄성</u>을 가지고 있다고 하고, 그 물체를 점탄성체라 한다. 이러한 점탄성을 잘 보여 주는 물리적 현상으로 응력 완화와 크리프를 들 수 있다. <u>응력 완화</u>는 변형된 상태가 고정되어 있을 때, 물체가 받는 힘인 응력이 시간에 따라 감소하는 현상이다. 그리고 <u>크리프</u>는 응력이 고정되어 있을 때 변형이 서서히 증가하는 현상이다.
<small>점탄성: 즉각성+시간 지연성 / 점탄성을 가지고 있는 물체 / ① 응력 완화 ② 크리프 / 응력 완화의 개념 / 크리프의 개념 / 2문단: 점탄성과 점탄성체의 개념 및 점탄성을 잘 보여 주는 물리적 현상</small>

3 응력 완화를 이해하기 위해 고무줄에 힘을 ㉢주어 특정 길이만큼 당긴 후 이 길이를 유지하는 경우를 생각해 보자. 외부에서 힘을 주면 고무줄은 즉각적으로 늘어나게 된다. 힘과 변형의 관계가 탄성의 특성인 '즉각성'을 보여 주는 것이다. 그런데 이때 늘어난 고무줄의 길이를 그대로 고정해 놓으면, 시간이 지남에 따라 겉보기에는 아무 변화가 없지만 고무줄의 분자들의 배열 구조가 점차 변하며 <u>응력이 서서히 감소하게 된다.</u> 이는 점성의 특성인 '시간 지연성'을 보여 주는 것이다. 이처럼 점탄성체의 변형이 그대로 유지될 때, 응력이 시간에 따라 서서히 감소하는 현상이 응력 완화이다. 한편 점성이 없고 탄성만 있는 물체의 경우, 변형을 준 후 그 변형을 유지하면 그 물체는 일정한 응력을 계속 나타내게 된다.
<small>변형된 상태가 고정되어 있는 경우 / 3문단: 점탄성을 보여 주는 물리적 현상 ① 응력 완화</small>

4 이제는 고무줄에 추를 매달아 고무줄이 일정한 응력을 받도록 하는 경우를 살펴보자. 고무줄은 순간적으로 일정 길이만큼 늘어난다. 이는 탄성체가 가지고 있는 특성을 보여 준다. 그러나 이후에는 시간이 지남에 따라 점성체와 같이 분자들의 위치가 점차 ㉣변하며 고무줄이 서서히 늘어나게 되는데, 이러한 현상이 크리프이다. 오랜 세월이 지나면 유리창 유리의 아랫부분이 두꺼워지는 것도 이와 같은 현상이다.
<small>즉각성 / 시간 지연성 / 유리의 분자가 점차 아래로 이동하기 때문 / 4문단: 점탄성을 보여 주는 물리적 현상 ② 크리프</small>

5 점탄성체의 변형에 걸리는 시간이 물질마다 다른 것은 분자나 원자 간의 결합 및 배열된 구조가 서로 다르기 때문이다. 나일론과 같은 물질의 응력 완화와 크리프는 상온(常溫)에서
<small>점탄성체의 변형에 걸리는 시간이 물질마다 다른 이유</small>

지문 구조도

화제 제시: 점탄성체의 특성(1, 2문단)

- 용수철: 탄성, 힘과 변형의 관계가 즉각적으로 이루어지는 즉각성을 가짐.
- 꿀: 점성, 힘과 변형의 관계가 시간에 따라 변하는 시간 지연성을 가짐.
- 점탄성: 어떤 물체가 힘과 변형의 관계에서 탄성체가 가지는 '즉각성'과 점성체가 가지고 있는 '시간 지연성'을 모두 가지는 것.

▼

구체화1: 점탄성체의 물리적 특성을 보여 주는 현상 (3~5문단)

- 응력 완화: 물체의 변형된 상태가 고정되어 있을 때, 응력이 시간에 따라 감소하는 현상
- 크리프: 물체에 가해지는 응력이 고정되어 있을 때, 물체의 변형이 서서히 증가하는 현상

▼

구체화2: 점탄성 댐퍼 기술(6, 7문단)

- 건물의 진동 형태에 따라 점탄성 물체를 건물에 설치하여 건물의 진동을 줄이기 위해 점탄성 댐퍼를 설치함.
- 물체 내부 양쪽에 크기가 같고 방향이 반대인 두 힘이 가해져 물체 내부에서 어긋남이 생기는 변형이 발생할 때 점탄성 재료가 에너지를 소산되게 함.

선생님의 Tip

"응력"

응력은 외부의 힘이 재료에 작용할 때 그 내부에 생기는 저항력을 말함. 변형력이라고도 하고 내력(內力)이라고도 함.

응력은 외부의 힘이 증가함에 따라 증가하지만 한계가 있어서 응력이 그 재료 고유의 한도에 도달하면 외부의 힘에 저항할 수 없게 되어 그 재료는 마침내 파괴됨.

응력의 한도가 큰 재료일수록 강한 재료라고 할 수 있으며, 또 외부의 힘에 의해 생기는 응력이 그 재료의 한도 응력보다 작을수록 안전하다고 할 수 있음.

출제 의도 점성탄성의 특성을 이해하고 구체적인 사례 및 이를 활용한 기술을 이해할 수 있는지를 평가하기 위한 지문이다. 점탄성을 보여주는 물리적 현상인 응력 완화와 크리프의 특징을 사례를 통해 이해하고, 이러한 특징을 활용한 점탄성 댐퍼의 기술적 특성을 파악할 수 있는지 등을 평가하는 문제가 출제되었다.

주제 점탄성체의 물리적 특성과 이를 활용한 점탄성 댐퍼 기술의 특성

도 인지할 수 있지만, 금속의 경우 너무 느리게 일어나므로 상온에서는 관찰이 어렵다. 온도를 높이면 물질의 유동성*이 증가하기 때문에, 나일론의 경우 온도를 높임에 따라 응력 완화와 크리프가 가속화*되며, 금속도 고온에서는 응력 완화와 크리프를 인지할 수 있다. 모든 물체는 본질적으로는 점탄성체이며 물체의 점탄성 현상이 우리가 인지할 정도로 빠르게 일어나는가 아닌가의 차이가 있을 뿐이다.

5문단: 점탄성체의 변형 시간의 차이

6 점탄성체는 지진이나 건물이 바람에 부딪힐 때 발생하는 건물의 진동을 낮추기 위해 설치하는 댐퍼에도 사용된다. 점탄성 댐퍼는 건물의 진동 형태에 따라 건물에 힘을 보탤 수 있는 구조로 점탄성 물체를 설치함으로써 건물의 감쇄* 능력을 향상시켜 진동을 줄이는 방법이 활용된 것이다. 즉 점탄성 물체를 활용하여 건물이 받는 힘인 응력은 서서히 감소하게

점탄성 댐퍼의 개념

하고, 건물의 진동으로 인한 변형은 서서히 이루어지게 하는 것이다. 바람에 부딪히면서 발생하는 미진동이나 지진이 발생했을 때 발생하는 건물의 진동을 흡수하기 위해 사용되는 점탄성 댐퍼는 물체 내부 양쪽에 크기가 같고 방향이 반대인 두 힘이 가해져 물체 내부에서 어긋남이 생기는 변형이 발생할 때 그것을 소산*되게 하는 메커니즘을 갖고 있다. 일반적

점탄성 댐퍼가 건물의 진동을 흡수하는 원리

으로 점탄성 댐퍼는 버팀대인 스틸판과 점탄성 소재를 층층이 쌓은 형태로 구성되며, 구조물에 적용할 때에는 〈그림〉처럼 건물에 힘을 ㉠보태는 형태로 설치된다. 구조물의 진동 때문에 점탄성 댐퍼의 중앙판과 접속 부분 사이에 변형이 발생하면 물체 내부에서 어긋남이 생기고 에너지를 소산하게 된다.

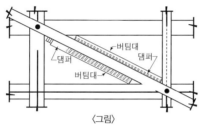

버팀대
댐퍼
버팀대

〈그림〉

6문단: 점탄성 댐퍼의 개념 및 특성

7 점탄성 댐퍼에 사용되는 재료로는 에너지 소산 능력*이 있는 실리콘 합성 재료 또는 천연 및 합성고무가 널리 이용되고 있다. 그러나 기존의 방진고무*로 사용되는 천연고무 및 합성고무 등은 산업기계의 방진이나 흡진 효과를 위해 많이 쓰이지만 에너지 소산 능력에 한계가 있어 고층 건물의 진동 응답을 줄이기 위해서 에너지 소산 능력이 뛰어난 재료의 개발

천연고무 및 합성고무의 단점

필요성이 대두되었다. 해외에서는 진동에 대한 감쇄 효과가 탁월하고 장시간의 진동뿐만 아니라 순간적인 큰 변형에도 에너지 흡수 능력이 뛰어난 물질이 개발되었으며, 고층 건물

점탄성 댐퍼에 사용되는 재료의 개발 현황

의 진동을 줄이기 위하여 건물마다 1만 개 이상의 점탄성 댐퍼를 사용하기도 한다.

7문단: 점탄성 댐퍼에 사용되는 재료의 특성 및 개발 현황

* 감쇄: 파동이나 입자가 물질을 통과할 때 일부가 흡수되거나 산란되면서 에너지 또는 입자의 수가 감소하는 현상.

지문 해제

이 글은 점탄성체가 보여 주는 물리적인 현상을 설명하고 있다. 용수철은 탄성을 갖고 있는데, 여기에서 탄성이란 물체에 힘을 가했을 때 변형은 되지만 힘을 없애면 바로 원래의 형태로 되돌아가는 성질이다. 탄성을 가진 물체는 힘과 변형의 관계에서 '즉각성'을 가진다. 꿀은 점성을 갖고 있는데, 여기에서 점성이란 물체에 힘을 가했을 때 서서히 변형되는 성질이다. 점성을 가진 물체는 힘과 변형의 관계에서 '시간 지연성'을 가진다. 이 두 성질을 모두 가지고 있는 물체를 점탄성체라고 한다. 점탄성체의 현상을 잘 보여 주는 물리적 현상으로는 변형된 상태가 고정되어 있을 때 물체가 받는 힘인 응력이 시간에 따라 감소하는 '응력 완화'와 응력이 고정되어 있을 때 변형이 서서히 증가하는 '크리프'가 있다. 모든 물체는 본질적으로 점탄성체이며 물체의 분자나 원자 간의 결합 및 배열된 구조에 따라 변형에 걸리는 시간이 다르기 때문에 점탄성체의 변형에 걸리는 시간도 물질마다 다르게 나타난다. 점탄성체는 지진이나 바람 때문에 발생하는 건물의 진동을 낮추기 위해 설치하는 댐퍼에도 사용된다. 점탄성 댐퍼는 건물에 점탄성 물체를 설치하여 건물이 받는 힘인 응력은 서서히 감소하게 하고, 건물의 진동으로 인한 변형은 서서히 이루어지게 한다. 현재 점탄성 댐퍼에 사용되는 재료로 감쇄 효과가 뛰어나고 에너지 흡수 능력이 뛰어난 물질들이 개발되고 있다.

구절 풀이

○ 온도를 높이면 분자나 원자 간의 결합 등이 활발해져 금속도 고온에서는 응력 완화와 크리프를 인지할 수 있음.

○ 댐퍼를 설치하는 이유: 탄성체를 이용하여 건물에 발생하는 건물의 진동을 낮추기 위해서

어휘 풀이

* 유동성: 액체와 같이 흘러 움직이는 성질.
* 가속화: 속도를 더하게 됨. 또는 그렇게 함.
* 소산: 흩어져 사라짐.
* 에너지 소산 능력: 에너지를 분산시켜 줄어들게 하는 능력.
* 방진고무: 진동을 막기 위해 고무로 만든 용수철.

선생님의 Tip

"점탄성(粘彈性)"

유체(流體, 기체와 액체를 아울러 이르는 말)가 형태를 바꾸려고 할 때에, 유체 내부에 마찰이 생기는 성질인 점성과 탄성 물체에 외부에서 힘을 가하면 부피와 모양이 바뀌었다가, 그 힘을 제거하면 본디의 모양으로 되돌아가려고 하는 성질인 탄성이 공존하는 성질을 말함. 대개 점탄성체들은 빠른 변형에서는 어긋나는 탄성을 나타내고, 느린 변형에서는 점성을 나타냄.

탄성은 고체의 역학적 성질이고 점성은 유체의 역학적 성질이지만 점탄성체는 고체와 액체의 쌍방의 성질을 나타냄. 점탄성체는 그 물체에 고유한 특성 시간을 가지고 있음. 예를 들어 전형적인 점탄성 현상의 하나인 응력 완화에 있어서 일정한 변형을 준 후 이것을 유지하는 데 필요한 응력은 시간의 경과에 따라 감소함. 이 응력의 감소 속도를 특징짓는 완화 시간이 짧으면 그 점탄성체는 고체적이라고 하고 길어지면 액체적이라고 함.

01 내용 전개 방식의 파악 | 정답 ① |

윗글에 대한 설명으로 가장 적절한 것은?

① 점탄성체의 물리적 특성에 기초하여 이를 활용한 기술의 원리 및 특징을 제시하고 있다.

② 점탄성체의 물리적 특성을 설명하면서 이를 활용한 기술의 원리와 전망을 탐색하고 있다.
　　　　즉각성, 시간 지연성

③ 점탄성체의 변형 시간의 차이를 검토하여 다양한 건축물에서 활용할 수 있는 기술적 방안을 제시하고 있다.

④ 점탄성체와 관련된 물리적 특성을 제시하고 에너지 소산 능력이 탁월한 점탄성체의 개발 과정을 소개하고 있다.

⑤ 점탄성체가 보여 주는 물리적 현상을 설명하고 이를 기술적으로 활용할 수 있는 다양한 방안을 제시하고 있다.

📁 발문 분석

글을 읽고 전개 방식을 파악할 수 있는지 묻고 있다. 지문에서 점탄성체와 관련된 여러 개념들과 그 특성을 어떻게 설명하고 있는지를 살펴보아야 한다.

◎ 정답 풀이

① 2문단에서 '어떤 물체가 힘과 변형의 관계에서 탄성체가 가지고 있는 '즉각성'과 점성체가 가지고 있는 '시간 지연성'을 모두 가지고 있을 때 점탄성을 가지고 있다고 하고, 그 물체를 점탄성체라 한다.'라고 하였다. 또 점탄성을 잘 보여 주는 물리적 현상으로 응력 완화와 크리프를 들며 3문단에서는 고무줄을 당긴 예를 들어 응력 완화의 원리와 특성을, 4문단에서는 고무줄에 추를 매달아 일정한 응력을 받도록 한 예를 들어 크리프의 원리와 특성을 설명하였다. 그리고 6문단과 7문단에서 점탄성 기술을 활용하여 건물의 진동을 줄이는 방법인 점탄성 댐퍼 기술의 특징을 설명하였다. 이를 고려하면 이 글은 점탄성체의 물리적 특성에 기초하여 이를 활용한 기술의 원리 및 특징을 제시하고 있다고 볼 수 있다.

✖ 오답 풀이

② 2문단과 3문단에서 점탄성체의 특징과 점탄성을 잘 보여 주는 물리적 현상인 응력 완화와 크리프를 제시하였다. 그리고 6문단과 7문단에서 이를 활용한 기술인 점탄성 댐퍼를 언급하면서 점탄성 재료가 에너지를 소산되게 하는 매커니즘을 설명하였다. 그러나 그 기술의 전망을 탐색하지는 않았다.

③ 5문단에서 '점탄성체의 변형에 걸리는 시간이 물질마다 다른 것은 분자나 원자 간의 결합 및 배열된 구조가 서로 다르기 때문'이라면서 점탄성체의 변형 원인에 대해 설명하고 있다. 그러나 이를 다양한 건축물에서 활용할 수 있는 기술적 방안을 제시하고 있지는 않다.

④ 2문단과 3문단에서 점탄성체의 특징과 점탄성을 잘 보여 주는 물리적 현상인 응력 완화와 크리프를 제시하였다. 그리고 7문단에서 '고층 건물의 진동 응답을 줄이기 위해서 에너지 소산 능력이 뛰어난 재료의 개발 필요성이 대두'되었고, 이에 따라 해외에서는 '에너지 흡수 능력이 뛰어난 물질이 개발되었'다고 하였다. 그러나 점탄성체의 개발 과정을 소개하고 있지는 않다.

⑤ 2문단과 3문단에서 점탄성체의 특징과 점탄성을 잘 보여 주는 물리적 현상인 응력 완화와 크리프를 제시하였다. 그리고 6문단과 7문단에서 이를 활용한 기술로 점탄성 댐퍼를 언급하면서 점탄성 재료가 에너지를 소산되게 하는 매커니즘을 설명하였다. 그러나 이를 기술적으로 활용할 수 있는 방안을 제시하고 있지는 않다.

🍯 선생님의 꿀 정보

영역별로 달라지는 글의 내용 전개 방식

지문을 읽을 때에는 내용 전개 방식을 파악하며 읽어야 하는데, 해당 지문이 어떤 영역에 속하는지에 따라 읽는 방식에 약간의 차이가 있다.

이 차이를 파악해 두면 제재별 특징을 염두에 두고 예측하며 지문을 읽을 수 있어 문제를 접할 때 덜 부담을 느끼게 되고, 더 나아가 문제 풀이 시간을 줄이는 데에도 도움이 된다.

인문·사회·예술		과학·기술
• 개념이나 학자별 견해를 다각도로 제시함. • 항목별로 세분화하여 내용을 설명함.	주된 내용 전개 방식	과학 원리나 이론을 순서에 따라 제시함.
• 내용 확인 문제 • 개념 등을 다른 사례에 적용하는 문제	반드시 출제되는 문제	• 그래프 등에 과학 이론을 적용하는 문제 • 원리나 이론을 적용한 결과를 추론하는 문제

---

02 세부 정보의 이해 | 정답 ④ |

윗글을 이해한 내용으로 가장 적절한 것은?

① 용수철의 힘과 변형의 관계가 '즉각성'을 갖는 것은 점성 때문이다.

② 같은 온도에서는 물질의 종류와 무관하게 물질의 유동성 정도는 같다.

③ 물체가 서서히 변형될 때에는 물체를 이루는 분자의 위치에 변화가 없다.

④ 유리창에 유리 아랫부분이 두꺼워지는 것은 '시간 지연성'과 관련이 있다.

⑤ 판 위의 꿀이 흐르는 동안 중력에 대응하여 꿀의 응력은 서서히 증가한다.

📁 발문 분석

지문의 세부 내용을 정확히 이해했는지를 묻고 있다. 지문에 언급된 '즉각성'과 '시간 지연성', '응력 완화', '크리프'에 대한 내용을 꼼꼼히 확인한 후 선택지의 내용과 1:1로 비교하며 적절성을 판단해야 한다.

◎ 정답 풀이

④ 1문단에서 힘과 변형의 관계가 시간에 따라 변하는 것을 '시간 지연성'이라고 하였다. 또 4문단에서 '고무줄에 추를 매달아 고무줄이 일정한 응력을 받도록 하는 경우', '시간이 지남에 따라 점성체와 같이 분자들의 위치가 점차 변하며 고무줄이 서서히 늘어나게 되는데 이러한 현상을 크리프'라고 하였다. 그리고 '오랜 세월이 지나면 유리창 유리의 아랫부분이 두꺼워지는 것도 이와 같은 현상'이라고 하였다. 이를 고려하면 유리의 아랫부분이 두꺼워지는 것은 시간에 따라 유리창이 서서히 변형되는 것이므로 '시간 지연성'과 관련이 있다고 할 수 있다.

✖ 오답 풀이

① 1문단에서 '용수철에 힘을 가하여 잡아당기면 용수철은 즉각적으로

늘어나며 용수철에 가한 힘을 없애면 바로 원래의 형태로 되돌아가는데, 이는 용수철이 탄성을 가지고 있기 때문'이며, '용수철은 힘과 변형의 관계가 즉각적으로 이루어지는 즉각성을 가지고 있다.'라고 하였다. 따라서 용수철의 힘과 변형의 관계가 '즉각성'을 갖는 것은 탄성 때문이라고 할 수 있다.

② 5문단에서 점탄성체의 변형에 걸리는 시간이 물질마다 다르다고 하였다. 또 '나일론과 같은 물질의 응력 완화와 크리프는 상온에서도 인지할 수 있지만, 금속의 경우 너무 느리게 일어나므로 상온에서는 관찰이 어렵다.'라고 하였다. 따라서 같은 온도에서도 물질의 유동성 정도는 다르다고 할 수 있다.

③ 4문단에서 '고무줄에 추를 매달아 고무줄이 일정한 응력을 받도록 하는 경우'에는 '시간이 지남에 따라 점성체와 같이 분자들의 위치가 점차 변하며 고무줄이 서서히 늘어나게' 된다고 하였다. 따라서 물체가 서서히 변형될 때에도 물체를 이루는 분자의 위치는 변화한다고 할 수 있다.

⑤ 1문단에서 '꿀을 평평한 판 위에 올려 놓으면 꿀은 중력에 의해 서서히 흐르는 변형을 하게 되는데, 이는 꿀이 흐름에 저항하는 성질인 점성을 가지고 있기 때문'이라고 하였다. 이를 고려하면 판 위의 꿀이 흐르는 동안 중력은 고정되어 있는 것이 아니라 꿀에 일정하게 작용한다고 볼 수 있다. 따라서 꿀이 받는 힘, 즉 꿀의 응력은 중력에 대응하여 서서히 증가하는 것이 아니라 일정하게 작용한다고 할 수 있다.

👑 고난도
03 자료 해석의 적절성 판단 | 정답 ② |

윗글을 바탕으로 [보기]의 [A]와 [B]를 이해한 내용으로 적절하지 <u>않은</u> 것은?

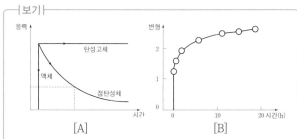

─보기─

※ [A]는 순간적으로 준 변형을 일정하게 유지하는 상태이고, [B]는 외부로부터 작용하는 힘이 일정하게 고정되어 있는 상태이다.

① [A]는 시간이 변함에 따라 물체의 분자들의 배열 구조가 변화하여 나타나는 현상이다.
　　　물체의 분자들의 배열 구조 변화 → 응력 감소

② [A]는 가해진 힘에 대해 물체의 변형이 즉각적으로 이루어지는 성질로 인해 일어난다.
　　　　　탄성의 성질인 '즉각성'

③ [B]는 콘크리트 벽에 생긴 균열이 시간의 경과에 따라 커지게 되는 이유를 설명해 준다.
　　　　　크리프 현상

④ [B]는 외부 힘을 가하였을 때 그 응답이 순간적으로 완료되지 않고 시간이 걸림을 보여 준다.
　　　　　　　시간 지연성

⑤ [A]와 [B]는 분자나 원자 간의 결합 및 배열 구조, 온도에 따라 그 변형 속도가 달라진다.
　　　점탄성체의 변형에 걸리는 시간이 물질마다 다른 이유

📖 발문 분석
점탄성체와 관련된 주요 개념을 이해하고 이를 그래프에 적용하여 해석할 수 있는지 묻고 있다. [보기]의 그래프가 점탄성체의 어떠한 특성을 나타내고 있는지를 파악한 후, 그래프가 의미하는 바를 도출해야 한다.

✔️ 보기 분석
[A]는 x축에는 시간이, y축에는 응력이라고 표기되어 있다. 2문단에서 '응력 완화는 변형된 상태가 고정되어 있을 때, 물체가 받는 힘인 응력이 시간에 따라 감소하는 현상'이라고 하였다. 또 3문단에서 '점탄성체의 변형이 그대로 유지될 때 응력이 시간에 따라 서서히 감소하는 현상'이 응력 완화라고 하였다. 이를 고려하면 [A]는 시간에 따라 응력이 점차 감소하는 현상을 나타내고 있으므로, [A]는 어떤 물체의 응력 완화를 나타낸 그래프라고 볼 수 있다.
[보기] 중 [B]의 x축에는 시간이, y축에는 변형이라고 표기되어 있다. 1문단에서 꿀은 '힘과 변형의 관계가 시간에 따라 변하는 시간 지연성을 가지고 있다.'라고 하였다. 또 2문단에서 크리프란 '응력이 고정되어 있을 때 변형이 서서히 증가하는 현상'이라고 하였다. 이를 고려하면 [B]는 시간에 따라 변형이 이루어지고 있는 것을 나타내고 있으므로, [B]는 어떤 물체의 크리프를 나타낸 그래프라고 볼 수 있다.

⭕ 정답 풀이
② 3문단에서 응력 완화를 '점탄성체의 변형이 그대로 유지될 때, 응력이 시간에 따라 서서히 감소하는 현상'이라고 하였다. 이를 고려하면 [A]는 물체에 주어진 힘인 응력이 시간에 따라 서서히 감소하는, 점탄성체의 시간 지연성 때문에 발생하는 응력 완화를 보여주는 그래프라고 볼 수 있다. 1문단에서 '용수철에 힘을 가하여 잡아당기면 용수철은 즉각적으로 늘어나며 용수철에 가한 힘을 없애면 바로 원래의 형태로 되돌아가는데, 이는 용수철이 탄성을 가지고 있기 때문'이라고 하였다. 그리고 3문단에서 가해진 힘에 대해 물체의 변형이 즉각적으로 이루어지는 성질은 탄성의 특성인 '즉각성'을 보여 주는 것이라고 하였다. 따라서 응력 완화 현상을 나타낸 [A]가 즉각성이라는 특성으로 인해 일어난다고 이해하는 것은 적절하지 않다.

❌ 오답 풀이
① [A]는 시간이 지남에 따라 응력이 서서히 감소하는 것을 보여 준다. 3문단에서 '고무줄에 힘을 주어 특정 길이만큼 당긴 후 이 길이를 유지하는 경우' 시간의 흐름에 따라 '겉보기에는 아무 변화가 없지만 고무줄의 분자들의 배열 구조가 점차 변하며 응력이 서서히 감소하게 된다.'라고 하였다. 이를 고려하면 [A]를 시간이 변함에 따라 물체의 분자들의 배열 구조가 변화하여 나타나는 현상이라고 이해하는 것은 적절하다.

③ [B]는 시간이 지남에 따라 물체의 변형이 서서히 이루어짐을 보여 준다. 2문단에서 '크리프는 응력이 고정되어 있을 때 변형이 서서히 증가하는 현상'이라고 하였다. 그리고 콘크리트 벽에 균열이 생겼다는 것은 일정한 힘이 콘크리트 벽에 작용했음을 의미하고, 콘크리트 벽의 균열이 시간이 지날수록 서서히 커진다는 것은 이러한 힘이 사라지지 않고 계속 존재한다는 것을 의미한다. 이를 고려하면 크리프를 보여 주는 [B]는 콘크리트 벽에 생긴 균열이 시간이 지남에 따라 커지게 되는 이유를 설명해 준다고 이해하는 것은 적절하다.

④ 4문단에서 '고무줄에 추를 매달아 고무줄이 일정한 응력을 받도록 하는 경우'를 예로 들어 '시간이 지남에 따라 점성체와 같이 분자들의 위치가 점차 변하며 고무줄이 서서히 늘어나게 되는데, 이러한 현상이 크리프'라고 하였다. 따라서 크리프 현상을 나타내는 [B]가

외부 힘을 가하였을 때, 응답이 순간적으로 완료되지 않고 시간이 걸리는 '시간 지연성'의 특성을 보여 준다고 이해하는 것은 적절하다.

⑤ 5문단에서 '점탄성체의 변형에 걸리는 시간이 물질마다 다른 것은 분자나 원자 간의 결합 및 배열된 구조가 서로 다르기 때문'이라고 하였다. 또 '온도를 높이면 물질의 유동성이 증가하기 때문에, 나일론의 경우 온도를 높임에 따라 응력 완화와 크리프가 가속화되며, 금속도 고온에서는 응력 완화와 크리프를 인지할 수 있다.'라고 하였다. 따라서 응력 완화 현상과 크리프 현상, 즉 [A]와 [B]는 분자나 원자 간의 결합 및 배열 구조, 그리고 온도에 따라 그 변형 속도가 달라진다고 이해하는 것은 적절하다.

능력이 뛰어난 재료의 개발 필요성이 대두'되었기 때문에 '해외에서는 진동에 대한 감쇠 효과가 탁월하고 장시간의 진동뿐만 아니라 순간적인 큰 변형에도 에너지 흡수 능력이 뛰어난 물질이 개발'되었다고 하였다. 따라서 순간적인 큰 변형에도 에너지 흡수 능력이 뛰어난 물질이 댐퍼, 특히 고층 건물의 진동을 줄이기 위한 댐퍼의 재료로 적합하다고 볼 수 있다.

⑤ 6문단에서 '점탄성 댐퍼는 버팀대인 스틸판과 점탄성 소재를 층층이 쌓은 형태로 구성'되며, '건물에 힘을 보태는 형태로 설치'한다고 하였다.

04 핵심 정보의 이해 | 정답 ③ |

점탄성 댐퍼에 대한 설명으로 적절하지 <u>않은</u> 것은?

① 건물의 감쇠 능력을 향상시켜 건물의 진동을 줄이기 위한 장치이다.
　　　　　　　　　　　　　　　댐퍼의 개념

② 물체 내부에서 어긋남이 생기는 변형이 발생할 때 에너지를 소산되게 한다.
　　　점탄성 댐퍼의 매커니즘

③ 고층 건물의 진동~~응답~~을 줄이기 위해서 천연고무 및 합성고무만 사용된다.

④ 순간적인 큰 변형에도 에너지 흡수 능력이 뛰어난 물질이 댐퍼의 재료로 적합하다.

⑤ 건물의 진동 형태에 따라 건물에 힘을 보탤 수 있는 구조로 점탄성 물체를 설치한다.

📁 **발문 분석**

글에 제시된 핵심 개념과 그 세부 내용을 정확히 파악할 수 있는지를 묻고 있다. '점탄성 댐퍼'가 무엇인지, 그 구조와 원리는 어떻게 되는지를 파악한 후 선택지와 1:1로 비교하여 그 적절성을 판단해야 한다.

⭕ **정답 풀이**

③ 7문단에서 '점탄성 댐퍼에 사용되는 재료로는 에너지 소산 능력이 있는 실리콘 합성 재료 또는 천연 및 합성고무가 널리 이용'되지만 '에너지 소산 능력에 한계가 있어 고층 건물의 진동 응답을 줄이기 위해서 에너지 소산 능력이 뛰어난 재료의 개발 필요성이 대두되었다.'라고 하였다. 이를 고려하면 천연고무 및 합성고무만 고층 건물의 진동 응답을 줄이기 위해 사용된다고 보기는 어렵다.

❌ **오답 풀이**

① 6문단에서 댐퍼는 '지진이나 건물이 바람에 부딪힐 때 발생하는 진동을 낮추기 위해 설치'하며 '점탄성 댐퍼는 건물의 진동 형태에 따라 건물에 힘을 보탤 수 있는 구조로 점탄성 물체를 설치함으로써 건물의 감쇠 능력을 향상시켜 진동을 줄이는 방법이 활용된 것'이라고 하였다.

② 6문단에서 점탄성 댐퍼는 '스틸판과 점탄성 소재를 층층이 쌓은 형태로 구성되며', 건물에 힘을 보태는 형태로 설치되는데 '구조물의 진동 때문에 점탄성 댐퍼의 중앙판과 접속 부분 사이에 변형이 발생하면 물체 내부에서 어긋남이 생기고 에너지를 소산하게 된다.'라고 하였다.

④ 7문단에서 '고층 건물의 진동 응답을 줄이기 위해서 에너지 소산

👑 고난도

05 구체적 상황에 적용 | 정답 ③ |

윗글을 바탕으로 [보기]의 (가), (나)에 대해 탐구한 내용으로 적절하지 <u>않은</u> 것은?

┌─ 보기 ─

(가) 나일론 재질의 기타 줄을 길이가 늘어나게 당긴 후 고정하여 음을 맞추고 바로 풀어 보니 원래의 길이로 돌아갔다. 이번에는 기타 줄을 길이가 늘어나게 당긴 후 고정하여 음을 맞추고 오랫동안 방치해 놓으니, 매여 있는 기타 줄의 길이는 그대로였지만 팽팽한 정도가 감소하여 음이 맞지 않았다.
　　　　　　　　　탄성
　　　　　변형된 상태로 고정
　　　　시간 경과
　　　응력 완화

(나) 무거운 책을 선반에 올려놓으니 선반이 즉각적으로 아래로 휘어졌다. 이 상태에서 선반이 서서히 휘어져 몇 달이 지난 후 살펴보니 선반의 휘어짐 정도가 처음보다 더 심해져 있었다. 다른 조건이 모두 같을 때 선반이 서서히 휘는 속력은 따뜻한 여름과 추운 겨울에 따라 차이가 있었다.
　선반이 받는 응력　즉각성
　　　　시간 경과　　크리프
　　온도에 따른 변형 속도의 차이

① (가)에서 기타 줄이 원래의 길이로 돌아간 것은 기타 줄이 탄성을 가지고 있기 때문이군.

② (가)에서 기타 줄의 팽팽한 정도가 달라진 것은 기타 줄에 응력 완화가 일어났기 때문이군.
　기타 줄이 받는 힘이 달라졌다는 의미

③ (가)에서 나일론 재질 대신 금속 재질의 기타 줄을 사용한다면 기타 줄의 팽팽한 정도가 더 빨리 감소하겠군.

④ (나)에서 선반이 책 무게 때문에 서서히 변형된 것은 선반이 크리프 현상을 보였기 때문이겠군.

⑤ (나)에서 여름과 겨울에 선반이 휘어지는 속력이 차이가 나는 것은 선반이 겨울보다 여름에 휘어지는 속력이 더 크기 때문이군.

📁 **발문 분석**

지문에 제시된 이론과 사례를 이해하고, 다른 사례에 적용할 수 있는지를 묻고 있다. 지문에 제시된 점탄성과 관련된 개념과 특성이 [보기]에 어떻게 적용될지를 생각해 보고, 선택지의 적절성을 따져보아야 한다.

✔️ **보기 분석**

(가)에서 기타 줄을 늘어나게 당긴 후 고정했을 때 기타 줄의 길이는 그대로였지

만 팽팽한 정도가 감소했다고 하였다. 이는 변형된 상태가 고정되어 있을 때 응력이 감소되는 응력 완화의 예라고 할 수 있다.

(나)에서 책의 무게는 일정하기 때문에 선반에 작용하는 응력은 고정되어 있다고 볼 수 있다. 고정되어 있는 응력 때문에 선반이 서서히 변형된 것은 크리프의 예라고 할 수 있다.

◎ 정답 풀이

③ (가)는 나일론 재질의 기타 줄을 늘어나게 당긴 후 고정했다가 오랫동안 방치해 놓았더니 기타 줄의 팽팽한 정도가 감소했다고 하였으므로, 응력 완화 현상이 일어난 것이라고 볼 수 있다. 5문단에서 '나일론과 같은 물질의 응력 완화와 크리프는 상온에서도 인지할 수 있지만, 금속의 경우 너무 느리게 일어나므로 상온에서는 관찰이 어렵다.'라고 하였다. 이를 고려하면 금속 재질의 기타 줄을 사용한다면 기타 줄의 팽팽한 정도는 나일론 재질의 기타 줄을 사용했을 때보다 더 느리게 감소할 것이라고 추측할 수 있다.

✖ 오답 풀이

① 1문단에서 '용수철에 힘을 가하여 잡아당기면 용수철은 즉각적으로 늘어나며 용수철에 가한 힘을 없애면 바로 원래의 형태로 되돌아가는' 이유를 '용수철이 탄성을 가지고 있기 때문'이라고 하였다. 그리고 이와 같이 '힘과 변형의 관계가 즉각적으로 이루어지는' 이유는 용수철이 '즉각성'을 갖고 있기 때문이라고 하였다. 이를 고려하면 기타 줄이 원래의 길이로 돌아가는 것은 탄성을 가지고 있기 때문이라고 볼 수 있다.

② 2문단에서 응력 완화는 '변형된 상태가 고정되어 있을 때 물체가 받는 힘인 응력이 시간에 따라 감소하는 현상'이라고 하였다. 기타 줄을 당겨서 고정시켜 놓았는데 시간의 흐름에 따라 기차 줄의 팽팽한 정도가 감소했다는 것은 기타 줄이 받는 힘인 응력이 감소했다는 것을 의미하므로, (가)는 응력 완화 현상이 일어난 것이라고 볼 수 있다.

④ 2문단에서 '변형된 상태가 고정되어 있을 때 물체가 받는 힘'을 응력이라고 하였다. 이를 고려하면 (나)에서 선반에 올려놓은 무거운 책은 그 무게가 고정되어 있으면서 선반이 받는 힘이므로 응력이라 할 수 있다. 또 2문단에서 '크리프는 응력이 고정되어 있을 때 변형이 서서히 증가하는 현상'이라고 하였으므로, (나)에서 선반이 서서히 변형된 것은 크리프 현상이 일어난 것이라고 볼 수 있다.

⑤ 5문단에서 '온도를 높이면 물질의 유동성이 증가'하여 '온도를 높임에 따라 응력 완화와 크리프가 가속화'된다고 하였다. 따라서 온도가 낮은 겨울보다는 온도가 높은 여름에 선반의 변형이 더 빨리 일어난다고 볼 수 있다.

🍯 선생님의 꿀 정보

05번 문제: 과학적 개념이나 원리 등을 구체적 상황에 적용하는 문제

과학적인 개념이나 원리 등이 지문으로 주어졌을 때, 문제 속 [보기]의 자료는 지문에서 설명한 개념이나 원리와 관련된 것이 제시된다. 따라서 지문의 개념을 파악한 후 그 개념에 근거하여 [보기]의 자료를 분석해야 한다. [보기]의 자료를 분석하는 방법은 다음과 같다.

① 지문 독해 과정

1단계: 지문에 언급된 개념과 원리를 정확하게 구분하여 이해한다.
2단계: 구분한 개념이 서로 어떻게 연결되어 있는지를 파악한다.

→ 크리프는 점탄성체에서 나타나는 현상임.
↓
점탄성은 시간 지연성이 특징임.
↓
시간 지연성은 점탄성체의 물리적 현상인 크리프에서 나타남.

② 문제 해결 과정

1단계: 지문을 읽으며 정리한 개념들을 [보기]의 사례에 적용한다.
2단계: 지문에서 언급된 사례와 비슷하거나 다른 점에 유의하여 [보기]를 분석한다.
3단계: 선택지의 진술이 적절한지를 지문의 내용과 [보기] 자료의 분석 내용을 바탕으로 판단한다.

---

06 어휘의 문맥적 의미 파악 | 정답 ⑤ |

문맥상 ㉠~㉤을 바꿔 쓰기에 가장 적절한 것은?

① ㉠: 상쇄(相殺)하면
   없애면
② ㉡: 결성(結成)되는
   이루어지는
③ ㉢: 투여(投與)하여
   주어
④ ㉣: 변모(變貌)하며
   변하며
⑤ ㉤: 보충(補充)하는
   보태는

📂 발문 분석

문맥을 고려하여 어휘의 의미를 이해하고, 이를 다른 어휘와 바꾸어 쓸 수 있는지를 묻고 있다. 각각의 어휘를 해당 문맥에 넣어 보고 자연스러운지 여부를 따져보아야 한다.

◎ 정답 풀이

⑤ ㉤'보태는'은 '모자라는 것을 더하여 채우다.'라는 의미이다. 따라서 '부족한 것을 보태어 채우다.'라는 의미의 어휘인 '보충(補充)하다'와 바꾸어 쓰는 것이 적절하다.

✖ 오답 풀이

① ㉠은 '어떤 일이나 현상이나 증상 따위가 생겨 나타나지 않은 상태를 의미하는 없다의 사동사.'를 의미한다. 그런데 '상쇄(相殺)하다'는 '상반되는 것에 서로 영향을 주어 효과가 없어지게 만들다.'라는 의미이므로 바꿔 쓰기에 적절하지 않다.

② ㉡은 '어떤 대상에 의하여 일정한 상태나 결과가 생기거나 만들어지다.'를 의미한다. 그런데 '결성(結成)되다'는 '조직이나 단체 따위가 짜여 만들어지다.'라는 의미이므로 바꿔 쓰기에 적절하지 않다.

③ ㉢은 '속력이나 힘 따위를 가하다.'를 의미한다. 그런데 '투여(投與)하다'는 '약 따위를 남에게 주다.'라는 의미이므로 바꿔 쓰기에 적절하지 않다.

④ ㉣은 '무엇이 다른 것이 되거나 혹은 다른 성질로 달라지다.'를 의미한다. 그런데 '변모(變貌)하다'는 '모양이나 모습이 달라지거나 바뀌다.'라는 의미이므로 바꿔 쓰기에 적절하지 않다.

어휘 풀이

* 고갈: 어떤 일의 바탕이 되는 돈이나 물자, 소재, 인력 따위가 다하여 없어짐.
* 무기물: 물, 모래, 석회, 소금, 철, 구리 등 탄소(C)를 포함하지 않은 양분으로, 가열해도 타지 않고 변화가 없음.
* 침강: 밑으로 가라앉음.
* 식물 플랑크톤: 식물군락 중 부유생활을 하는 식물. 대부분은 엽록소가 있는 조류이기 때문에 가장 중요한 생산자이며, 생태학적으로는 육수식물플랑크톤, 해양식물플랑크톤, 빙설플랑크톤, 토양미생물 등으로 구분함.
* 유기물: 탄소(C)를 포함하고 있는 물질로, 가열하면 연기를 발생시키면서 검게 탐. 탄수화물, 단백질, 지방, 비타민 등이 예임.

구절 풀이

무광층의 윗부분에는 유광층에서 미처 분해되지 않은 유기물의 일부가 가라앉게 되는데, 이는 무광층 상부의 미생물에 의해 분해됨. 따라서 수심이 깊어질수록 유기물의 양도 점차 줄어들고, 유기물의 양이 줄어듦에 따라 먹을 것이 줄어들게 된 미생물의 개체 수도 감소하게 됨.

선생님의 Tip

"영양 염류"

바닷물 속의 규소, 인, 질소 등의 염류를 총칭함. 식물 플랑크톤의 생산량을 좌우함. 바다의 연직 혼합이 잘 일어나는 극지방 심층수에 영양 염류가 많고, 그렇지 못한 표층수에는 영양 염류가 적음.

"미네랄"

인체 내에서 여러 가지 생리적 활동에 필요한 광물성 영양소. 무기염류 중 인체를 구성하는 원소인 칼슘(Ca)·인(P)·칼륨(K)·나트륨(Na)·염소(Cl)·마그네슘(Mg)·철(Fe)·아이오딘(I)·구리(Cu)·아연(Zn)·코발트(Co)·망가니즈(Mn) 등이 이에 해당함. 미량으로도 충분하지만 없어서는 안 되며, 이들 무기염류의 섭취가 부족하면 각종 결핍증을 유발함.

(가) 산업 혁명 이후 과학과 기술이 크게 발달하면서 인류는 물질적인 풍요는 ⊙구축(構築)하였지만, 식수, 식량, 에너지 자원의 심각한 부족과 환경오염 문제에 직면하게 되었다. 이 때문에 환경친화적이고 고갈*되지 않은 대체 자원에 대한 관심이 높아졌는데, 이중 가장 주목받고 있는 것이 바닷물, 즉 해수이다. 해수는 지구 표면의 70%를 차지하고 있으며, 해수의 93%는 해양 심층수가 차지하고 있다. 해양 심층수는 「태양광이 ⓛ도달(到達)하지 않는 대략 수심 200m 이상의 깊은 곳에 존재하며 연중 안정된 저온을 유지하고, 인류에게 유용한 염양 염류나 미네랄 등의 무기물*을 풍부하게 함유한 해수 자원이다.」: 해양 심층수의 정의

(가): 해양 심층수를 주목하는 이유와 해양 심층수의 개념

(나) 해수는 대략 수심 200m를 기준으로 그 위는 표층수, 그 아래는 해양 심층수로 구분할 수 있다. 해양 심층수는 북극과 남극의 빙하가 녹아 표층수와 혼합된 뒤, 높은 밀도 때문에 가라앉으면서 생성된 것으로, 표층수보다 온도가 10~20℃ 낮고, 높은 염분 농도 때문에 밀도가 높아 표층수와는 물과 기름처럼 잘 섞이지 않는다. 해양 심층수는 일정한 수심에서 침강*층을 구성하고, 해수가 가라앉으면서 생겨난 에너지를 원동력으로 삼아 오랜 시간에 걸쳐 지구를 순환한다. 또 해양 심층수는 20~40기압 이하의 수압에서 수 백 년에서 수 천 년동안 형성되었기 때문에 물분자가 작으며, 성질이 안정되었다. 게다가 심해층에서 흐르기 때문에 공기와 접촉이 없어 산화되지 않았고, 빛이 닿지 않아 광합성도 하지 않았기 때문에 본래 가지고 있던 영양염의 소모도 없었다. 그래서 표층수보다 몇 배에서 많게는 몇 백배 풍부한 질산염, 인산염, 규산염 등의 영양염과, 미네랄을 ⓒ함유(含有)하고 있다. 이러한 해양 심층수의 특성 때문에 해양 심층수가 어느 지역에서 용승*하게 되면 그 지역의 어장은 매우 풍부해지게 된다.

(나): 해양 심층수의 특성

(다) 일반적으로 수심 150~200m 이하로 내려가면 도달하는 태양광량이 수면에서보다 1% 이하로 줄어든다. 이렇게 빛이 도달하지 않는 바다 속 층을 '무광층'이라 하며, 전체 태양광 중 최소 1% 이상이 도달하는 바다 속 층을 유광층이라 한다. 유광층은 광합성을 하는 식물 플랑크톤*이 살 수 있는 경계층이다. 식물 플랑크톤이 없으면 이를 먹고 사는 미생물도 살 수 없어 먹이 사슬이 형성되지 않는다. 따라서 유광층은 유기물*의 생산이 분해보다 많이 일어나기 때문에 '생산층'이라 할 수 있고, 무광층은 유기물의 생산은 적고 유기물의 분해가 많이 일어나기 때문에 '분해층'이라 할 수 있다. 유광층 아래, 즉 무광층에는 유광층에서 미처 분해되지 않고 가라앉은 유기물을 먹고 사는 적은 수의 미생물만 존재하게 된다. 그런데 이마저도 수심이 깊어질수록 유기물의 양이 줄어들게 되고, 이로 인해 세균 같은 미생물들은 점차 감소하게 되며, 외부에서 오염 물질이 ⓔ유입(流入)되지도 않기 때문에 해양 심층수는 자연히 청정한 상태가 된다.

(다): 해양 심층수가 깨끗한 이유

지문 구조도

화제 제시: 해양 심층수(가)
자원의 부족과 환경오염 → 대체 자원으로 해양심층수를 주목함.

구체화 1: 해양 심층수의 특성(나, 다)	구체화 2: 해양 심층수의 활용(라~바)
해양 심층수의 특성: 표층수보다 10~20℃ 낮고, 밀도가 높음. 오랜 시간에 걸쳐 지구를 순환하며, 물분자가 작고, 성질이 안정됨. 영양염과 미네랄을 함유하고 있음. 해양 심층수가 깨끗한 이유: 무광층이므로 수심이 깊어질수록 유기물의 양이 줄고, 미생물이 감소하며, 외부 오염 물질도 유입되지 않음.	해양 심층수는 다양한 산업에 활용되지만, 염도가 높아서 탈염 과정을 거쳐야 함. → 깨끗하며, 무기염류 등을 다량으로 함유하고 있어 해양 심층수가 차세대 식수원으로 주목받고 있음.

출제 의도 해양 심층수의 개념과 장점을 이해하고, 해양 심층수를 활용하는 방안을 파악할 수 있는지를 평가하기 위한 지문이다. 해양 심층수와 관련된 다양한 정보를 파악하고 다른 대상과의 차이점을 분석해 낼 수 있는지, 탈염 기술의 원리와 과정을 정확히 이해하고 구체적인 사례에 적용할 수 있는지 등을 평가하는 문제가 출제되었다.

주제 해양 심층수의 특성과 활용 방법

(라) 해양 심층수는 자연의 물질 순환계에 따라 생성·순환되는 청정한 자원이며, 인류가 필요로 하는 물적·에너지를 가진 자원으로 무한한 잠재력을 내포하고 있다. 이러한 점 때문에 해양 심층수를 여러 가지 산업에 활용할 수 있는 방안이 ⓓ모색(摸索)되었다. 해양 심층수 그 자체를 수산, 에너지, 농업, 의료·미용 분야에 이용하는 방법, 해양 심층수를 농축*하여 발효식품이나 미용·건강 분야의 재료로 활용하는 방법, 또 염분을 제거하여 신개념의 생수, 식품의 원료, 피부병 치료약의 원료 등으로 사용하는 방법 등이 개발된 것이다. 최근에는 세계 각국의 수자원 상황이 급속하게 악화되면서 깨끗한 물, 건강에 좋은 물, 맛있는 물에 대한 관심과 중요성이 높아졌고, 생수 및 청량 음료수의 장기적·안정적 수원으로 해양 심층수를 이용하고자 하는 기대가 높아졌다. 이에 일본, 미국 등 선진국에서는 해양 심층수를 담수*로 만드는 비교적 간단한 제조 기술을 개발하는 등 해양 심층수를 활용하고자 하는 연구가 활발히 진행되고 있다. **(라): 해양 심층수 활용 방법 및 분야**

(마) 해양 심층수는 염도가 매우 높아 인간이 그냥 먹을 수는 없고 염도를 낮추는 과정인 탈염*과정을 거쳐야 한다. 이 과정에서 역삼투법이 사용된다. 「큰 통에 물은 통과시키지만 물에 용해되어 있는 이온이나 분자는 투과시키지 않는 반투막을 사이에 두고 양쪽에 담수와 해양 심층수를 각각 넣으면, 담수의 물 분자가 농도가 높은 해양 심층수 쪽으로 이동하는 삼투 작용이 일어난다. 이때 삼투압*보다 10~30배 높은 압력을 삼투압의 반대 방향에 가하면, 해양 심층수의 물 분자가 담수 쪽으로 이동해 물 속에 녹아 있는 각종 무기염류를 분리할 수 있다. 이렇게 추출한 무기염류는 물맛과 영양 염류를 더하기 위해 선택적으로 다시 첨가되고, 무기염류가 첨가된 물을 자외선 살균하면 우리가 마실 수 있는 물이 된다. **(마): 해양 심층수의 탈염 방법**

(바) 우리가 물을 마실 때, 그 물맛을 결정하는 것이 바로 경도이다. 경도란 물속에 포함된 칼슘염과 마그네슘염의 양을 표준물질의 중량으로 환산해서 표시한 것인데 우리나라에서는 보통 경도가 20도 이상일 경우에는 '센물', 10도 이하면 '단물'이라고 부른다. 일반적으로 물의 경도가 높으면 쌉쌀하거나 텁텁한 맛이 나고 경도가 낮으면 담백한 맛이 나며, 칼슘보다 마그네슘이 많으면 쓴맛이 조금 더 강해진다. 사람들이 먹었을 때 맛있다고 느끼는 경도 범위는 10~100도 정도이다. 일반적으로 해양 심층수는 경도가 높은데, 경도가 높은 물이 고혈압을 예방하고 항알레르기 작용 등을 한다는 연구 결과 때문에 경도가 높은 물을 식수로 사용하기도 한다. 이상에서 살펴본 것처럼 해양 심층수는 깨끗할 뿐만 아니라, 생명체의 신진대사에 중요한 무기염류를 다량으로 함유하고 있어 차세대 식수원으로 주목 받고 있다. **(바): 경도가 높은 해양 심층수**

* 용승: 해양에서 비교적 찬 해수가 아래에서 위로 표층 해수를 제치고 올라오는 현상.

구절 풀이

○ 해양 심층수는 한 장소에 가만히 있지 않고 해수 순환을 통해 지구 전체를 순환하게 되는데, 그 순환 속도가 매우 느려 지구를 한 바퀴 도는데 2000년 정도가 소요됨. 이렇게 순환되는 과정에서 유기물의 양이 줄어들고, 미생물이 감소하기 때문에 해양 심층수는 청정한 자원이라고 불림.

○ 양이 충분하고 깨끗하기 때문에 해양 심층수를 이용하고자 함.

어휘 풀이

* 농축: 액체를 진하게 또는 바짝 졸임.
* 담수: 민물
* 탈염: 바닷물, 원유 따위에 함유되어 있는 각종 염류를 제거하는 일.
* 삼투압: 삼투 현상이 일어날 때에 반투성의 막(膜)이 받는 압력. 용액의 농도 차이와 절대 온도에 비례하며, 순수 용매의 압력은 아무런 관계가 없음.

지문 해제

이 글은 해양 심층수의 개념과 해양 심층수가 주목받는 이유, 해양 심층수를 활용하는 방법 등을 설명하고 있다. 해양 심층수란 지구 표면의 70%를 차지하고 있는 해수 가운데 93%를 차지하는 것으로, 수심 200m 이상의 깊은 곳에 존재하면서 연중 안정된 저온을 유지하고, 인류에게 유용한 무기질을 풍부하게 포함한 해수를 가리킨다. 해양 심층수는 무광층이기 때문에 세균이나 미생물도 적고 깨끗하다는 장점이 있다. 각국의 수자원 상황이 악화되면서 청정하고 안정적인 해양 심층수를 활용하는 방안이 모색되었는데, 해양 심층수는 염도가 매우 높아 이용하려면 탈염 과정을 거쳐야 한다. 이때 역삼투법이 활용된다. 큰 통에 반투막을 사이에 두고 담수와 해양 심층수를 양쪽에 넣은 후 시간이 지나면 담수의 물 분자가 농도가 높은 해양 심층수 쪽으로 이동하게 된다. 이러한 삼투압 현상을 역으로 이용하는 역삼투법은 해양 심층수가 있는 곳에 기계적인 압력을 가하는 것으로, 이렇게 하면 해양 심층수의 무기염류만을 분리해낼 수 있다. 무기염류가 분리된 물에 필요한 성분의 무기염류를 첨가하고, 자외선으로 살균하면 우리가 먹을 수 있는 물이 된다. 해양 심층수는 깨끗할 뿐만 아니라, 인간에게 유용한 다양한 무기염류를 포함하고 있어서 크게 주목을 받고 있다.

선생님의 Tip

"센물과 단물"

경수라고도 불리는 센물은 칼슘 이온이나 마그네슘 이온 따위가 비교적 많이 들어 있는 천연수를 의미함. 일반적으로 경도 20도 이상의 것을 가리키는데, 칼슘 이온, 마그네슘 이온이 만드는 앙금 때문에 세탁에 이용할 수 없고, 음료, 표백, 염색 따위에도 적당하지 않음. 센물에는 끓이면 단물이 되는 일시 센물과 단물이 되지 않는 영구 센물이 있음.
한편 단물은 칼슘 및 마그네슘과 같은 미네랄 이온이 센물보다 적은 물을 의미함. 칼슘 이온, 마그네슘 이온이 만드는 앙금이 적어 생활 곳곳에 유용하게 사용됨.

01 개괄적 정보의 파악 | 정답 ③ |

윗글을 보고 답을 찾을 수 있는 질문이 <u>아닌</u> 것은?

① 해양 심층수는 <u>무엇인가</u>?
② 해양 심층수는 <u>어떻게 생성되는가</u>?
③ 해양 심층수의 수요는 어느 정도인가?
④ 해양 심층수가 <u>주목 받는 이유</u>는 무엇인가?
⑤ 해양 심층수는 주로 <u>어떤 분야에서 활용되는가</u>?

📁 발문 분석

지문의 세부 내용을 정확히 이해했는지를 묻고 있다. 지문에 언급된 해양 심층수에 대한 정보가 무엇이 있는지 꼼꼼히 확인한 후, 선택지의 가운데 언급되지 않은 내용은 무엇인지를 살펴보아야 한다.

◎ 정답 풀이

③ (라)에서 '세계 각국의 수자원 상황이 급속하게 악화되면서 깨끗한 물, 건강에 좋은 물, 맛있는 물에 대한 관심과 중요성이 높아졌고, 생수 및 청량 음료수의 장기적 · 안정적 수원으로 해양 심층수를 이용하고자 하는 기대가 높아져'서 해양 심층수를 '활용하고자 하는 연구가 활발히 진행'되었다고 하였다. 그러나 해양 심층수를 활용하고자 하는 구체적인 수요에 대해서는 언급하지 않았다.

✖ 오답 풀이

① (가)에서 해양 심층수란 '태양광이 도달하지 않는 대략 수심 200m 이상의 깊은 곳에 존재하며 연중 안정된 저온을 유지하고, 인류에게 유용한 영양 염류나 미네랄 등의 무기물을 풍부하게 함유한 해수 자원'이라고 하였다.
② (나)에서 '해양 심층수는 북극과 남극의 빙하가 녹아 표층수와 혼합된 뒤, 높은 밀도 때문에 가라앉으면서 생성된 것'이라고 하였다.
④ (가)에서 인류가 '식수, 식량, 에너지 자원의 심각한 부족과 환경오염 문제에 직면하게' 되었기 때문에 '환경친화적이고 고갈되지 않은 대체 자원에 대한 관심이 높아졌'고 그 중 '가장 주목 받고 있는 것이 바닷물, 즉 해수'라고 하였다. 또 (바)에서 '해양 심층수는 깨끗할 뿐만 아니라, 생명체의 신진대사에 중요한 무기염류를 다량으로 함유하고 있어 차세대 식수원으로 주목 받고 있다.'라고도 하였다. 그러므로 이와 같은 이유 때문에 해양 심층수가 주목 받고 있다고 볼 수 있다.
⑤ (라)에서 '해양 심층수 그 자체를 수산, 에너지, 농업, 의료 · 미용 분야에 이용하는 방법, 해양 심층수를 농축하여 발효 식품이나 미용 · 건강 분야의 재료로 활용하는 방법, 또 염분을 제거하여 신개념의 생수, 식품의 원료, 피부병 치료약의 원료 등으로 사용하는 방법' 등이 개발되었다고 하였다. 따라서 이와 같은 분야에서 해양 심층수를 활용할 수 있을 것이다.

02 핵심 정보의 파악 | 정답 ④ |

윗글을 바탕으로 [보기]의 ⊙, ⓒ을 이해한 것으로 가장 적절한 것은?

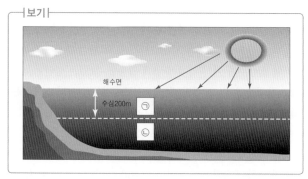

┤보기├

해수면
수심200m ⊙
ⓒ

① ⊙에는 ⓒ보다 영양염은 많고(적고) 미생물은 적다(많다).
② ⊙에서 생산된 유기물이 가라앉아 ⓒ에는 깊이가 깊어질수록 유기물의 양이 증가한다(감소한다).
③ ⓒ에서 ⊙으로 해류가 이동하는 경우는 존재하지(용승) 않는다.
④ ⓒ에서는 ⊙에서와 달리 먹이 사슬이 형성되지 않는다.
⑤ ⓒ에서는 ⊙에서보다 태양광이 많이 도달하여 광합성이 일어난다(일어나지 않는다).

📁 발문 분석

지문의 세부 내용을 정확히 이해하고 각 개념을 비교하여 이해할 수 있는지를 묻고 있다. '표층수'와 '해양 심층수'의 공통점과 차이점을 도출하여 선택지의 내용과 1:1로 비교하며 적절성을 판단해야 한다.

✔ 보기 분석

[보기]는 바닷물, 즉 해수를 의미하는 그림이다. (나)에서 '해수는 대략 수심 200m를 기준으로 그 위는 표층수, 그 아래는 해양 심층수로 구분할 수 있다.'라고 하였다. 이를 고려하면 [보기]에서 해수면에서 점선까지의 수심이 200m라고 하였으므로 200m보다 위인 ⊙은 표층수, 200m보다 아래인 ⓒ은 해양 심층수에 해당한다고 볼 수 있다.

◎ 정답 풀이

④ (나)에서 '해수는 대략 수심 200m를 기준으로 그 위는 표층수, 그 아래는 해양 심층수로 구분할 수 있다.'라고 하였다. 또 (다)에서 '도달하는 태양광량이 수면에서보다 1% 이하로 줄어'들어 '빛이 도달하지 않는 바다 속 층을 '무광층'이라 하며, 전체 태양광 중 최소 1% 이상이 도달하는 바다 속 층을 유광층이라 한다.'라고 하였다. 이를 모두 고려하면 ⊙은 표층수이자 유광층이고 ⓒ은 해양 심층수이자 무광층이라고 볼 수 있다.
(다)에서 '유광층은 광합성을 하는 식물 플랑크톤이 살 수 있는 경계층'이라면서 '식물 플랑크톤이 없으면 이를 먹고 사는 미생물도 살 수 없어 먹이 사슬이 형성되지 않는다.'라고 하였다. 이를 고려하면 유광층인 ⊙과 달리 무광층인 ⓒ에서는 식물 플랑크톤이 살 수 없고, 식물 플랑크톤이 없으므로 먹이 사슬이 형성되지 않는다고 이해하는 것은 적절하다.

✖ 오답 풀이

① (나)에서 해양 심층수는 '표층수보다 몇 배에서 많게는 몇 백배 풍부한 질산염, 인산염, 규산염 등의 영양염과, 미네랄을 함유하고 있다.'라고 하였다. 또 (다)에서 '수심이 깊어질수록 유기물의 양이 줄어들게 되고, 이로 인해 세균 같은 미생물들은 점차 감소'한다고 하였다. 이를 고려하면 ⓒ에서는 ⊙에서보다 영양염은 많고 미생물은 적다고 볼 수 있다.

② (다)에서 '유광층 아래, 즉 무광층에는 유광층에서 미처 분해되지 않고 가라앉은 유기물을 먹고 사는 적은 수의 미생물만 존재'하지만 '이마저도 수심이 깊어질수록 유기물의 양이 줄어'든다고 하였다. 이를 고려하면 ㉠에서 생산된 유기물이 가라앉아도 물의 깊이가 깊어질수록 ㉡에는 유기물의 양이 감소한다고 볼 수 있다.

③ (나)에서 '해양 심층수가 어느 지역에서 용승하게 되면 그 지역의 어장은 매우 풍부해지게 된다.'라고 하였다. 이를 고려하면 ㉡에서 ㉠으로 해류가 이동하는 경우도 존재한다고 볼 수 있다.

⑤ (다)에서 '수심 150~200m 이하로 내려가면 도달하는 태양광량이 수면에서보다 1% 이하로 줄어'든다고 하였으며, '전체 태양광 중 최소 1% 이상이 도달하는 바다 속 층을 유광층이라 한다. 유광층은 광합성을 하는 식물 플랑크톤이 살 수 있는 경계층이다.'라고 하였다. 따라서 광합성은 유광층에서만 일어난다고 추측할 수 있다. 이를 고려하면 ㉡에는 ㉠에서보다 태양광이 적게 도달하며, 광합성 또한 일어나지 않는다고 볼 수 있다.

🔺🔺🔺 03 구체적 사례에 적용 | 정답 ④ |

(마)를 참고하여 [보기]를 이해한 것으로 적절하지 <u>않은</u> 것은?

─ 보기 ─

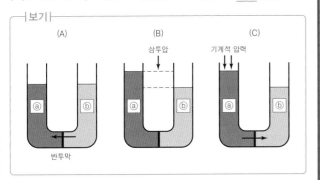

① (A)를 가만히 두었을 때 (B)처럼 수면의 높이가 변하였다면, 이것은 <u>두 용액의 농도차 때문</u>이겠군.

② (B)에서 ⓐ의 수면이 올라간 것을 보니 <u>ⓐ는 해양 심층수이</u>군.

③ (C)에서 역삼투압 작용이 일어나게 하면 ⓐ의 수면은 낮아지고 ⓑ의 수면은 높아지겠군.

④ (C)에서 ⓐ에 삼투압의 20배의 압력을 가하면 ⓐ에 있는 각종 무기염류가 ⓑ로 이동하겠군.
　반투막으로 인해 무기염류는 이동할 수 없음

⑤ (A)~(C) 과정을 거치고 난 뒤에 ⓑ를 식수로 사용하려면 다른 처리 과정이 필요하겠군.
　무기염류 첨가 및 살균과정이 필요

📁 발문 분석

해양 심층수를 탈염하는 원리와 그 과정을 이해할 수 있는지를 묻고 있다. (A)~(C)의 각 과정이 지문에 언급된 탈염 과정 중 어느 부분에 해당하는 것인지를 살핀 후, 선택지의 적절성을 판단해야 한다.

✔ 보기 분석

[보기]는 (마)에서 설명하고 있는 '탈염 과정'을 보여 주고 있다. (마)를 참고하면 (A)의 정 가운데에는 '반투막'이라고 표시되어 있고, ⓐ와 ⓑ의 색이 각각 다르므로 반투막을 경계로 좌우에 해양 심층수와 담수를 넣은 것이라고 짐작할 수 있다. (B)의 상단에는 삼투압이 진행되고 있다고 표기되어 있으므로 (나)는 담수의 물

분자가 농도가 높은 해양 심층수 쪽으로 이동하는 삼투 작용이 일어나는 것이라고 짐작할 수 있다. (C)의 왼쪽 상단에는 기계적 압력이라고 표기되어 있는데, 이는 삼투압보다 10~30배 높은 압력을 삼투압의 반대 방향으로 가하는 것인 '역삼투 현상'을 일으키는 것이라고 짐작할 수 있다.

🔵 정답 풀이

④ (마)에서 반투막은 '물은 통과시키지만 물에 용해되어 있는 이온이나 분자는 투과시키지 않는다'고 하였다. 따라서 반투막은 물만 이동시킬 뿐, 그 외의 무기염류 등은 투과시키지 않는다고 볼 수 있다. 이를 고려하면 (C)에서 ⓐ에 삼투압의 20배의 압력을 가한다고 하더라도 '반투막'의 이러한 특성 때문에 ⓐ에 있는 각종 무기염류는 ⓑ로 이동할 수 없다고 보아야 한다.

❌ 오답 풀이

① (마)에서 '반투막을 사이에 두고 양쪽에 담수와 해양 심층수를 각각 넣으면, 담수의 물 분자가 농도가 높은 해양 심층수 쪽으로 이동하는 삼투 작용이 일어난다.'라고 하였다. 따라서 (B)에서 수면의 높이가 변한 것은 삼투 작용이 일어난 것이고, 삼투 작용은 담수와 해양 심층수의 농도차 때문이라고 볼 수 있다.

② (마)에서 '반투막을 사이에 두고 양쪽에 담수와 해양 심층수를 각각 넣으면, 담수의 물 분자가 농도가 높은 해양 심층수 쪽으로 이동하는 삼투 작용이 일어난다.'라고 하였다. 담수에서 해양 심층수쪽으로 물 분자가 이동하므로 수면의 높이가 올라간 쪽, 즉 ⓐ가 해양 심층수라고 볼 수 있다.

③ (마)에서 삼투 작용이 일어났을 때 '삼투압보다 10~30배 높은 압력을 삼투압의 반대 방향에 가하'는 것이 역삼투법이라고 하였다. 이를 고려하면 '역삼투압'은 삼투압의 역으로 일어난 반응이므로 역삼투압이 일어났을 때의 수면 높이 역시 삼투 작용과 반대일 것이라고 추측할 수 있다. 따라서 (B)에서 ⓑ보다 ⓐ의 수면이 더 높았으므로, (C)에서 역삼투압 작용이 일어나게 되면 ⓐ보다 ⓑ의 수면이 더 높아지게 된다고 볼 수 있다.

⑤ (마)에서는 해양 심층수에 역삼투법을 활용하여 '추출한 무기염류는 물맛과 영양 염류를 더하기 위해 선택적으로 다시 첨가되고, 무기염류가 첨가된 물을 자외선 살균하면 우리가 마실 수 있는 물이 된다.'라고 하였다. 이를 고려하면 해양 심층수를 식수로 사용하기 위해서는 다른 처리 과정이 필요하다고 볼 수 있다.

02번 문제와 03번 문제: 그림에 기호가 주어진 문제

비문학(독서) 영역의 경우, 지문에서 설명한 내용을 그림 등의 자료로 제시하여 해석하게 하는 문제가 빈번하게 출제된다. 이때 지문에서 다룬 내용을 그대로 그림으로 제시하기보다는 02번 문제나 03번 문제에서처럼 ㉠과 ㉡, (A)와 (B) 등으로 표기하여 제시하는 경우가 많다.

• 02번 문제의 [보기]

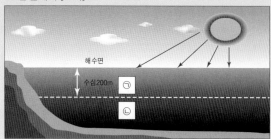

• 03번 문제의 [보기]

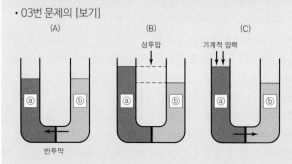

이러한 문제를 만났을 때에는 다음과 같은 순서에 따라 그림을 해석해야 한다.

① 그림이 의미하는 바를 파악하기

→ 02번 문제와 03번 문제에는 각각 그림이 제시되어 있지만 02번 문제의 그림은 (나)와 (다)에서 언급한 표층수와 해양 심층수와 관련된 것이고, 03번 문제의 그림은 (마)에서 언급한 해양 심층수의 탈염 과정에 관한 것이다. 각각의 그림이 무엇을 의미하는지를 파악하지 못하면 문제를 풀 수 없으므로, 그림이 의미하는 바를 파악하는 것이 무엇보다 중요하다.

② 각 기호가 의미하는 바를 파악하기

→ 각 문제의 선택지에는 보통 ㉠과 ㉡, (A)와 (B) 등에 관한 설명이 제시되어 있다. 따라서 각 기호가 무엇을 의미하는지 알지 못하면 선택지의 적절성을 판단할 수 없다.

③ 각 기호의 특성을 파악하고 선택지와 비교하기

→ ㉠과 ㉡, (A)와 (B) 등의 기호가 의미하는 바를 파악한 후에는 지문에서 관련 내용이 언급된 부분을 빠르게 찾아야 한다. 이때 ①, ②, ③, ④ 등의 기호를 활용하여 각 기호의 특성을 표시해 두면, 선택지의 내용과 1:1로 비교할 때 실수를 줄일 수 있다.

---

04 구체적 상황에 적용 | 정답 ③ |

윗글과 [보기]를 보고 보였을 반응으로 적절하지 않은 것은?

┌─ 보기

〈국내·외에서 판매 중인 생수 성분 비교〉

	경도	칼슘(Ca)	마그네슘 (Mg)	칼륨(K)	나트륨 (Na)
A	37	15.5	1.5	0.9	5.4
B	250	8.8	25.2	0.6	9.0
C	1000	71	200	69	74

① A, B, C 모두 센물에 속하겠군.
② A에 칼슘을 더 첨가하면 물의 경도가 더 높아지겠군.
③ B에 마그네슘을 좀 더 첨가한다면, 물의 쓴 맛을 조금 줄일 수 있겠군.
④ C는 건강 기능 향상에 도움을 주는 기능성 식품으로도 활용할 가능성이 있군.
⑤ 사람들은 A를 마셨을 때는 맛이 좋다고 느끼지만 C를 마셨을 때는 맛이 없다고 느낄 가능성이 크겠군.

발문 분석

지문에 제시된 핵심 개념과 그 세부 내용을 정확히 파악하고 다른 사례에 적용하여 이해할 수 있는지를 묻고 있다. 물의 경도가 무엇인지, 물의 경도에 영향을 미치는 요소는 무엇이고, 물의 경도에 따라 어떤 차이가 있는지를 살펴본 후 [보기]의 A, B, C의 특성을 도출해야 한다.

보기 분석

A는 세 종류의 생수 가운데 경도와 마그네슘, 나트륨의 수치가 가장 낮다. 또 칼슘이 마그네슘보다 많이 함유된 물이다. B는 세 종류의 생수 가운데 가장 칼슘이 적고 칼륨의 수치가 낮다. 또 칼슘이 마그네슘보다 적게 함유된 물이다. C는 세 종류의 생수 가운데 가장 경도가 크고, 칼슘과 마그네슘, 칼륨, 나트륨의 수치가 높다. 또 마그네슘이 칼슘보다 많이 함유된 물이다.

정답 풀이

③ (바)에서 물에 '칼슘보다 마그네슘이 많으면 쓴맛이 조금 더 강해진다.'라고 하였다. [보기]의 B에는 칼슘이 8.8만큼, 마그네슘은 25.2만큼 들어 있으므로 칼슘보다 마그네슘이 더 많이 함유된 상태이다. 따라서 B에서는 이미 쓴맛이 날 것이다. 그런데 여기에 마그네슘을 더 첨가하게 되면 물의 쓴맛이 줄어드는 것이 아니라 조금 더 강해질 것이다.

오답 풀이

① (바)에서 '우리나라에서는 보통 경도가 20도 이상일 경우에는 센물'이라고 한다고 하였다. 따라서 경도가 37인 A, 250인 B, 1000인 C 모두 센물이라고 볼 수 있다.
② (바)에서 '경도란 물속에 포함된 칼슘염과 마그네슘염의 양을 표준 물질의 중량으로 환산해서 표시한 것'이라고 하였다. 따라서 A에 칼슘의 양을 더 첨가하면 물속에 칼슘염의 양이 늘어날 것이므로 물의 경도도 더 높아진다고 볼 수 있다.
④ (바)에서 '사람들이 먹었을 때 맛있다고 느끼는 경도 범위는 10~100도 정도'이지만 '경도가 높은 물이 고혈압을 예방하고 항알레르기 작용 등을 한다는 연구 결과 때문에 경도가 높은 물을 식수로

사용하기도 한다.'라고 하였다. 따라서 연구 결과를 고려하면 경도 가 1000인 C는 고혈압을 예방하고 항알레르기 작용을 할 수 있을 것이며, 이는 건강 기능 향상에 도움을 주는 기능성 식품으로 만들어졌을 가능성이 있다고 볼 수 있다.

⑤ (바)에서 '사람들이 먹었을 때 맛있다고 느끼는 경도 범위는 10~ 100도 정도'라고 하였다. 이를 고려하면 일반적으로 사람들은 경도 37인 A를 마셨을 때는 맛이 좋다고 느낄 것이고, 경도 1000인 C 를 마셨을 때는 맛이 없다고 느낄 수 있을 것이다.

🐝 선생님의 꿀 정보

04번 문제: 지문을 바탕으로 표를 해석해야 할 때

지문을 바탕으로 [보기]의 자료를 해석하는 문제를 풀 때에는 [보기]의 내용에서 어떤 부분을 주목할 것인가를 아는 것이 핵심이다.

┌─ 보기 ─

〈국내·외에서 판매 중인 생수 성분 비교〉

	경도	칼슘(Ca)	마그네슘(Mg)	칼륨(K)	나트륨(Na)
A	37	15.5	1.5	0.9	5.4
B	250	8.8	25.2	06	9.0
C	1000	71	200	69	74

① 지문에서 설명한 내용을 토대로 그 내용과 관련된 정보를 자료에서 선택적으로 찾아낸다.
→ (바)에서는 경도가 '물속에 포함된 칼슘염과 마그네슘염의 양을 표준물질의 중량으로 환산해서 표시한 것'이라고 하였다. 따라서 [보기]에서 주목해야 할 수치는 '경도, 칼슘, 마그네슘'이고, '칼륨, 나트륨'에 대한 수치는 필요 없는 정보이다.

② ①에서 찾은 자료의 특이사항을 파악한다.
→ [보기]에 제시된 A, B, C는 경도의 수치가 점점 커지고 있고, A의 성분은 '칼슘>마그네슘' B와 C의 성분은 '칼슘<마그네슘'으로 표기할 수 있다.

③ ①과 ②의 내용을 토대로 선택지의 내용의 적절성을 따져 본다.
→ 각 선택지에서 언급하고 있는 내용이 자료의 내용과 지문의 내용과 일치하는지를 살펴보아야 한다.

---

05 어휘의 사전적 의미 파악 | 정답 ① |

㉠~㉤의 사전적 의미로 적절하지 않은 것은?

① ㉠ : 더 높은 ~~단계~~로 발전함.
   구축
② ㉡ : 목적한 곳이나 수준에 다다름.
   도달
③ ㉢ : 물질이 어떤 성분을 포함하고 있음.
   함유
④ ㉣ : 액체나 기체, 열 따위가 어떤 곳으로 흘러듦.
   유입
⑤ ㉤ : 일이나 사건 따위를 해결할 수 있는 방법이나 실마리를 더듬어 찾음.
   모색

📁 발문 분석
어휘의 의미를 이해하고, 사전적 의미를 파악할 수 있는지를 묻고 있

다. 한자어의 사전적 의미를 모르는 단어들은 앞뒤 문장의 내용을 고려하여 해당 어휘가 들어갔을 때 적절한 의미인지를 살펴보아야 한다.

◎ 정답 풀이
① ㉠'구축(構築)'은 '체제, 체계 따위의 기초를 닦아 세움.'이란 의미이다. '더 높은 단계로 발전함.'을 의미하는 단어는 '도약(跳躍)'이다.

✖ 오답 풀이
② '도달(到達)'의 사전적 의미이다.
③ '함유(含有)'의 사전적 의미이다.
④ '유입(流入)'의 사전적 의미이다.
⑤ '모색(摸索)'의 사전적 의미이다.

M·E·M·O

_____

_____

_____

_____

_____

_____

_____

_____

_____

_____

구절 풀이

사이렌을 울리며 달려오는 구급차의 사이렌 소리가 높게 들리다가, 구급차가 지나가면 소리가 낮게 들리는 것은 파동을 발생시키는 파원(구급차)이 이동하면서 관찰자(듣는 사람)와의 거리가 좁아졌다가 멀어질 때 주파수가 다르게 관찰되기 때문임. 이러한 현상을 설명해 주는 것이 바로 도플러 효과임.

어휘 풀이

* 음향학: 소리의 발생, 전파, 성질, 현상, 진동, 이용 따위를 연구하는 학문. 물리학의 한 분야임.
* 식별: 분별하여 알아봄.
* 음원: 소리가 나오는 근원. 또는 그 근원이 될 수 있는 것.
* 기인하다: 어떠한 것에 원인을 둠.
* 매질: 어떤 파동 또는 물리적 작용을 한 곳에서 다른 곳으로 옮겨 주는 매개물. 음파를 전달하는 공기, 탄성파를 전달하는 탄성체 따위가 있음.

선생님의 Tip

"소리의 높이를 결정하는 진동수"

기타줄은 길이가 같은데도 줄마다 다른 소리를 냄.: 굵은 줄은 낮은 소리가, 가는 줄은 높은 소리가 남.

↓

기타줄의 굵기는 각각 다르고 줄을 만든 소재도 다름.

↓

• 굵은 줄은 무거운 재질로 되어 있어서 움직이기가 힘들고, 늘어났을 때 원래의 길이로 돌아가려는 움직임이 느림.
• 가는 줄은 가벼운 재질로 되어 있어서 움직이기가 쉽고, 늘어났을 때 원래의 길이로 돌아가려는 움직임이 빠름.

↓

굵은 줄은 천천히 진동하여(진동수가 적음) 낮은 소리를 내고, 가는 줄은 빠르게 진동하여(진동수가 많음) 높은 소리를 냄.

1 소리란 음향학*적으로 공기의 진동이 공간에 일정한 시간 동안 전파되어 발생하는 것이다. 음악과 같은 소리 예술은 소리 자체의 시각적 형태를 식별*하기 어렵기 때문에 공간 예술로 인식하기 어렵다. 그러나 소리 그 자체가 가진 물리적 특성은 영화 등의 화면 이미지의 시공간적 특징을 소리로 표현하는 데에 반영된다. 소리의 공간은 인간의 머리 앞, 뒤, 좌, 우 등 360도에 위치하여 확인할 수 있으므로 기본적으로 열린 공간이다. 그러나 음원*의 발생 지점과 피음원, 즉 청자의 위치가 조금이라도 바뀌면 소리의 공간 위치에 대한 지각은 유동적으로 변한다.

1문단: 소리의 개념과 물리적 특성

2 소리는 기본적으로 음고, 음량, 음가, 음색이라는 네 가지 특성을 가지며 이들은 소리의 시공간적 지각에 변수로 작용한다. 우선 음원의 발생 지점과 피음원의 거리에 따라서 음고와 음량이 다르게 인지된다. 음고는 음의 높이로, 진동수의 차이에서 기인한다*. 소리를 내는 물체가 1초 동안 진동하는 횟수를 '진동수'라고 하며, 헤르츠(㎐)라는 단위로 표시한다. 진동수가 많은 음은 높게 느끼게 되고 진동수가 적은 음은 낮게 느끼게 된다. 즉 소리의 높이는 진동수에 비례한다. 이러한 소리의 높이, 즉 음고와 관련이 있는 것은 도플러 효과이다. 「파동을 발생시키는 파원과 그 파동을 관측하는 관측자 중 하나 이상이 운동하고 있을 때 발생하는 이 효과는 파원과 관측자 사이, 즉 음원의 발생 지점과 피음원 사이의 거리가 좁아질 때에는 파동의 주파수가 더 높게 관측되고, 거리가 멀어질 때에는 파동의 주파수가 더 낮게 관측되는 현상이다. 도플러 효과는 매질*에 대하여 파원이 운동하는 경우와 관측자가 운동하는 경우에 따라 발생하는 방식이 다르다. 매질에 대하여 정지하고 있는 관측자에게 파원이 가까워지는 경우에는 파동이 진행 방향으로 압축되고, 멀어지는 경우에는 파동이 진행 방향으로 확대되기 때문에 이 효과가 발생하며, 파원은 정지하고 있으나 관측자가 운동하는 경우에는 단위 시간 내에 관측자가 받는 파동수가 변하기 때문에 이 효과가 발생한다.

2문단: 소리의 물리적 특성 ①−음고와 도플러 효과

3 음의 크기를 의미하는 음량도 음원의 발생 지점과 피음원 사이의 거리가 가까울수록 크게 들리고 멀어질수록 작게 들린다. 이러한 원리는 영화에 적용할 수 있다. 어떤 화면에 한 인물이 멀리서부터 걸어오기 시작하여 인물의 얼굴이 화면에 가득 찰 정도까지 다가올 때 그 인물의 발걸음 소리는 작은 소리로부터 점차적으로 음량은 증가하게, 음고는 고음이 강해지게 고안된다. 이것은 소리의 물리적 공간성을 영화의 화면 속 인물의 이동에 따른 공간 깊이에 적용한 것이다. 이처럼 어떠한 소리의 특정 주파수 대역의 음량을 조절하면 화면의 공간 깊이를 조정할 수 있다. 이러한 조절을 가능하게 하는 것은 음향 제작 소프트웨어인

지문 구조도

화제 제시: 소리의 개념과 물리적 특성(1문단)
소리의 물리적 특성은 영화의 화면 이미지에 대한 시공간적 특징을 소리로 표현하는 데 반영됨.

↓

전개: 소리의 물리적 특성(2~5문단)
• 음고: 음의 높이. 도플러 효과(음원의 발생 지점과 피음원 사이의 거리에 따라 주파수가 다르게 관측됨.) • 음량: 음의 크기. 음원의 발생 지점과 피음원의 거리가 가까울수록 커지고 멀어질수록 작게 들림. • 음가: 음의 길이. 잔향 시간이 짧을수록 열린 공간을 의미하고 길수록 닫힌 공간을 의미함. • 음색: 음이 갖는 특색. 사람은 음색이 다르면 서로 다른 소리로 인식함.

↓

마무리: 소리의 물리적 특성의 영향(6문단)
소리의 물리적 특성은 영화의 시공간을 구성하는 데 영향을 줌.

이퀄라이저(equalizer, EQ)이다. 「EQ를 활용하여 어떤 소리의 주파수 대역 중 3000~4000 Hz 대역 부분의 음량을 증가시키면 소리는 가깝게 들리는 것처럼 느껴지고 음량을 감소시키면 소리가 멀리 들리는 것으로 느껴진다.」   3문단: 소리의 물리적 특성 ②-음량

4 음표나 쉼표가 나타내는 음의 길이인 음가 또한 소리의 공간 위치 지각에 영향을 준다. 소리가 누군가에게 전달될 때 그 소리는 음원으로부터 직접 전달되는 직접음과 소리가 벽, 바닥, 천정 등으로부터 반사되어 전달되는 간접음, 즉 잔향음의 합으로 구성된다. 직접음이 없어진 순간부터 잔향음의 에너지가 106(-60dB)으로 감쇠*할 때까지 걸리는 시간을 잔향 시간이라 하는데, 잔향 시간은 실내의 크기, 형상 및 벽체나 천장의 재질의 흡음률*에 따라 달라진다. 이러한 잔향 시간이 소리의 길이를 결정하며, 기본적으로 잔향 시간이 짧을수록 열린 공간을 의미하고 길수록 닫힌 공간을 의미한다. 여기서 열린 공간이란 소리의 주변에 벽과 같은 방해물이 거의 없는 공간을 말하고 닫힌 공간이란 방해물에 의해 밀폐된 공간을 말한다. 그러나 공간 주변을 둘러싸고 있는 방해물의 성질에 따라 닫힌 공간에서도 잔향 시간이 짧아질 수 있다. 즉, 방해물이 소리를 잘 흡수하는 성질로 되어 있을 때는 반사가 줄어들어 잔향 시간이 짧아지지만 반대로 거울과 같이 소리를 잘 반사하는 성질로 되어 있을 때는 반사가 증가하여 소리의 잔향 시간이 길어진다. 또한 같은 닫힌 공간이라 하더라도 공간의 크기에 따라서 잔향 시간이 달라질 수 있으며, 일반적으로 닫힌 공간의 넓이가 넓어질수록 잔향 시간이 길어지고 좁아질수록 짧아진다.   4문단: 소리의 물리적 특성 ③-음가

5 소리의 특성 중 음이 갖는 특색인 음색은 화면의 서로 다른 등장인물, 사물, 배경 이미지 등을 구별하기 쉽게 한다. 인간은 다른 음색을 가진 것을 서로 다른 소리로 인식한다. 예를 들어 바이올린과 피아노로 음고, 음량, 음가가 동일한 멜로디를 동시에 연주하더라도 인간은 두 악기의 음색이 다르기 때문에 이 연주를 두 악기의 앙상블*이라고 인식하게 된다. 음색은 특정한 소리의 배음*의 구조에 따라 결정되며, 영화의 한 화면에 여러 이미지들이 있을 때 각각의 이미지를 구별하게 하려면 각 이미지마다 서로 다른 음색의 소리를 부여하면 된다.   5문단: 소리의 물리적 특성 ④-음색

6 이러한 소리의 물리적 특성은 영화의 시공간을 디자인하는 데 많은 영향을 준다. 그러나 소리의 물리적 특성에 의한 화면의 시공간 구별이 관객에 완벽하게 전달되기 어려울 때도 있다. 영화를 제작할 때 만들어진 소리의 공간 외에 영화관 자체에서 반사음이 발생하거나, 관객의 좌석 위치에 따라 소리의 상대적 공간성이 달라질 수 있기 때문이다.   6문단: 소리의 상대적 공간성이 달라지는 이유

* 배음: 진동체가 내는 여러 가지 소리 가운데, 원래 소리보다 큰 진동수를 가진 소리. 보통 원래 소리의 정수배(整數倍)가 되는 소리를 이른다.

지문 해제

이 글은 소리의 물리적 특성이 공간의 위치 지각에 어떠한 영향을 미치는지를 설명하고 있다. 소리가 가진 물리적 특성인 음고, 음량, 음가, 음색은 영화 등의 화면 이미지의 시공간적 특징을 소리로 표현하는데 반영된다. 음의 높이를 나타내는 음고는 진동수에 비례하는데, 음원의 발생 지점과 피음원 사이의 거리가 좁아질 때에는 파동의 주파수가 더 높게 관측되고 거리가 멀어질 때에는 파동의 주파수가 더 낮게 관측된다. 이를 도플러 효과라고 한다. 이 효과는 파동이 진행 방향으로 확대되거나 단위 시간 내에 관측자가 받는 파동수가 변하기 때문에 발생한다. 음의 크기를 의미하는 음량은 음원의 발생 지점과 피음원 사이의 거리가 가까울수록 크게 들리고 멀어질수록 작게 들린다. 소리의 특정 주파수 대역의 음량을 조절하면 화면 공간의 깊이를 조정할 수 있다. 또 음의 길이인 음가는 잔향 시간에 의해 결정된다. 잔향 시간은 직접음이 없어진 순간부터 잔향음의 에너지가 106(-60dB)으로 감쇠할 때까지 걸리는 시간을 의미하며, 잔향 시간이 짧을수록 열린 공간을 의미하고 길수록 닫힌 공간을 의미한다. 음색은 음이 갖는 특색으로 사람은 음색의 차이에 따라 같은 음고, 음량, 음가의 소리라도 다른 소리로 인식하게 된다. 이러한 소리의 물리적 특징은 특정 화면의 시공간을 디자인하는 데 영향을 준다.

구절 풀이

○ 음가에 영향을 주는 요소
① 방해물의 성질
② 공간의 크기

○ 인간은 다른 음색을 가진 것을 서로 다른 소리로 인식하므로, 각 이미지마다 서로 다른 음색의 소리를 부여하면 각 이미지를 다르게 인식하게 됨.

○ 영화에서 소리의 물리적 특성에 따라 화면의 시공간 구별이 관객에게 완벽하게 전달되기 어려운 이유는 영화관 자체에서 반사음이 발생하여 소리에 다른 특성이 더해지거나, 관객의 좌석 위치에 따라 소리의 상대적 공간성이 달라지기 때문임.

어휘 풀이

* 감쇠: 힘이나 세력 따위가 줄어서 약하여짐.
* 흡음률: 벽면에 사용한 건축 재료에 음이 흡수되어 반사되지 않는 비율.
* 앙상블: 2인 이상이 하는 노래나 연주.

선생님의 Tip

"소리의 배음"

우리가 일상적으로 접하는 대부분의 음은 이른바 복합음으로, 복수의 부분음으로 이루어짐. 그 중 진동수가 최소인 것을 바탕음, 나머지를 상음(上音)이라고 하며, 바탕음에 대해서 진동수가 정수배 관계에 있는 상음을 배음(倍音)이라고 함. 또 진동수가 바탕음의 n배인 배음을 제n배음이라고 함. 배음 사이의 에너지 분포, 그리고 그 시간적 변화가 음색의 구성 요소가 됨.
한편 한 음을 기본음으로 하여 이 기본음과 배음 관계에 있는 음을 순서대로 나열한 것을 가리켜 배음열이라 부름. 배음열 위의 각 음은 기본음을 1이라고 하고 차례대로 제2배음, 제3배음 등의 명칭을 붙이며 이들 명칭의 배수가 각각의 옥타브(완전 8도) 관계를 나타냄.

01 중심 화제의 파악　　|정답 ②|

윗글에 대한 설명으로 가장 적절한 것은?

① ~~음색이 특정한 소리의 배음의 구조에~~ 의해 결정되는 이유를 제시하고 있다.

② 소리의 물리적 특성이 공간의 위치 지각에 영향을 주는 양상을 설명하고 있다.

③ 청자의 위치에 따라 ~~유동적으로 변화하는~~ 소리의 공간적 특성을 설명하고 있다.

④ 소리의 시각적 형태를 ~~식별하여~~ 영화의 시공간을 디자인하는 방법을 제시하고 있다.

⑤ 소리의 특징에 의한 화면의 시공간 ~~인식이~~ 관객에게 전달되는 과정을 설명하고 있다.

📁 발문 분석
지문을 읽고 중심 내용을 파악할 수 있는지 묻고 있다. 세부적인 정보보다는 글 전체의 흐름과 맥락을 중심으로, 지문에서 언급하고 있는 핵심 내용이 무엇인지 살펴보도록 한다.

◎ 정답 풀이
② 2문단에서 '소리는 기본적으로 음고, 음량, 음가, 음색이라는 네 가지 특성을 가지며 이들은 소리의 시공간적 지각에 변수로 작용한다.'라고 하였다. 그리고 2문단에서는 소리의 물리적 특성 중 음고에 대해, 3문단에서는 음량에 대해, 4문단에서는 음가에 대해, 5문단에서는 음색에 대해 설명하면서, 각 물리적 특성에 따라 소리가 가까이에서 나는지 멀리서 나는지, 또는 닫힌 공간인지 열린 공간인지, 규모가 큰 공간인지 작은 공간인지를 지각할 수 있게 해준다고 하였다. 이를 고려하면 이 글은 소리의 물리적 특성이 공간의 위치 지각에 영향을 주는 양상을 설명하고 있다고 볼 수 있다.

✕ 오답 풀이
① 5문단에서 '음색은 특정한 소리의 배음의 구조에 따라 결정'된다고 하였지만, 음색이 특정한 소리의 배음의 구조에 따라 결정되는 이유에 대해서는 언급하지 않았다.

③ 1문단에서 소리의 공간은 '기본적으로 열린 공간'이라고 하였다. 그러나 '음원의 발생 지점과 피음원, 즉 청자의 위치가 조금이라도 바뀌면 소리의 공간 위치에 대한 지각은 유동적으로 변한다.'라고 하였다. 이것은 청자의 위치에 따라 유동적으로 변화하는 것이 소리의 공간적 특성이 아니라, 소리의 공간 위치에 대한 청자의 지각이라는 의미이다. 이를 고려하면 이 글은 소리의 물리적 특성을 바탕으로 소리의 공간 위치에 대한 지각에 대해 설명하고 있다고 보아야 한다.

④ 1문단에서 '음악과 같은 소리 예술은 소리 자체의 시각적 형태를 식별하기 어렵기 때문에 공간 예술로 인식하기 어렵'지만 '소리 그 자체가 가진 물리적 특성은 영화 등의 화면 이미지의 시공간적 특성을 소리로 표현하는 데에 반영된다.'라고 하였다. 또 소리의 물리적 특성에 대해 설명한 이후, 6문단에서 '이러한 소리의 물리적 특성은 영화의 시공간을 디자인하는데 많은 영향을 준다.'라고 하였다. 이를 고려하면 이 글은 소리의 물리적 특성을 활용하여 영화 등의 화면 이미지 속 시공간을 디자인할 수 있다고 언급하고 있다고 볼 수 있다. 그러나 이 글에서 소리의 시각적 형태를 식별하여 영화의 시공간을 디자인하는 구체적인 방법을 제시하고 있지는 않다.

⑤ 6문단에서 '소리의 물리적 특성에 의한 화면의 시공간 구별이 관객에 완벽하게 전달되기 어려'운 이유를 '영화관 자체에서 반사음이 발생하거나, 관객의 좌석 위치에 따'른 소리의 상대적 공간성이 달라질 수 있기 때문이라고 하였다. 그러나 소리의 특징에 의한 화면의 시공간 인식이 관객에게 전달되는 과정을 설명하고 있지는 않다.

🎓 선생님의 꿀 정보

글의 중심 내용을 파악하는 방법

① 주요 내용 확인하기
글의 중심 내용을 파악하기 어렵다면 글을 읽으면서 다음과 같은 질문을 해 본다.

화제·제재 파악	글쓴이는 무엇에 대해서 이야기하고 있는가?
요지·주제 파악	그것에 대해서 무엇이라고 말하고 있는가?
핵심 문장 파악	무엇이 그 글의 핵심인가?

② 지시어나 접속어에 유의하기
지시어나 접속어에 유의하여 읽으면 글의 흐름을 파악할 수 있다. 특히 '그러나', '한편', '반면' 등은 뒤에 오는 말이 앞의 내용과 상반됨을 나타내는 말이므로, 이러한 부사 뒤에는 앞에서 언급한 내용과 다른 내용이 제시될 것임을 염두에 두고 읽는 것이 도움이 된다.

③ 중심 내용과 세부 내용 구분하기

중심 내용	추상적이며, 일반적이고, 개념적인 표현으로 서술되어 있음.
세부 내용	뜻이 좁고 중심 내용을 자세히 설명하고 있으며, 구체적인 표현으로 서술되어 있음.

④ 내용 전개 방식 파악하기
비교와 대조, 분류와 구분, 분석과 의견, 주장과 근거 등 다양한 방법으로 내용이 전개될 수 있으므로, 글이 어떤 방법에 따라 전개되고 있는지 파악한다.

⑤ 사실과 의견을 구분하기
글에서 언급하고 있는 내용이 사실인지 의견인지를 구분하여, 글쓴이가 전하고자 하는 바가 무엇인지를 파악한다.

02 세부 정보의 이해　　|정답 ④|

윗글을 이해한 내용으로 가장 적절한 것은?

① 소리를 전달할 때 그 주변에 방해물이 ~~있느냐 없느냐에 따라~~ 음량이 결정된다.

② 사람은 음표나 쉼표가 나타내는 음의 길이가 ~~다르면~~ 각기 다른 소리로 인식한다. (음색의 특성)

③ 소리가 전달되는 공간의 반사음 발생 유무는 소리의 공간성에 영향을 ~~미치지 않는다.~~

④ 음량의 물리적 조정은 화면 이미지의 공간 깊이를 표현하는 데 영향을 미친다.

⑤ 화면 속에서 걷는 사람의 발걸음 소리의 음량을 ~~증가시키고~~ 음고를 높이면 인물이 화면에서 멀어지는 느낌이 든다.

발문 분석

지문에 제시된 세부 정보를 정확하게 파악하고 이해할 수 있는지를 묻고 있다. 지문에 언급된 소리의 물리적 특성에 대한 내용을 확인한 후, 선택지의 내용과 1:1로 비교하며 적절성을 판단해야 한다.

정답 풀이

④ 3문단에서 '음량도 음원의 발생 지점과 피음원 사이의 거리가 가까울수록 크게 들리고 멀어질수록 작게 들린다.'라고 하였다. 또 '어떠한 소리의 특정 주파수 대역의 음량을 조절하면 화면의 공간 깊이를 조정할 수 있다.'면서 '이러한 조절을 가능하게 하는 것은 음향 제작 소프트웨어인 이퀄라이저'라고 하였다. 이를 고려하면 음량을 이퀄라이저 등으로, 즉 물리적으로 조정하면 화면 속 이미지의 공간 깊이를 표현할 수 있다고 볼 수 있다.

오답 풀이

① 3문단에서 '음의 크기를 의미하는 음량도 음원의 발생 지점과 피음원 사이의 거리가 가까울수록 크게 들리고 멀어질수록 작게 들린다.'라고 하였다. 이를 고려하면 음량에 영향을 미치는 것은 거리라는 것을 알 수 있다. 한편 4문단에서 '잔향 시간이 소리의 길이를 결정'한다면서 '잔향 시간이 짧을수록 열린 공간을 의미하고 길수록 닫힌 공간을 의미한다.'라고 하였다. 또 '열린 공간이란 소리의 주변에 벽과 같은 방해물이 거의 없는 공간을 말하고 닫힌 공간이란 방해물에 의해 밀폐된 공간'이라고 하였다. 이를 고려하면 잔향 시간은 음의 길이인 음가와 관련될 뿐, 음량과는 관계가 없다는 것을 알 수 있다. 따라서 소리를 전달할 때 그 주변에 방해물이 있느냐 없느냐에 따라 음량이 결정된다고 이해하는 것은 적절하지 않다.

② 4문단에서 '음표나 쉼표가 나타내는 음의 길이인 음가'라고 하였다. 한편 5문단에서 '인간은 다른 음색을 가진 것을 서로 다른 소리로 인식한다.'라면서 음색의 차이 때문에 '바이올린과 피아노로 음고, 음량, 음가가 동일한 멜로디를 동시에 연주하더라도 인간은 두 악기의 음색이 다르기 때문에 이 연주를 두 악기의 앙상블이라고 인식하게 된다.'라고 하였다. 따라서 음가가 다른 소리를 사람이 각기 다른 소리로 인식한다고 이해하는 것은 적절하지 않다.

③ 4문단에서 잔향 시간이 '길수록 닫힌 공간'을 의미하며, 방해물이 '거울과 같이 소리를 잘 반사하는 성질로 되어 있을 때는 반사가 증가하여 소리의 잔향 시간이 길어진다.'라고 하였다. 이를 고려하면 소리가 전달되는 공간에서 반사음이 발생하면 소리의 공간이 닫힌 공간일 것이라고 추측할 수 있다. 또 6문단에서 '영화관 자체에서 반사음이 발생'하면 '소리의 상대적 공간성이 달라질 수 있'다고 하였다. 따라서 소리가 전달되는 공간의 반사음 발생 유무가 소리의 공간성에 영향을 미치지 않는다고 이해하는 것은 적절하지 않다.

⑤ 3문단에서 '어떤 화면에 한 인물이 멀리서부터 걸어오기 시작하여 얼굴이 화면에 가득 찰 정도까지 다가올 때, 그 인물의 발걸음 소리는 작은 소리로부터 점차적으로 음량은 증가하게, 음고는 고음이 강해지게 고안된다.'라고 하였다. 이를 고려하면 발걸음 소리의 음량을 크게 하고 음고를 높이면 인물이 멀리서부터 가까이로 다가오는 효과를 얻을 수 있다고 추측할 수 있다. 따라서 발걸음 소리의 음량을 증가시키고 음고를 높이면 인물이 화면 가까이에서 멀어지는 느낌이 든다고 이해하는 것은 적절하지 않다.

---

03 구체적 사례에 적용 | 정답 ④ |

윗글을 읽고 [보기]를 이해한 것으로 가장 적절한 것은?

[보기]

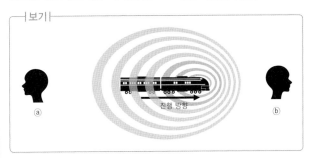

① ⓐ에서는 파원은 정지해 있고 관측자가 운동하고 있기 때문에 도플러 효과가 발생한다.

② ⓐ에서는 음원의 발생 지점과 피음원 사이의 거리가 좁아지므로 주파수가 더 높게 관측된다.

③ ⓑ에서는 단위 시간 내에 관측자가 받는 파동수가 변하기 때문에 도플러 효과가 나타난다.

④ ⓑ에서는 정지하고 있는 관측자에게 파원이 가까워지고 있으므로 파동이 진행 방향으로 압축된다.

⑤ ⓐ에서는 진동수가 많으므로 높은 소리가, ⓑ에서는 진동수가 적으므로 낮은 소리가 느껴진다.

발문 분석

소리의 특성과 소리의 특성이 공간 지각에 미치는 영향에 대해 이해하고 이를 구체적 사례에서 도출해 낼 수 있는지를 묻고 있다. [보기]의 ⓐ와 ⓑ, 파동과 진행 방향 등이 의미하는 바가 무엇인지를 생각해 보도록 한다.

보기 분석

[보기]에는 관측자 ⓐ와 ⓑ, 파원인 기차가 제시되어 있다. 관측자 ⓐ와 ⓑ는 고정되어 있으나 파원인 기차가 ⓑ의 방향으로 진행하고 있으므로 [보기]는 2문단에서 설명한 도플러 효과를 나타낸 것이라고 볼 수 있다.

정답 풀이

④ 2문단에서 '음고와 관련이 있는 것은 도플러 효과'라면서 '파동을 발생시키는 파원과 그 파동을 관측하는 관측자 중 하나 이상이 운동하고 있을 때 발생'한다고 하였다. 또 '정지하고 있는 관측자에게 파원이 가까워지는 경우에는 파동이 진행 방향으로 압축되고, 멀어지는 경우에는 파동이 진행 방향으로 확대되기 때문에 이 효과가 발생'한다고 하였다. [보기]의 ⓐ와 ⓑ는 정지해 있는 관측자이고, ⓑ쪽으로 진행하고 있는 기차는 파원이라고 할 수 있으므로 [보기]는 도플러 효과를 나타낸 것이다. 파원인 기차가 관측자가 있는 ⓑ의 방향으로 이동하는 것은 정지하고 있는 관측자(ⓑ)에게 파원인 기차가 가까워지는 경우이다. 따라서 파동이 진행 방향으로 압축된다고 이해하는 것은 적절하다.

오답 풀이

① [보기]에서는 파원인 기차가 ⓑ의 방향으로 이동하고 있고, ⓐ쪽 관측자는 정지해 있는 상태이다. 2문단에서 '매질에 대하여 정지하고 있는 관측자에게' 파원이 '멀어지는 경우에는 파동이 진행 방향으로 확대되기 때문에 이 효과가 발생'한다고 하였다. 따라서 [보기]의 ⓐ를 보고 파원이 정지해 있고 관측자가 운동하고 있기 때문에 도플러 효과가 발생한다고 이해하는 것은 적절하지 않다.

② 2문단에서 도플러 효과는 '음원의 발생 지점과 피음원 사이의 거리가 좁아질 때에는 파동의 주파수가 더 높게 관측되고, 거리가 멀어질 때에는 파동의 주파수가 더 낮게 관측'된다고 하였다. [보기]의 ⓐ쪽에서는 음원의 발생 지점인 기차와 청자인 피음원 사이의 거리가 멀어지고 있다. 따라서 ⓐ를 보고 음원의 발생 지점과 피음원 사이의 거리가 좁아지므로 주파수가 더 높게 관측된다고 이해하는 것은 적절하지 않다.

③ 2문단에서 '파원은 정지하고 있으나 관측자가 운동할 경우에는 단위 시간 내에 관측자가 받는 파동수가 변하기 때문에 이 효과가 발생한다.'라고 하였다. 그러나 [보기]의 ⓑ쪽에서는 파원인 기차가 움직이고 있고 관측자는 고정되어 있으므로, ⓑ에서는 단위 시간 내에 관측자가 받는 파동수가 변하지 않는다. 따라서 단위 시간 내에 관측자가 받는 파동수가 변하기 때문에 도플러 효과가 나타난다고 이해하는 것은 적절하지 않다.

⑤ 2문단에서 '진동수가 많은 음은 높게 느끼게 되고 진동수가 적은 음은 낮게 느끼게 된다.'라고 하였다. 또 도플러 효과는 '음원의 발생 지점과 피음원 사이의 거리가 좁아질 때에는 파동의 주파수가 더 높게 관측되고, 거리가 멀어질 때에는 파동의 주파수가 더 낮게 관측'된다고 하였다. 이를 고려하면 [보기]의 ⓐ쪽에서는 음원의 발생 지점과 피음원 사이의 거리가 멀어지고 있으므로 주파수가 더 낮게 관측될 것이며 진동수는 적을 것이라고 추측할 수 있다. ⓑ에서는 음원의 발생 지점과 피음원 사이의 거리가 좁아지고 있으므로, 주파수는 더 높게 관측되고, 진동수가 많을 것이라고 추측할 수 있다.

🍯 선생님의 꿀 정보

03번 문제: 자료에 그림이 제시되는 문제

03번 문제처럼 주로 예술이나 기술 영역의 지문에서 서술한 내용을 그린 그림을 해석하라는 문제가 자주 출제된다. 이와 같은 문제는 다음과 같은 방법으로 해석하면 좀 더 쉽고 명확하게 접근할 수 있다.

① 지문 내용을 환기하면서 제시된 그림의 특징적인 요소를 파악한다.
② 그림과 함께 설명을 제시하고 있다면 그 설명의 핵심 내용을 파악한다.
③ 지문의 내용이 선택지의 내용, 그림, 설명 자료와 일치하는지 확인한다.

→ 03번 문제의 경우 지문에서 언급한 도플러 효과를 보여 주는 그림을 [보기]에 제시하고 있다. 지문의 내용을 고려하면 [보기]의 ⓐ, ⓑ는 정지하고 있는 관측자이고 가운데 열차는 ⓑ쪽으로 이동하는 파원이다. [보기]를 지문의 내용을 고려하여 정리하면 다음과 같다.

ⓐ쪽	- 음원의 발생 지점과 피음원 사이의 거리가 멀어지고 있음. - 파동의 주파수가 더 낮게 관측됨. - 파동이 진행 방향으로 확대되어 발생함.
ⓑ쪽	- 음원의 발생 지점과 피음원 사이의 거리가 가까워지고 있음. - 파동의 주파수가 더 높게 관측됨. - 파동이 진행 방향으로 압축되어 발생함.

04 핵심 정보의 이해 | 정답 ④ |

소리의 특성과 그 소리가 표현하는 공간적 특성을 연결한 것으로 적절하지 않은 것은?

	소리의 특성	공간적 특성
①	잔향음이 오래 지속됨.	벽으로 둘러싸인 공간임. 방해물
②	잔향음이 오래 지속됨.	협곡처럼 좌우가 막힌 공간임. 방해물
③	잔향음이 빨리 없어짐.	방해물이 없는 공간임.
④	잔향음이 ~~빨리 없어짐.~~	사방이 ~~거울~~로 된 넓은 공간임. 소리를 반사
⑤	잔향음이 빨리 없어짐.	소리를 잘 흡수하는 물질로 둘러싸인 공간임.

📖 발문 분석

소리의 물리적 특성과 그 특성과 관계되는 공간적 특성을 파악할 수 있는지를 묻고 있다. 음가의 변화와 이것이 반영된 공간의 특성이 어떠한 관계를 맺고 있는지를 확인해야 한다.

◉ 정답 풀이

④ 4문단에서 잔향 시간은 '직접음이 없어진 순간부터 잔향음의 에너지가 106(−60dB)으로 감쇠할 때까지 걸리는 시간'이라고 하였다. 따라서 잔향 시간이 길다는 것은 잔향음이 오래 지속되었음을 의미하고, 잔향 시간이 짧다는 것은 잔향음이 빨리 없어졌음을 의미한다. 또 '잔향 시간이 짧을수록 열린 공간을 의미하고 길수록 닫힌 공간을 의미'하는데 '방해물이 소리를 잘 흡수하는 성질로 되어 있을 때는 반사가 줄어들어 잔향 시간이 짧아지지만 반대로 거울과 같이 소리를 잘 반사하는 성질로 되어 있을 때는 반사가 증가하여 소리의 잔향 시간이 길어진다.'라고도 덧붙였다. 이를 고려하면 잔향음이 빨리 없어지려면 반사물이 있는 사방이 거울로 된 넓은 공간이 아니라, 열린 공간이어야 함을 알 수 있다. 만약 방해물이 있을 경우에는 방해물은 소리를 잘 흡수하는 성질로 되어 있어야 한다고 추측할 수 있다.

✗ 오답 풀이

① 벽으로 둘러싸인 공간은 닫힌 공간을 의미한다. 4문단에서 닫힌 공간에서는 잔향 시간이 길다고 했으므로 잔향음이 오래 지속된다고 볼 수 있다.

② 협곡처럼 좌우가 막힌 공간은 닫힌 공간을 의미한다. 4문단에서 닫힌 공간에서는 잔향 시간이 길다고 했으므로 잔향음이 오래 지속된다고 볼 수 있다.

③ 방해물이 없는 공간은 열린 공간을 의미한다. 4문단에서 열린 공간에서는 잔향 시간이 짧다고 했으므로 잔향음이 빨리 없어진다고 볼 수 있다.

⑤ 소리를 잘 흡수하는 물질로 둘러싸인 공간은 닫힌 공간이라고 할 수 있다. 4문단에서 '방해물이 소리를 잘 흡수하는 성질로 되어 있을 때는 반사가 줄어들어 잔향 시간이 짧아'진다고 하였다. 이를 고려하면 소리를 잘 흡수하는 물질로 둘러싸인 공간에서는 잔향음이 빨리 없어진다고 볼 수 있다.

05 구체적 상황에 적용 | 정답 ⑤ |

윗글을 고려했을 때 [보기]의 ㉠에 들어갈 내용으로 가장 적절한 것은?

┌─ 보기 ─────────────────────────────┐

영화에 포함된 여러 소리들 가운데 상대적으로 특정 음원이 관객에게 가깝게 들려야 하거나 또는 멀게끔 들려야 한다면 [㉠] 화면에서의 공간 깊이를 표현할 수 있다.

└──────────────────────────────────┘

① 소리가 지닌 음의 ~~길이~~를 조정하여

② 음고, 음량, ~~음가~~만 동일하게 조정하여

③ 잔향음의 ~~에너지~~를 소진하도록 조정하여

④ 서로 다른 음색의 ~~소리~~가 나도록 조정하여

⑤ 그 소리의 3000~4000㎐ 대역의 음량을 조정하여

📁 **발문 분석**

소리의 물리적 특성과 그것이 나타내는 공간 깊이를 이해하고 이를 응용할 수 있는지를 묻고 있다. [보기]에서 만들고자 하는 소리의 공간 깊이가 어떠한지를 먼저 파악한 후, 이를 표현하기 위해 소리의 물리적 특성 중 어떤 특성을 조정해야 하는지 생각해 보아야 한다.

✔️ **보기 분석**

소리의 물리적 특징에는 음고, 음량, 음가, 음색이 있다. 소리를 가깝게 들리게 하거나 멀리 들리게 하는 것은 화면의 공간 깊이와 관련이 있으며, 이는 음량을 조정하는 것으로 표현할 수 있다.

◎ **정답 풀이**

⑤ [보기]의 ㉠에는 음원이 관객에게 가깝게 들리게 하거나 멀리 들리게 하기 위해서는 어떻게 해야 하는지가 들어가야 한다. 3문단에서 '어떤 소리의 주파수 대역 중 3000~4000㎐ 대역 부분의 음량을 증가시키면 소리는 가깝게 들리는 것처럼 느껴지고 음량을 감소시키면 소리가 멀리 들리는 것으로 느껴진다.'라고 하였다. 따라서 특정 음원이 관객에게 가깝게 또는 멀게 들려야 할 때에는 그 음원의 주파수 대역 중 3000~4000㎐ 대역 부분의 음량을 조정하면 된다.

❌ **오답 풀이**

① 4문단에서 '음표나 쉼표가 나타내는 음의 길이인 음가 또한 소리의 공간 위치 지각에 영향을 준다.'라면서 '잔향 시간이 소리의 길이를 결정'한다고 하였다. 또 '잔향 시간이 짧을수록 열린 공간을 의미하고 길수록 닫힌 공간을 의미한다.'라고 하였다. 이를 고려하면 소리가 가진 음의 길이를 조정하는 것은 소리가 가까이에서 또는 멀리서 들리게끔 하는 방법이 아니라 소리 공간의 위치가 닫힌 공간인지 열린 공간인지에 대한 지각에 영향을 주는 것이라고 볼 수 있다.

② 5문단에서 '음색은 화면의 서로 다른 등장인물, 사물, 배경 이미지 등을 구별하기 쉽게 한다.'라고 하였다. 또 '바이올린과 피아노로 음고, 음량, 음가가 동일한 멜로디를 동시에 연주하더라도 인간은 두 악기의 음색이 다르기 때문에 이 두 연주를 두 악기의 앙상블이라고 인식하게 된다.'라고 하였다. 따라서 '음고, 음량, 음가만 동일하게 조정'한다는 것은 음색만 다르게 한다는 의미이고, 이는 화면에서의 공간 깊이를 표현하는 것이 아니라 화면 속에 배치된 것들을 다르게 느끼게 하는 방법이라고 할 수 있다.

③ 4문단에서 잔향음이란 '소리가 벽, 바닥, 천정 등으로부터 반사되어 전달되는 간접음'이고, 잔향 시간이란 '직접음이 없어진 순간부터 잔향음의 에너지가 106(-60dB)으로 감쇠할 때까지 걸리는 시간'이라고 하였다. 이를 고려하면 잔향음의 에너지가 소진될 때까지의 시간이 잔향 시간이라고 볼 수 있다. 따라서 잔향음의 에너지를 소진하도록 조정한다는 것은 잔향 시간을 조정하는 것을 의미한다. 또 '잔향 시간이 짧을수록 열린 공간을 의미하고 길수록 닫힌 공간을 의미한다.'라고 하였으므로, 잔향음의 에너지를 소진하도록 조정한다는 것은 잔향 시간을 짧게 함으로써 열린 공간을 느끼게 하는 것이라고 할 수 있다.

④ 5문단에서 '인간은 다른 음색을 가진 것은 서로 다른 소리로 인식한다.'라고 하였고, '영화의 한 화면에 여러 이미지들이 있을 때 각각의 이미지를 구별하게 하려면 각 이미지마다 서로 다른 음색의 소리를 부여하면 된다.'라고 하였다. 따라서 서로 다른 음색의 소리가 나도록 조정하는 것은 이미지들을 서로 구별하여 인식하게 하는 방법이라고 할 수 있다.

M·E·M·O

IV 기술

구절 풀이

퍼셉트론은 입력값과 가중치를 곱한 값들을 모두 합한 가중합이 고정된 임계치보다 작으면 0, 그렇지 않으면 1로 출력값을 내보내기 때문에 입력값을 0과 1로만 구분하여 판정함.

사과에 대한 학습 데이터를 만들기 위해 사진에 나타난 사과의 색깔이나 형태 등 특징을 수치로 나타내야 함.

범주가 색깔과 형태 두 가지이므로 입력 단자도 두 개가 필요함.

퍼셉트론은 0과 1로만 출력값을 내보내기 때문에 출력값 '0'이 '사과가 아니다'를 의미하면, 출력값이 '1'은 '사과이다'를 의미함.

어휘 풀이

* 모델링: 사물의 형태를 형상화하는 일.

─선생님의Tip─

"뉴런"

사람의 뇌 속 뉴런의 수는 1000억 개에 달하는데, 서로 연결되어 있어서 신경 조직을 구성함. 뉴런은 전기-화학적 신호를 통해 정보를 전송하고 처리하는데, 병렬로 연산하며, 셀 수 없이 많은 연결고리인 시냅스를 통해 소통. 뉴런 간 연결의 강도는 지식의 학습 과정을 통해 강해지거나 약해짐.

뉴런은 외부에서 자극을 받아들이는 여러 개의 수상돌기와 자극에 대응해 유용한 신호를 생성하는 축삭돌기, 그리고 이 신호를 다른 뉴런으로 전달하는 가지돌기로 구성되어 있음. 각 수상돌기에는 외부에서 들어오는 자극의 수위를 조절하는 가중치가 있음. 축삭돌기에서는 여러 개의 수상돌기에서 전달받은 자극을 종합적으로 처리하지만, 항상 신호를 생성하지는 않음.

---

1 인간의 신경 조직을 수학적으로 모델링*하여 컴퓨터가 인간처럼 기억·학습·판단할 수 있도록 구현한 것이 인공 신경망 기술이다. 신경 조직의 기본 단위는 뉴런인데, ⓐ인공 신경망에서는 뉴런의 기능을 수학적으로 모델링한 퍼셉트론을 기본 단위로 사용한다.
└ 뇌의 기능을 모델화한 학습 기계 ──1문단: 인공 신경망의 개념과 신경 조직의 기본 단위
2 ⓑ퍼셉트론은 입력값들을 받아들이는 여러 개의 ⓒ입력 단자와 이 값을 처리하는 부분, 처리된 값을 내보내는 한 개의 출력 단자로 구성되어 있다. 「퍼셉트론은 「각각의 입력 단자에 할당된 ⓓ가중치를 입력값에 곱한 값들을 모두 합하여 가중합을 구한 후, 고정된 ⓔ임계치보다 가중합이 작으면 0, 그렇지 않으면 1과 같은 방식으로 ⓕ출력값을 내보낸다.」
└ 물리 현상이 갈라져서 다르게 나타나기 시작하는 경계의 수치 └ ┘: 퍼셉트론의 원리
                                              2문단: 퍼셉트론이 출력값을 내보내는 방식
3 이러한 퍼셉트론은 출력값에 따라 두 가지로만 구분하여 입력값들을 판정할 수 있을 뿐이다. 이에 비해 복잡한 판정을 할 수 있는 인공 신경망은 다수의 퍼셉트론을 여러 계층으로 배열하여 한 계층에서 출력된 신호가 다음 계층에 있는 모든 퍼셉트론의 입력 단자에 입력값으로 입력되는 구조로 이루어진다. 이러한 인공 신경망에서 가장 처음에 입력값을 받아들이는 퍼셉트론들을 입력층, 가장 마지막에 있는 퍼셉트론들을 출력층이라고 한다.
                                              3문단: 퍼셉트론을 활용한 인공 신경망의 구조
4 ㉠어떤 사진 속 물체의 색깔과 형태로부터 그 물체가 사과인지 아닌지를 구별할 수 있도록 인공 신경망을 학습시키는 경우를 생각해 보자. 먼저 학습을 위한 입력값들, 즉 학습 데이터를 만들어야 한다. 학습 데이터를 만들기 위해서는 사과 사진을 준비하고 사진에 나타난 특징을 수치화해야 한다. 특징이란 어떤 객체가 가지고 있는 객체 고유의 분별 가능한 측면으로, 양 혹은 특성이라고 정의될 수 있다. 특징은 색깔과 같은 상징 기호가 될 수도 있고, 높이, 넓이, 무게와 같은 수치적인 값이 될 수도 있다. 이 경우 색깔과 형태라는 두 ㉰범주를 수치화하여 하나의 학습 데이터로 묶은 다음, '정답'에 해당하는 값과 함께 학습 데이터를 인공 신경망에 제공한다. 이때 같은 범주에 속하는 입력값은 동일한 입력 단자를 통해 들어가도록 해야 한다. 그리고 사과 사진에 대한 학습 데이터를 만들 때에 정답인 '사과이다'에 해당하는 값을 '1'로 설정하였다면 출력값 '0'은 '사과가 아니다'를 의미하게 된다.
                                              4문단: 학습 데이터를 이용한 인공 신경망의 학습 과정
└ 특징의 개념

지문 구조도

화제 제시: 인공 신경망(1~3문단)
• 인공 신경망 기술: 인간의 신경 조직을 수학적으로 모델링하여 컴퓨터가 인간처럼 기억·학습·판단할 수 있도록 구현한 것. • 다수의 퍼셉트론을 여러 계층으로 배열하여 복잡한 판정을 함.

↓

전개: 인공 신경망의 학습(4, 5문단)	
학습 단계	**판정 단계**
• 인공 신경망을 학습시키는 경우 자료에 나타난 특징을 수치화한 학습 데이터를 정답에 해당하는 값과 함께 제공함. • 출력값이 정답과 다를 경우 그 차이가 줄어들도록 가중치를 갱신함. • 오차 값이 0에 근접하게 되거나 가중치의 갱신이 더 이상 이루어지지 않으면 판정 단계로 전환됨.	• 판정의 오류를 줄이기 위해서는 학습 단계에서 대상들의 변별적 특징이 잘 반영되어 있는 서로 다른 학습 데이터를 사용해야 함. • 경우의 수를 줄여가며 최적의 답을 찾는 과정임.

↓

마무리: 인공 신경망 기술의 현황(6문단)
인공 신경망 기술은 인간이 특징을 지정해 주지 않아도 인공 신경망 스스로 데이터 안에서 특징을 찾는 버전까지 개발됨.

5 인공 신경망의 작동은 크게 학습 단계와 판정 단계로 나뉜다. 학습 단계는 학습 데이터를 입력층의 입력 단자에 넣어 주고 출력층의 출력값을 구한 후, 이 출력값과 정답에 해당하는 값의 차이가 줄어들도록 가중치를 ㉯갱신하는 과정이다. 어떤 학습 데이터가 주어지면 이때의 출력값을 구하고 학습 데이터와 함께 제공된 정답에 해당하는 값에서 출력값을 뺀 값 즉 오차 값을 구한다. 이 오차 값의 일부가 출력층의 출력 단자에서 입력층의 입력 단자 방향으로 되돌아가면서 각 계층의 퍼셉트론별로 출력 신호를 만드는 데 ㉰관여한 모든 가중치들에 더해지는 방식으로 가중치들이 갱신된다. 이러한 과정을 다양한 학습 데이터에 대하여 반복하면 출력값들이 각각의 정답 값에 수렴*하게 되고 판정 성능이 좋아진다. 오차 값이 0에 근접하게 되거나 가중치의 갱신이 더 이상 이루어지지 않게 되면 학습 단계를 마치고 판정 단계로 ㉱전환한다. 이때 판정의 오류를 줄이기 위해서는 학습 단계에서 대상들의 ㉲변별적 특징이 잘 반영되어 있는 서로 다른 학습 데이터를 사용하는 것이 좋다. 이렇게 임의의 값에서 출발하여 시행착오를 거듭하는 학습 과정 때문에 인공 신경망은 지나치게 단순한 방법이라는 비판을 받기도 한다. 학습한 모델의 결과가 좋더라도 그 과정이 너무 비효율적이라는 것이다. 그러나 가중치를 갱신해 나가는 과정에서 존재하는 모든 경우의 수를 다 따지는 것이 아니라 계속해서 가능한 경우의 수를 줄여나가며 최적의 답을 찾는 과정이기 때문에 사실은 굉장히 효율적인 방법이다.

5문단: 인공 신경망의 작동

6 인공 신경망 이론은 1940년에 제안되기는 했지만 실제로 널리 퍼진 것은 2000년대 이후였다. 많은 수의 뉴런을 학습시키고 복잡한 신경망을 구축하기에는 컴퓨터의 성능이 턱없이 부족하였고, 데이터를 구하는 일도 만만치 않았기 때문이다. 하지만 컴퓨터의 성능이 좋아지고 데이터의 홍수 속에서 살게 되면서 다시 주목을 받기 시작하였고, 발전에 발전을 거듭해서 현재 인간이 특징을 지정해 주지 않고 데이터 안에서 특징을 알아서 찾는 버전까지 개발되었다.

6문단: 인공 신경망 기술의 현황

지문 해제

이 글은 컴퓨터가 인간처럼 기억·학습하고 판단할 수 있도록 구현한 인공 신경망 기술을 설명하고 있다. 인공 신경망은 퍼셉트론을 기본 단위로 사용하는데, 퍼셉트론은 입력 단자와 출력 단자로 구성되어 있다. 퍼셉트론은 각각의 입력 단자에 할당된 가중치를 입력값에 곱한 값들을 모두 합해 가중합을 구한 후, 고정된 임계치와 비교하여 출력값을 내보낸다. 인공 신경망은 다수의 퍼셉트론을 여러 개 층으로 배열하여, 하나의 출력값이 다음 계층에 있는 퍼셉트론의 입력값으로 입력되는 구조이다. 인공 신경망을 학습시키기 위해서는 학습 데이터와 정답에 해당하는 값을 인공 신경망에 제공해야 한다. 인공 신경망의 작동은 크게 학습 단계와 판정 단계로 나뉜다. 학습 단계는 정답에 해당하는 값과 출력값의 오차 값을 이용하여 가중치를 갱신하는 방식으로 이루어지는데 오차 값이 0에 되거나 가중치 갱신이 더 이상 이루어지지 않을 때 판정 단계로 전환된다. 판정 단계에서 오류를 줄이기 위해서는 학습 단계에서 대상들의 변별적 특징이 잘 반영되어 있는 서로 다른 학습 데이터를 사용하는 것이 좋다. 인공 신경망은 임의의 값에서 시행착오를 거듭하는 학습 과정 때문에 비판을 받기도 하였지만 가중치를 갱신해 나가는 과정에서 계속해서 가능한 경우의 수를 줄여나가며 최적의 답을 찾는 과정이기 때문에 효율적인 방법이라고 볼 수 있다. 이러한 인공 신경망 기술은 현재 인공 신경망이 제시된 데이터 안에서 특징을 알아서 찾는 버전까지 개발되었다.

구절 풀이

○ 학습 단계의 가중치 갱신 과정: 출력값 도출→가중치 증가→오차 값 도출→오차 값 감소→가중치 갱신

○ 각각의 입력 단자에 할당된 가중치의 값이 계산된 값이 아니라 사용자가 마음대로 정한 값이므로 출력값이 정답 값에 수렴할 때까지 가중치를 갱신하는 과정이 반복되는 과정이 단순하다고 비효율적이라고 비판함.

○ 4문단과 5문단에서 처럼 인공 신경망을 작동시키려면 사용자가 자료에서 특징을 선택하고 이를 수치화하여 입력값으로 제공해야 하는데, 최근 이러한 과정 없이 인공 신경망 스스로 특징을 찾는 버전이 개발되었음.

어휘 풀이

* 수렴: 변수(어떤 관계나 범위 안에서 여러 가지 값으로 변할 수 있는 수)가 일정한 값에 한없이 가까워지는 것.

―선생님의**Tip**―

"비지도 학습과 딥러닝"

인공 신경망에서 '지도 학습'은 컴퓨터에 먼저 분류 기준을 입력하는 방식으로, 기존의 인공 신경망 알고리즘에서는 대개 이 방식으로 데이터를 분류했다. 반면 '비지도 학습'은 분류 기준 없이 정보를 입력하고 컴퓨터가 알아서 데이터를 분류하게 하는 방식으로, 컴퓨터가 스스로 비슷한 군집을 찾아 데이터를 분류하게 됨.

이러한 비지도 학습을 하려면 컴퓨터의 고도의 연산 능력이 요구됨. '딥러닝'은 이러한 비지도 학습 방법을 사용한 기술로, 특징을 추출하는 것부터 학습까지의 과정을 알고리즘에 포함한 것임. '구글'은 딥러닝 컴퓨터로 유튜브에 게시된 동영상에서 고양이를 인식하는 것에 성공했으며 '페이스북'은 얼굴 인식 기술인 딥페이스를 개발하기도 했음.

01 정보들 간의 관계 파악 | 정답 ③ |

윗글에 따를 때, @~①에 대한 설명으로 적절하지 <u>않은</u> 것은?

① ⓑ는 ⓐ의 기본 단위이다.
1문단
② ⓒ는 ⓑ를 구성하는 요소 중 하나이다.
2문단
③ ⓓ가 변하면 ⓔ도 따라서 변한다.
고정된 임계치이므로 변하지 않음.
④ ⓔ는 ⓕ를 결정하는 기준이 된다.
2문단
⑤ ⓐ가 학습하는 과정에서 ⓕ는 ⓓ의 변화에 영향을 미친다.
2문단

📁 발문 분석

지문에 언급된 용어들의 개념을 파악하고 관계를 이해하였는지를 묻고 있다. 기호를 사용하여 다소 어려워보일 수 있으나, 각 기호의 개념을 꼼꼼히 파악하면 쉽게 문제를 해결할 수 있다.

◎ 정답 풀이

③ 2문단에서 ⓑ'퍼셉트론'은 '각각의 입력 단자에 할당된 ⓓ'가중치'를 입력값에 곱한 값들을 모두 합하여 가중합을 구'한다고 하였다. 그리고 가중합을 고정된 ⓔ'임계치'와 비교하여 0이나 1이라는 출력값을 내보낸다고 하였다. ⓔ'임계치'는 고정된 값이므로, ⓓ'가중치'가 변해도 ⓔ'임계치'가 따라서 변하지는 않는다.

✖ 오답 풀이

① 1문단에서 ⓐ'인공신경망'에서는 ⓑ'퍼셉트론'을 기본 단위로 사용한다고 하였다.
② 2문단에서 ⓑ'퍼셉트론'은 ⓒ'입력 단자'와 출력 단자로 구성되어 있다고 하였다.
④ 2문단에서 퍼셉트론은 ⓔ'임계치'보다 가중합이 작으면 0, 그렇지 않으면 1과 같은 방식으로 ⓕ'출력값'을 내보낸다고 하였다.
⑤ 5문단에서 ⓐ'인공 신경망'의 학습 단계에서는 정답에 해당하는 값에서 ⓕ'출력값'을 뺀 값인 오차 값이 더해져 ⓓ'가중치'들이 갱신된다고 하였다. 따라서 ⓕ는 ⓓ의 변화에 영향을 미친다고 볼 수 있다.

🎓 선생님의 🍯 꿀 정보

01번 문제: 정보들 간의 관계를 파악하는 문제

01번 문제에서 발문은 '@~①에 대한 설명'이라고 포괄적으로 되어 있지만, 선택지를 보면 @~①의 관계를 이해할 수 있는지를 묻고 있음을 알 수 있다. 이러한 문제를 풀 때에는 지문의 내용을 눈으로만 확인하는 것보다 이를 시각화하는 것이 글에 대한 이해도를 높이고 문제의 정답을 더 쉽게 찾을 수 있게 도와준다. 어떤 방식으로 시각화를 할 수 있는지 함께 살펴보도록 하자.

1) 문단의 핵심어에 기호를 활용하여 표시하며 읽는다.

→ ⓑ퍼셉트론은 입력값들을 받아들이는 여러 개의 ⓒ입력 단자와 이 값을 처리하는 부분, 처리된 값을 내보내는 한 개의 출력 단자로 구성되어 있다. 퍼셉트론은 각각의 입력 단자에 할당된 ⓓ가중치를 입력값에 곱한 값들을 모두 합하여 가중합을 구한 후, 고정된 ⓔ임계치보다 가중합이 작으면 0, 그렇지 않으면 1과 같은 방식으로 ⓕ출력값을 내보낸다.

2) 기호로 표시한 용어들을 시각화해 본다.

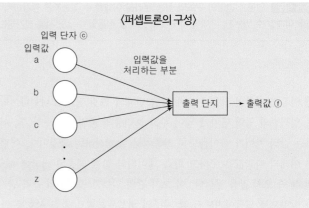

〈퍼셉트론의 구성〉

3) 추가할 내용이 있으면 적는다.

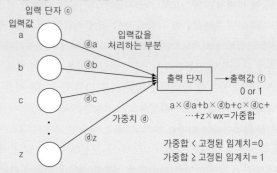

$$a×ⓓa+b×ⓓb+c×ⓓc+\cdots+z×wx=가중합$$

가중합 < 고정된 임계치=0
가중합 ≥ 고정된 임계치 = 1

4) 선택지의 내용과 그림을 같이 살펴보며 문제를 해결한다.

⇒ 이 방법은 시간이 다소 소요되므로, 실제 시험에서 활용하기 보다는 평소 지문을 읽고 연습할 때만 사용하는 것이 좋다. 또 이렇게 시각화하기 전에, 문제에서 시각화된 자료를 [보기]를 통해 제공하는 경우가 많으므로 다른 문제에서 제공된 것은 없는지를 먼저 확인하도록 한다.

02 세부 정보의 파악 | 정답 ⑤ |

윗글에 대한 이해로 적절하지 <u>않은</u> 것은?

① 퍼셉트론의 출력 단자는 하나이다.
2문단
② 출력층의 출력값이 정답에 해당하는 값과 같으면 오차 값은 0이다.
5문단
③ 입력층 퍼셉트론에서 출력된 신호는 다음 계층 퍼셉트론의 입력값이 된다.
3문단
④ 퍼셉트론은 인간의 신경 조직의 기본 단위의 기능을 수학적으로 모델링한 것이다.
1문단
⑤ 가중치의 갱신은 입력층의 입력 단자에서 출력층의 출력 단자 방향으로 진행된다.
출력 단자→입력 단자

📁 발문 분석

지문의 세부 내용을 이해하였는지 묻고 있다. 선택지에 제시된 내용이 지문의 어느 부분에 제시되어 있는지를 파악한 후 내용을 확인하여 그 내용을 근거로 선택지의 적절성을 판단해야 한다.

◎ 정답 풀이

⑤ 5문단에서 '오차 값의 일부가 출력층의 출력 단자에서 입력층의 입력 단자 방향으로 되돌아가면서 각 계층의 퍼셉트론별로 출력 신호를 만드는 데 관여한 모든 가중치들에 더해지는 방식으로 가중치가 갱신된다.'라고

하였다. 따라서 가중치의 갱신은 출력층의 출력 단자에서 입력층의 입력 단자 방향으로 진행된다고 할 수 있다.

❌ 오답 풀이

① 2문단에서 퍼셉트론은 여러 개의 입력 단자와 한 개의 출력 단자로 구성되어 있다고 하였다. 따라서 퍼셉트론의 출력 단자가 하나라는 진술은 적절하다.

② 5문단에서 오차 값은 '정답에 해당하는 값에서 출력값을 뺀 값'이라고 하였다. 따라서 출력층의 출력값이 정답에 해당하는 값과 같으면 오차 값은 0이라는 진술은 적절하다.

③ 3문단에서 '한 계층에서 출력된 신호가 다음 계층에 있는 모든 퍼셉트론의 입력 단자에 입력값으로 입력되는 구조'라고 하였다. 따라서 입력층 퍼셉트론에서 출력된 신호는 다음 계층 퍼셉트론의 입력값이 된다는 진술은 적절하다.

④ 1문단에서 인공 신경망에서는 신경 조직의 기본 단위인 '뉴런의 기능을 수학적으로 모델링한 퍼셉트론을 기본 단위로 사용한다.'라고 하였다. 따라서 퍼셉트론은 인간의 신경 조직의 기본 단위의 기능을 수학적으로 모델링한 것이라는 진술은 적절하다.

👑 03 추론의 적절성 판단 | 정답 ③ |

윗글을 바탕으로 ⑤에 대해 추론한 것으로 적절하지 않은 것은?
사진 속 물체가 사과인지 아닌지 구별하는 학습

① 학습 데이터를 만들 때는 색깔이나 형태가 (다른) 사과의 사진을 선택하는 것이 좋겠군.

② 학습 데이터에 (두 가지) 범주가 제시되었으므로 입력층의 퍼셉트론은 (두 개)의 입력 단자를 사용하겠군.

③ 색깔에 해당하는 범주와 형태에 해당하는 범주를 분리하여 각각 서로 다른 학습 데이터로 만들어야 하겠군.
두 범주를 수치화하여 하나의 학습 데이터로 묶음.

④ 가중치가 더 이상 변하지 않는 단계에 이르면 '사과'인지 아닌지를 구별하는 학습 단계가 끝났다고 볼 수 있겠군.
오차 값=0

⑤ 학습 데이터를 만들 때 사과 사진의 정답에 해당하는 값을 0으로 설정하였다면, 출력층의 출력 단자에서 0 신호가 출력되면 '사과이다'로, 1 신호가 출력되면 '사과가 아니다'로 해석해야 되겠군.
정답에 해당하는 값=0

📁 발문 분석

지문의 내용을 고려하여 적절히 추론할 수 있는지 묻고 있다. 먼저 ⑤이 무엇을 설명하기 위한 예인지를 파악한 후, 선택지의 적절성을 판단해야 한다.

◎ 정답 풀이

③ 4문단에서 ⑤을 위한 학습 데이터를 만들기 위해서는 '색깔과 형태라는 두 범주를 수치화하여 하나의 학습 데이터로 묶'어야 한다고 하였다. 따라서 범주를 분리하여 각각 서로 다른 학습 데이터를 만들어야 한다는 진술은 적절하지 않다.

❌ 오답 풀이

① 5문단에서 '판정의 오류를 줄이기 위해서는 학습 단계에서 대상들의 변별적 특징이 잘 반영되어 있는 서로 다른 학습 데이터를 사용하는 것이 좋다.'라고 하였다. 따라서 색깔이나 형태가 다른 사과의

사진을 이용하여 학습 데이터를 만드는 것이 판정의 오류를 줄이는 데 유리할 것이다.

② 4문단에서 '같은 범주에 속하는 입력값은 동일한 입력 단자를 통해 들어가도록 해야 한다.'라고 하였다. 따라서 범주가 두 가지면 퍼셉트론의 입력 단자도 두 개를 사용해야 한다.

④ 5문단에서 '가중치의 갱신이 더 이상 이루어지지 않게 되면 학습 단계를 마치고 판정 단계로 전환한다.'라고 하였다. 따라서 가중치가 더 이상 변하지 않는 단계에 이르면 '사과'인지 아닌지를 구별하는 학습 단계가 끝났다고 볼 수 있다.

⑤ 4문단에서 '학습 데이터를 만들 때 정답인 '사과이다'에 해당하는 값을 '1'로 설정하였다면 출력값 '0'은 '사과가 아니다'를 의미하게 된다.'라고 하였다. 따라서 이와 반대로 정답에 해당하는 값을 '0'으로 설정하였다면 '0'이 출력되면 '사과이다'로, '1'이 출력되면 '사과가 아니다'로 해석해야 한다.

🍯 선생님의 꿀 정보

추론적 사고를 요구하는 문제의 유형과 해결 방법

비문학(독서) 지문에서 요구하는 추론적 사고란 지문 속 정보에 포함된 전제나, 주어진 정보를 바탕으로 예측할 수 있는 상황 등을 찾는 것이라고 할 수 있다. 그러므로 추론적 사고를 요구하는 문제는 글에 직접 드러나지 않은 정보를 논리적으로 추론하는 능력을 확인하는 것이라고 할 수 있다.

추론의 근거는 지문에서 찾아야 한다. 따라서 지문을 정확하게 이해해야 한다. 또한 추론하는 문제라 할지라도 모든 선택지가 추론을 요구하는 것은 아니다. 어떤 선택지는 지문의 내용을 재진술하는 경우도 있으므로, 글을 정확하게 이해하는 것이 가장 중요하다. 추론적 사고 영역에 해당하는 문제의 유형은 크게 세 가지로 나눌 수 있다.

1. 글의 표현을 다른 표현으로 바꾸어 제시하는 유형

이러한 유형의 문제는 세부 내용이나 중심 내용에 대한 이해를 확인하는 문제와 유사하다. 따라서 지문에 제시된 정보를 확인하면 된다. 다만 추론 문제의 경우 지문에 제시된 정보를 그대로 서술하여 선택지를 구성하는 사실적 사고 유형의 문제와는 달리 이를 압축하고 요약하거나 다른 말로 바꾸어 선택지를 구성한다는 점을 기억해야 한다.

例 〈지문〉: 오차 값이 0에 근접하게 되거나 가중치의 갱신이 더 이상 이루어지지 않게 되면 학습 단계를 마치고 판정 단계로 전환한다.

〈사실적 정보로 변환한 선택지의 예〉
가중치의 갱신이 더 이상 이루어지지 않게 되면 학습 단계를 마친다.
→ 본문의 내용을 그대로 활용해 선택지를 구성함.

〈추리적 정보로 변환한 선택지의 예〉
가중치가 더 이상 변하지 않는 단계에 이르면 '사과'인지 아닌지를 구별하는 학습 단계가 끝났다고 볼 수 있겠군.
→ 본문의 내용을 다른 표현으로 바꾸어 선택지를 구성함.

2. [보기]의 빈칸에 들어갈 말을 찾는 유형

이러한 유형의 문제는 지문 안에 있는 많은 정보들 중, 글의 핵심과 직접적인 연관성이 있는 내용을 요약하여 [보기]에 빈칸이 있는 문장으로 제시한다. 따라서 지문을 읽을 때 문단의 중심 내용이나 글 전체의 중심 내용을 파악하며 읽으면 [보기]의 빈칸에 어떠한 말이 들어가야 하는지를 쉽게 찾을 수 있다.

例 윗글을 바탕으로 ⑤이 가능한 이유를 진술한다고 할 때, [보기]의 ㉮, ㉯에 들어갈 말로 가장 적절한 것은?

― 보기 ―

반추 동물이 섭취한 섬유소와 비섬유소는 반추위에서 (㉮), 이를 이용하여 생장하는 (㉯)은 반추 동물의 에너지원으로 이용되기 때문이다.

3. 지문과 관련된 자료를 제시하는 유형

이러한 유형의 문제는 지문과 관점이 동일하거나 상반되는 글이나 지문의 내용과 연관이 있는 일상적인 사례나 문학 작품 등을 [보기]에 제시하고, 지문과 [보기]를 관련지어 추론할 수 있는지를 평가한다. 따라서 이런 문제를 해결할 때에는 우선 [보기]와 지문과의 관련성을 파악한 후, 발문에서 요구하는 바에 따라 추론적 사고를 해 나가야 한다.

㉮ 윗글과 [보기]를 읽고 추론한 내용으로 적절하지 않은 것은?

― 보기 ―

철골은 매우 높은 강도를 지닌 건축 재료로, 규격화된 직선의 형태로 제작된다. 철근 콘크리트 대신 철골을 사용하여 기둥을 만들면 더 가는 기둥으로도 간격을 더욱 벌려 세울 수 있어 훨씬 넓은 공간 구현이 가능하다. 하지만 산화되어 녹이 슨다는 단점이 있어 내식성 페인트를 칠하거나 콘크리트를 덧입히는 등 산화 방지 조치를 하여 사용한다.

베를린 신국립미술관은 철골의 기술적 장점을 미학적으로 승화시킨 건축물이다. 거대한 평면 지붕은 여덟 개의 십자형 철골 기둥만이 떠받치고 있고, 지붕과 지면 사이에는 가벼운 유리벽이 사면을 둘러싸고 있다. 최소한의 설비 외에는 어떠한 것도 천장에 닿아 있지 않고 내부 공간이 텅 비어 있어 지붕은 공중에 떠 있는 느낌을 준다. 미술관 내부에 들어가면 넓은 공간 속에서 개방감을 느끼게 된다.

04 세부 정보의 이해 | 정답 ② |

윗글의 입력값에 대한 이해로 적절하지 않은 것은?

① 주어진 자료의 색깔이나 형태와 같은 특징을 수치화한 값이다.
② 인공 신경망에서 출력값에 따라 두 가지로만 구분하여 판정된다.
퍼셉트론에 해당하는 설명. 인공 신경망은 이에 비해 복잡한 판정을 할 수 있음.
③ 인공 신경망 학습의 시작 단계에서 정답에 해당하는 값과 함께 제공된다.
④ 퍼셉트론의 입력 단자에 입력하면 할당된 가중치와 곱해지는 처리 과정을 겪는다.
⑤ 인공 신경망 학습의 판정 오류를 줄이려면 대상들의 변별적 특징이 잘 반영되어 있어야 한다.

발문 분석

'입력값'에 관련된 내용을 이해하였는지 묻고 있다. 지문을 읽으면서 '입력값'에 대한 설명 부분에 밑줄을 그어 놓으면 해당 부분만 확인하면 되기 때문에 문제를 빠르게 해결할 수 있다.

정답 풀이

② 3문단에서 '퍼셉트론은 출력값에 따라 두 가지로만 구분하여 입력값을 판정할 수 있'지만, 인공 신경망은 '이에 비해 복잡한 판정을 할 수 있'다고 하였다.

오답 풀이

① 4문단에서 인공 신경망 학습을 위해서는 먼저 학습 데이터를 만들

어야 하는데, 학습 데이터를 만들기 위해서는 '특징을 수치화해야 한다.'라고 하였다. 이를 통해 학습 데이터, 즉 입력값이 자료의 특징을 수치화한 값임을 알 수 있다. 따라서 입력값이 주어진 자료의 색깔이나 형태와 같은 특징을 수치화한 값이라는 진술은 적절하다.
③ 4문단에서 인공 신경망을 학습시키는 경우 '정답에 해당하는 값과 함께 학습 데이터를 인공 신경망에 제공한다.'라고 하였다. 따라서 입력값이 인공 신경망 학습의 시작 단계에서 정답에 해당하는 값과 함께 제공된다는 진술은 적절하다.
④ 2문단에서 퍼셉트론은 입력 단자에서 입력값들을 받아들인다고 하였으며, '각각의 입력 단자에 할당된 가중치를 입력값에 곱한 값들을 모두 합하여 가중합을 구한'다고 하였다. 따라서 입력값을 퍼셉트론의 입력 단자에 입력하면 할당된 가중치와 곱해지는 처리 과정을 겪는다는 진술은 적절하다.
⑤ 5문단에서 인공 신경망의 '판정의 오류를 줄이기 위해서는 학습 단계에서 대상들의 변별적 특징이 잘 반영되어 있는 서로 다른 학습 데이터를 사용하는 것이 좋다.'라고 하였다. 따라서 인공 신경망 학습의 판정 오류를 줄이려면 대상들의 변별적 특징이 잘 반영되어 있어야 한다는 진술은 적절하다.

05 구체적 사례에 적용 | 정답 ③ |

윗글을 바탕으로 [보기]를 이해한 내용으로 가장 적절한 것은?

― 보기 ―

아래의 [A]와 같은 하나의 퍼셉트론을 [B]를 이용해 학습시키고자 한다.

[A]
• 입력 단자는 세 개(a, b, c) → 세 개의 범주
• a, b, c의 현재의 가중치는 각각 $W_a=0.5$, $W_b=0.5$, $W_c=0.1$
학습하여 갱신됨.
• 가중합이 임계치 1보다 작으면 0을, 그렇지 않으면 1을 출력
'입력값×가중치'의 합=1×0.5+0×0.5+1×0.1=0.6

[B]
• a, b, c로 입력되는 학습 데이터는 각각 $I_a=1$, $I_b=0$, $I_c=1$
• 학습 데이터와 함께 제공되는 정답=1

① [B]로 학습시키기 위해서는 판정 단계를 먼저 거쳐야 하겠군.
학습 단계를 마쳐야 판정 단계로 전환
② 이 퍼셉트론이 1을 출력한다면, 가중합이 1보다 작았기 때문이겠군.
가중합이 1보다 작으면 0을 출력
③ [B]로 한 번 학습시키고 나면 가중치 Wa, Wb, Wc가 모두 늘어나 있겠군.
④ [B]로 여러 차례 반복해서 학습시키면 퍼셉트론의 출력값은 0에 수렴하겠군.
오차 값이 0에 수렴
⑤ [B]의 학습 데이터를 한 번 입력했을 때 그에 대한 퍼셉트론의 출력값은 1이겠군.
출력값은 0

발문 분석

인공 신경망의 학습 과정을 이해하고 [보기]에 적용할 수 있는지 묻고 있다. 지문의 4~5문단에서 가중치와 오차 값을 이용하는 학습 단계를 설명하고 있으므로 이를 충분히 이해한 후 [보기]에 적용해 보도록 한다.

[보기]는 인공 신경망을 학습시키는 사례이다. 하나의 퍼셉트론을 학습시키고자 할 때의 퍼셉트론의 조건, 입력값, 정답을 제시하고 있다. [A]는 퍼셉트론의 조건이고, [B]는 입력 단자에 입력되는 입력값과 정답이다. 4~5문단을 고려해 [보기]의 퍼셉트론을 학습시키는 과정을 정리하면 다음과 같다.

[A] : 하나의 퍼셉트론		
입력 단자 a	입력값 처리 $(0.5 \times 1) + (0.5 \times 0) + (0.1 \times 1) = 0.6$ → 가중합이 임계치보다 작으므로 출력값은 0	출력 단자
입력 단자 b		
입력 단자 c		

⇩

출력값(0)

⇩

오차 값 계산(1-0=1)

⇩

가중치 갱신

◎ 정답 풀이

③ 5문단에서 '정답에 해당하는 값에서 출력값을 뺀 값'이 오차 값이 되고, '오차 값의 일부가 출력층의 출력 단자에서 입력층의 입력 단자 방향으로 되돌아가면서 각 계층의 퍼셉트론별로 출력 신호를 만드는 데 관여한 모든 가중치들에 더해지는 방식으로 가중치들이 갱신된다.'라고 하였다. [보기]에서 입력 단자가 세 개라는 것은 학습 데이터를 만들 때 세 가지 범주를 사용한 것을 의미하고, 가중치 W_a, W_b, W_c는 모두 출력 신호를 만드는 데 관여하였음을 의미한다. 따라서 [A]에서 한 번의 학습이 이루어지면 오차 값의 일부가 더해져 세 개의 가중치는 모두 늘어나 있을 것이다.

✖ 오답 풀이

① 5문단에서 '오차 값이 0에 근접하게 되거나 가중치의 갱신이 더 이상 이루어지지 않게 되면 학습 단계를 마치고 판정 단계로 전환한다.'라고 하였다. 따라서 학습 단계가 끝나야 판정 단계로 넘어간다고 이해해야 한다.

② [보기]의 퍼셉트론 [A]는 '가중합이 임계치 1보다 작으면 0을, 그렇지 않으면 1을 출력'한다고 하였다. 따라서 이 퍼셉트론이 1을 출력한다면 가중합이 1보다 작지 않았다고 이해해야 한다.

④ 5문단에서 오차 값을 이용하여 가중치를 갱신하는 과정을 반복하면 '출력값들이 각각의 정답 값에 수렴하게' 된다고 하였다. 따라서 [A]를 [B]로 여러 차례 반복해서 학습시키면 퍼셉트론의 출력값은 학습 데이터와 함께 제공된 정답 값인 '1'에 수렴할 것이다.

⑤ 2문단에서 '퍼셉트론은 각각의 입력 단자에 할당된 가중치를 입력값에 곱한 값을 모두 합하여 가중합을 구한'다고 하였다. 이를 고려하면 [A]에 [B]의 학습 데이터를 한 번 입력하면 각 학습 데이터에 가중치가 곱해져 $I_a = 0.5(1 \times 0.5)$, $I_b = 0(0 \times 0.5)$, $I_c = 0.1(1 \times 0.1)$이 되고, 이들을 합한 가중합은 0.6이 될 것이다. 가중합 0.6은 임계치 1보다 작기 때문에 [A]는 0을 출력할 것이다.

㉮~㉺의 사전적 의미로 적절하지 않은 것은?

① ㉮ : 동일한 성질을 가진 부류나 범위.
   범주
② ㉯ : 기존의 내용을 변동된 사실에 따라 변경·추가·삭제하는 일.
   갱신
③ ㉰ : 어떤 일에 관계하여 참여함.
   관여
④ ㉱ : 다른 방향이나 상태로 바뀌거나 바꿈.
   전환
⑤ ㉲ : 복잡한 현상을 다양한 각도로 풀어서 논리적으로 해명함.
   변별
   사물의 같고 다름을 가림. 선택지는 '분석'의 의미임.

🗨 발문 분석

어휘의 사전적 의미를 파악할 수 있는지 묻고 있다. 어휘의 사전적 의미를 알고 있지 못하다면 문맥을 바탕으로 어휘의 의미를 짐작해 보아야 한다.

◎ 정답 풀이

⑤ '변별(辨別)'은 '사물의 옳고 그름이나 좋고 나쁨, 같고 다름을 가림.'을 의미한다. 지문에서는 대상들의 같고 다름을 가릴 수 있는 특징이라는 의미로 '변별'을 사용하였다. '복잡한 현상을 다양한 각도로 풀어서 논리적으로 해명함.'은 '분석(分析)'의 의미이다.

✖ 오답 풀이

① 범주(範疇)의 사전적 의미이다.
② 갱신(更新)의 사전적 의미이다.
③ 관여(關與)의 사전적 의미이다.
④ 전환(轉換)의 사전적 의미이다.

🛢 선생님의 꿀 정보

문제 풀이 시간을 단축하는 방법

　비문학(독서) 지문을 읽을 때에는 문단별로 내용을 파악해야 한다. 각 문단에서 무엇을 말하고 있는지 핵심 내용을 짧게 요약하면서 독해해야 추후 문제를 풀 때 다시 읽지 않아도 된다. 처음 보는 단어나 개념, 새로운 정보가 나왔을 때에는 밑줄이나 박스 등을 활용하여 눈에 띄게 표시를 해 둔다.

　시간이 너무 부족해 지문 전체를 다 읽을 수 없다면 제일 첫 문단과 마지막 문단만 먼저 읽어 본다. 보통 맨 처음에는 주제를 제시하고 맨 뒤에서는 앞의 내용을 정리해 주기 때문에 이를 파악하고 제시된 문제의 그 선택지의 내용이 어디에 있는지만 찾아서 문제를 풀면 비교적 시간을 절약할 수 있다.

구절 풀이

애벌랜치 광다이오드는 약한 광신호를 측정이 가능한 크기의 전기 신호로 변환해 주는 반도체이기 때문에 원거리 광통신에서 많이 사용됨.

전자와 양공 쌍이 생성되는 원인이 반드시 그러한 광자가 입사될 때가 아닌 경우도 있음.

어휘 풀이

* 광통신: 광섬유를 이용하여, 영상이나 음성, 각종 데이터 등의 전기 신호를 빛의 신호로 바꿔 보내는 통신 방식. 많은 용량의 정보를 보내거나 장거리 전송이 가능하며, 비교적 잡음이 적음. 광섬유 통신망.

* 광자: 빛을 입자로 보았을 때의 이름.

* 광다이오드: 반도체의 피엔 접합을 이용하여 입사 광선을 전류로 변환하는 전자 소자.

* 입사: 하나의 매질 속을 지나가는 소리나 빛의 파동이 다른 매질의 경계면에 이르는 일.

선생님의 Tip

"광자"

빛을 파동이 아닌 입자로 보았을 때의 빛 알갱이를 광자 또는 광양자라고 함. 미국의 이론 물리학자인 아인슈타인은 광전 효과를 해석하기 위하여 독일의 물리학자인 플랑크의 에너지 양자 개념을 기초로 하여 빛도 불연속적인 에너지 양자의 모임이라고 하여 이 빛 알갱이를 광양자 또는 광자라고 불렀음. 빛을 이용하는 광통신에서는 원거리의 경우, 단위 시간당 수신기에 도달하는 광자의 수가 적어지기 때문에 이를 검출할 수 있는 반도체를 사용하는데, 대표적인 것이 바로 애벌랜치 광다이오드임.

---

1 광통신*은 빛을 이용하기 때문에 정보의 전달은 매우 빠를 수 있지만, 광통신 케이블의 길이가 증가함에 따라 빛의 세기가 감소하기 때문에 원거리 통신의 경우 수신되는 광신호는 매우 약해질 수 있다. _{빛의 세기 감소 → 광신호 약화} _{광통신의 단점} 빛은 광자*의 흐름이므로 빛의 세기가 약하다는 것은 단위 시간당 수신기에 도달하는 광자의 수가 적다는 뜻이다. 따라서 광통신에서는 적어진 수의 광자를 검출하는 장치가 필수적이며, 약한 광신호를 측정이 가능한 크기의 전기 신호로 변환해 주는 반도체 소자로서 애벌랜치 광다이오드*가 널리 사용되고 있다. _{애벌랜치 광다이오드의 기능} _{중심 화제}   1문단: 약한 광신호를 측정 가능한 전기 신호로 변환하는 애벌랜치 광다이오드

2 애벌랜치 광다이오드는 크게 흡수층, ㉠애벌랜치 영역, 전극으로 구성되어 있다. _{애벌랜치 광다이오드의 구성} 흡수층에 충분한 에너지를 가진 광자가 입사*되면 전자(−)와 양공(+)쌍이 생성될 수 있다. _{흡수층의 역할: 전자−양공 쌍 생성} 이때 입사되는 광자수 대비 생성되는 전자−양공 쌍의 개수를 양자 효율이라 부른다. _{양자 효율의 개념} 소자의 특성과 입사광의 파장에 따라 결정되는 양자 효율은 애벌랜치 광다이오드의 성능에 영향을 미치는 중요한 요소 중 하나이다. _{양자 효율의 특징 ①}   _{양자 효율의 특징 ②}   2문단: 애벌랜치 광다이오드의 구성과 양자 효율

3 흡수층에서 생성된 전자와 양공은 각각 양의 전극과 음의 전극으로 이동하며, 이 과정에서 전자는 애벌랜치 영역을 지나게 된다. _{(−)→양의 전극으로 이동} _{(+)→음의 전극으로 이동} 이곳에는 소자의 전극에 걸린 역방향 전압으로 인해 강한 전기장이 존재하는데, 이 전기장은 역방향 전압이 클수록 커진다. _{역방향 전압↑→ 전기장↑} 이 영역에서 전자는 강한 전기장 때문에 급격히 가속되어 큰 속도를 갖게 된다. 이후 충분한 속도를 얻게 된 전자는 애벌랜치 영역의 반도체 물질을 구성하는 원자들과 충돌하여 속도가 줄어들며 새로운 전자−양공 쌍을 만드는데, 이 현상을 충돌 이온화라 부른다. _{충돌 이온화의 개념} 새롭게 생성된 전자와 기존의 전자가 같은 원리로 전극에 도달할 때까지 애벌랜치 영역에서 다시 가속되어 충돌 이온화를 반복적으로 일으킨다. 그 결과 전자의 수가 크게 늘어나는 것을 '애벌랜치 증배'라고 부르며 전자의 수가 늘어나는 정도, 즉 애벌랜치 영역으로 유입된 전자당 전극으로 방출되는 전자의 수를 증배 계수라고 한다. _{애벌랜치 증배의 개념}   _{증배 계수의 개념} 증배 계수는 애벌랜치 영역의 전기장의 크기가 클수록, 작동 온도가 낮을수록 커진다. _{전기장↑│온도↓│수록 커짐.} 전류의 크기는 단위 시간당 흐르는 전자의 수에 비례

지문 구조도

화제 제시: 약한 광신호를 측정하게 해 주는 애벌랜치 광다이오드(1문단)
애벌랜치 광다이오드: 약한 광신호를 측정이 가능한 크기의 전기 신호로 변환해 주는 반도체 소자.

↓

전개 1: 애벌랜치 광다이오드의 구성 ①−흡수층(2문단)
애벌랜치 광다이오드의 구성: 흡수층, 애벌랜치 영역, 전극 − 흡수층에 광자가 입사되면 전자(−)와 양공(+)쌍이 생성됨.

↓

전개 2: 애벌랜치 광다이오드의 구성 ②−애벌랜치 영역(3문단)
애벌랜치 영역의 특징: 소자의 전극에 걸린 역방향 전압 때문에 강한 전기장이 존재하며 역방향 전압이 커질수록 전기장이 커짐. → 충돌 이원화, 애벌랜치 증배가 일어남.

↓

마무리: 애벌랜치 광다이오드의 장·단점과 보완을 위한 연구(4문단)
• 장점: 작은 빛으로도 충분한 전기 신호를 얻어낼 수 있음. • 단점: PIN 포토다이오드에 비해 고속 응답성 부분에서 기능이 떨어짐. 온도 의존성이 크고 충돌 이온화 과정에서 추가적인 잡음이 생김. • 단점 보완을 위한 연구: 실리콘이나 저마늄 대신 '갈륨−비소−인듐 화학물'을 반도체에 사용하여 양자 효율 및 고속 응답성을 개선함.

주제 애벌랜치 광다이오드의 구조와 작동 원리, 장단점

한다. 이러한 일련의 과정을 거쳐 광신호의 세기는 전류의 크기로 변환된다. 그런데 이때 전류의 크기를 제한하지 않으면, 전류가 기하급수적으로 증가하게 되고, 이에 따라 급격한 열이 발생하여 애벌랜치 광다이오드에 문제가 ⓐ생기기도 한다. 그래서 이를 방지하고자 애벌랜치 광다이오드에 일정한 수준 이상의 전류가 흐르지 않도록 제한하는 '보호 링'을 설치한다.

> 전류의 크기를 제한해야 하는 이유

3문단: 애벌랜치 영역에서 광신호가 전류로 변환되는 과정

4 대표적인 광다이오드 중 하나인 PIN 포토다이오드*는 내부에 증배 기구를 갖고 있지 않지만 애벌랜치 광다이오드는 내부에 증배 기구를 갖고 있다. 또 애벌랜치 광다이오드는

> 애벌랜치 광다이오드의 특징 ①

PIN 포토다이오드에 비해 가격이 비싸긴 하지만 증배 덕분에 민감한 반응 감도*를 가지게

> 애벌랜치 광다이오드의 특징 ②

되어 장거리 통신에도 유리하고, 약한 광신호도 검출할 수 있다. 따라서 애벌랜치 광다이오

> 애벌랜치 광다이오드의 특징 ③

드를 사용하면 아주 약한 광신호라도 검출이 가능한 파장 대역*의 빛을 검출할 수 있는데, 반도체 물질에 따라 빛의 파장 대역이 다르다. 예를 들어 애벌랜치 광다이오드의 흡수층과 애벌랜치 영역을 구성하는 반도체 물질이 실리콘(Si)인 경우, 300~1,100nm* 파장 대역의 빛을 검출할 수 있으며, 저마늄(Ge)인 경우, 800~1,600nm 파장 대역의 빛을 검출할 수 있다. 한편 애벌랜치 광다이오드는 증배 과정에서 다소 시간이 걸리기 때문에 PIN 포토다이오드에 비해 '고속 응답성' 부분에서는 기능이 떨어진다. 또 애벌랜치 광다이오드는 온도 의

> 애벌랜치 광다이오드의 단점 ①

존성이 크고 충돌 이온화 과정에서 추가적인 잡음이 생긴다는 단점이 있다. 하지만 아주 작

> 애벌랜치 광다이오드의 단점 ②

은 빛으로도 충분한 전기 신호를 얻어낼 수 있다는 장점 때문에 많이 사용되며 이와 같은 단

> 애벌랜치 광다이오드의 장점

점을 개선하고자 연구가 진행되고 있다. 근래에는 실리콘(Si)이나 저마늄(Ge) 같은 단체(單

> 기존에 사용하던 반도체 물질

體)* 반도체를 대신하여 갈륨−비소−인듐(InGaAs) 화합물 등을 사용함으로써 양자 효율 및

> 양자 효율 및 고속 응답성을 개선하기 위해 사용하는 반도체 물질

고속 응답성을 개선한 애벌랜치 광다이오드가 광범위하게 사용되고 있다.

4문단: 애벌랜치 광다이오드의 장·단점과 보완

* nm: 나노미터 10억 분의 1미터.

구절 풀이

○ 애벌랜치 광다이오드에 설치되는 보호 링은 애벌랜치 영역에서 충돌 이온화를 통해 급격히 늘어난 전자 때문에 전류의 크기가 지나치게 커져서 과도한 열이 발생하는 것을 막기 위해 설치됨.

○ 애벌랜치 광다이오드는 흡수층과 애벌랜치 영역을 구성하고 있는 반도체 물질에 따라 검출이 가능한 빛의 파장 대역이 다름. 그래서 다양한 사용자의 필요나 요구에 따라 여러 종류의 애벌랜치 광다이오드가 제작됨.

기술 02

어휘 풀이

* PIN 포토다이오드: 입사광에 의한 전자·정공 쌍의 발생이 고전계가 존재하는 I층(공핍층)에서 발생하기 때문에 응답속도가 빠르고 변환 효율도 좋음.
* 감도: 외부의 자극이나 작용에 대하여 반응하는 정도.
* 대역: 어떤 폭으로써 정해진 범위. 최대 주파수에서 최저 주파수까지의 구역.
* 단체: 홑원소 물질.

지문 해제

이 글은 광통신에서 약한 광신호를 측정이 가능한 크기의 전기 신호로 변환해 주는 반도체 소자인 애벌랜치 광다이오드에 대해 설명하고 있다. 빛을 이용하는 광통신은 광통신 케이블의 길이가 증가하면 빛의 세기가 감소하여 수신되는 광신호가 약해지는 단점이 있다. 이렇게 약해진 광신호를 측정할 수 있는 크기의 전기 신호로 변환해 주는 반도체 소자가 바로 애벌랜치 광다이오드이다. 애벌랜치 광다이오드는 크게 흡수층, 애벌랜치 영역, 전극으로 구성된다. 흡수층에 충분한 에너지를 가진 광자가 입사되면 전자와 양공 쌍이 형성되는데, 입사되는 광자 수 대비 생성되는 전자−양공 쌍의 개수를 '양자 효율'이라고 한다. 양자 효율은 애벌랜치 광다이오드의 성능에 영향을 미친다. 흡수층에서 생성된 전자와 양공은 각각 양의 전극과 음의 전극으로 이동하는데, 이때 전자는 강한 전기장이 존재하는 애벌랜치 영역을 지나게 된다. 전자는 애벌랜치 영역의 반도체 물질을 구성하는 원자들과 충돌하여 새로운 전자−양공 쌍을 만들고 이 현상을 충돌 이온화라고 한다. 충돌 이온화가 반복적으로 일어나 전자의 수가 크게 늘어나는 것을 '애벌랜치 증배'라고 하고, 애벌랜치 영역으로 유입된 전자당 전극으로 방출되는 전자의 수를 '증배 계수'라고 한다. 증배 계수는 애벌랜치 영역의 전기장의 크기가 클수록, 작동 온도가 낮을수록 커진다. 그러나 전류가 너무 세면 애벌랜치 다이오드에 문제가 생기므로 보호 링을 설치하여 이를 방지한다. 한편 애벌랜치 광다이오드는 내부에 증배 기구를 갖고 있어 PIN 포토다이오드와는 차이가 있으며, 증배로 인해 민감한 반응 감도를 갖고 있어 장거리 통신, 약한 광신호 검출에 활용된다. 애벌랜치 광다이오드는 증배 과정에서 시간이 걸리기 때문에 고속 응답성의 기능이 떨어지고 충돌 이온화 과정에서 잡음이 생긴다는 단점이 있어 이를 보완하기 위한 연구가 계속되고 있다. 최근에는 실리콘이나 저마늄 대신 갈륨−비소−인듐 화합물 등을 사용하여 양자 효율 및 고속 응답성을 개선한 애벌랜치 광다이오드가 개발되어 널리 쓰인다.

선생님의 Tip

"광통신"

광통신 기술은 데이터를 전기신호 대신 광신호로 바꿔 많은 양의 데이터를 신속하게 전달하는 통신방법을 말함. 빛의 굴절에 의한 전반사원리를 이용하여 빛을 광케이블로 보내는 원리를 이용한 광통신은, 유리를 가느다란 실처럼 만든 광섬유를 통해 빛을 보내게 됨. 유리로 만든 광섬유는 구리선으로 전기신호를 보내는 것보다 더 빨리, 더 많은 양의 정보를 교환할 수 있게 해주고, 습도와 온도, 전기적 장애를 피할 수 있어 좀 더 안정적임. 전선을 활용한 전기신호의 경우 전선의 저항을 최대한 줄인다 해도 이동 속도는 초당 수천 km 정도이지만, 광통신은 초당 30만 km의 속도를 낼 수 있음.

01 세부 정보의 파악 | 정답 ① |

윗글의 내용과 일치하는 것은?

① 애벌랜치 광다이오드는 <u>아주 약한 빛을 검출해 내는데</u> 사용된다.
   <small>1, 4문단</small>

② 애벌랜치 광다이오드는 <u>온도 의존성이 큰</u> PIN 포토다이오드의 단점을 개선하였다.
   <small>4문단, 애벌랜치 광다이오드의 단점임.</small>

③ 애벌랜치 광다이오드의 충돌 이온화 과정에서 생기는 <u>잡음은 흡수층에서 제어된다.</u>
   <small>3, 4문단, 잡음은 제어되지 않으며 흡수층과도 관련 없음.</small>

④ <u>저마늄을 사용하여 만든 애벌랜치 광다이오드는 100nm 파장 대역의 빛을 검출할 때</u> 사용 가능하다.
   <small>4문단</small>
   <small>저마늄은 800~1,600nm 파장 대역의 빛을 검출할 때 활용됨.</small>

⑤ 애벌랜치 광다이오드의 <u>흡수층에서 전자-양공 쌍이 발생하려면, 충분한 양의 전자</u>가 입사되어야 한다.
   <small>광자</small>

📁 **발문 분석**

지문의 세부 내용을 정확히 이해했는지를 묻고 있다. 지문에 언급된 애벌랜치 광다이오드에 대한 내용을 꼼꼼히 확인한 후 선택지의 내용과 1:1로 비교하며 적절성을 판단해야 한다.

◎ **정답 풀이**

① 1문단에서 '약한 광신호를 측정이 가능한 크기의 전기 신호로 변환해 주는 반도체 소자로서 애벌랜치 광다이오드가 널리 사용'된다고 하였다. 또 4문단에서 '증배 덕분에 민감한 반응 감도를 가지게 되어 장거리 통신에도 유리하고, 약한 광신호도 검출할 수 있다.'라고 하였다. 이를 고려하면 애벌랜치 광다이오드는 아주 약한 빛을 검출해 내는데 사용된다고 볼 수 있다.

✖ **오답 풀이**

② 4문단에서 PIN 포토다이오드는 내부에 증배 기구를 갖고 있지 않다고 하였다. 또 애벌랜치 광다이오드는 PIN 포토다이오드에 비해 가격이 비싸고, 증배 과정에서 다소 시간이 걸리기 때문에 PIN 포토다이오드에 비해 고속 응답성 부분에서는 기능이 떨어진다고 하였다. 그리고 '애벌랜치 광다이오드는 온도 의존성이 크고 충돌 이온화 과정에서 추가적인 잡음이 생긴다는 단점이 있다.'라고 하였다. 이를 고려하면 PIN 포토다이오드의 온도 의존성에 대해서는 언급하고 있지 않으므로, 애벌랜치 광다이오드가 온도 의존성이 큰 PIN 포토다이오드의 단점을 개선하였다고 보는 것은 적절하지 않다.

③ 2문단에서 '애벌랜치 광다이오드는 크게 흡수층, 애벌랜치 영역, 전극으로 구성'된다고 하였고, 3문단에서 흡수층에서는 전자와 양공이 생성된다고 하였다. 그리고 '전자는 애벌랜치 영역의 반도체 물질을 구성하는 원자들과 충돌하여 속도가 줄어들며 새로운 전자-양공 쌍을 만드는데, 이 현상을 충돌 이온화라 부른다.'라고 하였다. 또 4문단에서 애벌랜치 광다이오드는 '충돌 이온화 과정에서 추가적인 잡음이 생긴다는 단점이 있다.'라고 하였다. 이를 모두 고려하면 애벌랜치 광다이오드의 충돌 이온화 과정에서 생기는 잡음은 애벌랜치 영역에서 발생할 것이라고 추측할 수 있고, 이것이 흡수층에서 제어된다고 보는 것은 적절하지 않다.

④ 4문단에서 '애벌랜치 광다이오드의 흡수층과 애벌랜치 영역을 구성하는 반도체 물질이' '저마늄(Ge)인 경우, 800~1,600nm 파장 대역의 빛을 검출할 수 있다.'라고 하였다. 따라서 저마늄을 사용하여 만든 애벌랜치 광다이오드가 100nm 파장 대역의 빛을 검출한다고

보는 것은 적절하지 않다.

⑤ 2문단에서 '흡수층에 충분한 에너지를 가진 광자가 입사되면 전자(-)와 양공(+)쌍이 생성될 수 있다.'라고 하였다. 이를 고려하면 흡수층에 입사되는 것이 광자이므로 애벌랜치 광다이오드의 흡수층에서 전자-양공 쌍이 발생했을 때 전자가 입사되었다고 보는 것은 적절하지 않다.

🍯 선생님의 꿀 정보

01번 문제: 세부 정보의 파악

수능이나 모의고사의 비문학(독서) 영역에서는 지문의 세부 정보를 파악하는 문제가 거의 매번 출제된다. 그런데 기술 부분의 지문일 경우, 내용을 이해하는 것에 급급하여 세부 정보의 일치 여부를 파악할 때 선택지의 내용이 다소 변경된 것을 확인하지 않아 실수를 저지르는 경우가 많다.

01번 문제도 세부 정보를 파악하는 문제인데, 이러한 문제의 경우 다음과 같은 방법을 따르는 것이 도움이 된다.

① 선택지에 언급된 핵심 화제 파악하기

각 선택지별로 다루고 있는 핵심 화제가 무엇인지 파악하면 지문에서 해당 내용을 바로 찾아볼 수 있어 선택지의 적절성을 판단하기 쉽다.

→ 01번 문제의 선택지 ④번의 경우 '저마늄을 사용'했다고 하였으므로, 지문에서 저마늄에 대해 언급한 4문단에 각종 기호를 활용하여 표시를 해 둔다.

② 선택지와 지문의 내용을 1:1로 비교하기

→ 선택지에서는 저마늄을 이용한 애벌랜치 광다이오드가 100nm 파장의 빛을 검출할 때 사용한다고 하였지만, 지문에서는 '저마늄(Ge)인 경우, 800~1,600nm 파장 대역의 빛을 검출할 수 있다.'라고 하였다. 따라서 100nm라고 표시된 부분이 변경되었고 이 때문에 선택지 ④번이 오답임을 확인할 수 있다.

---

02 핵심 정보의 파악 | 정답 ③ |

㉠에 대한 이해로 적절하지 않은 것은?

① ㉠에서 전자는 <u>역방향 전압의 작용으로 속도가 증가</u>한다.
   <small>역방향 전압으로 인해 강한 전기장 존재→전자의 속도 증가</small>

② ㉠에서 형성된 <u>강한 전기장은 충돌 이온화가 일어나는 데 필수적</u>이다.
   <small>강한 전기장 존재→전자의 속도 증가→원자들과 충돌하여 새로운 전자-양공 쌍을 만드는 충돌 이온화 발생</small>

③ ㉠에 <u>유입된 전자가 생성하는 전자-양공 쌍의 수는 양자 효율을 결정</u>한다.

④ ㉠에서 충돌 이온화가 많이 일어날수록 <u>전극에서 측정되는 전류가 증가</u>한다.
   <small>충돌 이온화→전자 수 증가→전류 증가</small>

⑤ 흡수층에서 ㉠으로 들어오는 <u>전자의 수가 늘어나면 충돌 이온화의 발생 횟수가 증가</u>한다.
   <small>들어오는 전자가 원자들과 충돌하므로 전자 수가 많아지면 충돌 이온화의 발생 빈도도 늘어남.</small>

📁 **발문 분석**

글에 제시된 핵심 개념과 그 세부 내용을 정확히 파악할 수 있는지를 묻고 있다. '애벌랜치 영역'은 무엇인지, 그곳에서 어떤 일들이 벌어지는지를 살펴본 후 선택지와 1:1로 비교하여 그 적절성을 판단해야 한다.

정답 풀이

③ 2문단에서 '흡수층에 충분한 에너지를 가진 광자가 입사되면 전자(−)와 양공(+)쌍이 생성'되고, '입사되는 광자수 대비 생성되는 전자−양공 쌍의 개수를 양자 효율'이라고 하며, '소자의 특성과 입사광의 파장에 따라 결정되는 양자 효율은 애벌랜치 광다이오드의 성능에 영향을 미치는 중요한 요소 중 하나'라고 하였다. 이를 고려하면 ⊙에 유입된 전자가 아니라 흡수층에 유입된 전자가 전자−양공의 쌍을 생성한다고 이해해야 한다.

오답 풀이

① 3문단에서 ⊙에는 '소자의 전극에 걸린 역방향 전압으로 인해 강한 전기장이 존재하는데, 이 전기장은 역방향 전압이 클수록 커진다.'라고 하였다. 또 '전자는 강한 전기장 때문에 급격히 가속되어 큰 속도를 갖게 된다.'라고 하였다. 이를 고려하면 ⊙에서 전자는 역방향 전압 때문에 만들어진 강한 전기장 때문에 속도가 증가한다고 이해할 수 있다.

② 3문단에서 '전자는 강한 전기장 때문에 급격히 가속되어 큰 속도를 갖게' 되고 '충분한 속도를 얻게 된 전자는 애벌랜치 영역의 반도체 물질을 구성하는 원자들과 충돌하여 속도가 줄어들며 새로운 전자−양공 쌍을 만드는데, 이 현상을 충돌 이온화라 부른다.'라고 하였다. 이를 고려하면 ⊙에서 충돌 이온화가 일어나려면 강한 전기장이 반드시 있어야 한다고 이해할 수 있다.

④ 3문단에서 충돌 이온화란 전자가 '애벌랜치 영역의 반도체 물질을 구성하는 원자들과 충돌하여 속도가 줄어들며 새로운 전자−양공 쌍을 만드'는 것이라고 하였고, 애벌랜치 증배란 '새롭게 생성된 전자와 기존의 전자가 같은 원리로 전극에 도달할 때까지 애벌랜치 영역에서 다시 가속되어 충돌 이온화를 반복적으로 일으켜 '전자의 수가 크게 늘어나는 것'이라고 하였다. 또 '전류의 크기는 단위 시간당 흐르는 전자의 수에 비례'한다고 하였으므로, ⊙에서 충돌 이온화가 많이 일어날수록 전자가 많아지고, 결국 전극에서 측정되는 전류도 증가한다고 이해할 수 있다.

⑤ 3문단에서 흡수층에서 생성된 전자와 양공은 각각 양의 전극과 음의 전극으로 이동하며, 이 과정에서 전자는 ⊙을 지난다고 하였다. 또 '전자는 애벌랜치 영역의 반도체 물질을 구성하는 원자들과 충돌하여 속도가 줄어들며 새로운 전자−양공 쌍을 만드'는 현상인 충돌 이온화를 기존의 전자가 '전극에 도달할 때까지' '반복적으로 일으킨다.'라고 하였다. 이를 고려하면 흡수층에서 ⊙으로 들어오는 전자의 수가 늘어나게 되면 충돌 이온화의 발생 횟수가 증가할 것이라고 이해할 수 있다.

03 구체적 사례에 적용 | 정답 ③ |

윗글을 바탕으로 [보기]의 '본 실험' 결과를 예측한 것으로 적절하지 않은 것은?

─ 보기 ─

• **예비 실험**: 일정한 세기를 가지는 800nm 파장의 빛을 길이
  파장 대역
  가 1m인 광통신 케이블의 한쪽 끝에 입사시키고, 다른 쪽
  케이블의 길이
  끝에 실리콘으로 만든 애벌랜치 광다이오드를 설치하여 전
  흡수층과 애벌랜치 영역을 구성하는 반도체 물질
  류를 측정하였다. 이때 100nA의 전류가 측정되었고 증배
  전류
  계수는 40이었다. 작동 온도는 0℃, 역방향 전압은 110V였
  증배 계수
  다. 제품 설명서에 따르면 750~1,000nm 파장 대역에서는
  파장이 커짐에 따라 양자 효율이 작아진다.

• **본 실험**: 동일한 애벌랜치 광다이오드를 가지고 작동 조건
  을 하나씩 달리하며 성능을 시험한다. 이때 나머지 작동 조
  건은 예비 실험과 동일하게 유지한다.

① 역방향 전압을 100V로 바꾼다면 증배 계수는 40보다 작아지
   역방향 전압 감소→전자의 수 감소→증배 계수 감소
   겠군.

② 역방향 전압을 120V로 바꾼다면 더 약한 빛을 검출하는 데
   역방향 전압 증가→강한 전기장 발생→전자의 수 증가→광신호 세기가 커짐.
   유리하겠군.

③ 작동 온도를 20℃로 바꾼다면 단위 시간당 전극으로 ~~방출되~~
   ~~는 전자의 수가~~ 늘어나겠군.

④ 광통신 케이블의 길이를 100m로 바꾼다면, 측정되는 전류는
   케이블 길이 증가→빛의 세기 감소→광신호 약해짐.
   100nA보다 작아지겠군.

⑤ 동일한 세기를 가지는 900nm 파장의 빛이 입사된다면 측정
   파장↑→양자 효율↓→생성되는 전자−양공 쌍의 개수 감소→전류 약해짐.
   되는 전류는 100nA보다 작아지겠군.

발문 분석

흡수층과 애벌랜치 영역을 구성하는 요소에 따라 빛을 검출할 수 있는 대역이 달라짐을 이해하고, 다른 사례를 통해 애벌랜치 광다이오드의 특성을 파악할 수 있는지 묻고 있다. 지문과 [보기]의 진술을 통해 흡수층과 애벌랜치 영역을 구성하는 요소가 무엇인지 파악한 후, 실험이 의미하는 바를 도출해야 한다.

보기 분석

[보기]에는 예비 실험과 본 실험, 두 가지의 실험 과정이 제시되어 있다. 따라서 이 문제는 작동 조건이 바뀌었을 때의 결과를 추론해야 풀 수 있다. 이 문제를 풀기 위해서는 [보기]의 예비 실험의 조건을 파악해야 하는데, 이를 정리하면 다음과 같다.

• 광자: 800nm
• 광통신 케이블 길이: 1m
• 애벌랜치 광다이오드의 흡수층과 애벌랜치 영역을 구성하는 반도체 물질: 실리콘
• 측정되는 전류: 100nA
• 증배 계수: 40
• 작동 온도: 0℃
• 역방향 전압: 110V
• 참고할 점: 750~1000nm 파장 대역에서는 양자 효율이 작아짐.

정답 풀이

③ 3문단에서 '애벌랜치 영역으로 유입된 전자당 전극으로 방출되는 전자의 수를 증배 계수라고' 하며, '애벌랜치 영역의 전기장의 크기가 클수록, 작

동 온도가 낮을수록 커진다.'라고 하였다. 따라서 예비 실험에서 0℃였던 작동 온도를 20℃로 올리면 증배 계수는 줄어들 것이고, 증배 계수가 작아지면 전극으로 방출되는 전자의 수도 줄어들 것이다.

❌ 오답 풀이

① 3문단에서 애벌랜치 영역에서는 '소자의 전극에 걸린 역방향 전압으로 인해 강한 전기장이 존재하는데, 이 전기장은 역방향 전압이 클수록 커진다.'라고 하였다. 또 '증배 계수는 애벌랜치 영역의 전기장의 크기가 클수록' 커진다고 하였다. 따라서 예비 실험에서 110V였던 역방향 전압을 100V로 조절하면 전기장은 작아질 것이며, 예비 실험에서 40이었던 증배 계수도 40보다 작아질 것이다.

② 3문단에서 증배 계수는 '전자의 수가 늘어나는 정도, 즉 애벌랜치 영역으로 유입된 전자당 전극으로 방출되는 전자의 수'라고 하였다. 또 애벌랜치 영역에 '소자의 전극에 걸린 역방향 전압으로 인해 강한 전기장이 존재하는데, 이 전기장은 역방향 전압이 클수록 커'지며 '증배 계수는 애벌랜치 영역의 전기장의 크기가 클수록' 커진다고 하였다. 따라서 예비 실험에서 110V였던 역방향 전압을 120V로 크게 하면 전기장이 커지고, 전기장이 커지면 증배 계수도 커질 것이다. 그리고 '전류의 크기는 단위 시간당 흐르는 전자의 수에 비례한다.'라고 하였으므로, 증배 계수의 증가는 유입된 전자당 전극으로 방출되는 전자의 수가 증가함을 의미하므로 더 약한 빛(작은 광신호)을 검출하는 데 유리할 것이다.

④ 1문단에서 '광통신 케이블의 길이가 증가함에 따라 빛의 세기가 감소하기 때문에 원거리 통신의 경우 수신되는 광신호는 매우 약해질 수 있다.'라고 하였다. 따라서 예비 실험에서 광통신 케이블이 1m였을 때 100nA가 측정되었더라도 광통신 케이블의 길이를 100m로 늘리면 측정되는 전류는 기존의 100nA보다 작아질 것이다.

⑤ 2문단에서 '흡수층에 충분한 에너지를 가진 광자가 입사되면 전자(-)와 양공(+)쌍이 생성될 수 있다. 이때 입사되는 광자수 대비 생성되는 전자-양공 쌍의 개수를 양자 효율'이라고 하였다. 그리고 3문단에서 '전류의 크기는 단위 시간당 흐르는 전자의 수에 비례한다.'라고 하였다. [보기]에서 '제품 설명서에 따르면 750~1,000nm 파장 대역에서는 파장이 커짐에 따라 양자 효율이 작아진다.'라고 하였다. 예비 실험에서 800nm 파장의 빛이 입사되었을 때 전류는 100nA가 측정되었다고 하였는데, 900nm 파장의 빛은 750~1,000nm 파장 대역에 속하기 때문에 900nm 파장의 빛이 입사되면 입사되는 광자 수 대비 생성되는 전자-양공 쌍의 개수는 줄어들게 될 것이다. 따라서 측정되는 전류도 100nA보다 작아질 것이다.

04 구체적 상황에 적용 | 정답 ⑤ |

윗글을 바탕으로 [보기]를 이해한 것으로 적절하지 <u>않은</u> 것은?

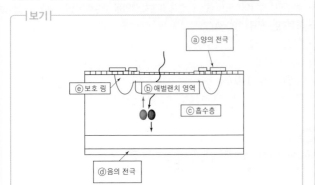

─┤보기├─

① ⓒ에서 생성된 전자(-)와 양공(+)은 각각 ⓐ와 ⓓ로 이동하 _{3문단, 흡수층에서 생성된 전자와 양공은 양의 전극과 음의 전극으로 이동} 겠군.

② ⓒ에 광자가 입사하면 애벌랜치 광다이오드에서 전기 신호가 _{3문단, 흡수층에 광자가 입사하면 전자 양공 생성, 이를 시작으로 광다이오드 전기 신호 생성} 생성될 수 있겠군.

③ ⓒ의 전자가 ⓑ로 이동하면 전자의 수가 급격하게 늘어나는 _{흡수층에서 애벌랜치 영역으로 이동한 전자가 애벌랜치 영역의 원자와 반응→전자} 현상이 발생할 수 있겠군.

④ ⓑ와 ⓒ에 실리콘(Si)이나 저마늄(Ge) 대신 갈륨-비소-인듐 _{4문단} (InGaAs) 화합물을 사용하면 애벌랜치 광 다이오드의 일부 성능을 개선할 수 있겠군.

⑤ ⓔ는 애벌랜치 증배가 더 원활히 이루어질 수 있도록 ~~에너지를 가하~~ 역할을 한다고 할 수 있겠군.

📁 발문 분석

애벌랜치 광다이오드의 구조를 이해하고, 각각의 기능을 파악할 수 있는지 묻고 있다. 지문에서 ⓐ~ⓔ가 애벌랜치 광다이오드를 구성하는 요소 중 무엇이고 어떤 역할을 하는지를 살펴본 후 선택지의 설명이 적절한지를 판단해야 한다.

✅ 보기 분석

[보기]는 2문단에서 언급한 '애벌랜치 광다이오드'의 구조를 나타낸 그림이다. 2문단에서 '애벌랜치 광다이오드는 크게 흡수층, 애벌랜치 영역, 전극으로 구성되어 있다.'라고 하였으므로 각각이 무엇에 해당하고 어떤 역할을 하는지를 파악해야 한다. 2문단과 3문단을 고려하여 ⓐ~ⓔ를 정리하면 다음과 같다.

ⓐ는 흡수층에서 생성된 전자가 이동하는 양의 전극이다. ⓑ는 증배 과정이 일어나는 애벌랜치 영역이며, ⓒ는 광자를 받아 전자와 양공 쌍을 형성하는 흡수층이다. ⓓ는 양공이 이동하는 음의 전극이며, ⓔ는 급격한 발열로 인해 애벌랜치 다이오드에 문제가 생기지 않도록 전류를 제한하는 보호 링이다.

🅾 정답 풀이

⑤ [보기]의 ⓔ는 애벌랜치 광다이오드에 설치하는 '보호 링'이다. 3문단에서 '전류의 크기를 제한하지 않으면, 전류가 기하급수적으로 증가하게 되고, 이에 따라 급격한 열이 발생하여 애벌랜치 광다이오드에 문제가 생기기도 한다. 그래서 이를 방지하고자 애벌랜치 광다이오드에 일정한 수준 이상의 전류가 흐르지 않도록 제한하는 '보호 링'을 설치'한다고 하였다. 따라서 보호링이 에너지를 가하는 역할을 한다고 이해하는 것은 적절하지 않다.

❌ 오답 풀이

① 3문단에서 '흡수층에서 생성된 전자와 양공은 각각 양의 전극과 음의 전극으로 이동'한다고 하였으므로, ⓒ'흡수층'에서 생성된 전자(-)와 양공(+)은 각각 ⓐ'양의 전극'와 ⓓ'음의 전극'으로 이동한다고 이해하는 것은 적절하다.

② 2문단에서 '흡수층에 충분한 에너지를 가진 광자가 입사되면 전자(-)와 양공(+)쌍이 생성될 수 있다.'라고 하였다. 또 3문단에서 '흡수층에서 생성된 전자와 양공은 각각 양의 전극과 음의 전극으로 이동하며, 이 과정에서 전자는 애벌랜치 영역을 지나게' 되며 '이러한 일련의 과정을 거쳐 광신호의 세기는 전류의 크기로 변환된다.'라고 하였다. 따라서 ⓒ'흡수층'에 광자가 입사하면 애벌랜치 광다이오드에서 전기 신호가 생성될 수 있다고 이해하는 것은 적절하다.

③ 3문단에서 '흡수층에서 생성된 전자와 양공은 각각 양의 전극과 음의 전극으로 이동'하고, 전자는 애벌랜치 영역을 지나며 '애벌랜치

영역의 반도체 물질을 구성하는 원자들과 충돌하여 속도가 줄어들며 새로운 전자-양공 쌍'을 만드는 과정인 '충돌 이온화를 반복적으로 일으킨다.'라고 하였다. 또 '그 결과 전자의 수가 크게 늘어나'는 '애벌랜치 증배'가 일어나게 된다고 하였다. 따라서 ⓒ'흡수층'의 전자가 ⓑ'애벌랜치 영역'으로 이동하면 전자의 수가 급격하게 늘어나는 현상이 발생할 수 있다고 이해하는 것은 적절하다.

⑤ 4문단에서 '애벌랜치 광다이오드의 흡수층과 애벌랜치 영역을 구성하는 반도체 물질'로 '근래에는 실리콘(Si)이나 저마늄(Ge) 같은 단체 반도체를 대신하여 갈륨-비소-인듐(InGaAs) 화합물 등을 사용함으로써 양자 효율 및 고속 응답성을 개선한 애벌랜치 광다이오드가 광범위하게 사용되고 있다.'라고 하였다. 따라서 ⓑ'애벌랜치 영역'과 ⓒ'흡수층'에 실리콘(Si)이나 저마늄(Ge) 대신 갈륨-비소-인듐(InGaAs) 화합물을 사용하면 애벌랜치 광다이오드의 일부 성능을 개선할 수 있겠다고 이해하는 것은 적절하다.

선생님의 꿀 정보

시각 자료가 제시된 문제 해결 방법

비문학(독서) 영역 중 특히 기술이나 과학의 지문에서는 표나 그래프, 도식화된 그림, 사진 등이 자주 등장한다. 04번 문제의 경우에도 본문에서 언급한 '애벌랜치 광다이오드'의 구조가 그려진 그림을 제시하고 각 구성 요소의 기능을 파악할 수 있는지 묻고 있다. 따라서 이와 같은 문제를 접할 때에는 제시된 자료가 무엇을 의미하는지를 파악하는 것이 선행되어야 한다. 자료의 특성에 따라 파악해야 할 것들은 다음과 같다.

① 표, 그래프

지문에 언급된 수치의 변화나 수치 등을 비교하는 문제를 출제하고자 할 때 주로 사용된다. 표와 그래프에 표시된 항목이 무엇인지를 파악한 후, 글의 세부 내용과 연결하여 그것이 의미하는 바를 도출해야 한다.

┤보기├

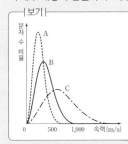

- 아르곤 분자는 크립톤 분자보다 가볍다.
- 아르곤의 온도는 각각 25℃, 727℃, 크립톤의 온도는 25℃이다.
- 각 기체의 분자 수는 모두 같다.

② 도식화된 그림

주로 원리나 작동 과정, 구성 요소 등을 파악했는지 평가하는 문제를 출제하고자 할 때 주로 사용된다. 도식화된 그림이 무엇을 의미하는지 생각해 보고, 지문을 보는 것이 도움이 된다. 이는 대개 지문의 내용을 요약·정리한 것이 많기 때문이다.

┤보기├

퇴적암인 셰일은 변성 작용으로 변성암이 될 수 있다. 다음은 온도와 압력이 증가할수록 주요 광물 성분에도 변화가 생기고, 그에 따라 점판암, 편암, 편마암 등과 같은 변성암이 생성되는 것을 보여 주는 자료이다.

	변성받지 않음	저변성	고변성
			변성도 ➡
암석명	셰일	➡ 점판암	➡ 편암 ➡ 편마암
대표적인 구성 광물	석영, 점토 광물, 방해석	석영, 녹니석, 백운모, 사장석	석영, 흑운모, 석류석, 규선석, 사장석

③ 사진, 그림

특정 대상이나 현상을 파악할 수 있는지 평가하는 문제를 출제하고자 할 때 주로 사용된다. 지문에 언급된 특정 대상에 대한 세부 내용이 그림과 사진에 어떻게 실현되어 있는지를 생각해 보고 그것이 의미하는 바는 무엇인지 따져보아야 한다.

┤보기├

철재만으로 제작된 원기둥 A와 콘크리트만으로 제작된 원기둥 B에 힘을 가하며 변형을 관찰하였다. A와 B의 윗면과 아랫면에 수직인 방향으로 압축력을 가했더니 높이가 줄어들면서 지름은 늘어났다. 또, A의 윗면과 아랫면에 수직인 방향으로 인장력을 가했더니 높이가 늘어나면서 지름이 줄어들었다. 이때 지름의 변화량의 절댓값을 높이의 변화량의 절댓값으로 나누어 포아송 비를 구하였더니, 일반적으로 알려진 철재와 콘크리트의 포아송 비와 동일하게 나왔다. 그리고 A와 B의 포아송 비는 변형 정도에 상관없이 그 값이 변하지 않았다. (단, 힘을 가하기 전 A의 지름과 높이는 B와 동일하다.)

05 어휘의 문맥적 의미 판단 | 정답 ③ |

ⓐ의 문맥적 의미와 가장 가까운 것은?

① 내 집이 생길 수도 있겠다.
② 얼굴에 흉터가 생길 수 있겠다.
③ 그의 계획에 지장이 생길 수 있겠다.
④ 누나에게 아기가 생길 것 같다고 했다.
⑤ 우리 동네에 새로운 상가가 생길 예정이라고 한다.

📁 발문 분석

문맥을 고려하여 어휘의 의미를 이해하고, 같은 의미로 쓰인 어휘를 찾을 수 있는지를 묻고 있다. 같은 단어일지라도 문맥에 따라 다른 의미로 쓰일 수 있으므로, 각 선택지의 해당 어휘를 다른 단어로 바꾸어 보고, 그 어휘를 ⓐ와 바꾸어 보았을 때 자연스러운지를 따져보아야 한다.

⭕ 정답 풀이

③ 문맥상 ⓐ의 '생기다'는 '어떤 일이 일어나다.'의 의미이다. '그의 계획에 지장이 생길 수 있겠다.'는 '그의 계획에 지장이 일어나다.'의 의미이므로 ⓐ와 문맥적 의미가 유사하다.

❌ 오답 풀이

① '자기의 소유가 아니던 것이 자기의 소유가 되다.'를 의미하는 어휘이다.
② '없던 것이 새로 있게 되다'를 의미하는 어휘이다.
④ '없던 것이 새로 있게 되다'를 의미하는 어휘이다.
⑤ '없던 것이 새로 있게 되다'를 의미하는 어휘이다.

구절 풀이

온라인을 통해 금융 거래나 상거래를 할 때 다른 사람에 의해 개인적인 정보가 유출되거나 금전적인 피해가 발생하기도 함.

평문을 암호문으로 바꾸거나 암호문을 평문으로 바꿀 때 각각 암호화 키와 복호화 키를 적용해야 가능하므로 키의 역할이 중요함.

어휘 풀이

＊ 상거래: 상업상의 거래.
＊ 평문: 보통의 글.
＊ 함수: 두 개의 변수 x, y 사이에서, x가 일정한 범위 내에서 값이 변하는 데 따라서 y의 값이 종속적으로 정해질 때, x에 대하여 y를 이르는 말.

─ 선생님의 Tip ─

"비트코인"

2009년 '나가모토 사토시'라는 익명의 프로그래머에 의해 개발된 가상의 디지털 화폐이자, 이 화폐가 작동하는 방식. 바트코인은 실제 돈은 아니지만 물건을 사거나 서비스 이용료를 결제할 수 있는 돈의 가치를 가진 것으로, 실물 화폐와는 달리 발행처나 통화량을 조절하는 관리 기관이 없음. 대신 비트코인의 거래는 P2P를 기반으로 하는 분산 데이터베이스에 의해 이루어지며, 공개키 암호화 방식을 기반으로 거래를 수행함. 비트코인은 지갑 파일의 형태로 저장되며, 이 지갑에는 각각의 고유 주소가 부여됨. 고유 주소를 기반으로 비트코인의 거래가 이루어짐. 은행이나 환전소를 거치지 않고 당사자들끼리 거래를 하기 때문에 수수료가 낮거나 없다는 장점이 있음. 그러나 돈을 지불했는데 물건을 보내지 않는 사기의 위험이 있음. 또한 익명성 때문에 과세가 안 되고 암시장에서 사용되어 범죄에 사용될 우려도 있음. 한편 비트코인의 가장 작은 단위는 창안자인 사토시 나카모토를 기념하는 의미에서 '사토시'라고 불림.

(가) 온라인을 통한 통신, 금융, 상거래＊ 등은 우리에게 편리함을 주지만 보안상의 문제도 안고 있는데, 이런 문제를 해결하기 위하여 암호 기술이 동원된다. 정보가 다른 사람에게 ⓐ노출되는 것을 막기 위한 도구로 암호를 사용하는 것이다. 암호화란 누구나 이해할 수 있는 내용인 평문＊을 해독 불가능한 상태로 ⓑ변형한 암호문으로 바꾸는 것을 의미한다. （암호문의 개념） 암호문을 다시 평문으로 바꾸는 것을 복호화라고 한다. 암호화와 복호화의 과정에서 키(key)가 중요한 역할을 한다. （복호화의 개념） （키(key)의 개념） 평문에 암호화 키를 적용하여 암호문을 만들고, 암호문에 복호화 키를 적용하여 평문으로 복구하기 때문이다. **(가): 암호화의 개념과 키의 중요성**

(나) 정보를 암호화하는 방법에는 크게 비밀키 암호화 방식과 공개키 암호화 방식이 있다. ㉮비밀키 암호화 방식은 대칭형 암호화 방식이라고도 하는데, 「발신자와 수신자가 동일한 키를 가지고 있어서 발신자가 키를 사용하여 메시지를 암호화하여 전송하면, 수신자는 같 「: 비밀키 암호화 방식의 개념 은 키를 사용하여 암호문으로 된 메시지를 복호화하여 원래의 메시지를 보게 되는 방식을 말한다. 즉 암호화 키와 복호화 키가 동일하다. 이 방식은 처리 속도가 상당히 빠르고 용량 비밀키 암호화 방식의 장점 이 작아 경제적이라는 장점이 있으나, 발신자와 수신자 사이에 키 교환이 안전하게 이루어 비밀키 암호화 방식의 단점 지지 않을 가능성이 있고, 많은 사람이 사용하는 환경에 부적합하다는 단점이 있다. **(나): 암호화 방법의 종류 ① – 비밀키 암호화 방식**

(다) ㉯공개키 암호화 방식은 비대칭 암호화 방식이라고도 하는데, 많은 사람이 알 수 있도록 공인 인증 기관 같은 곳에 공개된 공개키와 자신만이 알 수 있도록 개인이 ⓒ보관하는 개인키를 사용하는데, 발신자가 메시지를 수신자의 공개키로 암호화하여 수신자에게 전송 공개키 암호화 방식의 개념 하면 수신자는 개인키로 복호화하여 메시지를 확인하는 방식을 말한다. 발신자와 수신자가 서로 다른 키를 가지고 있어 암호화와 복호화의 키가 서로 달라서 비밀키를 전달하지 않아 비밀키 암호화 방식과의 차이점 도 되기 때문에 키 교환 문제가 없고 많은 사람이 사용하는 환경에 적합하다는 장점이 있으 공개키 암호화 방식의 장점 나, 속도가 느리다는 단점이 있다. **(다): 암호화 방법의 종류 ② – 공개키 암호화 방식** 공개키 암호화 방식의 단점

(라) 요즘에는 전자 화폐의 일종인 비트코인처럼 해시 함수＊를 이용하여 화폐 거래의 안전성을 유지하는 경우도 있다. 해시 함수란 입력 데이터 x에 대응하는 하나의 결과 값을 일정 해시 함수의 개념 한 길이의 문자열로 표시하는 수학적 함수이다. 그리고 입력 데이터 x에 대하여 해시 함수 H를 적용한 수식을 H(x)=k라 할 때, k를 해시 값이라 한다. 이때 해시 값은 입력 데이터의 입력 데이터에 대한 해시 함수의 결과 값 해시 함수의 특징 ① 내용에 미세한 변화만 있어도 크게 달라진다. 현재 여러 해시 함수가 이용되고 있는데, 해 시 값을 표시하는 문자열의 길이는 각 해시 함수마다 다를 수 있지만 특정 해시 함수에서의 해시 함수의 특징 ②

지문 구조도

화제 제시: 암호화와 복호화(가)
• 암호화: 평문을 암호문으로 바꾸는 것. • 복호화: 암호문을 다시 평문으로 복구하는 것.

↓

구체화 1: 암호화 방식의 종류(나, 다)
• 비밀키 암호화 방식: 발신자와 수신자가 동일한 키를 가지고 메시지를 암호화하고 복호화하는 방식. 처리 속도가 빠르고 경제적이나, 키 교환이 불안전할 수 있고 많은 사람이 사용하는 환경에 부적합함. • 공개키 암호화 방식: 발신자가 수신자의 공개키로 메시지를 암호화하여 수신자에게 전송하면 수신자는 개인키로 복호화하여 메시지를 확인하는 방식. 키 교환 문제가 없고 많은 사람이 쓰기에 적합하나, 속도가 느림.

↓

구체화 2: 해시 함수(라~사)
• 해시 함수: 입력 데이터 x에 대응하는 하나의 결과 값을 일정한 길이의 문자열로 표시하는 수학적 함수. • 일방향성과 충돌회피성을 만족시키면 암호 기술로도 활용되며, 온라인 경매에서도 활용됨.

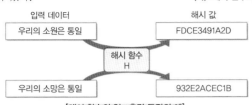

출제 의도 암호화의 개념과 종류, 해시 함수의 개념을 이해하고 활용할 수 있는지를 평가하기 위한 지문이다. 지문에 제시된 각각의 정보를 파악할 수 있는지, 각 개념을 이해하고 구체적 사례에 적용할 수 있는지 등을 평가하는 문제가 출제되었다.

주제 암호화 및 해시 함수의 특성과 활용

그 길이는 고정되어 있다.

(라): 해시 함수와 해시 값의 개념과 특성

입력 데이터 | 해시 값
우리의 소원은 통일 → FDCE3491A2D
해시 함수 H
우리의 소망은 통일 → 932E2ACEC1B

[해시 함수의 입·출력 동작의 예]

구절 풀이

○ 입력 데이터의 미세한 변화(소원/소망)에도 해시 값은 크게 달라짐. 단 같은 해시 함수 H에서 나온 값이므로 문자열 길이는 같음.

(마) 이러한 특성을 갖고 있으므로 해시 함수는 데이터의 내용이 변경되었는지 여부를 확인하는 데 이용된다. 가령, 상호 간에 동일한 해시 함수를 사용한다고 할 때, 전자 문서와 그 문서의 해시 값을 함께 전송하면 상대방은 수신한 전자 문서에 동일한 해시 함수를 적용하여 결과 값을 얻은 뒤 전송받은 해시 값과 비교함으로써 문서가 변경되었는지 확인할 수 있다.
해시 함수의 활용 분야: 문서 보안을 확인할 때 사용함.
문서가 전송되는 과정에서 변경되었는지 확인하는 방법
(마): 해시 함수 활용의 예 – 문서 보안 분야

○ 문서 발신자와 수신자가 동일한 해시 함수를 사용하는 경우를 의미함.

(바) 그런데 해시 함수가 ㉠일방향성과 ㉡충돌회피성을 만족시키면 암호 기술로도 활용된다. 일방향성이란 주어진 해시 값에 대응하는 입력 데이터의 복원이 불가능하다는 것을 말한다. 특정 해시 값 k가 주어졌을 때 H(x)=k를 만족시키는 x를 계산하는 것이 매우 어렵다는 것이다. 그리고 충돌회피성이란 특정 해시 값을 갖는 서로 다른 데이터를 찾아내는 것이 현실적으로 불가능하다는 것을 의미한다. 서로 다른 데이터 x, y에 대해서 H(x)와 H(y)가 각각 ⓓ도출한 값이 동일하면 이것을 충돌이라 하고, 이때의 x와 y를 충돌쌍이라 한다. 충돌회피성은 이러한 충돌쌍을 찾는 것이 현재 사용할 수 있는 모든 컴퓨터의 계산 능력을 동원하더라도 그것을 완료하기가 사실상 불가능하다는 것이다.
암호 기술의 요건
일방향성의 개념
충돌회피성의 개념
(바): 일방향성과 충돌회피성의 개념

○ 온라인 경매는 개인적인 정보나 금전적인 정보, 특히 입찰가에 대한 정보가 드러나지 않아야 하는 분야이므로 보안에 신경써야 함. 온라인 경매에서 해시 함수는 다음과 같은 방법으로 활용됨.
① 일방향성과 충돌회피성을 만족시키는 해시 함수가 공개됨.
② 입찰 참여자가 논스의 해시 값과 입찰가에 논스를 더한 것의 해시 값을 게시함.
③ 해시 값 게시 기한이 지난 후 참여자는 본인의 입찰가와 논스를 운영자에게 전송함.
④ 최고 입찰가를 제출한 사람이 낙찰자로 선정됨.

(사) 해시 함수는 온라인 경매에도 이용될 수 있다. 예를 들어 ○○ 온라인 경매 사이트에서 일방향성과 충돌회피성을 만족시키는 해시 함수 G가 모든 경매 참여자와 운영자에게 공개되어 있다고 하자. 이때 각 입찰* 참여자는 자신의 입찰가를 감추기 위해 논스*의 해시 값과, 입찰가에 논스를 더한 것의 해시 값을 함께 게시판에 ⓔ게시한다. 해시 값 게시 기한이 지난 후 각 참여자는 본인의 입찰가와 논스를 운영자에게 전송하고 운영자는 최고 입찰가를 제출한 사람을 낙찰자*로 선정한다. 이로써 온라인 경매 진행 시 발생할 수 있는 다양한 보안상의 문제를 해결할 수 있다.
전송받은 논스를 통해 게시판에 게시한 입찰가를 확인하고 이를 전송받은 입찰가와 비교하여 낙찰자로 선정함.
(사): 해시 함수 활용의 예 – 온라인 경매

* 논스: 입찰가를 추측할 수 없게 하기 위해 입찰가에 더해지는 임의의 숫자.

어휘 풀이

* 입찰: 상품의 매매나 도급 계약을 체결할 때 여러 희망자들에게 각자의 낙찰 희망 가격을 서면으로 제출하게 하는 일.
* 낙찰자: 경매나 경쟁 입찰 따위에서 물건이나 일을 받기로 결정된 사람.

지문 해제

이 글은 암호화의 개념 및 종류와 해시 함수의 개념, 특성과 활용에 대해 설명하고 있다. 암호화는 누구나 이해할 수 있는 평문을 암호문으로 바꾸는 것을 의미한다. 정보를 암호화하는 방식에는 비밀키 암호화 방식과 공개키 암호화 방식이 있다. 비밀키 암호화 방식은 발신자와 수신자가 동일한 키를 가지고 메시지를 암호화하고 복호화하는 방식으로, 처리 속도가 빠르고 경제적이지만 키 교환이 불안전할 수 있고 많은 사람이 사용하는 환경에 부적절하다는 단점이 있다. 공개키 암호화 방식은 발신자가 수신자의 공개키로 메시지를 암호화하여 수신자에게 전송하면 수신자는 개인키로 복호화하여 메시지를 확인하는 방식으로, 키 교환 문제가 없고 많은 사람이 쓰기에 적합하지만 속도가 느리다는 단점이 있다. 해시 함수는 입력 데이터에 따라 결과 값을 일정한 길이의 문자열로 표시하는 수학적 함수로, 입력 데이터의 미세한 변화에도 결과는 크게 달라지는 특징이 있다. 해시 값을 표시하는 문자열의 길이는 각 해시 함수마다 다르지만 특정 해시 함수에서의 길이는 고정되어 있다. 이러한 특성 때문에 해시 함수는 전자 문서를 주고받을 때 함께 전송하여 문서가 중간에 변경되었는지를 확인하는 데 사용한다. 한편 해시 함수는 입력 데이터의 복원이 불가능한 일방향성과 충돌쌍을 찾을 수 없는 충돌회피성을 가지고 있으면 암호 기술로도 활용된다. 이러한 특성을 가진 해시 함수는 온라인 경매에서 발생하는 다양한 보안상의 문제를 해결하는 데에도 이용될 수 있다.

선생님의 Tip

"비밀키 암호화 방식이 많은 사람이 사용하는 환경에 부적합한 이유"

한 네트워크의 가입자가 n명일 때 가입자가 상호 교환해야 하는 비밀키의 수는 $n(n-1)/2$가 됨. 즉, 한 조직에 10명의 사람이 있고 이들이 서로 암호화된 정보를 주고받기 위해서는 비밀키가 5개가 필요함. 이처럼 구성원의 수가 적으면 크게 문제될 것은 없지만, 조직의 규모가 커지면 문제가 발생함. 만약 1만 명의 구성원이 있는 조직이라면, 필요한 비밀키는 한 사람당 5000개가 되며 이렇게 되면 관리가 어렵게 됨.

01 중심 내용의 파악 | 정답 ⑤ |

윗글에서 다룬 내용으로 적절하지 <u>않은</u> 것은?

① 암호화와 복호화의 개념
② 정보를 암호화하는 방식의 종류
③ 해시 함수의 개념과 특성
④ 해시 함수가 활용되는 분야
⑤ 해시 함수의 단점을 보완하는 방법

📁 발문 분석

지문에서 다룬 내용을 파악할 수 있는지 묻고 있다. 각 문단의 중심 내용을 파악한 후, 선택지의 내용과 비교하여 지문에서 다루지 않은 내용을 찾아야 한다.

◎ 정답 풀이

⑤ (마)와 (사)에서 해시 함수의 특성 때문에 해시 함수를 활용하면 문서 보안이나 온라인 경매 등에서 안전성을 확보할 수 있다는 장점을 설명하고 있다. 그러나 해시 함수의 단점이나 해시 함수의 단점을 보완하는 방안에 대해서는 언급하고 있지 않다.

✖ 오답 풀이

① (가)의 '암호화란 누구나 이해할 수 있는 내용인 평문을 해독 불가능한 상태로 변형한 암호문으로 바꾸는 것을 의미한다. 암호문을 다시 평문으로 바꾸는 것을 복호화라고 한다.'에서 암호화와 복호화의 개념에 대해 다루고 있다. 따라서 이 글에서는 암호화와 복호화의 개념을 다루고 있다고 할 수 있다.

② (나)의 '정보를 암호화하는 방법에는 크게 비밀키 암호화 방식과 공개키 암호화 방식이 있다.'에서 정보를 암호화하는 방식의 종류에 대해 언급하였다. 그리고 (나)에서는 비밀키 암호화 방식에 대해, (다)에서는 공개키 암호화 방식에 대해 설명하고 있다. 따라서 이 글에서는 정보를 암호화하는 방식의 종류에 대해 다루고 있다고 할 수 있다.

③ (라)의 '해시 함수란 입력 데이터 x에 대응하는 하나의 결과 값을 일정한 길이의 문자열로 표시하는 수학적 함수이다.'에서 해시 함수의 개념을 밝히고 있다. 그리고 '해시 값은 입력 데이터의 내용에 미세한 변화만 있어도 크게 달라진다.'와 '해시 값을 표시하는 문자열의 길이는 각 해시마다 다를 수 있지만 특정 해시 함수에서의 그 길이는 고정되어 있다.'에서 해시 함수의 특성을 설명하고 있다. 따라서 이 글에서는 해시 함수의 개념과 특성에 대해 다루고 있다고 할 수 있다.

④ (마)의 '해시 함수는 데이터의 내용이 변경되었는지 여부를 확인하는 데 이용된다.'와 (사)의 '해시 함수는 온라인 경매에도 이용될 수 있다.'에서 해시 함수가 이용되는 분야를 밝히고 있다. 그리고 각각 (마)와 (사)에서 이에 대해 설명하고 있다. 따라서 이 글에서는 해시 함수가 활용되는 분야에 대해 다루고 있다고 할 수 있다.

🍯 선생님의 꿀 정보

중심 내용을 파악하는 문제를 해결하는 방법

중심 내용을 파악하는 유형의 문제가 제시되었다면 가장 먼저 선택지 배열의 순서를 살펴보아야 한다. 선택지는 길이 순으로 배열되는 것이 일반적인데, 만약 길이 순으로 제시되어 있지 않다면 그것은 지문에 제시된 내용 순서로 배열되었을 확률이 높기 때문이다. 따라서 선택지가 길이 순으로 배열되어 있지 않으면 선택지의 내용과 각 문단의 내용을 바로 비교하며 읽는 것이 효과적이다. 이를 정리하면 다음과 같다.

① 선택지를 배열한 순서를 확인하기

② 선택지가 길이 순서로 제시됨.	②-2 선택지가 길이 순서로 제시되지 않음.
선택지에 언급된 중심 화제를 파악한 후, 이것과 관련된 내용이 진술된 문단을 찾아 비교하면서 적절성을 판단한다.	선택지에 언급된 중심 화제가 문단 순서이기 때문에, 하나의 선택지 내용을 어떤 문단에서 확인하면 다음 선택지의 내용은 다음 문단에서 확인하는 순서로 적절성을 판단하면서 정답을 도출한다.

---

02 세부 정보의 이해 | 정답 ③ |

㉮와 ㉯를 이해한 내용으로 적절하지 <u>않은</u> 것은?

① ㉮는 ㉯와 달리 키 교환의 안전성 문제가 발생할 가능성이 있다.
② ㉯는 ㉮와 달리 암호화와 복호화 과정에서 서로 다른 키를 사용한다.
③ ㉮는 ㉯에 비해 처리 속도가 느리지만 용량이 작아 경제적이다.
　　　　　　　　　처리 속도가 빠름.
④ ㉯는 ㉮에 비해 많은 사람들이 사용하는 환경에 적합한 방식이다.
⑤ ㉮와 ㉯는 모두 타인에게 정보가 노출되는 것을 막기 위한 방법이다.
　　　　　　　　암호화의 목적임.

📁 발문 분석

지문에 제시된 정보를 암호화하는 두 가지 방식의 개념을 이해하고 장단점을 파악할 수 있는지를 묻고 있다. (나)에서는 '비밀키 암호화 방식'을, (다)에서는 '공개키 암호화 방식'을 다루고 있으므로 해당 부분의 정보를 선택지와 비교하여 적절성을 판단해야 한다.

◎ 정답 풀이

③ (나)에서 비밀키 암호화 방식은 '처리 속도가 상당히 빠르고 용량이 작아 경제적이라는 장점이 있'다고 하였고, (다)에서 공개키 암호화 방식은 '속도가 느리다는 단점이 있.'라고 하였다. 따라서 ㉮'비밀키 암호화 방식'이 ㉯'공개키 암호화 방식'에 비해 처리 속도가 느리다고 한 진술은 적절하지 않다.

✖ 오답 풀이

① (나)에서 비밀키 암호화 방식은 '발신자와 수신자 사이에 키 교환이

안전하게 이루어지지 않을 가능성이 있다'고 하였고, (다)에서 공개키 암호화 방식은 '비밀키를 전달하지 않아도 되기 때문에 키 교환 문제가 없다'고 하였다. 따라서 ㉮'비밀키 암호화 방식'은 ㉯'공개키 암호화 방식'과 달리 키 교환의 안전성 문제가 발생할 가능성이 있다는 진술은 적절하다.

② (나)에서 비밀키 암호화 방식은 '암호화 키와 복호화 키가 동일'한 암호화 방식이라고 하였고, (다)에서 공개키 암호화 방식은 '암호화와 복호화의 키가 서로' 다른 암호화 방식이라고 하였다. 따라서 ㉯'공개키 암호화 방식'은 ㉮'비밀키 암호화 방식'과 달리 암호화와 복호화 과정에서 서로 다른 키를 사용한다는 진술은 적절하다.

④ (나)에서 비밀키 암호화 방식은 '많은 사람이 사용하는 환경에 부적합하다는 단점이 있다.'라고 하였고, (다)에서 공개키 암호화 방식은 '많은 사람이 사용하는 환경에 적합하다는 장점이 있다'고 하였다. 따라서 ㉯'공개키 암호화 방식'은 ㉮'비밀키 암호화 방식'에 비해 많은 사람들이 사용하는 환경에 적합한 방식이라는 진술은 적절하다.

⑤ (가)에서 암호는 '정보가 다른 사람에게 노출되는 것을 막기 위한 도구'라고 하였다. 또 (나)에서 '정보를 암호화하는 방법에는 크게 비밀키 암호화 방식과 공개키 암호화 방식이 있다고 하였다. 따라서 ㉮'비밀키 암호화 방식'과 ㉯'공개키 암호화 방식'은 모두 타인에게 정보가 노출되는 것을 막기 위한 방법이라는 진술은 적절하다.

수 H와 G에 적용한 H(x)와 G(x)가 도출한 해시 값이 언제나 동일하다는 진술은 적절하지 않다.

❌ 오답 풀이

① (라)에서 '전자 화폐의 일종인 비트코인처럼 해시 함수를 이용하여 화폐 거래의 안전성을 유지하는 경우도 있다.'라고 하였다. 따라서 전자 화폐를 사용한 거래의 안전성을 위해 해시 함수가 이용될 수 있다는 진술은 적절하다.

② (라)에서 '해시 함수란 입력 데이터 x에 대응하는 하나의 결과 값을 일정한 길이의 문자열로 표시하는 수학적 함수'라고 하였다. 따라서 특정한 해시 함수는 하나의 입력 데이터로부터 두 개의 서로 다른 해시 값을 도출하지 않는다는 진술은 적절하다.

④ (라)에서 '해시 값을 표시하는 문자열의 길이는 각 해시 함수마다 다를 수 있지만 특정 해시 함수에서의 그 길이는 고정되어 있다.'라고 하였다. 따라서 입력 데이터 x, y에 대해 특정한 해시 함수 H를 적용한 H(x)와 H(y)가 도출한 해시 값의 문자열의 길이는 언제나 동일하다는 진술은 적절하다.

⑤ (마)에서 전자 문서의 수신자는 '수신한 전자 문서에 동일한 해시 함수를 적용하여 결과 값을 얻은 뒤 전송받은 해시 값과 비교함으로써 문서가 변경되었는지 확인할 수 있다.'라고 하였다. 따라서 발신자가 자신과 특정 해시 함수를 공유하는 수신자에게 어떤 전자 문서와 그 문서의 해시 값을 전송하면 수신자는 그 문서의 변경 여부를 확인할 수 있다는 진술은 적절하다.

---

03 핵심 정보의 이해 | 정답 ③ |

윗글의 '해시 함수'에 대한 이해로 적절하지 않은 것은?

① 전자 화폐를 사용한 거래의 안전성을 위해 해시 함수가 이용될 수 있다.
　비트코인의 예

② 특정한 해시 함수는 하나의 입력 데이터로부터 두 개의 서로 다른 해시 값을 도출하지 않는다.
　대응하는 하나의 결과 값

❸ 입력 데이터 x를 서로 다른 해시 함수 H와 G에 적용한 H(x)와 G(x)가 도출한 해시 값은 언제나 동일하다.
　동일하지 않을 수 있음.

④ 입력 데이터 x, y에 대해 특정한 해시 함수 H를 적용한 H(x)와 H(y)가 도출한 해시 값의 문자열의 길이는 언제나 동일하다.
　특정한 해시 함수가 적용된 해시 값의 문자열의 길이는 고정됨.

⑤ 발신자가 자신과 특정 해시 함수를 공유하는 수신자에게 어떤 전자 문서와 그 문서의 해시 값을 전송하면 수신자는 그 문서의 변경 여부를 확인할 수 있다.
　문서가 변경되었으면 해시 값이 변하기 때문에

📁 발문 분석

지문에 제시된 정보를 바탕으로 핵심 소재인 '해시 함수'에 대해 바르게 파악할 수 있는지를 묻고 있다. (라)에서는 해시 함수의 개념과 특성을, (마)와 (사)에서는 해시 함수의 사례를 제시하고 있으므로, 이를 바탕으로 선택지의 적절성을 판단해야 한다.

◎ 정답 풀이

③ (라)에서 '해시 함수란 입력 데이터 x에 대응하는 하나의 결과 값을 일정한 길이의 문자열로 표시하는 수학적 함수'라고 하였고, '해시 값을 표시하는 문자열의 길이는 각 해시 함수마다 다를 수 있다'고 하였다. 이를 고려하면 같은 입력 데이터를 서로 다른 해시 함수에 적용하면 그 해시 값은 다르게 나타날 것이다. 따라서 입력 데이터 x를 서로 다른 해시 함

👑고난도 04 구체적 상황에 적용 | 정답 ② |

[사]에 따라 [보기]의 사례를 이해한 내용으로 가장 적절한 것은?

[보기]

온라인 미술품 경매 사이트에 회화 작품 △△이 출품되어 A와 B만이 경매에 참여하였다. A, B의 입찰가와 해시 값은 다음과 같다. 단, 입찰 참여자는 논스를 임의로 선택한다.
　입찰 참여자　　　　　　　　　　　　입찰가를 숨기기 위한 의도임.

입찰 참여자	입찰가	논스의 해시 값	'입찰가+논스'의 해시 값
A	a	r	m m≠a+r
B	b	s	n n≠b+s

① A는 a, r, m 모두를 게시 기한 내에 운영자에게 전송해야 한다.
　a는 기한 후에 전송. r, m은 기한 내에 게시판에 게시

❷ 운영자는 해시 값을 게시하는 기한이 마감되기 전에 최고가 입찰자를 알 수 없다.

③ m과 n이 같으면 r과 s가 다르더라도 A와 B의 입찰가가 같다는 것을 의미한다.
　m=n, r=s이면 입찰가가 같다는 의미임.

④ A와 B 가운데 누가 높은 가격으로 입찰하였는지는 r과 s를 비교하여 정할 수 있다.
　r과 s만으로 입찰가를 추정할 수 없음.

⑤ B가 게시판의 m과 r을 통해 A의 입찰가 a를 알아낼 수도 있으므로 게시판은 비공개로 운영되어야 한다.
　'm-r'이 'a'가 아님.

📁 발문 분석

지문의 내용을 이해하고 구체적인 사례에 적용하여 파악할 수 있는지

묻고 있다. (사)에서 해시 함수가 온라인 경매에서 이용되는 방법에 대해 설명하고 있으므로 이를 바탕으로 [보기]의 표를 해석해야 한다.

✓ 보기 분석

[보기]는 온라인 미술품 경매 사례이다. 'A와 B'만이 경매에 참여했다는 것은 둘 중 한 명이 최고 입찰가를 제출해 낙찰할 것임을 전제하는 것이다. 그리고 '입찰 참여자는 논스를 임의로 선택'한다는 것은 입찰 참여자가 자신의 입찰가가 공개되는 것을 막고자 하는 것이다.
(사)를 참고하면 입찰가 'a, b'는 해시 값 게시 기한이 지난 후 운영자에게 전송하는 것이고, 논스의 해시 값 'r, s'와 '입찰가+논스'의 해시 값 'm, n'은 입찰에 참여할 때 경매 사이트 게시판에 게시하는 것이라고 볼 수 있다.

◎ 정답 풀이

② (사)에서 입찰 참여자는 해시 값 게시 기한이 지나기 전에는 '자신의 입찰가를 감추기 위해 논스의 해시 값과, 입찰가에 논스를 더한 것의 해시 값을 함께 게시판에 게시'하고, '해시 값 게시 기한이 지난 후 각 참여자는 본인의 입찰가와 논스를 운영자에게 전송'한다고 하였다. 한편 (바)에서 '일방향성이란 주어진 해시 값에 대응하는 입력 데이터의 복원이 불가능하다는 것'이라고 하였는데, (사)에서 온라인 경매에서 이용되는 해시 함수는 일방향성을 만족시킨다고 하였다. 그러므로 해시 값을 통해서는 입찰가나 논스를 복원할 수 없을 것이다. 그러므로 운영자는 해시 값을 게시하는 기한이 마감되어 입찰 참여자로부터 입찰가를 전송받기 전까지는 최고가 입찰자를 알 수 없다.

✕ 오답 풀이

① (사)에서 입찰 참여자는 해시 값 게시 기한 내에 '논스의 해시 값(r)과 입찰가에 논스를 더한 것의 해시 값(m)을 함께 게시판에 게시'한 후, 해시 값 게시 기한이 지난 후에 '본인의 입찰가(a)와 논스를 운영자에게 전송'한다고 하였다. 그러므로 입찰 참여자인 A가 a, r, m 모두를 게시 기한 내에 운영자에게 전송해야 한다는 진술은 적절하지 않다.

③ (사)에서 '입찰가에 논스를 더한 것의 해시 값을 함께 게시판에 게시'한다고 하였다. m과 n은 '입찰가+논스'의 해시 값이기 때문에 m과 n이 같으면 '입찰가+논스'가 같다고 추측할 수 있다. 또한 온라인 경매에서 활용되는 해시 함수 G는 충돌회피성을 만족시킨다고 하였으므로 r과 s가 다르면 A와 B의 논스가 다르며, 논스가 다르면 입찰가가 같아도 '입찰가+논스'의 해시 값인 m과 n이 다를 것이라고 추측할 수 있다. 즉 m과 n이 같고 r과 s가 다르다면 입찰가는 같을 수 없다.

④ (사)를 통해 논스는 입찰가를 감추기 위해 입찰가에 더해지는 임의의 숫자라는 것을 알 수 있다. 따라서 논스나 논스의 해시 값인 r과 s를 비교한다고 해서 누가 높은 가격으로 입찰하였는지 추정할 수는 없다.

⑤ (사)에서 온라인 경매에 사용되는 해시 함수 G는 일방향성을 만족시킨다고 하였다. 그런데 (바)에서 '일방향성이란 주어진 해시 값에 대응하는 입력 데이터의 복원이 불가능하다는 것'이라고 하였다. 따라서 B가 해시 함수 G를 알고 있다 하더라도 m과 r을 통해 A의 입찰가 a를 알아낼 수는 없을 것이다. 그러므로 게시판을 비공개로 운영할 필요도 없다.

04번 문제: 지문의 내용을 바탕으로 [보기]를 이해하기

지문에 특정한 부분을 중심으로 [보기]의 사례를 분석하고, 선택지의 옳고 그름을 판단해야 하는 문제이다. 이러한 유형의 문제를 다음과 같은 순서로 접근하는 것이 효과적이다.

1단계	지문의 정보 이해 → 해시 함수를 이용한 온라인 경매 과정을 파악하기
2단계	[보기] 사례 분석 → 온라인 미술품 경매의 사례의 조건과 표가 의미하는 바를 중심으로 분석하기
3단계	[보기]와 지문 정보의 조합 → [보기]의 표에 제시된 알파벳을 (사)에 나온 내용으로 바꾸기
4단계	선택지의 적절성 판단 → 선택지를 읽으면서 옳은 진술인지 확인하기

05 세부 정보의 추론 | 정답 ① |

윗글의 ㉠과 ㉡에 대하여 추론한 내용으로 가장 적절한 것은?

① ㉠을 지닌 특정 해시 함수를 전자 문서 x, y에 각각 적용하여 도출한 해시 값으로부터 x, y를 복원할 수 없다.

② 입력 데이터 x, y에 특정 해시 함수를 적용하여 도출한 문자열의 길이가 같은 것은 해시 함수의 ~~㉠ 때문~~이다.
　　　　　　　　　　　　　　　　㉠과는 무관한 특성임.

③ ㉡을 지닌 특정 해시 함수를 전자 문서 x, y에 각각 적용하여 도출한 해시 값의 문자열의 ~~길이~~는 서로 다르다.
　　　　　　　　　　　　　　　　　길음.

④ 입력 데이터 x, y에 특정 해시 함수를 적용하여 도출한 해시 값이 같은 것은 해시 함수의 ~~㉡ 때~~문이다.

⑤ 입력 데이터 x, y에 대해 ㉠과 ㉡을 지닌 ~~서로 다른~~ 해시 함수를 적용하였을 때 도출한 결과 값이 같으면 이를 충돌이라고 한다.
충돌은 서로 같은 해시 함수 내에서 발생함.

📁 발문 분석

특정 개념의 특징을 이해하고, 이를 바탕으로 추론한 내용의 적절성을 판단할 수 있는지 묻고 있다. (바)에 제시된 '일방향성'과 '충돌회피성'의 특징뿐만 아니라, 여러 문단에서 언급하고 있는 해시 함수의 개념과 특징도 고려하면서 선택지의 적절성을 판단해야 한다.

◎ 정답 풀이

① (바)에서 '일방향성이란 주어진 해시 값에 대응하는 입력 데이터의 복원이 불가능하다는 것을 말한다.'라고 하였다. 따라서 ㉠'일방향성'을 가진 해시 함수를 전자 문서 x, y에 각각 적용하여 도출한 해시 값으로부터 x, y를 복원할 수 없다.

✕ 오답 풀이

② (라)에서 특정 해시 함수에서의 해시 값을 표시하는 문자열의 길이는 고정되어 있다고 하였다. 또 (바)에서 '일방향성이란 주어진 해

시 값에 대응하는 입력 데이터의 복원이 불가능하다는 것'이라고
하였다. 이를 고려하면 특정 해시 함수에서 문자열의 길이가 같은
것과 ㉠'일방향성'은 관계가 없다고 볼 수 있다. 따라서 입력 데이
터 x, y에 특정 해시 함수를 적용하여 도출한 문자열의 길이가 같
은 것은 해시 함수의 ㉠ 때문이라고 추론하는 것은 적절하지 않다.

③ (라)에서 특정 해시 함수에서의 해시 값을 표시하는 문자열의 길이
는 고정되어 있다고 하였다. 또 (바)에서 '충돌회피성이란 특정 해
시 값을 갖는 서로 다른 데이터를 찾아내는 것이 현실적으로 불가
능하다는 것을 의미한다.'라고 하였다. 이를 고려하면 ㉡'충돌회피
성'과는 상관없이 동일한 특정 해시 함수를 사용하면 도출된 해시
값은 서로 다르지만 문자열의 길이는 같다고 볼 수 있다. 따라서
㉡을 지닌 특정 해시 함수를 전자 문서 x, y에 각각 적용하여 도출
한 해시 값의 문자열의 길이는 서로 다르다고 추론하는 것은 적절
하지 않다.

④ (라)에서 해시 값을 표시하는 문자열의 길이는 고정되어 있다고 하
였다. 또 (바)에서 '충돌회피성'이란 특정 해시 값을 갖는 서로 다른
데이터를 찾아내는 것이 현실적으로 불가능하다는 것을 의미한다.'
라고 하였다. 이를 고려하면 해시 함수가 ㉡'충돌회피성'을 지니고
있다면 서로 다른 입력 데이터 x, y를 해시 함수에 적용하여 도출
한 해시 값은 같지 않을 것이라고 볼 수 있다. 따라서 입력 데이터
x, y에 특정 해시 함수를 적용하여 도출한 해시 값이 같은 것은 해
시 함수의 ㉡ 때문이라고 추론하는 것은 적절하지 않다.

⑤ (바)에서 '서로 다른 데이터 x, y에 대해서 H(x)와 H(y)가 각각 도
출한 값이 동일하면 이것을 충돌이라'한다고 하였다. 그런데 이 글
에서 서로 다른 해시 함수를 적용하였을 때 도출한 결과 값이 같을
경우를 충돌이라고 하는지에 대해서는 언급하지 않았다. 따라서 입
력 데이터 x, y에 대해 ㉠과 ㉡을 지닌 서로 다른 해시 함수를 적용
하였을 때 도출한 결과 값이 같으면 이를 충돌이라고 한다고 추론
하는 것은 적절하지 않다.

06 어휘의 사전적 의미 파악 | 정답 ③ |

ⓐ~ⓔ의 사전적 의미로 적절하지 않은 것은?

① ⓐ: 겉으로 드러나거나 드러냄.
   노출
② ⓑ: 모양이나 형태가 달라지거나 달라지게 함.
   변형
③ ⓒ: 위험이나 곤란 따위가 미치지 아니하도록 잘 보살펴 돌봄.
   보관   '보호'의 사전적 의미임. 예) 중소기업의 보호가 시급하다.
④ ⓓ: 판단이나 결론 따위를 이끌어 냄.
   도출
⑤ ⓔ: 여러 사람에게 알리기 위하여 내붙이거나 내걸어 두루 보
   게시   게 함.

📁 발문 분석

문맥을 고려하여 어휘의 사전적 의미를 파악할 수 있는지 묻고 있다.
앞뒤 문장을 읽으면서 어휘의 의미를 추론해 보고 선택지에 제시된 의
미와 유사한지를 판단해야 한다.

◎ 정답 풀이

③ '보관(保管)'은 '물건을 맡아서 간직하고 관리함.'을 의미한다. '위험이나
곤란 따위가 미치지 아니하도록 잘 보살펴 돌봄.'을 의미하는 어휘는 '보
호(保護)'이다.

❌ 오답 풀이

① '노출(露出)'의 사전적 의미이다.

② '변형(變形)'의 사전적 의미이다.
④ '도출(導出)'의 사전적 의미이다.
⑤ '게시(揭示)'의 사전적 의미이다.

🍯 선생님의 꿀 정보

다양한 기호를 활용하여 지문 독해하기

지문을 읽을 때에는 중요한 문장을 제대로 파악했는지, 흐름은 정확하게
파악하고 있는지를 점검해야 한다. 이때 기호들을 사용하여 표시를 해 두면
글을 한눈에 파악할 수 있어 내용도 빠르게 이해할 수 있고 문제를 풀 때 시
간도 절약할 수 있다. 활용할 수 있는 기호에는 다음과 같은 것이 있다.

① ＿＿＿＿＿＿
중요한 내용이나 개념을 설명하는 부분에는 밑줄을 친다. 내용을 이해하
거나 선택지의 적절성 여부를 판단하는 근거로 사용할 수 있다.

② ○, □
글 전체의 중심 화제나 개념어 또는 핵심 개념에 해당하는 어휘에 ○와
□ 표시를 한다. 선택지에서 이런 어휘를 언급했을 때 지문에서 해당 부분
을 빠르게 찾을 수 있다.

③ △
접속어에 △ 표시를 해 두면 글의 구조를 파악할 때 도움이 된다. 또 글에
서 설명하고 있는 대상들을 비교를 할 때에도 유용하게 사용할 수 있다.

④ 1), 2), 3) …
개념의 하위 개념이 제시되거나, 어떤 개념의 특징들이 대등적으로 나열
되어 있다면 번호를 매긴다. 이렇게 번호로 표시해 두면 개념의 특성 등을
파악할 때나 글의 구조를 파악할 때 도움이 된다.

M·E·M·O

어휘 풀이

* 반구형: 구(球)를 절반으로 나눈 모양.
* 골재: 콘크리트나 모르타르를 만드는 데 쓰는 모래나 자갈 따위의 재료.
* 천창: 지붕에 낸 창(窓).
* 수화 반응: 시멘트와 물이 화합하는 것.
* 거푸집: 콘크리트 구조물을 일정한 형태나 크기로 만들기 위하여 일시적으로 설치하는 구조물.
* 경화: 단단하게 굳어짐.

구절 풀이

철근 콘크리트는 콘크리트 속에 철근을 넣은 것임. 이 철근은 콘크리트 속에 있기 때문에 녹이 슬지 않고 내구성도 더 길어지게 되었음. 이 덕분에 건축물은 더욱 견고해졌으며, 콘크리트와 철근은 자유롭게 변형할 수 있기 때문에 형태면에서 자유로운 표현이 가능해졌음.

철근 콘크리트에서 철근을 넣는 부분을 정확히 계산하여야 하는 이유는 철근이 비싸기 때문에 철근의 낭비를 최소화하기 위해서임.

1 '콘크리트'는 건축 재료로 다양하게 사용되고 있다. 일반적으로 콘크리트가 근대 기술의 ⊙산물로 알려져 있지만 콘크리트는 이미 고대 로마 시대에도 사용되었다. 로마 시대의 탁월한 건축미를 보여 주는 판테온은 콘크리트 구조물인데, 반구형*의 지붕인 돔은 오직 콘크리트로만 이루어져 있다. 로마인들은 콘크리트의 골재* 배합을 달리하면서 돔의 상부로 갈수록 두께를 점점 줄여 지붕을 가볍게 할 수 있었다. 돔 지붕이 지름 45m 남짓의 넓은 원형 내부 공간과 이어지도록 하였고, 지붕의 중앙에는 지름 9m가 넘는 ⓒ원형의 천창*을 내어 빛이 내부 공간을 채울 수 있도록 하였다.   **1문단: 콘크리트 구조물인 판테온의 특징**

2 콘크리트는 시멘트에 모래와 자갈 등의 골재를 섞어 물로 반죽한 혼합물이다. 콘크리트
콘크리트의 개념
에서 결합재 역할을 하는 시멘트가 물과 만나면 ⓒ점성을 띠는 상태가 되며, 시간이 지남에 따라 수화 반응*이 일어나 골재, 물, 시멘트가 결합하면서 굳어진다. 콘크리트의 수화 반응은 상온에서 일어나기 때문에 작업하기에도 좋다. 반죽 상태의 콘크리트를 거푸집*에 부어 경화*시키면 다양한 형태와 크기의 구조물을 만들 수 있다. 콘크리트의 골재는 종류에 따라 강도와 밀도가 다양하므로 골재의 종류와 비율을 조절하여 콘크리트의 강도와 밀도를
콘크리트의 강도와 밀도에 영향을 줌.
다양하게 변화시킬 수 있다. 그리고 골재들 간의 접촉을 높여야 강도가 높아지기 때문에, 서로 다른 크기의 골재를 배합하는 것이 효과적이다.   **2문단: 콘크리트의 개념과 콘크리트 골재의 특성**
콘크리트의 강도를 높이는 방법
3 콘크리트가 철근 콘크리트로 발전함에 따라 건축은 구조적으로 더욱 견고해지고, 형태
콘크리트 속에 철근을 넣은 건설 재료.
면에서는 더욱 다양하고 자유로운 표현이 가능해졌다. 일반적으로 콘크리트는 누르는 힘인 압축력에는 쉽게 부서지지 않지만 당기는 힘인 인장력에는 쉽게 부서진다. 압축력이나 인
콘크리트의 특성 ①
장력에 재료가 부서지지 않고 그 힘에 견딜 수 있는, 단위 면적당 최대의 힘을 각각 압축 강
압축 강도와 인장 강도의 개념
도와 인장 강도라 한다. 콘크리트의 압축 강도는 인장 강도보다 10배 이상 높다. 또한 압축
력을 가했을 때 최대한 줄어드는 길이는 인장력을 가했을 때 최대한 늘어나는 길이보다 훨
콘크리트의 특성 ②
씬 길다. 그런데 철근이나 철골과 같은 철재는 인장력과 압축력에 의한 변형 정도가 콘크리트보다 작은 데다가 압축 강도와 인장 강도 모두가 콘크리트보다 높다. 특히 인장 강도는 월등히 더 높다. 따라서 보강재로 철근을 콘크리트에 넣어 대부분의 인장력을 철근이 받도록 하면 인장력에 취약한 콘크리트의 단점이 크게 보완된다. 다만 철근은 무겁고 비싸기 때문에, 대개는 인장력을 많이 받는 부분을 정확히 계산하여 그 지점을 ⓔ위주로 철근을 보강한다. 또한 가해진 힘의 방향에 수직인 방향으로 재료가 변형되는 점도 고려해야 하는데,

선생님의 Tip

"이색적인 콘크리트"

미국 워싱턴 국립 건축 박물관에는 반투명 콘크리트가 설치되어 있음. 다량의 광섬유를 평행으로 정렬해 한쪽에서 빛을 비추면 광섬유를 통해 반대편에 빛이 나타나는 원리를 이용한 것임.
한편 식물이 자랄 수 있는 콘크리트도 있음. 이 콘크리트는 전체 부피의 약 30% 정도가 미세한 구멍이어서 이 구멍을 통해 물이 흡수됨. 폭우가 내릴 경우 자연스레 물을 흡수하므로 홍수 예방에도 도움을 주고, 미세 구멍으로 소음을 흡수해 방음벽으로도 사용됨.

지문 구조도

화제 제시: 콘크리트(1, 2문단)
콘크리트 시멘트에 모래와 자갈 등의 골재를 섞어 물로 반죽한 혼합물임(건축물: 판테온).

↓

전개 1: 철근 콘크리트(3, 4문단)
• 보강재로 철근을 넣어 인장력에 취약한 콘크리트의 단점을 보완함(건축물: 사보아 주택). • 대형 공간을 축조하고 기둥의 간격을 넓힐 수 있게 됨.

↓

전개 2: 프리스트레스트 콘크리트(5문단)
• 거푸집에 넣은 철근을 당긴 상태에서 콘크리트 반죽을 부어 만듦(건축물: 킴벨 미술관). • 외부의 인장력에 대한 저항성이 높음.

↓

마무리: 건축 미학의 원동력(6문단)
건축 재료의 발전이 새로운 건축 미학의 원동력이 됨.

주제 건축 재료로서의 콘크리트의 발전과 건축 미학에의 영향

이때 필요한 것이 포아송 비이다. 철재는 콘크리트보다 포아송 비가 크며, 대체로 철재의
포아송 비는 0.3, 콘크리트는 0.15 정도이다.
<small>축방향 신장량에 대한 횡방향 수축량의 비</small>
3문단: 철근 콘크리트의 특성과 장점

4 강도가 높고 지지력*이 좋아진 철근 콘크리트를 건축 재료로 사용하면서, 대형 공간을 축
<small>철근 콘크리트의 장점</small>
조*하고 기둥의 간격도 넓힐 수 있게 되었다. 20세기에 들어서면서부터 근대 건축에서 철
근 콘크리트는 예술적 ⓜ영감을 줄 수 있는 재료로 인식되기 시작하였다. 기술이 예술의 가
장 중요한 근원이라는 신념을 가졌던 르 코르뷔지에는 철근 콘크리트 구조의 장점을 사보
아 주택에서 완벽히 구현하였다. 사보아 주택은, 벽이 건물의 무게를 지탱하는 구조로 설
<small>르 코르뷔지에의 건축 철학을 녹여낸 집</small>
계된 건축물과는 달리 기둥만으로 건물 본체의 하중을 지탱하도록 설계되어 건물이 공중에
떠 있는 듯한 느낌을 준다. 「2층 거실을 둘러싼 벽에는 수평으로 긴 창이 나 있고, 건축가가
<small>사보아 주택의 특징 / 「」: 사보아 주택을 묘사함.</small>
'건축적 산책로'라고 이름 붙인 경사로는 지상의 출입구에서 2층의 주거 공간으로 이어지다
가 다시 테라스로 나와 지붕까지 연결된다. 목욕실 지붕에 설치된 작은 천창을 통해 하늘을
바라보면 이 주택이 자신을 중심으로 펼쳐진 또 다른 소우주*임을 느낄 수 있다. 평평하고
넓은 지붕에는 정원이 조성되어, 여기서 산책하다 보면 대지를 바다 삼아 항해하는 기선*의
갑판에 서 있는 듯하다.」
4문단: 철근 콘크리트 구조물인 사보아 주택의 특징

5 철근 콘크리트는 근대 이후 가장 중요한 건축 재료로 널리 사용되어 왔지만 철근 콘크리
트의 인장 강도를 높이려는 연구가 계속되어 프리스트레스트 콘크리트가 등장하였다. 프
리스트레스트 콘크리트는 다음과 같이 제작된다. 먼저, 거푸집에 철근을 넣고 철근을 당긴
상태에서 콘크리트 반죽을 붓는다. 콘크리트가 굳은 뒤에 당기는 힘을 제거하면, 철근이 줄
어들면서 콘크리트에 압축력이 작용하여 외부의 인장력에 대한 저항성이 높아진 프리스트
레스트 콘크리트가 만들어진다. 킴벨 미술관은 개방감을 주기 위하여 기둥 사이를 30m 이
<small>프리스트레스트 콘크리트 구조의 핵심: 기둥 사이 간격</small>
상 벌리고 내부의 전시 공간을 하나의 층으로 만들었다. 이 간격은 프리스트레스트 콘크리
트 구조를 활용하였기에 구현할 수 있었고, 일반적인 철근 콘크리트로는 구현하기 어려웠
<small>철근 콘크리트보다 프리스트레스트 강도가 높음.</small>
다. 이 구조로 이루어진 긴 지붕의 틈새로 들어오는 빛이 넓은 실내를 환하게 채우며 철근
콘크리트로 이루어진 내부를 대리석*처럼 빛나게 한다.
5문단: 프리스트레스트 콘크리트의 특성과 제작 과정

6 이처럼 건축 재료에 대한 기술적 탐구는 언제나 새로운 건축 미학의 원동력이 되어 왔
다. 특히 근대 이후에는 급격한 기술의 발전으로 혁신적인 건축 작품들이 탄생할 수 있었
다. 건축 재료와 건축 미학의 유기적인 관계는 앞으로도 지속될 것이다.
<small>건축 재료의 발전→새로운 건축 미학의 탄생</small>
6문단: 건축 재료의 발전과 건축 미학의 관계

지문 해제

이 글은 콘크리트의 발전이 건축의 미학에 어떠한 영향을 끼쳤는지를 설명하고 있다. 콘크리트는 고대 로마시
대부터 사용된 건축 재료로, 시멘트에 모래와 자갈 같은 골재를 섞어 물로 반죽한 혼합물이다. 골재의 종류와 비율
을 조정하면 콘크리트의 강도와 밀도를 다양하게 변화시킬 수 있다. 철근 콘크리트는 인장력에 취약한 콘크리트의
단점을 보완하기 위해 철근을 보강재로 사용한 것이다. 철근 콘크리트를 사용함으로써 건축은 구조적으로 더욱 견
고해지고, 형태 면에서 자유로운 표현이 가능해졌다. 철근은 무겁고 비싸기 때문에 철근 콘크리트를 사용하고자
할 경우에는 인장력을 많이 받는 부분을 정확히 계산하여 그 지점을 위주로 철근을 보강해야 한다. 철근 콘크리트
를 건축 재료로 사용하면서 대형 공간을 축조하고 기둥의 간격도 넓힐 수 있게 되었고, 이는 예술적인 건축을 가
능하게 해 주었다. 대표적인 예는 사보아 주택으로 이 건축물은 기둥만으로 건물을 지탱하게 함으로써 건물이 공
중에 떠 있는 듯한 느낌을 준다. 프리스트레스트 콘크리트는 철근 콘크리트의 인장 강도를 높인 것으로, 이를 활용
함으로써 킴벨 미술관의 구조와 같이 기둥 사이의 간격을 넓힌 구조물을 구현할 수 있었다. 이처럼 콘크리트와 같
은 건축 재료의 기술적 발전은 새로운 건축 미학의 탄생에 영향을 끼쳤다.

어휘 풀이

* 지지력: 버티거나 버티게 하여 주는 힘.
* 축조: 쌓아서 만듦.
* 소우주: 인간이 대우주를 반영하는 하나의 작은 우주임을 가리킴.
* 기선: 증기 기관을 동력으로 하는 선박을 통틀어 이르는 말.
* 대리석: 석회암이 높은 온도와 강한 압력에 의해 성질이 변한 변성암의 한 가지로, 갈고 닦으면 광택이 나는 흰 돌.

기술 04

구절 풀이

○ 프리스트레스트 콘크리트는 철근 콘크리트의 인장 강도를 높이기 위한 연구 끝에 고안됨. 인장력에 대한 저항성을 높이기 위해 철근을 당긴 상태에서 콘크리트 반죽을 부어서 제작함.

선생님의 Tip

"포아송 비"

어떤 재료가 한 방향의 수직 응력을 받는 경우 재료에 생긴 가로 변형(횡변형)과 세로 변형(종변형)과의 비율을 의미함. 포아송 비는 탄성 한도 내에서 같은 재료에 대해서는 일정하게 나타남.

"콘크리트의 발전 과정"

콘크리트
• 의미: 시멘트를 결합재로 해서 골재와 골재를 한 덩어리로 만든 것.
• 특징: 압력에는 강하지만 인장 강도와 유연성이 떨어짐.

↓

철근 콘크리트
• 의미: 인장 강도 강화를 위해 콘크리트 속에 철근을 보강한 것.
• 특징: 균열을 통해 수분, 염분 등이 들어오면 철근은 부식되고, 구조물의 내구성은 크게 저하됨.

↓

프리스트레스트 콘크리트
• 의미: 콘크리트에 미리 압축 응력을 주어 콘크리트의 인장 강도를 증가시킨 것.
• 특징: 설계 하중을 받았을 때 균열이 생기지 않음.

01

내용 전개 방식의 파악 | 정답 ① |

윗글에 대한 설명으로 가장 적절한 것은?

❶ 건축 재료의 특성과 발전을 서술하면서 각 건축물들의 공간적 특징을 설명하고 있다.

② 건축 재료의 특성에 기초하여 ~~건축물들의 특징~~에 대한 상반된 ~~평가~~를 제시하고 있다.

③ 건축 재료의 기원을 검토하여 다양한 건축물들의 미학적 특성과 ~~한계를~~ ~~평가~~하고 있다.

④ 건축 재료의 ~~시각적 특성~~을 설명하면서 각 재료와 건축물들의 경제적 ~~가치~~를 탐색하고 있다.

⑤ 건축물들의 특징에 대한 ~~평가가 시대에 따라~~ 달라진 원인을 ~~제시~~하고 건축 재료와의 관계를 설명하고 있다.

📁 발문 분석

지문의 내용과 전개 방식을 파악할 수 있는지를 묻고 있다. 먼저 글의 중심 화제가 무엇인지 확인하고, 이를 드러내기 위해 사용된 주된 내용 전개 방식을 파악해야 한다.

◎ 정답 풀이

① 이 글은 콘크리트, 철근 콘크리트 등과 같은 건축 재료의 특성을 제시하고, 콘크리트가 발전하면서 건축 미학에도 영향을 주었다고 설명하고 있다. 그리고 콘크리트 구조물인 판테온의 돔 지붕, 철근 콘크리트 구조물인 사보아 주택, 프리스트레스트 콘크리트 구조물인 킴벨 미술관을 예로 들어 각 건축물들의 공간적 특징도 설명하고 있다.

✖ 오답 풀이

② 이 글은 콘크리트, 철근 콘크리트, 프리스트레스트 콘크리트의 특성을 언급하면서 판테온, 사보아 주택, 킴벨 미술관의 특징을 설명하고 있다. 그러나 각 건축물에 대한 상반된 평가를 제시하고 있지는 않다.

③ 1문단에서 '콘크리트가 근대 기술의 산물로 알려져 있지만 콘크리트는 이미 고대 로마 시대에도 사용되었다.'라고 하면서, 콘크리트 구조물인 판테온의 지붕인 돔의 특성을 설명하고 있다. 그러나 다양한 건축물들의 미학적 한계를 평가하고 있지는 않다.

④ 이 글에서는 각 콘크리트의 특성과 강도를 중심으로 각 콘크리트에 대해 설명하고 있을 뿐, 시각적 특성에 대해서는 언급하지 않았다. 그리고 각 재료와 건축물들의 경제적 가치에 대해서도 언급하지 않았다.

⑤ 이 글에서는 판테온, 사보아 주택, 킴벨 미술관의 특징은 설명하고 있다. 그러나 건축물들의 특징에 대한 평가가 시대에 따라 달라졌다는 내용이나 평가가 달라진 원인에 대해서는 언급하지 않았다.

02

세부 정보의 이해 | 정답 ⑤ |

윗글의 내용에 대한 이해로 적절하지 <u>않은</u> 것은?

① 판테온의 돔 에서 상대적으로 더 얇은 부분은 상부 쪽이다.

② 사보아 주택의 지붕 은 여유를 즐길 수 있는 공간으로도 활용되었다.
　　지붕에 조성된 정원에서 산책을 함.

③ 킴벨 미술관 은 철근 콘크리트의 인장 강도를 높이는 방법을 이용하여 넓고 개방된 내부 공간을 확보하였다.
　　프리스트레스트 콘크리트의 등장 이유

④ 판테온과 사보아 주택 은 모두 천창을 두어 빛이 위에서 들어올 수 있도록 하였다.

⑤ 사보아 주택과 킴벨 미술관 은 모두 ~~층을 구분하지~~ 않도록 ~~구성~~하여 개방감을 확보하였다.

📁 발문 분석

지문에서 언급하고 있는 각 건축물의 세부 내용을 파악할 수 있는지 묻고 있다. 각 건축물의 특성을 바탕으로 선택지의 적절성을 판단해야 한다.

◎ 정답 풀이

⑤ 4문단에서 사보아 주택은 2층 거실을 둘러싼 벽에는 수평으로 긴 창이 나 있고, 경사로는 지상의 출입구에서 2층의 주거 공간으로 이어진다고 하였다. 그리고 5문단에서 킴벨 미술관은 '개방감을 주기 위하여 기둥 사이를 30m 이상 벌리고 내부의 전시 공간을 하나의 층으로 만들었다.'라고 하였다. 따라서 층을 구분하지 않도록 구성하여 개방감을 확보하였다는 것은 킴벨 미술관에만 해당한다.

✖ 오답 풀이

① 1문단에서 '로마인들은 콘크리트의 골재 배합을 달리하면서 돔의 상부로 갈수록 두께를 점점 줄여 지붕을 가볍게 할 수 있었다.'라고 하였다. 따라서 판테온의 돔에서 상대적으로 더 얇은 부분은 상부 쪽이라고 할 수 있다.

② 4문단에서 사보아 주택의 '평평하고 넓은 지붕에는 정원이 조성되어, 여기서 산책하다 보면 대지를 바다 삼아 항해하는 기선의 갑판에 서 있는 듯하다.'라고 하였다. 따라서 사보아 주택의 지붕은 산책을 하며 여유를 즐길 수 있는 공간으로 활용되었다고 할 수 있다.

③ 5문단에서 '철근 콘크리트의 인장 강도를 높이려는 연구가 계속되어 프리스트레스트 콘크리트가 등장하였다.'라고 하였다. 또 킴벨 미술관이 기둥 사이를 30m 이상 벌리고 내부 전시 공간을 하나의 층으로 만들 수 있었던 이유는 프리스트레스트 콘크리트 구조를 활용하였기 때문이라고 하였다. 따라서 킴벨 미술관은 철근 콘크리트의 인장 강도를 높이는 방법을 이용하여 넓고 개방된 내부 공간을 확보했다고 할 수 있다.

④ 1문단에서 판테온은 돔 '지붕의 중앙에는 지름 9m가 넘는 원형의 천창을 내어 빛이 내부 공간을 채울 수 있도록 하였다.'라고 하였다. 그리고 4문단에서 사보아 주택은 '목욕실 지붕에 설치된 작은 천창을 통해 하늘을 바라'볼 수 있게 했다고 하였다. 따라서 판테온과 사보아 주택 모두 천창을 두어 빛이 위에서 들어올 수 있도록 했다고 할 수 있다.

선생님의 꿀 정보

02번 문제: 문제를 활용하여 독해 방향을 설정하는 방법

국어 영역의 비문학(독서) 문제는 짧은 시간 안에 정확하게 푸는 것이 중요하다. 문제를 짧은 시간에 정확하게 풀기 위해서는 문제가 무엇을 묻고자 하는지를 파악해야 하는데 이 때 문제를 먼저 읽는 것이 도움이 된다. 문제를 먼저 읽는다는 것은 문제를 기억하기 위해서가 아니라 독해의 방향을 결정하기 위해서이다.

02번 문제를 예로 들어보자. 만약 지문을 먼저 읽고 02번 문제를 접했다면 우리는 문제를 풀기 위해 해당 문단을 다시 찾아가서 읽은 후 선택지의 적절성을 판단해야 한다.

문제를 먼저 본다면 어떨까? '윗글의 내용에 대한 이해로 적절한 것은?'이라는 발문을 보면 이 문제가 내용에 관한 것이라는 것을 파악할 수 있다. 선택지를 보면 '지문의 어느 부분에서 풀지'를 생각해 볼 수 있다. 선택지 ①번과 ④번은 '판테온의 돔', ③번과 ⑤번은 '킴벨 미술관', ②번과 ④번, ⑤번은 '사보아 주택이라고 명시해 두었으므로 지문을 읽으면서 해당 어휘가 나올 문제로 돌아오면 된다. 해당 단어가 언급된 문단이 끝날 때마다 그 문단에 해당하는 선택지를 확인하면 단순히 내용이 일치하는지만을 따지면 된다.

따라서 세부 내용을 묻는 문제는 경우에 따라 문단별로 끊어서 읽고 관련 문제의 선택지들을 확인하는 것이 효과적일 수 있다.

---

03 추론의 적절성 판단 | 정답 ④ |

윗글을 바탕으로 추론한 내용으로 가장 적절한 것은?

① 당기는 힘에 대한 저항은 철근 콘크리트가 ~~철재보다~~ 크다.
② 일반적으로 ~~철근~~을 콘크리트에 보강재로 사용할 때는 ~~압축력을 많이~~ 받는 부분에 넣는다.
　철근을 보강재로 사용하여 인장 강도를 높인 것
③ 프리스트레스트 콘크리트에서는 철근의 인장력으로 높은 강도를 얻게 되어 ~~수화 반응이 일어~~나지 않는다.
④ 프리스트레스트 콘크리트는 철근이 복원되려는 성질을 이용하여 콘크리트에 압축력을 줌으로써 인장 강도를 높인 것이다.
⑤ ~~콘크리트의 강도를 높이는~~ 데에는 크기가 다양한 자갈을 사용하는 것보다 ~~균일한 크기의 자~~갈만 사용하는 것이 효과적이다.

발문 분석

지문 내용을 바탕으로 콘크리트에 대해 추론할 수 있는지 묻고 있다. 각 콘크리트의 특성을 파악한 후 선택지의 적절성을 판단해야 한다.

정답 풀이

④ 5문단에서 프리스트레스트 콘크리트는 '거푸집에 철근을 넣고 철근을 당긴 상태에서 콘크리트 반죽을 붓는다.'라고 하였다. '콘크리트가 굳은 뒤에 당기는 힘을 제거하면, 철근이 줄어들면서 콘크리트에 압축력이 작용하여 외부의 인장력에 대한 저항성', 즉 인장 강도가 높아진 '프리스트레스트 콘크리트가 만들어진다.'라고 하였다. 그리고 프리스트레스트 콘크리트의 제작 과정에서 철근이 줄어든 이유는 당겨진 상태가 원래의 상태로 복원되려는 성질 때문이다. 따라서 프리스트레스트 콘크리트는 철근이 복원되려는 성질을 이용하여 콘크리트에 압축력을 줌으로써 인장 강도를 높인 것이라 할 수 있다.

오답 풀이

① 3문단에서 당기는 힘인 인장력에 견딜 수 있는 단위 면적당 최대의 힘을 인장 강도라고 하였다. 그리고 철근이나 철골과 같은 철재는 '압축 강도와 인장 강도 모두가 콘크리트보다 높'은데 '특히 인장 강도는 월등히 더 높다.'라고 하였다. 따라서 보강재로 철근을 콘크리트에 넣으면 '인장력에 취약한 콘크리트의 단점이 크게 보완된다.'라고 하였다. 이를 고려하면 철근 콘크리트보다 철재가 인장 강도가 더 크다고 볼 수 있다.

② 3문단에서 '보강재로 철근을 콘크리트에 넣어 대부분의 인장력을 철근이 받도록 하면 인장력에 취약한 콘크리트의 단점이 크게 보완된다.'라고 하였다. 그러나 '철근이 무겁고 비싸기 때문에' 인장력을 많이 받는 부분을 위주로 철근을 보강해야 한다고 하였다. 이를 고려하면 철근을 콘크리트에 보강재로 사용할 때에는 압축력이 아니라 인장력을 많이 받는 부분에 넣는다고 할 수 있다.

③ 5문단에서 프리스트레스트 콘크리트는 '거푸집에 철근을 넣고 철근을 당긴 상태에서 콘크리트 반죽을 붓고', '콘크리트가 굳은 뒤에 당기는 힘을 제거'한다고 하였다. 그런데 2문단에서 '콘크리트에서 결합재 역할을 하는 시멘트가 물과 만나면 점성을 띠는 상태가 되며, 시간이 지남에 따라 수화 반응이 일어나 골재, 물, 시멘트가 결합하면서 굳어진다.'라고 하였다. 따라서 프리스트레스트 콘크리트를 제작하는 과정에서 콘크리트가 굳었다는 것은 수화 반응이 일어난 것이라고 할 수 있다.

⑤ 2문단에서 '골재들 간의 접촉을 높여야 강도가 높아지기 때문에, 서로 다른 크기의 골재를 배합하는 것이 효과적'이라고 하였다. 따라서 콘크리트의 강도를 높이는 데에는 크기가 다양한 자갈을 사용하는 것이 균일한 크기의 자갈만 사용하는 것보다 효과적이라고 할 수 있다.

---

04 [고난도] 구체적 사례에 적용 | 정답 ④ |

윗글을 바탕으로 [보기]에 대해 탐구한 내용으로 적절하지 않은 것은?

[보기]

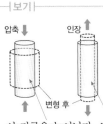

압축　인장　변형 후

철재만으로 제작된 원기둥 A와 콘크리트만으로 제작된 원기둥 B에 힘을 가하며 변형을 관찰하였다. A와 B의 윗면과 아랫면에 수직인 방향으로 압축력을 가했더니 높이가 줄어들면
　가해진 힘의 방향에 수직인 방향으로 재료가 변형됨.
서 지름은 늘어났다. 또, A의 윗면과 아랫면에 수직인 방향으로 인장력을 가했더니 높이가 늘어나면서 지름이 줄어들었다. 이때 지름의 변화량의 절댓값을 높이의 변화량의 절댓값
　포아송 비의 개념
으로 나누어 포아송 비를 구하였더니, 일반적으로 알려진 철
　철재는 0.3, 콘크리트는 0.15
재와 콘크리트의 포아송 비와 동일하게 나왔다. 그리고 A와 B의 포아송 비는 변형 정도에 상관없이 그 값이 변하지 않았다(단, 힘을 가하기 전 A의 지름과 높이는 B와 동일하다.).

① 동일한 압축력을 가했다면 B는 A보다 높이가 더 줄어들었을
　변형 정도 B〉A ⇒ B의 압축 강도가 낮다는 의미
것이다.

② A에 인장력을 가했다면 높이의 변화량의 절댓값은 지름의 변화량의 절댓값보다 컸을 것이다.

③ B에 압축력을 가했다면 지름의 변화량의 절댓값은 높이의 변화량의 절댓값보다 작았을 것이다.

④ A와 B에 압축력을 가했을 때 줄어든 높이의 변화량이 같았다면 B의 지름이 A의 지름~~보다~~ 더 늘어났을 것이다.

⑤ A와 B에 압축력을 가했을 때 늘어난 지름의 변화량이 같았다면 A의 높이가 B의 높이보다 덜 줄어들었을 것이다.

📂 발문 분석

지문과 [보기]에 제시된 '포아송 비'의 개념을 이해하고 구체적인 사례에 적용할 수 있는지 묻고 있다. 포아송 비가 의미하는 바를 바탕으로 [보기]가 의미하는 바를 파악해야 하며, 선택지의 진술이 합리적으로 추론해 낼 수 있는 내용인지를 판단해야 한다.

✔️ 보기 분석

[보기]는 철재와 콘크리트의 힘에 대한 변형 정도를 관찰한 내용이다. 3문단에서 '가해진 힘의 방향에 수직인 방향으로 재료가 변형되는 점'을 고려해야 한다고 하였는데, 이는 [보기]에서 언급한 '포아송 비'와 관련이 있는 내용이다. 지문과 [보기]의 내용을 바탕으로 [A]와 [B]에 대해 정리하면 다음과 같다.

$$\text{포아송 비} = \frac{\text{지름의 변화량의 절댓값}}{\text{높이의 변화량의 절댓값}}$$

[A] 포아송비 = 0.3 $\left(\frac{3}{10} = \frac{30}{100}\right)$

[B] 포아송 비 = 0.15 $\left(\frac{15}{100}\right)$

높이의 변화량의 절댓값이 같을 때	[A] $\frac{3}{10} = \frac{30}{100}$ [B] $\frac{15}{100}$ → 분자: [A] > [B] 높이의 변화량의 절댓값인 분모를 100으로 통일하면, 분자에 해당하는 지름의 변화량의 절댓값은 [A]가 더 크다.
지름의 변화량의 절댓값이 같을 때	[A] $\frac{3}{10}$ [B] $\frac{3}{20}$ → 분모: [A] < [B] 지름의 변화량의 절댓값인 분자가 3으로 같을 때, 분모에 해당하는 높이의 변화량의 절댓값은 [B]가 더 크다.

⦿ 정답 풀이

④ 3문단에서 '대체로 철재의 포아송 비는 0.3, 콘크리트는 0.15 정도이다.'라고 하였다. 그리고 [보기]에서 포아송 비란 '지름의 변화량의 절댓값을 높이의 변화량의 절댓값으로 나'눈 것이라고 하였다. 이때 0.3과 0.15는 각각 30/100, 15/100이라고 표기할 수 있으므로 높이의 변화량의 절댓값에 해당하는 분모가 같다면, 지름의 변화량의 절댓값에 해당하는 분자는 A가 B보다 2배 더 크다고 할 수 있다. 따라서 철재 A와 콘크리트 B에 압축력을 가했을 때 줄어든 높이의 변화량이 같다면 A의 지름이 B의 지름보다 더 늘어났을 것이라고 추측할 수 있다.

✖️ 오답 풀이

① 3문단에서 철재는 콘크리트보다 압축 강도가 높다고 하였다. 따라서 A와 B에 동일한 압축력을 가했다면, 콘크리트 B가 철재 A보다 높이가 더 줄어들었을 것이다.

② 3문단에서 '철재의 포아송 비는 0.3, 콘크리트는 0.15 정도'라고 하

였다. 따라서 A의 포아송 비는 0.3으로 1보다 작다. 따라서 인장력을 가하면 높이의 변화량의 절댓값이 지름의 변화량의 절댓값보다 클 것이다.

③ 3문단을 고려하면 B의 포아송 비는 0.15로 1보다 작다. 따라서 압축력을 가하면 지름의 변화량의 절댓값이 높이의 변화량의 절댓값보다 작을 것이다.

⑤ A와 B에 압축력을 가했을 때 A와 B의 늘어난 지름의 변화량이 같다는 것은 포아송 비에서 분자의 절댓값이 같다는 것이다. 포아송 비는 철재가 0.3, 콘크리트가 0.15이므로 A가 B보다 포아송 비가 크다. 이를 고려하면 분모에 해당하는 높이 변화량의 절댓값이 B가 A보다 더 클 것이다. 따라서 A의 높이가 B의 높이보다 덜 줄어들었을 것이다.

👑 고난도
05 추론의 적절성 판단 | 정답 ④ |

윗글과 [보기]를 읽고 추론한 내용으로 적절하지 않은 것은?

---| 보기 |---

철골은 매우 높은 강도를 지닌 건축 재료로, 규격화된 직선의 형태로 제작된다. 철근 콘크리트 대신 철골을 사용하여 기둥을 만들면 더 가는 기둥으로도 간격을 더욱 벌려 세울 수 있어 훨씬 넓은 공간 구현이 가능하다. *(철골의 높은 강도 때문)* 하지만 산화되어 녹이 슨다는 단점이 있어 내식성 페인트를 칠하거나 콘크리트를 *(부식이나 침식을 잘 견디는 성질)* 덧입히는 등 산화 방지 조치를 하여 사용한다.

베를린 신국립미술관은 철골의 기술적 장점을 미학적으로 승화시킨 건축물이다. 거대한 평면 지붕은 여덟 개의 십자형 철골 기둥만이 떠받치고 있고, 지붕과 지면 사이에는 가벼운 유리벽이 사면을 둘러싸고 있다. 최소한의 설비 외에는 어떠한 것도 천장에 닿아 있지 않고 내부 공간이 텅 비어 있어 지붕은 공중에 떠 있는 느낌을 준다. 미술관 내부에 들어가면 넓은 공간 속에서 개방감을 느끼게 된다.

---

① 베를린 신국립미술관의 기둥에는 산화 방지 조치가 되어 있겠군. *(녹이 스는 것을 방지하기 위해)*

② 휘어진 곡선 모양의 기둥을 세우려 할 때는 대체로 철골을 재료로 쓰지 않겠군.

③ 베를린 신국립미술관은 철골을, 킴벨 미술관은 프리스트레스트 콘크리트를 활용하여 개방감을 구현하였겠군.

④ 가는 기둥들이 넓은 간격으로 늘어선 건물을 지을 때 기둥의 재료로는 철골보다 철근 콘~~크~~리트가 더 적합하겠군.

⑤ 베를린 신국립미술관의 지붕과 사보아 주택의 건물이 공중에 떠 있는 느낌을 주는 것은 벽이 아닌 기둥이 구조적으로 중요한 역할을 하고 있기 때문이겠군.

📂 발문 분석

건축 재료의 특성을 이해하고 [보기]가 제시되어 있는 건축물의 특징을 추론할 수 있는지 묻고 있다. [보기]에는 지문에서 다루지 않았던 건축 재료인 철골에 대해 언급하고 있으므로, 철골의 특징도 파악해야 한다.

[보기]는 건축 재료 중 '철골'의 특성과 그것을 건축에 사용했을 때 얻을 수 있는 효과를 설명하고 있다. [보기]의 내용을 정리하면 다음과 같다.

철골 ┌ 높은 강도를 가짐, 규격화된 직선의 형태로 제작됨.
     └ 산화되어 녹이 슮. → 산화 방지 조치가 필요함.

④ [보기]에서 '철근 콘크리트 대신 철골을 사용하여 기둥을 만들면 더 가는 기둥으로도 간격을 더욱 벌려 세울 수 있어 훨씬 넓은 공간 구현이 가능하다.'라고 하였다. 따라서 가는 기둥들이 넓은 간격으로 늘어선 건물을 지을 때 기둥의 재료로는 철근 콘크리트보다 철골이 더 적합하다고 할 수 있다.

① [보기]에서 베를린 신국립미술관은 '지붕은 여덟 개의 십자형 철골 기둥만이 떠받치고 있다'고 하였다. 그리고 철골은 '산화되어 녹이 슮는다는 단점이 있어 산화 방지 조치를 하여 사용한다.'라고 하였다. 이를 종합해 볼 때 신국립미술관의 기둥은 철골로 되어 있기 때문에 녹이 스는 것을 막기 위해 산화 방지 조치가 되어 있을 것이라고 볼 수 있다.

② [보기]에서 철골은 '규격화된 직선의 형태로 제작된다.'라고 하였으므로, 휘어진 곡선 모양의 기둥을 세우려 할 때에는 철골을 재료로 쓰지 않는다고 볼 수 있다.

③ [보기]에서 '베를린 신국립미술관은 철골의 기술적 장점을 미학적으로 승화시킨 건축물'이라면서 철골 기둥만이 지붕을 떠받치게 하여 '내부 공간이 텅 비어 있어 지붕은 공중에 떠 있는 느낌을 준다. 미술관 내부에 들어가면 넓은 공간 속에서 개방감을 느끼게 된다.'라고 하였다. 그리고 5문단에서 프리스트레스트 콘크리트 구조를 활용한 킴벨 미술관은 개방감을 주기 위하여 기둥 사이를 30m 이상 벌리고 내부의 전시 공간을 하나의 층으로 만들었다.'라고 하였다. 따라서 베를린 신국립미술관은 철골을, 킴벨 미술관은 프리스트레스트 콘크리트를 활용하여 개방감을 구현한 것이라 볼 수 있다.

⑤ [보기]에서 베를린 신국립미술관은 여덟 개의 십자형 철골 기둥만이 지붕을 떠받치게 하여 '내부 공간이 텅 비어 있어 지붕은 공중에 떠 있는 느낌을 준다.'라고 하였다. 그리고 4문단에서 '사보아 주택은, 벽이 건물의 무게를 지탱하는 구조로 설계된 건축물과는 달리 기둥만으로 건물 본체의 하중을 지탱하도록 설계되어 건물이 공중에 떠 있는 듯한 느낌을 준다.'라고 하였다. 따라서 베를린 신국립미술관의 지붕과 사보아 주택의 건물이 공중에 떠 있는 느낌을 주는 것은 기둥이 구조적으로 중요한 역할을 하고 있기 때문이라고 할 수 있다.

🍯 선생님의 꿀 정보

정확하게 [보기]를 읽는 방법

비문학(독서) 영역에서 [보기]가 제시되는 문제들은 구체적 사례에 적용하는 문제이거나, 추가 정보를 활용하여 지문의 내용을 심화하여 이해할 수 있는지를 평가하는 문제인 경우가 많다.

이런 문제를 풀 때 가장 중요한 것은 [보기]의 정보를 정확하게 파악하는 것이다. 그런데 [보기]의 정보들은 주로 비문학 지문처럼 제시되는 것이 대부분이다. 어떻게 해야 [보기]의 정보를 정확하게 읽어낼 수 있을까?

문제에 제시되는 [보기]는 지문과 연계하여 문제를 해결하는 데 필요한 내용으로 구성된다. 따라서 [보기]를 읽기 전에 무엇을 중점으로 볼 것인지를 정해야 한다. 그러므로 [보기]를 읽을 때에는 지문에서 언급한 핵심 제재나 관점, 개념을 기준으로 그와 관련된 정보들을 파악하는 방향으로 읽어야 한다.

06 어휘 활용의 적절성 판단 | 정답 ② |

㉠~㉤을 사용하여 만든 문장으로 적절하지 않은 것은?

① ㉠: 행복은 성실하고 꾸준한 노력의 산물이다.
   산물
② ㉡: 이 건축물은 후대 미술관의 원형이 되었다.
   원형
③ ㉢: 이 물질은 점성 때문에 끈적끈적한 느낌을 준다.
   점성
④ ㉣: 그녀는 채소 위주의 식단을 유지하고 있다.
   위주
⑤ ㉤: 그의 발명품은 형의 조언에서 영감을 얻은 것이다.
   영감

어휘의 의미를 이해하고 활용할 수 있는지를 묻고 있다. 한자어인 경우 동음이의어를 활용한 예문이 제시될 수 있으므로, 이에 주의하여 어휘 활용의 적절성을 판단해야 한다.

② 지문에서 ㉡'원형(圓形)'은 '둥근 모양'을 의미한다. 그러나 ②의 '원형(原型)'은 '같거나 비슷한 여러 개가 만들어져 나온 본바탕'을 의미한다. 따라서 ②는 ㉡을 사용하여 만든 문장으로 적절하지 않다.

① '산물(産物)'은 '어떤 것에 의하여 생겨나는 사물이나 현상을 비유적으로 이르는 말'을 의미한다.

③ '점성(粘性)'은 '차지고 끈끈한 성질'을 의미한다.

④ '위주(爲主)'는 '으뜸으로 삼음.'을 의미한다.

⑤ '영감(靈感)'은 '창조적인 일의 계기가 되는 기발한 착상이나 자극.'을 의미한다.

🍯 선생님의 꿀 정보

06번 문제: 어휘의 문맥적 의미를 파악하는 방법

1문단의 '지름 9m가 넘는 ㉡원형의 천창을 내어~'를 살펴보자. 여기에서 '원형'은 '천창'과 연결된다. 이때 천창은 사물이면서 일정한 모양을 띨 수 있다는 특성을 가진다. 그런데 선택지 ②번 '이 건축물은 후대 미술관의 원형이 되었다.'에서의 '원형'은 '후대 미술관'과 연결된다. 이때 '후대 미술관'은 특정 사물을 나타내거나 일정한 모양을 띠는 대상이라고 할 수 없다. 이처럼 밑줄 친 어휘와 연결되는 어휘의 특성을 파악하는 것도 어휘의 의미를 추측하는 데 도움을 준다.

구절 풀이

컴퓨터가 프로그램을 실행하는 과정: 작업 큐에는 현재 실행되는 프로그램 외에 앞으로 실행하려고 대기하고 있는 프로그램들의 목록이 있음. 대기 프로그램들은 작업큐에 있다가 차례가 되면 실행이 되고, 일정 시간(구간 시간)이 지나서도 완료가 되지 않으면 다시 작업큐 목록으로 돌아와서 자기 차례가 되어 실행되기를 기다림. 이 과정을 반복하여 프로그램이 다 끝나면 그 프로그램은 작업큐에서 목록이 지워지게 됨.

	대기 시간	구간 실행	구간 시간
개념	한 프로그램이 실행되는 동안 다른 프로그램이 작업큐에서 기다리는 시간	한 구간에서 프로그램이 실행되는 것	각각의 구간에서 프로그램이 실행되는 시간
특징	작업큐에 등록된 프로그램 수가 많아지면 비례해서 늘어남.	여러 프로그램이 종료될 때까지 반복되는 것이 원칙임.	길이가 일정함.

선생님의 Tip

"CPU"

CPU(Central Processing Unit)는 중앙처리장치를 가리키며, 컴퓨터의 정중앙에서 모든 데이터를 처리하는 장치라는 의미임. CPU는 컴퓨터의 두뇌에 해당하며, 사용자가 입력한 명령어를 해석·연산한 후 그 결과를 출력함.
컴퓨터 CPU가 하는 가장 기본적인 기능은 연산/계산 작업임. 사용자가 '0+1'이라는 명령을 내리면 CPU는 이를 계산하여 '1'이라는 결과를 모니터 등 영상 출력 장치로 출력함. 문서나 그림, 음악이나 동영상 처리 등 다양한 데이터를 취급하지만, 처리하는 데이터의 종류가 다르다 해도 CPU가 데이터를 처리하는 기본 원리는 '0+1=1'을 계산할 때와 유사함. 이러한 명령을 처리하는 속도인 연산 속도는 CPU의 종류마다 다름.

1 우리는 컴퓨터에서 음악을 들으면서 문서를 작성할 때 두 가지 프로그램이 동시에 실행되고 있다고 생각한다. 그러나 실제로는 아주 짧은 시간 간격으로 그 프로그램들이 번갈아 실행되고 있다. 이는 컴퓨터 운영 체제의 일부인 CPU(중앙 처리 장치) 스케줄링 때문이다. 어떤 프로그램이 실행될 때 컴퓨터 운영 체제는 실행할 프로그램을 주기억 장치에 저장하고 실행 대기 프로그램의 목록인 '작업큐'에 등록한다. 운영 체제는 실행할 하나의 프로그램을 작업큐에서 선택하여 CPU에서 실행하고 실행이 종료되면 작업큐에서 지운다.
1문단: CPU 스케줄링에 의한 프로그램의 교차 실행

2 한 개의 CPU는 한 번에 하나의 프로그램만을 실행할 수 있다. 그러면 A와 B 두 개의 프로그램이 동시에 실행되는 것처럼 보이게 하려면 어떻게 해야 할까? 프로그램은 실행을 요청한 순서대로 작업큐에 등록되고 이 순서에 따라 A와 B는 차례로 실행된다. 이때 A의 실행 시간이 길어지면 B가 기다려야 하는 '대기 시간'이 길어지므로 동시에 두 프로그램이 실행되고 있는 것처럼 보이지 않는다. 그러나 A와 B를 일정한 시간 간격을 두고 번갈아 실행하면 두 프로그램이 동시에 실행되는 것처럼 보인다.
2문단: 두 개의 프로그램이 동시에 실행되는 것처럼 보이는 방법

3 이를 위해서 CPU의 실행 시간을 여러 개의 짧은 구간으로 ⓐ나누어 놓고 각각의 구간마다 하나의 프로그램이 실행되도록 한다. 여기서 한 구간에서 프로그램이 실행되는 것을 '구간 실행'이라 하며, 각각의 구간에서 프로그램이 실행되는 시간을 '구간 시간'이라고 하는데 구간 시간의 길이는 일정하게 정한다. A와 B의 구간 실행은 원칙적으로 두 프로그램이 종료될 때까지 번갈아 반복되지만 하나의 프로그램이 먼저 종료되면 나머지 프로그램이 계속 실행된다.
3문단: 구간 실행과 구간 시간을 통해 프로그램을 실행하는 방법

4 한편, 어떤 프로그램의 구간 실행이 진행되는 동안, 다른 프로그램은 작업큐에서 대기한다. A의 구간 실행이 끝나면 A의 실행이 정지되고 다음번 구간 시간 동안 실행할 프로그램

지문 구조도

화제 제시: CPU 스케줄링에 의한 프로그램의 교차 실행(1문단, 2문단)
사람들은 컴퓨터가 여러 프로그램을 동시에 실행하고 있다고 생각하지만, 실제로 컴퓨터의 CPU(중앙 처리 장치)는 여러 프로그램을 아주 짧은 시간 간격으로 번갈아 실행하고 있음.

주지: CPU 실행에 관련된 개념과 원리(3~5문단)
• CPU는 실행 시간을 여러 개의 짧은 구간으로 나누어 각 구간에서 하나씩의 프로그램이 실행되도록 함. • 한 프로그램의 구간 실행이 진행되는 동안 다른 프로그램은 작업큐에서 대기함. • 총처리 시간 = 총실행 시간+교체 시간+대기 시간

예시: 세 개의 프로그램이 실행되는 방법(6문단)
① 프로그램 A가 실행 중, B가 작업큐에서 대기 중에 C를 실행할 경우 C는 A와 B의 구간 실행이 끝난 후 실행됨. ② A와 B가 종료된 것이 아니라면 이들은 C의 뒤로 다시 등록됨. ③ 세 프로그램은 등록되는 순서대로 반복해서 실행됨.

부연: 작업큐에 등록할 수 있는 프로그램의 수를 제한해야 하는 이유(7문단)
작업큐에 등록된 프로그램의 수가 많아지면 프로그램의 대기 시간이 늘어나므로, 프로그램의 수를 제한하여 대기 시간이 길어지는 것을 막을 필요가 있음.

출제 의도 이 글은 컴퓨터의 CPU(중앙 처리 장치)가 여러 가지 프로그램을 동시에 실행하는 것처럼 보이게 하는 CPU 스케줄링의 원리를 이해할 수 있는지를 평가하는 지문이다. 글의 내용 전개 방식이나 CPU, 작업큐, 대기 시간 등 글의 세부 내용을 확인하는 문제 이외에도 CPU 스케줄링의 원리와 방법을 파악하여 구체적 상황에 적용할 수 있는지를 평가하는 문제가 출제되었다.

주제 CPU 스케줄링에 의한 프로그램 실행의 원리와 방법

을 선택한다. 이때 A가 정지한 후 B의 실행을 준비하는 데 필요한 시간을 '교체 시간'이라
고 하는데 교체 시간은 구간 시간에 비해 매우 짧다. 교체 시간에는 그때까지 실행된 A의
_{교체 시간의 개념}
상태를 저장하고 B를 실행하기 위해 B의 이전 상태를 가져온다. 그뿐만 아니라 같은 프로
_{교체 시간의 특징}   _{교체 시간의 필요성 ①}
그램이 이어서 실행되더라도 운영 체제가 다음에 실행되어야 할 프로그램을 판단해야 하므
로 구간 실행 사이에는 반드시 교체 시간이 필요하다.
_{교체 시간의 필요성 ②}
4문단: 프로그램 구간 실행을 위해 필요한 교체 시간

5 하나의 프로그램이 작업큐에 등록될 때부터 종료될 때까지 걸리는 시간을 '총처리 시간'
이라고 하는데, 이 시간은 순수하게 프로그램의 실행에만 소요된 시간인 '총실행 시간'에
_{총처리 시간=총실행 시간+교체 시간+대기 시간}
'교체 시간'과 작업큐에서 실행을 기다리는 '대기 시간'을 모두 합한 것이다. ㉠총실행 시간
이 구간 시간보다 긴 프로그램이 실행될 때는 구간 실행 횟수가 많아져서 교체 시간의 총합
은 늘어난다. 그러나 총실행 시간이 구간 시간보다 짧거나 같은 프로그램은 한 번의 구간
_{교체 시간의 총합이 늘어나면 총처리 시간이 늘어남.}
시간 내에 종료되고 곧바로 다음 프로그램이 실행된다.
5문단: 총처리 시간, 총실행 구간, 구간 시간, 교체 시간, 대기 시간의 관계

6 이제 프로그램 A, B, C가 실행되는 경우를 생각해 보자. A가 실행되고 있고 B가 작업큐
_{프로그램의 처리 순서: A→B→C}
에서 대기 중인 상태에서 새로운 프로그램 C를 실행할 경우, C는 B 다음에 등록되므로 A
와 B의 구간 실행이 끝난 후 C가 실행된다. A와 B가 종료되지 않아 추가적인 구간 실행이
_{C의 실행 이후에도 A와 B가 실행되어야 하는 경우}
필요하면 작업큐에서 C의 뒤로 다시 등록되므로 C, A, B의 상태가 되고 결과적으로 세 프
로그램은 등록되는 순서대로 반복해서 실행된다.
6문단: 세 개의 프로그램을 실행하는 순서

7 이처럼 작업큐에 등록된 프로그램의 수가 많아지면 각 프로그램의 대기 시간은 그에 비
_{작업큐에 등록하는 프로그램의 수를 제한해야 하는 이유}
례하여 늘어난다. 따라서 작업큐에 등록할 수 있는 프로그램의 수를 제한해 대기 시간이 일
정 수준 이상으로 길어지는 것을 막을 필요가 있다.
7문단: 작업큐에 등록하는 프로그램의 수 제한 필요성

구절 풀이

○ 총실행 시간이 구간 시간보다 긴 프로그램의 경우에는 구간이 여러 개 필요하고, 구간 사이마다 교체 시간이 소요되게 되므로 결과적으로 총처리 시간이 늘어나게 됨. 반면, 총실행 시간이 구간 시간보다 짧은 경우에는 1회 구간이 끝나기도 전에 프로그램이 종료되고, 총실행 시간이 구간 시간과 같을 경우에는 1회 구간이 끝남과 동시에 프로그램이 종료됨. 이 경우는 총처리 시간이 늘어나지 않고, 다음 구간에서 그 프로그램이 실행될 이유가 없으므로 다른 프로그램만 실행되면 됨.

○ A와 B가 종료되지 않아 각각의 구간에서 프로그램이 실행되어야 하면 작업큐에서 C의 뒤에 등록되게 되고 프로그램의 처리 순서는 다시 C→A→B가 됨.

지문 해제

이 글은 컴퓨터 운영 체제의 일부인 CPU(중앙 처리 장치) 스케줄링에 의해 두 가지 이상의 프로그램이 동시에 실행되는 것처럼 보이게 하는 원리와 방법을 소개하고 있다. 우리는 컴퓨터에서 작업을 할 때 두 가지 이상의 프로그램이 동시에 실행되고 있다고 생각하는 경우가 많지만, 사실 하나의 CPU는 한 번에 한 가지 프로그램만 실행할 수 있다. 그럼에도 우리가 이렇게 착각하는 이유는 CPU가 두 가지 프로그램을 번갈아 실행할 때 아주 짧은 간격으로 프로그램을 교체하여 실행하기 때문이다. CPU는 실행 시간을 여러 개의 짧은 구간으로 나눈 다음, 각각의 구간에서 일정한 길이 동안 하나의 프로그램만을 실행하고, 한 구간에서 다음 구간으로 넘어가는 교체 시간을 매우 짧게 설정한다. 그러면 사람은 두 개의 프로그램이 동시에 실행되는 것처럼 인식하게 된다. 하나의 프로그램이 작업큐에 등록될 때부터 종료될 때까지를 의미하는 총처리 시간은 총실행 시간에 교체 시간과 대기 시간을 모두 합한 것이다. 이와 같은 총처리 시간은 프로그램의 총실행 시간이 구간 시간보다 길수록 늘어나며, 총실행 시간이 구간 시간보다 짧거나 같은 프로그램의 경우에는 한 번의 구간 안에서 종료된다. 한편 작업큐에 등록된 프로그램의 수가 많아지면 프로그램의 대기 시간이 늘어나기 때문에 CPU의 프로그램 처리 시간이 늘어나게 된다. 따라서 이를 방지하기 위해 동시에 실행하는 프로그램의 수를 제한해야 한다.

선생님의 Tip

"작업큐(job queue)"

프로세서에 의해서 처리되기를 기다리고 있는 작업들의 집단이나 대기 행렬. 컴퓨터에서 프로그램 등을 실행하여 여러개의 작업을 처리해야 할 경우, 우선순위가 높은 것부터 처리를 하게 되고 우선순위가 낮은 것은 대기 행렬로 들어가게 됨. 또 컴퓨터 상으로 작업을 하고 있는 도중에 새로운 프로그램을 실행하고자 하면 새로 실행한 프로그램은 대기 행렬로 들어가 순서가 오는 것을 기다려야 함. 이와 같은 대기 행렬을 작업 큐(job queue)라고 함.
작업큐에서는 우선순위에 따라서 나중에 발생한 요구가 먼저 발생한 요구보다 앞서 처리되는 경우도 있음.

01 내용 전개 방식의 파악 | 정답 ③ |

윗글에 대한 설명으로 가장 적절한 것은?

① 대상을 둘러싼 ~~다양한~~ 관점을 제시하고 있다.
　　　　　　　두 가지 이상의 다른 의견
② 대상의 ~~장점과~~ 단점을 비교하여 설명하고 있다.
❸ 대상이 실행되는 원리와 방법에 대해 소개하고 있다.
　　CPU 스케줄링의 원리와 방법
④ 대상의 ~~문제점을~~ 분석하여 ~~병렬적으로~~ 나열하고 있다.
　　　　　　　　　　　　나란히 늘어서는 방식의
⑤ 대상이 ~~시대에 따라~~ ~~변해~~ 온 과정을 순차적으로 보여주고 있다.
　　　　　　시간 순서대로

📁 발문 분석

지문을 읽고 글의 논지 전개 방식을 파악할 수 있는지 묻고 있다. 중심 화제가 무엇인지 먼저 파악한 후, 지문에서 화제를 어떻게 설명해 나가고 있는지 살펴보아야 한다. 이때 문단 간의 관계에 대해서도 따져 보아야 한다.

◎ 정답 풀이

③ 1문단에서 사람들은 컴퓨터로 작업할 때 '두 가지 프로그램이 동시에 실행되고 있다고 생각'하지만 'CPU(중앙 처리 장치) 스케줄링 때문'에 그렇게 느끼게 되는 것이라고 하였다. 이후 2~6문단에서는 CPU 스케줄링의 원리와 방법에 대해서 설명하고 있다.

✖ 오답 풀이

① 1문단에서 CPU 스케줄링의 과정을 '어떤 프로그램이 실행될 때 컴퓨터 운영 체제는 실행할 프로그램을 주기억 장치에 저장하고 실행 대기 프로그램의 목록인 '작업큐'에 등록한다. 운영 체제는 실행할 하나의 프로그램을 작업큐에서 선택하여 CPU에서 실행하고 실행이 종료되면 작업큐에서 지운다.'라고 소개하고 있을 뿐, CPU 스케줄링을 둘러싼 다양한 관점을 언급하지는 않았다.

② 2문단에서 '한 개의 CPU는 한 번에 하나의 프로그램만을 실행'할 수 있지만 'A와 B 두 개의 프로그램이 동시에 실행되는 것처럼 보이게' 할 수 있다고 하였다. 그리고 2~6문단에서 이러한 CPU 스케줄링의 원리와 방법에 대해서 설명하고 있을 뿐, CPU 스케줄링의 장점과 단점을 언급하지는 않았다.

④ 7문단에서 '작업큐에 등록된 프로그램의 수가 많아지면 각 프로그램의 대기 시간은 그에 비례하여 늘어난다.'라고 언급하고는 있지만, 이는 CPU 스케줄링의 단점이 아니라, '작업큐에 등록할 수 있는 프로그램의 수를 제한해 대기 시간이 일정 수준 이상으로 길어지는 것을 막'아야 한다는 CPU 스케줄링의 한계와 예방책에 대한 내용이다. 따라서 CPU 스케줄링의 문제점을 분석하고 병렬적으로 나열했다고 보기는 어렵다.

⑤ 대상이 시대에 따라 변화해 온 과정을 보여주려면 예전에는 대상이 어떠하였는데, 이후 다른 방식으로 바뀌었으며 현재에는 이러한 방식으로 사용되고 있다는 식의 시간의 흐름과 그에 따른 변화점이 제시되어야 한다. 그러나 이 글에서는 CPU 스케줄링의 원리와 방법에 대해서만 언급하고 있을 뿐, CPU 스케줄링의 과거와 현재 등에 대해서 언급하지는 않았다.

🐝 선생님의 꿀 정보

01번 문제: 원리와 방법을 설명하는 지문

비문학(독서) 영역 중 기술 분야의 지문에서는 특정한 기술의 원리와 그 기술을 활용하는 방법 등을 설명하는 지문이 많이 출제된다. 이러한 지문에는 기술의 원리와 방법을 사실적으로 이해했는지 물어보는 문제와 지문에 제시된 기술을 구체적 상황에 적용할 수 있는지를 물어보는 문제들이 함께 출제된다.

이러한 문제를 해결하기 위해서는 제시된 기술을 객관적으로 파악해야 하므로, 지문에 제시된 기술이 무엇인지, 그 원리와 응용 방법은 무엇인지를 반드시 파악해야 한다. 이는 지문의 지엽적인 내용만을 이해해서는 불가능하고, 해당 기술의 원리와 방법을 도표나 순서도로 그려봄으로써 전체 과정을 파악하는 것이 큰 도움이 된다.

이 지문에서도 컴퓨터가 프로그램을 실행하는 순서와 두 개의 프로그램이 동시에 실행되는 것처럼 보이게 하는 CPU스케줄링에 대해 언급하고 있는데, 이는 다음과 같이 도표로 정리할 수 있다.

실행할 프로그램을 주기억 장치에 저장하고 작업큐에 등록함.	→	실행을 요청한 순서대로 작업큐에 등록되고, 순서에 따라 실행됨.	→	한 프로그램이 실행되는 동안 나머지 프로그램은 작업큐에서 대기함.	→	한 프로그램이 끝나면 다음 프로그램이 실행됨.
		↳• 구간 실행: 한 구간에서 프로그램이 실행되는 것 • 구간 시간: 각 구간에서 프로그램이 실행되는 시간, 일정함.		↳• 대기 시간: A의 실행시 B가 기다리는 시간 • 교체 시간: A가 정지한 후 B의 실행을 준비하는 시간		↳• 총처리 시간: 총 실행 시간 +교체 시간+ 대기시간

---

02 세부 정보의 파악 | 정답 ② |

윗글의 내용과 일치하지 않는 것은?

① CPU 스케줄링은 컴퓨터 운영 체제의 일부이다.
　　　　　　　　　　　1문단
❷ 프로그램 실행이 종료되면 실행 결과는 ~~작업큐에~~ 등록된다.
③ 구간 실행의 교체에 소요되는 시간은 구간 시간보다 짧다.
　　　　　　　　　　　　　　　　　　　　4문단
④ CPU 한 개는 한 번에 하나의 프로그램만 실행이 가능하다.
　　2문단, 동시에 여러 프로그램 실행이 불가능
⑤ 컴퓨터 운영 체제는 실행할 프로그램을 주기억 장치에 저장한다.
　　　　　　　　　　　　　　　　　1문단

📁 발문 분석

지문의 세부 내용을 정확히 이해했는지를 묻고 있다. 지문에 언급된 CPU 스케줄링, 작업큐, 구간 실행, 교체 시간, 구간 시간 등에 대한 내용을 꼼꼼히 확인한 후 선택지의 내용과 1:1로 비교하며 적절성을 판단해야 한다.

◎ 정답 풀이

② 1문단에서 '어떤 프로그램이 실행될 때 컴퓨터 운영 체제는 실행할 프로그램을 주기억 장치에 저장하고 실행 대기 프로그램의 목록인 '작업큐'에 등록한다. 운영 체제는 실행할 하나의 프로그램을 작업큐에서 선택하여

CPU에서 실행하고 실행이 종료되면 작업큐에서 지운다.'라고 하였다. 따라서 프로그램의 실행이 종료되면 작업큐에 등록되는 것이 아니라 작업큐에서 지워진다고 보아야 한다.

❌ 오답 풀이

① 1문단에서 '컴퓨터 운영 체제의 일부인 CPU(중앙 처리 장치) 스케줄링'이라고 하였다. 따라서 CPU 스케줄링은 컴퓨터 운영 체제의 일부라는 진술은 적절하다.

③ 4문단에서 'A가 정지한 후 B의 실행을 준비하는 데 필요한 시간을 '교체 시간'이라고 하는데 교체 시간은 구간 시간에 비해 매우 짧다.'라고 하였다. 따라서 구간 실행의 교체에 소요되는 시간은 구간 시간보다 짧다라는 진술은 적절하다.

④ 2문단에서 '한 개의 CPU는 한 번에 하나의 프로그램만을 실행할 수 있다.'라고 하였다. 따라서 CPU 한 개는 한 번에 하나의 프로그램만 실행이 가능하다는 진술은 적절하다.

⑤ 1문단에서 '어떤 프로그램이 실행될 때 컴퓨터 운영 체제는 실행할 프로그램을 주기억 장치에 저장'한다고 하였다. 따라서 컴퓨터 운영 체제는 실행할 프로그램을 주기억 장치에 저장한다는 진술은 적절하다.

03 핵심 정보의 파악 | 정답 ④ |

㉠의 실행 과정에 대한 이해로 적절하지 않은 것은?

① 교체 시간이 줄어들면 총처리 시간이 줄어든다.
② 대기 시간이 늘어나면 총처리 시간이 늘어난다.
③ 총실행 시간이 줄어들면 총처리 시간이 줄어든다.
④ 구간 시간이 늘어나면 구간 실행 횟수는 늘어난다.
⑤ 작업큐의 프로그램 개수가 늘어나면 총처리 시간은 늘어난다.

📁 발문 분석

글에 제시된 핵심 개념과 그 세부 내용을 정확히 파악할 수 있는지를 묻고 있다. 5문단에서 '총 실행 시간이 구간 시간보다 긴 프로그램'이 무엇을 의미하는지를 살펴본 후 선택지와 1:1로 비교하여 그 적절성을 판단해야 한다.

◎ 정답 풀이

④ 3문단에서 '한 구간에서 프로그램이 실행되는 것을 '구간 실행'이라 하며, 각각의 구간에서 프로그램이 실행되는 시간을 '구간 시간'이라고 하는데 구간 시간의 길이는 일정하게 정한다.'라고 하였다. 또 5문단에서 '총실행 시간이 구간 시간보다 긴 프로그램이 실행될 때는 구간 실행 횟수가 많아져서 교체 시간의 총합은 늘어난다.'라고 하였다. 이를 고려하면 구간 시간이 늘어난다고 해서 구간 실행 횟수가 늘어난다고 보기는 어렵다.

❌ 오답 풀이

① 5문단에서 '하나의 프로그램이 작업큐에 등록될 때부터 종료될 때까지 걸리는 시간을 '총처리 시간'이라고 하는데 이 시간은 순수하게 프로그램의 실행에만 소요된 시간인 '총실행 시간'에 '교체 시간'과 작업큐에서 실행을 기다리는 '대기 시간'을 모두 합한 것'이라고 하였다. 따라서 교체 시간이 줄어들면 총처리 시간은 줄어들게 될 것이라고 이해하는 것은 적절하다.

② 5문단에서 총처리 시간은 '순수하게 프로그램의 실행에만 소요된 시간인 '총실행 시간'에 '교체 시간'과 작업큐에서 실행을 기다리는 '대기 시간'을 모두 합한 것'이라고 하였다. 따라서 대기 시간이 늘어나면 총처리 시간도 늘어나게 될 것이라고 이해하는 것은 적절하다.

③ 5문단에서 총처리 시간은 '순수하게 프로그램의 실행에만 소요된 시간인 '총실행 시간'에 '교체 시간'과 작업큐에서 실행을 기다리는 '대기 시간'을 모두 합한 것'이라고 하였다. 따라서 총실행 시간이 줄어들면 총처리 시간은 줄어들게 될 것이라고 이해하는 것은 적절하다.

⑤ 5문단에서 총처리 시간은 '순수하게 프로그램의 실행에만 소요된 시간인 '총실행 시간'에 '교체 시간'과 작업큐에서 실행을 기다리는 '대기 시간'을 모두 합한 것'이라고 하였다. 또 7문단에서 '작업큐에 등록된 프로그램의 수가 많아지면 각 프로그램의 대기 시간은 그에 비례하여 늘어난다.'라고 하였다. 따라서 작업큐에 등록된 프로그램의 수가 많아지면 대기 시간이 늘어나게 될 것이고, 대기 시간이 늘어나면 총처리 시간도 늘어나게 될 것이라고 이해하는 것은 적절하다.

👑 고난도
04 다른 상황에 적용 | 정답 ④ |

윗글을 바탕으로 할 때, [보기]의 [가]에 들어갈 내용으로 적절한 것은?

┤보기├

운영 체제가 작업큐에 등록된 프로그램에 대해 우선순위를 부여하고 순위가 가장 높은 것을 다음에 실행할 프로그램으로 선택하면 작업큐의 크기를 제한하지 않고도 각 프로그램의 '대기 시간'을 조절할 수 있다. *(작업큐의 크기를 제한하지 않고 대기 시간을 조절하는 방법)*

프로그램 P, Q, R이 실행되고 있는 예를 생각해 보자. P가 '구간 실행' 상태이고 Q와 R이 작업큐에 대기 중이며 Q의 순위가 R보다 높다. *(실행 순서는 P→Q→R이 됨.)* *(우선순위: Q>R)* P가 구간 실행을 마치고 작업큐에 재등록될 때, P의 순위를 Q보다는 낮지만 R보다는 높게 한다. P가 작업큐에 재등록된 후 다시 P가 구간 실행을 하기 직전까지 *(우선순위: Q>P>R, 실행 순서는 Q→P→R이 됨.)*

_____[가]_____ 을/를 거쳐야 한다.

① P에서 R로의 교체
   (P의 우선순위가 가장 낮음.)
② Q의 구간 실행
   (Q의 구간 실행과 P의 구간 실행 사이에 교체 시간 필요)
③ Q의 구간 실행과 R의 구간 실행
   (R의 순위는 가장 마지막임.)
④ Q의 구간 실행과 Q에서 P로의 교체
⑤ R의 구간 실행과 R에서 P로의 교체
   (Q의 우선 순위가 가장 높음.)

📁 발문 분석

지문에 제시된 CPU 스케줄링에 대해 이해하고, 다른 상황에 적용할 수 있는지를 묻고 있다. 지문의 6문단에서는 우선순위를 따로 설정하지 않고 작업큐에 들어온 순서대로 프로그램이 실행되는 예를 소개했지만, [보기]에서는 우선순위라는 변수를 넣어 상황이 달라졌음을 고려해야 한다.

✔ 보기 분석

[보기]는 작업큐에 등록된 프로그램에 우선순위가 있을 경우 우선순위가 가장 높은 것을 다음에 실행할 프로그램으로 선택하여 대기 시간을 조절하는 방법에 대해 설명하고 있다. P→Q→R의 순서대로 프로그램이 실행되고 있는 도중에 P가

실행이 끝나고 다시 작업큐에 들어오면 Q가 구간 실행 상태에 있게 된다. 그때 P는 Q보다는 우선순위가 낮지만 R보다는 높으므로, 실행 순서는 Q→P→R이 될 것이다.

◎ 정답 풀이

④ 7문단에서는 '작업큐에 등록할 수 있는 프로그램의 수를 제한해 대기 시간이 일정 수준 이상으로 길어지는 것을 막'아야 한다고 하였는데, [보기]에서는 우선순위를 부여하고 순위가 가장 높은 것을 작업큐의 제일 윗목록으로 올리는 방법으로 대기 시간을 조절할 수 있다고 하였다. [보기]에서는 P가 실행 상태에 있고, 작업큐에는 Q, R의 순서로 프로그램이 올라와 있다. Q의 순위가 R보다 높다고 하였으므로 진행 순서는 P→Q→R이 될 것이다. 6문단에서 '프로그램은 등록되는 순서대로 반복해서 실행'된다고 하였지만, [보기]에서는 P에 Q보다는 뒤, R보다는 앞이라는 우선순위를 부여하였으므로 P가 Q와 R 사이에 위치하게 되어 진행 순서는 Q→P→R로 변할 것이다. 따라서 P가 구간 실행을 하기 직전까지는 순위가 먼저인 Q가 구간 실행을 할 것이고, 그 후에 Q가 다음 순위인 P로 교체될 것이라고 볼 수 있다.

⊗ 오답 풀이

① P가 작업큐에 재등록된 후에는 P가 Q로 교체되어 Q가 구간 실행 상태가 되므로, P는 R로 교체될 수 없다.

② Q가 구간 실행된 후에 P가 구간 실행을 하기 위해서 필요한 Q에서 P로 교체되는 과정이 빠져 있으므로 적절하지 않다.

③ R보다 P의 우선순위가 높기 때문에 R이 구간 실행을 하기 위해서는 'Q의 구간 실행 – Q에서 P로의 교체 – P의 구간 실행 – P에서 R로의 교체' 과정을 거쳐야 한다. 따라서 Q의 구간 실행과 R의 구간 실행을 거친다는 것은 적절하지 않다.

④ R의 순위가 가장 낮기 때문에 R의 구간 실행이 Q나 P의 구간 실행보다 먼저 이루어질 수 없다.

👑 고난도
05 구체적 사례에 적용 | 정답 ① |

윗글을 바탕으로 할 때, [보기]의 [나]에 들어갈 내용으로 적절한 것은?

┌─ 보기 ─
라운드 로빈(RR: Round Robin) 스케줄링은 CPU의 프로그램 처리 방식 가운데 하나로, 작업큐에 <u>등록된 프로그램의 순서대로</u> 구간 실행을 진행하며 구간 시간을 정할 수 있는 방법
_{적용해야 할 조건 ①}
이다. 만약 <u>구간 시간이 4초</u>라고 하면, 프로그램이 작업큐에
_{적용해야 할 조건 ②}
들어온 순서대로 4초씩 할당해 주고, 4초의 시간을 사용한 프로그램은 다시 뒤로 넘기는 형식이다. 예를 들어 구간 시간이 4초인 상황에서 P1이 1시 00초에 작업큐에 들어오고 총실행 시간이 100초이며, P2가 <u>1시 05초에 작업큐에 들어오고</u> 총실행 시간은 19초일 경우, 프로그램의 처리는 ___[나]___ 와
_{구간 실행 시간인 4초보다 늦게 들어옴.}
같은 구간 교체 과정을 거치게 된다.
└─────

① P1 → P1 → P2 → P1
② P1 → P2 → P2 → P1
③ P1 → P2 → P1 → P2
④ P2 → P1 → P2 → P1
⑤ P2 → P1 → P1 → P2

📁 발문 분석

지문에 제시된 CPU 스케줄링에 대해 이해하고, CPU 스케줄링 중 하나인 라운드 로빈 스케줄링의 특성을 파악하여 구간 교체 과정을 추측할 수 있는지 묻고 있다. 먼저 [보기]에 제시된 조건들이 무엇인지 파악한 후, 6문단을 고려하여 프로그램이 어떤 순서로 실행될지 추론해 보도록 한다.

✔ 보기 분석

[보기]는 CPU 스케줄링의 하나인 라운드 로빈 스케줄링에 대해 설명하고 있다. 라운드 로빈 스케줄링은 프로그램의 실행 순서가 작업큐에 들어온 순서와 같으며, 구간 시간이 정해져 있는 방식이다. [보기]에서는 구간 시간을 4초로 정해두고, P2가 P1보다 5초 늦게 들어온다면서 프로그램이 들어오는 시간도 정해두었다.

◎ 정답 풀이

① 3문단에서 각각의 구간에서 프로그램이 실행되는 시간을 구간 시간이라고 하였다. 이를 고려하면 구간 시간이 4초라는 것은 4초마다 실행되는 프로그램이 바뀐다는 의미이다. [보기]의 P1이 1시 00초에 작업큐에 들어왔고 바로 실행되었으므로, 첫 번째 구간 시간은 1시 04초에 끝나게 된다. 또 [보기]에서 P2는 1시 05초에 작업큐에 들어온다고 하였으므로, 1시 04초에 작업큐에 등록된 프로그램이 P1 하나뿐이기에 실행할 수 있는 프로그램도 P1밖에 없다. 따라서 P1이 다시 실행되게 되고, P1이 두 번째 실행되고 있는 중인 1시 05초에 P2가 들어오게 되므로 P1의 두 번째 실행이 끝나면 작업큐에 등록되어 있던 P2가 실행될 것이다. P2의 첫 번째 실행이 끝나면 작업큐에 등록되어 있던 P1이 다시 실행되므로, 프로그램의 실행 순서는 'P1→P1→P2→P1'이 될 것이다.

⊗ 오답 풀이

② P2가 작업큐에 들어오는 시간이 P1의 첫 번째 구간 시간이 끝나는 1시 04초보다 1초 늦은 1시 05초이므로 P1에서 P2로 바로 교체되어 처리될 수 없다. 또 P2가 한 번 실행되고 나면 대기하고 있는 P1이 실행되어야 하므로 P2에서 P2로 실행된다고 보기도 어렵다.

③ P2가 작업큐에 들어오는 시간이 P1의 첫 번째 구간 시간이 끝나는 1시 04초보다 1초 늦은 1시 05초이므로 P1에서 P2로 바로 교체되어 처리될 수 없다.

④ 6문단에서 '프로그램은 등록되는 순서대로 반복해서 실행된다.'라고 하였다. P1이 작업큐에 들어 온 시간이 1시 00초, P2가 작업큐에 들어 온 시간이 1시 05초이므로 P2가 먼저 실행될 수 없다.

⑤ 6문단에서 '프로그램은 등록되는 순서대로 반복해서 실행된다.'라고 하였다. P1이 작업큐에 들어 온 시간이 1시 00초, P2가 작업큐에 들어 온 시간이 1시 05초이므로 P2가 먼저 실행될 수 없다. 또 1시 05초 이후에는 작업큐에서 P1과 P2가 모두 번갈아가며 대기하므로, P1이 실행된 이후 또다시 P1이 실행된다고 볼 수도 없다.

🍯 선생님의 꿀 정보

05번 문제: CPU 스케줄링 중 하나인 라운드 로빈 스케줄링

05번 문제의 [보기]에는 CPU 스케줄링의 하나인 라운드 로빈 스케줄링이 제시되어 있다. 그림의 '준비 큐'는 지문의 '작업큐'이고, PCB는 프로세스 제어 블록이라는 의미임을 고려하여 아래의 그림을 살펴보면 CPU 스케줄링에 대해 좀 더 쉽게 이해할 수 있다.

① 프로세스 A가 CPU에서 실행되고 B와 C가 작업큐에 대기하고 있다.

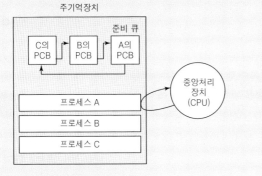

② 프로세스 A에 할당된 구간 시간이 지나면 A는 작업큐의 C의 뒷자리로 이동하고 프로세스 B가 CPU에서 실행된다.

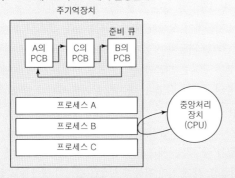

③ 프로세스 B에게 할당된 구간 시간이 지나면 B는 작업큐의 A의 뒷자리로 이동하고 프로세스 C가 CPU에서 실행된다.

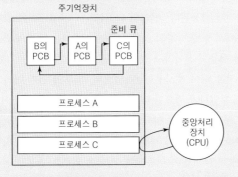

④ 이와 같은 과정이 반복되면서 실행이 끝난 프로세스가 먼저 작업큐에서 사라지며 순차적으로 프로세스들이 종료된다.

---

06 어휘의 문맥적 의미 판단 | 정답 ③ |

문맥상 @와 바꾸어 쓰기에 가장 적절한 것은?
나누어
① 분류(分類)해
② 선별(選別)해
❸ 구분(區分)해
④ 분간(分揀)해
⑤ 판별(判別)해

📁 발문 분석

문맥을 고려하여 고유어의 의미를 이해하고, 이를 다른 한자어와 바꾸어 쓸 수 있는지를 묻고 있다. 각각의 어휘를 해당 문맥에 넣어 보고 자연스러운지 여부를 따져보아야 한다.

◎ 정답 풀이

③ '구분(區分)하다'는 '일정한 기준에 따라 전체를 몇 개로 갈라 나누다.'라는 의미이다. 지문의 @'나누어'는 '하나를 둘 이상으로 가르다.'라는 의미이므로, '구분해'를 '나누어'와 바꾸어 쓰는 것이 적절하다.

✘ 오답 풀이

① '분류(分類)하다'는 '종류에 따라서 가르다.'라는 의미이다.
② '선별(選別)하다'는 '가려서 따로 나누다.'라는 의미이다.
④ '분간(分揀)하다'는 '어떤 대상이나 사물을 다른 것과 구별하여 내다.'라는 의미이다.
⑤ '판별(判別)하다'는 '옳고 그름이나 좋고 나쁨을 판단하여 구별하다.'라는 의미이다.

M·E·M·O

[신출제]

01 ① 02 ⑤ 03 ⑤ 04 ③ 05 ④ 06 ②

본문 ➊ 122쪽

구절 풀이

대규모 유전의 발견과 개발, 내연기관 자동차의 대량 생산 체제가 구축되면서 가솔린 가격이 크게 떨어져 내연기관 자동차의 가격 경쟁력이 높아짐. 이로 인해 전기 자동차는 대중화에 실패하게 되었음.

무거운 중량, 긴 충전 시간, 비싼 가격 등

리튬 이온 2차 전지의 구조와 기능

음극	산화 반응에 따라 전자를 만듦. 흑연이 자주 사용됨.
양극	음극에서 전자를 받고, 전해질을 통해 이온을 받아 환원 반응을 일으킴. 세라믹이 주로 사용됨.
분리막	양극과 음극의 접촉을 막음.
전해질	리튬 이온이 이동하는 통로 역할을 함.

어휘 풀이

* 급부상: 어떤 계기로 갑자기 세상에 알려지거나 영향력을 끼치게 됨을 비유적으로 이르는 말.
* 상용화: 물품 따위가 일상적으로 쓰이게 됨.
* 전기화학 반응: 어떠한 화학 물질이 화학 변화를 겪어 다른 물질로 변화하는 과정을 화학 반응이라 하는데, 이러한 화학 반응이 전류의 발생을 동반하는 것을 말함.
* 환원: 본디의 상태로 다시 돌아감. 또는 그렇게 되게 함.

선생님의 Tip

"내연기관 자동차와 환경 오염"

유엔환경계획이 2011년에 발표한 보고서에 따르면 내연기관 자동차가 배출하는 유해 물질과 이산화탄소는 전체 이산화탄소 배출량의 4분의 1에 이른다고 함. 또 교통 정체, 사고율 급증, 폐수, 폐자재, 수질, 토양 오염에 이르기까지 내연기관 자동차들이 광범위하게 환경을 오염을 시키고 있다고 지적함. 내연기관 자동차가 배출하는 오염 물질 때문에 각종 심혈관, 폐질환 등 호흡과 관련된 질병이 발생하고 있으며, 유해성분들이 어린이들의 성장·발육은 물론 학습부진, IQ 저하 등의 원인이 되고 있다고도 덧붙임.

1 전기 자동차란 석유 연료와 엔진을 사용하는 내연기관 자동차와 달리, 전기 배터리와 전기 모터를 사용하는 자동차를 말한다. 1990년대 이후 화석 연료의 고갈, 환경오염 문제 등이 대두되면서 유해 물질과 이산화탄소를 배출하지 않는 전기 자동차가 미래 자동차로 급부상하였다. 놀라운 점은 전기 자동차의 역사가 내연기관 자동차인 가솔린 자동차보다 더 길다는 것이다.
1문단: 전기 자동차의 개념과 재등장 배경

2 독일의 니콜라우스 오토가 내연기관을 최초로 발명한 것은 1864년이지만, 그보다 30년 전인 1834년 스코틀랜드의 로버트 앤더슨이 '원유전기마차'를 발명하였다. 이후 1865년 프랑스의 가스통 플란테가 에너지를 저장할 수 있는 축전기를 만들면서 전기 자동차 개발은 급진전하였고, 1880년대에는 전기 자동차가 상용화되기 시작하였다. 1881년 프랑스에서 열린 국제전기박람회에서 당시 내연기관 자동차는 전기로 돌리는 시동 모터가 없어 차 밖에서 크랭크를 돌려 시동을 걸어야 했던 것과는 다르게 구스타프 트루베는 이런 불편함이 없는 삼륜전기자동차를 운행하여 대중의 주목을 끌었다. 하지만 무거운 배터리 중량, 긴 충전 시간, 일반 자동차의 두 배가 넘는 가격 등이 전기 자동차의 대중화를 어렵게 하였고 1920년대에 미국에서 유전이 개발되면서 ㉠전기 자동차는 내연기관 자동차에 주도권을 빼앗기고 무대 뒤로 밀려났다. 오늘날의 전기 자동차는 새로운 소재의 배터리들을 사용하게 되면서 과거의 문제점이 상당 부분 개선되었고, 세계 전기 자동차 시장은 급격히 성장하고 있다.
2문단: 전기 자동차의 역사

3 전기 자동차의 배터리는 전기화학 반응을 이용하여 화학 에너지와 전기 에너지를 상호 간에 자유롭게 변환시킬 수 있는 장치로, 내연기관 자동차의 연료와 같은 역할을 한다. 요즘에는 보통 리튬 이온 2차 전지가 사용된다. 전지의 (+)극과 (−)극을 도선으로 연결하여 전류가 흐르는 것을 방전, 외부에서 반대 방향의 전류를 흘려 이전과는 반대의 화학 변화가 일어나 다시 원상태로 복구되는 것을 충전이라고 한다. 한번 사용하면 재사용이 불가능한 1차 전지와 달리 2차 전지는 충전을 하여 재사용할 수 있으며, 외부의 전기 에너지를 화학 에너지의 형태로 바꾸어 저장해 두었다가 필요할 때에 다시 전기 에너지를 만들어 낸다.
3문단: 전기 자동차 배터리의 특징

4 리튬 이온 2차 전지의 기본 구조는 음극과 양극 2개의 전극 활물질이 분리막에 의해 떨어져 있는 것이다. 두 전극 사이에는 전해질이 채워져 있다. 산화 반응에 따라 전자를 만드는 음극에는 상업적인 면 때문에 흑연이 많이 이용된다. 양극은 외부로 연결된 전선을 통해 음극에서 전자를 받고, 전해질을 통해 이온을 받아 환원 반응을 일으킨다. 양극에는 이온을 받아들일 수 있는 공간이 충분한 산화물, 황화물 등의 세라믹이 주로 사용된다. 양극과 음극이 접촉하면 화학 반응이 일어나 열이 발생하면서 발화될 수 있다. 이 때문에 양극과

지문 구조도

화제 제시: 전기 자동차의 재등장 배경(1문단)
화석 연료의 고갈, 환경오염 문제 등으로 전기 자동차가 급부상함.

↓

전개 1: 전기 자동차의 역사 (2문단)	전개 2: 전기 자동차의 배터리 (3~5문단)	전개 3: 전기 자동차의 종류 (6문단)
내연 기관 자동차에 밀렸다가 오늘날 다시 주목 받음.	리튬 이온 2차 전지가 사용됨.	주행시 어떤 에너지원을 사용하느냐에 따라 HEV, PHEV, EV로 나뉨.

↓

마무리: 전기 자동차의 한계와 향후 전망(7문단)
친환경 에너지 수급 비율을 높이면 내연기관 자동차를 대체할 수단이 될 수 있음.

전기 자동차가 무엇인지 이해하고 그 역사적 흐름을 파악할 수 있는지, 전기 자동차에 사용되는 배터리의 원리 등을 이해하고 전기 자동자의 종류와 특징을 파악할 수 있는지 평가하기 위한 지문이다. 전기 자동차의 개념과 역사, 서술 방법, 전기 자동차의 종류에 따른 특징 등을 파악하는 문제가 출제되었다.

주제 전기 자동차의 개념과 종류, 전기 자동차에 쓰이는 배터리의 원리

음극의 접촉을 막는 분리막이 있다. 방전 과정에서는 리튬 이온이 음극에서 양극으로 이동
분리막의 역할
하고, 충전 과정에서는 리튬 이온이 양극에서 음극으로 다시 이동하여 제자리를 찾게 되는
데, 이때 전해질은 리튬 이온이 이동하는 통로 역할을 한다.
전해질의 역할
4문단: 리튬 이온 2차 전지의 구조와 원리

5 리튬 이온 2차 전지는 지금까지 개발된 배터리 중에서 부피, 무게 당 에너지 용량이 가
장 크고, 가장 오래 쓸 수 있다. 하지만 전해질에 유기 용매*를 사용하기 때문에 발화, 폭발
리튬 이온 2차 전지의 장점
의 위험성이 높다는 단점이 있어 이를 보완하려는 연구가 진행 중이다.
리튬 이온 2차 전지의 단점
5문단: 리튬 이온 2차 전지의 장단점

6 전기 자동차는 자동차를 운행할 때 어떤 에너지원을 이용하는가에 따라 하이브리
전기 자동차의 종류를 구분하는 기준
드 전기 자동차(HEV), 플러그인 하이브리드 전기 자동차(PHEV), 순수 전기 자동차
(EV)로 구분할 수 있다. 전기 자동차의 초기 방식에 해당하는 하이브리드 전기 자동차
전기 자동차의 종류
는 운행할 때 화석 연료와 전기를 같이 사용하는데, 주된 에너지원은 화석 연료이다.
하이브리드 전기 자동차의 특징
전기는 자동차 시동을 켤 때나 저속 운행을 할 경우에 사용되며, 배터리는 별도로 충
전하지 않아도 주행 중 자체 발전기를 통해 자동으로 충전된다. 플러그인 하이브리드
하이브리드 전기 자동차의 특징 ②
[A] 전기 자동차는 HEV에 비해 전기를 에너지원으로 활용하는 비중이 높다. 보통 단거리
플러그인 하이브리드 전기 자동차의 특징 ①
를 운행할 때에 전기만을 에너지원으로 사용하며, 배터리 용량이 일정 수준 이하일 경
우에는 화석 연료도 에너지원으로 사용한다. 이 때문에 HEV보다 대용량 배터리가 탑
재되며, 배터리는 별도로 충전을 해 주어야 한다. 순수 전기 자동차는 '진정한 의미의
플러그인 하이브리드 전기 자동차의 특징 ②
전기 자동차'로, 내연기관의 ㉡꽃인 엔진이 없는 자동차이다. 전기만으로 모터를 작동
순수 전기 자동차의 특징 ①
시켜 움직이기 때문에, 친환경적이며 소음이 거의 없다는 장점이 있다. 배터리 용량
순수 전기 자동차의 특징 ②
에 따라 주행 거리가 달라지므로 고용량·고효율의 배터리가 필요한데, 현재는 보통
순수 전기 자동차의 특징 ③
1회 충전 시 약 100~300km의 거리를 운행할 수 있는 배터리가 주로 사용된다. 기술
의 발전에 따라 배터리에 따른 주행 거리가 점차 늘어가고 있는 추세이다.
6문단: 전기 자동차의 종류 및 특성

7 전기 자동차는 내연기관 자동차보다 친환경적이라는 평가를 받고 있지만, 이에 대해서
는 논란이 존재한다. 전기 자동차의 배터리를 충전하려면 전기를 사용해야 하는데, 우리나
라의 경우 현재 약 65%의 전기가 화력 발전으로 생산되고 있다. 이 때문에 결국 전기 자동
차도 화석 연료를 사용하는 자동차가 아니냐는 것이다. 또 배터리의 폐기에 따른 환경오염
전기 자동차의 친환경성에 대한 논란 ①   전기 자동차의 친환경성에 대한 논란 ②
문제도 언급되었다. 2010년 스위스 연방 재료 연구소에서 리튬 이온 배터리 자체가 환경오
염에 제한적인 영향만 준다고 발표함으로써 폐배터리와 관련된 논란은 사그러 들었다. 장
논란 ②에 대한 반론
기적으로 봤을 때 전기 자동차의 친환경 에너지 수급 비율을 높일 수 있다면 전기 자동차는
전기 자동차의 친환경성을 높이기 위한 해결 과제
충분히 내연기관 자동차를 대체할 수 있는 수단이 될 수 있을 것이라고 기대된다.
전기 자동차의 성장에 대한 긍정적 전망   **7문단: 전기 자동차의 친환경에 대한 논란과 앞으로의 전망**

구절 풀이

전기 자동차의 종류

	HEV	PHEV	EV
에너지원	화석 연료 > 전기	화석 연료, 전기	전기
배터리	자동 충전됨.	별도로 충전해야 함.	별도로 충전해야 함.

전기 자동차는 전기 배터리와 전기 모터를 사용하는 자동차임(1문단). 이를 고려하면 전기 자동차는 석유 연료와 엔진을 사용하지 않아야 하는데, 하이브리드 전기 자동차나 플러그인 하이브리드 자동차는 여전히 석유 연료를 사용함. 그러나 순수 전기 자동차는 석유 연료 없이 전기로만 작동하므로 '진정한 의미의 전기 자동차'라고 일컬을 수 있음.

어휘 풀이

* 유기 용매: 고체, 기체, 액체를 녹일 수 있는 액체 유기 화합물로, 이때 유기 화합물은 일부를 제외한 탄소 화합물을 통틀어 이르는 말임.

지문 해제

이 글은 전기 자동차에 대해 설명하고 있다. 전기 자동차란 석유 연료와 엔진을 사용하지 않고, 전기 배터리와 전기 모터를 사용하는 자동차를 말한다. 전기 자동차는 내연기관 자동차보다 먼저 발명되었는데, 무거운 배터리 중량, 긴 충전 시간, 비싼 가격, 대형 유전의 개발 등으로 인해 내연기관 자동차에 밀려나고 말았다. 그러나 1990년대 이후 친환경적인 전기 자동차가 재등장하게 되었다. 전기 자동차는 일반적으로 충전으로 재사용이 가능한 리튬 이온 2차 전지를 사용한다. 리튬 이온 2차 전지는 음극과 양극, 분리막과 전해질로 구성되어 있다. 지금까지 개발된 전지 중에서 부피, 무게 당 에너지 용량이 가장 크고, 가장 오래 쓸 수 있으나 발화, 폭발의 위험성이 높다는 단점이 있다. 전기 자동차는 자동차를 운행할 때 어떤 에너지원을 이용하는가에 따라 하이브리드 자동차, 플러그인 하이브리드 자동차, 순수 자동차로 구분된다. 전기 자동차의 친환경 에너지 수급 비율을 높인다면 전기 자동차가 내연기관 자동차를 대체할 수 있을 것이라고 기대된다.

선생님의 Tip

"내연기관 자동차와 전기 자동차"

내연기관 자동차	전기 자동차
실린더 속에 연료를 집어넣고 연소 폭발 시켜서 생긴 가스의 팽창력으로 피스톤을 움직이게 하는 원동기가 사용된 자동차. 사용 연료에 따라 가스 자동차·가솔린 자동차·중유 자동차 등으로 나눔.	석유 연료와 엔진을 사용하지 않고 전기 배터리와 전기 모터를 사용하는 자동차. 어떤 에너지원을 사용하는가에 따라 하이브리드 전기 자동차, 플러그인 하이브리드 전기 자동차, 순수 전기 자동차로 나눔.

기술 06

01 내용 전개 방식의 파악 | 정답 ① |

윗글에 대한 설명으로 적절하지 <u>않은</u> 것은?

① 2차 전지의 ~~단점~~[장점]을 1차 전지와 비교하여 설명하고 있다.
② 전기 자동차의 발달 과정을 통시적 관점에서 서술하고 있다. (2문단)
③ 리튬 이온 2차 전지를 분석하여 구성 요소의 역할을 설명하고 있다. (4문단)
④ 전기 자동차의 종류를 주 에너지원을 기준으로 분류하여 설명하고 있다. (6문단)
⑤ 전기 자동차의 친환경성과 관련된 논란과 그 해결 방안을 제시하고 있다. (7문단)

📁 발문 분석

지문을 읽고 글의 서술 방식을 파악할 수 있는지를 묻고 있다. 각 문단의 중심 화제가 무엇인지 먼저 파악한 후, 화제를 어떻게 설명해 나가고 있는지 살펴보아야 한다. 이때 지문에서 중심 화제를 서술한 방식과 선택지의 설명이 일치하는지를 판단해야 한다.

◎ 정답 풀이

① 3문단에서 '한번 사용하면 재사용이 불가능한 1차 전지와 달리 2차 전지는 충전을 하여 재사용할 수 있'다고 하였다. 이는 1차 전지와 비교해 보았을 때 2차 전지의 단점이 아니라 장점이라고 할 수 있다.

✖ 오답 풀이

② 2문단에서 1834년 스코틀랜드의 로버스 앤더슨이 '원유전기마차'를 발명한 것을 시작으로 1865년 가스통 플란테가 축전지를 만들어 전기 자동차 개발이 급진전했다고 하였다. 또 '1880년대에는 전기 자동차가 상용화되기 시작하였다.'라고 하였다. 이처럼 전기 자동차의 역사를 시간의 흐름에 따라 제시하고 있으므로 통시적 관점에서 서술하고 있다고 볼 수 있다.

③ 4문단에서 '리튬 이온 2차 전지의 기본 구조는 음극과 양극 2개의 전극 활물질이 분리막에 의해 떨어져 있는 것'이라고 하였다. 또 이후 문장에서 리튬 이온 2차 전지를 이루고 있는 구성 요소인 음극, 양극, 분리막, 전해질의 역할을 설명하고 있다.

④ 6문단에서 '전기 자동차는 자동차를 운행할 때 어떤 에너지원을 이용하는가에 따라 하이브리드 전기 자동차(HEV), 플러그인 하이브리드 전기 자동차(PHEV), 순수 전기 자동차(EV)로 구분할 수 있다.'면서 전기 자동차를 운행할 때 사용하는 에너지원에 따라 종류별로 나누어 설명하고 있다.

⑤ 7문단에서 전기 자동차와 관련된 논란으로 '전기 자동차도 화석 연료를 사용하는 자동차가 아니냐'는 것과 '배터리의 폐기에 따른 환경오염 문제'를 들었다. 폐배터리에 대한 논란은 '2010년 스위스 연방 재료 연구소에서 리튬 이온 배터리 자체가 환경오염에 제한적인 영향만 준다고 발표'한 것으로 해소되었다고 하였고, '전기 자동차의 친환경 에너지 수급 비율을 높일 수 있다면 전기 자동차는 충분히 내연기관 자동차를 대체할 수 있는 수단이 될 수 있을 것'이라고 하였다. 따라서 전기 자동차의 친환경성과 관련된 논란을 언급한 후 그 해결 방안을 제시하고 있다고 볼 수 있다.

🍯 선생님의 꿀 정보

왜 내용 전개 방식을 묻는 문제는 대부분 부정문으로 출제될까?

비문학(독서) 영역에서는 1개 지문에 보통 1개 정도의 내용 전개 방식을 묻는 문제가 출제된다. 내용 전개 방식을 파악하는 문제는 내용을 이해했는지를 물을 수 있고 동시에 글의 전개 방식을 파악했는지도 물을 수 있어서 학생들을 종합적으로 평가할 수 있기 때문이다. 이러한 문제의 발문은 01번 문제처럼 대부분 부정문으로 출제된다. 그렇다면 왜 이런 유형의 문제는 부정문으로 출제되는 걸까?

글쓴이는 글의 내용을 구성해 가는 과정에서 각각의 부분을 어떠한 방식으로 전개할 것인가를 결정하게 된다. 즉, 하나의 글에서 한 가지의 방식만을 사용하여 내용을 전개하는 것이 아니라 필요에 따라 다양한 방식을 활용하게 되는 것이다.

가령 '사랑이란 무엇인가'라는 제목의 글을 써 나간다면 사랑에 대해 '정의'를 내리기도 하고, 우정과 '비교'하기도 하고, 사랑이라는 감정이 발생하게 되는 '과정'을 밝히기도 하고, 사랑하는 마음이 사라지게 되는 '원인'과 그 '결과'를 따져 보기도 하고, 사랑의 속성을 '분석'하기도 하는 것이다. 이처럼 여러 가지 내용 전개 방식이 활용되기 때문에 오직 하나를 찾게 하기보다는 여러 개를 확인하고 적절하지 않은 것을 찾는 부정문의 형태로 출제한다. 그러므로 이러한 유형의 문제를 풀 때에는 글을 읽으면서 지문에서 사용된 내용 전개 방식을 찾고, 이를 선택지에서 지워 나가면 실수를 줄일 수 있다.

---

02 세부 정보의 파악 | 정답 ⑤ |

윗글의 내용과 일치하지 <u>않는</u> 것은?

① 전기 자동차는 내연기관 자동차보다 먼저 발명되었다. (1, 2문단)
② 내연기관 자동차는 주행 시 유해 물질과 이산화탄소를 배출한다. (1문단)
③ 전기 자동차는 종류에 따라 화석 연료와 전기를 에너지원으로 활용하는 비율이 다르다. (6문단)
④ 순수 전기 자동차의 1회 충전 시 주행 거리를 늘리기 위해서는 고용량·고효율의 배터리가 필요하다. (6문단)
⑤ 과거 전기 자동차 발전의 장애 요소였던 ~~가격 문제가~~ 해결되면서 전기 자동차 시장이 성장하고 있다. (2문단. 전기 자동차 배터리의 문제점 개선)

📁 발문 분석

지문의 세부 내용을 정확히 이해했는지를 묻고 있다. 지문에 언급된 전기 자동차와 관련된 내용을 꼼꼼히 확인한 후 선택지의 내용과 1:1로 비교하며 적절성을 판단해야 한다.

◎ 정답 풀이

⑤ 2문단에서 과거에는 '무거운 배터리 중량, 긴 충전 시간, 일반 자동차의 두 배가 넘는 가격 등이 전기 자동차의 대중화를 어렵게' 했다고 하였다. 그러나 오늘날에는 '새로운 소재의 배터리들을 사용하게 되면서 과거의 문제점이 상당 부분 개선'되었다고 하였다. 이를 고려하면 과거 전기 자동차 대중화의 장애 요소로 배터리와 가격 문제가 있었는데, 오늘날에는 배터리 문제가 해결된 전기 자동차가 생산되고 있음을 알 수 있다. 그러나 가격 문제에 대해서는 언급하지 않았으므로, 오늘날 전기 자동차의 가격 문제가 해결되었는지는 알 수 없다.

❌ 오답 풀이

① 1문단에서 '전기 자동차의 역사가 내연기관 자동차인 가솔린 자동차보다 더 길다'고 하였다. 또 2문단에서 '독일의 니콜라우스 오토가 내연기관을 최초로 발명한 것은 1864년이지만, 그보다 30년 전인 1834년 스코틀랜드의 로버트 앤더슨이 '원유전기마차'를 발명하였다.'라고 하였다. 따라서 전기 자동차가 내연기관 자동차보다 먼저 발명되었다고 볼 수 있다.

② 1문단에서 '전기 자동차란 석유 연료와 엔진을 사용하는 내연기관 자동차와' 다르다면서 '1990년대 이후 화석 연료의 고갈, 환경오염 문제 등이 대두되면서 유해 물질과 이산화탄소를 배출하지 않는 전기 자동차가 미래 자동차로 급부상'했다고 하였다. 이를 고려하면 전기 자동차는 유해 물질을 배출하지 않지만 내연기관 자동차는 주행 시 유해 물질과 이산화탄소를 배출한다고 짐작할 수 있다.

③ 6문단에서 '전기 자동차는 자동차를 운행할 때 어떤 에너지원을 이용하는가에 따라 하이브리드 전기 자동차(HEV), 플러그인 하이브리드 전기 자동차(PHEV), 순수 전기 자동차(EV)로 구분'할 수 있다고 하였다. HEV는 '운행할 때 화석 연료와 전기를 같이 사용하는데 주된 에너지원은 화석 연료'라고 하였고, PHEV는 'HEV에 비해 전기를 에너지원으로 활용하는 비중이 높다.'라고 하였다. 또 EV는 '전기만으로 모터를 작동시켜 움직'인다고 하였다. 이를 고려하면 전기 자동차는 종류에 따라 화석 연료와 전기를 에너지원으로 활용하는 비율이 다르다고 볼 수 있다.

④ 6문단에서 순수 전기 자동차는 '배터리 용량에 따라 주행 거리가 달라지므로 고용량·고효율의 배터리가 필요'하다면서 '기술의 발전에 따라 배터리에 따른 주행 거리가 점차 늘어가고 있는 추세'라고 하였다. 이를 고려하면 순수 전기 자동차의 1회 충전 시 주행 거리를 늘리려면 고용량·고효율의 배터리가 필요하다고 볼 수 있다.

👑 고난도
03 **핵심 정보 간의 비교** | 정답 ⑤ |

[A]를 바탕으로 [보기]를 이해한 것으로 적절하지 **않은** 것은?

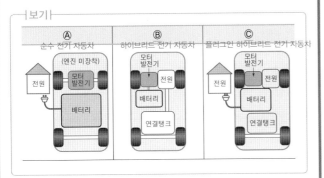

① ⓐ는 ⓑ보다 친환경적인 성격을 갖고 있겠군.

② ⓐ, ⓑ, ⓒ 모두 운행 시 전기를 에너지원으로 이용하겠군.

③ ⓒ는 ⓑ와 달리 단거리 주행 시 전기만을 에너지원으로 이용하겠군.

④ ⓒ보다 ⓐ의 배터리를 크게 그린 것은 ⓐ의 배터리 용량이 더 큰 것을 표현한 것이겠군.

⑤ ⓑ와 ⓒ의 배터리는 주행 중 자체적으로 전기가 충전되므로 ~~별도로 충전하지 않아도 되겠군.~~
ⓒ는 충전 필요

📁 발문 분석

전기 자동차의 종류를 파악하고 각 종류별 특징을 구별할 수 있는지를 묻고 있다. [보기]에 제시된 ⓐ~ⓒ가 어떤 전기 자동차인지를 파악한 후, 선택지의 설명이 적절한지 생각해 보아야 한다.

✔️ 보기 분석

[보기]의 ⓐ는 배터리를 외부 전원에 연결하여 충전해야 하며, 엔진이 없는 자동차를 나타낸다. 6문단에서 '순수 전기 자동차는 '진정한 의미의 전기 자동차'로, 내연기관의 꽃인 엔진이 없는 자동차'라고 하였다. 이를 고려하면 ⓐ는 순수 전기 자동차이다.

ⓑ는 배터리를 외부 전원에 연결하지 않으며 연료 탱크와 엔진이 장착된 자동차를 나타낸다. 6문단에서 '하이브리드 전기 자동차는 운행할 때 화석 연료와 전기를 같이 사용하는데 주된 에너지원은 화석 연료'라면서 '배터리는 별도로 충전하지 않아도 주행 중 자체 발전기를 통해 자동으로 충전된다.'라고 하였다. 이를 고려하면 ⓑ는 하이브리드 전기 자동차이다.

ⓒ는 배터리를 외부 전원에 연결하여 충전해야 하며, 연료탱크와 엔진이 장착된 자동차를 나타낸다. 6문단에서 '플러그인 하이브리드 전기 자동차는 HEV에 비해 전기를 에너지원으로 활용하는 비중이 높고, '배터리는 별도로 충전을 해 주어야 한다.'라고 하였다. 이를 고려하면 ⓒ는 플러그인 하이브리드 전기 자동차이다.

⭕ 정답 풀이

⑤ 6문단에서 하이브리드 전기 자동차의 '배터리는 별도로 충전하지 않아도 주행 중 자체 발전기를 통해 자동으로 충전된다.'라고 하였다. 반면 플러그인 하이브리드 전기 자동차의 '배터리는 별도로 충전을 해 주어야 한다.'라고 하였다. 이를 고려하면 주행 중 자체적으로 전기가 충전되어 별도로 배터리를 충전하지 않아도 되는 것은 ⓑ이고, ⓒ의 배터리는 별도의 충전이 필요하다는 것을 알 수 있다.

❌ 오답 풀이

① 1문단에서 '전기 자동차란 석유 연료와 엔진을 사용하는 내연기관 자동차와' 다르다면서 '1990년대 이후 화석 연료의 고갈, 환경오염 문제 등이 대두되면서 유해 물질과 이산화탄소를 배출하지 않는 전기 자동차가 미래 자동차로 급부상'했다고 하였다. 이를 고려하면 전기 자동차는 유해 물질을 배출하지 않지만 화석 연료를 사용하는 내연기관 자동차는 주행 시 유해 물질과 이산화탄소를 배출한다고 볼 수 있다. 그런데 6문단에서 '하이브리드 전기 자동차는 운행할 때 화석 연료와 전기를 같이 사용하는데 주된 에너지원은 화석 연료'라고 하였다. 이를 고려하면 ⓐ가 ⓑ보다 친환경적이라고 볼 수 있다.

② 6문단에서 하이브리드 전기 자동차는 전기를 '자동차 시동을 켤 때나 저속 운행을 할 경우에 사용'한다고 하였다. 또 플러그인 하이브리드 전기 자동차는 '보통 단거리를 운행할 때에 전기만을 에너지원으로 사용'한다고 하였고, 순수 전기 자동차는 '전기만으로 모터를 작동시켜 움직'인다고 하였다. 이를 고려하면 ⓐ, ⓑ, ⓒ 모두 운행 시 전기를 에너지원으로 이용한다고 볼 수 있다.

③ 6문단에서 하이브리드 전기 자동차의 '주된 에너지원은 화석 연료'라면서 전기를 '자동차 시동을 켤 때나 저속 운행을 할 경우에 사용'한다고 하였다. 이를 고려하면 하이브리드 전기 자동차는 화석 연료를 주 에너지원으로 이용함을 알 수 있다. 한편 플러그인 하이브리드 자동차는 '보통 단거리를 운행할 때에 전기만을 에너지원으로 사용'한다고 하였다. 이를 고려하면 ⓒ는 ⓑ와 달리 단거리 주행 시 전기만을 에너지원으로 이용한다고 볼 수 있다.

④ [보기]의 그림을 보면 배터리의 크기는 ⓐ, ⓒ, ⓑ 순으로 크게 그려져 있음을 알 수 있다. 6문단에서 플러그인 하이브리드 전기 자

동차에는 'HEV보다 대용량의 배터리가 탑재'된다고 하였다. 그리고 순수 전기 자동차는 '전기만으로 모터를 작동시켜 움직'인다고 하였는데, 이는 순수 전기 자동차가 플러그인 하이브리드 전기 자동차보다 전기를 에너지원으로 활용하는 비중이 더 높고, 더 많은 전기를 사용해야 한다는 것을 의미한다. 또 순수 전기 자동차는 '배터리 용량에 따라 주행 거리가 달라지므로 고용량·고효율의 배터리가 필요'하다고 하였다. 이를 고려하면 ⓒ보다 Ⓐ의 배터리를 크게 그린 것은 Ⓐ의 배터리 용량이 더 큰 것을 표현한 것이라고 볼 수 있다.

04 핵심 정보의 파악 | 정답 ③ |

윗글을 참고할 때, ㉠의 원인 중 하나로 볼 수 없는 것은?

① 전기 자동차의 배터리 중량이 너무 많이 나갔기 때문에
　　　　　　　　　　　　　　　　2문단
② 전기 자동차의 가격이 일반 자동차에 비해 너무 비쌌기 때문에
　　　　　　　　　　　　　　　　　　2문단
③ 상류층 여성 운전자에게만 전기 자동차를 판매하였기 때문에
④ 대형 유전의 개발 덕분에 내연기관 자동차의 연료 가격이 싸졌
　　유전의 양↑, 가격↓
　　기 때문에
⑤ 전기 자동차 배터리의 재충전 시간이 너무 오래 걸리는 불편함
　　이 있었기 때문에
　　　　　　　2문단

📁 **발문 분석**

전기 자동차의 역사를 이해할 수 있는지를 묻고 있다. 2문단에 언급되어 있는 전기 자동차의 역사를 파악한 후, 전기 자동차가 내연기관 자동차에 밀린 이유가 무엇인지 생각해 보아야 한다. 이때 선택지의 내용이 지문에 언급된 내용과 일치하지 않으면 무엇이 일치하지 않는지를 따져보아야 한다.

◎ **정답 풀이**

③ ㉠은 전기 자동차가 내연기관 자동차에 밀려 주목을 받지 못했다는 의미이다. 2문단에서 ㉠의 앞부분을 보면 '당시 내연기관 자동차는 전기로 돌리는 시동 모터가 없어 차 밖에서 크랭크를 돌려 시동을 걸어야 했던 것과는 다르게 구스타프 트루베는 이런 불편함이 없는 삼륜전기자동차를 운행하여 대중의 주목을 끌었다.'라고 하였다. 그렇지만 '무거운 배터리 중량, 긴 충전 시간, 일반 자동차의 두 배가 넘는 가격 등이 전기 자동차의 대중화를 어렵게 하였고 1920년대에 미국에서 유전이 개발되면서' 전기 자동차보다 내연기관 자동차가 주류를 이루게 되었다고 하였다. 이를 고려하면 상류층 여성 운전자에게만 전기 자동차를 판매하였다는 내용은 언급되어 있지 않으므로, 이것을 전기 자동차가 내연기관 자동차에 주도권을 빼앗기고 주목을 받지 못하게 된 원인으로 보는 것은 적절하지 않다.

✕ **오답 풀이**

① 2문단에서 전기 자동차의 '무거운 배터리 중량'이 전기 자동차의 대중화를 어렵게 했다고 하였다.
② 2문단에서 전기 자동차의 '일반 자동차의 두 배가 넘는 가격'이 전기 자동차의 대중화를 어렵게 했다고 하였다.
④ 2문단에서 '1920년대 미국에서 유전이 개발'되었다고 하였다. 유전은 석유가 나는 곳이며, 석유는 내연기관 자동차의 연료로 활용된다. 따라서 유전이 개발됨으로써 석유의 가격이 낮아졌고 낮아진

석유 가격이 석유를 연료로 활용하는 내연기관 자동차의 대중화에 기여했다고 추측할 수 있다.
⑤ 2문단에서 전기 자동차의 '긴 충전 시간'이 전기 자동차의 대중화를 어렵게 했다고 하였다.

👑 05 구체적 상황에 적용 | 정답 ④ |

윗글을 바탕으로 [보기]에 대해 탐구한 내용으로 적절하지 않은 것은?

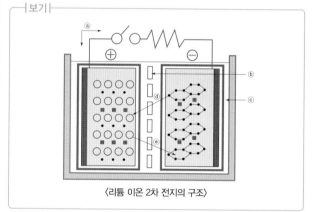

〈리튬 이온 2차 전지의 구조〉

① ⓐ는 전지 내부에서 이동하는 이온과 달리 전지의 외부 전선
　　　전자　　　　　　　　　　　　　　　　　　　　4문단
　을 따라 이동하는군.
② ⓑ가 제거되면 화학 반응 때문에 열이 발생하여 전지가 폭발
　　분리막　　　　　　　　　　　　　　　　　4문단
　할 수도 있겠군.
③ ⓒ가 없으면 이온이 이동하지 못해서 전지가 제 기능을 할 수
　　전해질　　　　　　　　　4문단
　없겠군.
④ ⓓ는 전지가 충전될 때, ⓔ는 방전될 때 일어나는 현상이겠
　　리튬 이온의 이동(음극→양극)　리튬 이온의 이동(양극→음극)
　군.
⑤ ⓐ의 이동과 ⓓ가 함께 발생해야 양극이 환원 반응을 일으킬
　　전자　　　　리튬 이온의 이동(음극→양극)　4문단
　수 있겠군.

📁 **발문 분석**

전기 자동차의 배터리로 사용되는 리튬 이온 2차 전지의 구조와 기능을 이해했는지를 묻고 있다. [보기]의 ⓐ~ⓔ가 각각 무엇을 의미하는지 파악한 후, 어떤 역할을 하는지를 판단해야 한다.

✔ **보기 분석**

[보기]는 리튬 이온 2차 전지의 구조를 그림으로 나타낸 것이다. [보기]를 살펴보면 ⓐ는 외부 전선을 통해 양극과 음극 사이를 이동하고 있음을 알 수 있다. 4문단에서 '양극은 외부로 연결된 전선을 통해 음극에서 전자를 받'는다고 하였으므로, ⓐ는 전자를 나타낸다.
ⓑ는 양극과 음극 사이에 위치하여 두 극이 서로 접촉하는 것을 막고 있다. 4문단에서 '리튬 이온 2차 전지의 기본 구조는 음극과 양극 2개의 전극 활물질이 분리막에 의해 떨어져 있는 것'이라고 하였으므로 ⓑ는 분리막을 나타낸다.
ⓒ는 전지 케이스 속을 채우고 있다. 4문단에서 '두 전극 사이에는 전해질이 채워져 있다.'라고 하였으므로 ⓒ는 전해질을 나타낸다.
ⓓ는 음극에서 양극으로, ⓔ는 양극에서 음극으로 이동하고 있다. 4문단에서 '방전 과정에서는 리튬 이온이 음극에서 양극으로 이동하고, 충전 과정에서는 리튬 이온이 양극에서 음극으로 다시 이동'한다고 하였다. 따라서 ⓓ는 리튬 이온이 음극에서 양극으로 이동하는 현상이므로 전지의 방전 과정을 나타내고, ⓔ는 리튬

이온이 양극에서 음극으로 이동하는 현상이므로 전지의 충전 과정을 나타낸다.

🔘 정답 풀이

④ ⓓ는 리튬 이온이 음극에서 양극으로, ⓔ는 양극에서 음극으로 이동하고 있는 것을 나타낸다. 4문단에서 '방전 과정에서는 리튬 이온이 음극에서 양극으로 이동하고, 충전 과정에서는 리튬 이온이 양극에서 음극으로 다시 이동'한다고 하였으므로, ⓓ가 전지가 방전될 때 일어나는 현상이고 ⓔ는 전지가 충전될 때 일어나는 현상이라고 보아야 한다.

❌ 오답 풀이

① 4문단에서 리튬 이온 2차 전지의 배터리의 양극과 음극 사이는 '전해질이 채워져 있다.'면서 '양극은 외부로 연결된 전선을 통해 음극에서 전자를 받고, 전해질을 통해 이온을 받아 환원 반응을 일으킨다.'라고 하였다. 이를 고려하면 이온은 전지 내부에서 이동한다고 추측할 수 있고, ⓐ는 외부 전선을 따라 이동한다고 볼 수 있다.

② 4문단에서 '양극과 음극이 접촉하면 화학 반응이 일어나 열이 발생하면서 발화될 수 있다. 이 때문에 양극과 음극의 접촉을 막는 분리막이 있다.'라고 하였다. 따라서 ⓑ를 제거하면 화학 반응이 일어나 열이 발생하면서 불이 나고, 이 때문에 전지가 폭발할 수도 있다고 추측할 수 있다.

③ 4문단에서 리튬 이온 2차 전지의 배터리의 양극과 음극 사이는 '전해질이 채워져 있다.'면서 '양극은 외부로 연결된 전선을 통해 음극에서 전자를 받고, 전해질을 통해 이온을 받아 환원 반응을 일으킨다.'라고 하였다. 따라서 ⓒ가 없다면 양극은 이온을 받을 수 없을 것이고, 그렇게 되면 환원 반응도 일으킬 수 없을 것이다. 이를 고려하면 ⓒ가 없으면 전지가 제 기능을 할 수 없을 것이라고 추측할 수 있다.

⑤ ⓐ는 전자, ⓓ는 음극에서 양극으로의 이온의 이동을 나타낸다. 4문단에서 양극은 '음극에서 전자를 받고, 전해질을 통해 이온을 받아 환원 반응을 일으킨다.'라고 하였으므로, 전자의 이동과 음극에서 양극으로의 이온의 이동이 나타나야 환원 반응을 일으킬 수 있다고 추측할 수 있다.

06 어휘의 문맥적 의미 판단 | 정답 ② |

ⓛ의 문맥적 의미와 가장 유사한 것은?
내연기관의 꽃
① 봄은 꽃이 만발하는 아름다운 계절이다.
② 사회부는 신문사의 꽃이라고 할 수 있다.
③ 열병에 걸린 아이들은 하나같이 얼굴에 꽃이 돌았다.
④ 그들은 그의 꽃같이 환히 피어난 얼굴 모습을 바라보았다.
⑤ 그 드라마는 꽃 같은 청춘들의 사랑과 열정을 그리고 있다.

📁 발문 분석

문맥을 고려하여 어휘의 의미를 이해하고, 같은 의미로 쓰인 어휘를 찾을 수 있는지를 묻고 있다. 같은 단어일지라도 문맥에 따라 다른 의미로 쓰일 수 있다. 따라서 각 선택지의 해당 어휘를 다른 단어로 바꾸어보고, 그 어휘를 ⓐ와 바꾸어 보았을 때 자연스러운지 여부를 따져보아야 한다.

🔘 정답 풀이

② '내연기관의 꽃인 엔진'이라는 구절에서 ⓛ'꽃'은 '중요하고 핵심적인 존재를 비유적으로 이르는 말'이라는 의미이다. '사회부는 신문사의 꽃이라고 할 수 있다.'에서의 '꽃'도 사회부가 신문사에서 핵심적인 존재라는 의미이다. 따라서 ⓛ과 문맥적 의미가 유사하다.

❌ 오답 풀이

① '식물의 가지나 줄기 끝에 예쁜 색깔과 모양으로 피어나는 부분'을 의미하는 어휘이다.
③ '홍역 등을 앓을 때, 살갗에 좁쌀처럼 발긋발긋 돋는 것'을 의미하는 어휘이다.
④ '아름답고 화려하게 번영하는 일을 비유적으로 이르는 말'을 의미하는 어휘이다.
⑤ '아름답고 화려한 시절을 비유적으로 이르는 말'을 의미하는 어휘이다.

🍯 선생님의 꿀 정보

어휘의 의미를 파악하는 문제의 유형

2016년에 치러진 수능과 모의고사, 2017년에 시행된 모의고사에서 비문학(독서) 영역에서 긴 지문이 출제되면서 어휘의 의미를 파악하는 문제가 연속적으로 출제되었다. 따라서 계속해서 긴 지문이 출제된다면 어휘의 의미를 파악하는 문제도 빈번하게 출제될 것이라고 예측할 수 있다. 어휘의 의미를 파악하는 문제는 크게 4가지 유형으로 나누어 살펴볼 수 있다.

(1) 사전적 의미 파악하기
(2) 문맥적 의미 파악하기
(3) 관용적 의미 파악하기
(4) 어휘 간의 의미 관계 파악하기

→ (1), (2)의 경우 'ⓐ~ⓔ의 사전적 의미로 적절하지 않은 것은?' 또는 'ⓐ~ⓔ의 문맥상 의미에 대한 이해로 적절하지 않은 것은?'과 같은 발문으로 주로 출제된다. 이러한 유형의 문제가 출제되면 먼저 지문에서 앞뒤 문맥을 통해 해당 어휘의 의미를 추론해야 한다. 그 후 선택지에 제시된 어휘의 뜻을 지문에 넣어보고 자연스러운지를 살펴보아야 한다. 때로는 '문맥상 ㉠과 바꿔 쓰기에 적절하지 않은 것은?'과 같이 바꿔 쓰기 유형이 출제되기도 하는데, 이때에는 선택지의 어휘를 지문의 ㉠에 직접 대입하여 자연스러운지 여부를 따져보도록 한다.

→ (3),(4)의 경우 관용 표현에 대한 설명을 [보기]로 제시한 후 '[보기]를 참고할 때, ⓒ과 유사한 예로 볼 수 없는 것은?'과 같은 유형으로 출제되거나 '다음 중 ⓐ, ⓑ와 의미 관계가 같지 않은 것은?'과 같은 형식으로 출제되는 경우가 많다. 이 또한 (1),(2)와 해결 방법은 유사하다. 하지만 평소 문제를 풀 때 유사한 내용이 나온다면 관련된 내용을 정리해 보자. 이를 숙지해 두면 실제 시험에서 큰 도움을 받을 수 있다.

구절 풀이

반드시 진품이 있어야 위작이 만들어지는 것은 아님. 진품이 있고 그것을 모방하여 똑같이 그린 그림도 위작이라고 하지만, 다른 사람이 그린 작품을 유명한 작가가 그린 것이라고 이름만 가져다 사용하는 것도 위작이라고 함.

1700년대에 발명된 안료가 1700년대보다 이전에 그려진 미술 작품에 사용될 수 없음.

화학적 구성 조사를 하기 위해서는 작품에서 안료 등을 채취해야 하므로 미술 작품에 물리적 결함이 생기는 단점이 발생함.

X선 형광 분석법의 핵심은 미술 작품에 쏘는 X선보다 미술 작품이 방출하는 X선에 있음. 작품 속 성분들은 특성에 따라 X선을 쏘았을 때 각각 다른 X선을 방출함. 전문가들은 방출된 X선을 보고 작품 속 물감의 성분을 구성하고 있는 원소가 무엇인지, 원소의 양은 얼마나 되는지를 알아내어 위작 여부를 판별함.

어휘 풀이

* 진위: 참과 거짓 또는 진짜와 가짜를 통틀어 이르는 말.
* 안료: 색채가 있고 물이나 그 밖의 용제에 녹지 않는 미세한 분말. 첨가제와 함께 물이나 기름으로 이겨 도료나 화장품 따위를 만들거나 플라스틱 따위에 넣는 착색제로도 씀.
* 감별: 예술 작품의 가치와 진위를 판단함.

— 선생님의Tip —

"위작과는 다른 모작"

모작은 예술 작품의 원작을 모방해서 만들어진 작품으로 모든 작품이라고도 함. 미술·공예 등 많은 분야에서 만들어지는데 회화와 서(書)는 모사(模寫), 조각은 모각(模刻)이라고도 함. 귀중한 작품의 레플리카(원작자가 손수 만든 원작의 사본)나 복제를 만들기 위해서 혹은 예술가가 자신이 기술을 습득하기 위해서 만듦. 원작에 충실한 모작과 모작자가 해석을 추가한 모작이 있음. 크기, 재질, 특히 모티브를 바꾼 채 대량으로 모작되어 경우에 따라 원작자의 예술 성격 자체를 문제시하는 모작도 있음. 모작이 시장 가치를 갖게 되면 위작·표절 시비가 발생하기도 함.

1 유명한 미술 작품은 그것을 ⓐ모방한 위작을 낳는다. 어떤 위작은 감쪽같아서 진품과 쉽게 구별하기 어려울 정도이다. 또 어떤 위작들은 진품을 모방한 것이 아닌 유일한 작품이지만, 유명한 작가의 작품이라고 이름만 도용하기도 한다. 기술이 점점 발달하면서 위작의 수준이 진품과 흡사해지고, 위작의 판별은 점점 어려워지고 있다. 그러나 위작을 판별할 수 있는 기술도 나날이 발전하고 있다. 그렇다면 미술 작품의 진위* 여부는 어떻게 가려낼 수 있을까?
1문단: 기술의 발달로 높아진 위작의 수준

2 미술 작품의 진위 여부를 가려내는 방법 중 하나는 작품의 화학적 구성을 조사하는 기술이다. 작품에 사용된 안료*의 성분 등을 분석해 어느 시대의 어떤 색의 안료가 사용된 것인지를 밝혀내는 방법이다. 예를 들어 'Virgin with Child'라는 작품은 이 기술을 ⓑ적용해 1920년대에 제작된 위작으로 판명되었다. 화학적 구성 조사 결과 이 작품에는 프러시안 블루(Prussian Blue)라는 안료가 사용되었는데, 이 작품이 진품이라면 이 안료는 사용될 수 없다. 프러시안 블루는 1700년대에 발명된 색이지만 이 작품은 1700년대보다 훨씬 이전에 그려진 작품이기 때문이다. 화학적 구성 조사는 해당 작품을 분자 수준에서 감별*하므로 강력한 진품 감별법이지만, 작품에 물리적인 결함이 생긴다는 단점이 있다. 그래서 작품에 흠집을 내지 않으면서도 진품을 감별하는 다른 방법들이 개발되었다. 바로 현미경 조사와 X선을 이용한 형광 분석법, 자외선·적외선 분광 분석 기법이 그것이다.
2문단: 작품의 진위 여부를 가려내는 기술 ① – 화학적 구성 조사

3 현미경 조사는 현미경의 배율을 200배 이상 확대하여 작품을 분석하는 것으로, 작품에 결함을 주지 않고도 작품을 분석할 수 있는 가장 기본적이고 간단한 방법이다. 이 방법을 통해 안료의 모양, 캔버스의 재질이나 캔버스의 천에 사용된 실의 색 등을 볼 수 있다. 이 방법은 육안으로 판별이 힘든 작품의 세부를 확대하여 손상된 형태를 정확히 파악하고, 정밀한 판단을 가능하게 한다. 진품과 위작이 다른 물감을 사용했다면, 육안으로 볼 때는 같은 색으로 보이더라도 현미경으로 200배 이상 확대하게 되면 물감의 색과 재질이 전혀 다른 것을 ⓒ포착해 낼 수 있다.
3문단: 작품의 진위 여부를 가려내는 기술 ② – 현미경 조사

4 X선을 이용한 형광 분석법은 XRF 조사 방법이라고도 하는데, 분석의 대상이 되는 작품에 X선을 투과하여 조사하는 방법이다. 어떤 물질에 X선을 투과하면 그 물질의 성분에 따라 고유한 X선이 방출되는 원리를 이용하여 작품에 X선을 투과하면 특정 원소의 종류와 양을 알 수 있으며, 특히 물감의 성분 중 무기 안료의 성분을 분석할 수 있다. 이 방법을 활용하면 안료의 정확한 성분뿐만 아니라, 오랜 시간에 걸쳐 변색되어 버린 안료의 화학 성분까지 알아내어 본래의 색을 유추해 낼 수도 있다. 이 방법을 통해 진위 여부를 판정한 사례도

지문 구조도

화제 제시: 위작의 판별(1문단)
기술이 발달하면서 위작의 수준도 높아져 작품의 진위를 판단하는 것이 어려워지고 있음.

↓

전개: 그림의 진위 여부를 가려내는 과학적 분석 방법(2~6문단)
① 화학적 구성 조사: 작품에 사용된 안료 성분을 분석함. ② 현미경 조사: 작품을 현미경으로 확대하여 안료의 성분, 캔버스, 손상된 정도 등을 파악함. ③ X선을 이용한 형광 분석법: 작품에 X선을 투과하여 방출된 X선의 종류로 안료의 성분을 분석함. ④ 자외선·적외선 분광 분석 기법 : 자외선이나 적외선을 작품에 쏘아 반사각을 측정함. ⑤ DNA 감식 기술: 작품에서 채취할 수 있는 DNA와 작가의 DNA를 비교함.

↓

마무리: 과학적 분석 방법의 한계(7문단)
여러 과학적 분석 방법들도 한계가 있기 때문에, 모든 경우에 그림의 진위 여부를 판별할 수 있는 것은 아님.

있다. 작품에 X선을 투과한 결과 드러난 안료 속 납과 아연의 함량 차이가 그 근거였다. 어느 화백의 작품에 X선을 투과하였더니 안료 속 납과 아연의 함량이 매우 높았다. 그러나 위작 판정을 받은 작품들의 경우에는 납과 아연이 아예 발견되지 않기도 하는 등 원소 구성이 전혀 달랐고, 결국 위작으로 판명되었다.

진품과 위작의 차이
4문단: 작품의 진위 여부를 가려내는 기술 ③ – X선을 이용한 형광 분석법

5 ㉠자외선 분광 분석 기법과 ㉡적외선 분광 분석 기법은 자외선이나 적외선 등 특정 파장의 빛을 그림에 쏜 후 반사각*을 측정해 특정 물질을 알아내는 방법이다. 자외선은 눈에 자외선·적외선 분광 분석 기법의 개념 보이는 가시광선*의 짧은 파장보다도 바깥쪽에 나타나는 광선*으로 주로 회화 작품의 표면 상태를 조사하는데 이용된다. 자외선 분광 분석 기법을 활용하면 빛을 쏘았을 때 특정한 색이 다른 색으로 형광을 나타내는 현상을 관찰할 수 있으며 이를 통해 눈으로는 구분이 안 자외선 분광 분석 기법의 원리 되는 그림 표면의 흔적, 색 맞춤과 덧칠의 흔적, 수리 흔적, 각종 오염물을 관찰할 수 있다. 자외선 분광 분석 기법의 장점 적외선은 자외선과 반대로 파장이 긴 영역이다. 적외선 분광 분석 기법을 활용하면 연필이나 목탄*의 성분에 잘 반응하는 적외선의 특성 때문에 회화의 색면 뒤에 감추어진 스케치 적외선 분광 분석 기법의 원리 분광 분석 기법의 장점 나 작업 과정 중에 바뀐 그림의 형태를 관찰할 수 있다. 이러한 분광 분석 기법을 통해 화가 특유의 붓터치를 발견할 수 있고, 진품과 위작의 제작 과정을 비교하여 위작을 감별해 낼 분광 분석 기법의 장점 수도 있다. 5문단: 작품의 진위 여부를 가려내는 기술 ④ – 자외선·적외선 분광 분석 기법

6 한편 최근에는 DNA 감식* 기술도 위작을 감별하는 데 이용되고 있다. 사람의 세포에는 핵 DNA와 미토콘드리아 DNA가 존재하는데, 작품에 머리카락이나 작은 털 등 DNA를 ⓓ채취할 수 있는 물질이 붙어 있을 경우 이것을 분석하여 작가의 DNA와 비교하는 것이 DNA 감식 기술의 개념 다. 핵 DNA의 경우에는 오랜 시간이 지나면서 ⓔ소멸할 수도 있지만, 미토콘드리아 DNA 는 핵 DNA에 비해 보전되는 기간이 길어 좀 더 오래 분석할 수 있다. 그러나 이 방법은 작가가 살아 있어 DNA를 채취할 수 있거나, 작가가 죽었을 경우에는 형제 등 가까운 친척이 DNA 감식 기술의 단점 DNA를 제공해 주어야 한다는 단점이 있다. 6문단: 작품의 진위 여부를 가려내는 기술 ⑤ – DNA 감식 기술

7 화학적 구성 조사 기술부터 DNA 감식 기술에 이르기까지, 요즘에는 여러 과학적 분석 방법을 통해 미술 작품의 진위를 판별하고 있다. 그러나 이 방법들을 활용한다고 해도 모든 경우에 위작을 가려낼 수 있다고 할 수는 없다. [A]제작 년도가 오래된 작품은 판별이 어려울 수 있고, 작품에 사용된 안료가 같다는 것이 곧 작가가 같은 것을 의미하지는 않기 때문에 잘못된 판정을 할 가능성도 여전히 남아 있다. 또한 DNA 감식의 경우 근거 수집과 관련한 한계가 따른다. 그래서 전문가들은 다양한 과학적 지식을 응용하여 더욱 정확하게 위작을 판별해 낼 수 있는 기술을 개발하기 위해 노력하고 있다. 7문단: 과학적 분석 방법의 한계

어휘 풀이

* 반사각: 파동이 서로 다른 매질의 경계면에서 반사할 때, 반사 파동의 방향과 경계면의 법선(法線) 사이의 각.
* 가시광선: 사람의 눈으로 볼 수 있는 빛.
* 광선: 빛의 줄기.
* 목탄: 그림 그리는 데 쓰는, 가느다란 막대 모양의 숯. 결이 좋고 무른 오동나무나 버드나무 따위를 태워서 만드는데 연필과 달리 연하고 입자도 거침.
* 감식: 어떤 사물의 가치나 진위 따위를 알아냄. 또는 그런 식견.

구절 풀이

○ 사람마다 성격이 다르듯이 화가들마다 붓터치의 양상이 다르게 나타남. 따라서 붓터치를 통해 진품과 위작의 제작 과정도 파악할 수 있음.

○ DNA를 감식하려면 비교할 DNA가 있어야 함. 따라서 작가가 살아 있어서 DNA를 제공하거나 작가와 가까운 친척이 DNA를 제공해 주어야 함.

○ 과학적 분석 방법들도 완벽하지는 않기 때문에 모든 경우에 위작을 분명하게 가려내기는 어려움.

지문 해제

이 글은 미술 작품의 진위 여부를 판별하는 여러 기술에 대해 설명하고 있다. 미술 작품의 진위 여부를 가리는 가장 기본적인 기술은 작품의 화학적 구성을 조사하는 기술이다. 작품에 사용된 안료의 성분을 화학적으로 분석하여 어느 시대의 어떤 색인지 등을 밝히는 방법이다. 이는 매우 강력한 진품 감별법이지만, 작품에 물리적인 결함을 일으킨다는 단점이 있다. 현미경 조사는 현미경을 통해 작품을 확대하여 안료의 모양, 캔버스의 재질, 손상 정도 등을 파악하는 방법이다. X선을 이용한 형광 분석법은 작품에 X선을 투과시킨 후 작품의 각 성분이 방출하는 X선의 종류를 알아내어 원소 구성을 알아내는 방법이다. 자외선·적외선 분광 분석 기법은 자외선이나 적외선과 같은 특정한 파장의 빛을 작품에 쏘아 반사각을 측정하여 특정 물질을 알아내는 방법이다. 화가 특유의 붓터치나 제작 과정을 파악할 수 있어 위작의 판별에 도움을 준다. 최근에는 DNA 감식 기술이 발전하였는데, 작품에서 채취할 수 있는 DNA를 작가의 DNA와 비교하여 일치 여부를 확인하는 방법이다. 그러나 이 방법은 반드시 작가나 혈족의 DNA가 있어야 비교가 가능하다는 단점이 있다. 이와 같은 기술의 발전으로 위작을 판별하고는 있지만 여전히 한계가 있다. 그래서 전문가들은 정확하게 위작을 판별해 낼 수 있는 기술을 개발하기 위해 노력하고 있다.

선생님의 Tip

"자외선 분광 분석 기법과 위조지폐"

자외선 분광 분석 기법은 미술 작품의 진위 여부를 가리는 데 사용하기도 하지만, 실생활에서는 위조지폐를 감별할 때 주로 사용됨.
지폐를 발행할 때에는 위조를 막기 위해 종이에 특수한 처리를 하여, 자외선을 쪼였을 때 육안으로는 볼 수 없는 특정한 표식이 나타나도록 함. 사용의 용이하고 조작하기 어려워 대부분의 나라에서 위조지폐를 감별하기 위해 자외선 분광 분석 기법을 사용하고 있음.

01

내용 전개 방식의 파악 | 정답 ⑤ |

> 윗글에 대한 설명으로 가장 적절한 것은?
>
> ① 통계적 자료를 사용하여 현상의 원인을 분석하였다.
> ② 대립하는 주장을 비교하며 장단점을 분석하고 있다.
>   <small>각 기술의 장단점은 나옴.</small>
> ③ 다양한 사례를 제시하여 잘못된 통념을 바로잡고 있다.
> ④ 전문가의 견해를 인용하여 다양한 가설을 검증하고 있다.
> ⑤ 문제를 해결할 수 있는 방법을 열거하고 그 원리를 설명하고 있다.
>   <small>작품의 진위 여부</small>

📁 발문 분석

글의 전개 방식을 파악할 수 있는지 묻고 있다. 미술 작품의 위작을 판별할 때 활용되는 각 기술들의 원리와 특징을 문단별로 나열하고 있다는 점에 주목해야 한다.

◎ 정답 풀이

⑤ 1문단에서 위작의 수준이 점점 높아지고 있음을 지적하였다. 2문단~6문단에서는 위작을 감별해 낼 수 있는 기술들을 열거하면서 각 기술의 원리와 특징, 장단점 등을 설명하고 있다. 따라서 이 글은 문제를 해결할 수 있는 방법을 열거하고 그 원리를 설명하고 있다는 진술이 가장 적절하다.

✖ 오답 풀이

① 이 글에서 통계적 자료는 사용하지 않았으며, 위작의 제작 원인에 대해서도 언급하지 않았다.
② 이 글은 위작을 감별해내는 여러 기술들에 대해서 설명하고 있다. 그러나 대립되는 주장을 비교하거나 그 주장의 장점과 단점을 분석하고 있지는 않다.
③ 2문단~6문단에서 위작을 감별해 내는 기술을 설명하고 있다. 그러나 다양한 사례를 제시하여 기존에 존재하고 있는 잘못된 통념을 바로잡고 있지는 않다.
④ 이 글에는 전문가의 견해가 언급되고 있지 않으며, 중심 화제인 위작을 감별하는 기술과 관련된 가설들도 제시되어 있지 않다.

추론의 적절성 판단 | 정답 ① |

> 윗글을 이해한 것으로 적절하지 않은 것은?
>
> ① 위작은 유사한 형태의 진품의 존재를 전제로 한다.
>   <small>진품이 없어도 가능</small>
> ② 작품을 확대해서 보면 물감의 색이 다르게 보일 수 있다.
> ③ 작가의 생체 정보가 위작을 가려내는 데 도움을 줄 수 있다.
>   <small>DNA</small>
> ④ 가시광선만으로는 작품의 상태나 형태를 조사하는 데 한계가 있다.
>   <small>육안으로는 보기 어려움.</small>
> ⑤ 캔버스의 재질이나 천이 작품의 진위 여부를 판별하는 근거가 될 수 있다.

📁 발문 분석

지문 내용을 바탕으로 추론한 내용의 적절성을 판단할 수 있는지를 묻고 있다. 선택지에서 추론한 내용이 지문의 어느 부분과 관련이 있는지를 생각해 보아야 한다.

◎ 정답 풀이

① 1문단에서 '어떤 위작들은 진품을 모방한 것이 아닌 유일한 작품이지만, 유명한 작가의 작품이라고 이름만 도용하기도 한다.'라고 하였다. 따라서 유사한 형태의 진품이 있을 때에만 위작이 존재하는 것이 아니라, 진품이 없어도 위작이 존재할 수 있음을 알 수 있다. 따라서 위작은 유사한 형태의 진품의 존재를 전제로 한다는 진술은 적절하지 않다.

✖ 오답 풀이

② 3문단에서 '현미경 조사는 현미경의 배율을 200배 이상 확대하여 작품을 분석하는 것'이라면서 현미경으로 보게 되면 '물감의 색과 재질이 전혀 다른 것을 포착해 낼 수 있다.'라고 하였다. 따라서 작품을 확대해서 보면 물감의 색이 다르게 보일 수 있다는 진술은 적절하다.
③ 6문단에서 'DNA 감식 기술도 위작을 감별하는 데 이용되고 있다.'라면서 작품에 DNA를 채취할 수 있는 물질이 붙어 있으면 이를 분석하여 작가의 DNA와 비교하는 방법으로 위작을 감별할 수 있다고 하였다. DNA는 인간의 세포 속에 존재하는 것으로, 인간의 생체 정보라고 할 수 있다. 따라서 작가의 생체 정보가 위작을 가려내는 데 도움을 줄 수 있다는 진술은 적절하다.
④ 5문단에서 '눈에 보이는 가시광선의 짧은 파장'이라고 하였으므로 가시광선으로 작품을 본다는 것은 육안으로 본다는 의미로 해석할 수 있다. 또 육안으로는 작품의 모든 상태나 형태를 파악하기 어렵기 때문에 자외선이나 적외선 분광 분석 기법을 활용한다고 하였다. 따라서 가시광선만으로는 작품의 상태나 형태를 조사하는 데 한계가 있다는 진술은 적절하다.
⑤ 3문단에서 현미경으로 작품을 살펴보면 '안료의 모양, 캔버스의 재질이나 캔버스의 천에 사용된 실의 색 등을 볼 수 있다.'라고 하였다. 또 '이 방법은 육안으로 판별이 힘든 작품의 세부를 확대하여 손상된 형태를 정확히 파악하고, 정밀한 판단을 가능하게 한다.'라고 하였다. 이를 고려하면 캔버스의 재질이나 천 또한 작품이 위작인지 아닌지를 판단하는 근거가 될 수 있음을 알 수 있다. 따라서 캔버스의 재질이나 천이 작품의 진위 여부를 판별하는 근거가 될 수 있다는 진술은 적절하다.

🍯 **선생님의 꿀 정보**

02번 문제: 지문을 바탕으로 추론하기

단순히 내용이 일치하는지를 따지는 문제의 경우, 선택지에 제시된 내용이 대부분 지문에 제시된 그대로 표현되고 있기 때문에 비교적 판단하기가 쉽다. 하지만 글의 내용을 바탕으로 한 추론이 적절한지 파악해야 하는 02번 문제와 같은 경우에는 지문의 내용을 고려하여, 선택지의 단어나 구절이 지문의 내용에서 벗어나지는 않는지 등을 고려해야 한다.

선택지 ①번을 함께 살펴보자. 선택지 ①번에서는 특히 '전제'라는 단어에 주목해야 한다. 전제는 어떤 사물이나 현상을 이루기 위하여 먼저 내세우는 것을 의미하는데 이는 곧 A가 있어야 B가 있다는 것과 일맥상통한다. 이를 고려하여 선택지를 해석해 보면 '진품이 있어야(A) 위작이 있다(B)'가 된다. 1문단에서, 진품이 없어도 위작은 존재한다고 하였으므로 선택지 ①번이 02번 문제의 정답이 된다.

03 구체적 사례에 적용 | 정답 ④ |

윗글을 바탕으로 [보기]를 이해한 내용으로 적절하지 <u>않은</u> 것은?

┤보기├

16세기 이탈리아 화가인 파르미자노(1503~1540)의 그림 한 점이 전문가 감식에서 위작임이 밝혀졌다. 문제의 그림은 파르미자노의 작품으로 알려진 '세인트 제롬(St.Jerome)'이 _{16세기의 작가}라는 초상화로, 한 수집가가 약 10억원에 사들인 것이다. 이 그림은 500년이 <u>지난 작품</u>이라고 알려졌고, 색이 변색되어 _{오랜 시간이 지남.}있어 육안으로는 감식이 쉽지 않았다. 그러나 그림에 X선을 <u>투과</u>시켜 안료의 성분을 분석한 결과 이 그림에 사용된 안료 _{X선 형광 분석법 사용}가 20세기에 <u>개발된</u> '프탈로사이아닌 그린'이라는 안료라는 _{16세기 작가와 연대가 맞지 않음.}사실이 <u>밝혀졌고</u> 이 때문에 위작으로 판명되었다.

① 'Virgin with Child'가 위작이 된 것과 같은 논리가 적용되
_{작가와 그림의 연대가 맞지 않음.}었군.

② 위작을 감별하는 방법이 <u>작가의 생존 여부</u>와는 관계가 없었
_{오랜 시간이 지나도 가능함.}겠군.

③ <u>방출된 X선의 종류</u>를 분석하여 안료를 구성하는 원소를 알
_{작품에 X선을 투과하면 안료의 성분에 따라 특정한 X선이 방출됨.}아내었군.

④ 육안으로 감식이 어려운 <s>작품을</s> <s>확대하여</s> 안료의 성분을 파악하였군.

⑤ 안료가 변색되었더라도 <u>본래 색을 알아낼 수 있는 방법</u>을 사용하였군.

📁 발문 분석

위작을 판별한 사례를 보고, 그 사례가 어떤 기술을 활용하고 있는지를 파악할 수 있는지 묻고 있다. [보기]에서 X선을 투과했다고 하였으므로 지문에서 X선을 이용한 형광 분석법에 대해 언급한 부분을 찾아 선택지와 비교해 보도록 한다.

✔ 보기 분석

[보기]에서 해당 그림을 분석하는 방법으로 그림에 X선을 투과시켰다고 하였다. 이는 X선을 이용한 형광 분석법을 사용한 것이라고 볼 수 있다.
파르미자노라는 작가는 16세기의 사람이므로 그의 작품이라면 당연히 16세기에 그려져야 한다. X선 형광 분석법을 통해 해당 그림에 사용된 안료는 20세기에 개발된 안료임이 밝혀졌다고 하였는데, 이는 작가와 작품의 연대가 서로 맞지 않음을 의미한다.

⚪ 정답 풀이

④ [보기]는 X선을 이용한 형광 분석법을 통해 위작을 가려낸 사례이다. 4문단에서 X선을 이용한 형광 분석법은 '어떤 물질에 X선을 투과하면 그 물질의 성분에 따라 고유한 X선이 방출'되고, '이 방법을 활용하면 안료의 정확한 성분'을 알 수 있다고 하였다. 작품을 확대하여 안료 성분을 파악하는 방법은 3문단에서 언급한 '현미경의 배율을 200배 이상 확대하여 작품을 분석하는 것'인 현미경 조사에 해당한다. 따라서 육안으로 감식이 어려운 작품을 확대하여 안료의 성분을 파악한다는 진술은 적절하지 않다.

❌ 오답 풀이

① 2문단에서 화학적 구성을 조사하는 기술을 설명하면서, 'Virgin with Child'가 위작으로 판명된 예를 들었다. 화학적 구성을 조사

하는 기술은 [보기]의 X선을 이용한 형광 분석법과 원리는 다르지만, 안료의 성분을 분석한다는 점에서는 공통점이 있다. 또 안료의 성분을 분석한 결과 작가와 작품의 연대가 맞지 않아 위작임이 밝혀졌다는 것도 공통적이다. 따라서 'Virgin with Child'가 위작이 된 것과 같은 논리가 적용되었다는 진술은 적절하다.

② [보기]의 파르미자노는 16세기의 사람이므로 그의 작품인 '세인트 제롬'도 500년 전에 그려졌을 것이라고 보아야 한다. 그런데 작품에 X선을 이용한 형광 분석법을 실행하였으므로, 이 방법은 작가의 생존 여부과 관계 없이 실행할 수 있다고 보아야 한다. 따라서 위작을 감별하는 방법이 작가의 생존 여부와는 관계가 없었다는 진술은 적절하다.

③ [보기]에서 사용한 방법은 X선을 이용한 형광 분석법이다. 4문단에서 작품에 X선을 투과하면 작품의 '성분에 따라 고유한 X선이 방출'되고, 이것을 통해 안료를 구성하는 성분을 알 수 있다고 하였다. 따라서 방출된 X선의 종류를 분석하여 안료를 구성하는 원소를 알아내었다는 진술은 적절하다.

⑤ [보기]에서 사용한 방법은 X선을 이용한 형광 분석법이다. 4문단에서 X선을 이용한 형광 분석법을 활용하면 '안료의 정확한 성분뿐만 아니라, 오랜 시간에 걸쳐 변색되어 버린 안료의 화학 성분까지 알아내어 본래 색을 유추해 낼 수도 있다.'라고 하였다. 따라서 안료가 변색되었더라도 본래 색을 알아낼 수 있는 방법을 사용하였다는 진술은 적절하다.

🍯 선생님의 꿀 정보

03번 문제: [보기]의 내용과 지문의 내용을 비교하기

지문에서 어떤 개념들에 대해 설명하고 있다면 이와 관련된 구체적인 사례가 [보기]를 통해 제시되는 경우가 많다. 03번 문제의 [보기]는 지문의 어느 부분에 속하는지 직접적으로 명시된 경우는 아니다. 그러나 [보기]의 내용을 잘 살펴보면 지문의 어느 부분과 관련되어 있는지 힌트를 찾을 수 있다.

[보기]에서 그림에 X선을 투과시켰다고 하였으므로, 이 사례가 X선을 이용한 형광 분석법을 사용한 것임을 알 수 있다. 따라서 우리는 선택지의 내용 중 X선 형광 분석법에 관한 내용이 아닌 것이 있는지 살펴보아야 한다.

지문에서 X선을 이용한 형광 분석법에 대해 다루고 있는 부분과 선택지를 꼼꼼히 비교하여, 차이점을 발견하면 쉽게 이 문제를 해결할 수 있다. 다만, 선택지 ①번과 같이 X선을 이용한 형광 분석법에 대한 내용이 아니더라도 X선을 이용한 형광 분석법과 공통적인 사항을 공유하고 있을 수 있으므로, 다른 문단의 내용도 숙지는 하고 있어야 한다.

㉠과 ㉡에 대해 이해한 내용으로 적절하지 <u>않은</u> 것은?

① ㉠과 ㉡은 모두 <u>작품에 물리적인 결함을 남기지 않는다.</u>

② ㉠과 ㉡은 모두 <u>작품의 제작 과정이 어떠하였는지 보여 준다.</u>

③ ㉠과 ㉡은 모두 <u>빛이 그림에 반사되어 나오는 성질을 이용한</u>
<u>것이다.</u>
    특정 파장의 빛을 그림에 쏘아 반사각을 측정함.

④ ㉠은 특정 색깔과, ㉡은 특정 성분과 잘 반응하는 특성을 가
지고 있다.

⑤ ㉠은 <u>밑그림의 형태</u>를 발견하기에, ㉡은 화가 고유의 <u>덧칠기</u>
          적외선 분광 분석 기법 특징
<u>법</u>을 파악하기에 적합하다.
  자외선 분광 분석 기법 특징

📁 **발문 분석**

핵심 소재의 특징을 이해하고 적절히 비교할 수 있는지 묻고 있다. 5
문단에서 ㉠'자외선 분광 분석 기법'과 ㉡'적외선 분광 분석 기법'의 공
통점과 차이점에 대해 언급하고 있으므로 이 내용과 선택지를 비교해
보도록 한다.

◎ **정답 풀이**

⑤ 5문단에서 적외선 분광 분석 기법은 '연필이나 목탄의 성분에 잘 반응하
는 적외선의 특성 때문에 회화의 색면 뒤에 감추어진 스케치'를 보여 준
다고 하였다. 그러므로 밑그림의 형태를 발견하기에 적합한 것은 ㉠'자외
선 분광 분석 기법'이 아니라 ㉡'적외선 분광 분석 기법'이다. 한편 '자외
선 분광 분석 기법을 활용하면 빛을 쏘았을 때 특정한 색이 다른 색으로
형광을 나타내는 현상을 관찰할 수 있으며 이를 통해 눈으로는 구분이
안 되는' 덧칠의 흔적을 관찰할 수 있다고 하였다. 따라서 화가 고유의
덧칠 기법을 파악하기에 적합한 것은 ㉡'적외선 분광 분석 기법'이 아니
라, ㉠'자외선 분광 분석 기법'이다.

❌ **오답 풀이**

① 2문단에서 화학적 구성을 조사하는 기술은 '강력한 진품 감별법이
지만, 작품에 물리적인 결함이 생긴다는 단점이 있다.'라고 하였다.
그리고 작품에 흠집을 내지 않는 방법의 예로 ㉠'자외선 분광 분석
기법'과 ㉡'적외선 분광 분석 기법'을 들었다. 따라서 ㉠과 ㉡이 모
두 작품에 물리적인 결함을 남기지 않는다는 진술은 적절하다.

② 5문단에서 '분광 분석 기법을 통해' '진품과 위작의 제작 과정을 비
교하여 위작을 감별해 낼 수도 있다.'라고 하였다. 따라서 ㉠과 ㉡
이 모두 작품의 제작 과정이 어떠하였는지 보여 준다는 진술은 적
절하다.

③ 5문단에서 ㉠'자외선 분광 분석 기법'과 ㉡'적외선 분광 분석 기법'
은 '자외선이나 적외선 등 특정 파장의 빛을 그림에 쏜 후 반사각을
측정'한다고 하였다. 이것은 빛을 쏘았을 때 작품에서 빛을 다시 반
사한다는 것을 의미한다. 따라서 ㉠과 ㉡이 모두 빛이 그림에 반사
되어 나오는 성질을 이용한 것이라는 진술은 적절하다.

④ 5문단에서 ㉠'자외선 분광 분석 기법'은 '빛을 쏘았을 때 특정한 색
이 다른 색으로 형광을 나타내는 현상을 관찰'한다고 하였으므로,
특정한 색에 반응한다고 할 수 있다. 반면 ㉡'적외선 분광 분석 기
법'은 '연필이나 목탄의 성분에 잘 반응하는 적외선의 특성'을 이용
한 것이라고 하였으므로 특정 성분과 잘 반응하는 특성을 가지고
있다고 할 수 있다. 따라서 ㉠은 특정 색깔과, ㉡은 특정 성분과 잘
반응하는 특성을 가지고 있다는 진술은 적절하다.

윗글의 [A]를 뒷받침하는 사례로 적절하지 <u>않은</u> 것은?
    위작 감별 기술의 한계

① ㄱ 작품은 <u>12세기에 제작되어</u> 작품의 진위 여부를 가려내는
              시간의 흐름에 영향
데 어려움을 겪고 있다.

② ㄴ 작가는 다양한 느낌을 표현하기 위하여 <u>작품마다 다른 종</u>
<u>류의 안료를 사용하였다.</u>
  '안료가 같다=작가가 같다'가 아님.

③ ㄷ 작품의 스케치에는 겉보기 그림에서 생략된 부분이 있는
데, <u>위작의 스케치에</u> 해당 부분이 없다.
    적외선 분광분석기법을 활용해 위작을 감별함.

④ ㄹ 위작가는 그림이 감정의 대상이 될 것을 고려하여 <u>진품과</u>
<u>동일한 안료를 사용하여 위작을 그렸다.</u>
  '안료가 같다=작가가 같다'가 아님.

⑤ ㅁ 작품에는 작가의 것으로 추정되는 털이 붙어 있지만,
<u>DNA를 비교할 수 있는 샘플을 구하지 못했다.</u>
        DNA 감식의 한계

📁 **발문 분석**

글의 내용을 파악하고 특정 부분이 무엇을 이야기하고 있는지를 이해
할 수 있는지 묻고 있다. [A]는 시간의 흐름, 안료의 문제, DNA 감식
등을 활용하여 위작을 가려내는 방법의 한계를 언급하고 있음을 염두
에 두어야 한다.

◎ **정답 풀이**

③ 진품의 스케치에는 추가적인 그림이 있지만 겉보기 그림에서는 생략된
부분이 있다면 위작가는 스케치를 볼 수 없으므로 겉보기 그림만 보고
진품 작품을 모방했을 것이다. 따라서 위작의 스케치를 보게 된다면 진
품의 스케치에 있었던 추가적인 그림은 발견할 수 없을 것이다. 작품의
스케치를 보기 위해서는 5문단에서 언급한 적외선 분광 분석 기법을 사
용해야 한다. [A]는 과학적 분석 방법의 한계를 말하고 있는데, ③은 과
학적 분석 방법을 활용하여 위작을 감별한 사례를 언급한 것이므로 [A]
를 뒷받침하는 사례로 적절하지 않다.

❌ **오답 풀이**

① [A]에서 '제작 년도가 오래된 작품은 판별이 어렵다고 하였다. 작
품이 12세기에 제작되었다는 것은 상당히 오래되었다는 뜻이므로
시간의 흐름에 영향을 받아 작품의 진위 여부를 가려내는 데 어려
움을 겪고 있는 경우에 해당한다.

② [A]에서 '작품에 사용된 안료가 같다는 것이 곧 작가가 같다는 것을
의미하지는 않'는다고 하였다. 작품마다 다른 종류의 안료를 사용
하였다는 것은 같은 작가라도 다른 안료를 사용할 수 있음을 보여
주는 것이다.

④ [A]에서 '작품에 사용된 안료가 같다는 것이 곧 작가가 같다는 것을
의미하지는 않'는다고 하였다. 진품과 동일한 안료를 사용하였어도
작가가 다를 수 있음을 보여 주는 것이다.

⑤ [A]에서 'DNA 감식의 경우 근거 수집과 관련한 한계가 따른다고
하였다. DNA 감식을 통해 위작을 판별하려면, 작가의 DNA가 확
보되어야 작품에서 채취한 DNA와 비교할 수 있다.

05번 문제: 지문에 제시된 내용을 반영한 사례 찾기

비문학(독서) 영역에서는 05번 문제처럼 지문의 일부를 [A] 등으로 묶어 놓고, [A]에 해당하는 사례를 선택지에서 찾을 수 있는지 평가하는 문제가 출제된다.

이러한 유형의 문제는 크게 두 가지로 나눌 수 있다. [A]로 묶은 부분이 하나의 원리나 현상을 설명하여 여기에 해당하는 선택지 하나를 고르는 유형과 [A]로 묶은 부분이 여러 내용을 포함하고 있어 선택지에서 적절하지 않은 예 하나를 고르는 유형이다. 05번 문제는 후자로, [A]로 묶은 부분이 총 3가지에 해당하는 내용을 담고 있으며, 그 중 안료와 관련된 부분에서 두 가지의 구체적 사례가 선택지로 제시되었다.

이런 유형의 문제를 풀 때에는 무엇보다 지문의 내용과 선택지를 꼼꼼히 비교하여, 선택지의 사례가 지문의 내용을 바탕으로 한 것인지를 판단해야 한다. 대부분의 문제가 직접적으로 지문의 내용을 제시하지 않고 학생들이 내용을 적용하여 사례의 적절성을 판단하도록 출제되기 때문에 단순히 사실적 독해를 하며 문제를 해결하기보다는 추론적 독해를 통해 문제를 해결하는 것이 좋다.

선생님의 꿀 정보

비문학 영역의 지문을 독해하는 방법

국어 영역의 비문학(독서) 영역은 수능 시험에서 변별력을 가르는 영역이라고 할 수 있다. 다른 과목에 비해 공부하는 방법도 명확하지 않으면서 열심히 해도 성적이 오르는 것을 쉽게 느낄 수 없기 때문이다. 그래서 평소에 감을 잊지 않고 지문을 읽고 문제를 푸는 습관을 꾸준히 들여야 하는 부분이기도 하다. 풀이 시간을 단축해 보겠다며 지문을 대충 읽는다면 문제를 풀 때마다 지문과 선택지를 왔다 갔다 하며 더 많은 시간을 낭비할 수 있기 때문에 한 번 읽을 때 제대로 읽는 연습을 해야 한다.

지문을 읽을 때에는 문단별로 문단의 핵심 내용을 머릿속에 요약하는 연습을 해 보는 것이 좋다. 처음부터 머릿속에 중심 내용을 떠올리기 힘들다면, 문단의 중심 내용을 간단히 써 보는 것도 괜찮다. 이렇게 하면 문단별로 어떤 내용을 언급하고 있는지 한눈에 파악할 수 있기 때문에 글 전체가 어떤 구조인지도 파악할 수 있다. 머릿속으로 문단의 중심 내용을 요약하는 것이 처음에는 잘되지 않아도 매일 훈련을 하면 어느 순간 지문 내용이 머릿속에서 정리되는 경험을 할 수 있을 것이다. 이렇게 독해하는 습관을 들이면 어떤 지문이 나오더라도 핵심 내용을 빠르게 간파할 수 있다.

기술 07

06 적절한 어휘의 적용 | 정답 ③ |

ⓐ~ⓔ를 우리말로 바꿔 쓴 것으로 적절하지 <u>않은</u> 것은?

① ⓐ: 본뜬
　　모방한
② ⓑ: 써서
　　적용해
③ ⓒ: 붙잡을
　　포착해
④ ⓓ: 얻을
　　채취할
⑤ ⓔ: 없어질
　　소멸할

📁 발문 분석

문맥을 고려하여 한자어의 의미를 파악하고 순우리말로 바꾸어 표현할 수 있는지 묻고 있다. 비슷한 의미를 가지고 있더라도 어휘마다 미묘한 차이가 존재하므로, 문맥을 고려하여 정확한 의미를 도출해야 한다.

◎ 정답 풀이

③ '포착(捕捉)하다'는 '붙잡다.', '요점이나 요령을 얻다.', '어떤 기회나 정세를 알아차리다.'를 의미한다. 문맥을 고려하면 ⓒ는 '어떤 기회나 정세를 알아차리다.'의 의미이므로 '붙잡을'로 바꿔 쓰는 것은 적절하지 않다.

❌ 오답 풀이

① ⓐ의 '모방(模倣)하다'는 '다른 것을 본뜨거나 본받다.'를 의미한다. 따라서 ⓐ를 '본뜬'으로 바꿔 쓰는 것은 적절하다.

② ⓑ의 '적용(適用)하다'는 '알맞게 이용하거나 맞추어 쓰다.'를 의미한다. 따라서 ⓑ를 '써서'로 바꿔 쓰는 것은 적절하다.

④ ⓓ의 '채취(採取)하다'는 '풀, 나무, 광석 따위를 찾아 베거나 캐거나 하여 얻어 내다.'를 의미한다. 따라서 ⓓ를 '얻을'로 바꿔 쓰는 것은 적절하다.

⑤ ⓔ의 '소멸(消滅)하다'는 '사라져 없어지다.'를 의미한다. 따라서 ⓔ를 '없어질'로 바꿔 쓰는 것은 적절하다.

M·E·M·O

신경향 비문학 워크북 　 정답 및 해설

V

예술

예술
01 추사 김정희의 예술관과 묵란화

[2014년 9월 평가원 기출 변형]

01 ④　　02 ⑤　　03 ③　　04 ④　　05 ⑤　　06 ①

본문 ➡ 132쪽

구절 풀이

직업 화가들은 기술이나 솜씨를 드러내는 그림을 많이 그리는 것에 비해 사대부들은 자신의 생각과 감정을 표현하는 그림을 많이 그림.

문인들은 시, 서예, 그림을 나눌 수 없는 하나라고 인식하였으며 묵란화에도 이 인식이 반영됨.

유학자들은 예술을 본질적이거나 중요하지 않은 부차적이고 가장 아래에 있는 것으로 여김.

전통적인 유학자들은 예술 자체가 도가 되거나, 성현의 학문과 동일한 가치를 갖는다고 생각하지 않아 예술은 작은 기예에 불과할 뿐이라고 생각하였음.

어휘 풀이

* 기교: 기술이나 솜씨가 아주 교묘함. 또는 그런 기술이나 솜씨.
* 교화: 가르치고 이끌어서 좋은 방향으로 나아가게 함.
* 기예: '기술'과 '예술'을 아울러 이르는 말.
* 식견: 학식과 견문이라는 뜻으로, 사물을 분별할 수 있는 능력을 이르는 말.

선생님의 **Tip**

"김정희의 삶"

① 아버지와 연경을 다녀왔던 시기: 중국의 문물과 석학(학식이 많고 깊은 사람)들을 만나면서 인생의 전환점을 맞음.

② 제주도 유배가기 직전: 북경에 다녀온 경험을 바탕으로 학예에 대한 새로운 의욕과 자신감을 가짐. 34세에 과거에 급제하고 41세에 암행어사가 됨. 자신이 배운 것들을 세상을 위하여 쓰는 것으로 지식인의 사회적 책무를 다하고자 함.

③ 유배와 해배(귀양을 풀어 줌.)를 반복하던 말년: 인생의 허망함과 무상함을 느끼고 삶을 조용히 관조하는 태도로 왕성한 독서열을 보였으며, 예술 작품 창작에 전념함.

---

1 일반적으로 우리 전통 회화의 흐름은 두 가지로 나누어진다. 하나는 직업적인 전문 화원들에 의한 그림이고, 다른 하나는 일반사대부를 중심으로 한 사군자화이다. 이 두 회화의 차이점은 직업 화가들이 기교*에 치중한 데 비하여 사군자화를 그린 이들은 사물의 묘사보다는 자신의 생각과 감정을 표현하는 데 무게를 두었다는 것이다. 사군자화 중 하나인 묵란화는 난초에 관념을 투영하여 형상화한 그림으로, 여느 사군자화와 마찬가지로 군자가 마땅히 지녀야 할 품성을 담고 있다. 묵란화는 중국 북송 시대에 그려지기 시작하여 우리나라를 포함한 동북아시아 문인들에게 널리 퍼졌는데, 문인들에게 시, 서예, 그림은 나눌 수 없는 하나였다. 이런 인식은 묵란화에도 이어져 난초를 칠 때는 글씨의 획을 그을 때와 같은 붓놀림을 ⓐ구사하였다. 따라서 묵란화는 문인들이 인문적 교양과 감성을 드러내는 수단이 되었다.

1문단: 묵란화의 개념과 특징

2 전통적으로 유학자들은 학문 중심의 가치체계를 지니고 있었다. 그들에게 묵란화와 같은 예술은 학문의 보조적 수단으로 인식되어 왔으며 ⓑ지엽적이고 말단에 불과한 것이었다. 그들은 예술이 인간 본연의 성(性)과 정(情)을 조절하고 세상을 윤리적으로 교화*하는 데 일정 부분 역할을 할 수 있다는 것은 인정하지만, 예술 자체가 도(道)가 되거나 성현의 학문과 동일한 가치를 지닌다고는 생각하지 않았다. 그래서 예술은 어디까지나 작은 기예(技藝)*에 불과하며, 높은 학문을 통하여 인격을 수양하면 저절로 이루어질 수 있다고 보았다.

2문단: 유학자들의 예술관

3 추사 김정희는 이러한 전통적인 유학자들의 관념을 반박하였다. 김정희는 예술과 도는 하나로 합일되어 있으며, 예술은 단지 학문의 수단으로서만 일정한 가치를 지니는 것이 아니라 이미 그 자체로 최고의 목적이 될 수 있다고 밝혔다. 그리고 예술이 도가 될 수 있는 것은 그 내용이 도를 담고 있기 때문만이 아니라 작품의 형상화 원리 그 자체도 이미 도이기 때문이라 하였다. 이런 관점에서 김정희는 묵란화를 많이 그렸는데, 묵란화를 그리는 것은 자기 자신에 대한 성찰과 ⓒ외재하는 사물에 대한 올바른 식견*을 바탕으로 사물이나 사실의 참된 모습을 표현하는 것이며, 이는 부단한 예술적 수련을 통해서만 가능하다고 생각하였다. 김정희에게 예술적 수련이란 옛것을 모범으로 삼되 옛것의 장점과 그 내면에 담긴 뜻을 안 후에는 그것에 얽매이지 말고 새로운 자신만의 독자적인 세계를 추구하는 것이다. 즉 전통적인 법과 격식을 올바르게 이해하고 부단한 연습과 체험을 통해 깊이 ⓓ체득한 후 이를 기초로 하여 정신성을 담아내는 것이다. 이때의 정신성이란 작가가 지닌 교양과 감성,

정신성의 의미

지문 구조도

화제 제시: 묵란화(1문단)
사군자화 중 하나인 묵란화는 문인들이 인문적 교양과 감성을 드러내는 수단이 됨.

⬇

구체화 1: 유학자들과 김정희의 예술관(2, 3문단)
• 유학자들의 예술관: 예술은 작은 기예에 불과하며, 학문을 통해 인격을 수양하면 저절로 이루어진다고 봄. • 김정희의 예술관: 예술 그 자체가 최고의 목적이 될 수 있으며, 사물이나 사실의 참모습을 표현하는 묵란화는 예술적 수련을 통해서만 가능하다고 생각함.

⬇

구체화 2: 김정희의 작품 세계(4~7문단)
• 〈석란〉: 전형적인 양식을 따른 묵란화. 당시 문인들의 공통된 이상 등의 정신성이 드러남. • 〈부작란도〉: 관습적인 표현을 넘어 김정희가 자신만의 감정을 충실히 드러낸 세계를 창출했음을 보여 줌.

출제 의도 구체적인 작품을 통해 김정희의 예술 세계 및 화풍의 변화를 이해할 수 있는지 평가하기 위한 지문이다. 김정희의 예술관과 작품에 대한 설명을 바탕으로 묵란화의 의미와 가치를 파악할 수 있는지, 〈석란〉과 〈부작란도〉의 의미를 전통과 독자성의 관점에서 이해할 수 있는지를 평가하는 문제가 출제되었다.

주제 묵란화에 나타난 김정희의 예술 세계

품성 등의 정신세계로, 김정희는 예술이 담고 있는 이러한 정신성이 표현보다 앞서야 하고 중요함을 강조하였다.
3문단: 김정희의 예술관
김정희의 예술관④

4 김정희가 25세 되던 해에 그린 ㉠〈석란(石蘭)〉은 당시 청나라에서도 유행하던 전형적인 양식을 따른 묵란화이다. 「화면에 공간감과 입체감을 부여하는 잎새들은 가지런하면서도 완만한 곡선을 따라 늘어져 있으며, 꽃은 소담하고 정갈하게 피어 있다. 도톰한 잎과 마른 잎, 둔중한 바위와 부드러운 잎의 대비가 돋보인다. 난 잎의 조심스러운 선들에서는 단아한 품격을, 잎들 사이로 핀 꽃에서는 고상한 품위를, 묵직한 바위에서는 돈후한* 인품을 느낄 수 있으며 당시 문인들의 공통적 이상이라는 정신성이 드러난다.」
㉠: 〈석란〉에 드러난 전형성
김정희의 초기 작품 세계
4문단: 〈석란〉에 드러나는 전형성

5 평탄했던 젊은 시절과 달리 김정희의 예술 세계는 49세부터 장기간의 유배 생활을 거치면서 큰 변화를 보인다. 글씨는 맑고 단아한 서풍에서 추사체로 알려진 자유분방한 서체로 바뀌었고, 그림도 부드럽고 우아한 화풍에서 쓸쓸하고 처연한 느낌을 주는 화풍으로 바뀌어 갔다.
김정희의 서체와 화풍이 변화한 계기
5문단: 유배 생활로 인한 김정희의 예술 세계 변화

6 생을 마감하기 일 년 전인 69세 때 그렸다고 추정되는 ㉡〈부작란도(不作蘭圖)〉는 이러한 변화를 잘 보여 준다. 「담묵*의 거친 갈필*로 화면 오른쪽 아래에서 시작된 몇 가닥의 잎은 왼쪽에서 불어오는 바람을 맞아, 오른쪽으로 뒤틀리듯 구부러져 있다. 그중 유독 하나만 위로 솟구쳐 올라 허공을 가르지만, 그 잎 역시 부는 바람에 속절없이 꺾여 있다. 그 잎과 평행한 꽃대 하나, 바람에 맞서며 한 송이 꽃을 피웠다. 바람에 꺾이고, 맞서는 난초 꽃대와 꽃송이에서 세파*에 시달려 쓸쓸하고 황량해진 그의 처지와 그것에 맞서는 강한 의지를 느낄 수 있다.」 우리는 여기에서 김정희가 자신의 경험에서 느낀 세계와 묵란화의 표현 방법을 일치시켜, 문인 공통의 이상을 정신성으로 표출하는 관습적인 표현을 넘어 자신만의 감정을 충실히 드러낸 세계를 창출했음을 알 수 있다.
㉡: 〈부작란도〉를 묘사함.
김정희의 후기 작품 세계
6문단: 〈부작란도〉에 드러난 김정희의 예술 세계

7 묵란화에는 종종 심정을 적어 두기도 하였다. 김정희도 〈부작란도〉에 '우연히 그린 그림에서 참모습을 얻었다'고 적어 두었다. 여기서 우연히 얻은 참모습을 자신이 처한 모습을 적절하게 표현하는 것이라 한다면 이때의 우연이란 ⓔ요행이 아니라 오랜 기간 훈련된 감성이 어느 한 순간의 계기에 의해 표출된 필연적인 우연이라고 해야 할 것이다.
7문단: 〈부작란도〉에서 김정희가 말한 '참모습'의 의미

* 갈필: 물기가 거의 없는 붓으로 먹을 조금만 묻혀 거친 느낌을 주게 그리는 필법.

어휘 풀이

* 돈후하다: 인정이 두텁고 후함.
* 담묵: 동양화에서 사용하는 묽은 먹물.
* 세파: 모질고 거센 세상의 어려움.

구절 풀이

○ 유배 생활을 거치면서 김정희의 서체는 자유분방한 서체로, 화풍은 쓸쓸하고 처연한 느낌을 주는 화풍으로 변화하였음.

선생님의 Tip

"석란과 부작란도"

〈석란(石蘭)〉
당시 청나라에서 유행하던 전형적인 양식을 따른 김정희의 묵란화. 전통적인 묵란화는 대각선 구도로 진한 먹을 사용하였으며 관념성이 강함.

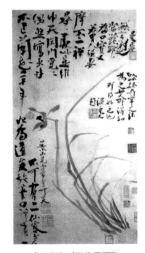

〈부작란도(不作蘭圖)〉
김정희의 독자적인 예술 세계를 엿볼 수 있는 묵란화. 부분적으로 대상을 복잡하게 나열하거나, 수평 구도나 연한 먹을 사용하여 대상의 사실성을 강조함.

예술 01

지문 해제

이 글은 사군자화의 하나인 묵란화를 통해 추사 김정희의 예술관과 작품 세계에 대해 설명하고 있다. 사군자화 중 하나인 묵란화는 난초에 관념을 투영하여 형상화한 그림으로, 당시 문인들이 인문적 교양과 감성을 드러내는 수단이었다. 당시 유학자들은 예술이 학문의 보조적 수단이며, 높은 학문을 통해 인격을 수양하면 저절로 이루어지는 것이라 여겼다. 그러나 김정희는 예술은 그 자체로 최고의 목적이 될 수 있으며, 묵란화는 사물이나 사실의 참된 모습을 표현하는 것이라고 주장하였다. 김정희는 이것은 옛것을 모범으로 삼되 그것에 얽매이지 않고 독자적인 세계를 구축하고자 하는 예술적 수련을 통해서만 가능하다고 보았다. 김정희가 25세에 그린 〈석란〉은 전형적인 양식을 따른 묵란화로 당시 문인들의 공통적인 이상인 정신성을 드러내었다. 장기간의 유배 생활 이후 김정희의 예술 세계는 큰 변화를 보인다. 글씨는 맑고 단아한 서풍에서 자유분방한 서체로 바뀌었고, 그림도 부드럽고 우아한 화풍에서 쓸쓸하고 처연한 느낌을 주는 화풍으로 바뀌었다. 김정희가 유배 생활 이후인 69세에 그린 것으로 추정되는 〈부작란도〉에는 문인 공통의 이상을 정신성으로 표출하는 관습적인 표현을 넘어 김정희가 자신만의 감정을 충실히 드러낸 독자적인 예술 세계를 창출했음이 드러나 있다.

01 내용 전개 방식의 파악 | 정답 ④ |

윗글에 대한 설명으로 가장 적절한 것은?

① 후대 작가의 ~~작품과의 비교~~를 통해 작품에 대한 이해를 확장
  김정희의 작품만 언급
  하고 있다.

② ~~다양한 해석~~을 근거로 들어 작품에 대한 ~~통념적인~~ 이해를 비
  작품에 대한 특징만 언급
  판하고 있다.

③ 대조적인 성격의 작품을 예로 들어 ~~예술의 대중화~~ 과정을 분
  전형성을 띠는 〈석란〉, 독자성을 띠는 〈부작란도〉
  석하고 있다.

④ 구체적인 작품을 사례로 제시하며 작가의 삶과 작품 세계를
  설명하고 있다.

⑤ ~~특정한~~ 입장을 바탕으로 작가와 작품에 대한 ~~역사적~~ 논란을
  소개하고 있다.

📁 발문 분석

지문 전체의 흐름을 이해하고 전개 방식을 파악할 수 있는지를 묻고 있다. 글의 중심 내용이 무엇인지 확인하고, 이를 드러내기 위해 사용된 주된 내용 전개 방식이 무엇인지 따져 보아야 한다.

◎ 정답 풀이

④ 1문단에서 묵란화의 개념과 특징을 소개하고, 2문단에서 유학자들이 묵란화와 같은 예술을 바라보는 관점에 대해 언급하였다. 3문단에서 김정희의 예술관과 묵란화에 관한 생각을 밝혔으며, 4문단에서는 〈석란〉을 통해 유배 이전 김정희의 작품 세계에 대해 언급하였다. 5문단에서 유배 생활로 인해 김정희의 예술 세계가 변화했음을 밝혔고, 6~7문단에서는 〈부작란도〉를 통해 김정희가 관습적인 표현을 넘어 자신만의 감정을 충실히 드러내는 예술 세계를 창출했음을 설명하고 있다. 따라서 이 글은 구체적인 작품을 사례로 제시하여 작가의 삶과 작품 세계를 설명하고 있다고 볼 수 있다.

✖ 오답 풀이

① 이 글에서는 김정희의 〈석란〉과 〈부작란도〉에 대해서만 언급하고 있을 뿐, 후대 작가의 작품에 대해서는 언급하지 않았다.

② 이 글에서는 김정희의 〈석란〉과 〈부작란도〉의 특징을 언급하고는 있지만 다양하게 해석하고 있지 않다. 또한 이들 작품에 대한 통념적인 이해를 비판하고 있지도 않다.

③ 김정희의 초기 작품인 〈석란〉이 전형성을 띤 묵란화의 모습을 보이는 데 반해, 후기 작품인 〈부작란도〉는 김정희만의 독자적인 예술 세계를 보이고 있다는 점에서 두 작품은 대조적인 성격이라고 볼 수는 있다. 그러나 이를 통해 예술의 대중화 과정을 분석하고 있지는 않다.

⑤ 1문단에서 묵란화가 '군자가 마땅히 지녀야 할 품성을 담고 있다.'라면서 묵란화에 대한 일반적인 관점만 제시하고 있지만 특정한 입장을 드러내고 있지는 않다. 또 3~7문단에서 김정희와 그의 묵란화에 대해 설명하고 있지만, 김정희와 그 작품에 대한 역사적 논란을 소개하고 있지는 않다.

🍯 선생님의 꿀 정보

내용 전개 방식을 파악하는 문제의 풀이 방법

내용 전개 방식을 파악하는 문제는 글쓴이가 정보 또는 주장하는 바를 전달하기 위해 어떤 전개 방식을 사용하고 있는지를 묻는 유형이다. 이러한 유형의 문제는 글 전체 혹은 특정 부분에 대한 내용 전개 방식을 선택지로 구성하는 경우가 많다.

꼭 내용 전개 방식에 대하여 묻는 문제를 해결하기 위해서만이 아니더라도 글의 전개 방식을 파악하면 지문 전체의 내용을 빠르고 정확하게 이해할 수 있다. 따라서 수능 시험에서 자주 출제되는 지문의 내용 전개 방식을 익혀두고, 지문에서 어떤 내용 전개 방식을 사용하는지를 파악하는 연습을 해두는 것이 좋다.

① 내용 전개 방식의 개념을 파악하자.

글 전체의 흐름을 파악했는데도 이러한 유형의 문제를 틀린다면 이는 선택지 언급된 내용 전개 방식에 관한 용어의 개념을 정확히 이해하지 못했기 때문일 수 있다. 예를 들면 선택지 ②번에서 언급된 '통념적인 이해'의 의미를 명확히 모르는 경우를 들 수 있다. 수능이나 모의고사에서는 동일한 용어가 반복해서 출제되는 경우가 많으므로 기출 문제를 풀기만 할 것이 아니라, 내용 전개 방식에 사용된 용어 가운데 모르는 표현이 있으면 미리 정리하여 숙지해 두어야 한다.

② 글 전체의 흐름을 파악하자.

글의 내용을 다 이해했는데도 이러한 유형의 문제를 틀린다면 이는 글의 세부 내용은 이해했지만 글 전체의 흐름을 정확히 파악하지 못했기 때문일 일 수 있다. 글의 첫 문단은 글 전체의 방향을 제시하는 경우가 많으므로 지문의 첫 문단을 읽을 때에는 글의 흐름을 예측해 보는 것이 좋다. 앞 문단의 마지막 문장과 다음 문단의 첫 문장의 연결고리를 찾아가며 글을 읽는 것도 전체 흐름을 파악하는 데 도움이 된다.

---

02 세부 정보의 이해 | 정답 ⑤ |

윗글의 내용과 일치하지 않는 것은?

① 문인들은 사군자화를 통해 군자의 덕목을 드러내려 했다.
② 묵란화는 그림의 소재에 관념을 투영하여 형상화한 것이다.
  1문단
③ 유배 생활은 김정희의 서체와 화풍의 변화에 영향을 주었다.
  5문단, 〈부작란도〉에서 확인 가능
④ 묵란화는 중국에서 기원하여 우리나라에 전래된 그림 양식이
  1문단
  다.
⑤ 김정희는 말년에 ~~서예의 필법을 쓰지 않고~~ 그리는 묵란화를
  창안하였다.

📁 발문 분석

지문의 세부 내용을 정확하게 파악하고 있는지 묻고 있다. 선택지에 언급된 내용이 지문의 어느 문단에서 확인할 수 있는지를 구체적으로 파악하며 정답을 골라야 한다.

◎ 정답 풀이

⑤ 1문단에서 묵란화에서 '난초를 칠 때는 글씨의 획을 그을 때와 같은 붓놀림을 구사하였다.'라고 하였다. 그리고 6문단에서 김정희는 '자신의 경험에서 느낀 세계와 묵란화의 표현 방법을 일치시켜, 문인 공통의 이상을 정신성으로 표출하는 관습적인 표현을 넘어 자신만의 감정을 충실히 드러낸 세계를 창출했'다고 하였다. 그러나 김정희가 '생을 마감하기 일 년

전인 69세 때 그렸다고 추정되는 〈부작란도〉에서 서예의 필법을 쓰지 않았다는 내용은 언급되어 있지 않다.

❌ 오답 풀이

① 1문단에서 묵란화는 '여느 사군자화와 마찬가지로 군자가 마땅히 지녀야 할 품성을 담고 있다.'라고 하였다. 따라서 문인들이 사군자화를 통해 군자의 덕목을 드러내려 했다는 진술은 적절하다.

② 1문단에서 '묵란화는 난초에 관념을 투영하여 형상화한 그림'이라고 하였다. 따라서 묵란화가 그림의 소재에 관념을 투영하여 형상화한 것이라는 진술은 적절하다.

③ 5문단에서 장기간의 유배 생활을 거치면서 김정희의 '글씨는 맑고 단아한 서풍에서 추사체로 알려진 자유분방한 서체로 바뀌었고, 그림은 부드럽고 우아한 화풍에서 쓸쓸하고 처연한 느낌을 주는 화풍으로 바뀌'었다고 하였다. 따라서 유배 생활이 김정희의 서체와 화풍에 영향을 주었다는 진술은 적절하다.

④ 1문단에서 '묵란화는 중국 북송 시대에 그려지기 시작하여 우리나라를 포함한 동북아시아 문인들에게 널리 퍼졌'다고 하였다. 따라서 묵란화가 중국에서 기원하여 우리나라에 전래된 그림 양식이라는 진술은 적절하다.

03 핵심 정보 간의 비교 | 정답 ③ |

유학자들과 김정희에 대해 설명한 것으로 적절한 것은?

① 유학자들은 예술이 그 자체로서 성현의 학문과 같은 가치를 지닌다고 생각하였다.

② 유학자들은 예술이 인간의 성정(性情)을 어지럽게 하여 세상을 교화하는 데 도움이 되지 않는다고 보았다.

③ 김정희는 성찰과 식견을 바탕으로 사물이나 사실의 참모습을 표현한 것이 묵란화라 생각하였다.

④ 김정희는 묵란화가 학문의 수단으로서는 일정한 가치를 지니지만 그 자체가 도가 될 수는 없다고 보았다.

⑤ 유학자들과 김정희는 예술 작품을 창작하기 위해서는 부단한 수련의 과정이 필요하다고 보았다.

📁 발문 분석

유학자들과 김정희에 대해 파악하고 적절히 비교할 수 있는지를 묻고 있다. 김정희와 유학자들이 예술에 대해 어떤 생각을 갖고 있는지 살펴보아야 한다.

◎ 정답 풀이

③ 3문단에서 김정희는 '묵란화를 그리는 것은 자기 자신에 대한 성찰과 외재하는 사물에 대한 올바른 식견을 바탕으로 사물이나 사실의 참된 모습을 표현하는 것'이라고 생각했다고 하였다.

❌ 오답 풀이

① 2문단에서 유학자들은 예술을 '학문의 보조적 수단으로 인식'하였으며, '예술 자체가 도가 되거나 성현의 학문과 동일한 가치를 지닌다고는 생각하지 않았다.'라고 하였다. 따라서 유학자들이 예술이 그 자체로서 성현의 학문과 같은 가치를 지닌다고 생각했다는 진술은 적절하지 않다.

② 2문단에서 유학자들은 '예술이 인간 본연의 성(性)과 정(情)을 조절

하고 세상을 윤리적으로 교화하는 데 일정 부분 역할을 할 수 있다는 것은 인정'했다고 하였다. 따라서 유학자들이 예술이 인간의 성정을 어지럽게 하여 세상을 교화하는 데 도움이 되지 않는다고 보았다는 진술은 적절하지 않다.

④ 3문단에서 김정희는 '예술은 단지 학문의 수단으로서만 일정한 가치를 지니는 것이 아니라 이미 그 자체로 최고의 목적이 될 수 있다고 밝혔다.'라고 하였다. 또 예술이 도가 될 수 있는 것은 작품의 형상화 원리 그 자체도 이미 도이기 때문이라고 하였다. 따라서 김정희가 묵란화가 학문의 수단으로서는 일정한 가치를 지니지만 그 자체가 도가 될 수는 없다고 보았다는 진술은 적절하지 않다.

⑤ 3문단에서 김정희는 묵란화를 그리는 것은 '부단한 예술적 수련을 통해서만 가능하다고 생각'했다고 하였다. 그러나 2문단에서 유학자들은 예술이 높은 학문을 통하여 인격을 수양하면 예술은 저절로 이루어질 수 있다고 보았다.'라고 하였다. 따라서 예술 작품을 창작하기 위해서 부단한 수련의 과정이 필요하다고 본 것은 김정희이지, 유학자들이 아니다.

04 핵심 정보의 파악 | 정답 ④ |

㉠, ㉡에 대한 이해로 적절하지 않은 것은?

① ㉠에서 완만하고 가지런한 잎새는 김정희가 삶이 순탄하던 시절에 추구하던 단아한 품격을 표현한 것이다.

② ㉠에서 소담하고 정갈한 꽃을 피워 내는 모습은 고상한 품위를 지키려는 김정희의 이상을 표상한 것이다.

③ ㉡에서 바람을 맞아 뒤틀리듯 구부러진 잎은 세상의 풍파에 시달린 김정희의 처지를 형상화한 것이다.

④ ㉡에서 홀로 위로 솟구쳤다 꺾인 잎은 지식을 추구했던 과거
  묵란화로 과거 삶과의 단절에 대한 의지를 표현한 것은 아님.
  의 삶과 단절하겠다는 김정희 자신의 의지가 표현된 것이다.

⑤ ㉠과 ㉡에 그려진 난초는 김정희가 자신의 인문적 교양과 감성을 표현하기 위해 선택한 소재이다.

📁 발문 분석

지문에서 언급된 구체적인 작품들에 대해 파악하고 비교하여 이해할 수 있는지 묻고 있다. ㉠과 ㉡이 어떠한 특징을 갖고 있으며 ㉠과 ㉡의 차이점은 무엇인지에 주목하여야 한다.

◎ 정답 풀이

④ 6문단에서 ㉡〈부작란도〉에서는 '바람에 꺾이고 맞서는 난초 꽃대와 꽃송이에서 세파에 시달려 쓸쓸하고 황량해진 그의 처지와 그것에 맞서는 강한 의지를 느낄 수 있다.'라고 하였다. 이는 유배 생활로 인한 김정희의 쓸쓸하고 황량한 처지와 이에 맞서고자 하는 강한 의지를 표현한 것이므로, 지식을 추구했던 과거의 삶과 단절하겠다는 의지를 표현한 것으로 이해하는 것은 적절하지 않다.

❌ 오답 풀이

① 4문단에서 김정희가 25세 되던 해에 그린 〈석란〉에는 '잎새들은 가지런하면서도 완만한 곡선을 따라 늘어져 있으며', 잎의 조심스러운 선들에서 단아한 품격을 느낄 수 있다고 하였다. 그리고 5문단에서 김정희의 젊은 시절은 평탄했다고 하였다. 따라서 ㉠〈석란〉에서 완만하고 가지런한 잎새는 김정희가 삶이 순탄하던 시절에 추구하던 단아한 품격을 표현한 것이라고 이해하는 것은 적절하다.

② 4문단에서 〈석란〉에서 '꽃은 소담하고 정갈하게 피어 있'으며, 이 꽃에서 고상한 품위를 느낄 수 있다고 하였다. 따라서 ㉠'〈석란〉'에서 소담하고 정갈한 꽃을 피워 내는 모습이 고상한 품위를 지키려는 김정희의 이상을 표현한 것이라고 이해하는 것은 적절하다.

③ 6문단에서 〈부작란도〉에서 몇 가닥의 잎은 바람을 맞아 뒤틀리듯 구부러져 있는데, 이러한 잎에서 '세파에 시달려 쓸쓸하고 황량해진 그의 처지'를 느낄 수 있다고 하였다. 따라서 ㉡'〈부작란도〉'에서 바람을 맞아 뒤틀리듯 구부러진 잎이 세상의 풍파에 시달린 김정희의 처지를 형상화한 것이라고 이해하는 것은 적절하다.

⑤ 1문단에서 '묵란화는 문인들이 인문적 교양과 감성을 드러내는 수단'이라고 하였다. 그리고 4문단에서는 〈석란〉의 잎새와 꽃, 바위 등에서 '당시 문인들의 공통적 이상이라는 정신성이 드러난다.'라고 하였으므로, 〈석란〉은 젊은 시절 김정희의 이상을 표현하고 있다고 할 수 있다. 또 6문단에서는 〈부작란도〉에 그려진 잎과 꽃대, 꽃 등을 통해 김정희가 '문인 공통의 이상을 정신성으로 표출하는 관습적인 표현을 넘어 자신만의 감정을 충실히 드러낸 세계를 창출'했다고 하였다. 따라서 ㉠'〈석란〉'과 ㉡'〈부작란도〉'에 그려진 난초는 김정희 자신의 인문적 교양과 감성을 표현하기 위해 선택한 소재라고 이해하는 것은 적절하다.

선생님의 꿀 정보

사례들의 공통점과 차이점을 파악하는 방법

04번 문제는 〈석란〉과 〈부작란도〉의 공통점과 차이점을 파악했는지 묻고 있는데 이처럼 사례들의 공통점과 차이점을 묻는 문제는 지문에 ㉠, ㉡, 또는 ⓐ, ⓑ와 같이 특정 사례(작품)를 지정해 주는 경우가 대부분이다. 이러한 경우 지정된 사례(작품)에 대한 정보가 주로 지문에 복잡하게 나열된다. 따라서 지문 전체를 다 읽고 난 후 문제를 해결하다 보면 오류를 범하거나 실수를 하기가 쉽기 때문에 다음의 단계에 따라 문제를 풀어 보는 것이 좋다.

1단계	지문을 읽다가 지정된 사례(㉠)가 나오는 문단이 나타나면 해당 문단까지만 읽는다.
2단계	문제로 돌아와 선택지의 내용 중 ㉠과 관련하여 확인 가능한 것들의 타당성을 점검한다.
3단계	지문으로 돌아와 다른 지정된 사례(㉡)가 나오는 문단까지 읽는다.
4단계	다시 문제로 돌아와 선택지 내용 중 ㉡과 관련하여 확인 가능한 것들의 타당성을 점검한다.

---

05 자료를 통한 내용 이해 | 정답 ⑤ |

[보기]를 바탕으로 할 때, 윗글에 나타난 김정희의 예술 세계에 대해 이해한 내용으로 적절하지 <u>않은</u> 것은?

┌ 보기 ┐

예술 작품의 내용은 형식에 담긴다. 그러므로 감상자의 입장에서 보면 <u>형식으로써 내용을 알게 된다</u>고 할 수 있고, 내용과 형식이 꼭 맞게 이루어진 예술 작품에서 감동을 받는다. (형식의 기능 ①) (형식의 기능 ②) 따라서 형식에 대한 파악은 예술 작품을 이해하는 데 핵심적인 요소가 된다. 예술 작품의 형식은 그것이 속한 문화 속에서 형성되어 온 것이다. 이 형식을 이해하고 능숙하게 익히는 것은 작가에게도 매우 중요한 일이다. 예술 창작이란 아무것도 없는 것에서 어떤 사물을 창조하는 것이 아니라, 문화적 축적 속에서 새롭게 의미를 찾아 형식화하는 것이기 때문이다. 결국 전통의 계승과 혁신의 문제는 예술에서도 오래된 주제이다.

① <u>전형적인 방식</u>으로 〈석란〉을 그린 것은 당시 문인화의 전통을 수용한 것이겠군.

② <u>추사체</u>라는 필법을 새롭게 창안했다는 것은 전통의 답습에 머무르지 않았음을 의미하는군.

③ 〈부작란도〉에서 <u>참모습</u>을 얻었다고 한 것은 의미가 그에 걸맞은 형식을 만난 것이라 할 수 있겠군.

④ <u>시와 서예와 그림</u> 모두에 능숙했다는 것은 여러 가지 표현 양식을 이해하고 익힌 것이라 할 수 있겠군.

⑤ 〈부작란도〉에서 <u>자신만의 감정을 드러내는 세계</u>를 창출했다는 것은 <u>축적된 문화로부터</u> 멀어지려 한 것이라 할 수 있겠군.

📁 발문 분석

[보기]에 제시된 정보를 바탕으로 지문의 내용을 재구성하여 이해할 수 있는지를 묻고 있다. [보기]에서 예술에 대해 어떤 관점을 갖고 있는지 파악한 후 지문에 언급된 김정희의 작품 세계를 적절히 평가해야 한다.

✓ 보기 분석

[보기]는 예술 작품의 형식에서 형식이 중요하다는 내용이다. 즉 형식은 내용을 알게 하며 형식과 내용이 꼭 맞을 때 사람들에게 감동을 준다. 형식은 문화 속에서 형성된 것이므로, 예술 창작하는 것은 문화적 축적 속에서 새롭게 의미를 찾아 형식화하는 것이다.

◎ 정답 풀이

⑤ 6문단에서 김정희의 〈부작란도〉를 통해 김정희가 '문인 공통의 이상을 정신성으로 표출하는 관습적인 표현을 넘어 자신만의 감정을 충실히 드러낸 세계를 창출했음을 알 수 있다.'라고 하였다. 그런데 [보기]에서는 '예술 창작이란 아무것도 없는 것에서 어떤 사물을 창조하는 것이 아니라, 문화적 축적 속에서 새롭게 의미를 찾아 형식화하는 것'이라고 하였다. 이를 고려하면 김정희가 〈부작란도〉에서 자신만의 감정을 충실히 드러낸 세계를 창출한 것이 축적된 문화로부터 멀어지려 한 것이라고 이해하는 것은 적절하지 않다. 이 같은 관점에 따르면, 김정희가 새롭게 창출한 예술적 세계는 문화적 축적 속에서 의미를 새롭게 찾아 형식화한 것이라고 이해하는 것이 적절하다.

① 4문단에서 '〈석란〉은 당시 청나라에서도 유행하던 전형적인 양식을 따른 묵란화'라고 하였다. 따라서 전형적인 방식으로 그린 〈석란〉은 당시 문인화의 전통을 수용한 것이라 할 수 있다.

② 5문단에서 김정희의 예술 세계는 장기간의 유배 생활을 거치면서 큰 변화를 보여 '글씨는 맑고 단아한 서풍에서 추사체로 알려진 자유분방한 서체로 바뀌었'다고 하였다. 그리고 6문단에서 이러한 변화가 〈부작란도〉에 잘 드러나 있다고 하였다. 또 〈부작란도〉를 통해 김정희가 '문인 공통의 이상을 정신성으로 표출하는 관습적인 표현을 넘어 자신만의 감정을 충실히 드러낸 세계를 창출했음을 알수 있다.'라고 하였다. 따라서 김정희가 추사체를 창안한 것은 전통의 답습에 머무르지 않은 것이라 할 수 있다.

③ 7문단에서 김정희가 '참모습을 얻었다'고 한 것은 '자신이 처한 모습을 적절하게 표현하는 것'으로 이해할 수 있다고 하였다. 그리고 [보기]에서는 '내용과 형식이 꼭 맞게 이루어진 예술 작품에서 감동을 받는다.'라고 하였다. 그러므로 〈부작란도〉에서 참모습을 얻었다고 한 것은 결국 내용을 적절하게 표현했다는 의미이므로, 의미가 그에 걸맞은 형식을 만난 것으로 이해할 수 있다.

④ 1문단에서 '문인들에게 시, 서예, 그림은 나눌 수 없는 하나'이며, 이런 인식 때문에 묵란화에서 '난초를 칠 때는 글씨의 획을 그을 때와 같은 붓놀림을 구사'했다고 하였다. [보기]에서는 문화 속에서 형성되어 온 '형식을 이해하고 능숙하게 익히는 것은 작가에게도 매우 중요한 일'이라고 하였다. 따라서 시와 서예, 그림 모두에 능숙했다는 것은 여러 가지 형식, 즉 표현 양식을 이해하고 익힌 것이라 할 수 있다.

🍯 선생님의 꿀 정보

[보기]에 자료가 제시된 문제를 해결하는 방법

수능이나 모의고사의 국어 영역에서 고득점 문제 중 다수는 [보기]를 활용한 적용 문제이다. 따라서 이러한 문제를 해결할 때에는 다음 두 가지에 집중해야 한다.

1. 지문에서 언급한 핵심 제재와 그 개념을 이해한다.
2. [보기]에서 말하고자 하는 핵심 정보를 파악한다. 이때, [보기]에 제시된 정보는 1에서 파악한 지문의 핵심 제재와 그 개념과 관련지어 이해해야 한다.

06 어휘의 사전적 의미 파악 | 정답 ① |

ⓐ~ⓔ의 사전적 의미로 적절하지 <u>않은</u> 것은?

① ⓐ: 일정한 수단이나 방법을 갖춤.
　　구사
② ⓑ: 본질적이거나 중요하지 아니하고 부차적인. 또는 그런 것.
　　지엽적
③ ⓒ: 어떤 사물이나 범위 안에 있지 않고 밖에 있음. 또는 그런 존재.
　　외재
④ ⓓ: 뜻을 깊이 이해하여 실천으로써 본뜸.
　　체득
⑤ ⓔ: 뜻밖에 얻는 행운.
　　요행

어휘의 사전적인 의미를 파악하는 문제이다. 평소 알고 있는 어휘의 의미와 지문 속에서의 의미의 쓰임 등을 고려하여 선택지가 적절한지를 판단해야 한다.

① ⓐ'구사'는 '말이나 수사법, 기교, 수단 따위를 능숙하게 마음대로 부려 씀.'을 의미한다. '일정한 수단이나 방법을 갖춤.'은 '구안(具案)'의 사전적 의미이다.

② '지엽적(枝葉的)'의 사전적 의미이다.
③ '외재(外在)'의 사전적 의미이다.
④ '체득(體得)'의 사전적 의미이다.
⑤ '요행(僥倖)'의 사전적 의미이다.

🍯 선생님의 꿀 정보

오답 노트 작성하기

비가 내리는 시험지를 보면 오답 노트고 뭐고 포기하고 싶은 생각이 든다. 그러나 냉정하게 오답 노트를 정리해야만 한다. 그래야 약점을 보완하여 원하는 점수를 얻을 수 있다. 비문학(독서) 영역에서는 문제뿐 아니라, 지문도 복습이 필요하다.

1. 지문 복습하기
① 문단별 중심 내용 찾기
'하나의 문단에는 하나의 중심 내용이 들어가 있다.'라는 교과서적인 말은 많이 들어봤을 것이다. 그런데 사실이다. 하나의 문장으로 잘 정리가 되어 있는 경우가 있는가 하면, 여러 정보를 조합해야 하는 경우도 있다. 각 문단에서 중심 내용을 찾아 정리해 보도록 한다.
② 글의 전체적인 흐름 파악하기
글이 어떤 대상의 발전 과정을 설명하고 있는지, 두 대상을 비교하고 있는지 등 글의 전체적인 흐름을 파악하면 글 이해가 보다 수월하다. 글의 구조도를 그려보는 것도 도움이 되며, 주제를 정리해 보도록 한다.
③ 모르는 단어의 의미 사전에서 찾아 정리하기
영어 공부를 할 때 단어에 대한 이해가 중요한 것처럼, 국어 공부를 할 때도 단어에 대한 이해가 중요하다. 모르는 단어가 나오면 반드시 사전에서 찾아 정리하고 외우도록 한다.

2. 셀프 해설지 만들기
틀린 문제 혹은 찍어서 맞은 문제에서 각각의 선택지가 정답인 이유와 오답인 이유를 마치 해설지를 만드는 것처럼 직접 써 본다. 이런 과정을 거치면 자신이 그 문제를 왜 틀렸는지 이유를 분석할 수 있다. 지문의 내용이 어려워서 제대로 못 읽었는지, 단어의 의미를 정확히 몰랐는지, 어떤 부분에서 착각을 했는지 등 원인을 분석하는 과정을 거치다 보면, 자신의 약점이 보이기 시작한다. 또 취약한 문제 유형에 대해서도 파악할 수 있으므로, 국어 성적을 향상시키기 위한 전략을 세울 수 있게 된다.

구절 풀이

영화는 시각 예술이므로 보여 주는 것에 강하며, 카메라를 사용하기 때문에 있는 그대로의 모습을 보여 주는 것에도 강점이 있음. 하지만 인물의 대사나 자막을 이용하지 않고는 추상적인 의미를 드러내는 것엔 한계가 있어서 에이젠슈테인은 이러한 한계를 극복하고자 노력함.

사람 인(人)과 나무 목(木)이 합쳐져 쉴 휴(休)가 된 것처럼 각각의 문자가 결합되었을 때, 각각의 의미의 단순한 합이 아닌 새로운 의미가 생성됨.

에이젠슈테인은 상형 문자들을 조합하여 회의 문자를 만드는 것처럼, 영화의 개별 장면을 결합하면 추상적인 의미를 담을 수 있다고 생각함.

어휘 풀이

* 병치: 두 가지 이상의 것을 한곳에 나란히 두거나 설치함.

1 「일반적으로 영화는 구체적인 대상을 재현하는 데에는 그 어떤 예술보다 강하지만, 대사나 자막을 이용하지 않고서는 정신적인 의미를 표현하는 데 약하다.」 영화가 시각 예술답게 시각적인 방식으로 추상적인 의미 표현에 이르는 방법을 연구한 사람이 바로 에이젠슈테인이다. 에이젠슈테인은 한자의 구성 원리에 주목한다. 한자의 육서(六書) 중 그가 주목한 것은 상형 문자와 회의 문자다. 상형 문자는 사물의 형태를 본뜬 문자다. 그러나 눈으로 볼 수 있는 것은 형태를 본떠서 재현할 수 있지만, 눈으로 볼 수 없는 것은 재현하기 어렵다. 예를 들어 '휴식'과 같이 추상적인 개념은 상형 문자로 표현할 수 없다. 이때 이를 표현할 수 있는 것이 회의 문자다. 회의 문자 '쉴 휴(休)'는 '사람 인(人)'과 '나무 목(木)'이 결합된 문자다. 이 두 문자를 결합하면 '휴식'이라는 추상적 의미가 만들어진다. 하지만 '휴식'이란 말의 의미는 '人'에도 '木'에도 들어 있지 않다. ⓘ두 개의 문자가 결합되면서 두 문자의 단순한 총합이 아닌 새로운 차원이 열리며, 이를 통해 추상적인 의미를 표현할 수 있다는 것이 바로 에이젠슈테인이 회의 문자에서 주목한 지점이다. **1문단: 회의 문자에 주목한 에이젠슈테인**

2 이러한 원리가 영화의 시각적인 의미 표현에 어떻게 적용될 수 있을까? 여기서 중요한 것은 회의 문자를 이루는 요소들이 상형 문자라는 점이다. 묘사적이고 단일하며 가치중립적인 상형 문자의 특성은 영화의 개별 장면(shot, 숏)들의 특성에 상응한다. 회의 문자를 이루는 각각의 문자는 따로 떼어 놓고 보면 사물이나 사실에 대응되지만, 그 조합은 개념에 대응된다. 이와 마찬가지로 ⓛ영화의 개별 장면들은 사물이나 사실에 대응되지만, 이들을 특정하게 결합시키면 그 조합은 개념에 대응된다. 따라서 회의 문자의 구성 원리를 이용하면 눈에 보이지 않는 것, 묘사할 수 없는 것, 추상적인 것을 순수하게 시각적인 방식으로 표현할 수 있다는 결론이 나온다. **2문단: 회의 문자의 구성 원리를 영화에 적용한 에이젠슈테인**

3 그러나 개별 장면들의 시간적 병치*를 통해서 이루어낸 추상적 의미는 영화를 보는 관객의 머릿속에서만 존재한다. 따라서 이런 방식으로 만들어진 영화를 보면서 거기에 담긴 의미를 구성해 내는 것은 관객의 몫으로 남게 된다. **3문단: 관객의 몫으로 남는 영화의 추상적 의미**

4 에이젠슈테인이 추상적 의미를 시각적으로 표현하기 위해 인위적인 방식의 편집을 중시한 반면, 앙드레 바쟁은 인위적인 개별 장면의 병치는 관객의 몰입을 방해하고, 현실을 그대로 보여 주지 못한다는 점에서 그의 견해를 반대하였다. 영화는 현실을 있는 그대로 반영하여야 하며, 영화 제작자는 어떠한 의미를 상징적으로 ⓐ구성(構成)하여 관객에게 전달하는

선생님의 Tip

"세르게이 에이젠슈테인"

라트비아 출신의 구 소련 영화감독이자 영화 이론가. '몽타주(montage)' 이론을 정립하고, 자신의 작품에 적용함으로써 현대 영화의 기술적·예술적 토대를 구축한 인물임. 두 개의 극단적인 대조 숏(shot)으로 새로운 개념을 창조하는 변증법적 몽타주 개념을 주장하였음. 헤겔의 변증법과 한자의 회의 문자의 구성 원리에서 착안된 그의 몽타주 이론은 대비되는 두 개의 영상을 교차시켜 극의 긴장감을 더하거나, 심리 상태를 표현하는 영상 연출 기법을 말함. 대표작에 「전함포템킨」이 있음.

지문 구조도

견해 제시: 영화 편집에 대한 에이젠슈타인과 앙드레 바쟁의 견해	
에이젠슈테인의 견해(1~3문단)	앙드레 바쟁의 견해(4~6문단)
추상적인 의미를 시각적으로 표현하기 위해 한자의 구성 원리 중 회의 문자의 구성 원리에 주목함. ↓ 영화의 개별 장면: 사물이나 사실에 대응함. 특정하게 결합(편집): 추상적인 개념에 대응함. ↓ 영화를 보면서 그 속에 담긴 추상적 의미를 구성해 내는 것은 관객의 몫임.	편집은 있는 그대로의 현실을 보여 주기 어렵고 독자의 몰입을 방해함. ↓ 영화는 현실을 있는 그대로 재현해야 하고, 편집을 하면 현실이 훼손될 수 있으므로 편집을 제한해야 함. ↓ 편집된 영화는 현실을 있는 그대로 보고 판단할 수 있는 관객의 자유를 제한함.

요약 및 마무리: 영화 이론의 발전에 기여한 두 이론(7문단)
에이젠슈테인과 앙드레 바쟁의 이론은 영화 이론 발전에 기여함.

출제 의도 영화에서 편집 기술을 중시하는 에이젠슈테인과 사실을 그대로 제시하는 것을 중시하는 앙드레 바쟁의 견해를 비교하여 파악할 수 있는지를 평가하기 위한 지문이다. 두 이론가의 주장과 특징, 차이점을 파악하고 구체적인 상황에 적용하여 이해할 수 있는지를 평가하는 문제가 출제되었다.

주제 에이젠슈테인과 앙드레 바쟁의 영화 이론

것이 아니라 현실이 가지고 있는 모호함 그대로를 영화로 보여 주면서 관객에게 그 판단을 맡겨야 한다는 것이다. **4문단: 영화는 현실을 있는 그대로 보여 주어야 한다고 주장한 앙드레 바쟁**

5 앙드레 바쟁은 두 가지 핵심 내용을 주장한다. 첫째, 모든 현실의 사건이 갖는 의미는 선험적*으로 파악될 수 없으므로 현실은 '모호성'을 갖는다는 것이다. 둘째, 영화는 가능한 한 현실의 이러한 특성을 파괴하지 않으면서 현실을 재생산하는 '존재론'적인 의미를 가진다는 것이다. 이는 영화는 모호성을 갖는 현실을 그대로 ⓑ재현(再現)해야 한다는 의미이다. 바쟁은 이와 같은 현실의 모호성을 포착하려면 영화감독들이 참을성 있는 관찰자가 되어야 한다고 주장하였으며, 인상적이고 극적인 효과를 주기 위해 사용하는 편집 기법인 몽타주*는 현실을 사실적으로 재현할 때 현실을 훼손할 수 있으므로 매우 한정된 범위에서만 사용되어야 한다고 하였다. **5문단: 영화는 모호한 현실을 그대로 재현해야 한다고 주장한 바쟁**

6 그는 편집된 영화는 편집자의 의도를 ⓒ반영(反映)한 장면을 보여 줌으로써 관객의 권리를 박탈한다고 보았다. 포수와 호랑이가 대립하고 있는 장면을 예를 들어 보자. 「포수가 호랑이를 잡을 수도 있고 못 잡을 수도 있으며, 어떤 경우에는 포수가 호랑이에게 잡아 먹힐 수도 있는 상황」이다. 그는 이처럼 한 공간에서 동시에 일어나고 있는 상황을 있는 그대로 한 화면 안에 담아야 한다고 생각했으며, 이것이 진짜 현실이고 이것을 보여 주어야 관객이 상황의 긴박성과 대립성을 제대로 이해할 수 있다고 보았다. 만약 이 상황을 포수의 숏과 호랑이 숏을 교차로 편집하여 제시한다면 바쟁은 이것을 진실이 아닌 편집자의 해석으로 볼 것이다. 이와 같은 사례에서 볼 수 있는 것처럼 바쟁은 몽타주를 현실에 하나의 의미를 강제로 ⓓ부여(附與)하여 영화가 현실의 가능성을 관객에게 제약적으로 전달하는 것이라고 보았다. 따라서 그는 관객에게 현실을 그대로 보여 줄 수 있는 롱숏, 장시간 촬영에 가치를 두었다. **6문단: 편집된 영화는 관객의 해석의 자유를 제한한다고 주장한 바쟁**

7 영화에서 몽타주 등의 편집을 통해 시각적 표현을 중시한 에이젠슈테인과 롱숏, 장시간 촬영 등을 통해 있는 그대로의 현실을 보여 주려 노력했던 앙드레 바쟁의 이론은 현대 영화 이론의 두 축을 형성하면서 영화 이론의 발전에 크게 ⓔ기여(寄與)하였다. **7문단: 영화 이론의 발전에 기여한 두 이론**

---

* 몽타주: 영화나 사진 편집 구성의 한 방법. 따로따로 촬영한 화면을 적절하게 떼어 붙여서 하나의 긴밀하고도 새로운 장면이나 내용으로 만드는 일. 또는 그렇게 만든 화면.

지문 해제

이 글은 영화에서 추상적인 의미를 표현하는 것을 중시하여 편집의 중요성을 강조한 에이젠슈테인의 견해와 영화에서 있는 그대로의 현실을 보여 주는 것을 중시하여 과도한 편집에 반대하는 앙드레 바쟁의 견해를 제시하고 있다. 에이젠슈테인은 상형 문자들을 조합하여 추상적인 내용을 구현한 회의 문자의 구성 원리에 착안하여, 영화에서도 개별 장면과 장면을 결합하여 추상적인 의미를 표현할 수 있다고 생각하였다. 또 이렇게 만들어진 영화를 보면서 추상적인 의미를 구성해 내는 것을 관객의 몫이라고 보았다. 이와는 대조적으로 앙드레 바쟁은 인위적인 개별 장면의 병치, 즉 편집된 영화는 관객의 자연스러운 몰입을 방해하고 현실을 그대로 보여 주지 못한다는 점에서 에이젠슈테인의 견해를 반대하였다. 또 영화 제작자는 어떠한 의미를 상징적으로 구성하여 관객에게 전달하는 것이 아니라, 현실이 가지고 있는 모호함 그대로를 영화로 보여 주면서 관객에게 그 판단을 맡겨야 한다고 주장하였다. 에이젠슈테인과 앙드레 바쟁의 영화에 대한 상반된 견해는 영화 이론의 두 축이 되어 영화 이론 발전에 크게 기여하였다.

구절 풀이

○ 앙드레 바쟁은 편집된 장면은 이미 편집자의 의도대로 만들어진 것이므로 편집자가 보여 주고 싶은 세상, 나타내고 싶은 의미만 드러나 있다고 여김. 따라서 그것을 보는 관객은 편집자의 의도를 수동적으로 받아들일 수밖에 없고, 스스로 자유롭게 영화를 해석할 권리, 의미를 구성할 권리를 박탈당하는 것이라고 생각함.

○ 앙드레 바쟁은 롱숏과 장시간 촬영 기법인 한 장면을 오래 촬영하여 관객에게 보여 주므로 현실을 있는 그대로 보여 주기 좋은 기법이라고 생각함.

어휘 풀이

* 선험적: 경험에 앞서서 인식의 주관적 형식이 인간에게 있다고 주장하는. 또는 그런 것. 대상에 관계되지 않고 대상에 대한 인식이 선천적으로 가능함을 밝히려는 인식론적 태도를 말함.

선생님의Tip

"앙드레 바쟁"

1940년대에서 1950년대 후반까지 활동한 영화 비평가이자 이론가. '예술로서의 영화'에 대한 이론들을 정립하여 영화 비평의 선구적인 업적을 남긴 인물이며 '몽타주'로 대변되는 형식주의적 영화 이론에 반하는 '리얼리즘' 영화 이론을 펼쳤고, '작가주의'를 주창하였음. 현재까지 세계 영화사에서 가장 영향력 있는 영화 이론가로 평가받고 있음.

"롱숏"

사진이나 영화 촬영에 있어서 사물이나 인물 등 피사체 전체를 넓게 잡아주는 촬영 방식을 말함. 롱숏은 전체적인 상황이나 인물 간의 상호 관계, 인물과 주변 환경의 관계를 한눈에 보여 주므로 장면의 도입부에서 설정숏으로 쓰이기도 함. 사실주의 영화나 미장센을 중시하는 영화에서 즐겨 사용됨.

예술
02

01 내용 전개 방식의 파악 　　｜정답 ④｜

윗글에 대한 설명으로 가장 적절한 것은?

① 영화 이론의 변천 과정을 시대 순으로 나열하고 있다.

② 주류의 영화 이론을 소개하고 이에 대해 비판하고 있다.

③ 영화를 설명하는 주요 이론들을 열거하고 이를 통합하고 있다.

④ 영화에 대한 상반된 이론을 제시하고 두 이론의 차이를 언급하고 있다.

⑤ 대표적인 영화 이론을 요약하고 새로운 영화 이론 연구의 방향을 제시하고 있다.

📁 발문 분석

지문을 읽고 논지 전개 방식을 파악할 수 있는지 묻고 있다. 먼저 중심 화제가 무엇인지 파악한 후, 지문에서 화제를 어떻게 설명해 나가고 있는지 살펴보아야 한다. 이때 지문에서 중심 화제를 설명하는 방식과 선택지의 설명이 일치하는지도 반드시 판단해야 한다.

◎ 정답 풀이

④ 1문단에서 영화가 '시각적인 방식으로 추상적인 의미 표현에 이르는 방법을 연구한 사람이 바로 에이젠슈테인'이라면서 2~3문단에서 영화의 추상적 의미 표현을 중시한 에이젠슈테인의 견해를 제시하고 있다. 또 4문단에서 '앙드레 바쟁은 인위적인 개별 장면의 병치는 관객의 몰입을 방해하고 현실을 그대로 보여 주지 못한다는 점에서 그의 견해를 반대'한다면서 5~6문단에서 영화에서 있는 그대로의 현실을 보여 주는 것을 중시한 앙드레 바쟁의 견해를 소개하고 있다. 따라서 영화에 대해 상반된 견해를 가진 에이젠슈테인과 앙드레 바쟁의 주장을 제시하고 그 차이를 언급하고 있다고 보는 것은 적절하다.

✖ 오답 풀이

① 1~3문단에서는 영화의 추상적 의미 표현을 중시한 에이젠슈테인의 견해를, 4~6문단에서는 있는 그대로의 현실을 보여 주는 것을 중시한 앙드레 바쟁의 견해를 소개하고 있을 뿐, 이것을 시대 순으로 설명하지는 않았다.

② 1~3문단에서는 영화의 추상적 의미 표현을 중시한 에이젠슈테인의 견해를, 4~6문단에서 있는 그대로의 현실을 보여 주는 것을 중시한 앙드레 바쟁의 견해를 소개하고 있지만, 각 이론을 비판하고 있지는 않다.

③ 1~3문단에서는 영화의 추상적 의미 표현을 중시한 에이젠슈테인의 견해를, 4~6문단에서 있는 그대로의 현실을 보여 주는 것을 중시한 앙드레 바쟁의 견해를 소개하고 있다. 그러나 상반된 이론을 언급하고 있을 뿐, 두 이론을 통합하고 있지는 않다.

⑤ 1~3문단에서는 영화의 추상적 의미 표현을 중시한 에이젠슈테인의 견해를, 4~6문단에서 있는 그대로의 현실을 보여 주는 것을 중시한 앙드레 바쟁의 견해를 소개하고 있지만, 새로운 영화 이론의 방향을 제시하지는 않았다.

🍯 선생님의 꿀 정보

내용 전개 방식을 파악하는 문제 해결 방법

　비문학(독서) 영역은 보통 1개의 지문에 적게는 3개에서 많게는 6개까지의 문제가 출제되는데, 자주 출제되는 문제 유형 중 하나는 바로 글의 전개 방식을 파악하는 것이다. 이러한 문제는 다음과 같은 방법을 따라 해결하는 것이 좋다.

1. 문단별 중심 내용 파악하기

　글의 전개 방식을 파악할 때에는 먼저 각 문단의 중심 내용을 찾고, 그 내용이 어떻게 제시되고 있는지를 판단해야 한다. 글의 중심 내용을 찾으려면 그 문단의 중심 문장을 찾아야 한다. 중심 문장을 찾는 것이 어렵다면 자신이 중심 문장이라고 생각하는 문장에 밑줄을 그어 본다. 그 문장들을 쭉 읽으면서 앞의 문장의 내용은 뒤의 문장에 포함되는 내용인지, 앞에 언급한 내용에 대한 예인지 등을 판단할 수 있는데, 가장 중심이 되는 문장을 제외한 나머지 문장들을 지워나가는 연습을 한다. 꾸준히 연습하면 추후에는 문단별로 중심 문장을 바로 파악할 수 있으며, 이는 문단별 중심 내용을 빠르게 파악하는데 도움을 줄 것이다.

2. 문단 간의 관계 파악하기

　문단별 핵심 내용을 바탕으로 글의 구조를 파악하는 연습을 하면 글의 전개 방식을 쉽게 파악할 수 있다. 각 문단의 중심 내용을 이해한 후 전반적으로 살펴보면 글이 화제어의 성격 및 특성을 보여 주고 있는지, 화제어에 대한 연구 발전 과정을 보여 주고 있는지, 대립되는 개념을 제시하고 공통점과 차이점을 밝히고 있는지 등의 큰 구조를 확인할 수 있다. 이러한 구조를 파악하면 01번 문제와 같은 글의 전개 방식을 파악하는 문제를 빠르게 해결할 수 있다.

---

02 핵심 정보의 이해 　　｜정답 ④｜

다음 중 '에이젠슈테인'의 견해에 대한 설명으로 적절한 것은?

① 에이젠슈테인은 영화의 편집이 관객의 권리를 박탈하는 것일 수 있다고 생각하였다.

② 에이젠슈테인은 영화의 개별 장면과 회의 문자 사이에 구조적 유사성이 있다고 보았다.

③ 에이젠슈테인은 영화의 정신적인 의미는 개별 장면들의 특성으로 환원될 수 있다고 보았다.

④ 에이젠슈테인은 영화 외의 영역에서도 추상적 의미를 시각적으로 표현할 수 있는 원리를 끌어낼 수 있다고 보았다.

⑤ 에이젠슈테인은 영화에서 추상적인 의미를 표현하기 위해 가장 중요한 것은 언어적 요소를 이용하는 것이라고 보았다.

📁 발문 분석

지문의 핵심 내용을 정확히 이해했는지를 묻고 있다. 영화에 대한 '에이젠슈테인'의 견해를 꼼꼼히 확인한 후 선택지의 내용과 비교해 보아야 한다.

◎ 정답 풀이

④ 1문단에서 에이젠슈테인은 회의 문자의 '두 개의 문자가 결합되면서 두 문자의 단순한 총합이 아닌 새로운 차원이 열리며, 이를 통해 추상적인 의미를 표현할 수 있다'는 것에 주목하였고, 2문단에서 '회의 문자의 구

성 원리를 이용하면 눈에 보이지 않는 것, 묘사할 수 없는 것, 추상적인 것을 순수하게 시각적인 방식으로 표현할 수 있다는 결론'에 도달했다고 하였다. 따라서 에이젠슈테인은 영화 외적 영역인 한자의 구성 원리를 끌어들여서 시각적인 방식으로 추상적 의미를 표현하고자 했다고 볼 수 있다.

❌ 오답 풀이

① 3문단에서 에이젠슈테인의 견해에 따라 추상적 의미를 갖게 된 '영화를 보면서 거기에 담긴 의미를 구성해 내는 것은 관객의 몫으로 남게 된다.'라고 하였다. 이는 편집을 통해 표현해 낸 추상적 의미는 관객이 영화를 보면서 구성해 내는 것이라는 의미일 뿐, 편집이 관객의 권리를 박탈한다는 것과는 거리가 멀다.

② 2문단에서 '묘사적이고 단일하며 가치중립적인 상형 문자의 특성은 영화의 개별 장면(shot, 숏)들의 특성에 상응한다.'라고 하였다. 따라서 에이젠슈테인의 견해에 따르면 영화의 개별 장면은 회의 문자가 아니라 상형 문자와 유사한 점이 있다고 보아야 한다.

③ 2문단에서 '영화의 개별 장면들은 사물이나 사실에 대응되지만, 이들을 특정하게 결합시키면 그 조합은 개념에 대응된다.'라고 하였다. 따라서 정신적인 의미, 즉 개념은 개별적인 장면들의 특성으로 환원되는 것이 아니라 개별 장면을 특정하게 결합시킨 조합으로 환원된다고 보아야 한다.

⑤ 1문단에서 에이젠슈테인은 '영화가 시각 예술답게 시각적인 방식으로 추상적인 의미 표현에 이르는 방법을 연구'하면서 '상형 문자와 회의 문자'의 구성 원리에 주목했다고 하였다. 이는 영화에서 추상적인 의미를 시각적인 방식으로 표현하고자 한자의 구성 원리를 끌어 왔다는 의미이지, 영화에서 추상적 의미를 표현하기 위해 언어적 요소를 이용했다는 것과는 거리가 멀다.

03 세부 내용의 이해와 적용 | 정답 ① |

문맥상 ⊙과 같은 방법으로 만들어진 표현이 아닌 것은?

① 선생님은 얼굴을 익히려고 그 학생을 유심히 바라보았다.
② 나불거리는 아이들의 입방아 때문에 정신이 없었다.
③ 네 이야기는 모순이 있어 잘 이해할 수가 없다.
④ 그 이야기를 듣자 모두들 배꼽을 쥐었다.
⑤ 그는 개밥에 도토리 신세가 되었다.

📁 발문 분석

글의 전후 맥락을 통해 구절의 의미를 이해하고 그것과 유사한 표현을 찾을 수 있는지 묻고 있다. 두 개의 문자가 결합되면서 새로운 차원이 열린다는 것이 무엇인지를 이해한 후, 선택지의 밑줄 친 부분이 의미하는 바를 따져 보아야 한다.

◎ 정답 풀이

① ⊙은 각각의 의미를 가진 두 문자가 결합하여 새로운 의미를 만들어 내는 회의 문자의 원리를 설명한 것이다. 그러므로 선택지에서 두 개의 의미를 가진 어휘나 구절이 만나 새로운 의미를 생성하는 사례를 찾아야 한다. '익히다'는 '여러 번 겪어 설지 않다.'를 의미하는 '익다'의 사동사로, '얼굴을 익히다'는 '얼굴을 여러 번 보아서 눈에 익거나 친숙하다.'라는 의미이다. 따라서 새로운 의미가 생성되지 않고 있는 그대로의 의미이므로 '얼굴을 익히다'는 ⊙과 같은 방법으로 만들어진 표현이라고 볼 수 없다.

❌ 오답 풀이

② '곡식을 찧거나 빻는다'는 의미의 '방아'가 '입'이라는 단어와 결합하여 '어떤 사실을 화제로 삼아 이러쿵저러쿵 쓸데없이 입을 놀리는 일'이라는 새로운 의미를 만들어 낸 것이다.

③ 모순은 '창'과 '방패'라는 의미의 단어가 만나 '어떤 사실의 앞뒤, 또는 두 사실이 이치상 어긋나서 서로 맞지 않음.'이라는 새로운 의미를 만들어 낸 것이다.

④ '배꼽'과 '쥐다'가 결합하여 '웃음을 참지 못하고 배를 움켜잡고 크게 웃다.'라는 새로운 의미를 만들어 낸 것이다.

⑤ '개밥'과 '도토리'라는 단어가 만나서 '따돌림을 받아서 여럿의 축에 끼지 못하는 사람을 비유적으로 이르는 말'이라는 새로운 의미를 만들어 낸 것이다.

🏆 04 고난도 자료 해석의 적절성 판단 | 정답 ⑤ |

[보기 2]는 [보기 1]의 영화를 보고 나눈 대화의 일부이다. ⓒ을 바탕으로 할 때, [보기 2]의 ⓐ에 들어갈 내용으로 가장 적절한 것은?

┌ 보기 1 ┐

– 스탠리 큐브릭 감독, 「2001, 스페이스 오디세이」에서 –

┌ 보기 2 ┐

철수: 영화는 좋았는데, 한 대목이 이해가 안 되네. 원시인이 소 정강이뼈를 하늘 높이 던지는 장면 있잖아. (개별 장면 ①) 그리고 아무 설명 없이 원시 시대에서 갑자기 우주 시대로 바뀌고 공간도 완전히 바뀌는데, (개별 장면 ②) 어떻게 장면을 그런 식으로 연결할 수 있지?

영희: 맞아, 두 장면의 연결이 충격적이지. (편집) 근데 그 앞부분 내용은 기억나니?

철수: 응, 한 원시인이 우연히 소 정강이뼈를 만지작거리게 되잖아. 그리고 그 뼈로 자기보다 더 큰 동물을 잡고, 다른 힘센 부족과 싸움도 벌이지. 그 뼈 덕분에 승리를 거두고 나서 그것을 하늘로 던지는 장면이 나오지.

영희: 정확히 기억하네. 여기서 그 뼈와 우주선을 연결시키는 어떤 개념이 없다면 이 연결은 설명이 안 돼. 뼈와 우주선을 연결하면 그 개념이 나오지. (추상적 의미)

철수: 좀 더 자세히 설명해 줘.

영희: (ⓐ)

① 원시의 황야와 우주 공간이 이어지니까, 여기서 '거대한 공간과 싸우는 인간'이라는 개념을 만들어 낼 수 있지.

② 인류는 개인의 힘은 약하지만 집단을 이루어 우주를 개척할 수 있었어. 여기서 '인간의 사회성'이라는 개념을 추론할 수 있지.

③ 우주 개척 시대는 뛰어난 지도력과 관계가 깊고 그 덕분에 새로운 시대가 열린 것이니까, 여기서 '정치'라는 개념이 부각되지.

④ 원시인이 기쁨에 차서 뼈를 던지고 이것이 우주선의 경쾌한 운동과 이어지잖아. 여기서 '유희적 인간'이라는 개념을 도출할 수 있지.

⑤ 정교한 우주선도 결국 동물 뼈와 같은 초보적인 도구가 발달하여 만들어진 거잖아. 여기서 '도구의 사용'이라는 개념을 이끌어 낼 수 있지.

📁 발문 분석

영화의 개별 장면과 개별 장면의 조합이 의미하는 바를 이해하고 그것을 다른 자료에 적용하여 해석해 낼 수 있는지를 묻고 있다. 2문단에서 회의 문자의 구성 원리를 영화에 어떻게 적용했는지를 언급하고 있으므로, 이를 참고하여 [보기]를 적절히 해석해야 한다.

✔️ 보기 분석

[보기 1]은 영화의 개별 장면을 제시한 것이다. [보기 2]는 [보기 1]을 본 관객이 추상적인 의미를 구성할 수 있음을 대화의 형식으로 제시한 것이다.

[보기 1]의 ③에서 원시인이 소 정강이뼈를 하늘로 던지자, 이어지는 ④에서 갑자기 우주선이 등장한다. [보기 2]에서 철수는 이런 장면을 어떻게 연결할 수 있는지를 궁금해 하고 있다. 영희는 원시인이 소 정강이뼈로 자기보다 더 큰 동물을 잡고, 다른 힘센 부족과의 싸움에서 승리를 거두고 그것을 하늘로 던지는 내용, 즉 뼈가 도구로 사용되는 영화의 앞부분과 연결해서 생각해 보라고 조언하였다. 그 뼈와 우주선을 연결하면 어떤 개념이 나온다는 것이다. 이는 2문단에서 '영화의 개별 장면들은 사물이나 사실에 대응되지만, 이들을 특정하게 결합시키면 그 조합은 개념에 대응된다.'라고 한 것과 관련이 있다.

⭕ 정답 풀이

⑤ 2문단에서 '영화의 개별 장면들은 사물이나 사실에 대응되지만, 이들을 특정하게 결합시키면 그 조합은 개념에 대응된다.'라고 하였다. 이를 고려하면 '뼈'와 '우주선'이 나온 장면 ③과 ④는 영화의 개별 장면으로, '사물이나 사실'에 대응된다. 이러한 장면들을 '우주선'과 연결하면 '동물 뼈와 같은 초보적인 도구가 발달하여 우주선'이 된 것이고, 여기에서 '도구의 사용'이라는 개념을 이끌어낼 수 있다.

❌ 오답 풀이

① [보기 2]에서 영희는 철수에게 '뼈와 우주선을 연결하면 그 개념이 나'온다고 하였다. 이를 고려하면 '원시의 황야'는 뼈와 우주선을 연결한 것이 아니므로 ⓐ에 들어갈 내용으로 적절하지 않다.

② [보기 2]에서 영희는 철수에게 '뼈와 우주선을 연결하면 그 개념이 나'온다고 하였다. 이를 고려하면 '개인의 힘'과 '집단의 힘'으로 우주를 개척할 수 있었다는 내용은 뼈와 우주선을 연결한 것이 아니므로 ⓐ에 들어갈 내용으로 적절하지 않다.

③ [보기 2]에서 영희는 철수에게 '뼈와 우주선을 연결하면 그 개념이 나'온다고 하였다. 이를 고려하면 우주 공간이 나타나는 장면을 통해 '우주 개척 시대'를 연결하는 것은 뼈와 우주선을 연결한 것이

아니므로 ⓐ에 들어갈 내용으로 적절하지 않다.

④ [보기 2]에서 철수는 '뼈로 자기보다 더 큰 동물을 잡고, 다른 힘센 부족과 싸움도 벌'인다고 하였는데, 이는 뼈가 큰 동물을 잡거나 다른 힘센 부족과 싸울 때 쓰는 '도구'임을 알 수 있다. 이것을 '우주선의 경쾌한 운동'과 연결하여 '유희적 인간'이라는 개념을 도출하는 것은 어울리지 않으므로 ⓐ에 들어갈 내용으로 적절하지 않다.

🍯 선생님의 꿀 정보

04번 문제의 배경지식 보충하기: 2001년, 스페이스 오디세이

아서 C. 클라크(Arthur C. Clarke)의 원작을 토대로 스탠리 큐브릭 감독이 만든 SF 영화로, 1969년 제42회 아카데미영화제에서 특수 효과상을 수상하였다. 인간의 지식과 문명의 생성 원리, 인간과 기계의 대결을 비롯해 우주와 생명의 신비를 철학적이면서도 아름답게 그렸다고 평가받고 있다. 원시시대부터 미래까지 총 4개의 장으로 구성되어 인류 역사를 조망하였으며 우주 비행을 묘사하는 새로운 시각적 스타일을 창출한 기념비적인 작품이다.

제1장은 '인간의 새벽'(The Dawn of Man)이라는 부제가 붙어 있다. 원시 인류의 모습을 보여 주는 이 장은 원숭이와 다른 동물들이 뒤섞여 있는 일출 장면으로 시작된다. 약육강식의 야만적인 생활을 하는 인류의 조상은 어디서 출현했는지 모르는 이상한 검은 돌인 모놀리스를 발견하게 된다. 그 후 집단 싸움에서 이긴 원숭이 무리의 우두머리가 포효하며 뼈다귀를 하늘로 던지자 공중에서 회전한 뼈가 다시 아래로 내려오면서 우주선으로 바뀐다. 04번 문제의 [보기 1]에 제시된 것은 바로 이 장면이다.

05 구체적 상황에 적용 | 정답 ② |

윗글을 바탕으로 [보기]를 이해한 것으로 적절하지 <u>않은</u> 것은?

┤보기├

에이젠슈테인의 몽타주 이론은 그의 대표작인 「전함 포템킨」에 잘 반영되어 있다. ⓐ오뎃사 계단에서의 학살, 수병들의 반란, 포화, 그리고 이러한 것들이 ⓑ엎드렸다가 일어서서 포효하는 모습의 사자 석상의 이미지의 연결과 병치된다. 사실 수병들의 반란과 사자의 석상은 아무런 연관성이 없는 것 같지만, 에이젠슈테인은 이들을 병치시킴으로써 ⓒ잠자고 있던 사자가 '분노'로 인해 깨어 일어난 듯한 의미를 부여한 것이다. 그는 이러한 이미지의 충돌을 통해 문학에서의 상징이 영화에서도 구현될 수 있기를 바랐다.

① ⓐ와 ⓑ를 병치한 장면을 본 관객은 스스로 그 의미를 구성하고 이해한다.

② ⓐ와 ⓑ가 하나의 화면에서 자연스럽게 결합되어야 ⓒ의 의미가 분명하게 드러난다.

③ ⓐ와 ⓑ의 이미지가 결합됨으로써 각각이 가지는 의미를 넘어서는 새로운 의미가 창출된다.

④ ⓑ 대신 일어서 있던 사자가 조용히 엎드리는 모습을 대입하면 ⓒ의 의미와는 완전히 다른 의미가 된다.

⑤ 시각적으로 표현할 수 있는 ⓐ와 ⓑ를 결합하여 시각적으로 표현할 수 없는 상징적인 의미인 ⓒ를 표현한 것이다.

📁 **발문 분석**

에이젠슈테인의 견해를 이해하고, 구체적인 사례 속에서 그 견해를 파악할 수 있는지를 묻고 있다. 에이젠슈테인의 견해와 특징을 파악한 후, 그것이 어떻게 활용될 수 있는지를 생각해 보아야 한다.

✔️ **보기 분석**

2문단에서 에이젠슈테인은 '회의 문자의 구성 원리를 이용하면 눈에 보이지 않는 것, 묘사할 수 없는 것, 추상적인 것을 순수하게 시각적인 방식으로 표현할 수 있다는 결론'에 다다랐다고 하였고, 3문단에서 '개별 장면들의 시간적 병치를 통해서 이루어낸 추상적 의미'를 '구성해 내는 것은 관객의 몫으로 남게 된다.'라고 하였다. [보기]는 이러한 견해를 가진 에이젠슈테인이 만든 영화에 관련된 내용이다. 즉, 각각의 장면을 병치하여 에이젠슈테인이 추상적인 의미를 표현하고 있는 사례이다.

◎ **정답 풀이**

② 4문단에서 '에이젠슈테인이 추상적 의미를 시각적으로 표현하기 위해 인위적인 방식의 편집을 중시'했다고 하였다. 따라서 에이젠슈테인이 ⓐ와 ⓑ가 하나의 화면에서 자연스럽게 결합되어야 한다고 생각했다고 보기는 어렵다.

❌ **오답 풀이**

① 3문단에서 '개별 장면들의 시간적 병치를 통해서 이루어낸 추상적 의미는 영화를 보는 관객의 머릿속'에 존재하며 '영화에 담긴 의미를 구성해 내는 것은 관객의 몫'이라고 하였다.

③ 1문단에서 회의 문자의 구성 원리는 '두 개의 문자가 결합되면서 두 문자의 단순한 총합이 아닌 새로운 차원이 열리며, 이를 통해 추상적인 의미를 표현할 수 있다'고 하였고, 에이젠슈테인이 이를 주목했다고 하였다. 이를 고려하면 ⓐ와 ⓑ의 이미지의 결합으로 새로운 의미가 창출된다고 볼 수 있다.

④ 2문단에서 '영화의 개별 장면들은 사물이나 사실에 대응되지만, 이들을 특정하게 결합시키면 그 조합은 개념에 대응'되고 '회의 문자의 구성 원리를 이용하면 눈에 보이지 않는 것, 묘사할 수 없는 것, 추상적인 것을 순수하게 시각적인 방식으로 표현할 수 있다'고 하였다. 이를 고려하면 조합되기 전 개별 장면 중 하나가 다른 의미의 상면으로 교체된다면, 전혀 다른 의미의 개념이 생성될 것이라고 볼 수 있다.

⑤ 1문단에서 회의 문자의 구성 원리는 '두 개의 문자가 결합되면서 두 문자의 단순한 총합이 아닌 새로운 차원이 열리며, 이를 통해 추상적인 의미를 표현할 수 있다'고 하였고, 에이젠슈테인이 이를 주목했다고 하였다. 시각적으로 표현할 수 있는 ⓐ와 ⓑ는 두 개의 문자에 해당하고, ⓒ는 시각적으로 표현할 수 없는 것으로 새로운 차원의 추상적인 의미에 해당한다고 볼 수 있다. 참고로 3문단에서 '개별 장면들의 시간적 병치를 통해서 이루어낸 추상적 의미는 영화를 보는 관객의 머릿속에서만 존재'한다고 하였으므로, ⓒ는 관객의 머릿속에서만 존재한다고 이해할 수 있다.

ⓐ~ⓔ의 사전적 의미로 적절하지 않은 것은?

① ⓐ: 형상화를 위한 여러 요소들을 유기적으로 배열하거나 서술함.
구성

② ⓑ: 한 번 하였던 행위나 일을 다시 되풀이함.
재현

③ ⓒ: 다른 것에 영향을 받아 어떤 현상이 나타남. 또는 어떤 현상을 나타냄.
반영

④ ⓓ: 사물이나 일에 가치·의의 따위를 붙여 줌.
부여

⑤ ⓔ: 도움이 되도록 이바지함.
기여

📁 **발문 분석**

어휘의 의미를 이해하고, 사전적 의미를 파악할 수 있는지를 묻고 있다. 한자어의 사전적 의미를 모른다면 앞뒤 문장의 내용을 고려하여 해당 의미의 어휘가 들어갔을 때 자연스러운지를 살펴보아야 한다.

◎ **정답 풀이**

② 5문단의 ⓑ'재현(再現)'은 '다시 나타남. 또는 다시 나타냄.'이라는 의미이다. '한 번 하였던 행위나 일을 다시 되풀이함.'을 의미하는 단어는 '재연(再演)'이다.

❌ **오답 풀이**

① '구성(構成)'의 사전적 의미이다.
③ '반영(反映)'의 사전적 의미이다.
④ '부여(附與)'의 사전적 의미이다.
⑤ '기여(寄與)'의 사전적 의미이다.

예술 02

M·E·M·O

_____

_____

_____

_____

_____

_____

_____

_____

구절 풀이

근대 초기의 합리론에서 명확한 인식은 수학이나 기하학처럼 엄밀한 이성 영역에서만 가능하며, 감성은 본질적으로 모호하고 불확실할 수밖에 없기 때문에 정확한 기준을 제시하고 규명할 수 없다고 보았음.

규정적 판단과 유사하게 취미 판단에서도 술어 P가 실제로는 주관적인 주어 S에 부여됨.

취미 판단은 대상이 일으키는 감정에 따라 미와 추를 판단하는 것임. 따라서 대상에 대한 지식 같은 것이 끼어들면 감정만으로 판단할 수 없음. 그래서 취미 판단에는 일체의 다른 맥락이 끼어들지 않아야 함.

취미 판단의 주체들 사이에는 취미 판단의 미적 규범 역할을 하는 공통감이라는 공통의 미적 감수성이 전제로 작용함. 이 때문에 취미 판단의 주체들이 미감적 공동체를 이루고 있다고 보는 것임.

어휘 풀이

* 논외: 논의의 범위 밖.
* 자의적: 일정한 질서를 무시하고 제멋대로 하는. 또는 그런 것.
* 의거: 어떤 사실이나 원리 따위에 근거함.
* 환원: 어떤 근본적인 것으로 치환하여 귀착시키는 일.
* 관조: 고요한 마음으로 사물이나 현상을 관찰하거나 비추어 봄.

선생님의 Tip

"칸트"

이마누엘 칸트(Immanuel Kant, 1724년~1804년)는 18세기 철학에 가장 절대적인 영향력을 끼친 인물로 평가 받는 프로이센의 철학자임. 초감각적인 세계를 논하는 기존의 형이상학과는 다르게 '이성이 이성 자신을 비판하는 철학'인 '학문으로서의 형이상학'의 체계를 세우려고 했으며, 그러한 체계의 근거가 되는 인식론을 연구함. 또한 합리주의와 경험주의의 문제점을 지적하면서 두 사상의 한계에서 벗어난 철학을 하려고 시도함.

---

1 근대 초기의 합리론은 이성에 의한 확실한 지식만을 중시하여 미적 감수성의 문제를 거의 논외*로 하였다. 미적 감수성은 이성과는 달리 어떤 원리도 없는 자의적*인 것이어서 '세계의 신비'를 푸는 데 거의 기여하지 못한다고 ㉠여겼기 때문이다. 이러한 근대 초기의 합리론에 맞서 칸트는 미적 감수성을 미감적 판단력이라 부르면서, 이 또한 어떤 원리에 의거*하며 결코 이성에 못지않은 위상과 가치를 지닌다는 주장을 ㉡펼친다. 이러한 작업에서 핵심 역할을 하는 것이 그의 취미 판단 이론이다.

칸트가 생각하는 미적 감수성
1문단: 근대 초기의 합리론에 맞선 칸트의 취미 판단 이론

2 취미 판단이란, 대상의 미·추를 판정하는, 미감적 판단력의 행위이다. 모든 판단은 'S는 P이다.'라는 명제 형식으로 환원*되는데, 그 가운데 이성이 개념을 통해 지식이나 도덕 준칙을 구성하는 '규정적 판단'에서는 술어 P가 보편적 개념에 따라 객관적 성질로서 주어 S에 부여된다. 이와 유사하게 취미 판단에서도 P, 즉 '미' 또는 '추'가 마치 객관적 성질인 것처럼 S에 부여된다. 하지만 실제로 취미 판단에서의 P는 오로지 판단 주체의 쾌 또는 불쾌라는 주관적 감정에 의거한다. 또한 규정적 판단은 명제의 객관적이고 보편적인 타당성을 지향하므로 하나의 개별 대상뿐 아니라 여러 대상이나 모든 대상을 묶은 하나의 단위에 대해서도 이루어진다. 이와 달리, 취미 판단은 오로지 하나의 개별 대상에 대해서만 이루어진다. 즉 복수의 대상을 한 부류로 묶어 *규정적 판단과의 차이점* 말하는 것은 이미 개념적 일반화가 되기 때문에 취미 판단이 될 수 없는 것이다. 한편 「취미 판단은 오로지 대상의 형식적 국면을 관조*하여 그것이 일으키는 감정에 따라 미·추를 판정하는 것 이외의 어떤 다른 목적도 배제하는 순수한 태도, 즉 미감적 태도를 전제로 한다. 취미 판단에는 대상에 대한 지식뿐 아니라, 실용적 유익성, 교훈적 내용 등 일체의 다른 맥락이 ㉢끼어들지 않아야 하는 것이다.」『: 취미 판단의 특징

2문단: 규정적 판단과 구별되는 취미 판단

[A]

3 중요한 것은 취미 판단이 기본적으로 공동체적 차원의 것이라는 점이다. 순수한 미감적 태도를 취할 때, 취미 판단의 주체들은 미감적 공동체를 이루고 있다고 할 수 있다. 왜냐하면 그 구성원들 간에는 '공통감'이라 불리는 공통의 미적 감수성이 전제로 작용하고 있기 때문이다. 이때 공통감은 취미 판단의 미적 규범 역할을 한다. 즉 공통감으로 인해 취미 판단은 *공통감의 역할* 규정적 판단의 객관적 보편성과 구별되는 '주관적 보편성'을 ㉣지니는 것으로 설명된다. *공통의 미적 감수성이 있기 때문* 따라서 어떤 주체가 내리는 취미 판단은 그가 속한 공동체의 공통감을 예시한다.

3문단: 공동체의 공통감을 드러내는 취미 판단

4 그리고 취미 판단은 비록 개념적 인식을 도출하는 규정적 판단과는 다르지만, 하나의 인식 행위이다. 따라서 미적-감성적인 취미 판단에서도 인식 행위를 담당하는 상상력과 지성이 *상상력과 지성의 역할*

지문 구조도

화제 제시: 취미 판단 이론(1문단)
취미 판단 이론: 미적 감수성이 이성에 못지 않은 위상과 가치를 지닌다는 칸트의 주장에서 핵심 역할을 함.

전개: 규정적 판단과 취미 판단(2~5문단)	
규정적 판단	**취미 판단**
• 개념: 이성이 개념을 통해 지식이나 도덕 준칙을 구성하는 판단.	• 개념: 대상의 미·추를 판정하는 미감적 판단력의 행위.
• 술어 P가 보편적 개념에 따라 객관적 성질로 주어 S에 부여됨.	• 주관적 감정에 의거한 P가 객관적 성질인 것처럼 S에 부여됨.
• 개념 형성에 있어 지성이 능동적, 주동적 역할을, 상상력이 수동적, 종속적 역할을 함.	• 개념 형성에 있어 지성과 상상력이 대등하고 상호 보완적이며 상호 활성화의 관계를 맺음.

마무리: 칸트의 지향점(6문단)
취미 판단 이론으로 인간의 총체적인 자기 이해를 지향함.

출제 의도 칸트의 취미 판단 이론에 대해 이해할 수 있는지를 평가하기 위한 지문이다. 취미 판단의 개념과 특성, 의의 등을 이해하고 있는지, 취미 판단 이론을 구체적인 사례에 적용할 수 있는지 등을 평가하는 문제가 출제되었다.

주제 칸트의 취미 판단 이론의 개념과 의의

라는 인식 능력들의 역할과 기능은 축소되거나 배제되지 않는다. 그러나 결정적인 것은 두 인식 능력들 간의 관계가 인식 판단 때와는 전혀 다르다는 사실이다. 규정적 판단의 경우 개념 형성에 있어서 지성이 능동적이며 주도적인 역할을, 상상력은 수동적이며 종속적인 역할을 하는 반면에, 취미 판단에서는 이 두 인식 능력들 간의 관계는 대등하고 상호 보완적이며 상호 활성화의 관계로 변환된다. 칸트가 '조화'로 규정한 이러한 새로운 관계는 구체적으로는 이 두 인식 능력 사이의 '자유로운 유희'의 형태로 나타난다.
(규정적 판단에서의 지성과 상상력의 관계 / 취미 판단에서의 지성과 상상력의 관계)

4문단: 취미 판단에서의 상상력과 지성의 관계

5 자유로운 유희에서 상상력은 더 이상 지성이 부여하는 규칙, 즉 특정한 동기나 관점에 부합하는 것들만을 선택해야 하는 규칙에 얽매이지 않고 자유롭게 모든 다양한 자료들을 임의적으로 다루며 자신의 기능을 수행할 수 있다. 하지만 다양한 요소들을 합성하여 하나의 통일된 전체를 형성하기 위해서는 기준이 될 법칙이 필연적인데, 상상력은 자체적으로 합법칙적*이 되지 못하기에 그 기능을 올바르게 수행하기 위해서는 법칙을 통한 지성의 도움을 받아야 한다. 반면 지성은, 규정적 판단 때와는 달리 상상력으로 하여금 하나의 특정한 개념적 관점에서 벗어나 자유롭게, 그러나 일탈에 흐르지 않는 합법칙성의 한계 안에서 다양한 것을 포착하고 선택할 수 있도록 규정해준다. 또한 이렇게 규정된 상상력으로부터 어떠한 확정적인 내용적 연관성도 가지지 않은 무수히 많은 자료들을 넘겨받아 자신의 개념 형성의 능력을 자유롭게 시험해보게 된다. 이처럼 취미 판단 때의 인식 능력들 사이에 이루어지는 자유로운 유희는 자유 안의 상상력과 합법칙성 안의 지성의 합치*이고, 서로를 교차적으로 촉진시키는 심성적 능력들의 상태에 대한 주체의 의식이 취미 판단에서의 쾌·불쾌의 감정인 것이다. 그리고 이 유쾌한 감정 상태에 대한 표현이 '아름답다'라는 판단이다. 따라서 이 미적 판단은 판단 대상과는 관련되지 않고, 대상을 바라보는 판단 주체와만 관계되는, 즉 철저하게 '주관적' 판단인 것이다.
(자유로운 유희에서의 상상력의 특징 ① / 자유로운 유희에서의 상상력의 특징 ② / 자유로운 유희에서의 지성의 특징 ① / 자유로운 유희에서의 지성의 특징 ② / 자유로운 유희의 개념 / 취미 판단에서의 감정의 개념 / 취미 판단의 주관성)

5문단: 자유로운 유희에서 상상력과 지성의 역할

6 이러한 분석을 통해 칸트가 궁극적으로 지향*한 것은 인간의 총체적인 자기 이해이다. 그에 따르면 '인간은 무엇인가?'라는 물음의 답변을 얻고자 한다면, 이성뿐 아니라 미적 감수성에 대해서도 그 고유한 원리를 설명해야 한다. 게다가 객관적 타당성은 이성의 미덕*인 동시에 한계가 되기도 한다. '세계'는 개념으로는 낱낱이 밝힐 수 없는 무한한 것이기 때문이다. 반면 미적 감수성은 대상을 개념적으로 규정할 수는 없지만 역으로 개념으로부터의 자유를 통해 세계라는 무한의 영역에 더 가까이 다가갈 수 있다. 칸트의 이러한 논변*을 통해 오늘날에는 미적 감수성을 심오한 지혜의 하나로 보는 견해가 ⑩ 퍼져 있다.
(칸트가 궁극적으로 지향한 것)

6문단: 취미 판단 이론으로 인간의 총체적인 자기 이해를 지향한 칸트

지문 해제

이 글은 미적 감수성과 관련된 칸트의 취미 판단 이론을 소개하고 있다. 취미 판단이란 대상의 미·추를 판정하는 미감적 판단력의 행위로, 판단 주체의 쾌 또는 불쾌라는 주관적 감정에 의거한다. 취미 판단은 오로지 하나의 개별 대상에 대해서만 이루어지며 대상에 대한 지식뿐 아니라, 실용적 유익성, 교훈적 내용 등 일체의 다른 맥락이 끼어들지 않아야 한다. 또한 공동체적 차원의 공통감이 전제로 작용하기 때문에 취미 판단은 주관적 보편성을 지닌다. 그리고 취미 판단은 개념적 인식을 도출하는 규정적 판단과는 다르지만, 하나의 인식 행위이기 때문에 상상력과 지성이라는 두 인식 능력의 역할과 기능은 축소되지 않는다. 규정적 판단에서는 개념 형성에 있어서 지성과 상상력이 주종의 관계를 맺는 것과 달리 취미 판단에서는 두 인식 능력들이 대등하고 상호 보완적이며 상호 활성화의 관계를 맺는다. 이러한 새로운 관계는 구체적으로는 두 인식 능력 사이의 자유로운 유희의 형태로 나타난다. 자유로운 유희에서 상상력은 법칙을 통한 지성의 도움을 받으며, 규칙에 얽매이지 않고 자유롭게 자신의 기능을 수행한다. 지성은 상상력이 합법칙성의 한계 안에서 다양한 것을 포착하고 선택하게 규정해 주고, 상상력으로부터 자료를 넘겨받아 자신의 개념 형성 능력을 자유롭게 시험해보게 된다. 칸트는 취미 판단 이론을 통해 궁극적으로는 인간의 총체적 자기 이해를 지향하였다.

구절 풀이

○ 취미 판단은 인식 행위이기 때문에 상상력이나 지성의 역할과 기능이 중시됨.

○ 취미 판단시 상상력과 지성의 관계는 사람이 사물에 대하여 가지는 인식 판단 때와는 전혀 다르게 나타남.

어휘 풀이

* 합법칙적: 자연, 역사, 사회 현상이 일정한 법칙에 따라 일어나는. 또는 그런 것.
* 합치: 의견이나 주장 따위가 서로 맞아 일치함.
* 지향: 어떤 목표로 뜻이 쏠리어 향함. 또는 그 방향이나 그쪽으로 쏠리는 의지.
* 미덕: 도덕적으로 바르고 아름다운 일.
* 논변: 어떤 의견을 논하여 진술함.

예술 03

선생님의 Tip

"취미 판단의 주관성"

"이것은 공이다. 공은 굴러간다. 그러므로 이것은 굴러간다." 라고 하는 것은 공이라는 객체와 관계하는 오성을 통해 대상을 인식한 것임. 즉 이것은 미감적인 판단이 논리적인 판단임. 그러나 "이 공은 나에게는 아름답게 보인다."라고 하는 것은 나의 쾌, 불쾌의 감정과 관계 있는 주관적인 미감적 판단임. 왜냐하면 전자, 즉 논리적인 판단은 누구나 보편적으로 그러한 판단을 내리지만 후자, 즉 미감적인 취미 판단은 사람들에 따라서 달라질 수 있기 때문임. 그것은 단지 주관에 한에서만 아름답게 보일 뿐임. 그러므로 취미 판단은 주관이라는 즉 쾌, 불쾌의 감정에 관계하는 미감적 판단이 됨.

"취미 판단의 주관적 보편성"

공통감은 선험적으로 규정될 수 있는 객관적인 것이 아니라, 구성원 간에 사회적 동의에 이르는 과정에서 형성되는 것임. 모든 사람이 타당하다고 여길 수 있는 보편적 동의라는 점에서 다른 사람의 찬성에 의존함. 인간은 사교적인 존재로 자기 쾌감을 다른 사람에게 전달하고 싶어 하고, 그런 일에 능숙한 자를 세련된 인간이라고 판정하기 때문에 동의할 가능성이 열림. 이 때문에 상호적인 주관성으로서의 주관적 보편타당성을 가진 이상화된 미를 추구할 수 있음.

01 세부 정보의 파악 | 정답 ⑤ |

윗글에 대한 이해로 가장 적절한 것은?

① 칸트는 미감적 판단력과 규정적 판단력이 동일~~하~~다고 보았다.
② 칸트는 이성에 의한 지식이 ~~개념의 한계로 인해~~ 객관적 타당성을 결여한다고 보았다.
③ 칸트는 미적 감수성이 비개념적 방식으로 세계에 ~~대한~~ 객관적 지식을 창출한다고 보았다.
④ 칸트는 미감적 판단력을 본격적으로 규명하여 ~~근대 초기의 합리론을 선구적으로 이끌었다.~~
⑤ 칸트는 미적 감수성의 원리에 대한 설명이 인간의 총체적 자기 이해에 기여한다고 보았다.

이성을 중시

📁 **발문 분석**

지문을 읽고 세부 정보를 파악할 수 있는지 묻고 있다. 칸트가 '이성'과 '미적 감수성' 중 무엇을 긍정하고 있는지 확인하고, 취미 판단 이론과 관련된 칸트의 주장을 이해해야 한다.

◎ **정답 풀이**

⑤ 6문단에서 '칸트가 궁극적으로 지향한 것은 인간의 총체적인 자기 이해'라고 하였다. 그리고 '인간은 무엇인가'에 대한 '답변을 얻고자 한다면, 이성뿐 아니라 미적 감수성에 대해서도 그 고유한 원리를 설명해야 한다.'라고 하였다. 따라서 칸트는 미적 감수성의 원리에 대한 설명이 인간의 총체적 자기 이해에 기여한다고 보았다는 진술은 적절하다.

❌ **오답 풀이**

① 2문단에서 규정적 판단의 '술어 P가 보편적 개념에 따라 객관적 성질로서 주어 S에 부여된다.'라고 하였다. 또 취미 판단의 술어 P는 '오로지 판단 주체의 쾌 또는 불쾌라는 주관적 감정에 의거한다'라고 하였다. 또한 명제의 적용 범위도 여러 대상이나 모든 대상을 묶은 하나의 단위에 대해서도 이루어지는 규정적 판단과 달리, 취미 판단은 '오로지 하나의 개별 대상에' 국한된다고 하였다. 따라서 칸트가 미감적 판단력과 규정적 판단력을 동일하게 보았다는 진술은 적절하지 않다.

② 2문단에서 규정적 판단은 '이성이 개념을 통해 지식이나 도덕 준칙을 구성하는' 것이고, '명제의 객관적이고 보편적인 타당성을 지향'한다고 하였다. 그리고 6문단에서 '객관적 타당성은 이성의 미덕'이라고 하였다. 따라서 칸트가 이성에 의한 지식이 개념의 한계로 인해 객관적 타당성을 결여한다고 보았다는 진술은 적절하지 않다.

③ 2문단에서 미적 감수성을 드러내는 취미 판단은 '오로지 판단 주체의 쾌 또는 불쾌라는 주관적 감정에 의거한다.'라고 하였다. 또 6문단에서 '미적 감수성은 대상을 개념적으로 규정할 수는 없'다고 하였다. 따라서 칸트가 미적 감수성이 세계에 대한 객관적 지식을 창출한다고 보았다는 내용은 적절하지 않다.

④ 1문단에서 '근대 초기의 합리론에 맞서 칸트는 미적 감수성을 '미감적 판단력이라 부르면서' 자신의 주장을 펼쳤다고 하였다. 따라서 칸트가 미감적 판단력을 본격적으로 규명하여 근대 초기의 합리론을 선구적으로 이끌었다는 진술은 적절하지 않다.

02 핵심 정보의 파악 | 정답 ④ |

[A]에 제시된 '취미 판단'에 대한 이해로 적절하지 <u>않은</u> 것은?

① '이 장미는 아름답다.'는 취미 판단에 해당한다.
  하나의 개별 대상
② '유용하다'는 취미 판단 명제의 술어가 될 수 없다.
  실용적 유익성
③ '모든 예술'은 취미 판단 명제의 주어가 될 수 없다.
  하나의 개별 대상이 아님.
④ '이 영화의 주제는 권선징악이어서 아름답다.'는 취미~~판단~~에 해당한다.
⑤ '이 소설은 액자식 구조로 이루어져 있다.'는 취미 판단에 해당하지 않는다.
  지식

📁 **발문 분석**

'취미 판단'에 대해 이해하고 선택지에 제시된 명제를 구별할 수 있는지를 묻고 있다. [A]에서 설명하고 있는 '취미 판단'의 특징을 바탕으로 선택지의 적절성을 판단해야 한다.

◎ **정답 풀이**

④ [A]에서 '취미 판단에는 대상에 대한 지식뿐 아니라, 실용적 유익성, 교훈적 내용 등 일체의 다른 맥락이 끼어들지 않아야' 한다고 하였다. 그러나 '이 영화의 주제는 권선징악이어서 아름답다.'에는 '권선징악'이라는 교훈적 내용이 들어 있으므로, 취미 판단이라고 볼 수 없다.

❌ **오답 풀이**

① '이 장미'라는 하나의 개별 대상의 미·추를 판정하고 있으므로, 취미 판단에 해당한다.
② '유용하다'는 실용적 유익성이 개입된 술어이므로, 취미 판단 명제의 술어가 될 수 없다.
③ [A]에서 취미 판단은 '오로지 하나의 개별 대상에 대해서만 이루어진다.'라고 하였으므로, '모든 예술'은 취미 판단 명제의 주어가 될 수 없다.
⑤ '액자식 구조'는 대상에 대한 지식이며, 술어가 판단 주체의 쾌 또는 불쾌라는 주관적 감정에 의거한 것이 아니다. 따라서 '이 소설은 액자식 구조로 이루어져 있다.'는 취미 판단에 해당하지 않는다.

🏺 선생님의 꿀 정보

02번 문제: 구체적 사례를 분석하기

비문학(독서) 영역에서 지문에 언급된 정보를 바탕으로 문제에 제시된 구체적 사례를 분석할 수 있는지를 평가하는 문제가 거의 매 시험마다 출제되고 있다. 02번 문제도 이 유형에 해당하며 표면적으로는 핵심 정보를 파악하는 문제로 보이기도 한다. 이러한 유형의 문제는 대개 [보기]로 구체적 사례를 제시하지만 이 문제에서는 선택지에서 직접 사례를 제시하는 조금 색다른 방법으로 출제되었다. 이러한 유형의 문제를 해결하는 방법은 다음과 같다.

1. 문제의 발문에서 구체적 사례를 분석하는 범위와 기준을 찾는다.

02번 문제의 발문은 '[A]에 제시된 '취미 판단'에 대한 이해로 적절하지 <u>않은</u> 것은?'으로 분석의 근거 범위와 판단 기준을 제시하고 있다. 즉, 지문에서는 '취미 판단'에 대해 설명하고 있지만 이 문제를 해결할 때에는 [A]만을 참고하라는 범위를 정해준 것이다. 이 발문에서는 선택지의 사례들이 '취미 판단'에 부합한지를 판단하라는 판단의 기준도 제시하고 있다.

2. 발문에서 제한한 분석의 근거 범위에서 판단 기준의 특성을 파악한다.

[A]에서는 '취미 판단'의 요건을 제시하고 있다. 그 근거는 '① 취미 판단에서의 P는 오로지 판단 주체의 쾌 또는 불쾌라는 주관적 감정에 의거한다. ② 하나의 개별 대상에 대해서만 이루어져야 한다. ③ 미·추를 판정하는 것 이외의 어떤 다른 목적도 배제하는 순수한 태도, 즉 미감적 태도를 전제로 한다.'이다. [A]를 읽으면서 이러한 요건을 도출해 내야 한다.

3. 판단 기준의 특성을 선택지의 사례에 적용하여 적절성을 판단한다.

선택지 ②번을 예로 들어 보자. ''유용하다'는 취미 판단 명제의 술어가 될 수 없다.'에서 '유용하다.', '명제의 술어', '될 수 없다.' 이 세 가지 부분에 주목해야 한다. 명제의 술어는 앞서 살펴본 취미 판단의 요건 중 ①에 해당하므로 이것만을 적용하여 적절성을 판단하면 된다. 따라서 ①을 고려하면 취미 판단의 술어는 오로지 판단 주체의 주관적 감정에 의거한다고 하였는데 '유용하다'는 주관적 감정이 아니므로 취미 판단에 해당하지 않는다는 판단을 내리게 되는 것이다. 문제를 풀 때 시간적인 여유가 있다면 정확한 판단을 위해 다른 요건들도 적용해 보는 것도 좋다.

03 세부 정보의 추론 | 정답 ① |

윗글을 통해 추론한 내용으로 적절하지 <u>않은</u> 것은?

① 개념적 규정은 예술 작품에 대한 ~~취미 판단을 가능하게 한다.~~

② <u>공통감</u>은 미감적 공동체에서 예술 작품의 미를 판정할 보편적 규범이 될 수 있다.

③ 특정 예술 작품에 대한 사람들의 취미 판단이 일치하는 것은
공통감을 규범으로 한 취미 판단
우연으로 볼 수 없다.

④ 예술 작품에 대한 나의 취미 판단은 내가 속한 <u>미감적 공동체</u>
공통감
의 미적 감수성을 보여 준다.

⑤ 예술 작품에 대해 순수한 미감적 태도를 취하지 못하면 그 작품에 대한 취미 판단이 가능하지 않다.

📁 **발문 분석**

지문을 바탕으로 각종 개념과 관련된 내용을 적절히 추론할 수 있는지를 묻고 있다. 지문에 담긴 여러 가지 단서들을 종합하여 선택지의 진술이 옳은지를 따져 보아야 하며 논리적으로 타당한지도 살펴보아야 한다.

◎ **정답 풀이**

① 2문단에서 '취미 판단이란, 대상의 미·추를 판정하는 미감적 판단력의 행위'라고 하였고, 규정적 판단은 '이성이 개념을 통해 지식이나 도덕 준칙을 구성하는' 것이라고 하였다. 그리고 6문단에서 '미적 감수성은 대상을 개념적으로 규정할 수는 없'다고 하였다. 따라서 개념적 규정은 규정적 판단에만 해당하는 특징임을 알 수 있고, 개념적 규정이 예술 작품에 대한 취미 판단을 가능하게 한다고 추론하는 것은 적절하지 않다.

❌ **오답 풀이**

② 3문단에서 취미 판단의 주체들은 '공통감이라 불리는 공통의 미적 감수성이 전제로 작용하고 있기 때문'에 미감적 공동체를 이루고 있다고 할 수 있다 하였다. '이때 공통감은 취미 판단의 미적 규범 역할'을 하며, 이로 인해 취미 판단은 주관적 보편성을 지닌다고 하였다. 따라서 공통감은 미감적 공동체에서 예술 작품의 미를 판정할 보편적 규범이 될 수 있다는 추론은 적절하다.

③ 3문단에서 '공통감으로 인해 취미 판단은' 주관적 보편성을 지니므

로 '어떤 주체가 내리는 취미 판단은 그가 속한 공동체의 공통감을 예시한다.'라고 하였다. 따라서 특정 예술 작품에 대한 사람들의 취미 판단이 일치하는 것은 공통감으로 인해 취미 판단이 주관적 보편성을 지니게 된 것이므로, 이를 우연으로 볼 수 없다는 추론은 적절하다.

④ 3문단에서 '어떤 주체가 내리는 취미 판단은 그가 속한 공동체의 공통감을 예시한다.'라고 하였다. 따라서 예술 작품에 대한 나의 취미 판단은 내가 속한 미감적 공동체의 미적 감수성을 보여 준다는 추론은 적절하다.

⑤ 2문단에서 '취미 판단은 오로지 대상의 형식적 국면을 관조하여 그것이 일으키는 감정에 따라 미·추를 판정하는 것 이외의 어떤 목적도 배제하는 순수한 태도, 즉 미감적 태도를 전제로 한다.'라고 하였다. 따라서 예술 작품에 대해 순수한 미감적 태도를 취하지 못하면 그 작품에 대한 취미 판단이 가능하지 않다는 추론은 적절하다.

04 세부 정보의 비교 | 정답 ⑤ |

윗글의 <u>상상력</u>과 <u>지성</u>에 대한 설명으로 가장 적절한 것은?

① 취미 판단 시 상상력과 지성의 관계는 규정적 판단 시와 ~~유사~~
전혀 다름.
하다.

② 규정적 판단 시 상상력이 ~~주~~도적인 역할을, 지성이 ~~종~~속적인 역할을 한다.

③ 규정적 판단 시 지성은 상상력과 '~~조화~~의 관계를 이루며 개
취미 판단의 특징
념적 인식을 도출한다.

④ 취미 판단 시 상상력은 특정한 동기나 ~~관심에 부합하는 것들
규정적 판단의 특징
만을 선택~~하게 된다.

⑤ 취미 판단 시 상상력은 합법칙성의 한계 내에서 자유롭게 자신의 기능을 수행한다.

📁 **발문 분석**

글의 핵심 소재에 해당하는 '상상력'과 '지성'의 특징을 이해하고 있는지를 묻고 있다. 규정적 판단과 취미 판단에서의 '상상력'과 '지성'의 관계가 어떻게 달라지는지 파악해야 한다.

◎ **정답 풀이**

⑤ 5문단에서 취미 판단 시 '지성은 규정적 판단 때와는 달리 상상력으로 하여금 하나의 특정한 개념적 관점에서 벗어나 자유롭게, 그러나 일탈에 흐르지 않는 합법칙성의 한계 안에서 다양한 것을 포착하고 선택할 수 있도록 규정해준다.'라고 하였다. 따라서 취미 판단 시 상상력은 합법칙성의 한계 내에서 자유롭게 자신의 기능을 수행한다는 설명은 적절하다.

❌ **오답 풀이**

① 4문단에서 인식 판단과 비교할 때 취미 판단에서도 '상상력과 지성이라는 인식 능력들의 역할과 기능은 축소되거나 배제되지 않'지만, '인식 능력들 간의 관계가 인식 판단 때와는 전혀 다르다'고 하였다. 따라서 취미 판단 시 상상력과 지성의 관계가 규정적 판단 시와 유사하다는 설명은 적절하지 않다.

② 4문단에서 '규정적 판단의 경우 개념 형성에 있어서 지성이 능동적이며 주도적인 역할을, 상상력은 수동적이며 종속적인 역할을' 한다고 하였다. 따라서 규정적 판단 시 상상력이 주도적인 역할을, 지성이 종속적인 역할을 한다는 설명은 적절하지 않다.

③ 4문단에서 규정적 판단이 '개념적 인식을 도출'한다고 하였다. 칸트는 취미 판단에서 상상력과 지성이라는 '두 인식 능력들 간의 관계는 대등하고 상호 보완적이며 상호 활성화의 관계로 변환'되는데 이를 '조화'로 규정했다고 하였다. 따라서 규정적 판단 시 지성이 상상력과 조화의 관계를 이룬다는 설명은 적절하지 않다.

④ 5문단에서 '자유로운 유희에서 상상력은 더 이상 지성이 부여하는 규칙, 즉 특정한 동기나 관점에 부합하는 것들만을 선택해야 하는 규칙에 얽매이지 않고 자유롭게 모든 다양한 자료들을 임의적으로 다루며 자신의 기능을 수행할 수 있다.'라고 하였다. 따라서 취미 판단 시 상상력이 특정한 동기나 관점에 부합하는 것들만을 선택하게 된다는 설명은 적절하지 않다.

---

05 구체적 사례에 적용 | 정답 ③ |

윗글을 바탕으로 [보기]의 ⓐ~ⓔ를 이해한 것으로 적절한 것은?

─┤보기├─

스페인 출신의 화가 피카소는 1907년 그의 초기 걸작 〈아비뇽의 처녀들〉을 발표하였다. 피카소는 대상을 재현하는 전통적 회화의 방법
취미 판단의 대상 / 창작 배경
에 불만을 품고 〈아비뇽의 처녀들〉  에서 ⓐ전통적인 신체 묘사 기법에서 벗어나 완전히 인간의 신체를 왜곡하고, 얼굴을 아프리카 부족의 가면처럼 묘사하는 매우 혁신적인 화풍을 선보였다.
〈아비뇽의 처녀들〉의 특징
도발적인 포즈로 감상자를 응시하는 캔버스 속 인물들은 ⓑ전통적인 아름다움이 아닌 ⓒ유쾌하지 않은 불편함을 안겨 주었기에 이 작품이 처음 전시되었을 때 ⓓ화가와 평론가들의 혹평이 쏟아졌다. 하지만 피카소의 스튜디오를 찾은 딜러 ⓔ다니엘 칸바일러는 피카소의 예술성에 깊이 매료됐다. 피카소가 "칸바일러가 없었다면 현재의 나도 없었을 것"이라고 말했듯 칸바일러는 피카소가 당대를 풍미할 수 있도록 적극적으로 내조하였다. 이렇게 피카소의 〈아비뇽의 처녀들〉에서 출발하여 발전한 입체파 미술, 큐비즘이라 불리는 이 사조는 당시 파리의 화단에서 냉혹한 비판을 받았으나 점차 긍정적
작품 또는 사조에 대한 평가가 시대에 따라 달라짐.
인 평가를 받게 되었으며, 피카소는 현재 20세기 현대 미술의 대표 화가로 손꼽히고 있다.
피카소에 대한 현대의 평가

① 〈아비뇽의 처녀들〉이 ⓐ에서 벗어났다고 판단하기 위해서는 감상자의 지성과 상상력이 대등한 관계로 변환되어야겠군.
규정적 판단 / 취미 판단의 특징

② ⓑ의 존재는 취미 판단이 ~~객관적~~ 보편성을 지니고 있음을 보여 주는군.
주관적 보편성

③ ⓒ는 인식 능력들의 상호 활성화 상태에 대한 주체의 의식에서 비롯된 감정이겠군.

④ ⓓ에서 취미 판단이 주체의 ~~주관적 판단이 아닌 객관적 차원~~의 판단임을 알 수 있군.
취미 판단은 주관적 판단임.

⑤ ⓔ가 〈아비뇽의 처녀들〉에 대해 내린 취미 판단은 그가 속한 공동체의 공통감을 보여 주는 것이겠군.
공동체와 다른 판단을 내림.

📁 **발문 분석**

지문의 개념을 구체적 사례에 적용하여 이해할 수 있는지를 묻고 있다. 취미 판단 이론의 개념과 특징에 대해 파악한 후 [보기]의 사례에 적용해 보면서 선택지의 설명이 적절한지 살펴보아야 한다.

✔️ **보기 분석**

[보기]는 피카소의 작품인 〈아비뇽의 처녀들〉을 제시하고, 이와 관련된 일화를 소개하고 있다. 피카소의 〈아비뇽의 처녀들〉은 발표되었을 당시 전통적인 신체 묘사 기법에서 벗어난 혁신적 기법 때문에 혹평을 받았다. 그러나 다니엘 칸바일러만은 피카소의 예술성에 마음을 사로잡혔으며, 그는 피카소가 작품 활동을 할 수 있도록 적극적으로 도왔다. 이후 피카소의 〈아비뇽의 처녀들〉에서 출발하여 입체파 미술이 발전하였고, 피카소는 현재 20세기 현대 미술의 대표 화가로 손꼽히고 있다.

⭕ **정답 풀이**

③ 4문단에서 취미 판단에서는 상상력과 지성이라는 '두 인식 능력들 간의 관계는 대등하고 상호 보완적이며 상호 활성화의 관계로 변환된다.'라고 하였다. 또 5문단에서 '서로를 교차적으로 촉진시키는 심성적 능력들의 상태에 대한 주체의 의식이 취미 판단에서의 쾌·불쾌의 감정'이라고 하였다. ⓒ는 〈아비뇽의 처녀들〉이라는 작품을 본 감상자들이 느낀 감정을 의미하는데, 감상자들은 이 작품을 보고 불편함, 즉 불쾌함이라는 감정을 느꼈다고 하였다. 따라서 ⓒ는 인식 능력들의 상호 활성화 상태에 대한 주체의 의식에서 비롯된 감정이라고 할 수 있다.

❌ **오답 풀이**

① 〈아비뇽의 처녀들〉이 'ⓐ전통적인 신체 묘사 기법'에서 벗어났다는 판단은 전통적인 신체 묘사 기법에 대한 지식을 기반으로 한 판단이라고 볼 수 있다. 2문단에서 '취미 판단에는 대상에 대한 지식'이 끼어들지 않아야 한다고 하였으므로, 이 판단은 규정적 판단에 해당한다. 그런데 4문단에서 취미 판단에서는 지성과 상상력 간의 관계는 대등하고 상호 보완적이며 상호 활성화의 관계로 변환된다.'라고 하였다. 그러므로 감상자의 지성과 상상력이 대등한 관계로 변환되는 것은 취미 판단의 특징임을 알 수 있다. 따라서 〈아비뇽의 처녀들〉이 ⓐ에서 벗어났다고 판단하기 위해서는 감상자의 지성과 상상력이 대등한 관계로 변환되어야 한다는 진술은 적절하지 않다.

② 'ⓑ전통적인 아름다움'이 존재한다는 것은 예로부터 구성원들이 공통적으로 동의하는 아름다움이 존재한다는 의미이다. 5문단에서 미적 판단은 '철저하게 주관적 판단'이라고 하였지만 미적 판단이 이러한 공동체적 성격을 지닐 수 있는 이유는 3문단에서 찾아볼 수 있다. 3문단에서는 '취미 판단의 주체들은 미감적 공동체를 이루고 있'는데, '구성원들 간에 공통감이라 불리는 공통의 미적 감수성이 전제로 작용하고 있기 때'문에 취미 판단은 '주관적 보편성을 지'닌다고 하였다. 따라서 ⓑ가 존재한다는 것은 취미 판단이 객관적 보편성이 아닌 주관적 보편성을 지니고 있음을 보여 주는 것이라 할 수 있다. 따라서 ⓑ의 존재는 취미 판단이 객관적 보편성을 지니고 있음을 보여 준다는 진술은 적절하지 않다.

④ 'ⓓ화가와 평론가들의 혹평'은 당대 화가와 평론가들이 〈아비뇽의 처녀들〉에 대해 미·추를 판정하는 취미 판단을 하였음을 의미한다. 3문단에서 다수의 사람들이 공통의 취미 판단을 할 수 있는 것은 '구성원들 간에는 공통감이라 불리는 공통의 미적 감수성이 전제로 작용하고 있기 때문이라고 하였다. 그리고 5문단에서 이러한 미적 판단은 '철저하게 주관적 판단'이라고 하였다. 따라서 ⓓ에서

취미 판단이 주체의 주관적 판단이 아닌 객관적 차원의 판단이라는 진술은 적절하지 않다.

⑤ 3문단에서 '취미 판단의 주체들은 미감적 공동체를 이루고 있다고 할 수 있고' 그 '구성원들 간에는 공통감이라 불리는 공통의 미적 감수성이 전제로 작용하고 있기 때문'에 '어떤 주체가 내리는 취미 판단은 그가 속한 공동체의 공통감을 예시한다.'라고 하였다. 이러한 칸트의 주장에 따르면 [보기]의 다니엘 칸바일러 또한 공통감을 갖고 있겠지만, 그는 당대의 화가와 평론가들이 〈아비뇽의 처녀들〉에 대해 혹평을 내린 것과는 달리 긍정적인 태도를 보이고 있다. 따라서 'ⓔ다니엘 칸바일러'가 〈아비뇽의 처녀들〉에 대해 내린 취미 판단은 그가 속한 공동체의 공통감을 보여 주는 것이라는 진술은 적절하지 않다.

🍯 선생님의 꿀 정보

05번 문제: 구체적 사례에 적용하기

똑같이 사례에 지문의 내용을 적용하여야 하지만 02번 문제와 달리 05번 문제는 [보기]를 통해 구체적 사례를 제시하고 이에 대해 선택지에 언급한 내용이 적절한지를 따지는 문제이다. 이처럼 [보기]에 사례를 제시하고 적용해야 하는 유형의 문제를 해결하는 방법은 다음과 같다.

1. 발문에서 요구하는 바가 무엇인지 확인한다.

이러한 유형의 문제는 대부분 '윗글을 바탕으로' 또는 '윗글을 참고하여'와 같이 글 전체를 판단의 근거로 제시한다. [보기]의 사례가 한 문단만을 적용하여 분석할 만큼 단순하지는 않기 때문이다. 05번 문제 또한 '윗글을 바탕으로 [보기]의 ⓐ~ⓔ를 이해한 것으로 적절한 것은?'이라며 글 전체를 참고하여 [보기]를 분석할 것을 요구하고 있다. 또 ⓐ~ⓔ는 [보기]의 세부 내용으로 제시함으로써 판단 대상을 구체화하였다.

2. [보기]의 내용을 확인한다.

글 전체의 내용을 머릿속에 저장해 놓을 수는 없으므로, [보기]를 읽으면서 [보기]와 글의 내용을 연관짓는 것은 쉽지 않다. 따라서 처음에는 부담 없이 [보기]가 의미하는 바를 정확하게 파악한다.

3. 선택지의 내용을 확인한다.

선택지의 내용을 확인한 후 선택지에 언급한 내용이 지문과 [보기]의 어느 부분에 해당하는지를 파악해야 한다. 가령 05번 문제의 선택지 ②번 'ⓑ의 존재는 취미 판단이 객관적 보편성을 지니고 있음을 보여 주는군.'을 확인했다면 '객관적 보편성'에 대해 언급하고 있는 지문의 3문단을 확인한 후, [보기]의 ⓑ가 '전통적인 아름다움'임을 확인해야 한다.

4. 확인한 정보들을 조합하여 분석한다.

3문단에서 취미 판단은 '객관적 보편성'과 구별되는 '주관성 보편성'을 지닌다고 하였는데 선택지 ②번에서는 취미 판단이 객관적 보편성을 지닌다고 서술하고 있으므로 이미 틀린 선택지라는 것을 알 수 있다. 하지만 정확한 판단을 위해 [보기]의 ⓑ를 함께 고려해 보면, 전통적인 아름다움이 존재한다는 것은 다수의 사람들이 동일한 미적 판단을 하였다는 것이므로, 이 또한 주관적 보편성에 대한 설명임을 알 수 있다. 이러한 분석 과정을 거쳐 선택지 ②번이 적절하지 않다는 최종 판단을 내려야 한다.

06 어휘의 문맥적 의미 판단 | 정답 ④ |

문맥상 ㉠~㉤과 바꿔 쓰기에 적절하지 않은 것은?

① ㉠: 간주했기
  여겼기
② ㉡: 피력한다
  펼친다
③ ㉢: 개입하지
  끼어들지
④ ~~㉣: 소지하는~~
  지니는 (사람이 무엇을) 몸에 간직하여 가지다.
⑤ ㉤: 확산되어
  퍼져

📁 발문 분석

문맥을 고려하여 어휘의 의미를 파악할 수 있는지 묻고 있다. 선택지에 제시된 한자어가 평소 어떤 상황에서 사용되며 어떤 의미를 가지고 있는지 짐작해 보도록 한다.

⭕ 정답 풀이

④ '취미 판단'이 공통감으로 인해 '주관적 보편성'을 ㉣'지니는' 것은 문맥을 고려하면 '바탕으로 갖추는'을 의미한다. 따라서 '(사람이 어떤 물건을) 몸에 지니다.'를 의미하는 '소지하다'로 바꿔 쓰는 것은 적절하지 않다.

❌ 오답 풀이

① '간주하다'는 '상태, 모양, 성질 따위가 그와 같다고 보거나 그렇다고 여기다.'를 의미한다. 따라서 ㉠의 '여기다'와 바꿔 쓰는 것은 적절하다.
② '피력하다'는 '생각하는 것을 털어놓고 말하다.'를 의미한다. 따라서 ㉡의 '펼치다'와 바꿔 쓰는 것은 적절하다.
③ '개입하다'는 '자신과 직접적인 관계가 없는 일에 끼어들다.'를 의미한다. 따라서 ㉢의 '끼어들다'와 바꿔 쓰는 것은 적절하다.
⑤ '확산되다'는 '흩어져 널리 퍼지게 되다.'를 의미한다. 따라서 ㉤의 '퍼지다'와 바꿔 쓰는 것은 적절하다.

예술 03

M·E·M·O

_____

_____

_____

_____

_____

_____

_____

_____

예술 04 난간의 종류와 건축 미학

[2008년 6월 평가원 기출 변형]

01 ③   02 ③   03 ①   04 ③   05 ①   06 ④   본문 **○** 144쪽

구절 풀이

난간은 건축물의 가장 끝에 있는 공간이므로 거주 공간의 끝자락이라고 할 수 있음.

사람의 추락을 막기 위해 건물의 외부에 설치되면서, 난간이 건물의 외부를 아름답게 꾸미는 역할도 하게 되었음.

어휘 풀이

* 누정: 누각과 정자를 아울러 이르는 말.
* 미감: 아름다움에 대한 느낌. 또는 아름다운 느낌.
* 완충: 대립하는 것 사이에서 불화나 충돌을 누그러지게 함.
* 누각: 사방을 바라볼 수 있도록 문과 벽이 없이 다락처럼 높이 지은 집.
* 정자: 경치가 좋은 곳에 놀거나 쉬기 위해 지은 집. 벽이 없이 기둥과 지붕만 있음.
* 툇마루: 툇간에 놓은 마루.
* 정전: 왕이 나와서 조회(朝會)를 하던 궁전.
* 기단: 건축물의 터를 반듯하게 다듬은 다음에 터보다 한 층 높게 쌓은 단.
* 계자각: 난간두겁대를 받치는, 짧고 가느스름한 기둥.
* 동자: 난간에 일정한 간격으로 칸막이한 짧은 기둥.
* 살창: 좁은 나무오리나 대오리로 살을 대어 맞추어서 만든 창문.
* 오채: 파랑, 노랑, 빨강, 하양, 검정의 다섯 가지 색.

—선생님의Tip—

"평난간과 계자 난간의 공간 활용"

바닥과 수평으로 세운 평난간과 달리, 계자 난간은 난간에서 손이 닿는 부분인 돌란대를 받치는 동자를 계자각으로 하여 바깥쪽으로 휘게 깎아 세운다. 이 같은 계자 난간에서는 누정의 공간을 바깥쪽으로 몇 치라도 확장하려는 조상들의 공간 활용 의도가 엿보임.

---

1 우리의 전통 가옥이나 누정*, 사찰, 궁궐의 건축물 등에서 쉽게 볼 수 있는 것이 **난간(欄干)**이다. 선인들의 작품에 '난간에 기대어'라는 표현이 심심찮게 나올 정도로 난간에는 우리 조상들의 삶의 숨결과 미의식이 깃들어 있다. ⓐ자칫 소홀하게 여길 수 있는 거주 공간의 끝자락에서도 선인들은 여유와 미감*을 찾고자 했던 것이다.
└ 난간에서 발견할 수 있는 의미
1문단: 조상들의 삶의 숨결과 미의식이 깃든 난간

2 난간의 발생이 언제부터인지 확실하지는 않지만, 고구려의 장군총, 백제의 동탑편, 통일 신라의 안압지 등 삼국 시대 건축물에서 많이 발견된 것으로 보아 삼국 시대 이전으로 추정
└ 삼국 시대에 난간이 있었다는 것의 증거물
된다. 난간은 ⓑ원래 사람들의 추락을 막기 위한 목적으로 마루, 계단, 다리 등에 설치되었
└ 난간의 본래 목적
다. 지면보다 높은 곳에서 사람이 떨어지는 것을 막기 위해 만들어졌기 때문에 난간은 외부에 설치되었고, 건물을 꾸미는 치장재의 역할도 하게 되었다. 또한 난간은 건물의 일부분이면서 내부 거주자를 외부로 이끄는 완충* 공간의 역할을 한다. **2문단: 난간의 발생 시기와 목적, 역할**
└ 난간이 건물의 외부와 내부를 이어주는 기능

3 난간은 재료에 따라 목조 난간과 석조 난간으로 나뉘는데 **목조 난간**은 누각(樓閣)*, 정자(亭子)*, 툇마루* 등에 보편적으로 설치되었고, **석조 난간**은 궁궐 정전(政殿)*의 기단*이나 돌다리 등에만 드물게 설치되었다. 우리의 전통 건축물이 대부분 목조 양식이기 때문에 석조 난간보다는 목조 난간이 널리 설치된 것이다. 목조 난간은 크게 계자 난간(鷄子欄干)과 평난간(平欄干)으로 구분된다. **계자 난간**은 계자각(鷄子脚)*을 동자(童子)*로 하여 난간을 지지하도록 만든 난간이다. 여기서 계자각은 두껍고 넓은 평판을 닭의 다리 모양처럼 위쪽이 밖으로 삐쳐 나온 형태로 오려내어 만든다. 이는 측면에서 보면 까치발처럼 생겼
└ 선반이나 탁자 따위의 널빤지를 버티어 받치기 위하여 수직면에 대는 직각 삼각형 모양의 나무나 쇠
는데 판재에 덩굴 문양을 조각해 만든다. 계자 난간은 위로 올라갈수록 밖으로 튀어나오도록 만들기 때문에 난간대가 밖으로 튀어나오게 되며, 건물 안쪽에서는 난간대가 손에 스치
지 않는 여유가 생긴다. **평난간**은 계자각이 없이 바닥과 수직으로 세워진 난간으로, 난간 └ 계자 난간의 특징
상방 위에 바로 하엽을 올리고 하엽 위에 난간대를 건 형태이다. **3문단: 난간의 종류**
└ 난간의 위쪽 사이에 가로지르는 나무   └ 계자각의 유무가 평난간과 계자 난간을 가르는 기준

4 목조 난간은 일반 민가에서 쉽게 볼 수 있는 질박하고 수수한 난간에서부터 멋과 미감을 살린 계자 난간으로 발전되어 갔다. 민가에서 주로 보이는 보통의 난간이 특별한 장식 없이 널빤지만으로 잇는 소박한 형태였다면, 계자 난간은 궁판(穹板)에 궁창(穹窓)을 만들어 잇
└ 계자 난간의 형태 ①
기도 하고, 때로는 궁판 대신에 다양한 모양의 살창*을 끼워 ⓒ한껏 멋을 살리기도 하였다.
└ 계자 난간의 형태 ②
또한 동자를 짜서 마루와 궁판에 끼워 난간을 튼튼하게 만들면서도 장식미를 드러내고 있다. 난간은 오채(五彩)*를 뽐내는 단청의 화려함이나 서까래로 잘 짜 맞춘 대들보의 단단함

지문 구조도

화제 제시: 난간의 목적과 역할(1, 2문단)

사람들의 추락을 막기 위한 목적으로 만들어진 난간은 치장재의 역할과 완충 공간의 역할을 함.

⬇

전개: 난간의 종류와 미학적 특징(3~7문단)

목조 난간	석조 난간
• 누각, 정자, 툇마루 등에 보편적으로 설치됨. • 계자 난간과 평난간으로 구분됨. • 장식미와 자연친화적 미의식, 공간 미학적 특징이 드러남.	• 궁궐 정전의 기단, 돌다리 등에만 드물게 설치됨. • 주로 화강암이 재료로 사용되며 위치에 따른 구조적 안전성과 재료의 내구성을 고려하여 설치됨.

⬇

난간의 의의(8문단)

난간은 우리 건축물의 아름다움을 잘 보여 주는 소중한 문화유산임.

출제 의도 난간의 종류별 특징과 건축 미학을 파악할 수 있는지를 평가하기 위한 지문이다. 난간의 종류와 난간을 구성하는 요소들을 파악할 수 있는지와 장식미, 자연친화적 요소 등 난간의 건축 미학적 특징을 파악할 수 있는지를 평가하는 문제가 출제되었다.

주제 난간의 종류와 건축 미학적 특징

에는 비길 수 없지만, 그 나름대로 질박하면서도 화사한 멋과 야무진 짜임새를 ⓓ고루 갖추고 있다.
<u>난간의 멋과 장점</u>
4문단: 계자 난간의 화사한 멋과 짜임새

5 목조가 연출하는 <u>난간의 건축 미학</u>은 자연 친화성에서 나온다. 난간은 특히 독특한 색깔과 무늬로 다른 건축 재료와 조화를 이루는 나무 본래의 특성을 ⓔ잘 살리고 있다.
<u>목조 난간의 건축 미학 ①: 다른 재료와의 조화</u>
멀리서 볼 때 주변 환경과 멋들어지게 어울리는 건물의 품새와 잘 짜인 구성미를 살릴 수 있었던 것도 나무로 만든 난
<u>목조 난간의 건축 미학 ②: 주변 환경과의 조화</u>
간이 바탕이 되었기 때문이다. 난간을 지을 때 하엽(荷葉)과 돌란대를 단단히 고정시키기 위해 박는 국화 모양의 나무못에서도 자연 친화적인 선인들의
<u>자연 친화적 미의식의 근거: 쇠못이 아닌 나무못을 사용함.</u>
미의식을 확인할 수 있다.
5문단: 목조 난간에 드러난 자연 친화적 미의식

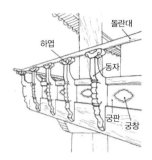

돌란대
하엽
동자
궁판
궁창

6 그리고 궁창은 수복강녕(壽福康寧)*을 상징하는 거북이나 구름뿐 아니라 연꽃 등 다양
<u>궁창의 대표적인 모양</u>
한 모양으로 만들어지기도 한다. 여기에는 장식적 목적도 있었지만 답답하게 느껴질 수 있
<u>장식적 목적 ①</u>
는 건물 내부 공간을 시원스레 개방함으로써 자연스레 바깥 세계를 끌어들이기 위한 의
<u>궁창의 목적 ②</u>
도도 들어 있다. 여름날 툇마루나 대청마루의 난간 창살 사이로 살랑살랑 불어오는 시원한 미풍의 감촉도 바로 이러한 ㉠난간의 공간 미학적 특징에서 비롯된다.
6문단: 목조 난간의 공간 미학적 특징

7 석조 난간은 석재, 주로 화강암이 주재료로 사용되는 난간으로, 위치에 따른 구조
<u>석조 난간의 특징</u>
적 안전성과 재료의 내구성*을 고려하여 건물의 기단 그리고 돌계단, 돌다리 등에 설치
되었다. 「석조 난간은 지대석*을 놓고 일정 간격으로 동자기둥(童子柱石)*을 세우며
<u>「ㄱ: 석조 난간의 구조와 구성 방식</u>
[A] 동자기둥 사이에는 하엽석(荷葉石)을 놓고 이 위에 동자기둥 사이를 건너지르는 난간석*을 올린다. 난간석은 대개 팔각으로 만들어지는데 이를 돌란대라고 부른다. 그리고 다리가 시작되는 양쪽에는 동자기둥보다 굵고 높은 기둥석을 세우고 서수상(瑞獸像)*을 올리기도 하는데 이를 법수석(法首石)이라고 한다. 동자기둥 위에는 연봉*을 조각하는 것이 보통이다.」
7문단: 석조 난간의 구조와 구성 방식

8 이처럼 난간은 실용적인 목적을 지닌 건축의 일부분이면서 독특한 미학을 보여주는 공간이라고 볼 수 있다. 선인들의 삶의 지혜와 미의식을 곳곳에서 발견할 수 있는 난간이야말
<u>난간의 의의</u>
로 우리 건축물의 아름다움을 잘 보여 주는 소중한 문화유산이다.
8문단: 난간에서 찾을 수 있는 선인들의 지혜와 미의식

지문 해제

이 글은 우리 전통 건축물의 한 부분인 난간의 종류와 건축 미학 대해 설명하고 있다. 선인들의 삶의 지혜와 미의식을 보여 주는 난간은 원래 사람들의 추락을 막기 위한 목적으로 설치되었다. 난간은 건물을 꾸미는 치장재 역할과 건물 내부와 외부 사이에서 완충 공간의 역할을 한다. 난간은 재료에 따라 목조 난간과 석조 난간으로 나뉘는데, 우리의 전통 건축물이 대부분 목조 양식이므로 목조 난간이 보편적으로 나타난다. 목조 난간은 계자각의 유무에 따라 계자 난간과 평난간으로 나뉜다. 계자 난간은 계자각을 동자로 하여 난간을 지지하도록 만든 것이고, 위로 올라갈수록 외부로 튀어나와 있다. 평난간은 계자각을 사용하지 않고 바닥과 수직으로 세워진 난간이다. 계자 난간은 궁판에 궁창을 만들어 잇거나 궁판 대신 다양한 모양의 살창을 끼워 장식미를 드러내기도 한다. 또 동자를 마루와 궁판 사이에 끼워 난간의 견고함을 더하고 장식미를 드러내기도 한다. 이러한 계자 난간은 질박하면서도 화사한 멋과 야무진 짜임새를 고루 갖추고 있다. 목조 난간은 나무의 독특한 색깔과 무늬 때문에 다른 건축 재료와 주변 환경과 조화를 이루기 때문에 자연친화적이기도 하다. 국화 모양의 나무못을 사용하는 것에서도 자연 친화적 미의식을 엿볼 수 있다. 그리고 난간의 궁창은 건물 내부 공간을 개방함으로써 바깥 세계를 자연스럽게 끌어들이려는 의도를 갖고 있다. 한편 석조 난간은 화강암을 주재료로 사용하여 만들어지는데, 위치에 따른 구조적 안정성과 재료의 내구성을 고려해야 한다. 지대석, 동자기둥, 하엽석, 난간석, 법수석 등으로 구성된다. 이러한 난간은 선인들의 미의식과 지혜를 발견할 수 있고, 우리 건축물의 아름다움을 잘 보여 주는 소중한 문화유산이다.

어휘 풀이

* 수복강녕: 오래 살고 복을 누리며 건강하고 평안함.
* 내구성: 물질이 원래의 상태에서 변질되거나 변형됨이 없이 오래 견디는 성질.
* 지대석: 건축물을 세우기 위하여 잡은 터에 쌓은 돌.
* 동자기둥: 들보 위에 세우는 짧은 기둥.
* 난간석: 난간의 위쪽에 옆으로 길게 건너 댄 돌.
* 서수상: 기린 따위의 상서로운 짐승의 형상을 만들어 세운 기념물.
* 연봉: 막 피려고 하는 연꽃의 봉오리.

구절 풀이

○ 난간 창살 사이로 불어오는 바람도 건물 내부의 공간을 시원스럽게 개방하여 자연스럽게 바깥 세계를 끌어들이고자 하는 난간의 공간 미학적 특징에서 비롯된 것임.

선생님의Tip

"교란의 종류"

평난간 중 난간의 동자 사이를 창처럼 살대로 엮은 난간을 교란이라 함. 살대의 모양에 따라 아자 교란, 완자 교란, 빗살 교란 등으로 구별할 수 있음. 아자 교란은 '亞' 자 모양으로 살을 짠 난간을, 완자 교란은 '완(卍 〈중〉wan)'자 모양으로 짠 난간을, 빗살 교란은 빗살 모양으로 짠 난간을 가리킴.

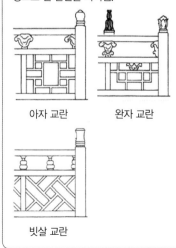

아자 교란   완자 교란

빗살 교란

예술 04

01 내용 전개 방식의 파악 | 정답 ③ |

윗글에 대한 설명으로 가장 적절한 것은?

① 난간의 발전 과정을 ~~통시적 관점에서~~ 단계적으로 서술하고
있다.
통시적 관점에서 단계적으로 서술하지 않음.

② 난간의 구성 및 ~~제작 과정에 담긴~~ 과학적 원리를 규명하고
있다.
제작 과정이나 과학적 원리를 제시하지 않음.

③ 난간의 종류를 분류하고 난간의 건축 미학과 의의를 제시하
고 있다.

④ ~~구체적인 건축물의~~ 난간을 예로 들며 난간의 특징을 설명하
고 있다.
구체적 사례를 제시하지 않음.

⑤ 전통 건축의 난간이 ~~현대 건축의 난간에~~ 끼친 영향을 분석하
고 있다.
현대 건축의 난간에 대해 언급하지 않음.

🗂 발문 분석

지문에서 중심 화제를 파악하고 이를 어떠한 방식으로 조직하고 있는
지를 묻고 있다. 글에서 '난간'의 어떤 측면을 강조하고 있는지를 파악
한 후, 이를 효과적으로 드러내기 위해 어떤 내용 전개 방식을 활용하
고 있는지를 판단해야 한다.

◎ 정답 풀이

③ 3문단에서 난간의 종류를 나누고 3문단, 4문단, 7문단에서 각 종류별 난
간의 특징을 설명하고 있다. 또 4~6문단에서는 장식미와 자연 친화적
요소라는 난간의 건축 미학적 특징을 설명하고, 8문단에서는 난간의 의
의를 밝히고 있다. 따라서 이 글이 난간의 종류를 분류하고 난간의 건축
미학과 의의를 제시하고 있다는 진술은 적절하다.

✕ 오답 풀이

① 2문단에서는 고구려의 장군총 등 삼국 시대 건축물에서 난간이 많
이 발견되었다는 이유로 난간이 삼국 시대 이전에 발생했을 것이라
고 추정하고 있다. 또 4문단에서는 '목조 난간은 일반 민가에서 쉽
게 볼 수 있는 질박하고 수수한 난간에서부터 멋과 미감을 살린 계
자 난간으로 발전되어 갔다.'라고 하였다. 하지만 이는 단편적인 언
급으로 시간의 경과에 따라 변화를 살펴보는 통시적 관점에서 난간
의 발전 과정을 단계적으로 서술하고 있는 것과는 거리가 멀다.

② 7문단에서 석조 난간의 구성 방식에 대해 설명하고 있다. 그러나
난간의 제작 과정이나, 제작 과정에 담긴 과학적 원리를 설명하고
있지는 않다.

④ 4문단에서 계자 난간의 형태와 구성에 대해 설명하고 있으며 7문
단에서 석조 난간의 구조와 구성 방식에 대해 설명하고 있다. 그러
나 구체적인 건축물의 난간을 예로 들며 설명하고 있는 부분은 찾
을 수 없다.

⑤ 이 글은 난간의 종류와 난간의 건축 미학적 특징, 의의를 설명하고
있다. 그러나 전통 건축의 난간이 현대 건축의 난간에 끼친 영향을
분석하고 있는 부분은 찾을 수 없다.

🎓 선생님의 꿀 정보

글의 내용 전개 방식을 파악하는 방법

01번 문제는 글쓴이가 말하고자 하는 핵심 내용을 어떻게 조직하고 있
는지를 파악해야 해결할 수 있는 문제이다. 따라서 이와 같은 유형의 문제
를 풀 때에는 핵심 내용이 무엇인지를 먼저 파악한 후, 적절한 전개 방식을
찾는 것이 효율적이다. 다음과 같은 과정을 거치면 이러한 유형의 문제는
쉽게 해결할 수 있다.

중심 화제 찾기	중심 화제는 보통 1문단에서 밝히는 경우가 많으므로, 1문단을 바탕으로 중심 화제를 찾아야 한다.
문단의 중심 내용 파악하기	문단별로 주제가 되는 구절이나 문장에 밑줄을 치면서 문단의 중심 내용을 찾아야 한다. 이때 문단의 첫 문장이나 마지막 문장에 주목하는 것도 도움이 된다.
접속어에 유의하며 글의 구조를 파악하기	각 문단의 앞부분에 제시된 접속어와 각 문단의 내용이 무엇인지에 유의하며 글 전체의 흐름이나 구조를 파악해야 한다. 특히 문단이 예시 문단인지, 주지 문단인지, 뒷받침 문단인지, 글의 내용을 요약하거나 정리하는 문단인지 등을 파악하고 이를 논리적으로 연결하면서 글의 구조를 파악하는 것이 효율적이다.
글의 구조를 고려하며 핵심 내용 파악하기	글의 논리적인 구조를 파악했다면, 글쓴이가 어떤 내용을 전달하기 위해 글을 썼는지를 파악할 수 있다. 따라서 이를 통해 글의 핵심 내용을 도출해야 한다.
핵심 내용을 통해 글의 전개 방식 찾기	글쓴이가 핵심 내용을 효과적으로 전달하기 위해 어떤 전개 방식을 사용했는지 파악해야 한다. 이때 비교, 대조, 예시, 분류, 분석, 구체화, 일반화, 통시적, 공시적 등 내용 전개를 묻는 문제의 선택지에 자주 사용되는 용어의 개념을 적용하며 전개 방식을 찾는 것이 효율적이다.

---

02 세부 정보의 이해 | 정답 ③ |

윗글의 내용과 일치하지 <u>않는</u> 것은?

① 난간은 사람들의 추락을 막고자 설치된 것이다.
2문단

② 난간은 건물을 꾸미는 역할과 완충 공간의 역할을 한다.
2문단

③ 난간은 ~~삼국 시대~~ 이후부터 건축물에 설치된 것으로 추정된다.
삼국 시대 이전부터

④ 계자 난간과 평난간을 구분하는 기준은 계자각의 설치 유무
이다.
3문단

⑤ 전통 건축물에서는 석조 난간보다 목조 난간을 많이 찾아볼
수 있다.
3문단

🗂 발문 분석

난간과 관련된 세부 내용을 파악할 수 있는지 묻고 있다. 지문에서 선
택지의 내용이 언급된 부분을 찾아 1:1로 비교해가며 정답을 찾아야
한다.

정답 풀이

③ 2문단에서 '난간의 발생이 언제부터인지 확실하지는 않지만 고구려의 장군총, 백제의 동탑편, 통일 신라의 안압지 등 삼국 시대 건축물에서 많이 발견된 것으로 보아 삼국 시대 이전으로 추정된다.'라고 하였다. 이를 고려하면 난간은 삼국 시대 이전부터 건축물에 설치되었다고 추정하고 있음을 알 수 있다. 따라서 난간을 삼국 시대 이후부터 건축물에 설치된 것으로 추정한다고 한 진술은 적절하지 않다.

오답 풀이

① 2문단에서 '난간은 원래 사람들의 추락을 막기 위한 목적으로 마루, 계단, 다리 등에 설치되었다.'라고 하였다. 따라서 사람들의 추락을 방지하기 위한 목적에서 난간이 만들어졌음을 알 수 있다.

② 2문단에서 난간은 '건물을 꾸미는 치장재의 역할도 하게 되었'고, '건물의 일부분이면서 내부 거주자를 외부로 이끄는 완충 공간의 역할을 한다.'라고도 하였다. 따라서 난간이 건물을 꾸미는 역할과 완충 공간의 역할을 수행함을 알 수 있다.

④ 3문단에서 '평난간은 계자각이 없이 바닥과 수직으로 세워진 난간'이라고 하였다. 따라서 계자 난간과 평난간을 구분하는 기준은 계자각의 설치 유무임을 알 수 있다.

⑤ 3문단에서 '우리의 전통 건축물이 대부분 목조 양식이기 때문에 석조 난간보다는 목조 난간이 널리 설치된 것이다.'라고 하였다. 따라서 전통 건축물에서는 석조 난간보다 목조 난간이 널리 설치되었음을 알 수 있다.

선생님의 꿀 정보

세부 정보를 이해하기

'세부 정보의 이해'는 글의 내용을 정확히 파악하고 이해했는지를 묻는 문제 유형으로, 국어 비문학(독서) 영역의 모든 제재에서 가장 많이 출제된다. 지문의 내용과 선택지의 내용이 일치하는지, 일치하지 않는지를 확인하는 유형이기 때문에 지문을 꼼꼼하게 읽는 것이 무엇보다 중요하다. 또 문제에서 필요로 하는 정보가 들어 있는 부분을 지문에서 빠르게 찾는 연습도 필요하다.

이와 같은 유형의 문제는 다음의 방법을 활용하면 쉽게 해결할 수 있다.

1. **선택지를 먼저 읽으면서 핵심어에 표시해 둔다.**

핵심어는 지문에서 어느 부분을 살펴볼 것인지, 즉 범위를 결정할 때 활용하게 되는데, 하나의 선택지에 여러 개의 핵심어가 존재할 수도 있다.

2. **관련된 부분을 지문에서 찾아 선택지와 1:1로 비교하면서 일치하는지 여부를 확인한다.**

---

03 반응의 적절성 판단 | 정답 ① |

윗글을 읽고 난 학생들의 반응으로 적절하지 않은 것은?

① 난간의 궁판에 살창을 내는 것은 계자 난간의 공통적 요소였겠군. → 일부에만 나타난 요소임.

② 일반 민가의 난간에서는 궁창의 다양한 모양을 찾기가 어렵겠군. → 4문단

③ 궁창의 모양에는 미적 목적 외에 장수를 기원하는 목적도 있겠군. → 4문단

④ 동자는 난간의 실용성과 아름다움을 동시에 고려한 것이군. → 4문단

⑤ 난간은 작은 부분에서도 자연 친화적인 느낌을 살렸군. → 5문단

발문 분석

핵심 개념을 이해하고 적절히 반응할 수 있는지를 묻고 있다. 핵심 용어를 중심으로 지문의 내용과 선택지 내용을 1:1로 비교하며 정답을 도출해야 한다.

정답 풀이

① 4문단에서 '계자 난간은 궁판에 궁창을 만들어 잇기도 하고, 때로는 궁판 대신에 다양한 모양의 살창을 끼워 한껏 멋을 살리기도 하였다.'라고 하였다. 이를 고려하면 난간의 궁판에 살창을 내는 것은 계자 난간의 일부에서 선택적으로 나타난 요소임을 알 수 있다. 따라서 난간의 궁판에 살창을 내는 것은 계자 난간의 공통적 요소라고 반응하는 것은 적절하지 않다.

오답 풀이

② 4문단에서 '민가에서 주로 보이는 보통의 난간이 특별한 장식 없이 널빤지만으로 잇는 소박한 형태였다면, 계자 난간은 궁판에 궁창을 만들어 잇기도 하고, 때로는 궁판 대신에 다양한 모양의 살창을 끼워 한껏 멋을 살리기도 하였다.'라고 하였다. 이를 통해 일반 민가의 난간에는 특별한 장식이 없었고, 궁창의 다양한 모양은 계자 난간에서 찾을 수 있음을 알 수 있다. 따라서 일반 민가의 난간에서는 궁창의 다양한 모양을 찾기가 어렵겠다고 반응하는 것은 적절하다.

③ 4문단에서 '궁판에 궁창을 만들어 잇기도 하고 때로는 궁판 대신에 다양한 모양의 살창을 끼워 한껏 멋을 살리기도 하였다.'라고 하였다. 또한 6문단에서 '궁창은 수복강녕을 상징하는 거북이나 구름뿐 아니라 연꽃 등 다양한 모양으로 만들어지기도 한다.'라고 하였다. '수복강녕'이 '오래 살고 복을 누리며 건강하고 평안함.'을 의미하므로 궁창의 평가는 장수를 기원하는 의미도 있음을 확인할 수 있다. 따라서 궁창의 모양에는 미적 목적 외에 장수를 기원하는 목적도 있다고 반응하는 것은 적절하다.

④ 4문단에서 '동자를 짜서 마루와 궁판에 끼워 난간을 튼튼하게 만들면서도 장식미를 드러내고 있다.'라고 하였다. 이를 통해 동자는 난간을 튼튼하게 만드는 실용성과 아름다움을 함께 고려한 것임을 알 수 있다. 따라서 동자는 난간의 실용성과 아름다움을 동시에 고려한 것이라고 반응하는 것은 적절하다.

⑤ 5문단에서 '난간을 지을 때 하엽과 돌란대를 단단히 고정시키기 위해 박는 국화 모양의 나무못에서도 자연 친화적인 선인들의 미의식을 확인할 수 있다.'라고 하였다. 여기에서 '국화 모양의 나무못'은 난간의 아주 작은 부분이라고 할 수 있다. 따라서 난간은 작은 부분에서도 자연 친화적인 느낌을 살렸다고 반응하는 것은 적절하다.

04 핵심 정보의 이해 | 정답 ③ |

⊙의 내용으로 가장 적절한 것은?

① 난간은 목적에 따라 다양한 모습으로 변형이 가능하다.
② 난간은 삶의 여유와 운치를 드러내는 소중한 문화재이다.
③ 난간은 안과 밖의 경계이면서 동시에 안과 밖의 연계이다.
④ 난간은 외부보다는 내부의 실용성을 드러내는 데 기여한다.
⑤ 난간은 주위 환경의 물리적 변형 없이 자연스럽게 설계된다.

📁 발문 분석
글에 제시된 난간의 공간 미학적 특징을 파악할 수 있는지를 묻고 있다. ⊙의 앞뒤 문맥뿐 아니라, 지문 전체의 흐름도 파악해야 한다.

◎ 정답 풀이
③ ⊙의 앞부분에서 난간에 궁창을 만드는 것은 '답답하게 느껴질 수 있는 건물 내부 공간을 시원스럽게 개방함으로써 자연스레 바깥 세계를 끌어들이기 위한 의도도 들어 있다.'라고 하였다. 이를 통해 난간이 안과 밖을 연결하고 있음을 알 수 있다. 또한 2문단에서 '난간은 원래 사람들의 추락을 막기 위한 목적으로' 설치되었다고 하였다. 이를 통해 난간이 안과 밖을 나누는 경계임을 알 수 있다. 따라서 ⊙'난간의 공간 미학적 특징'은 난간이 안과 밖의 경계이면서 동시에 안과 밖의 연계라고 할 수 있다.

✖ 오답 풀이
① 4문단에서 계자 난간이 다양한 모양으로 멋을 낸다고 언급하고 있다. 그러나 목적에 따라 난간을 다양한 모습으로 변형한다는 내용은 이 글에서 찾을 수 없다. 따라서 난간은 목적에 따라 다양한 모습으로 변형이 가능하다는 진술은 ⊙'난간의 공간 미학적 특징'의 내용으로 적절하지 않다.
② 난간이 삶의 여유와 운치를 드러내는 소중한 문화재라는 것은 난간의 의의일 뿐, ⊙'난간의 공간 미학적 특징'에 해당하는 내용이라고 보기는 어렵다.
④ 이 글에서 난간 내부의 실용성에 대해 언급한 부분은 찾을 수 없다. 그러므로 난간은 외부보다는 내부의 실용성을 드러내는 데 기여한다는 진술은 ⊙'난간의 공간 미학적 특징'의 내용으로 적절하지 않다.
⑤ 5문단에서 나무로 만든 난간이 '멀리서 볼 때 주변 환경과 멋들어지게 어울'린다고 했을 뿐, 난간이 주위 환경의 물리적 변형 없이 자연스럽게 설계되었다는 내용은 이 글에서 언급되지 않았다. 또한 주위 환경과의 자연스러운 조화는 난간의 자연 친화적인 요소일 뿐, ⊙'난간의 공간 미학적 특징'이라고 할 수도 없다.

🎓 선생님의 🍯 정보

04번 문제: 지문의 핵심 정보 이해

지문의 핵심 정보를 파악하는 것은 지문을 이해하는 데 필수적이다. 따라서 비문학(독서) 영역의 문제에서 자주 출제된다. 지문의 핵심 정보를 파악하고 이해하는 문제는 다음의 단계를 거쳐 해결할 수 있다.

1단계	지문의 내용을 바탕으로 핵심 정보의 개념을 정리한다.

↓

2단계	각 선택지를 읽으면서 선택지의 핵심 내용을 파악한다.

↓

3단계	선택지와 지문 내용을 비교하면서 선택지의 적절성을 판단한다.

* 제시된 문제가 핵심 정보인 특정 구절에 밑줄을 긋고 이와 관련된 내용을 판단하는 것이라면 글 전체의 내용보다는 밑줄 친 부분의 바로 앞이나 뒤의 내용을 바탕으로 정답을 찾는 것이 바람직하다.
→ 04번 문제의 선택지 ②번의 경우 이 글의 전체 내용을 두고 판단한다면 '난간이 삶의 여유와 운치를 드러내는 소중한 문화재'라는 진술은 맞다고도 볼 수 있다. 그러나 이는 글쓴이가 밝힌 난간의 의의일 뿐, ⊙'난간의 공간 미학적 특징'과는 관련이 없어 오답이다.

👑고난도 05 구체적 상황에 적용 | 정답 ① |

[A]를 바탕으로 [보기]를 이해한 내용으로 적절하지 않은 것은?

─┤보기├─

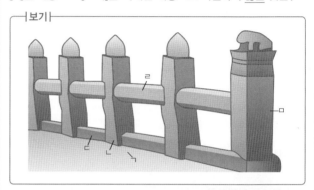

① ㄱ은 동자기둥 사이를 가로지르며 위쪽에 대부분 연봉을 조각하겠군.
　동자기둥인 ㄴ에 대한 설명임.
② ㄴ은 일정한 간격을 유지하며 세우며 주로 화강암을 사용하겠군.
③ ㄷ은 동자기둥 사이에 놓이며 난간석을 받치겠군.
④ ㄹ은 대개 팔각으로 만들어지며 돌란석이라고 부르겠군.
⑤ ㅁ은 동자기둥보다 굵고 높으며 서수상을 올리겠군.

📁 발문 분석
지문의 내용을 바탕으로 [보기]를 파악할 수 있는지 묻고 있다. [A]를 통해 ㄱ~ㅁ이 '석조 난간'의 어느 부분에 해당하는지를 살펴보고 선택지의 적절성을 판단해야 한다.

✔ 보기 분석
[보기]의 그림은 '석조 난간'을 표현한 것이다. [A]를 고려하면 ㄱ은 바닥에 놓인 돌이므로 지대석, ㄴ은 지대석 사이에 일정 간격으로 세워진 것이므로 동자기둥이다. ㄷ은 동자기둥 사이에 놓였으므로 하엽석, ㄹ은 하엽석 위에 놓여 동자기둥 사이를 건너지르고 있으므로 난간석, ㅁ은 다리가 시작되는 지점에 놓여 있으면서 동자기둥보다 굵고 높으므로 법수석이다.

◎ 정답 풀이
① [A]에서 '석조 난간은 지대석을 놓고 일정 간격으로 동자기둥을 세'운다고 하였다. 따라서 난간이 세워질 바닥에 놓인 ㄱ은 지대석이다. 또 '동자기둥 위에는 연봉을 조각하는 것이 보통이다.'라고 하였으므로 위쪽에 연봉을 조각하는 것은 지대석이 아닌 동자기둥임을 알 수 있다. 따라서 ㄱ은 동자기둥 사이를 가로지르며 위쪽에 대부분 연봉을 조각한다는 진

술은 적절하지 않다.

❌ 오답 풀이

② [A]에서 '석조 난간은 지대석을 놓고 일정 간격으로 동자기둥을 세'운다고 하였다. 이를 고려하면 일정한 간격을 유지하며 세워진 ㄴ이 동자기둥임을 알 수 있다. 그리고 '석조 난간은 석재, 주로 화강암이 주재료로 사용되는 난간'이라고 하였으므로 동자기둥의 주재료가 화강암임을 알 수 있다. 따라서 ㄴ은 일정한 간격을 유지하며 세우며 주로 화강암을 사용한다는 진술은 적절하다.

③ [A]에서 '동자기둥 사이에는 하엽석을 놓'는다고 하였으므로 ㄷ이 하엽석임을 알 수 있다. 또 '이 위에 동자기둥 사이를 건너지르는 난간석을 올린다.'라고 하였으므로 하엽석이 난간석을 받치는 역할을 함을 알 수 있다. 따라서 ㄷ은 동자기둥 사이에 놓이며 난간석을 받치겠다는 진술은 적절하다.

④ [A]에서 '하엽석을 놓고 이 위에 동자기둥 사이를 건너지르는 난간석을 올린다.'라고 하였으므로 ㄹ이 난간석임을 알 수 있다. 또한 '난간석은 대개 팔각으로 만들어지며 이를 돌란대라고 부른다.'라고 하였으므로 난간석은 팔각으로 만들어지고 돌란대로 불림을 알 수 있다. 따라서 ㄹ은 대개 팔각으로 만들어지며 돌란석이라고 부르기도 한다는 진술은 적절하다.

⑤ [A]에서 '다리가 시작되는 양쪽에는 동자기둥보다 굵고 높은 기둥석을 세우고 서수상을 올리기도 하는데 이를 법수석이라고 한다.'라고 하였다. 이를 고려하면 ㅁ이 법수석이고, 동자기둥보다 굵고 높으며 서수상을 올리기도 함을 알 수 있다. 따라서 ㅁ은 동자기둥보다 굵고 높으며 서수상을 올리기도 한다는 진술은 적절하다.

---

③ ⓒ'한껏'은 '할 수 있는 데까지. 또는 한도에 이르는 데까지'를 의미한다. 그리고 '최대한'은 '일정한 조건에서 정해진 가장 큰 정도'를 의미한다. 따라서 '최대한'은 ⓒ'한껏'과 바꾸어 쓰기에 적절한 단어이다.

⑤ ⓔ'잘'은 '아주 적절하게. 또는 아주 알맞게'를 의미한다. 그리고 '제대로'는 '알맞은 정도로'를 의미한다. 따라서 '제대로'는 ⓔ'잘'과 바꾸어 쓰기에 적절한 단어이다.

🍯 **선생님의 꿀 정보**

실수도 실력이다.

모의고사 1교시 국어 영역 시간에는 긴장감도 최고조이고 지문이 길어서 시간은 모자란다. 또 헷갈리는 문제가 많아서 속이 탄다. 누구나 이런 경험 한 번쯤은 있을 것이다. '적절한 것'을 골라야 하는데, '적절하지 않은 것'을 답으로 고르거나, 반대로 '적절하지 않은 것'을 골라야 하는데 '적절한 것'을 고르거나, 시험이 끝난 후 오답을 마킹했다는 사실을 알게 되었을 때의 그 허탈함은 말로 설명하기 힘들다. 선택지의 설명이 길거나 복잡한 경우에는 그러한 실수를 할 확률이 더욱 높아진다.

이러한 실수에서 벗어날 수 있는 간단한 방법은 발문과 선택지에 'O' 또는 '×' 표시를 하는 것이다. '적절하지 않은 것'을 고르는 경우에는 '않은'에 '×'를 표시하고, 선택지를 읽으면서 적절한 진술에는 'O', 적절하지 않은 진술에는 '×'를 표시한다. 발문에 표시된 것이 '×'라면, 선택지 중에서 '×'에 표시된 것을 답으로 고르면 된다. 반대로 '적절한 것'을 고르는 경우에는 발문에 'O'를 표시하고, 선택지 중에서 'O'로 표시된 것을 답으로 고르면 된다. 이 간단한 방법은 실수를 줄이는 데 큰 도움이 될 것이다. 실수를 줄여서 실력을 높여 보자.

예
술
04

---

06 어휘의 문맥적 의미 판단 | 정답 ④ |

ⓐ~ⓔ를 바꾸어 쓴 말로 적절하지 <u>않은</u> 것은?

① ⓐ: 까딱하면
   자칫
② ⓑ: 본디
   원래
③ ⓒ: 최대한
   한껏
④ ⓓ: 한결같이
   고루
⑤ ⓔ: 제대로
   잘

📁 발문 분석

어휘의 문맥적 의미를 정확하게 이해하고 있는지를 묻고 있다. 문맥을 고려하여 ⓐ~ⓔ의 의미를 파악하고 선택지와 유의어 관계인지 확인해야 한다.

◎ 정답 풀이

④ ⓓ'고루'는 '두루 빼놓지 않고'를 의미한다. 그런데 '한결같이'는 '처음부터 끝까지 변함없이 꼭 같이'를 의미한다. 따라서 '한결같이'는 ⓓ'고루'와 바꾸어 쓰기에 적절하지 않다.

❌ 오답 풀이

① ⓐ'자칫'은 '어쩌다가 조금 어긋남.'을 의미한다. 그리고 '까딱하면'은 '조금이라도 실수하면 또는 자칫하면'을 의미한다. 따라서 '까딱하면'은 ⓐ'자칫'과 바꾸어 쓰기에 적절한 단어이다.

② ⓑ'원래'는 '본디. 처음부터 또는 근본부터'를 의미한다. 그리고 '본디'는 '처음부터 또는 근본부터'를 의미한다. 따라서 '본디'는 ⓑ'원

M·E·M·O

V. 예술 | 201

구절 풀이

음악도 예술의 한 분야이기 때문에 아름다움을 추구해야 함.

피아노 소리	심벌즈 소리
고른음(일반적으로 음악에서 음이라고 부름.)	시끄러운음
듣기 좋음.	듣기 싫음.
주기성을 가짐.	주기성을 갖지 못함.

소리 스펙트럼은 복합음을 구성하는 성분들의 세기를 진동수에 따라 그래프로 나타낸 것임. 시끄러운음의 소리 스펙트럼에서 막대 사이 간격이 일정하지 않은 이유는 부분음들의 진동수가 기본음 진동수의 정수배를 이루지 않기 때문임.

어휘 풀이

* 사인파: 주기적이고 연속적으로 진동하는 가장 간단한 파동을 의미함. 파형을 삼각함수의 사인 곡선으로 표시하기 때문에 사인파라고 부름.

선생님의Tip

"음색"

같은 세기를 가진 같은 높이의 소리라도 소리가 발생한 물체에 따라 소리의 파형이 달라지는데, 이를 음색이라고 함. 이 때문에 우리는 사람마다 목소리가 다르고, 동시에 여러 악기를 연주하였을 때 각각의 악기의 소리가 다르다고 인식하게 됨. 음색이 달라지는 이유는 음을 만드는 구성 요소의 차이 때문임. 즉, 진동체나 발음체, 진동 방법에 따라 음이 갖는 감각적 성질인 음색에 차이가 생김.

---

1 음악은 소리로 이루어진 예술이다. 예술이 아름다움을 추구한다면 음악 또한 아름다움을 추구해야 할 것이다. 그렇다면 아름다운 음악 작품은 듣기 좋은 소리만으로 만들어질 수 있는 것일까? 음악적 아름다움은 어떻게 구현되는 것일까?
화제 제시
1문단: 소리로 이루어진 예술인 음악

2 음악에서 사용하는 소리라고 해도 대부분의 사람들은 피아노 소리가 심벌즈 소리보다 듣기 좋다고 생각한다. 이 중 전자를 고른음, 후자를 시끄러운음이라고 한다. 고른음은 주기성을 갖지만 시끄러운음은 주기성을 갖지 못한다. 일반적으로 음악에서 '음'이라고 부르
고른음과 시끄러운음의 차이: 주기성 보유 여부
는 것은 고른음을 지칭한다. 고른음은 주기성을 갖기 때문에 동일한 파형이 주기적으로 반복된다. 이때 같은 파형이 1초에 몇 번 반복되는가를 진동수라고 한다. 진동수가 커지면 음
진동수의 개념
높이 즉, 음고가 높아진다. 고른음 중에서 파형이 사인파*인 음파를 단순음이라고 한다.
단순음의 개념
사인파의 진폭이 커질수록 단순음은 소리의 세기가 커진다. 대부분의 악기에서 나오는 음
진폭이 크다 = 소리의 세기가 크다
은 사인파보다 복잡한 파형을 갖는데 이런 파형은 진동수와 진폭이 다른 여러 개의 사인파
복합음의 개념
가 중첩된 것으로 볼 수 있다. 이런 소리를 복합음이라고 하고 복합음을 구성하는 단순음
부분음의 개념
을 부분음이라고 한다. 부분음 중에서 가장 진동수가 작은 것을 기본음이라 하는데 귀는
기본음의 개념
복합음 속의 부분음들 중에서 기본음의 진동수를 복합음의 진동수로 인식한다.

3 악기가 ㉠내는 소리의 식별 가능한 독특성인 음색은 부분음
2문단: 음악에서 사용하는 소리와 관련된 다양한 용어들
음색의 개념
들로 구성된 복합음의 구조, 즉 부분음들의 진동수와 상대적 세
음색을 결정하는 요소
기에 의해 결정된다. 현악기나 관악기에서 발생하는 고른음은
〈그림〉처럼 부분음들이 기본 진동수(110)의 정수배임.
기본음 진동수의 정수배의 진동수를 갖는 부분음들로 이루어져
있지만, 타악기 소리는 부분음들의 진동수가 기본음 진동수의
시끄러운음. 부분음들이 정수배가 아님.
정수배를 이루지 않는다. 이러한 소리의 특성을 시각적으로 보여 주는 소리 스펙트럼은 복합음을 구성하는 단순음 성분들의 세기를 진동수에 따라 그래프로 나타낸 것이다. 고른음
소리 스펙트럼의 개념
의 소리 스펙트럼은 〈그림〉처럼 일정한 간격으로 늘어선 세로 막대들로 나타나는 반면에 시끄러운음의 소리 스펙트럼에서는 막대 사이 간격이 일정하지 않다.
3문단: 소리의 스펙트럼

세기

110 220 330 440 550
진동수(Hz)
〈그림〉

4 두 음이 동시에 울리거나 연이어 울릴 때, 음의 어울림, 즉 협화도는 음정에 따라
협화도의 개념
달라진다. 여기에서 음정이란 두 음의 음고 간의 간격을 말하며 높은 음고의 진동수를
협화도에 영향을 미침. 5. 음정의 개념과 표현 방법
낮은 음고의 진동수로 나눈 값으로 표현된다. 가령, '도'와 '미' 사이처럼 장3도 음정은
5/4이고, '도'와 '솔' 사이처럼 완전5도 음정은 3/2이다. 그러므로 장3도는 완전5도보
[A] 다 좁은 음정이다. 일반적으로 음정을 나타내는 분수를 약분했을 때 분자와 분모에 들

지문 구조도

화제 제시: 음악적 아름다움(1문단)

예술이 아름다움을 추구하듯이 음악 또한 아름다움을 추구해야 함.

↓

전개: 음악적 아름다움을 구현하는 방법(2~6문단)

• 소리와 관련된 다양한 용어들: 고른음, 시끄러운 음, 주기성, 단순음, 부분음, 기본음
• 소리 스펙트럼: 복합음을 구성하는 단순음 성분들의 세기를 진동수에 따라 그래프로 나타낸 것.
• 협화도: 음의 어울림. 음정에 따라 달라짐(협화 음정, 불협화 음정).
• 한슬리크: 음악의 아름다움은 음들이 '울리면서 움직이는 형식'에서 비롯된다고 함.
• 음악적 요소: 리듬, 가락, 화성, 셈여림, 음색

↓

마무리: 음악 작품의 주제(7문단)

주제: 음악 작품에서 자주 반복되거나 변형되면서 등장하는 소재인 가락

어가는 수가 커질수록 협화도는 작아진다고 본다. 가령, 음정이 2/1인 옥타브, 3/2인 완전5도, 5/4인 장3도, 6/5인 단3도의 순서로 협화도가 작아진다. 서로 잘 어울리는 두 음의 음정을 협화 음정이라고 하고 그렇지 않은 음정을 불협화 음정이라고 하는데 16세기의 음악 이론가인 차를리노는 약분된 분수의 분자와 분모가 1, 2, 3, 4, 5, 6으로만 표현되는 음정은 협화 음정, 그 외의 음정은 불협화 음정으로 보았다.

<small>협화 음정과 불협화 음정의 개념</small>
<small>협화 음정과 불협화 음정을 정의하는 차를리노의 견해</small>
<small>4문단: 음정에 따라 달라지는 협화도</small>

⑤ 아름다운 음악은 단순히 듣기 좋은 소리를 연이어 배열한다고 해서 만들어지지 않는다. 음악은 다양한 음이 조직적으로 연결되고 구성된 형태로, 음악의 매체인 소리가 시간의 진행 속에 구체화된 것이라 할 수 있다. 19세기 음악 평론가인 ⓐ한슬리크에 따르면, 음악의 독자적인 아름다움은 음들이 '울리면서 움직이는 형식'에서 비롯되는데, 음악을 구성하는 음악적 재료들이 움직이며 만들어 ⓒ내는 형식 그 자체를 말한다. 따라서 음악의 가치는 음악이 환기하는 기쁨이나 슬픔과 같은 특정한 감정이나 정서에서 찾으려 해서는 안 된다는 것이다.

<small>5문단: 형식에서 비롯되는 음악의 아름다움</small>

⑥ 음악에는 다양한 음악적 요소들이 사용되는데, 여기에는 리듬, 가락, 화성, 셈여림, 음색 등이 있다. 리듬은 음고 없이 소리의 장단이나 강약 등이 반복될 때 나타나는 규칙적인 소리의 흐름이고, 가락은 서로 다른 음의 높낮이가 지속 시간을 가지는 음들의 흐름이다. 화성은 일정한 법칙에 따라 여러 개의 음이 동시에 울려서 생기는 화음과 또 다른 화음이 시간적으로 연결된 흐름이고, 셈여림은 음악에 나타나는 크고 작은 소리의 세기이며, 음색은 바이올린, 플루트 등 선택된 서로 다른 악기가 만들어 내는 식별 가능한 소리의 특색이다.

<small>리듬의 개념 / 가락의 개념 / 화성의 개념 / 셈여림의 개념 / 음색의 개념</small>
<small>6문단: 다양한 음악적 요소들</small>

⑦ 작곡가는 이러한 음악적 요소들을 활용해서 음악 작품을 만든다. 어떤 음악 작품에서 자주 반복되거나 변형되면서 등장하는 소재인 가락을 그 음악 작품의 주제라고 하는데, 작곡가는 자신의 음악적 아이디어를 주제로 구현하고 다양한 음악적 요소들을 사용해서 음악 작품을 완성한다. 예컨대 조성 음악*에서는 정해진 박자 내에서 질서를 가지고 반복적으로 움직이는 리듬이 음표나 쉼표의 진행으로 나타나고, 어떤 조성*의 음계*음들을 소재로 한 가락이 나타나고, 주제는 긴장과 이완을 유발하는 다양한 화성 진행을 통해 반복되고 변화한다. 이렇듯 음악은 다양한 특성을 갖는 음들이 유기적으로 결합한 소리의 예술이라고 볼 수 있다.

<small>음악 작품의 주제</small>
<small>주제의 변주</small>
<small>7문단: 음악 작품의 주제와 음악이 아름다움을 갖는 방법</small>

* 조성 음악: 으뜸음 '도'가 다른 모든 음계 음들을 지배하는 음악으로 17세기 이후 대부분의 서양 음악이 이에 해당한다.

지문 해제

이 글은 음악의 아름다움이 구현되는 원리를 설명하기 위하여 소리와 관련된 다양한 개념을 소개하고 있다. 음악에서 고른음과 시끄러운음은 주기성을 보유하고 있는지의 여부로 확인할 수 있는데, 고른음은 주기성을 가지고 있어 동일한 파형이 주기적으로 반복된다. 진동수는 같은 파형이 1초에 몇 번 반복되는가를 의미하고, 고른음 중에서 파형이 사인파인 음파를 단순음이라고 한다. 진동수와 진폭이 다른 여러 개의 사인파가 중첩된 것을 복합음이라고 하고, 복합음을 구성하는 단순음인 부분음 중 가장 진동수가 작은 것을 기본음이라고 한다. 음색은 부분음들의 진동수와 상대적 세기에 의해 결정되며, 고른음의 경우 소리 스펙트럼의 막대가 일정한 간격으로 나타난다. 음의 어울림인 협화도는 음정에 따라 달라지고, 두 음의 음고 간의 간격을 의미하는 음정은 높은 음고의 진동수를 낮은 음고의 진동수로 나눈 값으로 표현된다. 서로 잘 어울리는 두 음의 음정을 협화 음정이라고 하고 그렇지 않은 음은 불협화 음정이라고 하며, 차를리노는 약분하였을 때 분자와 분모가 1, 2, 3, 4, 5, 6으로 표현되는 음정이 협화 음정이라고 보았다. 그리고 음악 평론가 한슬리크는 음악의 아름다움은 형식에서 비롯된다고 하였다. 한편 음악적 요소에는 리듬, 가락, 화성, 셈여림, 음색 등이 있으며, 작품에서 자주 등장하는 가락을 그 음악 작품의 주제라고 하는데 작곡가는 음악적 요소를 사용하여 주제를 구현한다. 이렇게 음악은 다양한 특성의 음들이 결합한 소리 예술이라고 볼 수 있다.

출제 의도 이 글은 음악의 다양한 요소와 소리 스펙트럼의 특징들을 정확히 이해할 수 있는지를 평가하기 위한 지문이다. 음악의 아름다움을 구현하는 음악의 여러 요소들의 개념을 정확히 이해할 수 있는지, 그 요소들 간의 관계를 파악할 수 있는지 등을 묻는 문제가 출제되었다.

주제 음악의 아름다움이 구현되는 원리

구절 풀이

○ 장3도의 음정은 5/4이고, 완전5도의 음정은 3/2일 때 각 음정의 분자와 분모에 들어가는 숫자는 장3도가 5와 4, 완전5도는 3과 2임. 분자와 분모에 들어가는 수가 커질수록 협화도는 작아지므로 장3도가 완전5도보다 협화도가 작음. 그러나 장3도도 1~6사이의 숫자로만 표현되었으므로(5와 4), 차를리노에 따르면 협화 음정에 속함.

○ 한슬리크는 음악의 아름다움은 감정이나 정서가 아니라 형식 그 자체에서 비롯된다고 인식함.

예술 05

어휘 풀이

* 조성: 주음(主音) 및 그 화음에 따라 결정되는 곡조의 성질.
* 음계: 일정한 음정의 순서로 음을 차례로 늘어놓은 것. 동양 음악은 5음 음계, 서양 음악은 7음 음계를 기초로 함.

선생님의 Tip

"음악의 기본 요소"

음악을 성립시키는 세 가지 중요한 요소에는 가락(멜로디), 리듬, 화성(하모니)이 있음.
가락(멜로디)은 음의 높낮이의 변화가 리듬과 연결되어 하나의 음악적 통합으로 형성되는 음의 흐름이나 음향의 형태를 의미함. 리듬은 음의 장단이나 강약 따위가 반복될 때의 그 규칙적인 음의 흐름을 의미함. 화성(하모니)은 일정한 법칙에 따른 화음의 연결을 의미함. 사람에 따라서는 화성(하모니)이 없는 음악도 많이 있으므로 음악을 이루는 기본 요소는 가락(멜로디)과 리듬이라고 보기도 함.

01 내용 전개 방식의 파악 | 정답 ④ |

윗글에 대한 설명으로 가장 적절한 것은?

① 소리에 대한 감각이 음악 감상에 미치는 영향을 살피고 있다.

② 미적 본성에 대한 과학적 탐색과 음악적 탐색을 비교하고 있다.

③ 소리를 구분하고 그것을 근거로 하여 음악의 형식을 분류하고 있다.

④ 음악의 아름다움을 소리에 관한 과학적 분석과 관련지어 탐구하고 있다.

⑤ 듣기 좋은 소리와 그렇지 않은 소리가 음악에서 하는 역할을 분석하고 있다.

📁 발문 분석

지문을 읽고 논지 전개 방식을 파악할 수 있는지 묻고 있다. 중심 화제가 무엇인지 먼저 파악한 후, 지문에서 화제를 어떻게 설명해 나가고 있는지 살펴보아야 한다. 이때 지문에서 중심 화제를 설명하는 방식과 선택지의 설명이 일치하는지를 판단해야 한다.

◎ 정답 풀이

④ 이 글은 1문단에서 '음악적 아름다움은 어떻게 구현되는 것일까?'라고 질문하면서 이후 문단에서 음악적 아름다움이 어떻게 구현되는 것인지를 과학적으로 설명하고 있다. 소리와 관련된 여러 용어를 진동수, 진폭 등 과학적 원리를 바탕으로 소개하고 있으며, 과학적으로 구현된 형식을 통하여 음악의 아름다움이 발현된다고 하였다. 따라서 음악의 아름다움을 소리에 관한 과학적 분석과 관련지어 탐구하고 있다고 볼 수 있다.

✖ 오답 풀이

① 2문단에서 '대부분의 사람들은 피아노 소리가 심벌즈 소리보다 듣기 좋다고 생각한다. 이 중 전자를 고른음, 후자를 시끄러운음이라고 한다.'면서 듣기 좋은 소리와 아닌 소리에 대해 언급하고는 있다. 그러나 소리에 대한 감각과 음악 감상의 관계에 대해서는 언급하지 않았다.

② 이 글은 음악의 아름다움에 대해 과학적으로 탐색하고 있다. 여기에서 아름다움은 음악에 국한되어 있을 뿐, 미적 본성에 관한 내용을 탐색하고 있지는 않다.

③ 2문단에서 고른음, 시끄러운음, 복합음, 단순음, 기본음 등 소리와 관련된 다양한 용어들을 소개하고는 있다. 그러나 그것들을 근거로 음악의 형식을 분류하고 있지는 않다.

⑤ 2문단에서 고른음과 시끄러운음에 대해서 설명하면서 듣기 좋은 소리와 아닌 소리에 대해 언급하고는 있지만, 이들이 음악에서 하는 역할에 대해서는 언급하지 않았다.

02 세부 정보의 이해 | 정답 ① |

음악적 요소에 대한 이해로 적절하지 않은 것은?

① 리듬은 음높이를 가지는 규칙적인 소리의 흐름으로, 음악에서 질서를 가진 음표나 쉼표의 진행에 활용되는 요소이다.
음의 높이는 가락과 관련 있음.

② 가락은 서로 다른 음높이가 지속 시간을 가지는 음들의 흐름으로, 음악에서 자주 반복되거나 변형되면서 등장하는 소재로 활용되는 요소이다.
7문단, 주제

③ 화성은 화음과 또 다른 화음이 연결된 흐름으로, 음악에서 긴장과 이완을 유발하는 진행에 활용되는 요소이다.
7문단

④ 셈여림은 소리의 세기로, 음악에서 크고 작은 소리가 나타나도록 하는 데 활용되는 요소이다.

⑤ 음색은 식별 가능한 소리의 특색으로, 음악에서 바이올린, 플루트 등 서로 다른 종류의 악기를 선택하는 데 활용되는 요소이다.

📁 발문 분석

지문의 세부 내용을 정확히 이해했는지를 묻고 있다. 주로 6문단과 7문단에서 5가지 음악적 요소에 대해 다루고 있으므로, 이를 꼼꼼히 확인한 후 선택지의 내용과 1:1로 비교하며 적절성을 판단해야 한다.

◎ 정답 풀이

① 6문단에서 '리듬은 음고 없이 소리의 장단이나 강약 등이 반복될 때 나타나는 규칙적인 소리의 흐름이고, 가락은 서로 다른 음의 높낮이가 지속 시간을 가지는 음들의 흐름'이라고 하였다. 따라서 음높이와 관련된 것은 리듬이 아니라 가락이라고 보아야 한다.

✖ 오답 풀이

② 6문단에서 '가락은 서로 다른 음의 높낮이가 지속 시간을 가지는 음들의 흐름'이라고 하였고, 7문단에서 '자주 반복되거나 변형되면서 등장하는 소재인 가락을 그 음악 작품의 주제라고' 한다고 하였다. 따라서 가락은 서로 다른 음높이가 지속 시간을 가지는 음들의 흐름으로, 음악에서 자주 반복되거나 변형되면서 등장하는 소재로 활용되는 요소라고 이해하는 것은 적절하다.

③ 6문단에서 '화성은 일정한 법칙에 따라 여러 개의 음이 동시에 울려서 생기는 화음과 또 다른 화음이 시간적으로 연결된 흐름'이라고 하였고, 7문단에서 '주제는 긴장과 이완을 유발하는 다양한 화성 진행을 통해 반복되고 변화한다.'라고 하였다. 따라서 화성은 화음과 또 다른 화음이 연결된 흐름으로, 음악에서 긴장과 이완을 유발하는 진행에 활용되는 요소라고 이해하는 것은 적절하다.

④ 6문단에서 '셈여림은 음악에 나타나는 크고 작은 소리의 세기'라고 하였다. 따라서 셈여림은 소리의 세기로, 음악에서 크고 작은 소리가 나타나도록 하는 데 활용되는 요소라고 이해하는 것은 적절하다.

⑤ 3문단에서 음색은 '악기가 내는 소리의 식별 가능한 독특성'이라고 하였고, 6문단에서 '음색은 바이올린, 플루트 등 선택된 서로 다른 악기가 만들어 내는 식별 가능한 소리의 특색'이라고 하였다. 따라서 음색은 식별 가능한 소리의 특색으로, 음악에서 바이올린, 플루트 등 서로 다른 종류의 악기를 선택하는 데 활용되는 요소라고 이해하는 것은 적절하다.

03 관점의 적용 | 정답 ④ |

음악 작품을 만들기 위한 계획들 중, ⓐ의 입장을 가장 잘 반영한 것은?
음악의 아름다움은 형식에서 비롯되는 것

① 장3도로 기쁨을, 단3도로 슬픔을 나타내는 ~~정서적인~~ 음악을 만든다.

② 플루트의 청아한 가락으로 ~~상쾌한 아침의~~ 정경을 연상시키는 음악을 만든다.

③ 낮은 음고의 음들을 여러 번 사용하여 내면의 불안감을 조성하는 음악을 만든다.

④ 첫째 음과 둘째 음의 간격이 완전5도가 되는 음들을 조직적으로 연결하여 주제가 명확한 음악을 만든다.
음정을 형식적으로 이용

⑤ 오페라의 남자 주인공이 ~~화들짝 놀라는~~ 장면에 들어갈 매우 강한 시끄러운음이 울리는 음악을 만든다.

📁 발문 분석

음악에 대한 특정인의 관점을 이해하고 이를 반영한 예를 찾을 수 있는지를 묻고 있다. 5문단에서 음악 평론가인 한슬리크가 음악의 형식을 중요하게 여겼다고 하였으므로, 음악의 형식을 중요하게 반영한 선택지를 찾아야 한다.

◎ 정답 풀이

④ 5문단에서 음악 평론가 한슬리크는 '음악의 독자적인 아름다움은 음들이 울리면서 움직이는 형식에서 비롯'된다면서 '음악을 구성하는 음악적 재료들이 움직이며 만들어 내는 형식 그 자체'를 중시했다고 하였다. 또 '음악의 가치는 음악이 환기하는 기쁨이나 슬픔과 같은 특정한 감정이나 정서에서 찾으려 해서는 안 된다'고 하였다. 이를 고려하면 두 음의 간격이 완전5도가 되는 음들을 조직적으로 연결하여 주제가 명확한 음악을 만든다는 것은 음정이라는 음악적 재료가 움직이면서 만들어 내는 형식 그 자체에서 아름다움을 추구하고자 한 것이므로, 한슬리크의 입장을 반영한 것이라고 볼 수 있다.

✖ 오답 풀이

① 한슬리크는 '음악의 가치는 음악이 환기하는 기쁨이나 슬픔과 같은 특정한 감정이나 정서에서 찾으려 해서는 안 된다'고 하였다. 따라서 '슬픔'이라는 정서적인 음악을 만드는 것은 한슬리크의 입장을 반영한 것이라고 볼 수 없다.

② 청아한 가락으로 인한 상쾌한 아침의 느낌은 정서와 관련된 것이므로 한슬리크의 입장을 반영한 것이라고 볼 수 없다.

③ 내면의 불안감은 정서의 일종이므로 한슬리크의 입장을 반영한 것이라고 볼 수 없다.

⑤ 놀라는 감정을 보여 주기 위하여 시끄러운음을 활용한 음악을 만드는 것은 음악의 가치를 정서적인 측면에서 찾는 것이다. 따라서 한슬리크의 입장을 반영한 것이라고 볼 수 없다.

🍯 선생님의 꿀 정보

03번 문제: 누군가의 입장이나 견해를 구체적인 상황에 적용하는 문제

비문학(독서) 영역에서는 여러 사람의 입장이나 견해를 제시하고 구체적인 상황에 적용하였을 때 어떻게 될 것인지를 추론하는 문제가 많이 등장한다. 03번 문제도 음악의 아름다움이 형식에서 비롯된다는 한슬리크의 견해를 파악하고 가장 잘 반영한 것을 찾을 수 있는지 묻고 있다.

이러한 유형의 문제에서는 자신이 생각하는 옳고 그름, 선호와 불호와는 상관없이 지문에 나타난 그의 입장을 따라야 한다. 그러므로 다음과 같은 절차에 따라 문제를 해결하면 문제를 쉽게 해결할 수 있다.

① 지문에 언급된 사람이 무엇을 중요하게 여기는지 확인한다.
→ 03번 문제의 한슬리크는 음악의 '형식' 그 자체를 중요하게 여겼다.

② 선택지에서 지문에 언급된 사람이 중요시 하지 않는 것이 무엇인지 확인한다.
→ 선택지 ①번, ②번, ③번, ⑤번은 음악의 형식이 아니라 감정이나 정서를 찾기 위해 음악을 만든다고 하였으므로, 한슬리크가 중요시한 '형식 그 자체'와는 거리가 멀다. 따라서 정답은 선택지 ④번이다.

---

04 세부 정보의 이해 | 정답 ③ |

윗글의 〈그림〉에 대한 이해로 적절한 것은?
고른음의 진동수와 세기

① 〈그림〉은 심벌즈의 ~~소리~~ 스펙트럼이다.

② 〈그림〉에 표현된 복합음의 진동수는 ~~550~~ Hz로 인식된다.
110 Hz

③ 〈그림〉에 표현된 소리의 부분음 중 기본음의 세기가 가장 크다.
110 Hz

④ 〈그림〉은 시간의 경과에 따른 ~~부분음의 세기의 변화~~를 나타낸다.

⑤ 〈그림〉에서 220 Hz에 해당하는 막대가 사라져도 ~~음색은 변하지 않는다.~~

📁 발문 분석

부분음들의 특성인 진동수와 세기에 대해 이해하고, 그림의 내용을 파악할 수 있는지를 묻고 있다. 진동수의 배수 관계와 그것이 의미하는 바가 무엇인지를 살펴보아야 한다.

◎ 정답 풀이

③ 지문에 제시된 〈그림〉의 가로축은 진동수이고, 세로축은 세기이다. 3문단에서 '현악기나 관악기에서 발생하는 고른음은 기본음 진동수의 정수배의 진동수를 갖는 부분음들로 이루어져 있지만, 타악기 소리는 부분음들의 진동수가 기본음 진동수의 정수배를 이루지 않는다.'라고 하였다. 따라서 〈그림〉이 고른음의 스펙트럼을 나타낸 것이면 진동수의 정수배를 확인할 수 있을 것이고, 고른음이 아니라면 진동수의 정수배를 확인할 수 없을 것이다. 〈그림〉의 진동수는 110, 220, 330, 440, 550 Hz로, 정수배로 나타나고 있으므로, 이 그림은 고른음의 소리 스펙트럼이다.

한편 2문단에서 '부분음 중에서 가장 진동수가 작은 것을 기본음이라 하는데 귀는 복합음 속의 부분음들 중에서 기본음의 진동수를 복합음의 진동수로 인식한다.'라고 하였으므로, 〈그림〉에 나타난 5개의 서로 다른 진동수 중 가장 작은 진동수 값인 110Hz는 이 복합음의 기본음이라고 볼 수 있다. 막대가 가장 높이 솟아 있는 110Hz의 세기가 가장 크므로, 기본

V. 예술 | 205

음의 세기가 가장 크다고 이해하는 것은 적절하다.

❌ 오답 풀이

① 2문단에서 심벌즈 소리는 '시끄러운음'이라고 하였다. 3문단에서 '타악기 소리는 부분음들의 진동수가 기본음 진동수의 정수배를 이루지 않고 '시끄러운음의 소리 스펙트럼에서는 막대 사이 간격이 일정하지 않다.'라고 하였다. 〈그림〉 속 음들의 진동수는 정수배를 이루고 있고, 막대 사이 간격도 일정하다. 따라서 〈그림〉을 심벌즈의 소리 스펙트럼이라고 이해하는 것은 적절하지 않다.

② 2문단에서 '부분음 중에서 가장 진동수가 작은 것을 기본음이라 하는데 귀는 복합음 속의 부분음들 중에서 기본음의 진동수를 복합음의 진동수로 인식한다.'라고 하였다. 따라서 〈그림〉에 표현된 복합음의 진동수는 기본음의 진동수인 110 Hz로 인식될 것이다.

④ 〈그림〉은 부분음들의 진동수와 세기를 보여주는 소리 스펙트럼이다. 〈그림〉에는 시간의 경과가 제시되어 있지 않으며, 진동수에 따라 세기가 다른 것일 뿐 부분음의 세기가 변화한 것이 아니다.

⑤ 3문단에서 '음색은 부분음들로 구성된 복합음의 구조, 즉 부분음들의 진동수와 상대적 세기에 의해 결정된다.'라고 하였고, '고른음은 기본음 진동수의 정수배의 진동수를 갖는 부분음들로 이루어져 있'다고 하였다. 따라서 220 Hz에 해당하는 막대가 사라지면, 진동수의 정수배가 이루어지지 않게 되므로 더 이상 고른음이 아니게 될 것이며, 이에 따라 음색도 변하게 될 것이다.

★★★★★
고난도
05 **구체적 사례에 적용** | 정답 ② |

[A]를 바탕으로 [보기]에 대해 설명한 것으로 적절하지 **않은** 것은?

┌ 보기 ┐
  바이올린을 연주했을 때 발생하는 네 음 P, Q, R, S의 기본음의 진동수를 측정한 결과가 표와 같았다.

음	P	Q	R	S
기본음의 진동수(Hz)	440	550	660	880

① P와 Q 사이의 음정은 장3도이다.
　　　　　　　　　음정 5/4
② P와 Q 사이의 음정은 Q와 R 사이의 음정보다 ~~좁~~다.
③ P와 R 사이의 음정은 협화 음정이라고 할 수 있다.
　　　　　　　분자, 분모가 1~6의 숫자로만 이루어진 음정
④ P와 S의 부분음 중에는 진동수가 서로 같은 것이 있다.
⑤ P와 S 사이의 음정은 Q와 R 사이의 음정보다 협화도가 크다.

📁 발문 분석

지문에 제시된 이론과 사례를 이해하고, 다른 상황에 적용할 수 있는지를 묻고 있다. 지문에서 음정에 대해 설명한 부분을 확인한 후 [보기]에 제시된 음간의 음정을 숫자로 구해 보아야 한다.

✔️ 보기 분석

2문단에서 '복합음을 구성하는 단순음을 부분음이라고 한다. 부분음 중에서 가장 진동수가 작은 것을 기본음이라 하는데 귀는 복합음 속의 부분음들 중에서 기본음의 진동수를 복합음의 진동수로 인식한다.'라고 하였다. 또 4문단에서 '16세기의 음악 이론가인 차를리노는 약분된 분수의 분자와 분모가 1, 2, 3, 4, 5, 6으로만 표현되는 음정은 협화 음정, 그 외의 음정은 불협화 음정으로 보았다.'라고 하였다.

[보기]에 제시된 네 음 P, Q, R, S는 모두 110의 배수로, 이 네 음 중 임의의 두 음 간의 음정은 모두 약분할 수 있으며, 분자와 분모는 2~8의 숫자 사이로 표현될 수 있다. 즉, P와 Q 사이의 음정은 5/4(550/440), P와 R 사이의 음정은 3/2(66/440), P와 S 사이의 음정은 2(880/440), Q와 R 사이의 음정은 6/5(660/550), Q와 S 사이의 음정은 8/5(880/550), R과 S 사이의 음정은 4/3(880/660)으로 나타낼 수 있다. 차를리노의 견해를 고려하면 이중 음정이 8/5인 Q와 S 사이의 음정만 불협화 음정이고, 나머지는 모두 협화 음정이다.

─────────────

🅾️ 정답 풀이

② [A]에서 '음정이란 두 음의 음고 간의 간격을 말하며 높은 음고의 진동수를 낮은 음고의 진동수로 나눈 값으로 표현된다.'라고 하였다. 따라서 P와 Q 사이의 음정은 5/4(550/440)이고, Q와 R 사이의 음정은 6/5(660/550)이므로 P와 Q 사이의 음정이 Q와 R 사이의 음정보다 넓은 음정이라고 할 수 있다.

❌ 오답 풀이

① [A]에서 '도'와 '미' 사이처럼 장3도 음정은 5/4라고 하였다. P와 Q 사이의 음정을 계산해 보면 5/4이므로 이것은 장3도에 해당한다고 볼 수 있다.

③ 4문단에서 '16세기의 음악 이론가인 차를리노는 약분된 분수의 분자와 분모가 1, 2, 3, 4, 5, 6으로만 표현되는 음정은 협화 음정'이라고 했다고 하였다. 따라서 P와 R 사이의 음정은 3/2이므로 협화 음정에 해당한다고 볼 수 있다.

④ 3문단에서 '현악기나 관악기에서 발생하는 고른음은 기본음 진동수의 정수배의 진동수를 갖는 부분음들로 이루어져 있'다고 하였다. [보기]의 바이올린은 현악기이므로 고른음을 낼 것이고, 바이올린이 내는 부분음들의 진동수는 기본음 진동수의 정수배를 이룰 것이다. P음의 경우 440Hz가 기본음이므로 P음의 다른 부분음들은 440의 정수배인 880Hz, 1320Hz, 1760Hz 등이 될 것이다. S의 경우 880Hz가 기본음이므로 S음의 다른 부분음들은 880Hz의 정수배인 1760Hz 등이 될 것이다. 따라서 P와 S의 부분음 중에는 진동수가 서로 같은 것이 있을 수 있다.

⑤ [A]에서 '음정이 2/1인 옥타브, 3/2인 완전5도, 5/4인 장3도, 6/5인 단3도의 순서로 협화도가 작아진다.'라고 하였다. P와 S 사이의 음정은 2/1이므로 옥타브를 이루고, Q와 R 사이의 음정은 6/5이므로 단3도이다. 따라서 P와 S 사이의 음정(2/1)이 Q와 R 사이의 음정(6/5)보다 협화도가 클 것이다.

[보기]를 바탕으로 할 때, ㉠과 쓰임이 유사한 것은?

─┤보기├─
　　윗글의 ㉠은 문장에서 자립적으로 쓰여 서술어 기능을 한
다. 그러나 ㉡은 혼자서는 쓰이지 못하고 반드시 다른 용언의
뒤에 붙어서 의미를 더하여 주는 '보조 용언' 기능을 한다.

① 그 일을 다 해 버리니 속이 시원하다.
② 그는 친구들의 고민을 잘 들어 주었다.
③ 내일 경기를 위해 잘 먹고 잘 쉬어 둬라.
④ 그는 내일까지 돈을 구해 오겠다고 큰소리를 쳤다.
⑤ 일을 추진하기 전에 득실을 꼼꼼히 계산해 보고 시작하자.

📁 발문 분석

본용언과 보조 용언의 개념을 이해하고 용언을 구분할 수 있는지를 묻고 있다. ㉠이 본용언인지, 보조 용언인지를 파악한 후, 선택지에서 그와 같은 용언을 찾아야 한다.

✔ 보기 분석

[보기]는 본용언과 보조 용언에 대해 설명하고 있다. 문장에서 자립적으로 쓰여 서술어 기능을 하는 용언을 '본용언'이라고 하고 자립성이 없어 반드시 다른 용언의 뒤에 붙어야 하며, 의미를 더해주는 용언을 '보조 용언'이라고 한다. 따라서 '본용언'과 '보조 용언'을 가르는 기준은 '자립성의 유무'라고 할 수 있다.

◎ 정답 풀이

④ ㉠은 문장에서 자립적으로 쓰여 서술어 기능을 하고 있으므로 '본용언'이고, ㉡은 혼자서는 쓰이지 못하고 반드시 다른 용언의 뒤에 붙어서 의미를 더하여 주고 있으므로 '보조 용언'이다. '그는 내일까지 돈을 구해 오겠다고'의 '오겠다고'는 단순히 선행하는 용언 '구해'에 의미를 더하는 것이 아니라, 그의 '오는 행위'를 표현하고 있는 서술어이다. 따라서 '오겠다고'는 '본용언'이므로 ㉠과 쓰임이 유사하다.

✘ 오답 풀이

① '앞말이 나타내는 행동이 이미 끝났음,' '그 행동이 이루어진 결과, 아쉬운 감정을 갖게 되었거나 또는 반대로 부담을 덜게 되었음.'을 나타낼 때 쓰는 보조 용언이다.
② '앞 동사의 행위가 다른 사람의 행위에 영향을 미침.'을 나타낼 때 쓰는 보조 용언이다.
③ '앞말이 뜻하는 행동을 끝내고 그 결과를 유지함.'을 나타낼 때 쓰는 보조 용언이다.
⑤ '어떤 행동을 시험 삼아 함.'을 나타낼 때 쓰는 보조 용언이다.

🍯 선생님의 꿀 정보

06번 문제: 비문학(독서)에서 문법 문제를 만났을 때

　　최근 비문학(독서) 영역 중 긴 지문에 여러 문제를 출제하는 경향이 두드러지고 있다. 이때 마지막 문제는 대개 어휘 문제가 출제 되지만, 06번 문제처럼 특정 어휘에 밑줄을 치고 이와 관련된 문법 사항을 파악할 수 있는지를 묻는 문제도 간혹 출제된다. 이런 경우 대부분 [보기]에서 기본적인 문법 사항을 설명해 주고 있는 경우가 많다. 따라서 문법 개념을 정확히 모른다고 하더라도 [보기]를 통해 문법 개념을 이해하고 그 내용을 그대로 예문에 적용하면 문제를 해결할 수 있다.

→ 06번 문제의 경우 지문의 ㉠과 ㉡이 '내는'으로 같은 형태이기 때문에 쓰임이 어떻게 다른지 알아차리지 못할 수 있다. 그러나 [보기]에서 ㉠은 자립성이 있는 서술어, ㉡은 자립성이 없는 보조 용언이라는 것을 알려주고 있으므로 이 정보를 활용하면 해결할 수 있다. 즉, 본용언과 보조 용언이라는 문법 개념을 모른다고 해도, 문제에서는 ㉠과 쓰임이 유사한 것(즉, 자립성을 가지고 있는 것)을 고르라고 하였으므로 선택지 다섯 개 중에서 자립적인 쓰임을 가지고 있는 용언이 사용된 선택지를 고르면 문제를 쉽게 해결할 수 있다.

M·E·M·O

구절 풀이

맥주는 보리나 홉 등의 천연 원료로 만드는데, 홉이 햇빛을 받게 되면 일부 성분이 응고되거나 산화되는 등 변형이 일어나게 되고, 역한 냄새가 나게 됨. 또 자외선은 맥주 효모를 산화시켜 맛을 변화시킴. 이렇게 맥주가 변형을 일으키는 이유는 바로 '감광성' 때문인데, 이를 방지하고자 자외선 차단율이 높은 갈색 병을 맥주를 담는 병으로 사용하게 된 것임.

일반적인 사진 인화 공정은 자동화가 될 수 있지만, 고무 인화법은 자동화가 아닌 수작업으로만 가능함. 이 때문에 사진작가들에게 '작품을 만드는 즐거움'을 주게 되었음. 사진작가들은 사진을 고무 인화법을 통해 인화할 때 자신의 시간과 노력을 투자함으로써 자신의 의도를 더욱 많이 표현할 수 있게 됨.

어휘 풀이

* 젤라틴: 동물의 뼈, 가죽, 힘줄 따위에서 얻는 유도 단백질의 하나. 뜨거운 물에 잘 녹으며, 냉각하면 다시 젤 상태로 됨.
* 인화지: 사진 원판으로 사진을 인화하기 위하여 감광 유제를 바른 종이.
* 암실: 밖으로부터 빛이 들어오지 못하도록 꾸며 놓은 방. 주로 물리, 화학, 생물학의 실험과 사진 현상 따위에 사용함.

① 취미 활동으로 수채화 그리기가 유행하던 시절인 초기 사진 시대에는 사진도 수채화처럼 객관적인 시선으로 대상을 표현해 사실성을 강조하는 것이 유행이었다. ~~초기 사진 시대: 사실성을 강조하는 사진이 유행함.~~ 사람들은 점점 사실성을 강조하는 값싼 입체 사진과 명함판 사진이 지나치게 인기를 끄는 현상에 혐오감을 느끼기 시작하였다. 이런 사람들에게 매력적으로 다가간 사진 기술이 바로 사진에 작가의 감성을 표현할 수 있는 ⊙고무 인화법과 ⓒ백금 인화법이었다. ~~사진의 사실성에 지겨움을 느낀 사람들~~ **1문단: 고무 인화법과 백금 인화법의 등장 배경**

② 고무 인화법은 중크롬산염의 감광성을 이용한 사진 기법을 말한다. 감광성은 화학 물질이 빛이나 방사선 등을 받으면 성질이 변하는 것을 의미하는데, 맥주병이 갈색인 이유는 맥주가 감광성을 가지고 있어 병 속의 맥주가 빛을 받아 성질이 변하는 것을 막기 위해서이다. 감광성이 사진 기술에 응용된 것은 1830년대 후반 중크롬산염이 빛에 반응하는 성질이 있음이 발견된 것을 기점으로 한다. 사람들은 중크롬산염의 감광성을 이용하기 위해「이것을 젤라틴*이나 아라비아 고무 등과 혼합하며 용액을 만들었다. 이를 인화지*에 발라 말린 뒤 인화지를 음화* 밑에 ⓐ밀착하여 노출시키면 빛을 받은 부분(음화에서 밝은 부분)은 혼합된 고무가 굳고 빛을 받지 않은 부분은 고무가 녹기 쉬운 상태로 남아 사진작가의 의도를 추가적으로 표현할 수 있었다.」 ~~작가 자신만의 표현이 가능해짐.~~ **2문단: 감광성의 개념과 고무 인화법의 공정**

③ 사진작가들은 고무 인화법을 활용하여 혼합 용액에 물감을 추가해 사진에 색을 입혔다. 자신의 의도에 따라 사진의 색채를 ⓑ변경함으로써 독특한 분위기를 만들어낸 것이다. 또 젤라틴이나 고무와 같이 굳는 성질이 있는 재료를 사용하기 때문에 마음에 들지 않는 부분은 제거하고 인화지를 다시 노출시켜 재인화하기도 하였다. 그리고 사진작가들은 여러 가지 물감을 사용해 인화 과정을 반복하기도 하였다. 물로 씻어내는 절차를 여러 번 되풀이하면 인화 공정만으로도 부드러운 형태에 여러 가지 색이 섞인, 마치 손으로 작업한 듯한 사진을 얻을 수 있었기 때문이다. 게다가 고무 인화법에서는 감광성을 활용한 다른 인화법과 마찬가지로 본래 사진을 인화할 때 필수적인 암실*이 필요하지 않아 빛을 차단하는 것에서 오는 스트레스를 피할 수 있었다. **3문단: 고무 인화법의 특징**

④ 이러한 고무 인화법은 색다른 즐거움을 사진작가들에게 선사하였기 때문에 시간과 노력이 많이 들더라도 사진작가들은 고무 인화법을 통해 창의력과 자신의 감각을 표현하였다. 이처럼 자동화와는 거리가 먼 고무 인화법은 상업적인 인화 공정과는 차이를 보인다. 고무 인화법을 선호하고 추종하는 사람이 늘어난 19세기에서 20세기로 넘어가던 시기에는 사진에 사진작가의 추가적인 개입과 표현을 지지하며 사진이 회화나 드로잉의 성격을 가져야 한다고 생각한 회화주의 사진 운동 등의 예술 사진 운동도 전개되었다. ~~회화주의 사진 운동의 특징~~ **4문단: 고무 인화법과 회화주의 사진 운동**

지문 구조도

화제 제시: 작가의 감성을 표현할 수 있는 사진 인화 방법(1문단)
사실성을 강조하는 사진에 질린 사람들이 많아서 사진에 작가의 감성을 표현할 수 있는 인화법인 고무 인화법과 백금 인화법이 등장함.

↓

전개: 고무 인화법과 백금 인화법(2문단~7문단)
• 고무 인화법: 사진에 색을 입힐 수 있음, 마음에 들지 않으면 제거하고 재인화가 가능함, 암실이 필요하지 않음. • 백금 인화법: 명암을 정교하게 나타낼 수 있음, 보존성이 뛰어남.

↓

마무리: 고무 인화법과 백금 인화법의 의의(8문단)
고무 인화법과 백금 인화법과 같은 대안 공정은 획일화된 작품을 거부하고 다양한 감성을 표현하고 싶어 하는 사진작가들의 욕구를 충족시킴.

─ 선생님의 **Tip** ─

"감광성(感光性)"

물질이 빛이나 엑스선, 감마선, 중성자선과 같은 방사선의 작용을 받아서 스스로 화학적 변화를 일으키거나, 다른 분자를 화학적 또는 물리적으로 변화시키는 성질을 의미함. 브롬화 은, 아이오딘화 은 따위의 물질에서 찾아볼 수 있으며, 사진을 현상(現像)할 때도 이러한 현상이 이용됨.

출제 의도 고무 인화법과 백금 인화법의 개념과 특징을 파악할 수 있는지를 평가하기 위한 지문이다. 고무 인화법과 백금 인화법을 통해 현상된 결과물의 특성을 파악할 수 있는지, 두 인화법과 다른 인화법을 비교하여 파악할 수 있는지 등을 평가하는 문제가 출제되었다.

주제 다양한 감성을 표현할 수 있는 고무 인화법과 백금 인화법

5 같은 시기에 백금 인화법도 큰 인기를 끌었다. 백금 인화법도 고무 인화법처럼 빛에 반응하는 일부 금속의 성질을 이용한 것으로, 끓였을 때에도 유지되는 제2철염의 감광성을 이용한 방법이다. 먼저 제2철염과 다른 성분을 혼합한 용액을 끓여 종이에 바르고 말려 인화지를 만든 다음, 태양광이나 자외선 아래에서 음화를 밀착시켜 인화한다. 그러면 빛을 받은 제2철염이 제1철염으로 변하고, 이것을 수산칼륨 용액으로 현상하면 환원* 작용 때문에 백금이 만들어진다. 빛을 받지 않은 부분의 제2철염과 환원되지 않은 백금염을 제거하면 빛을 받고 환원된 백금만 상으로 나타나게 된다. 초기의 백금 인화법은 인화지를 만들기 위해 혼합된 금속 용액을 끓여 종이를 한 장씩 담가야 했기 때문에 위험했지만, 이후 백금 인화지의 대량 생산이 가능해지면서 백금 인화법을 선호하는 사진작가들이 늘어났다.

감광성

백금 인화법의 개념

『→ 백금 인화법의 과정

빛을 쪼임. → 감광성 이용

초기의 백금 인화법이 위험했던 이유

백금 인화법의 단점이 해결됨.

5문단: 백금 인화법의 개념과 과정

6 백금 인화법의 가장 큰 장점은 색의 톤이 다양하게 표현되어 일반 흑백 사진보다 훨씬 명암을 ⓒ정교하게 나타낼 수 있다는 것이다. 이 공정을 거친 사진 속의 빛은 마치 수증기나 거의 만질 수 있는 물질처럼 보이게 하는 수준으로 표현되기에 이르렀다. 사진작가들은 백금 인화법을 활용하여 단순히 사실을 ⓓ재현하는 사진을 넘어서서 사진에 특별한 분위기를 입히는 방법을 고민하게 되었고, 이것은 사진작가의 독특한 개성과 표현력을 발휘할 수 있는 계기가 되었다. 백금 인화법의 또 다른 장점은 기존의 인화법들과 달리 금속을 소재로 했기 때문에 보존성이 뛰어나고 안정적인 사진을 제작할 수 있다는 것이다. 사진작가들은 백금 인화법을 활용하여 자신의 작품을 물리적으로 오래 보존할 수 있게 되었다.

백금 인화법의 특징 ①

초기의 사진의 특징

사진작가의 개성과 표현력을 발휘함.

백금 인화법의 특징 ②

보존성이 뛰어나고 안정적이므로

6문단: 백금 인화법의 특징

7 이같은 백금 인화법은 20세기 초반 회화주의 사진 운동의 중심을 차지하였다. 때때로 사진작가들은 한 사진에 고무 인화법과 백금 인화법을 함께 사용하기도 하였다. 백금 인화법으로 제작한 사진에 고무 인화법을 활용하여 추가로 색을 입힘으로써 독특한 느낌의 사진 위에 수공예품 같은 느낌을 더한 것이다.

7문단: 백금 인화법과 회화주의 사진 운동

8 사진의 역사가 시작된 이후에 다른 많은 기법이 탄생했지만 고무 인화법과 백금 인화법은 디지털 센서와 같은 현대 사진술의 기본이 되는 요소를 갖추지 않아 대안 공정으로 분류되며, 여전히 현대 사진작가들에게 관심을 받고 있다. 현대 사진작가들은 사진에 스케치와 수채, 판화 같은 몇 가지 다른 매체를 ⓔ조합할 수 있는 표현력이 뛰어난 기법이라는 점 때문에 고무 인화법을 사랑한다. 백금 인화법도 사진에 풍부하게 명암을 표현하여 자신만의 감각을 표현하고 싶어 하는 사진작가의 욕구를 충족시킬 수 있어 많은 사랑을 받고 있다. 사진작가들은 이러한 대안 공정을 활용하며 획일화된 작품을 제작하는 대신, 다양한 방법으로 다양한 감성을 표현하고자 꾸준히 노력하고 있다.

현대 사진 인화 과정에서는 디지털 기술을 사용함.

사진에 회화적인 요소를 가미할 수 있음.

사진작가들이 고무 인화법과 백금 인화법을 활용하는 이유

8문단: 고무 인화법과 백금 인화법의 의의

* 음화: 피사체와는 명암 관계가 반대인 사진의 화상 또는 필름.

지문 해제

이 글은 사진작가가 사진을 통해 감성을 표현할 수 있는 인화법인 고무 인화법과 백금 인화법에 대해 소개하고 있다. 초기의 사진은 대상을 사실적으로 표현하는 방법을 강조하였으나, 사진작가들은 본인만의 감성을 표현할 수 있는 고무 인화법과 백금 인화법에 매력을 느꼈다. 고무 인화법은 중크롬산염의 감광성을 이용한 사진 기법이다. 인화할 때 빛에 노출되는지의 여부에 따라 고무가 굳거나 굳지 않게 됨을 이용하여, 굳지 않은 고무 부분에 추가적인 표현을 가능하게 한다. 고무 인화법은 사진에 색을 넣을 수도 있고, 마음에 들지 않은 부분을 제거하고 재인화할 수 있으며, 빛을 차단할 필요가 없기 때문에 암실이 필요하지 않다는 특징이 있다. 한편 백금 인화법은 제2철염의 감광성을 이용한 방법으로, 빛을 받아 백금으로 환원된 부분만 상으로 나타나는 것을 응용한 것이다. 백금 인화법은 명암을 정교하게 표현할 수 있어 색의 톤을 나타내는 데 탁월하며, 백금이라는 소재의 특성상 보존성이 뛰어나 작품을 오래 안정적으로 보존할 수 있다는 특징이 있다. 현대의 사진작가들은 다양한 감성을 표현하기 위해 여전히 고무 인화법과 백금 인화법 같은 대안 공정을 활용하고 있다.

구절 풀이

○ 백금 인화법은 철 인화법의 하나로, 빛에 노출하여 생성되는 2개의 철이온에 의해 백금염이 환원되어 흑색 화상을 만드는 것임. 백금 인화법으로 현상한 사진은 어두운 부분의 디테일이 훌륭하며 내구성이 우수하지만, 확대가 불가능하며 제작비가 비싸다는 단점이 있음.

○ 고무 인화법과 백금 인화법은 대안 공정으로 분류됨. 왜냐하면 디지털 센서와 같은 현대 사진술의 기본이 되는 요소를 갖추지 않았기 때문임.

어휘 풀이

* 환원(還元): 산화된 물질을 본디의 상태로 되돌리는 과정.

선생님의Tip

"회화주의 사진"

사진 표현의 목표를 미학적, 감정적, 지적인 효과에 두는 것. 1850년대 중반에 발명된 사진이 예술을 생산할 수 있는 매체라는 것을 증명하기 위해서 시작된 것으로, 당시에는 '고급 미술(high-art) 사진'이라고 불림. 회화주의 사진은 기계적 사실성을 추구하기보다는 고무 인화법이나 합성 사진 같은 작위적인 암실 기법을 사용하여 당시의 회화와 유사한 사진을 만듦. 그러나 현재의 회화주의 사진은 회화를 모방하는 것이 아니라 기술적 완벽함, 신중한 구도, 예술적 표현에 대한 의식적 추구를 특징으로 하는 유미주의적이고 자기 충족적인 사진을 가리킴.

예술 06

01 개괄적 정보의 파악 | 정답 ④ |

윗글의 제목과 부제로 가장 적절한 것은?

① 예술 사진 운동의 시작 – ~~색채~~에 대한 사진작가들의 관심

② 현대 사진술이 나아가야 할 방향 – ~~디지털 센서~~의 응용과 발전

③ ~~사진의~~ ~~역사~~를 찾아서 – 명함판 사진으로 시작된 100년의 기록

④ 감성을 표현할 수 있는 사진의 대안 공정 – 매력적인 인화 기법들

⑤ 감광성을 이용한 인화 방법 – ~~단순한~~ 작업으로 이루어 내는 뛰어난 작품

📁 발문 분석

지문의 전체 내용을 이해하고 중심 화제를 파악할 수 있는지 묻고 있다. 제목은 전체 내용을 포괄할 수 있는 내용이, 부제는 제목을 보완하는 내용이 들어가야 함을 기억해야 한다.

◎ 정답 풀이

④ 1문단에서 '사진에 작가의 감성을 표현할 수 있는 고무 인화법과 백금 인화법'이라고 하였고, 이후 문단에서는 고무 인화법과 백금 인화법의 특징을 설명하고 있다. 이를 고려하면 '감성을 표현할 수 있는 사진의 대안 공정'이라는 제목과 '매력적인 인화 기법들'이라는 부제가 이 글의 제목과 부제로 가장 적절하다.

✖ 오답 풀이

① 4문단에서 '19세기에서 20세기로 넘어가던 시기에는 사진에 사진작가의 추가적인 개입과 표현을 지지하며 사진이 회화나 드로잉의 성격을 가져야 한다고 생각한 회화주의 사진 운동 등의 예술 사진 운동이 전개되었다.'라고 하였지만, 이는 이 글의 주된 내용은 아니다. 또 사진작가들이 색채에 대해 관심을 가지고 예술 사진 운동을 전개한 것이 아니며, 색채와 관련된 내용은 고무 인화법에만 해당하는 내용이지 백금 인화법과는 관련이 없다.

② 8문단에서 '고무 인화법과 백금 인화법은 디지털 센서와 같은 현대 사진술의 기본이 되는 요소를 갖추지 않아 대안 공정으로 분류되며, 여전히 현대 사진작가들에게 관심을 받고 있다.'라고 하였다. 그러나 이 글에서 현대 사진술이나 디지털 센서의 응용과 발전 방향에 대해서는 언급하지 않았다.

③ 1문단에서 초기 사진 시대 이후 사람들은 '값싼 입체 사진과 명함판 사진이 지나치게 인기를 끄는 현상에 혐오감을 느끼기 시작하였다.'라고 하였다. 그러나 이 글에서 사진의 역사나 명함판 사진의 역사에 대해서는 언급하지 않았다.

⑤ 2문단에서 '고무 인화법은 중크롬산염의 감광성을 이용한 사진 기법'이라고 하였고, 5문단에서 '백금 인화법도 고무 인화법처럼 빛에 반응하는 일부 금속의 성질을 이용한 것'이라고 하였다. 그러나 2문단과 5문단에서 소개된 각 인화법의 작업 과정은 단순하지 않고 오히려 매우 복잡한 편이다. 따라서 부제에서 단순한 작업으로 뛰어난 작품을 이루어 낸다고 하는 것은 적절하지 않다.

🍯 선생님의 꿀 정보

01번 문제: 제목과 부제 찾기

글의 제목과 부제를 찾으라는 문제는 글 전체의 전체 중심 화제를 찾고, 글에서 중심 화제의 어떤 면을 강조하고 있는지 파악하라는 의미이다. 01번 문제는 제시된 지문의 중심 화제가 감광성을 이용한 두 인화법(고무 인화법, 백금 인화법)이 무엇인지를 파악하면 쉽게 해결할 수 있었다. 이러한 문제를 해결하려면 다음과 같은 단계를 고려하는 것이 좋다.

① 글의 중심 화제 찾기
② 중심 화제와 관련된 보조 화제 찾기
③ 선택지 가운데 중심 화제나 보조 화제가 아닌 내용이 들어가 있는 것을 제외하기
④ 남은 선택지 가운데 주제를 가장 잘 표현하고 있는 것을 고르기

흔히 4단계에서 함정에 빠져 오답을 고르기가 쉽다. 중심 화제와 보조 화제를 모두 포함하고 있기 때문에 정답으로 고르게 되는 것이다. 따라서 마지막 단계에서는 중심 화제와 보조 화제를 모두 포함한 선택지라도 주제를 담고 있지 않으면 정답이 아니라는 것을 반드시 고려해야 한다.

---

02 세부 내용의 이해 | 정답 ② |

윗글의 내용과 일치하지 않는 것은?

① 초기의 사진은 대상에 대한 객관적인 시선에 중요성을 두었다.

② ~~아라비아~~ 고무는 빛이나 방사선에 반응해 굳는 성질을 가지고 있다.
　　 중크롬산염의 특징

③ 고무 인화법이 유행했던 시기에 예술 사진 운동도 전개되었다.

④ 고무 인화법은 자동화 공정보다 사진작가의 많은 시간과 노력을 요구한다.

⑤ 백금 인화법이 처음 등장했을 때에는 인화지를 만드는 데 어려움을 겪었다.

📁 발문 분석

지문의 세부 내용을 정확히 이해했는지를 묻고 있다. 선택지의 내용이 지문의 어느 부분에 언급되어 있는지를 확인한 후 선택지와 1:1로 비교하며 적절성을 판단해야 한다.

◎ 정답 풀이

② 2문단에서 '감광성은 화학 물질이 빛이나 방사선 등을 받으면 성질이 변하는 것을 의미'한다면서 '1830년대 후반 중크롬산염이 빛에 반응하는 성질이 있음이 발견'되었다고 하였다. 또 '사람들은 중크롬산염의 감광성을 이용하기 위해' 중크롬산염을 '젤라틴이나 아라비아 고무 등과 혼합'했다고 하였다. 이를 고려하면 아라비아 고무는 중크로산염이 가진 감광성을 이용하기 위해 사용되는 보조적인 재료일 뿐, 감광성을 가지고 있다고 보기는 어렵다.

✖ 오답 풀이

① 1문단에서 '초기 사진 시대에는 사진도 수채화처럼 객관적인 시선으로 대상을 표현해 사실성을 강조하는 것이 유행'했다고 하였다.

③ 4문단에서 '고무 인화법을 선호하고 추종하는 사람이 늘어난 19세기에서 20세기로 넘어가던 시기에는' '회화주의 사진 운동 등의 예술 사진 운동도 전개되었다.'라고 하였다.

④ 4문단에서 '고무 인화법은 색다른 즐거움을 사진작가들에게 선사'했으며, '시간과 노력이 많이 들더라도 사진작가들은 고무 인화법을 통해 창의력과 자신의 감각을 표현하였다. 이처럼 자동화와는 거리가 먼 고무 인화법은 상업적인 인화 공정과는 차이를 보인다.'라고 하였다.

⑤ 5문단에서 '초기의 백금 인화법은 인화지를 만들기 위해 혼합된 금속 용액을 끓여 종이를 한 장씩 담가야 했기 때문에 위험했'다고 하였다.

법'이라고 하였고, 5문단에서 '백금 인화법도 고무 인화법처럼 빛에 반응하는 일부 금속의 성질을 이용한 것'이라고 하였다. 이를 고려하면 감광성은 인화 기법에 영향을 미쳐 사진 기술에 응용되었다고 추측할 수 있다.

⑤ 2문단에서 '감광성은 화학 물질이 빛이나 방사선 등을 받으면 성질이 변하는 것을 의미'한다고 하였다. 또 5문단에서 백금 인화법은 '먼저 제2철염과 다른 성분을 혼합한 용액을 끓여 종이에 바르고 말려 인화지를 만든 다음, 태양광이나 자외선 아래에서 음화를 밀착시켜 인화한다. 그러면 빛을 받은 제2철염이 제1철염으로 변하고, 이것을 수산칼륨 용액으로 현상하면 환원 작용 때문에 백금이 만들어'지는 것을 이용한 것이라고 하였다. 이를 고려하면 감광성을 가진 물질은 빛을 쪼이면 다른 성분으로 바뀌는 것이라고 추측할 수 있다.

03 핵심 정보의 파악　　　　|정답 ②|

윗글의 [감광성]에 대해 추측한 것으로 적절하지 않은 것은?

① 열을 가했을 때에도 유지되는 성질이다.
② 다른 물질과 ~~혼합~~하면 사라지는 성질이다.
③ 모든 금속 물질이 가지고 있는 성질은 아니다.
④ 인화 방식에 영향을 미쳐 사진 기술에 응용되었다.
⑤ 감광성을 가진 화학 물질이 빛을 쪼이면 다른 화학 물질로 바뀐다.
_{감광성의 정의}

📁 **발문 분석**

글의 핵심 개념에 대해 이해할 수 있는지를 묻고 있다. 감광성이라는 개념은 지문의 2문단에 처음 언급되어 있지만, 지문에서 설명하고 있는 다른 개념에도 언급되어 있다. 따라서 지문에 언급된 감광성에 대한 내용을 꼼꼼히 확인한 후 선택지의 내용과 1:1로 비교하며 적절성을 판단해야 한다.

◎ **정답 풀이**

② 2문단에서 감광성은 '화학 물질이 빛이나 방사선 등을 받으면 성질이 변하는 것을 의미'하고 고무 인화법은 광감성을 가진 중크롬산염을 '젤라틴이나 아라비아 고무 등과 혼합'하여 사용하는 방법이라고 하였다. 또 혼합한 용액을 '인화지에 발라 말린 뒤 인화지를 음화 밑에 밀착하여 노출시키면 빛을 받은 부분(음화에서 밝은 부분)은 혼합된 고무가 굳고 빛을 받지 않은 부분은 고무가 녹기 쉬운 상태로 남'는다고 하였다. 이를 고려하면 고무 인화법은 중크로산염의 감광성이 젤라틴이나 아라비아 고무와 혼합되어도 사라지지 않아 빛의 유무에 따라 고무의 굳고 녹음이 달라지는 것을 이용한 방법이라고 볼 수 있다. 또 5문단에서 백금 인화법은 '끓였을 때에도 유지되는 제2철염의 감광성을 이용한 방법'이라고 하였다. 이를 고려하면 감광성을 가진 물질이 다른 물질과 혼합된다고 해서 그 성질이 사라지는 것은 아니라고 추측할 수 있다.

❌ **오답 풀이**

① 5문단에서 백금 인화법은 '끓였을 때에도 유지되는 제2철염의 감광성을 이용한 방법'이라면서 '먼저 제2철염과 다른 성분을 혼합한 용액을 끓여'야 한다고 하였다. 이를 고려하면 감광성은 열을 가해도 유지되는 성질이라고 추측할 수 있다.

③ 5문단에서 '백금 인화법도 고무 인화법처럼 빛에 반응하는 일부 금속의 성질을 이용한 것'이라고 하였다. 따라서 감광성은 모든 금속이 아니라 일부 금속이 가지고 있는 성질이라고 추측할 수 있다.

④ 2문단에서 '고무 인화법은 중크롬산염의 감광성을 이용한 사진 기

♛고난도
04 내용의 비판적 이해　　　　|정답 ③|

윗글의 회화주의 사진 운동에 대해 [보기]의 두 입장이 공통적으로 제기할 수 있는 비판으로 가장 적절한 것은?

──|보기|──
입장 1: 사진작가는 사물 표현에 있어 주관적인 시선을 배제해야 하며, 사진의 **기계적 기록성**이야말로 가장 중요한 사진의 예술적 의미이다.
_{사실의 재현에 목적}

입장 2: 사진작가의 역할은 자연을 존재하는 그대로 묘사하면서도 예술적 성취를 이루어 내는 데 있다. 현실을 어떻게 보여주느냐보다 **어떤 현실을 보여주느냐**를 통해 사진의 예술적 의미를 획득할 수 있는 것이다.
_{사진의 기법보다 장면에 대한 작가의 선택을 중요시}

① 사진에 대한 **사진작가의** 개입을 통해 예술적 성취를 이루어
_{회화주의 사진 운동의 추구 방향}
　낼 수 있다.
② 사진이 **자연의 존재를** ~~그~~대로 묘사한다면 아주 정밀한 풍경
_{회화주의 사진 운동이 입장 1, 2에 대한 비판}
　화를 그리는 것과 다름이 없다.
③ 자연을 포착한 사진에 **인위적인 표현**을 더하는 것은 사진의
　예술적 의미를 훼손하는 일이다.
④ **어떤 현실을 보여줄 것인지**를 결정하는 것은 사진작가의 감
　성을 표현하는 행위에 ~~선행되~~어야 한다.
⑤ 기계적 기록성은 사진의 기본적인 특성이며, **이를 ~~뛰어~~넘어**
　야 예술로서의 사진을 한 단계 더 발전시킬 수 있다.

📁 **발문 분석**

지문에 언급된 회화주의 사진 운동의 견해를 이해하고, 이와 대립되는 입장에서 주장하는 바를 파악할 수 있는지를 묻고 있다. [보기]에 언급된 두 입장의 공통점을 찾은 후, 지문에 언급된 회화주의 사진 운동과의 차이점을 도출해야 한다.

✅ **보기 분석**

입장 1은 사진은 작가의 주간적인 시선을 배제한 채 기계적으로 기록하는데 의미가 있다는 주장이다. 입장 2는 사진작가는 자연을 있는 그대로 보여주되, 어떤 것을 보여줄 것이냐에 의미가 있다는 주장이다. 두 입장에서는 사진은 작가의 추가적이고 인위적인 개입 없이 있는 모습 그대로를 보여 주어야 한다고 생각하고 있음을 도출할 수 있다.

③ 4문단에서 회화주의 사진 운동에서는 '사진에 사진작가의 추가적인 개입과 표현을 지지하며 사진이 회화나 드로잉의 성격을 가져야 한다고 생각'했다고 하였다. 즉, 회화주의 사진 운동에서는 사진이 어떤 것을 순수하게 재현하는 것이 아니라, 작가의 추가적인 표현이 가능한 바탕이라고 인식한 것이다. [보기]의 입장 1과 입장 2는 사진이 대상을 사실적으로 재현해야 한다고 주장하고 있으므로, [보기]의 두 입장이 회화주의 사진 운동에 대해서 비판한다면 사진에 대한 작가의 인위적인 개입이 좋지 않다는 내용을 언급하는 것이 가장 적절할 것이다.

① 4문단에서 회화주의 사진 운동은 '사진에 사진작가의 추가적인 개입과 표현을 지지하며 사진이 회화나 드로잉의 성격을 가져야 한다고 생각'했다고 하였다. 따라서 사진에 대한 사진작가의 개입을 통해 예술적 성취를 이룰 수 있다고 보는 것은 [보기]의 입장 1, 2의 견해가 아니라 회화주의 사진 운동에서의 견해라고 볼 수 있다.

② 4문단에서 회화주의 사진 운동은 '사진작가의 추가적인 개입과 표현을 지지'한다고 하였다. 반면 [보기]의 입장 1과 2는 사진에는 작가의 추가적이고 인위적인 개입이 들어가면 안 되고, 있는 모습 그대로를 재현해야 한다고 생각하고 있다. 이를 고려하면 사진이 자연의 존재를 그대로 묘사한다면 정밀한 풍경화를 그리는 것이라는 비판은 회화주의 운동에서 입장 1과 입장 2를 비판할 수 있는 내용이라고 볼 수 있다.

④ [보기]의 입장 2는 '현실을 어떻게 보여주느냐보다 어떤 현실을 보여주느냐'가 더 중요하다고 하였다. 한편 4문단에서 회화주의 사진 운동에서는 '사진에 사진작가의 추가적인 개입과 표현을 지지하며 사진이 회화나 드로잉의 성격을 가져야 한다고 생각'했다고 하였으므로 회화주의 사진 운동은 표현 방법에 집중하고 있다고 볼 수 있다. 이를 고려하면 [보기]의 두 입장이 회화주의 사진 운동에 대해 표현 방법과 보여줄 현실 중에 어느 것이 선행되어야 하는지에 대해 비판하는 것은 적절하지 않다.

⑤ [보기]의 입장 1은 '사진의 기계적 기록성이야말로 가장 중요한 사진의 예술적 의미'라고 하였다. 이를 뛰어넘어야 예술로서의 사진을 발전시킬 수 있다고 한 것은 사진이 기계적 기록성 이상의 것을 가져야 한다는 견해이므로, 이는 회화주의 사진 운동이 입장 1을 비판할 때 제기할 수 있는 내용이라고 볼 수 있다.

🍯 **선생님의 꿀 정보**

04번 문제: A 입장(견해)에서 B입장(견해)을 비판하는 문제

비문학(독서) 영역의 지문에서는 다양한 입장(견해)을 제시하고, 문제에서 이와 반대되는 입장(견해)에서 비판하라는 경우도 많다. 어떤 입장을 비판하려면 비판을 해야 하는 입장(A)과 비판을 당하는 입장(B)에 대해 모두 파악해야 한다. 이를 파악하는 방법은 다음과 같다.

① 비판하는 입장(A)을 명확히 이해한다.
② 비판당하는 입장(B)을 명확히 이해한다.
③ 두 입장의 차이점을 파악한다.
④ 두 입장의 차이점을 (A) 입장에서 서술하고 있는 선택지를 고른다. 혹은 (B) 입장에서 약점이 되는 선택지 가운데 (A) 입장과 유사한 내용을 담고 있는 것을 고른다.

간혹 04번 문제의 [보기]처럼 비판하는 입장을 2개 이상 제시하는 경우도 있다. 이때에는 ①에서 비판하는 입장들의 공통점을 파악한 후, 나머지 단계를 거치면 쉽게 해결할 수 있다.

---

05 유사한 정보와의 비교 | 정답 ④ |

[보기]의 ㉮와 ㉠, ㉡을 비교한 것으로 가장 적절한 것은?
_{고무 인화법 백금 인화법}

┤보기├

㉮알부민 인화법은 계란 흰자 속 알부민이라는 성분의 특징을 이용한 것이다. 「먼저 계란 노른자를 분리한 흰자에 소금을 넣고 거품을 낸 다음 거즈로 걸러낸다. 이후 종이를 흰자로 만든 용액 위에 띄웠다가 말린 뒤 감광액을 발라 감광성을 가진 인화지를 만든다.」 사진작가는 알부민 인화지 위에 음화가 맺힌 유리판을 올리고, 둘을 한꺼번에 빛에 노출시켜 사진을 얻는다. 알부민 인화지는 보존성이 떨어지지만 제조 방법이 간단하고 암실 없이 대량 생산이 가능하여 사진의 대중화라는 목표를 달성하였고, 사진을 소수 사람들의 취미가 아니라 상업화된 하나의 산업으로 발전시켰다. 또한 기존의 인화지와는 달리 표면에 광택이 돌아, 많은 사랑을 받았다.

(인화지를 만드는 과정 / 알부민 인화지의 특징 ① / 알부민 인화지의 특징 ②)

① ㉠과 달리 ㉮와 ㉡은 오랜 시간이 지나도 사진을 온전히 보관할 수 있다. _{백금 인화법의 특징}
② ㉡과 달리 ㉮와 ㉠은 사진에 다양한 색채를 표현할 수 있다. _{고무 인화법의 특징}
③ ㉮와 달리 ㉠과 ㉡은 인화지 표면에 광택을 주어 반들반들한 느낌을 낸다. _{알부민 인화법의 특징}
④ ㉮와 ㉠, ㉡은 모두 암실 등을 활용해 빛을 차단하지 않아도 된다.
⑤ ㉮와 ㉠, ㉡은 모두 사진의 대중화를 목표로 만들어졌다. _{알부민 인화법의 특징}

📁 **발문 분석**

중심 화제에 대해 이해하고 다른 것과 비교하여 그 특징을 도출할 수 있는지를 묻고 있다. 지문에 제시된 고무 인화법과 백금 인화법의 특징과 [보기]에 제시된 알부민 인화법의 특징을 살펴본 후, 공통점과 차이점을 파악해야 한다.

✔️ **보기 분석**

[보기]는 알부민 인화법에 대해 설명하고 있다. ㉠과 ㉡, ㉮에 대해 정리하면 다음과 같다.

인화법	㉮ 알부민 인화법	㉠ 고무 인화법	㉡ 백금 인화법
특징	• 제조 방법이 간단하여 암실 없이 대량 생산이 가능함. • 광택이 있음. • 보존성이 떨어짐.	• 제조 방법이 복잡함. • 색채를 입힐 수 있음. • 재인화가 가능함.	• 제조 방법이 복잡함. • 명암을 정교하게 표현할 수 있음. • 보존성이 뛰어남.
공통점	감광성을 이용함.		

🎯 **정답 풀이**

④ ㉮는 알부민 인화법, ㉠은 고무 인화법, ㉡은 백금 인화법이다. 2문단에

서 '감광성은 화학 물질이 빛이나 방사선 등을 받으면 성질이 변하는 것을 의미'한다고 하였고, 3문단에서 '고무 인화법에서는 감광성을 활용한 다른 인화법과 마찬가지로 본래 사진을 인화할 때 필수적인 암실이 필요하지 않아 빛을 차단하는 것에서 오는 스트레스를 피할 수 있었다.'라고 하였다. 5문단에서는 '백금 인화법도 고무 인화법처럼 빛에 반응하는 일부 금속의 성질을 이용한 것'이라고 하였다. 그리고 [보기]에서 알부민 인화법에서는 '종이를 흰자로 만든 용액 위에 띄웠다가 말린 뒤 감광액을 발라 감광성을 가진 인화지를 만든다.'라고 하였다. 또 '암실 없이 대량 생산이 가능'하다고 하였다. 이를 고려하면 ㉮와 ㉠, ㉡은 모두 감광성을 이용한 인화법으로 암실 없이 인화를 할 수 있기 때문에 빛을 차단해야 할 필요가 없다고 볼 수 있다.

✖ 오답 풀이

① 6문단에서 '백금 인화법의 또 다른 장점은 기존의 인화법들과 달리 금속을 소재로 했기 때문에 보존성이 뛰어나고 안정적인 사진을 제작할 수 있다는 것'이라고 하였다. 그러나 ㉠의 보존성에 대해서는 언급하고 있지 않으며, [보기]에서 '알부민 인화지는 보존성이 떨어진다고 하였다.

② 3문단에서 '고무 인화법을 활용하여 혼합 용액에 물감을 추가해 사진에 색을 입혔다.'라고 하였고, 6문단에서 '백금 인화법의 가장 큰 장점은 색의 톤이 다양하게 표현되어 일반 흑백 사진보다 훨씬 명암을 정교하게 나타낼 수 있다는 것이다.'라고 하였다. 그러나 [보기]에서는 알부민 인화법의 색채 표현에 대해서 언급하지 않았다.

③ [보기]에서 알부민 인화지는 '기존의 인화지와는 달리 표면에 광택이 돌아, 많은 사랑을 받았다.'라고 하였다. 그러나 고무 인화법과 백금 인화법의 인화지에 광택이 도는지의 여부는 지문에 언급되어 있지 않다.

⑤ 4문단에서 '시간과 노력이 많이 들더라도 사진작가들은 고무 인화법을 통해 창의력과 자신의 감각을 표현'했으며, 고무 인화법은 '자동화와는 거리가' 멀다고 하였다. 또 5문단에서 '백금 인화지의 대량 생산이 가능해'졌다고는 하였지만, 8문단에서 '고무 인화법과 백금 인화법은 디지털 센서와 같은 현대 사진술의 기본이 되는 요소를 갖추지 않아 대안 공정으로 분류'된다고 하였다. 반면 [보기]에서 알부민 인화법은 '암실 없이 대량 생산이 가능하여 사진의 대중화라는 목표를 달성하였고, 사진을 소수 사람들의 취미가 아니라 상업화된 하나의 산업으로 발전시켰다.'라고 하였다.

📂 발문 분석

문맥을 고려하여 어휘의 의미를 이해하고, 이를 활용하여 문장을 만들 수 있는지를 묻고 있다. 지문의 ⓐ~ⓔ의 의미와 선택지의 밑줄 친 부분의 의미가 같은지 생각해 보아야 한다.

◎ 정답 풀이

⑤ ⓔ'조합(組合)'은 '여럿을 한데 모아 한 덩어리로 짬.'을 의미하는데, 환경단체들이 협동하여 폐기물을 배출하는 공장에 맞섰다는 의미를 표현하기에는 적절하지 않다. 이를 표현하기에는 '두 가지 이상의 사물이 서로 합동하여 하나의 조직체를 만듦.'을 의미하는 '연합(聯合)'이 더 적절하다.

✖ 오답 풀이

① ⓐ'밀착(密着)'은 '빈틈없이 단단히 붙음.'을 의미하는 어휘이다.

② ⓑ'변경(變更)'은 '다르게 바꾸어 새롭게 고침.'을 의미하는 어휘이다.

③ ⓒ'정교(精巧)'는 '솜씨나 기술 따위가 정밀하고 교묘함.'을 의미하는 어휘이다.

④ ⓓ'재현(再現)'은 '다시 나타나거나 나타냄.'을 의미하는 어휘이다.

🍯 선생님의 꿀 정보

06번 문제: 어휘 문제

비문학(독서) 영역에서 어휘 문제는 보통 가장 마지막에 제시된다. 어휘 문제는 대부분의 학생들이 비교적 쉽다고 여기지만, 어휘의 사전적 의미나 관용적 의미를 묻는 경우, 어휘력이 없으면 실수를 하기도 쉽다. 따라서 어휘 문제를 해결하려면 평소 어휘력을 다져두어야 하는데, 그렇지 못한 경우가 대부분이다. 이럴 경우에는 문맥을 통해서 어휘의 의미를 추측해 볼 수밖에 없다.

→ 06번 문제는 어휘의 의미를 추론한 후, 그 어휘를 활용한 문장을 만들 수 있는지를 평가하고 있다. 이 문제를 풀 때에도 다른 어휘 문제와 마찬가지로 해결해야 한다. 즉, 지문의 앞뒤 문맥을 통해 각 어휘의 의미를 추측해 본다. 그 이후 선택지에 활용된 의미가 그 의미와 유사한지를 살펴보아야 한다.

어휘력은 하루아침에 쌓아지는 것이 아니다. 따라서 평소 어휘 문제에서 모르는 어휘가 나온다면, 문맥을 통해 어휘의 의미를 추측해보고 추후에 국어사전으로 확인하고 따로 정리해 두어야 한다.

---

06 어휘 활용의 적절성 판단 | 정답 ⑤ |

ⓐ~ⓔ를 활용하여 만든 문장으로 적절하지 <u>않은</u> 것은?

① ⓐ: 우리는 서로 밀착하여 체온이 떨어지지 않도록 애썼다.
　밀착

② ⓑ: 일정이 하루 전에 변경되는 바람에 준비를 제대로 하지 못했다.
　변경

③ ⓒ: 그 지폐는 매우 정교하게 위조되어 감별해 내기 어려웠다.
　정교

④ ⓓ: 조선시대의 시장을 재현한 전시회가 큰 인기를 끌었다.
　재현

⑤ ⓔ: 환경단체들은 서로 ~~조합~~하여 폐기물을 배출하는 공장에 맞섰다.
　조합　　'연합'이 어울림.

구절 풀이

일반적인 통념과 다르게 감각을 뛰어넘는 차원에서도 미에 대해 다루어짐.

소피스트들은 '미'를 감각 기관에 유쾌하게 느껴지는 어떤 것으로 해석함으로써 주관적인 '미' 개념을 지향했지만, 플라톤은 '미'를 초감각적인 차원과 연관지어 객관적인 '미' 개념을 지향했음.

플라톤은 예술 작품이 이데아로서의 '미'를 모방한 것이라고 생각하였음.

에피쿠로스는 소피스트와 유사하게 '미'를 인간의 감각 기관에 유쾌함을 일으키는 어떤 것으로 파악하여 '미'를 현실의 감각적 차원에 국한하였음.

어휘 풀이

* 초감각: 이에스피(ESP), 감각 기관을 거치지 않고 외적 또는 내적 사상을 인지하는 일. 원 감, 투시, 예지 따위가 있음.
* 소피스트: 고대 그리스에서 수사학, 변론, 웅 변을 가르치던 사람들.

— 선생님의 Tip

"바움가르텐"

독일의 철학자. 미학이라는 새로운 용어를 만들었으며 이 학문을 독자적인 철학 분야로 확립함. 느낌의 중요성을 강조하였고, 예술가들은 지각된 현실에 느낌의 요소들을 덧붙임으로써 자연을 신중하게 변형해야 한다고 주장함.

"미학(美學, Aesthetics)"

철학의 하위 분야 가운데 '아름다움'을 대상으로 삼는 학문. 가치로서의 미, 현상으로서의 미, 미의 체험 등이 그 구체적인 대상임. 흔히 철학에서는 '진(眞), 선(善), 미(美) 세 개의 가치, 즉 지성(知性, 인식 능력), 의지(意志, 실천 능력), 감성(感性, 심미 능력)을 다루는데, '미'를 중점적으로 다루는 분야가 '미학'이고, '진'은 철학, '선'은 윤리학에서 다룸. 따라서 미학은 '미'가 '진'이나 '선'과 구별되며, 예술은 과학이나 도덕과 구별되는 고유한 가치의 활동으로 하나의 독립된 영역을 이루고 있다는 가정 하에 성립됨.

(가) 일반적으로 '미(美)'는 감각 기관을 통하여 인간에게 좋은 느낌을 주는 아름다움을 의미한다. 그렇기 때문에 사람들은 '미'를 감각적인 영역에서 다루어지는 개념으로 받아들이기도 한다. 바움가르텐이 정립한 '미학(美學, Aesthetica)'이라는 개념이 '느낌' 혹은 '감각적 지각'을 의미하는 그리스어 'aisthesis'에서 유래한 것을 보면 이 점을 더 분명하게 알 수 있다. 그러나 '미'와 관련된 다양한 담론들 속에서 '미'는 감각적 차원뿐만 아니라, 초감각*적 차원과 관련해서 다루어졌다. 플라톤은 '미'를 초감각적인 차원에서, 에피쿠로스는 감각적인 차원에서 다루었고, 이들과 달리 플로티노스는 '미'를 초감각적 세계와 감각적 세계를 매개하는 것으로 규정한 것이 대표적이다. **(가): 감각적 차원과 초감각적 차원에서 다루어지는 '미'**

(나) 플라톤은 '미'를 초감각적인 차원과 관련지었다. 플라톤은 '미'를 감각 기관에 유쾌하게 느껴지는 어떤 것으로 해석한 소피스트*들의 '미' 개념을 반박하고, 소피스트들의 주관적인 '미' 개념 대신에 객관적인 '미' 개념을 지향하였다. 플라톤의 객관적인 '미' 개념은 그의 철학의 기본적인 구도를 통해서 파악할 수 있다. 플라톤에게 있어서 초감각적인 이데아*와 영혼은 감각적인 육체보다 더 완전하고, 이데아와 영혼 중에서도 감각적인 차원과 더 멀리 있는 이데아가 영혼보다 더 완전하다. 플라톤은 ⓐ이런 관점을 바탕으로 '미'를 불완전한 감각적인 차원과 연관시키려 하지 않고, 더 완전한 초감각적인 차원과 연관시키려고 하였다. 즉 '미' 자체를 이데아로 여겼던 것이다. 플라톤에 따르면 육체가 아름다운 것은 이데아로서의 '미'를 모방하기 때문일 뿐, 모방한 것 자체가 이데아로서의 완전한 '미'는 아니다. 그렇기 때문에 플라톤에게 있어 현실 세계에서 드러나는 아름다움은 이데아로서의 '미'보다 당연히 불완전한 것이 될 수밖에 없다. 그래서 플라톤은 소피스트들과 달리 현실 세계에서 아름다움을 표현한 예술 작품들의 가치를 높이 평가하지 않았다. **(나): '미'를 초감각적 차원에서 다룬 플라톤**

(다) 플라톤과 달리 에피쿠로스는 '미'를 철저하게 현실의 감각적인 차원에 국한지었다. 에피쿠로스의 '미' 개념은 그의 철학 세계를 이해함으로써 파악할 수 있다. 에피쿠로스의 철학은 물질로 이루어진 현실 세계를 유일한 실재로 파악하는 유물론이라고 할 수 있다. 그래서 에피쿠로스는 감각적인 물질 세계를 초월한 초감각적인 '미'를 인정하지 않은 대신 '미'를 인간의 감각 기관에 유쾌함을 일으키는 어떤 것으로 파악하였다. 그러면서도 '미'를 표현하는 예술 작품들에 대해서는 비판적인 입장을 취하였다. 왜냐하면 에피쿠로스의 입장에서 보면, 예술은 인간에게 참된 쾌감을 만들어주지 못하기 때문이다. **(다): 미를 감각적 차원에서 다룬 에피쿠로스**

지문 구조도

화제 제시: 일반적인 '미'의 개념(가)
감각 기관을 통하여 인간에게 좋은 느낌을 주는 아름다움.

↓

플라톤과 에피쿠로스, 플로티노스의 '미' 개념(나~마)
• 플라톤: '미'는 초감각적 차원과 관련이 있으며, 현실 세계의 아름다움을 표현한 예술 작품은 이데아로서의 '미'를 모방한 것이므로 가치를 높이 평가하지 않음.   • 에피쿠로스: '미'는 현실의 감각적 차원과 관련이 있으며, 예술 작품은 참된 것이 아니며 인간에게 참된 쾌감을 주지 못한다는 이유로 비판적 태도를 보임.   • 플로티노스: '미'를 초감각적 세계와 감각적 세계를 매개하는 것으로 규정하고, 이러한 '미'를 내포한 예술 작품의 가치를 높이 평가함.

↓

마무리: '미'의 이해(바)
폭넓은 영역에서 다양한 관점을 고려해야 함.

출제 의도 플라톤, 에피쿠로스, 플로티노스의 미학 개념의 공통점과 차이점을 파악함으로써 논리적이고 종합적인 사고를 할 수 있는지를 평가하기 위한 지문이다. '감각적 차원'과 '초감각적 차원'이라는 개념을 바탕으로 세 철학자의 '미'에 대한 견해가 어떻게 다르고 유사한지를 파악하고, 결론을 도출해낼 수 있는지를 평가하는 문제가 출제되었다.

주제 감각적 차원과 초감각적 차원을 바탕으로 한 다양한 '미' 개념

[A]
(라) 에피쿠로스는 인간이 행하는 모든 것은 어떤 필요성에서 비롯되며 그 필요성은 필연적인 필요성과 필연적이지 않은 필요성으로 나뉘는데, 참된 것은 필연적인 필요성을 지닌 대상이라고 보았다. 또 에피쿠로스는 자연이 필연적인 필요성에 속한다면 '미'는 필연적이지 않은 필요성에 속한다고 보았다. 태초에 인간은 자연 속에서 예술 없이도 살아왔으며 예술은 뒤늦게 발생한 것이므로 예술이 인간에게 주는 감각적 차원의 '미'는 인간의 삶에 반드시 필요한 것이 아니라는 것이다. 자연이 인간에게 주는 쾌감과 비교해 보면 예술 작품이 인간에게 주는 쾌감은 참된 쾌감이 아니라는 것이 에피쿠로스의 주장이다.

(라): 예술 작품에 대한 에피쿠로스의 견해

(마) 플라톤, 에피쿠로스와 달리 플로티노스는 '미'를 초감각적 세계와 감각적 세계를 매개하는 것으로 규정하였다. 플로티노스의 '미' 개념은 그의 철학 세계를 이해함으로써 파악할 수 있다. 플로티노스는 세계가 만물의 근원인 완전한 '일자(一者)*'로부터 정신, 영혼, 물체의 세 단계로 유출되었는데 '일자'에서 멀어질수록, 즉 초감각적 세계에서 감각적 세계로 내려갈수록 더 불완전한 존재가 된다고 생각하였다. 하지만 플로티노스는 감각적 세계에서 드러나는 '미'의 가치를 낮게 평가하지 않는다. 왜냐하면 플로티노스는 감각적 세계에서 사물의 '미'를 보는 것은 그것에 존재성을 부여한 초감각적 세계의 원인, 그리고 그 원인과 감각적 세계 사이의 관계를 이해하는 것이라고 보았기 때문이다. 이 때문에 감각적 세계의 '미'는 감각적 세계와 초감각적 세계를 연결하는 매개체가 되는 것이다. 플로티노스는 불완전한 감각적 세계의 물질로부터 초감각적 세계에 있는 만물의 근원인 '일자'로의 상승을 지향하기 때문에 이 상승의 매개체인 감각적 세계의 '미'는 플로티노스에게 매우 가치 있는 존재일 수밖에 없다. 이러한 이유로 ㉠플로티노스는 이런 '미'를 내포*한 현실의 예술 작품들의 그 가치를 높게 평가한다. (마): '미'를 감각적 세계와 초감각적 세계를 매개하는 것으로 규정한 플로티노스

(바) 앞서 설명한 것처럼 플라톤, 에피쿠로스, 플로티노스가 '미'와 예술에 대해 보여 준 관점의 차이를 비교하면 미학의 영역이 단지 감각적 차원에만 국한되는 것이 아니라 감각적 차원과 초감각적 차원 모두에 걸칠 정도로 광범위하다는 것과 광범위한 영역에서 다양한 가치 판단이 개입된다는 것을 알 수 있다. 그렇기 때문에 '미'를 이해하고 판단하려면 폭넓은 영역에서 다양한 관점을 고려해야 한다. (바): 폭넓은 영역에서 이해하고 판단해야 할 '미'

* 이데아: 감각 세계의 너머에 있는 실재이자 모든 사물의 원형.
* 일자(一者): 모든 존재들의 원천.

지문 해제

이 글은 플라톤, 에피쿠로스, 플로티노스의 미학을 비교하고 '미'의 개념을 이해할 때 고려해야 할 점을 설명하고 있다. 플라톤은 소피스트들의 '미' 개념을 반박하고 객관적인 '미' 개념을 지향하면서, '미'를 초감각적 차원의 이데아로 바라보았다. 그는 예술 작품은 이데아로서의 '미'를 모방한 것이기 때문에 가치를 높이 평가하지 않았다. 한편 에피쿠로스는 '미'를 현실의 감각적인 차원에서 바라보았다. 그는 현실 세계를 유일한 실재로 파악하는 유물론을 주장하였고, '미'를 인간의 감각 기관에 유쾌함을 일으키는 어떤 것으로 파악하였다. 그렇지만 예술 작품들이 참된 것이 아니기 때문에 인간에게 참된 쾌감을 만들어주지 못한다고 인식하여 예술 작품들에 대해 비판적인 입장을 취하였다. 마지막으로 플로티노스는 감각적 차원의 '미'를 초감각적 차원의 본질에 다가가는 데 중요한 매개체라고 보았다. 그는 세계가 만물의 근원인 일자로부터 정신, 영혼, 육체가 유출되었는데, 일자에서 멀어질수록, 감각적 세계로 내려갈수록 불완전한 존재가 된다고 생각하였다. 그는 '미'가 일자로 상승할 때의 매개체가 되므로 가치가 있다고 생각하였으며, 이런 '미'를 내포한 예술 작품들도 가치가 있다고 평가하였다. 이러한 미학에 대한 관점의 차이는 미학의 영역이 감각적 차원과 초감각적 차원 모두에 걸칠 정도로 광범위하고, 다양한 가치 판단이 개입된다는 사실을 보여 준다.

구절 풀이

○ 플로티노스는 '미'를 만물의 근원인 일자를 갖춘 초감각 세계와 불완전한 감각적 세계를 이어주는 매개체로 인식하였음.

○
	플라톤	에피쿠로스	플로티노스
미(美)	초감각적 차원. 객관적인 미 개념 지향	감각적 차원. 주관적인 미 개념	초감각적 차원과 감각적 차원을 이어주는 매개체
예술	• 가치를 높이 평가하지 않음. • 이데아로서의 미에 대한 모방이라고 여김.	• 비판적인 입장을 취함. • 미는 필연적인 필요성을 가진 것, 참된 것이 아님.	• 예술 작품의 가치를 높이 평가함. • 예술 작품이 미를 내포하고 있기 때문에.

어휘 풀이

* 내포: 어떤 성질이나 뜻 따위를 속에 품음.

선생님의 Tip

"플로티노스와 일자(一者)"

플로티노스(Plotinos, 205?~270)는 이집트 태생의 고대 로마 철학자로, 신플라톤 학파의 대표자. 중세 스콜라 철학과 헤겔 철학에 큰 영향을 끼쳤음.
그는 이데아를 존재의 근원인 일자(一者)로 상정하고 일자에서 정신이, 정신에서 영혼이, 영혼에서 물질이 유출되었다는 존재의 대연쇄를 주장함. 일자는 모든 것의 원인이며, 정신은 창조의 틀이며, 영혼은 현실화의 원리라는 것이 그의 생각임. 여기에서 가장 핵심적인 요소는 영혼으로, 영혼은 정신과 물질의 중간적인 존재이며 플라톤의 이분법적 존재론에서는 포함되지 않는 요소임. 플로티노스는 영혼이라는 정신도 물질도 아닌 제3자의 것을 상정하고 이를 통해 물질과 정신을 연결하는 그의 존재론인 유출설을 구상하였음.

01 세부 정보의 파악 | 정답 ④ |

윗글의 내용과 일치하지 않는 것은?

① 소피스트들은 '미'를 감각적 차원에서 주관적으로 인식하였다.

② 바움가르텐은 그리스어에서 유래된 미학이라는 개념을 정립하였다.

③ 에피쿠로스는 '미'를 포함한 예술 작품들을 비판적으로 바라보았다.

④ 플로티노스는 감각적 세계에서 드러나는 '미'의 가치를 낮게 평가하였다.

⑤ 플라톤은 육체가 아름다운 이유는 이데아로서의 '미'를 모방해서 생겨났기 때문이라고 보았다.

📁 발문 분석

지문의 세부 내용을 정확히 이해했는지를 묻고 있다. 지문에 언급된 '미'에 대한 내용을 꼼꼼히 확인한 후 선택지의 내용과 1:1로 비교하며 적절성을 판단해야 한다.

◎ 정답 풀이

④ (마)에서 '플로티노스는 불완전한 감각적 세계의 물질로부터 초감각적 세계에 있는 만물의 근원인 '일자'로의 상승을 지향하기 때문에 이 상승의 매개체인 감각적 세계의 '미'는 플로티노스에게 매우 가치 있는 존재'라고 하였다. 이를 고려하면 플로티노스는 감각적 세계의 '미'가 '일자'로의 지향에 도움이 되는 것이기 때문에 가치 있는 것으로 여기고 있음을 알 수 있다.

✕ 오답 풀이

① (나)에서 '플라톤은 '미'를 감각 기관에 유쾌하게 느껴지는 어떤 것으로 해석한 소피스트들의 '미' 개념을 반박하고 소피스트들의 주관적인 '미' 개념 대신에 객관적인 '미' 개념을 지향'했다고 하였다. 따라서 소피스트들이 '미'를 감각적 차원에서 주관적으로 인식했다는 진술은 일치한다.

② (가)에서 '바움가르텐이 정립한 '미학(美學, Aesthetica)'이라는 개념이 '느낌' 혹은 '감각적 지각'을 의미하는 그리스어 'aisthesis'에서 유래'했다고 하였다. 따라서 바움가르텐이 그리스어에서 유래된 미학이라는 개념을 정립했다는 진술은 일치한다.

③ (다)에서 에피쿠로스는 '미를 표현하는 예술 작품들에 대해서는 비판적인 입장'이라고 하였는데, 그 이유를 '예술은 인간에게 참된 쾌감을 만들어주지 못하기 때문'이라고 하였다. 따라서 에피쿠로스가 '미'를 포함한 예술 작품들을 비판적으로 보았다는 진술은 일치한다.

⑤ (나)에서 '플라톤에 따르면 육체가 아름다운 것은 이데아로서의 '미'를 모방하기 때문'이라고 하였다. 따라서 플라톤이 육체가 아름다운 이유를 이데아로서의 '미'를 모방해서 생겨났기 때문이라고 보았다는 진술은 일치한다.

🍯 선생님의 꿀 정보

01번 문제: 여러 학자들의 견해를 비교·대조하는 지문

비문학(독서) 영역의 지문 가운데 어떤 대상에 대한 학자들의 견해를 비교하거나 대조하는 글은 각각의 견해를 일목요연하게 보여 주고 차이점과 공통점을 분명하게 드러내기 위해 각 문단의 구성을 규칙적으로 하는 것이 일반적이다.

이 지문은 플라톤, 에피쿠로스, 플로티노스의 견해를 (나)~(마)문단에서 제시하고 있다. 각 문단은 '(1) 철학자의 '미'에 대한 견해 - (2) 철학자의 기본적인 철학 개념 - (3) '미'에 대한 관점 설명 - (4) 예술 작품을 대하는 태도'로 구성되어 있다. 각 문단의 구성과 그 내용을 정리하면 다음과 같다.

	플라톤 (나)	에피쿠로스 (다, 라)	플로티노스 (마)
(1)	초감각적인 차원과 관련하여 다룸.	현실의 감각적인 차원에서 다룸.	초감각적 세계와 감각적 세계를 매개하는 것임.
	↓	↓	↓
(2)	이데아론	유물론	일자론
	↓	↓	↓
(3)	'미'를 완전한 초감각적 차원과 연관시키려 함.	'미'를 인간의 감각 기관에 유쾌함을 일으키는 어떤 것으로 봄.	'미'를 감각적 세계와 초감각적 세계를 연결하는 매개체로 봄.
(4)	예술 작품의 가치를 높이 평가하지 않음.	예술 작품에 대해 비판적인 입장을 취함.	예술 작품의 가치를 높게 평가함.

이런 식으로 내용을 정리해 두면 각 학자들의 견해를 한눈에 파악할 수 있고, 해당 지문에 딸린 문제도 좀 더 쉽게 해결할 수 있다.

02 세부 정보의 이해 | 정답 ⑤ |

[보기]의 A~E에 대한 설명으로 적절하지 않은 것은?

┤보기├

어떤 주장이나 견해를 비교·대조할 때는 벤 다이어그램을 이용하는 것이 효과적이다. '미'에 대한 철학자들의 견해도 다음과 같은 벤 다이어그램을 활용하여 정확하게 파악할 수 있다.
(공통점과 차이점을 파악할 때)

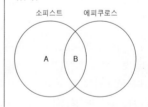
소피스트   에피쿠로스
A B

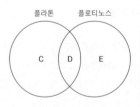
플라톤   플로티노스
C D E

① A: 현실 세계의 예술 작품에 높은 가치를 부여한다.

② B: '미'가 인간에게 감각적 쾌감을 유발한다고 여긴다.
(2문단)

③ C: 불완전한 '미'를 드러낸다는 이유로 예술 작품을 부정적으로 인식한다.
(2문단, 3문단)   (2문단)

④ D: 초감각적 세계와 감각적 세계 사이의 수직적 위계를 설정한다.
(2문단, 4문단)

⑤ E: 예술 작품의 '미'는 초감각적 세계의 존재를 은폐한다고 주장한다.
초감각적 세계로 나아가는 매개체임.

[보기]를 활용하여 철학자들의 '미'에 대한 견해를 비교·대조하여 파악할 수 있는지를 묻고 있다. [보기]의 A~E가 어떤 철학자의 견해를 가리키고 어떤 철학자들 사이의 공통점인지를 파악한 후, 선택지의 적절성을 판단해야 한다.

✔️ 보기 분석

[보기]의 벤 다이어그램은 '미'에 대한 각 철학자들의 견해의 공통점과 차이점을 파악하기 위해 사용된 것이다. 벤 다이어그램에서 원이 겹쳐진 부분은 철학자들의 공통점을, 겹쳐지지 않은 부분은 철학자들만의 견해를 나타낸 것이다. 이를 정리하면 다음과 같다.

A	소피스트의 '미'에 대한 견해
B	소피스트와 에피쿠로스의 '미'에 대한 공통점
C	플라톤의 '미'에 대한 견해
D	플라톤과 플로티노스의 '미'에 대한 공통점
E	플로티노스의 '미'에 대한 견해

◎ 정답 풀이

⑤ [보기]의 E는 '미'에 대한 플로티노스만의 견해를 의미한다. (마)에서 '플라톤, 에피쿠로스와 달리 플로티노스는 '미'를 초감각적 세계와 감각적 세계를 매개하는 것으로 규정'하고, '감각적 세계의 '미'는 감각적 세계와 초감각적 세계를 연결하는 매개체'로 보았다고 하였다. 또 '플로티노스는 불완전한 감각적 세계의 물질로부터 초감각적 세계에 있는 만물의 근원인 '일자'로의 상승을 지향하기 때문에 이 상승의 매개체인 감각적 세계의 '미'는 플로티노스에게 매우 가치 있는 존재일 수밖에 없다.'라고 하였다. 이는 플로티노스가 '미'를 초감각적 세계의 '일자'로 나아가는 단서가 되는 것으로 여겼다는 의미이다. 이를 고려하면 'E'는 예술 작품의 '미'를 초감각적 세계의 존재를 은폐하는 것이 아니라, 초감각적 세계로 나아가게 하는 매개체라고 여기고 있다고 이해해야 한다.

❌ 오답 풀이

① [보기]의 A는 '미'에 대한 소피스트만의 견해를 의미한다. (나)에서 '플라톤은 소피스트들과 달리 현실 세계에서 아름다움을 표현한 예술 작품들의 가치를 높이 평가하지 않았다.'라고 하였으므로, 소피스트들은 예술 작품에 높은 가치를 부여했다고 볼 수 있다.

② [보기]의 B는 '미'에 대한 소피스트와 에피쿠로스가 공통적으로 가진 견해를 의미한다. (나)에서 소피스트들은 '미'를 '감각 기관에 유쾌하게 느껴지는 어떤 것으로 해석'했다고 하였고, (다)에서 에피쿠로스는 '미'를 '인간의 감각 기관에 유쾌함을 일으키는 어떤 것으로 파악하였다.'라고 하였다. 이를 고려하면 소피스트와 에피쿠로스는 '미'가 인간에게 감각적 쾌감을 유발한다고 여겼다고 볼 수 있다.

③ [보기]의 C는 '미'에 대한 플라톤만의 견해를 의미한다. (나)에서 '플라톤에게 있어 현실 세계에서 드러나는 아름다움은 이데아로서의 '미'보다 당연히 불완전한 것이 될 수밖에 없다. 그래서 플라톤은 소피스트들과 달리 현실 세계에서 아름다움을 표현한 예술 작품들의 가치를 높이 평가하지 않았다.'라고 하였다. 이를 고려하면 플라톤은 예술 작품이 드러내는 '미'가 불완전하기 때문에 예술 작품을 부정적으로 보았다고 볼 수 있다.

④ [보기]의 D는 '미'에 대한 플라톤과 플로티노스가 공통적으로 가진 견해를 의미한다. (나)에서 '플라톤에게 있어서 초감각적인 이데아와 영혼은 감각적인 육체보다 더 완전하고, 이데아와 영혼 중에서도 감각적인 차원과 더 멀리 있는 이데아가 영혼보다 더 완전하다.'라고 하였고, (마)에서 '플로티노스는 세계가 만물의 근원인 완전한

'일자'로부터 정신, 영혼, 물체의 세 단계로 유출되었는데 '일자'에서 멀어질수록, 즉 초감각적 세계에서 감각적 세계로 내려갈수록 더 불완전한 존재가 된다고 생각하였다.'라고 하였다. 이를 고려하면 플라톤과 플로티노스 모두 완전성의 정도를 기준으로 감각적 세계와 초감각적 세계의 수직적 위계를 설정하고 있다고 볼 수 있다.

02번 문제: 지문의 내용을 도식화한 문제

지문의 내용을 도식화하여 [보기]에 제시한 문제들은 대부분 그 도식에 대한 설명도 제시하고 있다. 따라서 이러한 문제를 풀 때에는 이 도식이 제시된 이유를 파악한 후, 도식을 분석하고 이를 바탕으로 지문과 선택지의 내용을 비교하여 문제를 해결하는 것이 효율적이다. 이를 02번 문제에 적용하면 다음과 같다.

① **설명을 통해 도식을 제시한 이유 파악**
→ 벤다이어그램을 통해 철학자들의 '미'에 대한 견해를 비교·대조, 즉 공통점과 차이점을 파악하라는 것임.

② **도식의 분석**
→ A, C, E는 각각 철학자들의 견해를, 교집합인 B, D는 철학자들 사이의 공통점을 의미하는 것임.

③ **지문과 선택지의 내용 비교**
→ (나)~(마)와 선택지를 읽으며 적절하지 않은 진술이 무엇인지를 판단함.

---

03 세부 내용의 근거 추론 | 정답 ⑤ |

㉠의 근거로 가장 적절한 것은?

① 정신과 영혼은 '일자'보다 더 완전한 존재이다.
  덜 완전한 존재임.
② '미'를 통해서 '일자'가 생겨난 원인을 인식할 수 있다.
  '일자'는 세계 만물의 근원으로 그 원인이 존재하지 않음.
③ 감각을 통해서 초감각적 세계를 파악하는 것은 불가능하다.
  가능하다고 할 수 있음.
④ 현실의 예술 작품들은 초감각적 세계의 '미'를 그대로 표현한다.
⑤ 현실의 예술 작품들에서 '일자'로 나아가는 단서를 찾을 수 있다.
  초감각적 세계인 '일자'로의 상승을 위한 단서이기 때문에 높이 평가함.

플로티노스의 견해를 이해하고 왜 플로티노스가 그렇게 생각했는지를 파악할 수 있는지를 묻고 있다. (마)에 언급되어 있는 플로티노스의 견해를 먼저 파악한 후 선택지의 적절성을 따져보아야 한다.

◎ 정답 풀이

⑤ (마)에서 '플로티노스는 불완전한 감각적 세계의 물질로부터 초감각적 세계에 있는 만물의 근원인 '일자'로의 상승을 지향하기 때문에 이 상승의 매개체인 감각적 세계의 '미'는 플로티노스에게 매우 가치 있는 존재일 수밖에 없다. 이러한 이유로 플로티노스는 이런 '미'를 내포한 현실의 예술 작품들의 그 가치를 높게 평가한다.'라고 하였다. 이를 고려하면 플로티노스가 예술 작품의 가치를 높게 평가하는 이유는 일자로의 상승을 지향할 때 '미'가 상승의 매개체가 되는데, 이러한 '미'를 예술 작품들이 내포하고 있기 때문이라고 볼 수 있다.

⊗ 오답 풀이

① (마)에서 '플로티노스는 세계가 만물의 근원인 완전한 '일자'로부터 정신, 영혼, 물체의 세 단계로 유출되었는데 '일자'에서 멀어질수록, 즉 초감각적 세계에서 감각적 세계로 내려갈수록 더 불완전한 존재가 된다고 생각하였다.'라고 하였다. 이를 고려하면 플로티노스는 정신과 영혼보다 일자가 더 완전하다고 인식하고 있음을 알 수 있다.

② (마)에서 '플로티노스는 세계가 만물의 근원인 완전한 '일자'로부터 정신, 영혼, 물체의 세 단계로 유출되'었다고 하였다. 이를 고려하면 일자는 세계 만물의 근원이므로 '일자'가 생겨난 원인이라는 것은 존재하지 않는다고 볼 수 있다.

③ (마)에서 '플로티노스는 감각적 세계에서 사물의 '미'를 보는 것은 그것에 존재성을 부여한 초감각적 세계의 원인, 그리고 그 원인과 감각적 세계 사이의 관계를 이해하는 것'이라고 하였다. 이를 고려하면 인간이 감각적 세계의 '미'를 통해서 초감각적 세계와의 관계를 이해함으로써 초감각적 세계를 파악할 수 있음을 알 수 있다.

④ (마)에서 '플로티노스는 '미'를 초감각적 세계와 감각적 세계를 매개하는 것으로 규정'하였고, '초감각적 세계에서 감각적 세계로 내려갈수록 더 불완전한 존재가 된다고 생각하였다.'라고 하였다. 이를 고려하면 현실의 예술 작품들은 감각적 세계에 속하기 때문에 불완전하므로 초감각적 세계의 더 완전한 대상을 그대로 표현하는 것은 불가능하다는 것을 추론할 수 있다.

---

04 반응의 적절성 판단 | 정답 ② |

윗글을 읽은 학생이 [보기]를 보고 보인 반응으로 가장 적절한 것은?

┤보기├

인상주의 미술은 공상적인 표현 기법을 포함한 모든 전통적인 회화 기법을 거부하고 색채·색조·질감 등 현실의 감각적 요소들 자체에서 '미'를 찾는다. _{'미'를 현실의 감각적 차원에서 찾음.} 인상주의 화가는 빛과 함께 시시각각으로 움직이는 색채의 변화 속에서 자연을 묘사하고, 색채나 색조의 순간적 효과를 이용하여 눈에 보이는 세계를 정확하고 객관적으로 기록하려 하였다. _{현실 세계, 물질세계}

① 인상주의 화가와 ~~에피쿠~~로스 모두 자연이 인간에게 쾌감을 주지 못한다고 보았군.

② 인상주의 화가와 에피쿠로스 모두 '미'를 현실의 감각적인 차원에 해당하는 것으로 여겼군.

③ 인상주의 화가는 에피쿠로스와 ~~달리~~ 유물론을 바탕으로 한 _{에피쿠로스는 유물론을 주장함.} 공상적인 표현 ~~방식~~을 중시하였군. _{인상주의는 공상적인 표현 방식을 거부함.}

④ 에피쿠로스는 인상주의 화가와 달리 초월적 ~~세계~~를 색채나 _{에피쿠로스는 초감각적인 '미'를 인정하지 않음.} 색조를 통해 드러내고자 하였군.

⑤ ~~에피쿠~~로스는 인상주의 화가와 달리 눈에 보이는 물질 세계를 객관적으로 표현하는 것을 지향하였군.

📂 발문 분석

지문에 제시된 '미'에 대한 견해를 이해하고, 다른 견해와 비교하여 파악할 수 있는지를 묻고 있다. [보기]는 인상주의 미술에서 '미'를 바라

보는 견해에 대해 언급하고 있으므로, 지문의 에피쿠로스의 견해와 비교하여 선택지의 적절성을 판단해야 한다.

✔ 보기 분석

[보기]는 인상주의 미술에 대해 설명하고 있다. 인상주의 미술은 '현실의 감각적 요소들 자체에서 미를 찾고', '눈에 보이는 세계를 정확하고 객관적으로 기록'하였다고 하였다.

◎ 정답 풀이

② (다)에서 '에피쿠로스는 '미'를 철저하게 현실의 감각적인 차원에 국한'했다고 하였다. 또 [보기]에서 인상주의 미술은 '현실의 감각적 요소들 자체에서 '미'를 찾는다'라고 하였다. 따라서 에피쿠로스와 인상주의 미술은 '미'를 현실의 감각적인 차원에 해당하는 것으로 여기고 있다고 볼 수 있다.

⊗ 오답 풀이

① (라)에서 '자연이 인간에게 주는 쾌감과 비교해 보면 예술 작품이 인간에게 주는 쾌감은 참된 쾌감이 아니라는 것이 에피쿠로스의 주장'이라고 하였다. 따라서 인상주의 화가와 에피쿠로스 모두 자연이 인간에게 쾌감을 주지 못한다고 보았다는 반응은 적절하지 않다.

③ (다)에서 '에피쿠로스의 철학은 물질로 이루어진 현실 세계를 유일한 실재로 파악하는 유물론'이라고 하였다. 또 [보기]의 '인상주의 미술은 공상적인 표현 기법을 포함한 모든 전통적인 회화기법을 거부'했다고 하였다. 따라서 인상주의 화가가 에피쿠로스와 달리 유물론을 바탕으로 한 공상적인 표현 방식을 중시했다는 반응은 적절하지 않다.

④ (다)에서 '에피쿠로스는 '미'를 철저하게 현실의 감각적인 차원에 국한'하여 '에피쿠로스는 감각적인 물질 세계를 초월한 초감각적인 '미'를 인정하지 않'았다고 하였다. 따라서 에피쿠로스가 인상주의 화가와 달리 초월적 세계를 색채나 색조를 통해 드러내고자 했다는 반응은 적절하지 않다.

⑤ [보기]의 인상주의 화가들은 '눈에 보이는 세계를 정확하고 객관적으로 기록하려' 했다고 하였다. 따라서 에피쿠로스가 인상주의 화가와 달리 눈에 보이는 물질 세계를 객관적으로 표현하는 것을 지향했다는 반응은 적절하지 않다.

---

05 어휘의 품사 파악 | 정답 ④ |

[보기]를 참고하여, ⓐ와 쓰임이 가장 이질적인 것은?

┤보기├

품사 통용은 한 단어가 둘 이상의 문법적 성질을 가지고 있는 것을 의미한다. _{품사 통용의 개념} 즉 동일한 형태의 단어가 각기 다른 품사로 사용되어 다른 기능을 수행하는 것을 가리킨다. 예를 들면 '나도 참을 만큼 참았다'에서 '만큼'은 명사로, '나도 그 사람만큼 뛸 수 있다'에서 '만큼'은 조사로 쓰인 것이다. _{의존 명사}

① 이런 식으로 하면 됩니까? _{관형사}

② 행복이란 이런 것이라는 느낌이 들었다. _{관형사}

③ 지금 이런 일, 저런 일 따져 볼 상황이 아니다. _{관형사}

④ 이런, 내 정신 좀 봐. 방에 불을 켜 놓고 나왔네. _{감탄사}

⑤ 이런 경우에는 뭐라고 말하는 것이 좋을지 모르겠다. _{관형사}

📁 발문 분석

어휘의 품사를 제대로 이해할 수 있는지를 묻고 있다. 지문의 '이런'과 다른 품사로 사용된 경우를 찾아야 한다.

✔ 보기 분석

[보기]는 동일한 형태의 단어가 경우에 따라 다른 품사로 사용되는 것인 품사 통용에 대해 설명하고 있다. 다른 품사로 사용된 것을 골라야 한다.

◎ 정답 풀이

④ 지문의 ⓐ'이런'은 명사인 '관점'을 수식하고 있다. 따라서 '이런'은 명사 앞에서 그 내용을 자세히 꾸며주는 관형사이다. 한편 '이런, 내 정신 좀 봐.'에서의 '이런'은 뒤에 오는 체언을 꾸며 주는 것이 아니라, 뜻밖에 일에 대해 놀람의 뜻을 보이는 감탄사이다.

✖ 오답 풀이

① '이런'은 의존 명사 '식' 앞에서 그 내용을 자세히 꾸며주는 관형사이다.
③ '이런'은 의존 명사 '것' 앞에서 그 내용을 자세히 꾸며주는 관형사이다.
④ '이런'은 명사 '일' 앞에서 그 내용을 자세히 꾸며주는 관형사이다.
⑤ '이런'은 명사 '경우' 앞에서 그 내용을 자세히 꾸며주는 관형사이다.

🍯 선생님의 꿀 정보

05번 문제: 단어의 품사를 파악하는 문제

어떤 단어의 품사는 대체로 앞뒤에 어떤 품사의 단어가 오느냐에 따라 추측할 수 있으므로, 해당 단어의 앞뒤에 어떤 품사의 단어가 있느냐를 먼저 파악해야 한다. 예를 들면 관형사는 뒤에 주로 체언이, 부사의 뒤에는 주로 용언이 오고, 조사는 주로 체언이나 부사의 뒤에 붙는다. 이때 뒤에 동일한 품사의 단어가 온다고 하더라도 문장 안에서의 역할이나 의미에 따라 달라질 수 있음에 유의해야 한다.

05번 문제는 다음과 같은 과정을 통해 해결할 수 있다.

지문에 제시된 단어의 앞뒤를 살펴 품사의 종류를 파악함.	지문의 '이런' 뒤에 체언인 명사 '관점'이 있으므로, '이런'은 관형사임.

↓

선택지에 제시된 단어의 앞뒤를 살펴 품사의 종류를 파악함.	①의 '이런'은 뒤에 '식'이라는 의존 명사가, ③의 '이런'은 뒤에 '것'이라는 의존 명사가. ④의 '이런'은 뒤에 '일'이라는 명사가, ⑤의 '이런'은 뒤에 '경우'라는 명사가 있으므로 모두 관형사임.

↓

문장 안에서의 역할이나 의미를 통해 품사의 종류를 파악함.	②의 '이런'은 뒤에 '내'라는 대명사가 있지만, 문장 안에서 뜻밖의 일에 대해 놀람의 의미를 드러내고 있으므로 감탄사임.

MEMO

MEMO

신경향 긴지문 비문학, '멘붕'이 가장 큰 걸림돌입니다

'신경향 긴지문' 유형을 풀 때에는 제한 시간 내에 지문을 분석하는 연습과 문제풀이 훈련을 반복하는 것이 중요합니다. 비문학은 수험생들의 배경지식을 테스트하는 것도 아니고, 지적 능력을 확인하는 것도 아닙니다. 그러므로 지문을 읽고 이해하는 능력과 사고력을 갖추어야만 높은 점수를 얻을 수 있습니다. 무조건 고난도 문제집이라고 좋은 것도 아닙니다. 출제 경향에 부합하는 문제를 풀어야 합니다. 최근의 신유형은 긴지문입니다. 수험생들은 지문이 길면 그 자체로 '멘탈 붕괴' 상태가 됩니다. 이럴 때일수록 지문 분석 연습에 충실해야 합니다. 아무리 긴지문일지라도 결코 기죽지 마십시오. 먼저 제한 시간 내에 푸는 연습을 반복한 다음 고난도 문제를 공략하십시오. 이러한 과정의 반복을 통해 여러분의 소중한 꿈에 한발 더 다가설 수 있기를 기원합니다.

【긴지문 비문학─틀리는 유형과 그 대처법】

유형 1 지문을 정확하게 읽지 못하는 경우
     중심 화제 파악, 문단 요지 파악, 주제 분석 등 독해의 기본에 충실해야 합니다.

유형 2 지문을 읽는 시간이 지나치게 긴 경우
     어휘력을 늘리는 한편 반복적인 지문 읽기로 지문 분석 능력을 키워야 합니다.

유형 3 지문은 정확하게 읽지만 문제풀이를 잘 못하는 경우
     다양한 유형의 문제풀이 훈련을 꾸준히 해야 합니다.

학습 교재의 새로운 신화! 이룸이앤비가 만듭니다!

숨마쿰라우데® 시리즈

내신·수능 1등급으로 안내하는
숨마쿰라우데만의 3단계 학습 시스템!!

1단계 개념 학습 누구나 쉽게 이해할 수 있는 상세한 개념 설명 ▶ **2단계 문제 학습** 내신·수능에 반드시 출제되는 최적의 문제 유형 ▶ **3단계 심화 학습** 내용의 심화· 확장을 위한 교과서 심화 학습

본 시리즈가 최고의 개념 기본서인 이유!

첫째, 완벽한 개념 이해를 통해 흔들리지 않는 실력을 쌓을 수 있게 합니다.
숨마쿰라우데만의 자세하고 완벽한 설명은 어느 교재도 따라올 수 없습니다.

둘째, 교과 연계나 개념 확장 등을 통한 입체 학습으로 생각하는 힘을 갖게 합니다.
내신, 서술형 평가는 물론 수능, 논·구술까지 공부할 수 있도록 교과 연계 심화 학습을 제공합니다.

셋째, 엄선된 문제들로 개념 확인은 물론 응용력, 문제 해결력 등을 기를 수 있게 합니다.
단순한 지식을 묻는 문제가 아닌, 개념을 완벽하게 습득하였는지 점검할 수 있도록 엄선된 문제들로 구성하였습니다.

넷째, 선배들의 노하우나 조언 등을 통해 자신만의 학습법을 찾게 합니다.
선배들이 들려주는 문제 접근법, 주의, 조언 등을 통해 개념이나 문제들을 완벽하게 숙지할 수 있게 합니다.

〈국어〉
고전 시가
어휘력 강화
독서 강화[인문·사회]
독서 강화[과학·기술]
신경향 비문학 워크북

〈사회탐구〉
생활과 윤리
사회·문화
윤리와 사상
한국 지리

〈영어〉
영어 입문 MANUAL
WORD MANUAL
어법 MANUAL
구문 독해 MANUAL
독해 MANUAL

〈과학탐구〉
물리 Ⅰ
화학 Ⅰ
생명과학 Ⅰ
지구과학 Ⅰ

〈수학〉
고등 수학 (상) 〈2018 새교육과정〉
고등 수학 (하) 〈2018 새교육과정〉
미적분 Ⅰ | 미적분 Ⅱ
확률과 통계
기하와 벡터

〈한국사〉
한국사

> "상위권 선호도 1위의 명성은 중위권에서 상위권으로 성적 향상을 경험한 학생들에 의해 만들어진 영예입니다."

수능을 향한 첫걸음! 수·능·입·문·서
굿비 시리즈

GOOD BEGIN GOOD BASIC

굿비 시리즈는 이럴 때 좋습니다

첫째, 단기간에 교과 핵심 개념을 파악하고자 할 때 GOOD~!
굿비는 가볍지만 알찹니다. 알찬 한 권의 책으로 교과 내용을 정복해 보세요.

둘째, 시험 전에 핵심 문제로 마무리하고 싶을 때 GOOD~!
굿비는 학교 시험 필수 문제들로 구성된 책입니다.
다양한 유형의 문제들로 내신을 대비해 보세요.

셋째, 수능에 한 발짝 다가가고 싶을 때 GOOD~!
굿비는 수능 입문서입니다.
수록된 기출문제들을 통해 수능에 한 발짝 다가가 보세요.

국어
독서 입문
문학 입문

과학탐구
물리 Ⅰ
화학 Ⅰ
생명과학 Ⅰ
지구과학 Ⅰ

영어
영어 듣기
영어 독해

사회탐구
생활과 윤리
사회·문화
윤리와 사상

수학
고등 수학 (상) 〈2018 새교육과정〉
고등 수학 (하) 〈2018 새교육과정〉
미적분 Ⅰ
미적분 Ⅱ
확률과 통계
기하와 벡터

한국사
한국사